PROCESSO PENAL

FUNDAMENTOS DOS FUNDAMENTOS

Rodrigo Chemim

2023

Processo penal: fundamentos dos fundamentos
Copyright © 2023 by Rodrigo Chemim
1ª edição: Dezembro 2023
Direitos reservados desta edição: CDG Edições e Publicações

O conteúdo desta obra é de total responsabilidade do autor
e não reflete necessariamente a opinião da editora.

Autor:
Rodrigo Chemim

Preparação de texto:
3GB Consulting

Revisão:
Denise Pisaneschi
Daniela Georgeto

Projeto gráfico e capa:
Jéssica Wendy

DADOS INTERNACIONAIS DE CATALOGAÇÃO NA PUBLICAÇÃO (CIP)

Chemim, Rodrigo
 Processo penal : fundamentos dos fundamentos / Rodrigo Chemim. — Porto Alegre : Citadel, 2023.
 716 p.

ISBN 978-65-5047-263-4

1. Direito penal 2. Processo penal I. Título

23-5484   CDD - 345

Angélica Ilacqua - Bibliotecária - CRB-8/7057

Produção editorial e distribuição:

contato@citadel.com.br
www.citadel.com.br

SUMÁRIO

1. CONTROLE SOCIOPENAL E SEUS DIFERENTES FUNDAMENTOS TEÓRICOS: A BABEL IDEOLÓGICA E UMA APOSTA NA DUPLA FUNCIONALIDADE DO ESTADO DEMOCRÁTICO DE DIREITO 9

1.1 Doutrina "mais tradicional" versus doutrina "mais moderna" de processo penal 13

1.1.1 A doutrina "mais tradicional" 14

1.1.2 A doutrina "mais moderna" 22

1.1.2.1 Abolicionistas 26

1.1.2.1.1 Abolicionistas radicais 23

1.1.2.1.2 A influência de Foucault sobre os abolicionistas 29

1.1.2.1.3 Abolicionistas conciliadores 33

1.1.2.1.4 O Movimento do Direito Alternativo 45

1.1.2.2 Justificacionistas 59

1.1.2.2.1 Por que punir é necessário? 60

1.1.2.2.2 Teoria do garantismo penal de Luigi Ferrajoli 70

1.1.2.2.3 Funcionalismo redutor de Zaffaroni e os contrapontos necessários à sua teoria negativa e agnóstica da pena 88

1.1.2.2.4 O funcionalismo político ou teleológico-racional de Roxin 102

1.1.2.2.5 O funcionalismo autopoiético de Jakobs e a teoria do "direito penal do inimigo" 106

1.1.2.2.6 Movimento de "lei e ordem" ("janelas quebradas" e "tolerância zero") 115

1.1.2.3 O modelo da dupla funcionalidade constitucional para o processo penal brasileiro 129

1.1.2.3.1 Proibição de excessos 155

1.1.2.3.2 Proibição de proteção insuficiente 159

2. OS FUNDAMENTOS DOS FUNDAMENTOS: NECESSIDADE DE REORIENTAÇÃO DO SISTEMA PROCESSUAL PENAL BRASILEIRO À LUZ DA FILOSOFIA DA LINGUAGEM............162

2.1 A metafísica clássica aristotélica e a ideia de busca da verdade real ou material.. 166

2.2 A influência judaico-cristã na consolidação da cultura processual penal tradicional de busca de uma verdade absoluta............ 186

2.3 A filosofia da consciência cartesiana e os julgamentos "conforme a minha consciência" à luz do "livre convencimento" 195

2.4 Interseções entre o racionalismo e o empirismo na discussão da verdade 199

2.5 A emergência da psicanálise e da semiologia a partir do positivismo naturalista: abrindo caminhos para novas perspectivas da verdade......... 209

2.6 A psicanálise como primeiro caminho divergente: contribuição da "dialética do pulsional", entre Schopenhauer e Nietzsche, na elaboração do inconsciente freudiano.. 217

2.7 A síntese freudiana na constatação de como opera a psique humana 227

2.8 A linguagem como segundo caminho divergente: a Filosofia da Linguagem e os "giros linguísticos" 234

2.9 O início do chamado primeiro "giro linguístico": Charles Sanders Peirce e Ferdinand de Saussure 237

2.10 Ludwig Wittgenstein: da verdade como correspondência ao "giro pragmático" da linguagem 246

2.11 A teoria dos atos de fala de Austin e Searle.............................253

2.12 A linguística em Roman Jakobson 258

2.13 Habermas e a "verdade consensuada": requisitos impossíveis de operar na prática processual penal 261

2.14 Martin Heidegger e sua filosofia de reação ao objetivismo positivista.. 266

2.15 A hermenêutica ontológica de Gadamer e sua verdade "contra" o método 274

2.16 O encontro dos dois caminhos: a verdade na interseção entre a Filosofia da Linguagem e a psicanálise.. 282

2.17 O encontro da psicanálise e da linguagem em Lacan....................284

2.18 Descobertas recentes da neurociência e a demonstração (?) do inconsciente freudiano...288

2.19 Que resta de "verdade" a ser discutida no processo penal? Partindo dos juízos de certeza e probabilidade, passando pela verdade analógica e pela compreensão, e chegando na "captura psíquica do juiz" e na decidibilidade...302

3. A DISCUSSÃO EM TORNO DOS SISTEMAS PROCESSUAIS PENAIS...**320**

3.1 O conceito preferencial de "sistema" e sua importância para o processo penal 334

3.2 A "Babel" dos sistemas processuais penais: ninguém se entende......343

3.3 A seleção arbitrária e anacrônica dos critérios construtores do discurso de sistemas processuais no século XIX.................................354

3.4 Referências primitivas à ideia de sistemas processuais penais..........367

3.5 A construção dos discursos dicotômicos a partir do século XIII: desvelando a pretensão "de pureza inquisitória" 391

3.6 Segue: desvelando a pretensão "de pureza acusatória".....................429

3.7 O processo legislativo de inserção da expressão "estrutura acusatória" no Código de Processo Penal brasileiro...467

3.8 A Constituição portuguesa de 1976 e a referência à "estrutura acusatória" do processo penal: dificuldades de significação..................473

3.9 Identificando a principal preocupação de um sistema de processo democrático: a busca por mecanismos de controle das decisões do juiz...492

3.10 Diferenciação hermenêutica entre pré-compreensão e pré-conceito e a importância das perguntas no processo de compreensão.................496

3.11 A falácia da neutralidade judicial 505

3.12 "Quadros mentais paranoicos" e falsos silogismos no processo decisório...520

3.13 O duplo sistema decisório na psicologia cognitiva de Daniel Kahneman 532

3.14 As soluções de controle do juiz na interpretação do texto legal 536

3.15 A Teoria Pura do Direito de Kelsen...538

3.16 A proposta de Hart e a polêmica com Dworkin..............................541

3.17 A Teoria da Argumentação Jurídica de Robert Alexy.....................551

3.18 A solução da Crítica Hermenêutica do Direito de Lenio Luiz Streck...556
3.19 O aproveitamento parcial das soluções existentes para controlar o juiz também no momento da produção e valoração da prova: o paradigma da intersubjetividade nos marcos constitucionais e as tradições inautênticas.....564
3.20 Contributos da Hermenêutica Filosófica na apreciação constitucional da prova: limites normativos pré-compreendidos, tradicionalmente admitidos e parcialmente restritivos da discricionariedade judicial........568
3.21 A má recepção que gera uma "tradição inautêntica" da "livre apreciação da prova" e do "livre convencimento do juiz".......................570
3.22 A tradição inautêntica de que o "juiz inerte é garantista" e o teste empírico desmistificador de Bernd Schünemann.................................593
3.23 A tradição inautêntica do *in dubio pro reo* como "solução" para as dúvidas do juiz inerte..596
3.24 As garantias do contraditório e da ampla defesa e o "senso comum teórico-crítico dos juristas" 618
3.25 Reconição fática no presente e na complexidade da audiência de instrução e o processo decisório: o paradoxo de Jano e a parcial solução da Hermenêutica Filosófica..627
3.26 Criando condições de possibilidade para ampliar a efetividade do contraditório e da ampla defesa e diminuir a discricionariedade judicial no presente da instrução probatória..637
3.27 Estabelecendo as condições para a ampliação da efetividade ao contraditório e à ampla defesa no momento decisório da audiência de instrução 646
3.28 Superando o caráter alucinatório dos "quatros mentais paranoicos" e a má compreensão dos "quadros mentais parafásicos" e caminhando para o efeito de iluminação e transformação com os "quadros mentais metanoicos" 659
3.29 A atividade probatória do juiz como vacina imunizante do decisionismo 667
3.30 A identidade física do juiz como complemento fundamental do efeito metanoico..670

4. FRANCESCO CARNELUTTI E A SUA TEORIA GERAL DO PROCESSO **677**

4.1 As críticas a Carnelutti e o seu abandono da teoria geral unitária 680

4.2 A importação brasileira do discurso de uma teoria geral unitária 686

4.3 A necessidade de se construir uma teoria geral do processo penal 695

4.3.1 Jurisdição na teoria geral do processo penal 700

4.3.2 Ação na teoria geral do processo penal 701

4.3.3 Processo na teoria geral do processo penal 708

1. CONTROLE SOCIOPENAL E SEUS DIFERENTES FUNDAMENTOS TEÓRICOS: A BABEL IDEOLÓGICA E UMA APOSTA NA DUPLA FUNCIONALIDADE DO ESTADO DEMOCRÁTICO DE DIREITO

A doutrina contemporânea de processo penal, tanto nacional quanto estrangeira, é significativamente plural. Há divergências profundas entre grupos de autores na abordagem de fundamentos de processo penal a tal ponto que se torna difícil estabelecer a compreensão predominante em diversos assuntos.

No âmbito do direito brasileiro, há quem procure estabelecer um olhar mais acadêmico a essa pluralidade de discursos, como se o Brasil experimentasse, nos moldes europeus, diferentes "escolas" de processualistas espalhadas pelas regiões do país. Essa pretensão de organizar os autores em "escolas brasileiras" foi inaugurada pela referência que o jurista espanhol radicado no México Niceto Alcalá Zamora y Castilho fez à permanência do jurista italiano Enrico Tullio Liebman na Faculdade de Direito do Largo de São Francisco, em São Paulo, entre os anos de 1940 e 1946[1]. Querendo homenageá-lo, outorgou, simbolicamente, o título de "Escola Paulista de

---

1   Sobre a influência de Liebman e a chamada "Escola Paulista de Processo", *vide*: GRINOVER, Ada Pellegrini. O magistério de Enrico Tullio Liebman no Brasil. *Revista da Faculdade de Direito*. São Paulo: Universidade de São Paulo, 1986. v. 81, p. 98-102. Do corpo do artigo: "Mas, a verdadeira novidade dessa orientação, que a distingue de outras de tendência sociológica, é a estrita fidelidade ao método técnico científico. E é em São Paulo que ainda uma vez os processualistas, a partir do movimento de renovação de Liebman, se identificam em uma perfeita unidade de pensamento, caracterizando aquela que se poderia chamar a Nova escola processual de São Paulo. Conciliando e fundindo o pensamento e o método técnico-científico com as preocupações sociopolíticas, a nova escola congrega processualistas civis e penais que, a partir de uma teoria geral, se dedicam aos problemas atuais do processo, na plena observância dos mais rigorosos cânones científicos e empregando escrupulosamente a técnica processual para atingir os diversos escopos da jurisdição. No seio da nova escola, já vai-se formando uma plêiade de jovens processualistas – os processualistas de 'terceira geração' –, que são aqueles dos quais, no futuro, se espera a continuidade do pensamento do método de Liebman, passando através de Buzaid, Vidigal, Celso Neves e de seus discípulos, hoje professores titulares. Hoje pode-se afirmar a existência de uma Escola brasileira de processo que deixa suas raízes na Escola paulista, originária dos ensinamentos do mestre".

Processo" àqueles que desfrutaram do convívio de Liebman, no Brasil[2]. O certo é que os professores de São Paulo gostaram do apelido e passaram a difundi-lo. Seguindo essa trilha, outras "tendências" ou "escolas" se proliferaram a partir dos anos 1980: a "Escola Sulista" e sua variante: a "Escola Alternativa"; a "Escola Paranaense" e sua variante: a "Escola Crítica de Processo"; a "Escola Mineira"; e a "Escola Pernambucana"[3].

No entanto, é muito difícil aglutinar os autores brasileiros de processo penal nessas "escolas", até porque, se bem analisados, dentro dos grupos de autores que representariam essas "escolas", há quem convirja em determinado tema e divirja diametralmente em outro.

A dificuldade em organizar os doutrinadores em grupos hegemônicos também se revela quando se constata que há autores que deixam transparecer que nem sequer compreenderam, efetivamente, o que estão dizendo. Isto é, dão a impressão de que são meros reprodutores de um discurso ou comentário emprestado de outro autor, lido ou ouvido em algum momento. Isso fica visível, por exemplo, quando alguns autores partem de um paradigma filosófico do conhecimento em determinado assunto (por exemplo: metafísica clássica aristotélica, que considera que a verdade está nos objetos e não no sujeito, invocando, no plano do processo penal, a ideia de "busca da verdade real") e, simultaneamente, adotam outro paradigma, conflitante com o primeiro, num segundo tema (por exemplo: filosofia da consciência cartesiana, segundo a qual a verdade está no sujeito e não no objeto, para invocar, no plano do processo penal, a ideia de "livre convencimento do juiz", lida como uma espécie de autorização para dizer qualquer coisa sobre qualquer assunto[4]). E, juntando "busca da verdade real" com essa leitura do "livre convencimento do juiz", na mesma frase

---

2 Como refere VIDIGAL, Luis Eulálio de Bueno. Enrico Tullio Liebman e a processualística brasileira. *Revista da Faculdade de Direito*. São Paulo: Universidade de São Paulo, 1986. v. 81, p. 103-12, *in verbis* "O comportamento de Liebman no Brasil teve tanta repercussão no mundo das letras jurídicas, que Niceto Alcalá Zamora y Castillo, grande mestre espanhol radicado no México, teve, na mais simpática das homenagens que se poderiam prestar ao Brasil e ao mestre italiano, a ideia nobre de aludir à existência de uma Escola de Direito Processual Paulista, cujos integrantes teriam sido Gabriel de Rezende Filho, Joaquim Canuto Mendes de Almeida, José Frederico Marques, Alfredo Buzaid e nós. O que teria levado esse bom Niceto a reunir em um só grupo esses nomes de tendências tão diversas? Por amor à verdade científica, sentimo-nos no dever de contestar o acerto da generosa sugestão".

3 Sobre as "escolas" *vide*: MOREIRA DE PAULA, Jônatas Luiz. *História do Direito Processual Brasileiro. Das origines lusitanas à Escola Crítica do Processo*. Barueri: Manole, 2002, p. 352 e s.

4 A referência ao livre convencimento do juiz é adotada após a Revolução Francesa e surge como contraponto ao modelo de prova tarifada, que se evidenciava em alguns casos nos processos penais medievais. Por "prova tarifada" compreendia-se o modelo no qual o valor de cada prova era dado, de antemão, pela lei e não valorado, *a posteriori*, pelo juiz. Já "livre convencimento do juiz" veio representar a ideia de que o juiz era livre para valorar a prova, sem a amarra valorativa prévia da lei. No entanto, no Brasil, a ideia de livre convencimento do juiz foi deturpada pela jurisprudência, que passou a invocá-la como se representasse uma autorização para julgar livremente, sem a necessidade de enfrentar todas as teses das partes e todas as provas do caso. Nesse segundo sentido, ela passou a representar uma implícita autorização para se "dizer qualquer coisa sobre qualquer assunto", a partir do que o juiz pensa do mundo.

e com o sentido que empregam as expressões, demonstram não se dar conta de que estão mesclando visões de mundo não compatíveis entre si.

Não bastasse, muito da doutrina que se vende nas livrarias hoje em dia é uma doutrina de repetição, simplificada e irrefletida, desenvolvida para apresentar ao leitor macetes ou esquemas que pretendem tornar simples o que é complexo. Muitos textos são voltados para quem pretende realizar concursos públicos, cujas provas preliminares, de múltipla escolha, costumam trabalhar apenas com conceitos, cópias de artigos de lei e interpretações jurisprudenciais sumuladas. A pretensão de simplificar o complexo, no entanto, não é alcançada, considerando que as relações interpessoais e jurídicas são, por natureza, complexas. Assim, não há como "simplificar" algo que exige um necessário aprofundamento teórico e filosófico. É uma contradição em termos. Esses manuais até ajudam os alunos a decorar conceitos e classificações e, quem sabe, até a ser aprovados em concursos públicos, mas não apresentam as ferramentas necessárias para a compreensão dos fundamentos. Nessa linha, muito do conhecimento necessário para a boa formação do jurista acaba sendo deixado de lado.

Outro fator a ser levado em conta nessa dificuldade de compreender a disparidade doutrinária se relaciona ao "*boom*" das faculdades de Direito, verificado a partir de meados dos anos 1990, no Brasil, em decorrência da nova Lei de Diretrizes e Bases da Educação Nacional (Lei 9.304/96). Ele contribuiu para reforçar esse fenômeno. Para ilustrar, em 1995, o país tinha um total de 235 faculdades de Direito. Em 2018, esse número já havia aumentado significativamente para 1.502 faculdades de Direito. Um crescimento de 539% em 23 anos[5]. Em 2022, já eram 1.896 faculdades de Direito, com oferta de 361.848 vagas anuais. Com esses números, o Brasil conseguiu a façanha de ter mais faculdades de Direito do que todo o resto do mundo somado, que não passa de 1.100[6]. Em 2015, o resultado do Enade (Exame Nacional de Avalição dos Estudantes) permitiu aferir que "apenas 232 dos 963 cursos avaliados (24,1%) contam com CPC igual ou superior a 2,95, desempenho tido como satisfatório"[7]. Em 2022, a OAB avaliou as 1.896 faculdades de Direito e concluiu que apenas 192 (aproximadamente 10%) mereciam ser recomendadas com seu "selo OAB Recomenda"[8]. Não é preciso muito esforço para compreender que não há bons professores em número suficiente para atender essa demanda. E isso acabou gerando um círculo vicioso:

---

5 Conforme dadosapresentados pela Fundação Getulio Vargas e pela OAB, no *Exame de Ordem em números*, 2020. v. IV, p. 53. Disponível em: https://images.jota.info/wp-content/uploads/2020/04/eou-emnumeros---pdf-pdf-1.pdf?x30411. Acesso em: 30 jan. 2023.

6 *Exame de Ordem em números, cit.*, p. 41.

7 *Ibid.*, p. 49.

8 Ordem dos Advogados do Brasil. *Conheça a história de cursos que receberam o OAB recomenda*, 13 abr. 2022. Disponível em: https://www.oab.org.br/noticia/59585/conheca-a-historia-de-cursos-que-receberam-o-oab--recomenda. Acesso em: 30 jan. 2023.

Processo Penal | Fundamentos dos fundamentos

jovens recém-formados e com formação deficitária na graduação realizam precários cursos de pós-graduação, cujos diplomas legitimam suas contratações, a baixo custo, como professores universitários. Não têm base teórica para compreender sequer que, em sua formação acadêmica, tiveram acesso apenas a referências "simplificadas" ou até mesmo equivocadas. Mesmo assim, estão em sala de aula, com a autoridade que o cargo de professor lhes confere, reproduzindo o mesmo discurso simplificado e/ou errado que aprenderam e formando tanto novas gerações de operadores do Direito quanto novos professores que perpetuarão o conhecimento torto na academia. Isso acabou gerando uma má-formação crônica de boa parte dos profissionais do Direito.

O cenário se completa com o crescimento dos concursos públicos como válvula de escape para o desemprego que naturalmente se enfrenta quando a advocacia privada não consegue assimilar toda a demanda de profissionais que é jogada no mercado a cada ano. E isso se reflete na proliferação de cursinhos preparatórios e na demanda pela difusão de uma doutrina naturalmente empobrecida, porque voltada a facilitar aprovações em concursos. A indústria dos recursos de questões polêmicas dos concursos igualmente acaba empobrecendo as perguntas exigidas dos candidatos e premiando muito mais os chamados decoradores de artigos do que aqueles que têm capacidade teórica crítica.

O problema é que, como o nome indica, a doutrina serve para "doutrinar", isto é, para incutir no leitor uma forma de compreender o mundo, para difundir ideias que permitam construir visões de mundo ajustadas às suas premissas e ideais. Os leitores é que deveriam ter as ferramentas teóricas mínimas para serem capazes de identificar os fundamentos teóricos do doutrinador que estão lendo e, assim, conseguir filtrar as informações e evitar serem doutrinados por premissas ou conclusões, muitas delas enviesadas e que talvez não resistissem a dez minutos de debate teórico sério. Sucede que, se até mesmo parcela da doutrina não sabe o fundamento do que reproduz nos livros, não é da massa de leitores que se deve esperar uma ampla capacidade de questionamento teórico para evitar a doutrinação no seu pior sentido. Assim, o que se percebe, muitas vezes, é que acabam sendo, também eles, reprodutores inconsequentes de discursos ideológicos ultrapassados.

Portanto, se existem diferentes leituras de como devem operar o direito penal e o processo penal, e se muitas delas podem ser racionalmente consideradas equivocadas, para se ter melhores condições de separar o joio do trigo, e para levar a sério o estudo do processo penal, é imprescindível ter o domínio desses diversos discursos. É necessário que se tenha a compreensão de quais são os fundamentos, as premissas e as pretensões de cada autor, até para não ser enganado com a retórica que está sempre à disposição para camuflar ideologias, imunizar as críticas e convencer leitores incautos e ainda imaturos no plano teórico a assimilar e propagar visões de mundo que, se pudessem ser contraditadas, talvez não fossem adotadas pelos mesmos leitores. O que se percebe é que, por vezes, faltam ferramentas teóricas para fazer contrapontos ao que é oferecido pronto pela doutrina.

Pelo menos na leitura de alguns autores, é possível identificar a preocupação em alertar o leitor a respeito de qual fundamento deve ser levado em conta em seu discurso, a exemplo do que faz Aury Lopes Jr., ao expressamente indicar sua preferência pela teoria do *Garantismo Penal*, de Luigi Ferrajoli[9], ou do que faz Elmir Duclerc, ao invocar, também de forma expressa, a *Teoria Negativa e Agnóstica da Pena*, de Zaffaroni[10], como ponto de partida. Se o leitor conhece as teorias de Ferrajoli e de Zaffaroni, ao menos sabe que discurso irá encontrar nos manuais que tem em mãos. O problema é que, em outros tantos autores, essas premissas não são declaradas, e, nesses casos, ou o leitor as conhece e é capaz de identificá-las nas entrelinhas, ou é conduzido às cegas.

O certo é que autores com diferentes compreensões de como se deve interpretar o direito penal e o processo penal estão convivendo no dia a dia das discussões processuais e das construções jurisprudenciais. E são diversos os fatores que conduziram a essa pluralidade acadêmica no direito brasileiro, a ponto de ser difícil indicar a leitura de apenas um doutrinador de processo penal na graduação. Talvez as únicas justificativas plausíveis para que um professor adote apenas um manual de processo penal para lecionar a seus alunos sejam: a) ele é o autor do manual; ou b) só existe um manual no tema. O mais adequado é indicar as diferentes visões aos alunos e ir apontando qual autor é mais recomendável em qual tema e por quê.

Com esse propósito, promove-se, inicialmente, uma arbitrária e mesmo reducionista, mas necessária, para fins didáticos, divisão em dois grandes grupos de autores com diferentes compreensões do processo penal, que passam a ser chamados, aqui, de "doutrina mais tradicional" e de "doutrina mais moderna".

1.1 Doutrina "mais tradicional" *versus* doutrina "mais moderna" de processo penal

A pretensão de promover uma classificação de autores em processo penal é arriscada, como se viu anteriormente, na leitura a partir de possíveis "escolas de processo" de diferentes regiões do país. Isso se deve ao fato de que não há uniformidade capaz de compartimentar determinados doutrinadores numa "escola" ou numa categoria isolada. Ademais, os rótulos, em geral, tendem a ser reducionistas das naturais

---

9   LOPES JR., Aury. *Introdução crítica ao processo penal (fundamentos da instrumentalidade garantista)*. Rio de Janeiro: Lumen Juris, 2004.

10 DUCLERC, Elmir. *Por uma teoria do processo penal*. Florianópolis: Empório do Direito, 2015, p. 18 e s.

complexidades que o pensamento de um autor possa externalizar. Mesmo assim, analisando a doutrina contemporânea de processo penal, é possível, para fins didáticos, repita-se, diferenciar dois grandes e divergentes grupos de doutrinadores de processo penal, que aqui passam a ser denominados e classificados dicotomicamente como autores de "doutrina mais tradicional" e autores de "doutrina mais moderna".

Os critérios para essa classificação são, basicamente, de duas ordens: promoção, ou não, de filtragens constitucionais e adoção, ou não, de leituras transdisciplinares.

1.1.1 A doutrina "mais tradicional"

O que permite dizer que determinado doutrinador seja "catalogado" como "mais tradicional" é, basicamente, o fato de que ele não costuma fazer pontes de compreensão do direito com outros campos do conhecimento humano e, em alguns casos, chega a dar preferência às regras infraconstitucionais em detrimento dos princípios constitucionais.

Esse último critério decorre tanto do fato de que o Brasil tem dois diplomas normativos principais para organizar o processo penal que colidem em diversos aspectos (o Código de Processo Penal, de 1941, e a Constituição da República, de 1988) quanto da dificuldade do ser humano de se adaptar ao novo.

Quanto à diferença entre os diplomas normativos, é importante desenvolver um pouco mais a análise para deixar claro o "estado da arte" dessa dualidade e de como a doutrina "mais tradicional" ainda premia o Código em detrimento da Constituição em algumas ocasiões.

Para início, convém lembrar que o Código de Processo Penal brasileiro, editado em 1941, é o mesmo Código que se usa hoje (com reformas importantes nos últimos vinte anos). No ano de sua edição, o presidente da República era Getúlio Vargas, em sua versão ditador, consolidando o "Estado Novo"[11]. E, considerando que, normalmente, os ditadores não se autoproclamam ditadores, para poderem se apresentar como democratas, a manipulação do Direito é uma saída frequente. Quando questionado a respeito de seu arbítrio, o ditador de plantão pode dizer que está só usando a lei e, "democraticamente", seguindo o que foi aprovado no parlamento. E, por óbvio, o tipo de lei que interessa a um ditador é o que lhe permita agir totalitariamente. E é aí que entra em jogo a importância, para ele, de um Código de Processo Penal alinhado aos seus propósitos de poder, diminuindo as liberdades individuais e permitindo-lhe atuar de forma mais abusiva.

---

11 Sobre o tema, recomenda-se: NETO, Lira. *Getúlio – 1930-1945*: do governo provisório à ditadura do Estado Novo. São Paulo: Companhia das Letras, 2013.

Interessante anotar, nessa linha de compreensão, que o Código de Processo Penal acaba sendo mais importante que o Código Penal na contenção de abusos, pois é com base nas regras de processo que o poder se manifesta primeiro. Explicando melhor: o Direito Penal material se organiza selecionando determinadas condutas consideradas graves à convivência social e as desvalorando (isto é, atribuindo-lhes uma carga negativa de valor, como quem diz: não faça!). Assim, diz o Código Penal, é crime "matar alguém". Por fim, prevê as sanções respectivas: pena de reclusão de 6 a 20 anos. Só que ele só se efetiva ao final de um processo. Não é autoaplicável. Não basta que se presencie uma cena de uma pessoa "matando alguém" para que a pena prevista no Código Penal seja imposta, imediatamente, ao autor do delito. É preciso fazer uma verificação de seu comportamento, é preciso avaliar se foi ele mesmo, e em que circunstâncias e por quais motivos praticou a conduta. Afinal, até mesmo "matar alguém" pode ser uma conduta legitimada pelo direito, como se dá no caso da legítima defesa. Assim, apenas ao final de um processo, esgotados todos os recursos, é que o Direito Penal vai se fazer efetivo. O processo, ao contrário, chega bem antes. É por meio das regras do processo penal que alguém pode bater na porta da sua casa, às cinco horas da manhã, dizendo que você está preso. E não adianta discutir nessa hora, no calor do cumprimento do mandado de prisão, pois, ali, naquele momento, a força do Estado fala mais alto. No momento, você está preso. Então isso é poder. São, portanto, as regras de processo que permitirão, ou não, que o Estado invada a esfera de autonomia privada de liberdade antes mesmo de você ter uma chance de discutir a culpa que lhe é atribuída. Nessa perspectiva, a um ditador interessa um instrumento processual que facilite isso. Por outro lado, a um democrata interessa um instrumento processual que diminua ao máximo essa possibilidade.

Quando Getúlio Vargas assumiu o poder, ele se deparou com um "problema" nesse campo. Durante a Primeira República, no Brasil, os estados tinham autonomia para legislar na matéria de processo penal. Então, quando Getúlio assumiu o poder, praticamente cada estado da federação tinha o seu Código de Processo Penal. O Código do Processo Criminal do estado do Paraná era diferente do Código do estado do Rio de Janeiro, que era diferente daquele do Rio Grande do Sul. Então, imagine um ditador que quer centralizar poder em suas mãos e, ao mesmo tempo, quer exercitá-lo no país inteiro. Ele pode querer fazê-lo usando as regras de processo penal de determinado Código estadual que facilitam a prisão cautelar e a manutenção do seu poder. Agora imagine que ele seja impedido, na prática, de aplicar essa lei de forma abrangente, já que as leis de outros estados preveem diferentes critérios para o exercício desse poder. Para o ditador, melhor seria uma legislação que se possa usar

Processo Penal | Fundamentos dos fundamentos

no país inteiro. Não à toa, portanto, as autonomias dos estados foram diminuídas, e os Códigos estaduais todos revogados pelo Código unificado aprovado em 1941.

E o interessante de observar nesse processo é que o grande inspirador de Getúlio Vargas, desde os tempos nos quais ele ainda era governador do Rio Grande do Sul, era Mussolini, na Itália. E, como "bom ditador", Mussolini já tinha providenciado um novo Código de Processo Penal para a Itália. Encomendou a tarefa a Alfredo Rocco, seu ministro da Justiça, que, com o auxílio do irmão, Arturo Rocco, fez editar os famosos *Codici Rocco*, penal e processual penal, de 1930[12]. Desnecessário aprofundar que eram códigos que serviram ao regime fascista de Mussolini. Então, Getúlio encomendou ao seu ministro da Justiça, Francisco Campos, que elaborasse um diploma processual penal similar. Foi formada uma comissão de juristas para tanto: Vieira Braga, Nelson Hungria, Narcélio de Queiroz, Roberto Lyra, Florêncio de Abreu e Cândido Mendes de Almeida (este em substituição a Magarino Torres)[13]. Sem qualquer consulta pública, a comissão elaborou o novo Código de Processo Penal brasileiro, que foi aprovado e passou a ser válido em todo o território nacional. Nesse percurso, a comissão contou, como narra Francisco Campos em sua exposição de motivos, com a inspiração no Código de Processo Penal italiano de 1930, aproveitando, também, o que a experiência dos códigos estaduais havia proporcionado.

Então, em alguma medida, a versão original do Código de Processo Penal brasileiro, de 1941, tem, também, influência ideológica fascista. Isso fica evidenciado na Exposição de Motivos do Código:

> De par com a necessidade de coordenação sistemática das regras do processo penal num Código único para todo o Brasil, impunha-se o seu ajustamento ao objetivo de maior eficiência e energia da ação repressiva do Estado contra os que delinquem. As nossas vigentes leis de processo penal asseguram aos réus, ainda que colhidos em flagrante ou confundidos pelas evidências das provas, um tão extenso catálogo de garantias e favores, que a repressão se torna, necessariamente, defeituosa e retardatária, decorrendo daí um indireto estímulo à expansão da criminalidade. Urge que seja abolida a justificável primazia do interesse do indivíduo sobre o da tutela social. O indivíduo, principalmente quando vem de se mostrar rebelde à disciplina jurídico-penal da vida em sociedade, não pode invocar, em face do Estado, outras franquias ou imunidades além daquelas que o assegurem contra o exercício do poder público fora da me-

---

12 Sobre o tema, *vide*: LACCHÉ, Luigi (ed.). *Il diritto del duce*. Giustizia e repressione nell'Italia fascista. Milano: Donzelli Editore, 2015, p. X e s.

13 PIERANGELLI, José Henrique. *Processo penal*. Evolução histórica e fontes legislativas. São Paulo: Jalovi, 1983, p. 168.

dida reclamada pelo interesse social. Este o critério que presidiu à elaboração do presente projeto de código[14].

De lá para cá, no entanto, muita coisa mudou. Duas alterações importantes ocorreram em plena ditadura militar, em 1973 e 1977, por ocasião, respectivamente, das Leis 5.941 e 6.416. A primeira delas ficou apelidada de "Lei Fleury", por se tratar de lei de encomenda para evitar a prisão preventiva do delegado de Polícia Sérgio Paranhos Fleury, notoriamente conhecido como líder do grupo de extermínio "Esquadrão da Morte", em São Paulo, e braço direito do governador da época[15]. Na redação original do Código, de 1941, havia uma regra que determinava a prisão preventiva automática por ocasião da pronúncia (decisão que leva o réu a júri) nos crimes dolosos contra a vida. Fleury havia sido acusado, de forma inédita, por crime de homicídio e estava prestes a ser pronunciado. Se isso se concretizasse, a lei determinava que ele fosse preso, o que representaria uma desmoralização para o governo paulista. Providenciaram, então, uma reforma pontual do Código que acabava com a prisão automática, tornando, por vias transversas, a legislação mais democrática em plena ditadura militar!

Das inúmeras modificações, algumas se destacam pela importância de reorganização dos temas à luz da Constituição de 1988. Reformas importantes ocorreram em 2008, alterando significativamente os procedimentos, inclusive o júri e as provas. Outra ocorreu em 2011, reduzindo a possibilidade da prisão preventiva e criando medidas cautelares diversas da prisão. E uma mais recente, em 2019, criou o "juiz das garantias" e o "acordo de não persecução penal", além de reforçar a ideia de liberdade como regra no momento da decretação de alguma medida cautelar de natureza pessoal. Essas mudanças pontuais tornaram o Código de 1941 mais democrático, incorporando o modelo de garantias que norteia o espírito da Constituição da República de 1988. O problema é que, em diversas outras passagens, o Código segue com sua redação original. Há, inclusive, conflitos internos entre o texto original que ainda está vigente e as reformas indicadas. Em paralelo, segue, desde 2010, tramitando no Congresso Nacional o projeto de um novo Código de Processo Penal para o país.

De qualquer sorte, analisando o conjunto de garantias do art. 5º da Constituição de 1988, é possível dizer que o processo penal brasileiro, hoje, é constitucionalizado. Reforça e complementa essa reorganização em prol das garantias constitucionais o

---

14 GOMES, Luiz Flávio (Org.). *Código Penal, Código de Processo Penal, Constituição Federal, Legislação penal e processual penal.* 15. ed. São Paulo: RT, 2013, p. 371.

15 Sobre o tema, *vide*: SOUZA, Percival de. *Autópsia do medo.* Vida e morte do delegado Sérgio Paranhos Fleury. Rio de Janeiro: Globo, 2001; e BICUDO, Hélio Pereira. *Meu depoimento sobre o Esquadrão da Morte.* São Paulo: Martins Fontes, 2002.

Pacto de San José da Costa Rica (Convenção Americana de Direitos Humanos), incorporado ao direito brasileiro pelo Decreto 678/92.

Traçado esse panorama, o que se percebe é que alguns autores de processo penal ainda dão preferência às regras do Código, sem promover a necessária filtragem constitucional. Esses estão sendo aqui catalogados como autores "mais tradicionais". Outros, no entanto, procuram fazer a leitura das regras do Código a partir do texto constitucional. São autores, aqui, denominados de "mais modernos".

Essa dificuldade que a doutrina "mais tradicional" tem de não fazer a filtragem constitucional pode ser explicada, em parte, pela natureza humana. O ser humano tem dificuldades de olhar para o novo com os olhos do novo. Tem dificuldade de renunciar àquilo que estava acostumado a fazer em nome de um novo modelo que o obrigue a se ajustar e a se adaptar. Então, o que se percebe é que alguns doutrinadores que estudaram naquele modelo anterior à Constituição de 1988 e que aprenderam a partir das regras do Código de 1941, quando se deparam com a Constituição que trouxe novas premissas e princípios colidentes com as regras infraconstitucionais, em vez de dar preferência a ela, premiam o regramento infraconstitucional. Como dito: eles têm dificuldade de se ajustar ao novo.

É possível exemplificar essa situação quando se analisa o que sucedeu na reforma do art. 212 do Código de Processo Penal, em 2008. A regra velha, originária de 1941, previa que a inquirição de uma testemunha era toda centralizada no juiz. Só quem perguntava para a testemunha era o juiz. O juiz era a única pessoa autorizada, pela lei, a formular perguntas à testemunha. Assim, o juiz fazia todas as perguntas que julgasse pertinentes e, ao final, ditava um resumo das respostas ao escrivão. Esgotada toda a sua curiosidade, o juiz indagava se as partes (promotor e advogado) teriam alguma repergunta a ser feita. Em caso afirmativo, o que o promotor ou o advogado faziam era sugerir, ao juiz, uma pergunta complementar. Caso o juiz concordasse com a sugestão, ele mesmo reformulava a pergunta e a direcionava à testemunha, que, por sua vez, respondia apenas ao juiz. O juiz era o senhor absoluto da produção probatória. Tudo passava por ele, e as partes não perguntavam nada diretamente para a testemunha. Em 2008 foi alterada a regra do art. 212 do Código de Processo Penal (com a Lei 11.690/2008). A redação passou a ser:

> Art. 212. As perguntas serão formuladas pelas partes diretamente à testemunha, não admitindo o juiz aquelas que puderem induzir a resposta, não tiverem relação com a causa ou importarem na repetição de outra já respondida.
>
> Parágrafo único. Sobre os pontos não esclarecidos, o juiz poderá complementar a inquirição.

Pedindo escusas pela redundância, mas qualquer pessoa que saiba ler a regra anterior compreenderá que, no novo regramento, as partes formulam as perguntas diretamente à testemunha (e não mais sugerem reperguntas para passar pelo filtro do juiz). Da nova regra também se extrai, sem dificuldade alguma, que o juiz poderá, ao final, complementar a inquirição sobre os pontos que julgar não esclarecidos. Porém, há juízes e doutrinadores (a exemplo de decisão pioneira do Tribunal de Justiça do Paraná que cita a lição de Guilherme de Souza Nucci dada em palestra aos magistrados daquela Corte[16]) que insistem que o juiz segue sendo o principal protagonista da inquirição das testemunhas e não desistem de seguir agindo como se fazia no modelo antigo. Essa insistência revela, portanto, como é difícil aceitar uma mudança estrutural de determinadas regras. Por isso, esses doutrinadores estão sendo inseridos nesse grupo denominado de "mais tradicional". Repita-se, no entanto, que essa é uma divisão um tanto arbitrária e, por vezes, é difícil traçar uma linha clara de divisão, mas, *grosso modo*, é possível identificar doutrinadores, tanto brasileiros[17] quanto estrangeiros[18], que se ajustam mais a esse perfil.

Também convém destacar que esses doutrinadores "mais tradicionais" predominaram no direito brasileiro, de forma quase exclusiva, até, pelo menos, o início do século XXI. Quem estudou nas faculdades de Direito nos anos 1980/1990 e

---

16 Extrai-se a seguinte passagem em referência ao que foi dito por Nucci na palestra aos magistrados paranaenses como argumento para sustentar que a nova regra não teria mudado a sistemática de inquirição da testemunha pelo juiz: "caso contrário, só restaria ao juiz assistir à audiência, indeferindo uma pergunta aqui e outra acolá, podendo, ao final, apenas complementar a inquirição, concluindo, então, que os defensores dessa tese querem transformar os juízes em samambaia de sala de audiências" (TJPR, Órgão Especial, AgRg 0413.084-9/01, rel. Des. Leonardo Pacheco Lustosa, *DJ* 16/10/2009).

17 Por exemplo: FREDERICO MARQUES, José. *Elementos de direito processual penal.* 2. ed. rev. e atual. por Eduardo Reale Ferrari. Campinas: Millenium, 2000. v. II, p. 338 e s.; TOURINHO FILHO, Fernando da Costa. *Processo penal.* 25. ed. São Paulo: Saraiva, 2003, v. 1, p. 36 e s.; MIRABETE, Julio Fabbrini. *Processo penal.* 16. ed. São Paulo: Atlas, 2004, p. 47; NORONHA, Magalhães. *Curso de direito processual penal.* 28. ed. São Paulo: Saraiva, 2002, p. 118 e s.; MUCCIO, Hidejalma. *Curso de processo penal.* Bauru: Edipro, 2000. v. 1, p. 74; ROCHA, Francisco de Assis do Rêgo Monteiro. *Curso de direito processual penal.* Rio de Janeiro: Forense, 1999, p. 26; CAPEZ, Fernando. *Curso de processo penal.* 5. ed. São Paulo: Saraiva, 2000, p. 22; BARROS, Francisco Dirceu. *Direito processual penal.* Rio de Janeiro: Campus Elsevier, 2005. v. 1, p. 5; NUCCI, Guilherme de Souza. *Manual de processo penal e execução penal,* 5. ed. São Paulo: RT, 2008, p. 104; ISHIDA, Valter Kenji. *Processo penal.* São Paulo: Atlas, 2009, p. 34; DEMERCIAN, Pedro Henrique; MALULY, Jorge Assaf. *Curso de processo penal.* 3. ed. Rio de Janeiro: Forense, 2005, p. 2; CARVALHO, Djalma Eutímio de. *Curso de processo penal.* Rio de Janeiro: Forense, 2007, p. 263; BATISTI, Leonir. *Curso de direito processual penal.* Curitiba: Juruá, 2006. v. 1, p. 38; MEDEIROS, Flávio Meirelles. *Manual do processo penal.* Rio de Janeiro: AIDE, 1987, p. 181 e s.; MOSSIN, Heráclito Antonio. *Curso de processo penal.* 2. ed. São Paulo: Atlas, 1998. v. 1, p. 64 e s.; AQUINO, José Carlos G. Xavier de; NALINI, José Renato. *Manual de processo penal.* São Paulo: Saraiva, 1997, p. 59.

18 Por exemplo: BETTIOL, Giuseppe. *Istituzioni di diritto e procedura penale.* Padova: Cedam, 1966, p. 200 e s.; FLORIAN, Eugenio. *De las pruebas penales.* Bogotá: Temis, 1990. v. 1, p. 41; PISAPIA, Gian Domenico. *Compendio di procedura penale.* 3. ed. Padova: Cedam, 1982, p. 206 e s.; LEONE, Giovanni. *Tratado de derecho procesal penal.* Trad. esp. Santiago Sentis Melendo. Buenos Aires: EJEA, 1989. t. I, p. 187 e s.; BELING, Ernst. *Derecho procesal penal.* Buenos Aires: DIN Editora, 2000, p. 25; SCHÜNEMANN, Bernd. *Obras.* Santa Fe: Rubinzal-Culzoni, 2009. t. II, p. 412 e s.; GÖSSEL, Karl Heinz. *El derecho procesal penal en el estado de derecho.* Santa Fe: Rubinzal-Culzoni, 2007. t. I, p. 22 e s.; FIGUEIREDO DIAS, Jorge de. *Direito processual penal.* Coimbra: Coimbra, 1974. 1º v., p. 187 e s.; MOREIRA DOS SANTOS, Gil. *O direito processual penal.* Porto: Asa Edições, 2002, p. 60 e s.

optou por carreiras públicas de Estado hoje está no final da carreira e ocupa funções como desembargador, procurador de Justiça e, até mesmo, ministro dos Tribunais Superiores. A doutrina por eles utilizada na graduação – e, por vezes, também em cursos de pós – seguramente passou pelo grupo de autores que aqui se aponta como "mais tradicionais". Não é, portanto, surpresa encontrar, ainda hoje, citações dessa doutrina nos acórdãos dos tribunais brasileiros.

Há, no entanto, que se considerar que, não obstante esses doutrinadores tenham sido muito importantes no aprimoramento do direito brasileiro, e ainda possam ser consultados em diversos temas menos polêmicos (a exemplo da discussão das regras de competência, que costuma ser mais bem trabalhada nessa doutrina do que naquela que se denomina como "mais moderna"), a abordagem de temas fundamentais de processo penal, que exigem uma leitura transdisciplinar, acaba não alcançando uma análise crítica necessária de diversos institutos ainda vigentes no direito brasileiro. Esse, aliás, pode ser o ponto mais importante para estabelecer uma diferenciação entre esses dois grupos de autores, como se passa a expor ao tratar da doutrina "mais moderna".

1.1.2 A doutrina "mais moderna"

De início, é preciso deixar anotado que a denominação "doutrina mais moderna" não está sendo empregada em seu sentido epocal, isto é, como equivalente ao conceito de modernidade que se vincula a um período da história influenciado pelas ideias iluministas. O termo, aqui, é utilizado apenas para ser antagônico à ideia de tradição.

Assim, considera-se como doutrina "mais moderna" de processo penal aquele grupo de autores[19] que, uns mais, outros menos. costumam promover uma filtragem constitucional dos dispositivos processuais penais e, em diferentes proporções, costumam realizar leituras transdisciplinares[20], invocando temas de outras áreas do

---

19 *V.g.*, FERRAJOLI, Luigi. *Direito e razão*: teoria do garantismo penal. Trad. Ana Paula Zomer, Fauzi Hassan Chuoukr, Juarez Tavares e Luiz Flávio Gomes. São Paulo: RT, 2002; LOPES JR., Aury. *Direito processual penal*. 14. ed. São Paulo: Saraiva, 2017; PACELLI, Eugenio. *Curso de processo penal*. 17. ed. São Paulo: Atlas, 2013; RANGEL, Paulo. *Direito processual penal*. 22. ed. São Paulo: Atlas, 2014; ROSA, Alexandre Morais da. *Guia do processo penal conforme a teoria dos jogos*. 4. ed. Florianópolis: Empório do Direito, 2017; CALABRICH, Bruno; FISCHER, Douglas; PELELLA, Eduardo (Org.). *Garantismo penal integral*. 3. ed. São Paulo: Atlas, 2015; THUMS, Gilberto. *Sistemas processuais penais*. Tempo, tecnologia, dromologia e garantismo. Rio de Janeiro: Lumen Juris, 2006; BARROS, Flaviane de Magalhães. *(Re)forma do processo penal*: comentários críticos dos artigos modificados pelas Leis n. 11.690/08 e 11.719/08. Belo Horizonte: Del Rey, 2009; KHALED JR., Salah H. *A busca da verdade no processo penal*: para além da ambição inquisitorial. São Paulo: Atlas, 2013; PLETSCH, Natalie Ribeiro. *Formação da prova no jogo processual penal*: o atuar dos sujeitos e a construção da sentença. São Paulo: IBCCrim, 2007.

20 Como refere Jacinto Coutinho: "Aquilo que até então aparecia, com as devidas exceções, como uma tímida 'multidisciplinaridade' (um intercâmbio entre duas ou mais disciplinas) passou a conviver com a 'interdisciplinaridade' (uma disciplina na outra para, desde o seu lugar, alterar o discurso) para, hoje, ter-se um bom legado da 'transdisciplinaridade', ou seja, o discurso de uma disciplina sendo feito, na medida do possível, no lugar daquele de outra, com infinitas implicações. Tal só foi possível porque o Direito, em definitivo, abriu-se, para

conhecimento humano, a exemplo da psicologia, da psicanálise, da história, da sociologia, da filosofia, da economia e, mais recentemente, até mesmo da linguagem computacional, na compreensão dos temas de processo penal.

Importante anotar que a classificação aqui proposta não implica em considerar que os autores ora catalogados como "mais modernos" sejam necessariamente melhores do que os "mais tradicionais" em todos os aspectos. A divisão que se propõe não é uma separação entre bons e maus autores, mas apenas entre autores com diferentes visões de como devem abordar o processo penal. Ainda que, na maioria das vezes, a doutrina moderna seja mais adequada à compreensão da complexidade dos temas fundantes do processo penal, por vezes a invocação de outros campos do conhecimento humano é, paradoxalmente, o fator que atrapalha. Ademais, em alguns temas, a doutrina "mais tradicional" será preferível àquela "moderna", pois, mesmo não promovendo leituras transdisciplinares, apresenta com maior profundidade e melhor técnica a análise de determinados temas.

De resto, um dado é certo: não há uniformidade de pensamento no grupo de autores que se apresenta como "mais modernos", sendo bastante divergentes e, por vezes, conflitantes as premissas adotadas. Essa divergência também decorre do fato de que o estudo do processo penal, hoje, não costuma ficar dissociado do estudo e da influência tanto da dogmática do direito penal material quanto da criminologia, naquilo que alguns doutrinadores têm chamado de "sistema integral do direito penal"[21]. As leituras funcionalistas da dogmática penal (notadamente as teorias de Zaffaroni, Roxin e Jakobs) acabam, portanto, repercutindo na compreensão do processo penal. O mesmo se diga do discurso criminológico do abolicionismo, de um lado, e do movimento de lei e ordem, do outro.

Partindo desses olhares múltiplos, e levando em conta a discussão que mescla o olhar criminológico com a dogmática penal, não obstante tenham em comum a transdisciplinaridade na abordagem dos temas de processo penal, esses autores aqui classificados como "mais modernos" podem ser inicialmente subdivididos em autores "abolicionistas", de um lado, e autores "justificacionistas", de outro, ou seja,

---

sair de seu pequeno mundo, o 'mundo jurídico', que moldava os seus membros conforme as ordens preestabelecidas. (...) Assim, a Filosofia, a Sociologia, a Psicanálise (entre outros) e, hoje, principalmente, a Economia, são campos que exigem do jurista um conhecimento, pelo menos, mínimo" (COUTINHO, Jacinto Nelson de Miranda. Dogmática crítica e limites linguísticos da lei. COUTINHO, Jacinto Nelson de Miranda; LIMA, Martonio Mont'Alverne Barreto (Org.). *Diálogos constitucionais*: direito, neoliberalismo e desenvolvimento em países *periféricos*. Rio de Janeiro: Renovar, 2006, p. 227).

21 *V.g.*, WOLTER, Jürgen. Estudio sobre la dogmática y la ordenación de las causas materiales de exclusión, del sobreseimiento del proceso, de la renuncia a la pena y la atenuación de la misma. Estructuras de un sistema integral que abarque el delito, el proceso penal y la determinación de la pena. WOLTER, Jürgen; FREUND, Georg (Org.). *El sistema integral del derecho penal*: delito, determinanción de la pena y proceso penal. Madrid: Marcial Pons, 2004, p. 31 e s.

Processo Penal | Fundamentos dos fundamentos

respectivamente, autores que querem abolir o direito penal e o processo e autores que legitimam o direito penal e o processo penal.

1.1.2.1 Abolicionistas

O que se denomina de "abolicionismo" do direito penal não é algo uniforme ou unívoco, que possa ser sintetizado numa única ideia. Existem variadas correntes abolicionistas, umas mais radicais, outras nem tanto. O ponto em comum que as une é a pretensão de eliminar a ideia de punição – e, de forma mais incisiva, eliminar a pena de prisão – como resposta aos comportamentos classificados como delitos.

Considerando que o discurso floresce nos anos 1960[22], o marco inaugural dessas correntes abolicionistas se confunde com o ideário utópico dos movimentos de jovens de 1968, como destacam diversos autores[23], movidos pela romântica ideia de ser contra tudo e contra todos, buscando libertação das "regras burguesas" que organizam as sociedades modernas[24].

Para fins didáticos, foca-se, aqui, em dois grandes grupos de abolicionistas: os radicais e os conciliadores.

---

22 Alguns autores levam em conta as contribuições anteriores de Evguiéni B. Pashukanis (*Teoria geral do direito e marxismo*. Trad. Paula Vaz de Almeida. São Paulo: Boitempo Editorial, 2017, escrito em 1930) e de Georg Rusche e Otto Kirchheimer (*Pena e estrutura social*. 2. ed. Rio de Janeiro: Revan, 2004, de 1938), mas esses autores e suas obras ficaram praticamente esquecidos durante muito tempo e só foram difundidos depois dos anos 1960.

23 *V. g.*, MATHIESEN, Thomas. Prefácio – The politics of Abolition revisited 2014. *The politics of Abolition revisited*. Londres e Nova York: Routledge, 2015, p. XV; SWAANINGEN, René Van. *Perspectivas europeas para una criminología crítica*. Trad. esp. Silvia Susana Fernandez. Buenos Aires: IBdeF, 2011, p. 3 e s.; IGNACIO ANITUA, Gabriel. *História dos pensamentos criminológicos*. Trad. Sérgio Lamarão. Rio de Janeiro: Revan/Instituto Carioca de Criminologia, 2008, p. 571, 657 e s. Gabriel Ignacio Anitua considera que "esse romântico olhar individualista tinha sua contrapartida social, pois implicava a possibilidade de realizar mudanças sociais. Havia a convicção otimista de que o homem pode tudo. O ser humano não tem o destino predeterminado, nem tem por que conformar-se com o que existe. Tudo pode ser mudado e, para algo mudar, tudo tem de ser mudado. Entrar de cabeça. Todos esses lemas que estavam nas mentes de jovens otimistas, tanto nas daqueles efetivamente prejudicados pelo sistema, quanto nas de outros que, como parte da sociedade beneficiada, sentiam que havia chegado o momento da transformação. Era o momento de criticar o '*é assim mesmo*', o 'as coisas são como devem ser' e o 'como estão ordenadas'. Tudo isso entraria em crise. O modelo econômico, político, científico, seria discutido, mas o importante era que havia discussão. E assim produzia-se uma leitura politicamente radical de todas as ideias" (IGNACIO ANITUA, Gabriel. *História dos pensamentos criminológicos, cit.*, p. 573-74).

24 Gabriel Ignacio Anitua considera que "esse romântico olhar individualista tinha sua contrapartida social, pois implicava a possibilidade de realizar mudanças sociais. Havia a convicção otimista de que o homem pode tudo. O ser humano não tem o destino predeterminado, nem tem por que conformar-se com o que existe. Tudo pode ser mudado e, para algo mudar, tudo tem de ser mudado. Entrar de cabeça. Todos esses lemas que estavam nas mentes de jovens otimistas, tanto nas daqueles efetivamente prejudicados pelo sistema, quanto nas de outros que, como parte da sociedade beneficiada, sentiam que havia chegado o momento da transformação. Era o momento de criticar o '*é assim mesmo*', o 'as coisas são como devem ser' e o 'como estão ordenadas'. Tudo isso entraria em crise. O modelo econômico, político, científico, seria discutido, mas o importante era que havia discussão. E assim produzia-se uma leitura politicamente radical de todas as ideias" (IGNACIO ANITUA, Gabriel. *História dos pensamentos criminológicos, cit.*, p. 573-74).

1.1.2.1.1 Abolicionistas radicais

Os abolicionistas radicais, a princípio e de forma mais abrangente, visam abolir o Direito Penal, sem necessariamente apresentar algo em seu lugar. Em alguns casos, como na leitura da Criminologia Radical, até defendem uma espécie de "direito penal da classe proletária", isto é, fundada no que denominam ser "direitos humanos socialistas", ou seja, "de segurança pessoal em relação à vida, integridade, saúde, liberdade, sexualidade" e de "igualdade real econômica e política"[25]. No entanto, há certa contradição interna que se revelou no início de seu desenvolvimento teórico. Até meados dos anos 1980[26], paradoxalmente, os autores dessa corrente da Criminologia Radical aceitavam uma reforma penal voltada para o incremento punitivo, desde que fosse das "classes dominantes" e desde que ela promovesse uma simultânea descriminalização de condutas que alcançam a "classe dominada"[27]. Depois deixaram de defender essa ideia, sob o argumento de que "o sistema penal não funciona contra as classes dominantes" e "a proposta de ampliação punitiva legitima o uso da punição contra as classes subordinadas"[28]. Essa mudança é, em certa medida, curiosa, pois, justamente quando o direito penal, de forma inédita, começou a se aproximar de concretizar efetivas punições à chamada "classe da burguesia", aos "donos do poder" (o que se evidenciou, no Brasil, de forma concreta, a partir de 2005, com o famoso Caso Mensalão, e teve auge nos anos 2014 a 2017, no período inicial da *Operação Lava Jato*), radicalizam o discurso para ou não propor nada no lugar do direito penal, ou fazer aquela leitura mais restrita, de defesa do que chamam de "direitos humanos socialistas". A diferença entre os "abolicionistas radicais" e os que se denominam "abolicionistas conciliadores" é que estes propõem a substituição da punição pela conciliação ou algo equivalente a uma terapia restauradora das estruturas emocionais dos envolvidos, como se verá mais adiante, ao passo que os abolicionistas radicais não propõem nada no lugar do direito penal. O que se percebe, como pano de fundo da construção teórica dos abolicionistas radicais, é que eles têm uma pretensão mais voltada para uma reforma social e econômica que abandone o capitalismo e implemente o socialismo/comunismo do que propriamente para encontrar uma alternativa que contribua para minimizar os problemas naturalmente identificados da vida em sociedade.

---

25   SANTOS, Juarez Cirino dos. *Criminologia*. Contribuições para a crítica da economia da punição. São Paulo: Tirant lo Blanch, 2021, p. 306.

26   Segundo SANTOS, Juarez Cirino dos. *Criminologia, cit.*, p. 309.

27   SANTOS, Juarez Cirino dos. *A Criminologia Radical*. 3. ed. Curitiba: ICPC/Lumen Juris, 2008, p. 131-32.

28   SANTOS, Juarez Cirino dos. *Criminologia, cit.*, p. 309.

Processo Penal | Fundamentos dos fundamentos

Como já se antecipou, os autores mais radicais construíram seu discurso a partir de uma base marxista[29], no que se usou denominar de "Criminologia Crítica" ou "Criminologia Radical". Como relatam Jorge de Figueiredo Dias e Manuel da Costa Andrade, a Criminologia Radical surgiu, quase ao mesmo tempo, nos Estados Unidos, "a partir da escola criminológica de Berkeley (com os Schwendinger e T. Platt)", e na Inglaterra, "encabeçada por I. Taylor, P. Walton e J. Young, autores do mais conhecido tratado de criminologia deste tipo, *The New Criminology: For a Social Theory of Deviance' (1973)*". O discurso, depois, acabou irradiando "para a generalidade dos países europeus – sobretudo Alemanha, Itália, Holanda, França e Países Nórdicos"[30]. Chegou com força também à América Latina[31] e, em particular, ao Brasil, introduzido,

---

29 Juarez Cirino dos Santos pontua que "Marx não compõe a galeria dos intelectuais que produziram a Criminologia Crítica, nem pode ser colocado entre os teóricos que pensaram os problemas da criminalidade e do controle social nas sociedades capitalistas, mas ocupa um espaço privilegiado acima de todo criminólogo, ou de qualquer sociólogo do sistema penal, porque criou os conceitos que fundamentam a natureza crítica da criminologia ou da sociologia do direito penal: primeiro, definiu o método dialético, que permite pensar a questão do crime e do controle social no contexto contraditório da luta de classes das sociedades capitalistas – afinal, sem o método dialético, não existiria nenhuma Criminologia Crítica; segundo, desenhou o modelo conceitual da formação social capitalista, com a estrutura econômica da base constituída pelo conjunto das relações de produção, e os correspondentes sistemas jurídicos e políticos e outras formas ideológicas de controle social, sem as quais as relações de poder do Estado capitalista seriam impensáveis e, talvez ainda mais, não existiria nenhuma ciência crítica do Direito ou do Estado capitalista; terceiro, Marx desenvolveu os conceitos e a linguagem científica para pensar a sociedade capitalista – por exemplo, modo de produção com suas forças produtivas e relações de produção, classes sociais e luta de classes, tempo de trabalho necessário (salário) e tempo de trabalho excedente (mais-valor) etc., todos integrados em uma filosofia da história definida como materialismo histórico" (SANTOS, Juarez Cirino dos. *Criminologia, cit.*, p. 221). Em sentido similar, explica Vera Malaguti Batista que "o pensamento marxista foi eixo fundamental para a emergência de um olhar desconstrutor das verdades jurídico-penais do iluminismo. Quando encontrou com a vanguarda da criminologia liberal e com o abolicionismo, fundou aquilo que veremos mais adiante: a Criminologia Crítica" (BATISTA, Vera Malaguti. *Introdução crítica à criminologia brasileira.* 2. ed. Rio de Janeiro: Revan, 2012, p. 79). Nesse ponto, também é relevante a lição de Van Swaaningen, para quem "o adjetivo 'crítico' assim o indica; deriva da teoria crítica da Escola de Frankfurt. Ainda que se tenham feito muitas referências implícitas a essa famosa escola alemã de sociologia, somente uns poucos criminólogos críticos trabalharam explicitamente dentro desse estilo. Sem embargo, o próprio surgimento da Criminologia Crítica tem sua raiz nos postulados centrais da teoria crítica, de que as perguntas científicas sempre deveriam refletir perguntas sociais, e que a ciência pode ser um meio para mudar o *status quo*. Uma inspiração teórico-política comparável – implícita, porém, importante – deriva do estruturalismo francês, especialmente das reflexões de Louis Althusser sobre o marxismo, e a tradição intelectual neomarxista italiana, inspirada por Antonio Gramsci. Estas orientações relativas à teoria política e social conduziram a reflexões macrossociológicas sobre as perspectivas preexistentes do etiquetamento e das subculturas, nas quais as questões de poder ser elevam a um nível político. (...) As diferenciações literais entre 'radicais' (em referência às raízes marxistas) e 'novos' (originados na nova esquerda) são menos relevantes na prática. O adjetivo 'crítico' se transformou gradualmente numa linha demarcatória para os acadêmicos que se opõem à ética utilitária que subordina a criminologia aos interesses da lei e da ordem. Mediante uma combinação de ceticismo intelectual a respeito da determinação política do objeto da criminologia e um compromisso político explícito orientado à justiça social, chegamos ao coração da Criminologia Crítica (Cohen, 1990)'" (SWAANINGEN, René Van. *Perspectivas europeas para una criminología crítica, cit.*, p. 5-7, tradução livre).

30 FIGUEIREDO DIAS, Jorge de; ANDRADE, Manuel da Costa. *Criminologia*. O homem delinquente e a sociedade criminógena. Coimbra: Coimbra Editora, 1997, p. 56.

31 Juarez Cirino dos Santos elenca os livros de Criminologia Crítica escritos nos últimos vinte anos na América Latina, *verbis*: "Hoje, como paradigmas científicos da mudança acadêmica na América Latina, existem inúmeros artigos e livros de criminologia construídos em perspectiva crítica, publicados a partir do último quartel do século 20. Assim, os primeiros grandes livros de criminologia marxista foram escritos por Rosa del Olmo, em *La sociopolítica de las drogas* (1975), ou *América Latina y su criminología* (1981), e por Lola Aniyar de Castro, em *La*

principalmente, pelas mãos de Roberto Lyra Filho[32] e de Juarez Cirino dos Santos[33]. Ainda que se saiba das variadas correntes marxistas que hoje procuram ajustar ou amenizar algumas premissas testadas e fracassadas no pensamento originário de Marx, o ponto em comum, que une boa parte dos adeptos dessa corrente, é a busca pelas condições de criação da consciência de classe no proletariado. Na compreensão dessa teoria, como explica Juarez Cirino dos Santos, seria somente com a "transformação dos sistemas jurídicos e políticos de controle social" que se permitiria a "abolição da dominação de classe realizada através do Estado e do Direito capitalistas, configurada na contradição capital/trabalho assalariado". Ele conclui dizendo que "somente então, segundo Marx, seria possível falar da lei como reflexo da vontade dos seres humanos e conceber uma sociedade livre do crime"[34].

As críticas, portanto, orbitam em torno do mal causado pelo capitalismo, da ideia de que o Direito não seria fruto da "expressão da vontade geral", "da negação do crime como simples violação da lei"[35] e do uso do direito penal como instrumento promovido contra a classe dos trabalhadores. Juarez Cirino chega a afirmar que "somente a lógica dialética do materialismo histórico poderia explicar o comportamento desviante ou criminoso como ação humana, inserida nas contradições da estrutura social"[36]. Tudo é reduzido à leitura do materialismo marxista. Como se antes do capitalismo ninguém praticasse crimes..

Ainda levando em conta a explicação de Juarez Cirino dos Santos, desde a criação do *Grupo Europeu para o Estudo do Direito e do Controle Social*, em Florença, na Itália, em 1972, com seu Manifesto publicado em 1974, "a tarefa de esclarecer a relação crime/ formação econômico-social leva à inserção do fenômeno criminoso na esfera da produção

---

criminología de la reacción social (1976) e *Criminología de la liberación* (1987), ambas da Venezuela. No Chile, Eduardo Novoa Monreal, em *Derecho, política y democracia*: un punto de vista de izquierda (1983); Juan Bustos Ramírez, em *Bases críticas del nuevo derecho penal* (1982) e *Control social y sistema penal* (1987). Na Argentina, Roberto Bergalli (já exilado na Espanha), em *La recaída en el delito*: modos de reaccionar contra ella (1980); Emilio García Méndez, com *Autoritarismo y control social* (1987); Luis Marcó del Pont, com *Manual de criminología (un enfoque actual)* (1990); Eugenio Raúl Zaffaroni, com *En busca de las penas perdidas*: deslegitimación y dogmática jurídico-penal (1991); mais recentemente, no século 21, Gabriel Ignacio Anitua, em *Historias de los pensamientos criminológicos* (2006) e, mais na linha do construcionismo social, Máximo Sozzo, em *Viagens culturais e a questão criminal* (2014); no Uruguai, Raúl Cervini, com *Victimología* (1998) – para citar apenas alguns" (SANTOS, Juarez Cirino dos. *Criminologia, cit.*, p. 289-90).

32 LYRA FILHO, Roberto. *Criminologia dialética*. Rio de Janeiro: Borsoi, 1972.

33 SANTOS, Juarez Cirino dos. *A Criminologia Radical*. 3. ed Curitiba: ICPC/Lumen Juris, 2008. O autor ainda elenca outros doutrinadores brasileiros que caminham na mesma linha, *verbis*: "No Brasil, existe uma rica e poderosa literatura crítica de criminologia, produzida por criminólogos consagrados como Vera Malaguti Batista (UERJ), Vera Regina Andrade (UFSC), Ella Wolkmer de Castilho (UnB), Maria Lucia Karam (TJRJ), Sérgio Salomão Shecaira (USP), Amilton Bueno de Carvalho (TJRS), Salo de Carvalho (UFRJ), sem esquecer os que nos deixaram com muitas saudades: Roberto Lyra Filho (UnB), Augusto Thompson (UCAM) e, há pouco tempo, Thiago Fabres (UFES), todos responsáveis, em grande medida, pela produção e pela difusão da Criminologia Crítica no País" (SANTOS, Juarez Cirino dos. *Criminologia, cit.*, p. 288).

34 SANTOS, Juarez Cirino dos. *Criminologia, cit.*, p. 235.

35 *Ibid.*, p. 235.

36 *Ibid.*, p. 243.

(e não apenas na esfera da circulação): as relações de produção e as questões de poder econômico e político passam a constituir os conceitos fundamentais da Criminologia Radical"[37]. E segue, explicando que "a hipótese de que desigualdades econômicas e políticas entre as classes sociais são determinantes primários do crime revigora teses radicais sobre sociedades livres de crimes – ou livres da necessidade de criminalizar para sobreviver – e orienta o esforço coletivo para a elaboração de uma teoria criminológica comprometida com a construção do socialismo"[38].

Dando o tom da ideologia de fundo que move a Criminologia Radical, Juarez Cirino ainda esclarece que essa corrente admite "a centralidade da classe trabalhadora como força política capaz de edificar o socialismo" e "reavalia o significado e destaca a importância crescente das minorias oprimidas pela condição de classe (a população das prisões), de raça (negros, índios, etc.), de sexo ou de idade para a execução daquele projeto político"[39].

Por fim, Juarez Cirino esclarece que os estudos de Young, em 1979, identificavam "duas tendências principais nos aportes criminológicos ligados à teoria marxista, representando desvios voluntaristas e economicistas nas questões do crime e do controle social: o 'idealismo de esquerda' e o 'reformismo'"[40]. Esclarece que o "idealismo de esquerda" é expresso "como a ideologia radical de grupos sociais marginalizados", a exemplo dos "negros, dos presos e outras minorias"[41], ao passo que o "reformismo" seria uma "espécie de marxismo bem-educado, absorvido pelo sistema, assimilado pelos currículos universitários, sem a origem rebelde, o aguerrimento combativo, a tradição militante e a importância política do idealismo de esquerda"[42]. E, em seguida, ele deixa claras as pretensões finais voltadas por uma dessas correntes de discurso abolicionista, esclarecendo que elas transcendem o abolicionismo penal, para considerar o abolicionismo do modelo de sociedade capitalista, o que se harmoniza com o ideário da Criminologia Radical, ao estabelecer que:

> a estratégia do radicalismo da esquerda idealista objetiva a abolição do controle social burguês, com a extinção da prisão, da polícia, da escola, dos meios de comunicação de massa, da família nuclear etc., definidos como "instituições inimigas da classe trabalhadora", mas inteiramente "funcionais" para o capitalis-

---

37 SANTOS, Juarez Cirino dos. *A Criminologia Radical*. 3. ed. Curitiba: ICPC, Lumen Juris, 2008, p. 07.

38 *Ibid.*, p. 8.

39 *Ibid.*, p. 8.

40 *Ibid.*, p. 27.

41 *Ibid.*, p. 27.

42 *Ibid.*, p. 28.

mo: não se trata de "reformar", mas de "destruir" essas instituições e promover sua substituição por instituições proletárias[43].

E acrescenta:

> como socialistas, a luta principal dos criminólogos radicais é contra o imperialismo dos países centrais, a exploração de classe, o racismo etc. e, como teóricos, o esforço pela construção de explicações materialistas da lei penal e do crime, nas condições criminógenas do capitalismo monopolista contemporâneo, está vinculada à teoria geral do desenvolvimento histórico que informa sua estratégia política: a instituição de uma sociedade sem classes, através da socialização dos meios de produção. (...) A Criminologia Radical estuda o papel do Direito como matriz de controle social dos processos de trabalho e das práticas criminosas, empregando as categorias fundamentais da teoria marxista, que o definem como instituição superestrutural de reprodução das relações de produção, promovendo ou embaraçando o desenvolvimento das forças produtivas[44].

Sempre trabalhando com a crítica ao capitalismo como base teórica, a Criminologia Radical, como explica Juarez Cirino, tem "o compromisso (...) com a transformação da estrutura social e a construção do socialismo, mostrando a insuficiência das reformas penais, denunciando o oportunismo pragmatista das políticas penais alternativas – mas apoiando as medidas liberalizantes – e afirmando a impossibilidade de resolver o problema do crime no capitalismo"[45].

Nessa mesma trilha, como recordam Jorge de Figueiredo Dias e Manuel da Costa Andrade, para a generalidade dos criminólogos radicais, não devem sequer ser aceitas as metas da prevenção especial ligadas ao ideal da "ressocialização". E emendam os autores: "pois não é – numa palavra – o delinquente que pode ou deve ser 'ressocializado', mas a própria 'sociedade punitiva' que tem de ser (revolucionariamente) transformada"[46]. Consideram, por fim, o crime "das classes mais desprotegidas" como um ato individual de revolta, o que revelaria "uma falta de consciência de classe" representando "um dispêndio gratuito de energias que importa canalizar para a revolução"[47].

---

43   *Ibid.*, p. 29.
44   *Ibid.*, p. 39.
45   *Ibid.*, p. 43.
46   FIGUEIREDO DIAS, Jorge de; ANDRADE, Manuel da Costa. *Criminologia, cit.*, p. 61.
47   *Ibid.*, p. 62.

Esse olhar de aproveitamento do criminoso como alguém que deve direcionar suas energias para a revolução, e de que o discurso criminológico radical deve, igualmente, direcionar esforços em busca de um recrutamento de novas forças ativistas e de ferramentas na luta de classes, em vez de se preocupar em propor uma alternativa ao direito penal, é cristalino já nas ideias originárias de Thomas Mathiesen. Nesse sentido, a criação da *KROM* ("*Associação Norueguesa para a Reforma Penal*"[48]), em 1968, é considerada decisiva por Thomas Mathiesen, tendo ele deixado registrada "sua habilidade, como organização, para recrutar novos ativistas". Mathiesen anota que, desde a fundação da *KROM*, "havia duas principais fontes de recrutamento (para além dos prisioneiros): para uma coisa, profissionais que trabalharam à esquerda do sistema – especialmente professores e assistentes sociais – (...) e, para outra, estudantes de cabeça aberta e alerta – e nos anos recentes – 2014 – especialmente estudantes de Direito"[49].

Vale anotar que nem todos os autores deixam isso claro, mas é possível identificar essa pretensão naqueles mais transparentes, a exemplo do que já se viu da Criminologia Radical de Juarez Cirino dos Santos e de Thomas Mathiesen[50], chamado por Zaffaroni de o "estrategista do abolicionismo", por entender que:

> sua tática abolicionista encontra-se estreitamente vinculada a um esquema relativamente simples do marxismo, o que, no entanto, não retira o interesse de suas considerações táticas. Como Mathiesen vincula a existência do sistema penal à estrutura produtiva capitalista, sua proposta parece aspirar não apenas à abolição do sistema penal, como também à abolição de todas as estruturas repressivas da sociedade[51].

No Brasil, Nilo Batista também serve de exemplo em linha similar, quando, referindo-se às bases lançadas por Alessandro Baratta[52], afirma que "a alternativa oferecida ao mito da reeducação consistiria na criação de condições que levassem o condenado a compreender as contradições sociais que o conduziram a uma reação

---

48 Salo de Carvalho (*Antimanual de criminologia*. 4. ed. Rio de Janeiro: Lumen Juris, 2011, p. 133) a traduz como "Organização norueguesa anticarcerária", mas, lendo o texto original de Mathiesen, em inglês – "The Norwegian Association for Penal Reform" (*The politics of abolition revisited*, *cit.*, p. 6) –, prefere-se a tradução correta dos termos, nos moldes acima.

49 MATHIESEN, Thomas. *The politics of abolition revisited*, *cit.*, p. 16. Tradução livre.

50 *Ibid.*

51 ZAFFARONI, Eugenio Raúl. *Em busca das penas perdidas*: a perda de legitimidade do sistema penal. Trad. Vânia Romano Pedrosa e Amir Lopes da Conceição. Rio de Janeiro: Revan, 1991, p. 99.

52 BARATTA, Alessandro. *Criminologia Crítica e crítica do direito penal*. Trad. Juarez Cirino dos Santos. 3. ed. Rio de Janeiro: Revan/Instituto Carioca de Criminologia, 2002, p. 159 e s.

individual e egoística (o cometimento do crime), que, desenvolvida nele a consciência de classe, se transformaria em participação no movimento coletivo"[53].

Assim, mesmo que não seja dito com todas as letras, o que fica claro é que o objetivo final desse discurso abolicionista-marxista do direito penal não é a pacificação social dentro dos limites constitucionais vigentes, mas seu exato oposto. A crítica serve para criar as condições para a revolução, razão pela qual esses autores acabam não propondo nada no lugar do direito penal.

Mesmo com seu olhar voltado mais para a promoção da revolução socialista do que propriamente para uma solução alternativa penal, algumas críticas amplificadas nos estudos dessa corrente criminológica são importantes, como a percepção de que, em alguns momentos, tem-se a clara utilização de figuras penais operando contra pobres, como aquelas tipificadas no Brasil dos anos 1940, na lei das contravenções penais: vadiagem e mendicância (a primeira considerada, indiretamente, inconstitucional pelo STF, no RE 583.523, em 2013, e a segunda revogada pela Lei 11.983/2009). No mesmo sentido, a visão de seletividade do direito penal também é um contributo relevante quando se percebe a dificuldade de operar a responsabilização penal contra quem detém o poder político e econômico.

1.1.2.1.2 A influência de Foucault sobre os abolicionistas

Ao propor eliminar os delitos e as punições, muitos autores se valem dos contributos do filósofo[54] francês Michel Foucault[55]. Foucault, por sua vez, foi grandemente influenciado, como destaca Vera Malaguti[56], pela obra produzida no âmbito da Escola de Frankfurt *Pena e Estrutura Social*, de Georg Rusche, de 1938, complementada, após sua morte, por Otto Kirchheimer. Esta é considerada a primeira crítica criminológica "que aprofundou, desde o marxismo, a análise do poder punitivo", como recorda Zaffaroni[57].

Assim, boa parte dos abolicionistas assimila o olhar contrário de Foucault às mecânicas de uma "sociedade disciplinar", que seria voltada para diferenciar o

---

53   BATISTA, Nilo. *Introdução crítica ao direito penal brasileiro*. 9. ed. Rio de Janeiro: Revan, 2004, p. 38.

54   Difícil classificar Michel Foucault apenas como "filósofo", pois sua obra é também voltada para reconstruções histórica, jurídica e sociológica, bastante significativas. Opta-se pela síntese em considerá-lo um filósofo, pelo fato de que questionar tudo o que está posto em sociedade é a mola mestra da Filosofia, e Foucault se vale muito dessa ferramenta em seus textos.

55   FOUCAULT, Michel. *Vigiar e punir*: nascimento da prisão. 26. ed. Trad. Raquel Ramalhete. Petrópolis: Vozes, 2002, p. 178 e s.

56   BATISTA, Vera Malaguti. *Introdução crítica à criminologia brasileira*. 2. ed. Rio de Janeiro: Revan, 2012, p. 93 e s.

57   ZAFFARONI, Eugenio Raúl. *La cuestión criminal*. 2. ed. Buenos Aires: Planeta, 2012, p. 162.

"normal" do "anormal", e cujas fontes produtoras estariam nas famílias, nas escolas, nas fábricas, nos asilos, nos manicômios e, notadamente, nas prisões. Para Foucault e para os criminólogos abolicionistas, tudo isso serviria apenas para manter os "corpos dóceis" e moldados para servir ao capitalismo.

Se é certo que a leitura de Foucault levou muitos autores a radicalizar o pensamento abolicionista, o próprio Foucault, em entrevista concedida ao jurista belga Foulek Ringelhein, gravada em dezembro de 1983, revista e corrigida por Foucault em 16 de fevereiro de 1984, pouco antes de sua morte, ocorrida em 25 de junho de 1984, chegou a melhor esclarecer suas pretensões com a obra *Vigiar e punir* e, nessa mesma proporção, chegou, também, a amenizar seu discurso contrário ao direito penal[58].

Vale transcrever a pergunta e a resposta inaugural dessa entrevista. Disse o entrevistador:

> Seu livro *Vigiar e punir*, publicado em 1974, caiu como um meteorito no terreno dos penalistas e dos criminólogos. Propondo uma análise do sistema penal na perspectiva da tática política e da tecnologia do poder, essa obra abalou as concepções tradicionais sobre a delinquência e sobre a função social da pena. Ela perturbou os juízes repressivos, pelo menos aqueles que se interrogam sobre o sentido de seu trabalho. Ele fez tremer um grande número de criminólogos que, de resto, só sentiram o gosto de seu discurso ser qualificado de tagarelice. Hoje são cada vez mais raros os livros de criminologia que não se referem a *Vigiar e punir* como uma obra propriamente incontornável. No entanto, o sistema penal não muda, e a "tagarelice" criminológica prossegue, sem qualquer variação. Exatamente como se prestassem homenagem ao teórico da epistemologia jurídico-penal, sem poder extrair seus ensinamentos, como se existisse uma impermeabilidade total entre teoria e prática. Sua proposta, sem dúvida, foi a de fazer uma obra de reformador, mas não se poderia imaginar uma política criminal que se apoiaria em suas análises e tentaria extrair delas algumas lições?

E Foucault respondeu:

> Talvez seja preciso, primeiro, especificar melhor o que me propus nesse livro. Não quis fazer diretamente uma obra de crítica, se entendermos por crítica a

---

58 FOUCAULT, Michel. O que chamamos punir? MOTTA, Manoel Barros da (Org.). *Segurança, penalidade e prisão*. Coleção Ditos & Escritos. Trad. Vera Lucia Avellar Ribeiro. Rio de Janeiro: Forense Universitária, 2012. v. VIII, p. 280-91.

denúncia dos inconvenientes do sistema penal atual. (...) Tentei formular outro problema: descobrir o sistema de pensamento, a forma de racionalidade que, a partir do final do século XVIII, era subjacente à ideia segundo a qual a prisão é, em suma, o melhor meio, um dos mais eficazes e mais racionais para punir os infratores em uma sociedade. (...) Ao liberar o sistema de racionalidade subjacente às práticas punitivas, quis indicar quais eram os postulados de pensamento que se deveriam examinar caso quiséssemos transformar o sistema penal. Não digo que teríamos forçosamente de nos livrar deles, mas creio ser importante, quando se quer fazer uma obra de transformação e renovamento, saber não somente o que são as instituições e quais são seus efeitos reais, mas também qual é o tipo de pensamento que as sustenta (...).

Para compreender bem seu ponto de vista, também é relevante transcrever uma ponderação complementar de Foucault nessa mesma entrevista:

De fato, acho que o direito penal faz parte do jogo social em uma sociedade como a nossa e que não há razão de mascará-lo. Isso quer dizer que os indivíduos que dela fazem parte devem reconhecer-se como sujeitos de direito que, como tais, são suscetíveis de ser punidos e castigados se infringirem tal ou tal regra. Não há nada de escandaloso nisso, penso eu. Mas é dever da sociedade fazer de modo que os indivíduos concretos possam efetivamente se reconhecer como sujeitos de direito. Isso é difícil quando o sistema penal utilizado é arcaico, arbitrário, inadequado aos problemas reais que apresentam a uma sociedade. Tome, por exemplo, apenas o domínio da delinquência econômica. (...) Quero dizer: retornemos à ideia séria de um direito penal que defina claramente o que em uma sociedade como a nossa pode ser considerado como devendo ser punido ou não, retornemos ao pensamento de um sistema definindo as regras do jogo social.

Ainda que esse esclarecimento seja relevante, ele é um tanto tardio e por vezes ignorado pelos seguidores de sua leitura em *Vigiar e punir*. Ademais, é preciso levar em conta que a síntese foucaultiana expressada nessa sua obra de referência, no sentido de que a pena de prisão teria surgido como fruto de um ideal capitalista visando obter uma mão de obra docilizada e treinada para o trabalho, deve ser lida com cautela. Ela soa maniqueísta se levado em conta que a pena de prisão acabou substituindo o antigo e infinitamente mais perverso modelo punitivo que se centrava na tortura e na pena de morte. Não bastasse, como recorda Jacques Léonard, Foucault desconsidera que um dos fatores da migração de um modelo punitivo para outro decorre do fato de que o modelo punitivo anterior à pena de prisão estava provocando repulsa social e estigmatizando os atores processuais a exemplo da visão negativa que se passou a ter em relação ao carrasco e ao uso desenfreado da guilhotina ao longo do período de terror do pós-Revolução Francesa[59]. Assim, Foucault não leva em conta a necessária compreensão de que o que ele considera como o "nascimento da prisão" veio num momento de implantação de garantias contra o exercício do poder punitivo. A base iluminista que organizava os discursos de então é justamente voltada para a proibição de excessos no exercício do poder punitivo. E, para completar a crítica de uma simples substituição de um modelo punitivo por outro, é necessário observar o alerta de Pieter Spierenburg, em livro publicado em 1984: "o quadro pintado por Foucault, de um sistema substituindo outro rapidamente, é verdadeiramente distante da realidade histórica"[60]. Em verdade, foram necessários séculos para que a inflição de dor e publicidade do espetáculo da punição pudessem deixar de operar. Aliás, afirma Spierenburg, as execuções públicas persistiram em diversos países europeus até 1860, convivendo com a prisão como pena que já era adotada desde o início do século XVII. Jacques Léonard ainda coloca em xeque a análise de Foucault, considerando-a superficial e não adequada à compreensão histórica do período analisado, pois a economia na França ainda era essencialmente "artesanal, agrícola e pastoral". Levou muito tempo para que se adotasse uma "fragmentação das tarefas industriais" nas fábricas[61]. José Guilherme Merquior acrescenta outra crítica à obra de Foucault: o fato de que o século XVIII "foi uma era de efervescência pedagógica, predominantemente numa direção emancipadora ou humanitária"[62]. Merquior acusa Foucault de não ter feito qualquer citação da obra *Emile*, de Rousseau[63], e da contribuição de Johann Heinrich Pestalozzi na pedagogia da época, a qual pregava a necessidade de se impor um treinamento mental e moral ao trabalho manual. Por fim, Robert Brown ainda critica a obra de Foucault por desconsiderar que a prisão acabou sendo adotada quase que simultaneamente em diferentes países com estruturas de classe

---

59   LÉONARD, Jacques. L'historien et le philosophe: a propos de: surveiller et punir; naissance de la prison. *Annales historiques de la Révolution française*, n. 228, p. 163-181, 1977, p. 165.

60   SPIERENBURG, Pieter. *The Spectacle of Suffering: Executions and the Evolution of Repression: From a Preindustrial Metropolis to the European Experience*. Cambridge, London, New York, New Rochelle, Melbourn, Sydney: Cambridge University Press, 1984, pp. VIII e IX. Tradução nossa.

61   LÉONARD, Jacques. L'historien et le philosophe: a propos de: surveiller et punir; naissance de la prison, *cit.*, p. 166.

62   *Ibid.*, p. 166.

63   Na visão de Rousseau, em *Émile ou de l'éducation*: "Nascemos fracos, precisamos de força; nascemos desprovidos de tudo, temos necessidade de assistência; nascemos estúpidos, precisamos de juízo. Tudo o que não temos ao nascer, e de que precisamos adultos, é-nos dado pela educação" (ROUSSEAU, Jean-Jacques. *Emilio ou Da Educação*. Tradução de Sérgio Milliet. São Paulo: Difel, 1979, p. 10).

muito distintas[64]. Tudo isso passa ao largo da análise de Foucault, que parece debitar a adoção da prisão a um maquiavélico projeto de poder e de dominação, enraizado no estruturalismo de ordem capitalista e fundado na vigilância constante e na forçada docilidade dos corpos para servir à classe burguesa. Ou seja: enxergar a prisão como um instrumento do capitalismo é excessivamente reducionista.

Seja como for, e ainda que as pretensões de Foucault em *Vigiar e punir* não fossem exatamente coincidentes com o que se difundiu entre os abolicionistas, a ideia de eliminar todas as formas de controle social capitalista, notadamente o direito penal, acabou, assim, revelando-se como uma preocupação que tem como destino angariar adeptos para o movimento revolucionário[65] e criar as condições de caos social que possam conduzir para a revolução socialista/comunista que permita o abandono do modelo econômico capitalista.

1.1.2.1.3 Abolicionistas conciliadores

Entre os autores menos radicais, destaca-se um dos pioneiros do discurso abolicionista: o holandês Louk Houlsman. Para compreender sua proposta, é interessante analisar sua personalidade e seu modo de compreender os homens e as instituições, a partir de uma entrevista comandada por Jacqueline Bernat De Celis. Nessa entrevista ficou evidenciado como as experiências traumáticas de sua juventude (principalmente o fato de ter sido submetido, contra sua vontade, ao internato escolar por sua mãe e ter vivido a ocupação alemã na Segunda Guerra) moldaram sua compreensão do tema penal.

Louk Houlsman se considerava alguém solidário ao outro de forma incondicional, admitindo solidariedade até com coisas inanimadas, como "uma pedra no deserto", numa leitura muito aproximada da visão franciscana, de comunhão com o mundo. Houlsman defendia que a sociedade deveria retornar ao modelo que ele chamava de "mais tradicional", com uma tentativa de "desprofissionalizar, desinstitucionalizar, descentralizar", e considerava que "a única maneira de deter a cancerização institucional para revalorizar outras práticas de relacionamento social é desinstitucionalizar na perspectiva abolicionista"[66].

Chegou a afirmar que "nunca conheceu uma pessoa má" e que só conheceu "pessoas difíceis" ou "aborrecidas", "mas, nunca alguém que, após um esforço de compreensão, me tenha parecido repugnante". Ele considerou que isso o livrava "de explicações do

---

64   BROWN, Robert. The Idea of Imprisonment. In: Times Literary Supplement, n. 3976, 16 de junho de 1978, p. 658.

65   BATISTA, Nilo. *Introdução crítica ao direito penal brasileiro, cit.*, p. 38.

66   HOULSMAN, Louk; BERNAT DE CELIS, Jacqueline. *Penas perdidas*. O sistema penal em questão. Trad. Maria Lúcia Karam. Rio de Janeiro: Luam Editora, 1993, p. 30.

mundo que se assentam em discriminações e pretendem provocar o isolamento de algumas pessoas vistas como más"[67]. Admitiu, por fim, que passou por um processo que chamou de "conversão", que o fez "saltar para a posição abolicionista", dizendo que "há dois tipos de conversão: a individual e a coletiva". E emendou: "Para abolir o sistema penal, será preciso uma conversão coletiva"[68]. Admitindo que essa conversão coletiva possa nunca ocorrer, ele se agarrou a um "desejo de mudança" e de "viver, como diz o apóstolo, neste mundo, sem ser deste mundo", encerrando a conversa com outra invocação religiosa: "em termos cristãos, isto tem um nome: esperança"[69]. O discurso e a visão de mundo revelados por Louk Houlsman nessa entrevista, de fato, aproximam-se muito de uma pregação religiosa cristã.

No plano teórico, Louk Houlsman considerou que o ser humano não é mau, que o fenômeno do crime é inventado pela lei, que a cifra negra da criminalidade seria a demonstração de que o sistema penal é desnecessário e que ele apenas "fabrica culpados"[70]. Houlsman detectou que o sistema penal reproduz o modelo de culpa forjado numa "moral maniqueísta" da escolástica cristã, facilitando a aceitação da dicotomia "inocente-culpado, sobre a qual se estrutura o sistema penal"[71], e que acaba estigmatizando as pessoas, no que também "cria e reforça as desigualdades sociais", na medida em que "a clientela habitual dos tribunais correcionais" são "batedores de carteira, ladrõezinhos de toca-fitas ou de mercadorias em lojas, estrangeiros que infringem regulamentações específicas, pessoas acusadas de não pagar o táxi ou a conta do restaurante, de ter quebrado uns copos num café, ou de ter desacatado um agente da autoridade"[72]. Recordou que muitos conflitos são resolvidos fora do sistema penal, seja com indenizações, seja com "acordos, mediações, decisões privadas dos interessados" ocorridas "no seio das famílias, das empresas, de estabelecimentos de ensino, de organizações profissionais ou sindicais, de clubes ou outras associações privadas"[73]. Argumentou que, "frequentemente, a vítima desejaria ter um encontro cara a cara com seu agressor, que poderia significar uma libertação. Mesmo vítimas de violências, muitas vezes, gostariam de ter oportunidades de falar com seus agressores, compreender seus motivos, saber por que foram atacadas. Mas o agressor está na prisão, e o encontro cara a cara é impossível"[74]. Por fim, entendeu que "questionar o

---

67   *Ibid.*, p. 46.
68   *Ibid.*, p. 48.
69   *Ibid.*, p. 50.
70   *Ibid.*, p. 67.
71   *Ibid.*, p. 68 e s.
72   *Ibid.*, p. 75.
73   *Ibid.*, p. 74.
74   *Ibid.*, p. 83.

direito de punir dado ao Estado não significa necessariamente rejeitar qualquer medida coercitiva, tampouco suprimir totalmente a noção de responsabilidade pessoal"[75], mas considerou que "a verdadeira pena pressupõe a concordância das duas partes".

Louk Houlsman propôs, então, uma mudança na linguagem, para não chamar mais o ato ilícito de "crime" e seu autor de "criminoso", mas substituir os termos por outros menos estigmatizantes, como "situação problemática", invocando soluções não punitivas para esses casos. Ainda ponderou que as condutas violentas, a exemplo do homicídio e do roubo, são, na Holanda ou na França, muito episódicas, e não se poderia tratar "o conjunto de problemas que atualmente concernem ao sistema penal" a partir dessas exceções[76]. E ainda considerou que "qualquer um pode constatar que a existência do sistema penal de forma nenhuma impede os homicídios, os roubos à mão armada ou os furtos em residências", e que, assim, "esperar que o sistema penal acabe com a 'criminalidade' é esperar em vão"[77].

Louk Houlsman também sustentou a necessidade de abandonar o discurso da prevenção dos delitos, falando da necessidade de repensar um novo modelo de sociedade que não se prenda à ideia de prevenção, e no qual se deveriam procurar "as condições em que os homens e as mulheres deste tempo poderiam se tornar capazes de enfrentar e assumir seus problemas". Assim, disse Houlsman, "quando o poder político, reduzindo a coerção estatal, se voltar para (...) ajudá-los a administrar seus problemas, com os métodos que eles próprios escolherem e os meios que lhes forem acessíveis – quando isso acontecer, tudo indica que estaremos entrando num caminho mais fecundo"[78].

E as propostas alternativas ao sistema penal orbitam, então, em medidas de conciliação e reparação civil dos danos, como é proposto por Houlsman para os casos de violência sexual que vitimizam as mulheres. Houlsman diz que, desde 1984, tem estudado o uso de medidas cíveis para casos de violência contra mulheres e considera que "uma ordem judicial que proíba o homem de entrar no mesmo lugar em que a mulher more" seria uma boa solução não penal "à situação problemática"[79]. Não é demais registrar, desde logo, que a ingenuidade de crer que isso, sozinho, seja uma boa solução para a violência doméstica é evidente. Normalmente homens que agridem mulheres não têm muito apego a regras de convivência social, muito menos a determinações judiciais que, na prática, não raras vezes não passam de palavras ao

---

75 *Ibid.*, p. 86.
76 *Ibid.*, p. 107.
77 *Ibid.*, p. 108.
78 *Ibid.*, p. 139.
79 *Ibid.*, p. 174 e s.

vento, já que não são por eles assimiladas moralmente e não têm a força de contê-los fisicamente. Foucault também chegou a fazer críticas ao abolicionista Louk Houlsman:

> Talvez eu não esteja suficientemente familiarizado com sua obra, mas me pergunto pelos seguintes pontos: será que a noção de situação-problema não levaria a psicologizar a questão e a reação? Será que uma prática como aquela não corre o risco, mesmo não sendo o que ele almeja, de levar a uma espécie de dissociação entre, de um lado, as reações sociais, coletivas, institucionais do crime, que será considerado como um acidente, mas devendo, no entanto, ser regulado da mesma maneira, e, de outro, se não haveria, em torno do próprio criminoso, um hiperpsicologizar de modo a constituí-lo como objeto de intervenções psiquiátricas ou médicas com fins terapêuticos?[80]

Diante dessas ponderações, o entrevistador de Foucault indagou:

> Mas essa concepção do crime não conduz, de resto, à abolição das noções de responsabilidade e de culpa? Uma vez que o mal existe em nossas sociedades, a consciência de culpa, que, de acordo com Ricouer, nasceu na Grécia, não preenche uma função social necessária? É possível conceber uma sociedade exonerada de todo sentimento de culpa?

Ao que, por sua vez, Foucault respondeu:

> Não acho que a questão seja saber se uma sociedade pode funcionar sem culpa, mas se a sociedade pode fazer funcionar a culpa como um princípio organizador e fundador de um direito. É nesse ponto que a questão se torna difícil. Paul Ricouer tem toda razão de formular o problema da consciência moral, ele o faz como filósofo e historiador da filosofia. É completamente legítimo dizer que a culpa existe a partir de certo tempo. Podemos discutir para saber se o sentimento de culpa vem dos gregos ou se tem outra origem. De todo modo, ela existe, e não vemos como nossa sociedade, ainda fortemente enraizada em uma tradição que é também a dos gregos, poderia se dispensar da culpa.[81]

---

80 FOUCAULT, Michel. O que chamamos punir? MOTTA, Manoel Barros da (Org.). *Segurança, penalidade e prisão, cit.*, p. 288.

81 *Ibid.*, p. 288-289.

Como se vê, as propostas abolicionistas de Louk Houlsman seduzem boa parcela dos seguidores de um abolicionismo moderado, conciliador, mas precisam ser mais bem digeridas, não apenas a partir das ponderações de Foucault anteriormente transcritas, mas também levando em conta outros aspectos biológicos e psicanalíticos (o tema será retomado mais adiante).

Seguindo algumas posições similares à de Louk Houlsman no que concerne à ideia de abandono dos profissionais e das instituições, o norueguês Nils Christie também é um crítico da pena de prisão. Nils Christie trabalha com a ideia de que a prisão se tornou uma indústria. Ele considera que o problema da prisão em massa "não significa que a proteção da vida, da integridade física e da propriedade não sejam motivo de preocupação na sociedade moderna. Pelo contrário, viver em sociedades de grande escala vai significar por vezes viver em ambientes onde os representantes da lei e da ordem são vistos como garantia essencial para a segurança". E complementa: "Não se pode deixar de levar seriamente em conta este problema. Todas as sociedades modernas terão que fazer algo em relação ao que se designa em termos gerais como o problema do crime"[82]. Assim, Christie prega o que já se denominou como "abolicionismo minimalista"[83], com uma "quantidade apropriada de dor"[84], e com a ideia de reintrodução da vítima e, na mesma linha de Louk Houlsman, de "devolução do conflito às partes"[85].

Propõe a criação de "tribunais de bairro" ("*neighbourhood courts*"), sem a presença de profissionais do direito, próximos dos locais nos quais ocorreram os delitos, e que possam promover práticas de encontro e compreensão entre vítimas e autores de delitos[86]. Christie considerava, já em 1977, que os "ofensores têm a possibilidade de mudar suas posições caso deixem de ser ouvintes numa discussão – normalmente uma discussão altamente ininteligível – a respeito de quanto de dor ele é merecedor, e passem a ser participantes na discussão de como eles poderiam fazer o bem novamente"[87]. Sua ideia é de que, sem isso, o ofensor perde a chance de se explicar para a vítima e dela receber perdão.

---

82   CHRISTIE, Nils. *A indústria do controle do crime*: a caminho dos *gulags* em estilo ocidental. Trad. Luis Leiria. Rio de Janeiro: Forense, 1998, p. 3.

83   ACHUTTI, Daniel. *Justiça restaurativa e abolicionismo penal*: contribuições para um novo modelo de administração de conflitos no Brasil. 2. ed. São Paulo: Saraiva, 2016.

84   CHRISTIE, Nils. *A indústria do controle do crime, cit.*, p. 198.

85   *Id*. Conflicts as property. *The British Journal of Criminology*. v. 17, n. 1, jan. 1977, p. 8 e s. Disponível em: https://criminologiacabana.files.wordpres.com/2015/10/nils-christie-conflicts-as-property.pdf. Acesso em: 27 jan. 2020.

86   *Id*. Conflicts as property, *cit. Vide*, também, CHRISTIE, Nils. *Limites à dor*: o papel da punição na política criminal. Trad. Gustavo Noronha de Ávila, Bruno Silveira Rigon e Isabela Alves. Belo Horizonte: D'Plácido Editora, 2016. v. 1 (coleção Percursos criminológicos).

87   *Id*. Conflicts as property, *cit*. Tradução livre.

38 ■ Processo Penal | Fundamentos dos fundamentos

A proposta de Christie é que a situação passe por três estágios de solução, com amplo enfoque na participação comunitária, voltada para os interesses das vítimas. Mas ele não abandona a possibilidade de punição, que viria, segundo sua proposta, somente quando "o juiz considere necessário aplicá-la para além daqueles sofrimentos construtivos não intencionais pelos quais o ofensor passaria nas suas ações de reparação vis-à-vis com a vítima". E acrescenta: "mas os vizinhos devem achar intolerável que nada aconteça". Christie reforça a ideia dizendo que o julgamento se daria por pares dos envolvidos na comunidade, e, "quando ela conseguisse uma solução, nenhum juiz seria necessário". Ele propõe um afastamento dos especialistas e dos profissionais, inclusive dos advogados, sociólogos ou psicólogos, para premiar a solução dada pelos integrantes da comunidade[88].

Christie chega a ir além em sua proposta, dizendo que não está isolado em sua forma de pensar a abolição dos especialistas e dos profissionais em geral. Ele considera que "educação obrigatória, medicação obrigatória, consumação obrigatória de soluções de conflito têm interessantes similaridades". E invoca pensadores que pregam o abolicionismo da educação profissional, que sonham com uma "sociedade sem escolas", dizendo que "quando Ivan Illich e Paulo Freire foram ouvidos quanto a isso, e a minha impressão é de que eles o são cada vez mais, o sistema de controle do crime será também mais facilmente influenciado"[89].

Ainda que não se tenha a amplitude de abandono completo dos profissionais e de uma substituição por julgamentos comunitários, pretendida por Nils Christie, alguns modelos de justiça consensual e desencarceradora vêm sendo amplamente empregados no Brasil, nos últimos trinta anos, sob variados enfoques. Atendendo ao comando do artigo 98, I, da Constituição da República de 1988[90], editou-se a Lei 9.099/95, instituindo os Juizados Especiais Criminais e três novas práticas de despenalização (composição civil dos danos, transação penal e suspensão condicional do processo); a Lei 9.714/98 ampliou as penas alternativas à pena de privação da liberdade no Código Penal; a Lei 12.403/2011 inseriu no Código de Processo Penal nove diferentes medidas alternativas à prisão preventiva; e, por fim, a Lei 13.964/2019 inseriu o artigo 28-A no Código de Processo Penal, para permitir o acordo de não persecução penal, uma forma de nem sequer processar o autor do delito, mediante prévio acordo e ajuste de comportamento.

---

88 *Ibid.*

89 *Ibid.*

90 "Art. 98. A União, no Distrito Federal e nos Territórios, e os Estados criarão: I – juizados especiais, providos por juízes togados, ou togados e leigos, competentes para a conciliação, o julgamento e a execução de causas cíveis de menor complexidade e infrações penais de menor potencial ofensivo, mediante os procedimentos oral e sumaríssimo, permitidos, nas hipóteses previstas em lei, a transação e o julgamento de recursos por turmas de juízes de primeiro grau (...)".

Em 2012 foi realizada uma pesquisa acadêmica que:

> mapeou 1.050 intervalos de pena propostos pelo legislador. Desse universo, 532 (quinhentos e trinta e dois), ou 50,67%, comportam o benefício da transação penal; 253 (duzentos e cinquenta e três), ou 24,10%, admitem o benefício da suspensão condicional do processo; 35 (trinta e cinco), ou 3,42%, admitem a substituição de pena privativa de liberdade por pena restritiva de direito; 13 (treze), ou 1,23%, não admitem substituição por pena restritiva de direito, sem, no entanto, garantir regime inicial de cumprimento fechado; 28 (vinte e oito), ou 2,67%, obrigam o magistrado a determinar regime inicial de cumprimento fechado, e 189 (cento e oitenta e nove), ou 17,91%, são de resultado incerto, podendo comportar desde a substituição até o regime inicial fechado[91].

De resto, o sistema de cumprimento de penas brasileiro trabalha com o regime aberto para as condenações até quatro anos e semiaberto para condenações acima de quatro e até oito anos (salvo para reincidentes). Como é sabido, o regime aberto e o semiaberto hoje praticamente se equivalem, considerando a ausência de vagas no sistema penitenciário, promovendo uma criação jurisprudencial que passou a denominar de "semiaberto harmonizado" o cumprimento da pena em condições equiparáveis ao regime aberto daquele que é condenado a cumprir pena no semiaberto. O regime fechado destina-se apenas àqueles condenados a penas superiores a oito anos e aos reincidentes condenados em intervalos de pena acima de quatro e abaixo de oito anos. O número de delitos que prevê penas mínimas acima de oito anos no Brasil é significativamente reduzido (os mais comuns são homicídio qualificado; latrocínio; extorsão mediante sequestro; estupro qualificado; estupro de vulnerável; financiamento do tráfico de drogas; tortura com resultado morte; e tráfico internacional de armas de fogo, este a partir da mudança da lei, em 2019).

O Cadastro Nacional de Monitoramento de Prisões – BNMP 2.0, do Conselho Nacional de Justiça, de agosto de 2018, apresenta o retrato da população carcerária brasileira e aponta 266.416 presos em regime fechado no país no ano de 2017[92]. O relatório do CNJ apresenta dificuldades de interpretação, dado que considera como presos também aqueles que cumprem pena em regime semiaberto ou aberto, e, quando apresenta os tipos de crimes mais comuns entre esses "presos", não diferencia quem está em regime fechado e quem está cumprindo pena em regimes que implicam na liberdade

---

91 KOSMAN, Jônatas. *O caráter polifuncional da pena e os institutos despenalizadores*: em busca da política criminal do legislador brasileiro. 149 f. Monografia (Bacharelado em Direito) – Faculdades Atibaia (FAAT), 2012, p. 27.

92 BRASIL. Conselho Nacional de Justiça. Banco Nacional de Monitoramento de Prisões (BNMP 2.0), 2018. Disponível em: https://www.cnj.jus.br/wp-content/uploads/2019/08/bnmp.pdf. Acesso em: 30 jan. 2023.

de ir e vir do condenado. Não bastasse, na estatística relacionada aos tipos de crimes que são cometidos, o CNJ considera que um único preso possa ter sido condenado por mais de um delito, o que dificulta a análise qualitativa dos dados apresentados. Mesmo assim, o universo de tipos penais que conduz ao cárcere não passa de 38 tipos na estatística do CNJ. Muitos deles, evidentemente, sozinhos, seriam incapazes de conduzir à prisão, já que, nesse universo de 38 tipos penais, estão contabilizados crimes de ameaça, contra a honra, lesões leves, dano, violação de domicílio, contravenções penais, homicídio culposo, furto, estelionato, enfim, uma série de tipos penais que admitem formas de exclusão do processo, a exemplo da transação penal, da suspensão condicional do processo e do acordo de não persecução penal, ou, em caso de condenação, operam no regime aberto ou semiaberto harmonizado.

Nesse sentido, também vale anotar que é a pena mínima prevista abstratamente na lei, aquela que é relevante na análise do quão severa é a legislação, dado que a tradição jurisprudencial brasileira adota como parâmetro para o cálculo da pena que o juiz inicie a partir da pena mínima, somente saindo desse marco caso haja alguma circunstância judicial negativa, agravante ou majorante. A tendência, na maioria dos casos, é que, sendo o réu primário e de bons antecedentes, a pena fique no mínimo legal ou próxima desse marco.

O retrato da legislação brasileira dos últimos trinta anos, portanto, permite dizer que o que se tem é uma grande aceitação legislativa da visão abolicionista conciliatória no Brasil, com cerca de 95% da legislação penal trazendo, como primeira opção de resposta "penal", não a punição, mas a transação, a composição, a negociação, inclusive, por vezes, aquela terapêutica. Somente em algo em torno de 2,5% dos crimes é que o regime inicial fechado (que representa efetivo encarceramento) é exigido pelo legislador brasileiro.

Assim, o que se tem visto é uma tendência legislativa que parte em busca de modelos abolicionistas, os quais, se por um lado não são radicais no sentido de uma base marxista revolucionária, por outro, investem na ideia de conciliação, de terapia, de assistência psicossocial, de educação, de reforço das empatias, ou de "restauração das vítimas, autores de crimes e suas comunidades"[93]. Esta última ideia parte da mesma premissa usada por Hulsman e Christie, de que o Estado "confiscou o conflito"[94] das vítimas[95], no século XII, considerando o delito uma ofensa primeiro a ele, e, desde

---

93   JOHNSTONE, Gerry; VAN NESS, Daniel W. *Handbook of restorative justice*. Portland, Oregon: Willan Publishing, 2007, p. 5. Tradução livre.

94   Para usar a expressão também empregada por FOUCAULT, Michel. *A verdade e as formas jurídicas*. 3. ed. Trad. Roberto Cabral de Melo Machado e Eduardo Jardim Morais. Rio de Janeiro: NAU Editora, 2003, p. 66.

95   No mesmo sentido, entre outros, Zaffaroni fala em "confisco da vítima" (ZAFFARONI, Eugenio Raúl. *La palabra de los muertos*. Conferencias de criminología cautelar. Buenos Aires: Ediar, 2011, p. 21 e 49).

então, tem relegado a vítima ao esquecimento. O modelo é denominado de "Justiça Restaurativa" (expressão que acabou sendo preferida em detrimento de outras já usadas: "Justiça Reparatória", "Justiça Transformadora" ou "Justiça Informal"[96]), cujas possibilidades vinham sendo identificadas e catalogadas, a partir de práticas regionais, desde, pelo menos, os anos 1970, quando se realizou a primeira experiência no Canadá[97]. A expressão "Justiça Restaurativa", no entanto, só foi cunhada em 1985, por Howard Zehr[98], e depois reprisada por Charles Colson e Daniel Van Ness[99], acompanhados de diversos outros autores.

Seguindo essa proposta da "Justiça Restaurativa" e inspirados no modelo desenvolvido na Bélgica[100], Daniel Achutti[101] e André Giamberardino[102] são dois autores (dentre outros tantos) que investem na difusão da perspectiva de uma alternativa ao processo penal tradicional iluminista no Brasil. Em levantamento realizado pelo Ministério da Justiça, identificou-se que as iniciativas no Brasil datam de 2005, quando foram mapeados "67 programas alternativos de administração de conflitos, em funcionamento em 22 Estados brasileiros"[103].

De lá para cá, a influência da ideia, no Brasil, já é de tal ordem que, em 2016, recebeu tratamento regulatório pelo Conselho Nacional de Justiça, ao instituir uma "Política Nacional de Justiça Restaurativa", por meio da Resolução 225, de 2016. O artigo 7º dessa Resolução do CNJ estabelece que "para fins de atendimento restaurativo judicial (...) poderão ser encaminhados procedimentos e processos judiciais, em qualquer fase de sua tramitação, pelo juiz, de ofício ou a requerimento do Ministério Público, da

---

96 DALY, Kathleen; IMMARIGEON, Rus. The past, present, and future of restorative justice: some critical reflections. *The Contemporary Justice Review* 1 (1), 1998, p. 21-45. Disponível em: https://www.griffith.edu.au/__data/assets/pdf_file/0019/223732/1998-Daly-and-Immarigeon-The-past-present-and-future-of-RJ-pre-print.pdf. Acesso em: 30 jan. 2023.

97 *Ibid.*, p. 4.

98 ZEHR, Howard. Retributive justice, restorative justice. *New perspectives on crime and justice*. Occasional papers of the MCC Canada victim offender ministries program and the MCC U.S. Office of Criminal Justice, n. 4, set. 1985.

99 COLSON, Charles; VAN NESS, Daniel. *Convicted*: new hope for ending America's crime crisis. Westchester: Crossway Books, 1989, p. 11.

100 Segundo relata Daniel Achutti, a Bélgica adotou modelo de justiça restaurativa para justiça da infância e juventude, regrado desde 2006, e outro para a justiça criminal para adultos, formalizado desde a lei de 10 de fevereiro de 1994, que introduziu a mediação penal no art. 216 do Código de Processo Penal belga, permitindo sua realização pelo Ministério Público, posteriormente ampliada para qualquer fase do processo, pela lei de 22 de junho de 2005. O autor, no entanto, reconhece que o modelo é pouco usado na Bélgica, ao citar as críticas de Tinneke van Camp e Anne Lemmone, que "chamam a atenção para o fato de que poucos são os casos conduzidos por meio de mediação direta entre vítima e ofensor, e que não há avaliação em andamento no país sobre a influência do sistema restaurativo quanto à reincidência ou a uma eventual redução de custos" (ACHUTTI, Daniel. *Justiça restaurativa e abolicionismo penal, cit.*, p. 197 e s. e p. 247).

101 ACHUTTI, Daniel. *Justiça restaurativa e abolicionismo penal, cit.*, p. 197 e s.

102 GIAMBERARDINO, André. *Crítica da pena e justiça restaurativa*: a censura além da punição. Florianópolis: Empório do Direito, 2015.

103 ACHUTTI, Daniel. *Justiça restaurativa e abolicionismo penal, cit.*, p. 222.

Defensoria Pública, das partes, dos seus Advogados e dos Setores Técnicos de Psicologia e Serviço Social". E o parágrafo único do mesmo artigo complementa, dizendo que "a autoridade policial poderá sugerir, no Termo Circunstanciado ou no relatório do Inquérito Policial, o encaminhamento do conflito ao procedimento restaurativo"[104]. Se a redação genérica do *caput* do artigo 7º deixa alguma margem para se questionar quanto à aplicação da "Justiça Restaurativa" no âmbito penal, o seu parágrafo único elimina a dúvida ao expressamente trabalhar com a situação pré-processual pela polícia. Assim, ainda que a possibilidade de o CNJ regrar matéria processual seja questionável quanto à sua constitucionalidade, pois está invadindo esfera legislativa de competência do Parlamento (art. 22, I, e art. 24, XI, da Constituição Federal), a normativa está vigente e, em seus termos, é possível encaminhar, desde logo, qualquer caso penal à mesa de composição restaurativa proposta pelo Conselho Nacional de Justiça. Em paralelo, tramitam no Congresso Nacional projetos de lei que visam regulamentar a matéria[105].

Algumas dessas modalidades, no entanto, são criticadas por autores que defendem a mesma ideia abolicionista. Por exemplo, a proposta de John Braithwaite[106], inspirada em modelos de "famílias amorosas", nas quais o desvio de comportamento de um filho, ainda criança, é objeto de censura pelos pais, mas ele segue ciente de que deverá continuar convivendo em família e isso faz com que naturalmente acabe sendo submetido a um processo que passa pelo experimento da vergonha, seguido de arrependimento, e de saber que o perdão dos pais ocorrerá. Braithwaite projeta esse modelo como solução para as práticas criminosas e diz que deve ser promovido nas relações entre o autor do delito e a vítima. Essa proposta, no entanto, é rechaçada por alguns autores abolicionistas[107], por se entender que ela continuaria trabalhando sob o prisma da punição. Em sentido similar, autores igualmente abolicionistas, porém mais radicais, a exemplo de Melossi e Pavarini, consideram os modelos de penas alternativas como representantes de um maior controle social, o que, para eles, também não é desejável[108].

Claro que defender a ideia de que a prisão deveria ser abolida é algo sedutor e desejável no contexto do avanço civilizatório. Ninguém pode se dizer fã da ideia de encarcerar o seu semelhante como resposta a um comportamento social danoso. É

---

104 BRASIL. Conselho Nacional de Justiça. Resolução n. 225/2016. Disponível em: https://atos.cnj.jus.br/files/resolucao_225_31052016_02062016161414.pdf. Acesso em: 30 jan. 2023.

105 *V.g.*, Projeto de Lei n. 7.006/2006, que trata do tema de forma genérica e, desde 2016, está apensado ao Projeto de Lei n. 8.045/2010, de reforma global do Código de Processo Penal, e o Projeto de Lei n. 5.621/2019, que visa introduzir o tema especificamente na Lei Maria da Penha.

106 BRAITHWAITE, John. *Crime, shame and reintegration*. Nova York: Cambridge University Press, 1989, p. 56 e s.

107 *V.g.*, CARVALHO, Salo de. Prefácio. Sobre as possibilidades de um modelo crítico de justiça restaurativa. ACHUTTI, Daniel. *Justiça restaurativa e abolicionismo penal*, *cit.*, p. 26.

108 MELOSSI, Dario; PAVARINI, Massimo. *Cárcere e fábrica*: as origens do sistema penitenciário (séculos XVI-XIX). 2. ed. Trad. Sérgio Lamarão. Rio de Janeiro: Revan, 2010. v. 1, p. 26. Coleção Pensamento criminológico.

possível até mesmo acreditar no fim da pena de prisão num futuro não muito distante, quando se pensa na potencialidade criativa de alternativas de controle social que a tecnologia permita desenvolver, sem a necessidade do cárcere. As tornozeleiras eletrônicas já são uma realidade a demonstrar a tendência de minimizar o encarceramento preventivo e substituí-lo pelo uso desse instrumento de controle. Porém, não se alcançou ainda um estágio tecnológico suficientemente potente para permitir o abandono da prisão como solução punitiva para determinadas condutas mais gravosas. A prisão ainda é um mal necessário como, mesmo destacando todos os seus aspectos negativos, até mesmo Foucault afirma no seu clássico *Vigiar e punir*[109].

Também é certo, como se viu anteriormente, que os estudos de Criminologia Crítica apontam aspectos interessantes do mau uso do sistema penal, com releituras da criminologia liberal, a exemplo do que ocorreu com a questão da cifra negra da criminalidade, da seletividade do Direito Penal e da teoria do etiquetamento (*labeling approach*)[110]. No entanto, não obstante acertem, em parte, no diagnóstico, erram na medicação. Fazem um salto conclusivo que se revela falacioso. Quanto à cifra negra da criminalidade, por exemplo, isto é, a diferença entre o número de crimes cometidos e aqueles efetivamente descobertos e punidos, sustentam alguns autores abolicionistas – a exemplo de Louk Houlsman – que isso demonstraria a deslegitimação do sistema penal[111]. Se a compreensão de que existe uma cifra negra da criminalidade é um dado verdadeiro, isso não implica dizer que se possa abandonar o direito penal. Trata-se de uma "falácia de acidente", ou de "inatingência", a que se refere Irving Copi[112], na qual o argumento usado, isto é, a premissa maior do raciocínio silogístico, não permite a conclusão esposada. O fato de que boa parte dos delitos não seja objeto de responsabilização não permite concluir que se possa abandonar a ideia de prevenção geral, positiva e negativa. Aqueles que cometem crimes e não são descobertos não se sentem, pela inatividade estatal em relação a eles, legitimados a praticar delitos. Seguem agindo mais pela ausência de uma ameaça crível, mas mantêm certo receio de serem descobertos. E, para além destes, muitos outros não agem justamente em razão do medo de serem descobertos[113]. Ademais, há um fator comunicacional im-

---

109 FOUCAULT, Michel. *Vigiar e punir*, *cit.*, p. 196, *verbis*: "Conhecem-se todos os inconvenientes da prisão, e sabe-se que é perigosa quando não inútil. E entretanto não 'vemos' o que pôr em seu lugar. Ela é a detestável solução, de que não se pode abrir mão".

110 *Vide*, entre outros: BARATTA, Alessandro. *Criminologia Crítica e crítica do direito penal*, *cit.*, p. 85 e s.

111 HOUSMAN, Louk. Alternativas à Justiça Criminal. PASSETTI, Edson (coord.). *Curso livre de abolicionismo penal*. 2. ed. Rio de Janeiro: Revan, 2012, p. 48-52.

112 COPI, Irving M. *Introdução à Lógica*. São Paulo: Editora Mestre Jou, 1974, p. 82 e s.

113 São inúmeros os experimentos de neurociência em torno dessa ideia de contenção pelo medo. Em termos práticos, também é interessante observar o que aconteceu no estado da Califórnia, nos Estados Unidos, com a edição da Lei de 2014, que transformou o furto em estabelecimento comercial aberto (art. 459-5 do Código Penal da Califórnia, chamado de *shoplifting*), em valor até U$950 (novecentos e cinquenta dólares) – antes

portante: enquanto ainda existe a possibilidade de punição, isso comunica o risco a quem pretender realizar o comportamento punível; mas, na medida em que se comunica a ausência de qualquer punição e que o máximo risco que se corre será tentar compor um ajuste de conduta, não há muito freio inibitório em curso. Essa discussão será retomada mais adiante, quando da análise crítica da teoria negativa e agnóstica da pena, do jurista argentino Eugenio Raul Zaffaroni.

De resto, vale recordar a advertência de Norberto Bobbio em carta aberta dirigida a Alessandro Baratta, quando foi convidado a participar de um debate sobre "*marxismo e questão criminal*", em 1977. Bobbio advertiu Baratta de que é preciso evitar o erro de "pensar que os fenômenos do desvio e da repressão devam ser interpretados como aspectos específicos da formação socioeconômica do capitalismo avançado". E emendou: "Uma tese deste gênero, que é antes de tudo historicamente insustentável, tem o único efeito de levar à deletéria consequência (digo deletéria do ponto de vista político) de se acreditar e de se fazer acreditar que basta eliminar o capitalismo para eliminar o desvio"[114].

Bobbio ainda adicionou uma sugestão que não foi levada em conta por Baratta e pelos seus seguidores abolicionistas ainda hoje, até porque ela equivaleria a negar a própria base teórica que sustenta boa parte das ideias abolicionistas. Disse Bobbio que ele desejava que a tarefa de uma revista de direito e da política criminal, proposta por Baratta, fosse científica, e não ideológica, e que, assim, pudesse conduzir a análises comparadas também com as formações econômico-sociais dos Estados socialistas. Ou seja, Bobbio advertiu Alessandro Baratta de que a opção desejada em contraponto ao capitalismo pode conduzir a modelos ainda mais autoritários e de um uso do direito penal ainda mais perverso. E sintetizou os bons frutos que poderiam advir desse modelo de análise séria dos problemas, dizendo que tinha a impressão:

---

considerado crime (equiparável a *burglary*) –, em contravenção (*misdemeanor*). Esse comportamento passou a ser punido com *probation* (liberdade condicional), "devolução da mercadoria", multa de, no máximo, mil dólares, ou pena de prisão de até seis meses. Mesmo que, em última análise, ainda esteja prevista a pena de prisão, o que a nova lei comunicou ao povo em geral é que, a partir dela, não haveria a possibilidade de sanção desse tipo. No senso comum, a ideia de furtar mercadorias de lojas e sair andando tranquilamente ganhou corpo como algo capaz de ser realizado livremente e sem sanções. O afrouxamento da resposta penal provocou incremento exponencial de furtos em lojas. A rede de Farmácias Wallgreens fechou cinco de suas lojas em São Francisco, ao argumento de não suportar o aumento de furtos, que quintuplicou em 2021, preferindo diminuir sua presença no estado da Califórnia a ter que suportar os furtos que eram cometidos de forma explícita, e sem ameaça concreta de punição, cotidianamente. A rede de farmácias CVS também anunciou o fechamento de seis de suas 21 lojas na cidade de São Francisco, em 2022, não obstante não tenha feito alusão aos furtos como justificativa. O prefeito de São Francisco, por outro lado, afirma que o motivo do fechamento das lojas da Wallgreens seria a saturação de lojas na cidade e não o aumento de furtos.

114 BOBBIO, Norberto. Marxismo e questão criminal. Carta a Alessandro Baratta. BOBBIO, Norberto. *Nem com Marx, nem contra Marx*. Trad. Marco Aurélio Nogueira. São Paulo: Editora Unesp, 2006, p. 267.

de que se chegaria a encontrar constantes históricas (não falemos, se preferirem, de "universais") muito mais relevantes (e também instrutivas) do que possa pensar a insistência na formação capitalista, insistência essa, repito, que fez nascer a ilusão de que, desaparecido o capitalismo, não haverá mais necessidade "nem de polícia, nem de cárceres, nem de leis, nem de decretos, nem de nada", como se lê naquele áureo livreto que é *O ABC do comunismo* (Bukharin & Preobrachensky, 1921, p. 81)[115].

É realmente interessante considerar essas advertências de Norberto Bobbio, até porque ele é considerado um dos mais importantes juristas italianos do século XX, tendo contribuído, como professor de Filosofia do Direito e de Ciência Política, para a formação de diferentes gerações, entre os anos 1948 e 1984, quando se aposentou[116]. Mas, ao mesmo tempo que Bobbio advertiu os abolicionistas quanto à necessidade de levar a sério a ciência e de que, assim, o melhor era ser "nem com Marx, nem contra Marx", a influência e a predominância dos discursos marxistas na Itália, a partir das manifestações de 1968, eram de tal ordem[117] que, em paralelo aos modelos abolicionistas radicais, de conotação mais acadêmica, surgiu também, entre os operadores do direito, notadamente numa corrente dentro da magistratura italiana, uma forte predominância de olhar crítico a partir das visões marxistas, no que se usou denominar de "Corrente ou Movimento do Direito Alternativo".

1.1.2.1.4 O Movimento do Direito Alternativo

Para compreender como o movimento do direito alternativo surgiu, nos anos 1970, na Itália, é preciso retroceder um pouco no tempo e identificar os problemas e disputas políticas internas na magistratura italiana, que começaram com o cenário de dificuldades econômicas do pós-guerra e se acirraram com algumas reformas nos anos 1950.

Até o início dos anos 1950, a Associação Nacional dos Magistrados (ANM), na Itália, era dominada pelos magistrados da Corte de Cassação (equivalente ao Supremo Tribunal Federal brasileiro). Eles correspondiam a 6,3% dos juízes na Itália, mas ocupavam 55% das cadeiras de direção da ANM. Assim, esses magistrados não apenas ditavam o modo de interpretar o direito, pela hierarquia própria do Poder Judiciário,

---

115 *Ibid.*, p. 267-268.

116 BOBBIO, Norberto. *Autobiografia*. Uma vida política. Trad. Luiz Sérgio Henriques. São Paulo: Editora Unesp, 2017, p. 131.

117 Sobre esse ressurgimento da esquerda italiana a partir de 1968, *vide*, entre outros, STAME, Federico. Revisionismo e lotte operaie. *Quaderni Piacentini*, ano IX, n. 40, 1970. Disponível em: http://www.bibliotecaginobianco. it/flip/QPC/09/4000/index.html#4. Acesso em: 30 jan. 2023.

como, também, conduziam os destinos sindicais da magistratura italiana[118]. Eles começaram, no entanto, a perder força política, em decorrência de uma série de fatores.

Para contextualizar o que se passou, é preciso considerar que, desde o fascismo, em 1933, havia dois concursos para ingressar na magistratura, gerando duas carreiras diferentes. Uma delas, que era considerada mais fácil, resumia-se a ocupar a função de "Pretore", mas não permitia avançar na carreira para cargos nos tribunais. A outra, mais difícil, permitia alcançar o mais alto escalão do Poder Judiciário.

Sucede que o problema econômico gerado com a alta inflação no pós-guerra provocou um quadro de insatisfação entre os magistrados italianos. Em 31 de março de 1947, várias assembleias locais de magistrados resolveram promover uma greve, que durou poucos dias e veio resolvida com a promessa do governo de melhorar as condições dos vencimentos. A greve, no entanto, não foi bem aceita pela direção da Associação Nacional dos Magistrados, que criticou veementemente a iniciativa[119]. Abria-se uma ruptura de unidade na magistratura da Itália, deixando marcada a diferença entre o que pensavam os magistrados de alto escalão, que comandavam a Associação Nacional dos Magistrados, e aqueles das instâncias inferiores. A solução econômica, por sua vez, demorou ainda alguns anos e veio em 24 de maio de 1951, com a Lei Piccioni, que, além de melhorar os vencimentos, unificou as duas carreiras[120]. Essa última medida provocou outro tipo de desagrado na magistratura. Passou a haver uma dificuldade maior na disputa por promoções aos tribunais: se até 1951 a chance de um magistrado se candidatar e conseguir uma vaga para atuar num tribunal era em torno de 50% a 60%, com a mudança legislativa, passou para 15%[121]. Isso gerou ampla insatisfação entre os magistrados mais jovens e acirrou uma competição interna. Muitos, inclusive, perceberam que a progressão na carreira passou a ser algo inviável nesse cenário. Foram se reorganizando, então, as forças políticas e sindicais.

Se não era possível ascender aos altos escalões do Poder Judiciário, era possível abrir uma frente crítica no palco sindical da Associação Nacional dos Magistrados. Em meados dos anos 1950, então, foram se organizando grupos de jovens magistrados, principalmente em Milão e em Nápoles, cuja bandeira era lutar por mudanças nesse modelo. Em 1957, foi realizado um Congresso da Associação Nacional dos Magistrados, em Nápoles, que passou a ser o divisor de águas na disputa de forças

---

118 VAUCHEZ, Antoine. *Une magistrature d'influence?* La redéfinition de la profession judiciare en Italie (1964-1996). Tese – Doutorado (Institut Universitaire Européen), Firenze, 2000, p. 26.

119 MAMMONE, Giovanni. 1945-1969. Magistrati, associazione e correnti nelle pagine de La Magistratura. LIBERATI, Edmondo Bruti; PALAMARA, Luca (ed.). *Cento anni di Associazione magistrati*, IPSOA, Gruppo Wolters Kluwer, 2009, p. 32.

120 MAMMONE, Giovanni. 1945-1969. Magistrati, associazione e correnti nelle pagine de La Magistratura, *cit.*, p. 35.

121 VAUCHEZ, Antoine. *Une magistrature d'influence?*, *cit.*, p. 29-30.

internas. Foi aqui que os magistrados da Corte de Cassação começaram a ser questionados mais veementemente e acabaram por perder seu lugar de destaque no plano associativo. Como revela Giovanni Mammone, foi nesse Congresso que:

> foram lançadas as bases para uma lacuna progressiva entre duas concepções da magistratura: por um lado, a magistratura mais jovem, mais aberta aos conteúdos inovadores da Constituição, por outro lado, aquela parte da magistratura correspondente às gerações mais velhas, "tendencialmente orientada para a conservação do sistema hierárquico e burocrático"[122].

Somaram-se a esse caldo cultural conflitivo os debates em torno da composição do novo Conselho Nacional da Magistratura, criado em 24 de março de 1958 pela Lei 195. Os mais jovens exigiam que não se levasse em conta mais a questão da antiguidade ou dos graus de jurisdição hierárquicos como critérios de indicação dos integrantes do Conselho Nacional, mas, sim, fosse estabelecida uma paritária divisão entre as funções da magistratura[123].

As discussões provocaram novos rachas internos, e, ao longo dos anos 1960, foram se organizando grupos de magistrados dentro da Associação Nacional dos Magistrados. As primeiras correntes dissidentes se chamaram *Terzo potere*, *Magistratura independente* e *Unione delle corti*. Promoveu-se aquilo que Giovanni Mammone chamou de uma "organização na organização"[124]. Cada grupo passou a representar uma posição política alternativa aos destinos da Associação Nacional dos Magistrados, e muitos se aproximaram bastante da esfera política e do governo[125]. A questão do envolvimento político dos magistrados ganhou corpo no XII Congresso da Associação Nacional dos Magistrados, ocorrido em Gardone, em setembro de 1965, no qual foram realizados amplos debates, em especial:

> sobre as relações entre juízes e política. Foi denunciado pela primeira vez que tais relações poderiam ser de mão única, com uma substancial politização da magistratura, prenunciando o perigo de que o juiz se deixasse guiar por suas ações políticas no exercício da jurisdição[126].

---

122 MAMMONE, Giovanni. 1945-1969. Magistrati, associazione e correnti nelle pagine de La Magistratura, *cit.*, p. 37. Tradução nossa.

123 *Ibid.*, p. 37.

124 *Ibid.*, p. 43.

125 *Ibid.*, p. 43.

126 *Ibid.*, p. 47. Tradução nossa.

E foi justamente essa pretensão de se deixar "guiar por suas ações políticas no exercício da jurisdição" que provocou uma ruptura na corrente *Terzo potere*, fundada em 1958. Dela saiu a base para a criação de outra corrente interna: a *Magistratura Democratica*, fundada em julho de 1964[127]. Para entender como ela surgiu, também é preciso avaliar o peso do "*Centro Nazionale di Prevenzione e Difesa Sociale (CNPDS)*", órgão criado em 1947 pela iniciativa de quatro magistrados milaneses, visando importar, para a Itália, as ideias da "nova defesa social" desenvolvida na França pelo magistrado Marc Ancel[128]. Aos poucos esse Centro foi incorporando sociólogos a seus quadros, reforçando bastante a necessidade da interdisciplinaridade e a adoção de um olhar sociológico no direito. Em 1962, o CNPDS vislumbrou a possibilidade de utilizar recursos públicos disponibilizados pelo "*Consiglio Nazionale di Ricerca (CNR)*", que é um órgão público de pesquisa nacional com competências multidisciplinares, e organizou um programa de investigação sociológica sobre a administração da Justiça na Itália. Entre os pesquisadores estavam dez magistrados que ocupavam cargos tanto no CNPDS quanto na seção milanesa da Associação Nacional dos Magistrados. Seu líder era o magistrado Adolfo Beria, então secretário-geral do programa. O grupo de pesquisa também contava com outros dez sociólogos, advogados e professores universitários. Esse grupo de pesquisa acabou constituindo o elo de unidade de pensamento para a criação de uma nova corrente dentro da Associação Nacional dos Magistrados: a "Magistratura Democratica".

Assim, em 4 de julho de 1964, num momento coincidente com o surgimento do abolicionismo penal de base marxista, anteriormente destacado, porém, em decorrência do caldo cultural das pesquisas sociológicas do CNPDS, bem como em reação ao modelo de interpretação predominantemente positivista exegético da jurisprudência italiana dos anos 1950 e 1960[129], um grupo de 27 magistrados da Itália, representantes da "magistratura italiana de esquerda"[130], em grande parte também alinhados à visão marxista de um "mundo ideal", reuniu-se em Bolonha para fundar o que autodenominaram de "corrente" ou "movimento" "Magistratura Democrática"[131].

---

127 *Ibid.*, p. 46.

128 VAUCHEZ, Antoine. *Une magistrature d'influence?*, cit., p. 35.

129 COSTA, Pietro. L'alternativa "presa sul serio": manifesti giuridici degli anni Settanta. *Democrazia e diritto*, n. 1-2, Roma: Associazione CRS (Centro Studi e Iniziative per la Riforma dello Stato), 2010, p. 242-278. Disponível em: https://www.francoangeli.it/AREA_Personale/Riviste/getArticoloPDF.aspx?idArticolo=42816. Acesso em: 31 jan. 2020; e também FERRAJOLI, Luigi. *A cultura jurídica e a filosofia jurídica analítica no século XX*. Organização e tradução de Alfredo Copetti Neto, Alexandre Salim e Hermes Zanetti Júnior. São Paulo: Saraiva, 2015, *passim*.

130 FERRAJOLI, Luigi. Una historia de las ideas de "Magistratura Democrática". FERRAJOLI, Luigi. *Escritos sobre derecho penal*. Nacimiento, evolución y estado actual del garantismo penal. Tradução e coordenação de Nicolás Guzmán. Buenos Aires: Hammurabi, 2013. v. 1, p. 284.

131 LIVIO, Pepino. Appunti per una storia di Magistratura democratica. *Questione Giuridica*, n. 1, 2002, p. 1. Disponível em: http://www.magistraturademocratica.it/mdem/materiale/storia_md.pdf. Acesso em: 28 jan. 2020.

Para entender a origem da opção pela adjetivação "democrática" a essa corrente de magistrados, é interessante abrir um parêntese para analisar como a chamada "*nuova sinistra italiana*" se organizou em todas as frentes profissionais naqueles anos e na década de 1970. Em todos os setores de organização social que eram alinhados a uma visão marxista/comunista como solução para os problemas italianos, a palavra "democracia" foi empregada. Assim, autodefiniram-se como "*Movimento dei polizioti democratici*", "*Movimento dei giornalisti democratici*", "*Federazione radio emitente democratiche*", "*Psichiatria democratica*", "*Medicina democratica*", "*Cinema democratico*", "*Farnesina democratica*" e, claro, "*Magistratura democratica*".

Fechando o parêntese, o grupo ganhou concretude teórica em encontro da Associação Nacional dos Magistrados, realizado em Gardone, em 1965, no qual se definiram as três diretrizes iniciais da "*Magistratura Democratica*":

1. a crítica da ideologia de caráter puramente técnico e neutro da jurisdição;
2. a descoberta da Constituição como norma fundamental e, portanto, da inevitável incoerência entre os valores por ela inseridos no ordenamento e as leis ordinárias;
3. a escolha de campo pelos valores constitucionais na interpretação e na aplicação da lei, sob o signo da máxima independência[132].

Soavam como premissas razoáveis e desejáveis, aparentemente até de base liberal, tanto que atraíram, inicialmente, integrantes da magistratura italiana que estavam insatisfeitos com esse modelo positivista exegético, de diferentes espectros, como magistrados "*liberais, marxistas, católicos e laicos radicais*"[133]. Fez parte desse grupo, desde 1967, o magistrado Luigi Ferrajoli, que, anos mais tarde – 1989 –, organizou, no plano teórico, o garantismo penal. Sobre ele se falará mais adiante.

Em 1969 houve uma primeira ruptura no movimento da Magistratura Democrática, com o abandono de boa parte dos magistrados mais "moderados"[134] ideologicamente, o que promoveu uma predominante radicalização à esquerda do movimento. Isso se deu justamente em razão de a maioria dos magistrados integrantes da Magistratura Democrática ser alinhada ao marxismo e do fato de essa maioria estar usando o

---

132 FERRAJOLI, Luigi. Una historia de las ideas de "Magistratura Democrática", *cit.*, p. 290.

133 RUIZ SALDAÑA, José Roberto. *El itinerario intelectual y político de Luigi Ferrajoli*. Tese (Doutorado) – Universidad Carlos III de Madrid, 2011, p. 116. Disponível em: https://studylib.es/doc/5475778/tesis-doctoral-el-itinerario-intelectual-y-pol%C3%ADtico-de-lu. Acesso em: 30 jan. 2023.

134 FERRAJOLI, Luigi. Una historia de las ideas de "Magistratura Democrática", *cit.*, p. 285.

movimento para defender, ideologicamente, a pretensão de ruptura institucional de 1968 e a luta armada contra o Estado[135].

O que se denominou de "caso Tolin" foi o estopim para a saída dos magistrados moderados do movimento. Francesco Tolin era jornalista do periódico *Potere Operaio* e publicou um artigo defendendo o uso da violência pelos operários em suas manifestações de rua. Ele acabou sendo condenado, mas a sentença foi objeto de fortes críticas da ala predominantemente à "sinistra" da Magistratura Democrática[136]. Com a saída dos moderados, o que se viu, principalmente nos primeiros dez anos da Magistratura Democrática, foi um forte engajamento político-ideológico de base marxista. Como sintetizou Luigi Ferrajoli: "a temporada dos anos 1968 marcou a descoberta da política, e, com a política, a escolha da esquerda, e, com a escolha da esquerda, a descoberta do marxismo"[137].

O jurista e historiador Pietro Costa, analisando esse período da história e levando em conta justamente o levante dos estudantes e operários em 1968, analisa os reflexos no âmbito da Magistratura Democrática, asseverando que:

> não passará muito tempo para que o tema "post-gardoniano" da politização da interpretação e do papel do jurista ganhe colorido em tintas ainda mais foscas e escandalosas da "luta de classe": a imagem da mudança é determinada pela ideia do conflito e o conflito passa "pela luta de classe". A expressão "a justiça é de classe" começa a ser uma palavra de ordem: não ainda uma teoria (da interpretação, mas do papel do jurista), mas seguramente o espião de uma atitude em rápida transformação[138].

Interessante, neste ponto, trazer o relato de um ex-integrante da Magistratura Democrática, Sergio D'Angelo, que, não obstante tenha feito parte do movimento por vários anos, depois deixou a magistratura e assim narrou o que sucedeu naquele início dos anos 1970:

> à recém-nascida Magistratura Democrática era necessário fornecer um "*background*" político que lhe garantisse uma forte conotação de esquerda (de fato, de extrema esquerda): para isso, não havia problemas excessivos, uma vez que a maioria dos líderes pensantes desse grupo havia sido formada

---

135 COSTA, Pietro. L'alternativa "presa sul serio", *cit.*, p. 253.

136 D'ANGELO, Sergio. Io, ex toga MD vi racconto come i giudici di sinistra sono diventati un partito. *Il Giornale.it*, 27 nov. 2013. Disponível em: http://www.ilgiornale.it/news/interni/io-ex-toga-md-vi-racconto--i-giudici-sinistra-sono-diventati-971192.html. Acesso em: 30 jan. 2023.

137 FERRAJOLI, Luigi. Una historia de las ideas de "Magistratura Democrática", *cit.*, p. 291.

138 COSTA, Pietro. L'alternativa "presa sul serio", *cit.*, p. 253-54. Tradução livre.

– nos anos 67/74 – nos grandes caldeirões político-ideológicos que eram as universidades da época e encontraram forte apoio nos emergentes movimentos antagonistas.

Sergio D'Angelo também destacou a importância de Ferrajoli, por ele considerado o "coração pulsante da elaboração política da nova Magistratura Democrática", na organização desse ideário, ao dizer que foi Luigi Ferrajoli "que viu nos grupos extraparlamentares à esquerda os portadores do 'sol do amanhã', que inevitavelmente derrubariam o estado burguês e suas desigualdades de classe". Sérgio D'Angelo enfatizou que Ferrajoli, junto com Senese e Accattatis, outros dois magistrados igualmente integrantes da Magistratura Democrática, elaboraram um documento denominado *Para uma estratégia política da Magistratura Democrata*, e apresentaram-no ao Congresso da MD, ocorrido em Roma, em 3 de dezembro de 1971, no qual a plataforma política do agrupamento definia a "justiça burguesa como justiça de classe" e a própria MD "como parte do movimento de classes", que deveria ter recorrido "às contradições internas do ordenamento: a jurisprudência alternativa consiste em aplicar até as últimas consequências os princípios subversivos do aparato regulador burguês"[139].

E foram, então, nesse ano de 1971, apresentadas três novas ideias que reorganizaram o movimento e a atuação da Magistratura Democrática, direcionando-a, ainda mais, a servir de instrumento de mutação social:

a) a crítica à falsa igualdade, ou seja, ao caráter formal da igualdade jurídica e sua função como veículo, através da troca de equivalentes, da desigualdade material e da exploração do trabalho;

b) a crítica à neutralidade e à autonomia, não tanto da jurisdição, mas do direito como tal e a consciência de seu condicionamento pelas relações sociais e econômicas;

c) a crítica das ideologias, e, assim, do falso universalismo do direito burguês, bem como do papel de legitimação oferecido por aquele às estruturas sociais existentes, através do intercâmbio idealista de sua configuração jurídica com aquela empírico-factual e, então, de seu dever ser normativo com seu ser efetivo[140].

A ideia era se opor a tudo. Agir com o método da "contradição" e, como recorda Pietro Costa, fazer o que ele denomina de "metajurisprudência alternativa", isto

---

139 D'ANGELO, Sergio. Io, ex toga MD vi racconto come i giudici di sinistra sono diventati un partito, *cit.*

140 FERRAJOLI, Luigi. Una historia de las ideas de "Magistratura Democrática", *cit.*, p. 291.

é, atuar não como uma obra de adequação e mediação, mas de forma tal que seja capaz de "fazer explodir as contradições inerentes à relação capital-trabalho"[141].

Portanto, de uma importante crítica à necessidade de dar predominância ao texto constitucional na interpretação das leis, somada à crítica igualmente procedente de denunciar a falácia de neutralidade judicial e dos problemas inerentes à predominância do positivismo exegético, a Magistratura Democrática radicalizou o discurso para encampar o ideário de uma "revolução passiva", no estilo gramsciano, ou, na versão amenizada pela leitura de Ferrajoli, para fazer prevalecer a perspectiva socialista no horizonte da Magistratura Democrática, mas não nas "formas de um rechaço à legalidade – à la Lenin – ou de uma instrumentalização tática e oportunista delas – à la Luckacs. Ao contrário, aquela se alimentou, muito mais, da leitura de Lelio Basso, que via na legalidade um terreno para a luta de classes"[142].

Interessante, no entanto, que haja esse esforço de alguns juristas para descolar da Magistratura Democrática o rótulo de intransigente apego com o discurso à esquerda. Nesse sentido, o destaque de Pepino Livio, quando afirma que:

> a Magistratura Democrática era (é) a esquerda do Judiciário, e isso é sabido e sempre reivindicado. Disto, no entanto, por preguiça ou interesse, frequentemente se forneceram – e ainda mais hoje se fornecem – leituras de conveniência, como aquela segundo a qual o objetivo do grupo teria sido (seria) substituir a hegemonia tradicional da direita sobre a magistratura por uma hegemonia da esquerda (ou, até mesmo, por partidos de esquerda). A realidade é muito diferente e os objetivos da MD são muito mais ambiciosos e mais profundamente inovadores, ligados não a mudanças contingentes nas relações de poder, mas a uma maneira alternativa para conceber a magistratura e a jurisdição no sistema político: na convicção – reconhecida por nossa Carta Constitucional – de que em sociedades complexas o poder deve ser controlado e dividido e que isso requer contrapesos fortes e uma esfera política que não se esgota nos segmentos clássicos (partidos, parlamento, governo etc.), mas também abrange outros elementos e momentos do policentrismo democrático.[143]

Não obstante esse esforço de se descolar do ideário marxista, os textos dos protagonistas do movimento, à época e, também, os que os que sucederam, inclusive

---

141 COSTA, Pietro. L'alternativa "presa sul serio", *cit.*, p. 260.

142 FERRAJOLI, Luigi. Una historia de las ideas de "Magistratura Democrática", *cit.*, p. 291-92.

143 LIVIO, Pepino. Appunti per una storia di Magistratura democratica, *cit.*

noutros países (notadamente Espanha, França e Brasil), não permitem endossar essa paradoxal narrativa de pretender uma espécie de neutralidade ideológica da Magistratura Democrática. Esse problema também foi levantado por Zaffaroni, ao traçar uma crítica ao Movimento da Magistratura Democrática, justamente por reconhecer seu caráter ideológico de base marxista ortodoxa:

> Este movimento resultou de uma crítica marxista bastante ortodoxa e tradicional do direito, inclinada a negar a possibilidade de um direito alternativo, que se traduziu, preferentemente, numa prática destinada a utilizar o "direito burguês" em sentidos completamente diversos daqueles impostos pelo poder que o criou.

E emendou:

> Se a proposta de um uso do direito sempre em benefício da classe operária é interessante, por negar a neutralidade judicial, padece de uma série de carências, tais como não perceber as mudanças ocorridas na Europa, insistir em um conceito de proletariado cuja existência é difícil de ser afirmada na atual estratificação social europeia e, em geral, não fundamentar-se em uma elaboração teórico-jurídica (o que, por definição, nem ao menos tenta, já que se trata de uma práxis jurídica que busca reintroduzir-se nas contradições capitalistas como forma de acelerar e esperar uma mudança revolucionária: qualquer tentativa no sentido teórico implicaria um reforço do direito e do estado "burgueses" aos quais se deve renunciar aprioristicamente)[144].

O certo é que, nesse primeiro momento, do início dos anos 1970, a Magistratura Democrática deu impulso ao que ela passou a denominar de "jurisprudência alternativa", a qual, nas palavras de Ferrajoli, deveria indicar "a promoção de escolhas judiciais em que a prevalência de interesses funcione para a emancipação das classes subordinadas, à qual a Constituição concede proteção específica"[145].

E não demorou muito para que esse movimento da "jurisprudência alternativa" italiana se espraiasse, agora sob o título de "direito alternativo", para outros países[146].

---

144 ZAFFARONI, Eugenio Raúl. *Em busca das penas perdidas, cit.*, p. 113.

145 FERRAJOLI, Luigi. Orientamenti della magistratura in ordine ala funzione politica del giudice interprete. *Qualegiustizia*, n. 17-18, 1972, p. 563.

146 Para além da Itália, também se organizaram movimentos similares em países como Espanha, França, México, Chile, Argentina e Colômbia, de acordo com CLÈVE, Clèmerson Merlin. Uso alternativo do direito e saber jurídico alternativo. ARRUDA JR., Edmundo Lima de (Org.). *Lições de direito alternativo*. São Paulo: Acadêmica, 1992. v. 1, p. 28-52 e p. 99 e s.

Como os discursos ideológicos de base marxista têm redes de aproximação e propagação de narrativas similares em diversos pontos do mundo, o modelo foi importado, também, para o Brasil, no início dos anos 1990, patrocinado, em grande parte, pelo magistrado gaúcho Amilton Bueno de Carvalho[147]. A cópia de estruturas é de tal ordem que, também por aqui, existe associação de magistrados autointitulada "Associação Juízes para a Democracia", fundada em 13 de maio de 1991, e outro grupo equivalente no Ministério Público, denominado "Movimento do Ministério Público Democrático", igualmente fundado em 1991 e que, desde 2016, conta com uma variante, ainda mais à esquerda, denominada "Coletivo Transforma MP", que começou a se organizar por entender que estariam sendo violadas garantias no processo de *impeachment* da presidente Dilma Roussef, em 2016[148].

Ou seja, em meados dos anos 1970, o "direito alternativo" iniciava, na Itália, um processo de substituição por um discurso menos contaminado pela ideologia marxista revolucionária e, nessa medida, mais palatável a quem não se alinhava à corrente. Essa paulatina transformação iria abrir caminho para a invocação de proteção de garantias do acusado diante do Estado, plasmada, em 1989, na publicação do livro *Direito e razão* e na construção da teoria do garantismo penal de Ferrajoli.

Já o Brasil passava pela transição da ditadura militar para uma nova democracia, entre os anos 1980 e 1990, e, claro, na legítima pretensão de se alijar do discurso com pretensões totalitárias do regime ditatorial, era salutar uma proposta que viesse promover a prevalência de direitos e garantias do cidadão diante do arbítrio do Estado.

Assim, o "direito alternativo" e seu fundamento marxista foram trazidos ao Brasil e passaram a ser difundidos como uma espécie de "salvação" contramajoritária em relação ao discurso autoritário. Com o ressurgimento da democracia brasileira, os propagadores da nova hermenêutica ganharam a liberdade e o espaço necessários para fazer com que este se tornasse o grande tema das discussões acadêmicas nos anos 1990.

O certo é que o movimento do direito alternativo rapidamente aglutinou pensadores e professores universitários de esquerda no Brasil e foi bem organizado. Como fez questão de frisar Edmundo Lima de Arruda Jr., na apresentação do livro *Lições de Direito Alternativo*, em 1992, "os autores estão unidos por pertencerem ao mesmo campo das esquerdas"; depois emendou, esclarecendo que eles estavam "todos conscientes de que o Direito é parte do projeto democrático

---

147 CARVALHO, Amilton Bueno de. *Direito alternativo em movimento*. 2. ed. Rio de Janeiro: Luam, 1997.

148 Conforme noticiado em CARIELLO, Rafael. MP com partido. *Piauí*, ed. 150, mar. 2019. Disponível em: https://piaui.folha.uol.com.br/materia/mp-com-partido/. Acesso em: 30 jan. 2023. Na reportagem, consta: "A entidade surgiu há pouco mais de dois anos. 'Em 2016 tivemos o início do processo de impeachment', lembrou a promotora Daniela Campos de Abreu Serra, também integrante do coletivo. 'Naquele momento passamos a fazer uma forte crítica tanto do uso indevido das prisões provisórias, da espetacularização da ação do Ministério Público e daquilo que já vislumbrávamos ser a utilização disso para fins político-partidários'".

e a radicalização da democracia conduz necessariamente ao socialismo, no qual acreditamos e lutamos"[149].

Quem deu o tom da nova postura que deveria nortear também a magistratura brasileira foi o magistrado Amilton Bueno de Carvalho. Já na primeira oportunidade de divulgação do movimento, em agosto de 1990, quando concedeu entrevista a um jornal de São Paulo, disse que "joga a lei às favas, sem nenhum problema de consciência, todas as vezes que considera injusta a aplicação dela, num caso concreto"[150]. Essa análise pode ser complementada por aquilo que Amilton Bueno de Carvalho, e o movimento que ele capitaneava, esperava dos juízes comprometidos com o direito alternativo. Em 1991, referindo-se tanto à lição de Nicolás Calera, catedrático de Filosofia do Direito na Universidade de Granada, Espanha, quanto à do italiano Luigi Ferrajoli, disse Amilton que o direito alternativo:

> aduz o caráter político da atividade judicial e que o juiz faz opção de classe (nem ele-juiz, nem Estado, são entidades "super partes"). O jurista alternativo deve utilizar as incoerências, lacunas e contradições do Direito em favor da classe trabalhadora. Enfim, com Luigi Ferrajoli, define que o uso alternativo do direito trata de colocar, no possível, o direito e os juristas ao lado dos que não têm poder[151].

No mesmo sentido, a orientação de Amilton Bueno de Carvalho, ao considerar que deseja:

> um juiz que siga a lição do magistrado francês Baudot: "Sede parciais. Para 'manter a balança entre o forte e o fraco, o rico e o pobre, que não têm o mesmo peso, é preciso que calqueis um pouco a mão do lado mais fraco da balança. (...) Tende um preconceito favorável pela mulher contra o marido, pelo filho contra o pai, pelo devedor contra o credor, pelo operário contra o patrão, pelo vitimado contra a companhia de seguros, pelo enfermo contra a Previdência Social, pelo ladrão contra a polícia, pelo pleiteante contra a justiça'"[152].

---

149 ARRUDA JR., Edmundo Lima de. Apresentação, cit, p. 7-8.

150 PASTANA, Debora Regina. *Justiça penal no Brasil contemporâneo*: discurso democrático, prática autoritária. São Paulo: Editora Unesp, 2009, p. 236.

151 CARVALHO, Amilton Bueno de. Lei n. 8.009 e o direito alternativo. In: ARRUDA JR., Edmundo Lima de (Org.). *Lições de direito alternativo*, v. 1, *cit.*, p. 55.

152 *Id. Magistratura e direito alternativo*. São Paulo: Acadêmica, 1992, p. 31.

Processo Penal | Fundamentos dos fundamentos

Com esse espírito revolucionário, proliferaram congressos, seminários e encontros para discutir o direito alternativo no Brasil. Organizou-se o Instituto do Movimento do Direito Alternativo, em 1990. Incentivaram-se as publicações de livros, alguns especialmente voltados para orientar a magistratura[153] e o Ministério Público[154] a seguirem o ideário marxista do movimento, inclusive com uma espécie de editora "oficial" (Editora Acadêmica), com a disposição de formar uma "biblioteca de Direito Alternativo"[155].

Esse, enfim, era o discurso predominante em boa parte das aulas das faculdades de Direito[156], principalmente no Sul do Brasil[157], onde teve mais adeptos. A síntese do que se pregava foi apresentada por Antonio Carlos Wolkmer, quando disse que se torna "significativa a compreensão e a sistematização de uma prática jurídica alternativa que, nos marcos de uma racionalidade emancipatória e de uma ética da responsabilidade dialógica, possibilite o florescimento de uma nova cultura jurídica". E complementou, esclarecendo que essa cultura deve representar "as novas formas produtivas" e deve deixar "para trás, de forma definitiva, as velhas relações de produção capitalistas; uma cultura orientada desde a utopia da igualdade (e da liberdade), que seja crítica das deformações ideológicas originadas na e pela sociedade de classes, cuja real superação se propõe"[158].

Portanto, quem se formou em Direito nos anos 1990, no Brasil, teve grande probabilidade de ser doutrinado pela linha hermenêutica proposta pelo direito alternativo e se inclinou a compreender essa postura ativista e partidária dos julgadores como algo desejável. O detalhe é que, se o discurso era vendido como sendo a promoção de uma Justiça de base marxista, nem sempre prevaleceu esse viés ideológico naqueles que, nos anos 1990, eram os alunos e, em seguida, passaram a atuar nas instâncias formais de controle da criminalidade. Filtrada a ideologia, o que sobrou foi a lição tantas vezes repetida e que muitos ainda têm em seu inconsciente: a ideia de que

---

153 *Ibid.*

154 MACHADO, Antonio Alberto. *Ministério Público e direito alternativo.* São Paulo: Acadêmica, 1992.

155 Como intitulou e referiu o editor e professor Silvio Donizete Chagas: "a Editora Acadêmica tem intenção de dar continuidade à coleção, abrindo, assim, o espaço negado, na área publicística, a este grupo que tão distintamente vem trabalhando em favor da classe explorada e oprimida" (CHAGAS, Silvio Donizete. Biblioteca de Direito Alternativo. CARVALHO, Amilton Bueno de. *Magistratura e direito alternativo, cit.*, p. 6).

156 Desde os anos 1990 há, inclusive, propostas teóricas de reorganização do ensino jurídico no Brasil, a partir da leitura do direito alternativo, como se vê em RODRIGUES, Horácio Wanderlei. Por um ensino alternativo do direito. Manifesto preliminar. ARRUDA JR., Edmundo Lima de (Org.). *Lições de direito alternativo,* v. 1, *cit.*, p. 28-52, p. 143 e s. Sua síntese conclusiva é no sentido de que "em razão da impossibilidade contextual de mudança do sistema pela via revolucionária clássica impõe-se a necessidade da tomada de algumas medidas alternativas – microrrevoluções – que viabilizem, a curto e a médio prazo, a correção das distorções existentes no ensino jurídico vigente".

157 Mas não apenas no Sul, já que os protagonistas da ideia palestravam em todo o País a esse respeito. Amilton Bueno de Carvalho, por exemplo, referiu sua participação no Encontro Nacional dos Estudantes de Direito, realizado em julho de 1991, em Teresina, Piauí (*Magistratura e direito alternativo, cit.*, p. 12); MACHADO, Antonio Alberto. *Ministério Público e direito alternativo, cit.*

158 WOLKMER, Antônio Carlos. Contribuição para o projeto da juridicidade alternativa. ARRUDA JR., Edmundo Lima de (Org.). *Lições de direito alternativo,* v. 1, *cit.* p. 47-48.

o bom jurista é o que troca o Direito pela Justiça: uma espécie de repristinação da liberdade interpretativa da Escola do Direito Livre, do início do século XX.

Para compreender como "as ideias têm consequências"[159] e como elas podem até demorar um pouco, mas acabam florescendo de alguma maneira, basta compreender que os que se formaram em Direito na década de 1990, passados trinta anos, hoje estão no auge das suas carreiras jurídicas, atuando como advogados, defensores públicos, desembargadores, procuradores e até mesmo como ministros dos Tribunais Superiores. Alguns ainda seguiram firmes na propagação do ideário do direito alternativo, dos quais, talvez, o próprio Amilton Bueno de Carvalho seja o exemplo mais destacado, como desembargador no Tribunal de Justiça do Rio Grande do Sul. Mas o certo é que muitos outros ficaram apenas com a crença de que o ativismo judicial é algo positivo. E, nesse contexto, é interessante acompanhar como esse ativismo judicial está muito presente no dia a dia das decisões proferidas, notadamente daquelas mais visíveis da Suprema Corte brasileira, "para o bem ou para o mal".

Se "fazer Justiça" não parece ser um problema, quando se pensa no ideal de mundo em termos até certo ponto românticos, há, no entanto, um preço a se pagar: o significante "Justiça" não tem significado unívoco, e, se o ideal é "fazer Justiça", e se cada um tem a sua visão particular do que seja uma "decisão justa", a liberdade criativa hermenêutica passou a ser um perigo para a segurança jurídica. Basta ver as inúmeras decisões políticas orientadas pela moral dadas pelo Supremo Tribunal Federal nas últimas décadas[160] para compreender o drama de orientar o Direito pela vontade pessoal

---

159 Pedindo licença para emprestar a expressão de WEAVER, Richard M. *As ideias têm consequências*. Trad. Guilherme Araújo Ferreira. 2. ed. São Paulo: É Realizações, 2016.

160 São inúmeras as decisões que ultrapassam os limites hermenêuticos historicamente consolidados do texto constitucional, com a criação de normas pelo Supremo Tribunal Federal e enumerá-las seria trabalho para um livro. Apenas para ilustrar, vale recordar algumas decisões mais marcantes, a exemplo da decisão que autorizou o aborto de anencéfalos; da posição que vem decidindo pela autorização do aborto até três meses de gravidez; da decisão que tende a descriminalizar o uso de maconha; da decisão que autorizou a união estável entre pessoas do mesmo sexo, quando a CF fala entre "homem e mulher"; da decisão dizendo que tráfico de drogas não é tráfico de drogas quando o traficante não integra organização criminosa; da decisão que diz que inafiançabilidade não é a vedação de liberdade provisória nem mesmo mediante fiança, mas sim a vedação de exigência de fiança para soltura de presos em flagrante; da decisão que diz que a cassação do mandato de parlamentar condenado definitivamente por crime não depende de manifestação da Casa Legislativa, como ocorreu no caso do Mensalão; ou da que disse em sentido contrário, como ocorreu no caso Cassol; ou da outra que voltou a dizer que o Congresso não tem esse poder, no caso do deputado Donadon; da decisão que, contrariando o art. 52, X, da CF, em sede de controle difuso de constitucionalidade, determina que a decisão teria de ser enviada ao Senado para ter efeito *erga omnes*, mas o STF disse não ser necessário, argumentando que o dispositivo é "anacrônico"; da decisão que considera hipossuficientes (art. 134 c.c. art 5º, LXXIV, CF) réus ricos (proprietários de TV a cabo) e também aqueles que pretendem discutir imposto de importação de automóveis, para autorizar a iniciativa da Defensoria Pública em favor destes; da decisão que disse ser possível não aplicar a pena de inabilitação para o exercício de função pública por oito anos na condenação por "*impeachment*", mesmo com a lei usando a conjunção aditiva "e" para tratar das penas; da decisão do STF que afirma que o momento consumativo do crime de sonegação fiscal só se dá com o esgotamento da discussão administrativo-fiscal; da decisão do STF que menciona que "trânsito em julgado", no texto constitucional que consagra a presunção de inocência, não impedia a execução provisória da pena; da decisão que resolveu criar um tipo penal de prática discriminatória homofóbica, violando os princípios da reserva legal e da legalidade

de um "mundo melhor", deste ou daquele ministro, seja lá o que isso possa significar. O jurista e ex-membro do Ministério Público gaúcho, hoje advogado, Lenio Streck também percebeu esse problema e, se já foi um dos adeptos do movimento do direito alternativo, hoje prega em sentido oposto à liberdade criativa do julgador[161].

O movimento do direito alternativo perdeu força ao longo dos anos, mas ainda não encerrou seu ciclo no Brasil, pois segue sendo objeto de debates e é usado como base teórica para a produção de trabalhos acadêmicos. Sua divulgação também continua ganhando corpo por meio de jovens professores que se formaram a partir da assimilação teórica desse mesmo discurso[162].

Mas o certo é que ele perdeu muito do fôlego que teve nos anos 1990. De um lado, isso se deve à mudança teórica de quem é adepto das premissas marxistas em relação aos movimentos abolicionistas. Assim, curiosamente, em razão de um novo olhar adotado por políticos de esquerda na Europa, que inverteram o polo argumentativo das leituras abolicionistas e passaram a enxergar na expansão do direito penal uma estratégia importante de proteção à classe trabalhadora e mais pobre. O argumento central é que os burgueses ricos acabaram se utilizando de segurança preventiva privada, evitando os crimes pela adoção de aparatos privados de vigilância e controle dos indesejáveis[163], pouco sobrando aos mais pobres em termos de proteção. De outro lado, a perda de importância da teoria do direito alternativo também decorre da amenização discursiva que chegou ao Brasil, como sempre, com certo "*delay*" em relação à Itália, por meio da tradução do livro *Direito e razão*, de Ferrajoli, com a primeira edição traduzida para o português e publicada no Brasil em 2002[164]. Com essa obra, operou-se o consequente redirecionamento da ideia revolucionária marxista que ganhou novo corpo justamente

---

estrita; da decisão do STF que criou nova causa interruptiva da prescrição no caso de acórdão confirmatório de condenação, e por aí vai. Vale anotar que, se em algumas dessas decisões o leitor disse estar de acordo, por ser simpático à causa, não poderá criticar quando discordou da criação normativa. O que se aplaude, quando se elogia o ativismo judicial, é a possibilidade de onze ministros do Supremo Tribunal Federal criarem normas. Para o bem e para o mal.

161 STRECK, Lenio. Juízos morais e voz das ruas não podem valer mais que Direito e Constituição. *Sul 21*, 5 ago. 2019, artigo de Marco Weissheimer. Disponível em: https://www.sul21.com.br/areazero/2019/08/lenio-streck-juizos-morais-e-voz-das-ruas-nao-podem-valer-mais-que-direito-e-constituicao/. Acesso em: 30 jan. 2023. De onde se extrai a seguinte passagem: "Um conjunto de juristas progressistas, ou de esquerda, como queiram chamar, trabalhava com a ideia de que precisávamos do juiz. Isso envolvia o debate do Direito Alternativo na época. Se o Estado é mau e o Direito é ruim, preciso apostar no aplicador. Essa era a ideia básica. Quando vem a Constituição, tenho uma lei boa e um Estado com perspectiva de fazer uma sociedade melhor. Eu tenho que confiar em quem neste caso? Tenho que confiar na Constituição. O quadro inverteu-se, mas o Direito não fez essa inversão. Aconteceu algo parecido na Alemanha em 1919. Os juízes não aplicaram a nova Constituição. Qual foi o erro da esquerda? A esquerda errou porque desdenhou do Direito, seguindo uma certa tradição marxista que considera o Direito uma superestrutura do Estado burguês".

162 BERCLAZ, Márcio. O direito alternativo continua vivo. *Justificando*, 25 ago. 2014. Disponível em: http://www.justificando.com/2014/08/25/o-direito-alternativo-continua-vivo/. Acesso em: 30 jan. 2023.

163 SILVA SÁNCHEZ, Jesús María. *La expansión del derecho penal*. Aspectos de la política criminal en las sociedades postindustriales. 3. ed. Madrid: Edisofer, 2011, p. 69.

164 FERRAJOLI, Luigi. *Direito e razão, cit.*

na construção da teoria do garantismo penal organizada por Luigi Ferrajoli. O tema do garantismo penal será retomado mais adiante.

1.1.2.2 Justificacionistas

Em contraponto ao movimento abolicionista e levando em conta a necessidade de compreender a complexidade do ser humano e a necessidade da punição como mecanismo de freio inibitório para comportamentos socialmente não toleráveis, registra-se a corrente de autores que admite a necessidade de se ter presente o direito penal na sociedade contemporânea, aqui denominados de autores "justificacionistas". A opção pelo termo é tomada da classificação teórica de Luigi Ferrajoli, que apresenta justamente essa contraposição entre autores que ele denomina de "justificacionistas" e "abolicionistas". Procurando encontrar respostas às perguntas "se e por que proibir", "se e por que punir" e "se e por que julgar", Ferrajoli apresentou as duas correntes:

> As três questões tiveram, ao longo da história, duas respostas: uma primeira em princípio positiva, e a segunda, diversamente, em princípio negativa. As respostas positivas são aquelas fornecidas pelas doutrinas que chamei de "justificacionistas", enquanto justificam os custos do direito penal com objetivos, razões ou funções moralmente ou socialmente irrenunciáveis. As respostas negativas, ao invés, são aquelas fornecidas pelas doutrinas chamadas de "abolicionistas", que não reconhecem justificação alguma ao direito penal e almejam sua eliminação, quer porque contestam o seu fundamento ético-político na raiz, quer porque consideram as suas vantagens inferiores aos custos da tríplice constrição que ele produz, vale dizer, a limitação da liberdade de ação para os que o observam, a sujeição a um processo por aqueles tidos como suspeitos de não observá-lo e a punição daqueles julgados como tais[165].

Justificada a opção classificatória dicotômica, é preciso considerar que, assim como ocorre entre os abolicionistas, também entre os justificacionistas as correntes teóricas são de diferentes ordens e não coincidentes em seus alcances e premissas, tendo como ponto em comum a não possibilidade de abandonar a punição como forma de solução de determinados conflitos.

Para compreender o fundamento comum entre esses autores justificacionistas, passa-se a expor as razões mais frequentemente externadas por aqueles que entendem que punir é necessário e que a punição contribui para o avanço do processo civilizatório.

---

165 *Ibid.*, p. 200.

1.1.2.2.1 Por que punir é necessário?

O título deste capítulo é emprestado de uma obra de mesmo nome do professor alemão Winfried Hassemer, sem versão traduzida para o português[166]. Hassemer explora a máxima de Protágoras, Sêneca e Grocio: *"Nemo prudens punit quia peccatum est sed ne peccetur"* ("nenhuma pessoa razoável pune porque se pecou, mas para evitar que se peque"). Em seu texto, ele decompõe a fórmula latina, explorando o primeiro trecho dela, que, lido isoladamente, ganha uma conotação diferente, como se pregasse a ideia de uma sociedade sem punição:

> *"Nemo prudens punit."* Seria bom, pensar-se-á, se essas palavras não fossem apenas escritas em latim claro, mas também correspondessem à verdade. Traduzido para a nossa língua, o significado é: nenhuma pessoa razoável pune. Um mundo sem dor: quem não quer? Mas cuidado: os provérbios que soam como esculpidos em pedra são ardilosos. Colocam uma armadilha e esperam a primeira vítima, que não toma cuidado e se deixa aprisionar por sua linguagem pomposa. Que se caia na sua armadilha já faz parte do seu sentido. E assim acontece também nesse caso.
>
> Se você ainda tem em mente o primeiro capítulo deste livro sobre controle social informal, deve ter uma lâmpada acesa e fazer uma objeção ou pelo menos uma pergunta: se o ditado *"Nemo prudens punit"* realmente prometia um mundo melhor, então deveria naturalmente referir-se não apenas às penas e ameaças de punição do direito penal, mas também às sanções do controle social informal. Caso contrário, o ditado apenas profetizaria um problema perigoso: uma punição espontânea, na maioria das vezes descontrolada, muitas vezes desproporcional na vida cotidiana, que não seria delimitada e recortada conforme as medidas da lei em um sistema de direito penal.
>
> *"Nemo prudens punit"*: essa fórmula indica uma perspectiva razoável apenas se for entendida de forma radical e literal: não apenas a abolição do direito penal, a depuração dos códigos penais, a reforma dos tribunais criminais e a demolição das prisões, mas também acabar com as punições em geral, mesmo em casa, na escola, com os irmãos, com os vizinhos e nas associações locais, e até no trânsito.

---

166 HASSEMER, Winfried. *Perché punire è necessario*. Trad. de Domenico Siciliano do alemão para o italiano. Bologna: Il Mulino, 2009.

Mas essa é realmente uma perspectiva razoável? A esperança de um mundo não punitivo, isto é, um mundo que não impõe sanções, um mundo generoso, que talvez até se perdoe e se reconcilie, não seria uma esperança precipitada e não deste mundo, e mesmo – à luz do nosso quotidiano, feito de forma permanente e com bons fundamentos para impor sanções – irresponsável e cínica? Como se algo fosse prometido aos seres humanos que não sabemos nem grosseiramente como pode ser obtido ou a que preço, ou mesmo que efeito tem? De fato, até onde nossos olhos podem ver, o mundo sem punição, que é assim prometido, não existe. Como relatam os sociólogos, que necessariamente devem saber, isso não existe nem em um convento, e de qualquer forma nem consigo ter uma ideia de tal mundo, certamente não aqui, não nesta Terra.

É verdade: é bom sonhar com um mundo onde o cordeiro descansa ao lado do leão. Mas não podemos cometer o erro de confundir o idílio de paz pintado pelo antigo mestre com nossa realidade de amanhã ou depois de amanhã. Provavelmente surgiriam problemas de orientação e planejamento. E também é correto destacar sempre a natureza violenta da pena, torná-la objeto de escândalo e depois rejeitá-la quando não for absolutamente necessária. E quem nos garante que nosso mundo, talvez daqui a duzentos anos, não poderia ser completamente diferente do atual? Em suma, é bom sonhar com um mundo pacífico.

No entanto, é irresponsável construir sobre esses sonhos, tratá-los como se um mundo sem punição nos fosse acessível em um tempo previsível e, na perspectiva dessa expectativa, direcionar nossos passos para o mundo de amanhã e depois de amanhã e medi-los contra ele. Entregar-se a tal perspectiva é como sonhar acordado e distrai dos perigos que nos ameaçarão amanhã e depois, bem como das possibilidades de enfrentar esses perigos de maneira adequada. A história dos instrumentos punitivos, sejam eles de matriz criminal ou não, certamente não é feita de sucessos: é como se estivéssemos constantemente a caminho de um mundo com um rosto cada vez mais humano. As incursões feitas durante o século passado na face humana do controle social pela prática punitiva excessiva e até criminosa certamente não são menos graves do que as da Idade Média, que é descrita como um período sombrio da história humana. E nem mesmo o nosso século, desse ponto de vista, começou de forma muito promissora. Não há necessidade de dar exemplos, pois eles estão lá para todos verem[167].

---

167 *Ibid.*, p. 57-59. Tradução nossa.

Como visto, Hassemer alerta para o perigo da utopia de um mundo sem punição, sem que isso signifique não acreditar que ele possa vir a acontecer no futuro. A tecnologia, talvez, possa apresentar uma alternativa melhor à pena de prisão, a exemplo do que vem sendo experimentado com a tornozeleira eletrônica no lugar da prisão cautelar. No entanto, por ora e no contexto em que se vive, a punição (e a pena de prisão) ainda é uma resposta indispensável a comportamentos que minam o convívio social de forma significativa. Não necessariamente a todos os comportamentos indesejados, vale anotar, pois é possível seguir apostando na restauração psicossocial do agressor como resposta adequada aos casos mais leves, a exemplo do que o direito brasileiro já adota nas infrações de menor e de médio porte ofensivo (transação penal, suspensão condicional do processo e acordo de não persecução penal). Mas ainda não é possível renunciar à punição aos casos mais danosos, a exemplo do homicídio, feminicídio, estupro, latrocínio, tortura e crimes do colarinho branco em geral (nos quais o autor do delito já é suficientemente esclarecido e não há o que se promover, nele, de "restauração" psicossocial). Punir, nesses casos, significa contribuir para o avanço do processo civilizatório, ainda que isso possa soar como "heresia" aos ouvidos mais doutrinados na linha do abolicionismo, já que pensam o mundo com a pretensão de abolir a civilização ocidental capitalista. Talvez o que se possa fazer é mesclar a punição – que tem direcionamento mais preventivo – com técnicas de restauração psicossocial a quem quiser mudar o comportamento no curso do cumprimento da pena (não é possível, numa democracia, autorizar o Estado a impor às pessoas um modo de ser, mas é facultado ao Estado apresentar alternativas a quem deseja mudança)[168].

O certo é que alguns autores abolicionistas[169], fundados numa análise que mescla o mito do "bom selvagem" de Rousseau[170], os fundamentos da "genealogia da moral", de Nietzsche[171], a leitura do "totem e tabu" freudiano[172] e a ideia do "homem

---

168 Nesse ponto, é interessante a leitura de MIRANDA RODRIGUES, Anabela. *Novo olhar sobre a questão penitenciária*. Coimbra: Coimbra Editora, 2000.

169 *V.g.*, HULSMAN, Louk; BERNAT DE CELIS, Jacqueline. *Penas perdidas*: o sistema penal em questão. 3. ed. Trad. Maria Lúcia Karam; Gustavo Noronha de Ávila e Marcus Alan Gomes (coord.). Belo Horizonte: D'Plácido, 2020, p. 84-85; KARAM, Maria Lúcia. Pela abolição do sistema penal. PASSETI, Edson (coord.). *Curso livre de* abolicionismo *penal*. Rio de Janeiro: Revan, 2004, p. 89; HENDLER, Edmund S. *Las raíces arcaicas del derecho penal*. Buenos Aires: Del Porto, 2009, p. 41 e s. Na mesma linha, *vide* também: ALAGIA, Alejandro. *Fazer sofrer*. Imagens do homem e da sociedade no direito penal. Trad. Sérgio Lamarão. Rio de Janeiro: Revan, 2018, p. 51 e s.; FOUCAULT, Michel. Nietzsche, a genealogia, a história. MOTTA, Manoel Barros da (Org.). *Arqueologia das ciências e história dos sistemas de pensamento*. Ditos e Escritos II, 3. ed. Trad. Elisa Monteiro. Rio de Janeiro: Gen/Forense Universitária, 2015, p. 273-95. Gabriel Anitua também elenca outros autores na mesma linha, a exemplo de Ostermeyer, que dizia, em 1975, em seu livro *A sociedade punitiva*, que "*é a sociedade que torna os seres humanos agressivos*" (IGNACIO ANITUA, Gabriel. *História dos pensamentos criminológicos, cit.*, p. 629).

170 ROUSSEAU, Jean-Jacques. *O contrato social*. Trad. Antonio de Pádua Danesi. São Paulo: Martins Fontes, 2003, p. 137 e s.

171 NIETZSCHE, Friedrich. *A genealogia da moral*. Trad. Antonio Carlos Braga. 3. ed. São Paulo: Escala, 2009.

172 FREUD, Sigmund. Totem e tabu. *Totem e tabu e outros trabalhos (1913-1914)*. Edição standard brasileira das

novo" das "configurações anárquicas e marxistas-leninistas"[173], pregam a ideia de que a sanção seria decorrente, em sua origem, de uma construção moral religiosa. Essa leitura guarda alguma correspondência histórica e era razoável defendê-la no século XIX ou na primeira metade do século XX, mas, do quanto já se avançou em termos de pesquisas antropológicas e neurocientíficas, ela está merecendo ser repensada.

Com o avanço da neurociência e da antropologia, é possível dizer que a questão da punição antecede a cultura e é atávica nos mamíferos. Existem estudos neuro-científicos que apontam, inclusive, uma ligação prazerosa biológica com a punição do outro. Como explica Robert Sapolsky, "os padrões de liberação de dopamina são mais interessantes quando estão relacionados a interações sociais". E exemplifica com um jogo que foi objeto de uma pesquisa empírica: "indivíduos participaram de um jogo no qual o jogador B podia sacanear o jogador A para ganhar uma recompensa. Dependendo da rodada, o jogador A poderia: a) não fazer nada; b) punir o jogador B tirando parte do dinheiro dele sem custo para o jogador A; ou c) pagar uma uni-dade de dinheiro a cada duas unidades tomadas do jogador B". "A punição", explica Sapolsky, "ativou o sistema dopaminérgico, sobretudo quando os sujeitos tiveram de pagar para punir; quanto maior o aumento de dopamina durante a punição sem custo, mais o indivíduo estaria disposto a pagar para fazê-lo. Punir violações a normas causa satisfação."[174]

No âmbito da antropologia, é interessante o estudo de Frans de Waal a respeito do comportamento dos chimpanzés e do sentimento de culpa que decorre da viola-ção de normas de convivência em grupo[175]. É como recorda o antropólogo Robert Ardrey: "nascemos de macacos bípedes, e não de anjos caídos, e os macacos também eram assassinos armados"[176].

E ainda no contexto da antropologia, é reveladora a lição de Napoleon A. Chagnon, que, desde 1964, estudou, "*in loco*", ao longo de 35 anos, dos quais ao menos cinco anos foram de convivência, as tribos de índios ianomâmis na selva amazônica. Segundo o antropólogo, os ianomâmis viviam da forma mais próxima possível ao "estado de natureza" no século XX[177]. Chagnon relata a violência crônica entre os ianomâmis,

---

obras psicológicas completas de Sigmund Freud. Tradução sob a direção de Jayme Salomão. Rio de Janeiro: Imago, 1996. v. XII, p. 21-163.

173 Conforme FERRAJOLI, Luigi. *Direito e razão, cit.*, p. 201.

174 SAPOLSKY, Robert M. *Comporte-se*. A biologia humana em nosso melhor e pior. Trad. Giovane Salimena e Vanessa Barbara. São Paulo: Companhia das Letras, 2021, p. 70-71.

175 DE WAAL, Frans. *Chimpanzee politics*. Power and sex among apes. Baltimore: John Hopkins University Press, 2015, p. 29.

176 ARDREY, Robert. *African genesis*. A personal investigation into the animal origins & nature of man. Madison: Atheneum, 1961, p. 348. Tradução livre.

177 CHAGNON, Napoleon A. *Nobres selvagens*. Minha vida entre duas tribos perigosas: os Ianomâmis e os an-tropólogos. Trad. Isa Mara Lando. São Paulo: Três Estrelas, 2014, p. 17.

muito relacionada com disputa por mulheres, o que colidia com a visão predominante entre seus colegas mais velhos na antropologia e lhe rendeu perseguições acadêmicas bastante incisivas. Como o autor explica:

> Em outras palavras, o que eu não sabia na época é que, se um antropólogo sério e bem treinado na profissão, que passou mais de um ano vivendo no meio de uma tribo guerreira, relatasse que boa parte das lutas que ele testemunhou ocorreu "por causa de mulheres", isto é, se enraizava na competição reprodutiva, uma conclusão assim, de base sólida, abriria a possibilidade de que a guerra humana tivesse a ver com a natureza do homem como resultado da evolução, e não só com o que a pessoa aprende e adquire na sua cultura. A maioria dos antropólogos, ao contrário, acreditava que a guerra e as lutas eram inteiramente determinadas pela cultura. Meu trabalho de campo levantava a possibilidade, tão desagradável antropologicamente, de que a natureza humana também fosse impulsionada pela evolução da biologia humana. Essa ideia era extremamente controversa nos anos 1960 e deixou irados muitos especialistas em antropologia cultural[178].

E, mais adiante, reforçou essa percepção:

> Para mim o mais inexplicável de tudo isso era que eles estavam brigando por mulheres. Meus livros didáticos de antropologia e meus professores me ensinaram que, nas "raras" ocasiões em que os indígenas lutavam, inevitavelmente era devido a algum recurso material escasso, como terra cultivável, fontes de água, boas áreas de caça, etc. No entanto, os ianomâmis me diziam que estavam em luta por mulheres[179].

O antropólogo ainda ilustra a violência, os ataques e as vinganças com vários casos concretos, dos quais é interessante referenciar o seguinte:

> Fiquei sabendo que tinha havido uma sangrenta luta de porretes na véspera da minha chegada. Fora provocada por Matowä, o impetuoso cacique dos monou-teri. Ele e seus homens haviam capturado sete mulheres patonawä-teri e as levado para sua aldeia, a várias horas de viagem ao sul. Extremamente irados, os homens patanowä-teri – que naquela semana

---

178 *Ibid.*, p. 38-39.
179 *Ibid.*, p. 86.

estavam visitando os Bisaasi-teri, onde eu fazia minha primeira visita – logo haviam recuperado, na luta de porretes, cinco de suas sete mulheres roubadas. Matowä então prometeu matar os patanowä-teri a flechadas, penso que para lhes dar uma lição por terem recuperado cinco das sete mulheres roubadas. E o mais importante: o ataque de surpresa e a recuperação das mulheres o tinham envergonhado, possivelmente até lançado dúvidas sobre a sua reputação[180].

Chagnon complementa sua explicação dizendo que os grupos de índios tinham determinados nomes (ex.: patanowá-teri, bisaasi-teri ou monou-teri) e costumavam mudar de nomes quando entendiam que isso poderia "ajudá-los a negar a culpa por erros que desejavam vincular a algum outro grupo"[181]. Ele ainda esclarece como se dava o poder autoritário dos caciques, que ordenavam que as pessoas fizessem coisas e esperavam que elas obedecessem, o que representa uma aproximação do que se define hoje como lei: "advertências emitidas por uma autoridade soberana que tem a capacidade de punir legitimamente os infratores"[182]. E o curioso é que os ianomâmis preferem viver em aldeias de não mais de quarenta pessoas, pois aquelas que têm uma população maior tendem a "brigar muito". Assim, diz o antropólogo, "os ianomâmis preferem viver em aldeias relativamente pequenas, onde as sanções difusas por trás das regras de parentesco bastam para manter a ordem social"[183].

As questões do sentimento de culpa, da vingança, da vergonha, da reputação e da necessidade de punição estão presentes em sociedades tão primitivas quanto os ianomâmis e, assim, são identificadas muito antes do que possa ser visto como uma influência da cultura judaico-cristã.

Aliás, há, de fato, uma sensação atávica de justiça, de diferenciação entre o "bom" e o "mau", que se revela já na primeira infância[184], em bebês de colo. Paul Bloom fez importantes pesquisas nesse sentido, concluindo que "bebês de 6 a 10 meses preferiram, irremediavelmente, o indivíduo que ajudou ao que criou dificuldades. Não se tratava de uma tendência estatística discreta; quase todos os bebês escolheram o bonzinho"[185].

Além disso, a propósito da primeira infância, também é interessante considerar a explicação freudiana a respeito da formação da personalidade, que contribui para a

---

180 *Ibid.*, p. 85.

181 *Ibid.*, p. 85.

182 *Ibid.*, p. 384.

183 *Ibid.*, p. 385.

184 Nos termos do art. 2º da Lei n. 13.257/2016, "considera-se primeira infância o período que abrange os primeiros 6 (seis) anos completos ou 72 (setenta e dois) meses de vida da criança".

185 BLOOM, Paul. *O que nos faz bons ou maus.* Trad. Eduardo Rieche. Rio de Janeiro: BestSeller, 2014, p. 39.

66 ■ Processo Penal | Fundamentos dos fundamentos

compreensão da necessidade da punição no avançar do processo civilizatório[186]. Para Freud, o ser humano é naturalmente agressivo. A força motriz dessa agressividade (o "*id*") pode ser contida na primeira infância, a partir da figura simbólica do "pai castrador"e dos suficientes "nãos" que a criança tenha recebido e introjetado[187]. Esses "nãos" constroem uma capa de contenção do "id", chamada "superego" (ou "supereu"), e o que passa por ela, o que sobra, é o "ego" (ou o 'eu'). Se o sujeito recebeu e introjetou os suficientes "nãos" do "pai castrador"na primeira infância, quando ele alcançar a fase adulta será uma pessoa bem sociável, que aprendeu a respeitar o outro. Para ele, não haverá muita necessidade de regras de convivência social, pois ele se conterá sozinho.

Aqui é necessário abrir um parêntese para aplacar possível contradição evidenciada num texto curto, de, literalmente, duas páginas e meia, intitulado "*Os Criminosos por Sentimento de Culpa*", escrito por Freud como um capítulo do artigo *Alguns Tipos de Caráter Encontrados na Prática Psicanalítica (1916)*[188]. Nesse capítulo, Freud apontou que atendeu doentes "muito respeitáveis" que lhe "informaram ações ilícitas, como furtos, fraudes e até mesmo incêndios, que haviam cometido" em sua juventude. Ouvindo essas pessoas, Freud identificou que "tais ações foram realizadas sobretudo porque eram proibidas e porque sua execução se ligava a um aliviamento psíquico para o malfeitor". Explicou Freud que seus pacientes sofriam "de uma opressiva consciência de culpa, de origem desconhecida, e após cometer um delito essa pressão diminuía". E concluiu que, "por paradoxal que isso talvez pareça, devo afirmar que a consciência de culpa estava presente antes do delito, que não se originou deste, pelo contrário, foi o delito que procedeu da consciência de culpa. Tais pessoas podem ser justificadamente chamadas de criminosos por consciência de culpa"[189].

Autores filiados à Criminologia Crítica invocam esse texto como um argumento para considerar que a punição não faria sentido, já que o crime seria uma decorrência

---

186 Sobre esse aspecto, vale também consultar: PINKER, Steven. *Os anjos bons da nossa natureza*. Por que a violência diminuiu. Trad. Bernardo Joffily e Laura Teixeira Motta. São Paulo: Companhia das Letras, 2013; ELIAS, Norbert. *O processo civilizador*. Uma história dos costumes. Trad. Ruy Jungmann. Rio de Janeiro: Zahar, 2011. v. 1.

187 FREUD, Sigmund. A dissecação da personalidade psíquica. *Obras completas* – O mal-estar na civilização, novas conferências introdutórias à psicanálise e outros textos (1930-1936). Trad. Paulo César de Souza. São Paulo: Companhia das Letras, 2010. v. 18, p. 199.

188 *Id.* Alguns tipos de caráter encontrados na prática psicanalítica (1916). *Introdução ao narcisismo, ensaios de metapsicologia e outros textos (1914-1916)*. Trad. Paulo César de Souza. São Paulo: Companhia das Letras, 2010, v. 12, p. 253-86 (Obras completas). A mesma questão é tratada pontualmente por Freud em outros textos, a exemplo de "O eu e o id", no qual ele retoma, em um parágrafo, a mesma percepção do texto aqui em referência: "Foi uma surpresa descobrir que um acréscimo deste sentimento de culpa 'ics' pode converter um homem em criminoso. Mas não há dúvida de que é assim. Em muitos criminosos, principalmente juvenis, pode-se demonstrar que havia um poderoso sentimento de culpa antes do crime, e que portanto, é o motivo deste, não sua consequência; como se fosse um alívio poder ligar este sentimento de culpa inconsciente a algo real e imediato" (FREUD, Sigmund. O eu e o id (1923). *O eu e o id, Autobiografia e outros textos (1923-1925)*. Trad. Paulo César de Souza. São Paulo: Companhia das Letras, 2011. v. 16, p. 65-66. Obras completas).

189 FREUD, Sigmund. Alguns tipos de caráter encontrados na prática psicanalítica (1916), *cit.*, p. 284.

da proibição da conduta. Essa é a visão de Theodor Reik, discípulo de Freud, que também fez críticas em relação à sociedade punitiva de regimes totalitários, a exemplo no nazismo. Ele propunha uma sociedade sem os conceitos de culpa e castigo[190]. Juarez Cirino explica que Reik, não obstante considere uma dupla função da pena – "a) do ponto de vista individual, satisfação de necessidade inconsciente de punição, que impele a ações proibidas; b) do ponto de vista coletivo, satisfação da necessidade de punição da sociedade, mediante inconsciente identificação com o delinquente" – acaba sendo induzido a pensar na "tese da tendência de superação da pena criminal, porque viria um tempo 'em que os meios de que se dispõe para evitar o delito estarão para a pena assim como o arco-íris está para o temporal que o precedeu'"[191]. Juarez Cirino finaliza dizendo que essa seria uma "imagem humanista e otimista". Isso tudo, somado aos parâmetros marxistas que norteiam as teorias criminológicas desse matiz, permite deduzir que, se estão pensando em "esse tempo que virá", é porque isso decorreria, "claro", do fim do capitalismo. O "arco-íris" de Reik somente se revelaria quando se alcançasse o fim da "tempestade", isto é, o fim da propriedade privada e do Estado, cuja razão de ser seria, na visão marxista, exclusivamente voltada para protegê-la, organizá-la e legitimá-la. Nessa "nova sociedade" comunista não haveria necessidade de se pensar em culpa e punição. Não é preciso muito esforço para compreender que há uma evidente visão obnubilada pela ideologia nessa análise. E, então, vale reproduzir um trecho da passagem de Hassemer, destacada no início deste capítulo, para colocar um pouco de lucidez na discussão: "é bom sonhar com um mundo onde o cordeiro descansa ao lado do leão. Mas não podemos cometer o erro de confundir o idílio de paz pintado pelo antigo mestre com nossa realidade de amanhã ou depois de amanhã".

Para além da problemática mescla entre psicanálise e pretensões revolucionárias marxistas[192], essa saída, proposta pela Criminologia Crítica, deve ser vista com reservas também por outros motivos. Se Freud afirmou que as ações criminosas de seus pacientes "foram realizadas sobretudo porque eram proibidas", isso não significa dizer que, se não fossem proibidas, as condutas deixariam de ser realizadas. Há um falso silogismo no raciocínio da Criminologia Crítica. Não é porque não se tem como proibida uma conduta danosa à convivência social que ela deixa de ser realizada, e, mais, não é por isso que ela deixa de ser danosa à convivência social. Quando muito, na leitura freudiana, afastaria o sentimento culpa, mas não impediria o sujeito

---

190 IGNACIO ANITUA, Gabriel. *História dos pensamentos criminológicos, cit.*, p. 629.

191 SANTOS, Juarez Cirino dos. *Criminologia, cit.*, p. 85.

192 Sobre o tema, *vide*, entre outros: IGNACIO ANITUA, Gabriel. *História dos pensamentos criminológicos, cit.*, p. 630.

68 ■ Processo Penal | Fundamentos dos fundamentos

de agir. O absurdo do raciocínio dessa corrente criminológica, levado ao extremo, implicaria em dizer que, se o homicídio, o feminicídio ou o estupro não fossem mais considerados crimes, se não fossem mais passíveis de punição, não teríamos mais mortes e estupros provocados por terceiros. É a ingênua crença na bondade humana.

Ademais, se é certo que, na visão freudiana, existem pessoas que operam a partir de uma inversão do sentimento de culpa em relação ao delito, isso não é uma regra e, mais ainda, como referido, não afasta a necessidade da punição como reforço de freio inibitório aos instintos reprimidos.

Assim, identificar uma situação de culpa pretérita ao ato, nos termos apresentados por Freud, até permite melhor compreender o paciente culpado em sua dimensão humana, mas não pode servir de mote para afastá-lo da responsabilidade por seus atos ou para deixar de desvalorar, isto é, deixar de atribuir uma carga de valor negativo a determinada conduta. É possível até que um tratamento reduza seu sofrimento psíquico, aliviando-o do sentimento de culpa preexistente ao ato, mas, primeiro, essa pretensão não pode ser vista como uma hipótese viável e alternativa à proibição da conduta e sua punição (já que nem todos querem se submeter a constantes avaliações psicanalíticas para identificar possíveis sentimentos de culpas inconscientes), e, segundo, desconsiderar a responsabilização de quem passou da potência ao ato é desastroso para a convivência social. O próprio Freud admite que não é aconselhável que se elimine a possibilidade de responsabilidade quando apresenta o seu *Mal-estar na civilização*.

Portanto, a pretensão da Criminologia Crítica de invocar essa passagem freudiana como argumento para abolir a tipificação de condutas e sua respectiva punição é, conforme toda a evidência, uma visão muito reducionista do problema. Ela até pode servir para pretender legitimar um discurso abolicionista com ambições revolucionárias, mas não pode nortear a vida em sociedade, seja ela capitalista, seja socialista/comunista.

Fechando o parêntese e retomando a questão do que poderia conter o sujeito de realizar comportamentos contrários à vida em sociedade, é preciso considerar que nem todas as pessoas recebem os suficientes "nãos" na primeira infância (ou, se recebem, nem todas os introjetam), e, assim, crescem sem muitos freios inibitórios. Surge, então, uma questão: o que conterá esse sujeito na fase adulta? Como resposta, é possível dizer que há outros fatores que podem interferir na formação da personalidade, e um deles decorre do convívio social. Todos participamos de inúmeros grupos sociais ao longo de nossas vidas – família, clube, amigos, escola, trabalho, igreja –, e, em cada um deles, há a construção de regras e a observância de determinados valores que são caros ao grupo. Assim, determinados comportamentos não são tolerados em deter-minados grupos sociais, e, caso o sujeito tenha tendência a praticá-los, mas queira seguir pertencendo àquele grupo social, ele tende a se conter. Nesse caso, há o medo e a vergonha de ser descoberto e expulso do grupo. A vergonha do colega, portanto, passa a ser um fator inibitório ao comportamento desviante[193]. Mas e se o sujeito não recebeu os suficientes "nãos" da figura simbólica do "pai castrador"freudiano na primeira infância e, na fase adulta, frequenta grupos sociais "sem vergonha"? O que o contém? Nesse caso, sobra apenas a cultura, o direito.

O direito vem atuar estabelecendo um conjunto de regras e sanções que visa operar como uma espécie de "superego" da sociedade. Promove-se, então, o "mal-estar na civilização", de que também fala Freud, já que o ser humano não gosta de regras, mas depende delas para conviver em sociedade. E as regras necessitam da sanção para serem efetivas. Tire a sanção do direito do trabalho e veja o que acontece nas relações de exploração dos empregados. Tire a sanção do direito de família e veja o que acontece com o devedor de alimentos. Tire a sanção do direito do consumidor e veja o que acontece com a reclamação da propaganda enganosa ao consumidor. Tire a sanção do direito tributário, do direito de trânsito, do direito administrativo em geral, e veja o que acontece com quem deixa de pagar tributos, conduz o veículo embriagado ou em velocidade excessiva. Tire a sanção do direito processual penal e veja o que acontece com o aproveitamento de atos processuais, probatórios ou cautelares pessoais viciados. E, por fim, tire a sanção do direito penal e veja o que acontece com quem segue roubando, estuprando ou matando.

Praticamente todo o direito é construído com base na possibilidade de se punir. Não apenas o direito penal, como visto, mas todos os ramos do direito[194]. Abolir a punição é abrir mão de usar o direito como instrumento de regulação da convivência social. É nessa trilha que Hassemer desenvolve sua preocupação e explica a necessidade da punição, e é nessa trilha que os autores justificacionistas, em maior ou menor medida, vão desenvolver soluções penais para casos de maior gravidade, como se passa a expor.

Considerando a importância da teoria do garantismo penal de Luigi Ferrajoli, notadamente em razão da ampla influência que ela, nos últimos vinte anos, vem revelando entre os doutrinadores brasileiros, podendo-se dizer que, entre os "mais modernos", é a teoria hoje mais empregada no direito processual penal brasileiro, inicia-se a exploração dos autores justificacionistas com Ferrajoli.

---

193 A respeito da vergonha, *vide*, também: ELIAS, Norbert. *O processo civilizador*. Formação do Estado e civilização. Trad. Ruy Jungmann. Rio de Janeiro: Zahar, 1993. v. 2, p. 242 e s.

194 Sobre o tema: BOBBIO, Norberto. *Teoria geral do direito*. Trad. Denise Agostinetti. São Paulo: Martins Fontes, 2010, p. 143 e s.

1.1.2.2.2 Teoria do garantismo penal de Luigi Ferrajoli

Antes de ingressar na análise da teoria do garantismo penal propriamente dita, é preciso destacar, como o faz María de Lourdes Souza, professora na *Universidad de León*, Espanha, que existe um grande paradoxo na mudança das teses defendidas pelo direito alternativo dos anos 1960 e 1970 (já exploradas anteriormente) para a roupagem da teoria do garantismo penal, que se afirmou como novo paradigma nos anos 1980 e 1990. Como destaca a autora, o paradoxo se revela pelo fato de que, "ainda que estas duas teorias tenham os mesmos pais, apresentam traços fisionômicos e de personalidade tão diferentes que é quase impossível identificar, com um simples olhar, o grau de parentesco existente"[195].

María de Lourdes se questiona a respeito de "como a ideia de 'manipulação' judicial da gramática dos direitos, autojustificada num ideal político de raiz marxista, pode gerar, em imediata conexão, outra ideia que, em linha de princípio, adota os valores idealizados pela tradição jusfilosófica liberal-burguesa". E emenda, perguntando: "Há um nexo de sentido que une as duas teorias? Ou, ao contrário, são antitéticas e incompatíveis?"[196].

A autora considera difícil a resposta, já que existem autores que sustentam em linhas divergentes, uns admitindo que se trata de mera continuidade e outros invocando uma ruptura. Mas é interessante aproveitar a antítese por ela apresentada para enfrentar a discussão e identificar a gênese do garantismo penal de Ferrajoli: "para o uso alternativo do direito, o marxismo (ou, mais precisamente, o neomarxismo) é o seu manancial, enquanto o garantismo tem seu oásis no iluminismo". Esse paradoxo é explicado como sendo uma estratégia consciente do mesmo grupo para tornar mais palatáveis suas pretensões de mudança cultural. Num primeiro olhar, até se identifica uma ruptura paradigmática entre o garantismo e o uso alternativo do direito, porém, isso se deve a "uma finalidade bem precisa: uma mudança de estratégia dos próprios alternativistas frente a um quadro histórico (econômico, político, jurídico, social e ideológico) alterado ou metaforizado em relação ao marco original fundamentador de seu projeto hermenêutico"[197].

A crise do alternativismo, que permitiu abrir caminho para o garantismo, começou com o *III Congresso da Magistratura Democrática*, realizado em Rimini, em 26

---

195 SOUZA, María de Lourdes. Del uso alternativo del derecho al garantismo: una evolución paradójica. *Anuário de Filosofia del Derecho*, n. XV, Madrid, jan. 1998. Disponível em: Dialnet-DelUsoAlternativoDel DerechoAlGarantismo-142382.pdf. Acesso em: 30 jan. 2023, p. 233.

196 *Ibid.*, p. 234.

197 *Ibid.*, p. 234.

de abril de 1977, com a temática central intitulada "Crise institucional e renovação democrática da Justiça". Nesse congresso, os poucos magistrados mais moderados em comparação ao plano ideológico marxista predominante provocaram a necessidade de um redirecionamento no que vinha sendo a usual pregação interna: o uso da "jurisprudência alternativa".

Importante fazer um parêntese para recordar que os anos 1970 foram considerados como os "anos de chumbo" na Itália. Houve uma proliferação de atentados terroristas patrocinados em grande parte pelas "Brigadas Vermelhas" – *Brigate Rosse*", organização paramilitar de pregação comunista surgida em 1969[198]. E, justamente em razão desses atentados, foram aprovadas, na Itália, leis mais severas em relação à criminalidade organizada[199], das quais a mais controversa foi a *legge Reale*" (Lei 152, de 22 de maio de 1975). Essa lei endureceu a resposta do Estado contra os terroristas, prevendo: a) prisão para averiguação (fora do flagrante), em casos de "suspeita de fuga" e quando presentes indícios da prática de delitos com penas superiores a seis anos ou em crimes de porte ilegal de armas de guerra ou fuzis, a qual podia ser mantida por até 96 horas sem prévia decisão judicial; b) proibição de usar capacetes, máscaras ou algo similar em manifestações populares; c) aumento das penas para associações terroristas; d) suspensão da prescrição nos casos de réu foragido; e e) nova excludente de ilicitude para os policiais que, usando armas de fogo, impedissem a consumação de delitos de terrorismo, naufrágio, desastres aéreos e ferroviários, homicídio doloso, roubo à mão armada e sequestros[200].

Essa ligação dos atentados com morte provocados pelas "Brigadas Vermelhas" e outras organizações terroristas de esquerda com a ideia revolucionária comunista por elas defendida, somada à legislação de reação antiterrorista e de "emergência" e ao declínio do socialismo real, também contribuiu para a reflexão interna e para o redirecionamento teórico na corrente da Magistratura Democrática. Havia uma evidente tensão dentro da Magistratura Democrática, pois, assim como um grupo não desejava seguir nessa toada, outro, ao contrário, procurava aproximar cada vez mais o movimento de

---

198 Como recorda José Roberto Ruiz Saldaña, entre os anos de 1969 e 1980 morreram 362 pessoas em atentados terroristas na Itália e, ao final dos anos 1970, chegaram a existir mais de 20 organizações armadas, sendo que, em 1979, dos 745 atentados reivindicados, 254 foram realizados por 12 grupos de esquerda (*El itinerario intelectual y político de Luigi Ferrajoli, cit.*, p. 155).

199 *V.g.*, o Decreto-lei n. 99, de 11 de abril de 1974, transformado na Lei n. 220, de 7 de junho de 1974, que ampliava os prazos para encerramento de processos com réus presos preventivamente; o Decreto-lei n. 151, de 30 de abril de 1977, que estabeleceu causas de suspensão dos prazos prescricionais em casos de exame de sanidade mental; o Decreto-lei n. 59, de 21 de março de 1978, convertido na Lei n. 191, de 18 de maio de 1978, que tipificou o crime de destruição de instalações públicas; e o Decreto-lei n. 625, de 15 de dezembro de 1979, que se transformou na Lei n. 15, de 6 de fevereiro de 1990, que estabeleceu uma causa de especial aumento, de metade, para os crimes de terrorismo.

200 ITÁLIA. Lei n. 152, de 22 de maio de 1975. Disponível em: https://www.normattiva.it/uri-res/ N2Ls?urn:nir:stato:legge:1975-05-22;152!vig=2011-09-06. Acesso em: 30 jan. 2023.

magistrados ao partido político comunista italiano[201]. É importante anotar que, em 1976, o Partido Comunista Italiano conseguiu eleger o maior número de deputados e senadores de sua história, passando a ser o segundo partido mais influente na Itália. Esse cenário criou as condições para que o PCI firmasse o famoso "compromisso histórico" com o partido da Democracia Cristã, levando o Partido Comunista Italiano a participar do poder ativamente[202]. Havia descontentamento dentro do PCI, e a ala mais radical, pelas mãos dos terroristas das "Brigadas Vermelhas", chegou, inclusive, a promover o sequestro e, depois, a morte de Aldo Moro, presidente do partido da Democracia Cristã[203]. Por outro lado, se a Magistratura Democrática fundava sua "jurisprudência alternativa" justamente na perspectiva de que o poder era contra os ideais comunistas, agora, com a assunção dos comunistas ao poder, seu discurso de revolta contra o Estado ficava um tanto esvaziado.

O certo é que, por ocasião do referido Congresso em Rimini, Ferrajoli contestou os magistrados alinhados ao partido comunista italiano, dizendo que uma posição desse gênero equivaleria a subordinar a função judicial aos que dominavam a política. Pretendia, então, um distanciamento da magistratura da política. Essa crítica em relação aos magistrados que se alinhavam ao partido comunista italiano, no entanto, é, no mínimo, curiosa, dado que, ao deixar a magistratura, em 1975, Luigi Ferrajoli se inscreveu no "Partido de Unidade Proletária para o Comunismo" ("*Partito di unità proletaria per il comunismo – Pdup*") e, como ele mesmo revela, "tratou-se de um período relativamente breve de empenho político, direto, digamos, na vida do partido". Foi candidato a deputado nas eleições de 1976, por Florença, Pistoia, mas não se elegeu[204]. Com o fracasso eleitoral, o partido se dissolveu no ano seguinte, e Ferrajoli migrou para o partido da "*Democrazia Proletaria*", no qual chegou a ser membro da direção nacional. Em 1979, numa antecipação das eleições, foi candidato a deputado, por Roma; depois, no mesmo ano, candidatou-se ao Parlamento Europeu, e, no ano seguinte, em novas eleições regionais, foi novamente candidato por Roma, não tendo sido eleito em nenhuma das três ocasiões[205].

---

201 RUIZ SALDAÑA, José Roberto. *El itinerario intelectual y político de Luigi Ferrajoli, cit.*, p. 125.

202 TONIOLO, Domenico. *Il compromesso storico.* Un tentativo di collaborazione tra marxisti e non marxisti. Roma: Università Gregoriana Editrice, 1981, *passim*; e, também, ARE, Giuseppe. *Comunismo, compromesso storico e società italiana*: profilo di un innesto fallito. Collana di studi sulla civiltà occidentale. Lungro, Italia: Marco Editore, 2004. v. 7, p. 317.

203 Sobre esse caso, *vide*, entre outros: BALZONI, Giorgio; ROSSI, Fiammetta. *Aldo Moro e le Brigate Rosse in Parlamento*. Roma: Lastaria Edizioni, 2021; LA MONACA, Nunzio. *Aldo Moro Doveva Morire*. Ucciso due volte. Vignate: Albatros, 2019; CALABRÓ, Maria Antonietta; FIORONI, Giuseppe. *Moro*. Il caso non è chiuso. La verità non detta. Torino: Lindau, 2018.

204 RUIZ SALDAÑA, José Roberto. *El itinerario intelectual y político de Luigi Ferrajoli, cit.*, p. 141.

205 *Ibid.*, p. 143-45.

Ou seja: por ocasião do *III Congresso Nacional da Magistratura Democrática*, de 1977, Ferrajoli não era mais um juiz, e sim um político militante. Para procurar uma coerência interna com essa sua postura crítica em relação à Magistratura Democrática e com a informação de sua filiação a partidos políticos comunistas, numa entrevista para elaboração de tese doutoral a respeito de sua vida intelectual e política, Ferrajoli acrescentou o argumento de que:

> sobretudo de 1975 a 1978 me empenhei primordialmente numa batalha garantista, seja para afirmar o garantismo na cultura da esquerda, que era uma cultura marxista, leninista, que praticamente se caracterizava pelo desprezo ao direito, e, em consequência, nas antípodas das minhas posições, seja para – digamos – na crítica da legislação de emergência, na jurisprudência de emergência, que precisamente naqueles anos, os anos do terrorismo, era produzida na Itália[206].

A simbiose entre a bandeira política comunista e o garantismo – este, aqui, colocado como uma espécie de atenuante liberal (ainda que contraditória com a primeira ideologia) – fez parte da formação de Ferrajoli e está presente em sua posterior doutrina. Ele, inclusive, argumenta que, no âmbito da Magistratura Democrática, dos anos 1970, havia certa interação entre o que Ferrajoli denominou de "juspositivismo crítico de ascendência liberal" e o "marxismo", e que, talvez, uma das razões de sua resistência tenha sido conseguir amalgamar essas duas culturas, "produzindo uma extraordinária e original convergência"[207]. É aqui que o paradoxo referido pela professora María de Lourdes fica marcado, do qual, nos anos 1990, Ferrajoli procurou se dizer distante. Ele chegou a refletir sobre as consequências do que ele mesmo pregou a respeito da "jurisprudência alternativa", dizendo que "a imagem da MD como grupo contestador, ideologizado e politizado deu origem a inúmeros equívocos e más interpretações que, na Itália, e, mais ainda, fora da Itália, acompanharam a vulgarização das fórmulas 'jurisprudência alternativa' e 'uso alternativo do direito'"[208]. Nessa mesma trilha ainda criticou a comparação da "jurisprudência

---

206 FERRAJOLI, Luigi. Entrevista dada em 01 de abril de 2009 a José Roberto Luiz Sadaña. RUIZ SALDAÑA, José Roberto. *El itinerário intelectual y político de Luigi Ferrajoli*. Tesis doctoral. Universidad Carlos III de Madrid, 2011. Disponível em: https://studylib.es/doc/5475778/tesis-doctoral-el-itinerual-intelectual-y--pol%C3%ADtico-de-lu. Acesso em: 2 fev. 2020, p. 137-138.

207 *Id*. Una historia de las ideas de "Magistratura Democrática", *cit.*, p. 292-93.

208 *Ibid.*, p. 297.

alternativa" com o "direito livre"[209], lamentando que ambas tenham ficado coladas no imaginário coletivo.

Ainda nos anos 1990 e agora procurando se desvincular também do discurso marxista, Ferrajoli refletiu sobre essa influência na Magistratura Democrática, dizendo que o marxismo

> contribuiu apenas negativamente, em sua "pars destruens", para a cultura da MD, a qual, em substância, já era naqueles anos uma cultura muito mais liberal que marxista, mesmo que fosse um liberalismo "sui generis", que tentava conjugar as garantias dos direitos de liberdade e a garantia dos direitos sociais e ancorar a ambos os tipos de direitos – e, portanto, ao ponto de vista dos sujeitos débeis que são os seus titulares insatisfeitos – as próprias referências ideais[210].

Essa premissa de o direito servir aos mais débeis (fracos) acabou sendo um dos pontos-chave da teoria do garantismo penal, como se verá mais adiante.

Na votação que se seguiu naquele congresso, o grupo mais radical, que visava tornar a Magistratura Democrática "uma extensão do partido comunista italiano", perdeu (209 votos contra 134), e o movimento se reorganizou noutros termos[211]. O problema também era compreendido, por alguns, em torno da ausência de um embasamento teórico consistente, que permitisse difundir unidade e respeitabilidade no discurso. Um dos protagonistas fundadores da Magistratura Democrática e da adoção da "jurisprudência alternativa", o magistrado Marco Ramat, acabou defendendo a ideia de que seu uso foi uma descoberta que esteve "dormente em relação ao discurso teórico". E outros

---

209 A Escola do Direito Livre, desenvolvida, entre outros, por Oskar Von Bülow e por Herman Kantorowicz, entre o fim do século XIX e o início do século XX, pregava, em síntese, que o bom juiz era aquele que julgava fazendo "justiça". Em texto publicado em 1885, Bülow sustentava que "'sob o véu ilusório da mesma palavra da lei' oculta-se uma pluralidade de significações, cabendo ao juiz a escolha da determinação que lhe pareça ser 'em média a mais justa'". Já Kantorowicz, em texto publicado em 1906, dizia que "*é a vontade de chegar a uma decisão previamente certa que, na verdade, orienta a seleção das passagens jurídicas que justificam essas decisões*". Em outro texto, Kantorowicz e Ernst Fuchs explicitaram ainda mais as ideias da Escola do Direito Livre, dizendo que "o que num caso nos leva a interpretar extensiva ou analogicamente e em outro literal ou até restritivamente, não é a lei e a lógica, mas o Direito livre e a vontade. Em qualquer caso é a vontade, precisamente, o verdadeiro motor". Isso, claro, serviu de cláusula de abertura hermenêutica sem qualquer freio. Como há diferentes formas de pensar o mundo e de considerá-lo "justo", os juízes passaram a dizer qualquer coisa sobre qualquer assunto. Ainda que Ferrajoli não queira a comparação, a similitude das ideias da Escola do Direito Livre com a "jurisprudência alternativa" é marcante. A única diferença parece ser o fato de que, para a jurisprudência alternativa, "fazer justiça" implicaria interpretar tudo a partir da visão marxista de luta de classes e de domínio da burguesia sobre o proletariado. Sobre a Escola do Direito Livre, *vide*, entre outros: LARENZ, Karl. *Metodologia da ciência do direito*. 3. ed. Trad. José Lamego. Lisboa: Fundação Calouste Gulbekian, 1997, p. 78; e SIMIONI, Rafael Lazzaroto. *Curso de hermenêutica jurídica contemporânea* – Do positivismo clássico ao pós-positivismo jurídico. Curitiba: Juruá, 2014, p. 80.

210 FERRAJOLI, Luigi. Una historia de las ideas de "Magistratura Democrática", *cit.*, p. 300.

211 RUIZ SALDAÑA, José Roberto. *El itinerario intelectual y político de Luigi Ferrajoli, cit.*, p. 125.

ainda disseram que era necessário guardar distância da "jurisprudência alternativa" e procurar substituí-la por uma jurisprudência "rigorosa e advertida e, assim, agregadora; capaz de remover incrustrações, prejuízos. de resistir às pressões, de colher o novo"[212].

Iniciou-se, então, lentamente, um novo olhar interno na corrente da Magistratura Democrática na Itália, que, aos poucos, desde 1977 e durante os anos 1980, acabou criando as bases para que o discurso predominante se deslocasse da "jurisprudência alternativa" para o "garantismo". Nesse sentido, também é relevante a percepção de Pietro Costa: "caminhando em direção à sua conclusão, a metajurisprudência 'alternativa', na passagem dos anos setenta aos anos oitenta, gerava, por assim dizer, das suas cinzas, a temporada 'garantista' da Magistratura democrática"[213].

Luigi Ferrajoli e Danilo Zolo, por exemplo, publicaram um texto, nesse mesmo ano de 1977, na revista *Questione criminale*, patrocinada pela Magistratura Democrática, que deu o tom de crítica a quem queria reduzir todo o problema criminal a uma base marxista ortodoxa. Eles admitiram que as críticas marxistas eram adequadas no começo do capitalismo, mas deixaram de ser, ou seriam bem menos válidas, para o capitalismo maduro, exemplificando que "ninguém poderia afirmar hoje que seja exclusiva e nem mesmo prevalentemente a classe operária a vítima da repressão penal e das instituições carcerárias".

Certo que os dois autores acabaram complementando suas ideias para explicar o que queriam dizer, destacando que as penas de encarceramento atingem muito mais os setores econômica e culturalmente marginais, a exemplo dos imigrantes, do subproletariado das periferias urbanas, dos camponeses pobres das zonas meridionais e dos subempregados em atividades do setor terciário, mas que esses grupos, no sentido criminológico, não são aproximáveis à ideia de proletariado[214].

O discurso predominante no abolicionismo radical também foi criticado por Ferrajoli e Zolo, não obstante, também eles, tenham apreço pela leitura abolicionista, como revelaram no mesmo texto e como Ferrajoli seguiu revelando em seu *capolavoro Direito e razão*, em 1989. Porém, já nesse texto de 1977, Ferrajoli e Zolo levaram em conta que estava cada vez mais difícil considerar que as penas privativas de liberdade, como meios de coerção, tivessem uma função capitalista. Eles enxergavam a diminuição do uso da pena de prisão e sua crescente substituição por penas

---

212 COSTA, Pietro. L'alternativa "presa sul serio", *cit.*, p. 274.

213 *Ibid.*, p. 275.

214 FERRAJOLI, Luigi; ZOLO, Danilo. Marxismo y Cuestión Criminal. *De Y Sociedad. Revista de Ciencias Sociales*. Publicado originariamente na Revista Questione Criminale, ano III, n. 1, Roma, 1977. Disponível em: https://www.proletarios.org/books/Ferrajoli_Zolo-Cuestion_Criminal.pdf. Acesso em: 1º fev 2020, p. 63-4.

alternativas como uma realidade na Itália do final dos anos 1970[215]. Certo, também, que era uma crítica feita com ressalvas, pois Ferrajoli e Zolo seguiam admitindo, em contraponto ao que eles mesmos afirmavam, que as instituições carcerárias ainda conservavam uma função política geral no quadro neocapitalista e que elas operavam gerando efeitos de estigmatização e despersonalização.

Nessa mesma linha, propuseram duas estratégias não excludentes entre si: a) estabelecer "garantias sociais de existência capazes de impedir a marginalização social da força de trabalho e os fenômenos de dessocialização e desagregação cultural por ela induzidos"[216]; e b) seguir adotando uma "política anticriminal do movimento trabalhador" como programa e como "ação de luta revolucionária", com uma maior autonomia das massas e uma mais ampla liberdade política nas lutas sociais, para construir "uma política tendencialmente não repressiva, mas libertária; não marginalizadora, mas socializante; não terrorista e culpabilizadora, mas promocional, enfim, libertadora"[217]. Para tanto, os autores propuseram a estratégia de "superação da ideologia cristã e burguesa da culpa e da responsabilidade individual, que está na base do processo de criminalização de tipo moderno".

Pretenderam, então, uma despenalização massiva de todas as hipóteses de delitos não graves, suprimindo muitas figuras penais, transformando em ilícitos administrativos outras tantas e condicionando os delitos patrimoniais ao exercício de ações penais privadas. Como segunda estratégia, propuseram uma mudança de olhar na seleção dos bens jurídicos a serem protegidos pelo direito penal, que deveriam sair de uma esfera de proteção dos interesses dos proprietários e olhar primeiro para a tutela do meio ambiente, da saúde, do trabalho e dos interesses materiais da coletividade. Ferrajoli e Zolo partiam do pressuposto de que, "se todo delito é sempre o sintoma e é produto de uma lacuna de sociabilidade nas condições de vida do delinquente, então, a única terapia eficaz deverá ser de tipo socializante". Assim, pregaram o abandono do cárcere por entender que ele é criminógeno justamente porque é dessocializante[218]. E, com esse olhar, criticaram "a alternativa criminológica socialista" que vinha sendo empregada pela Magistratura Democrática, para aproximar o olhar do discurso abolicionista, propondo que "grande parte da desviação não deveria ser tratada, mas simplesmente tolerada como sinal e produto de tensões e disfunções sociais que não podem encontrar soluções na pena (sobretudo na privativa de liberdade), mas unicamente nos grupos sociais em cujo interior se manifestam". E finalizaram suas críticas dizendo que queriam "tomar

---

215 *Ibid.*, p. 65.

216 *Ibid.*, p. 82.

217 *Ibid.*, p. 85.

218 *Ibid.*, p. 86.

uma clara e decisiva posição contra as tentações antiformalistas e antigarantistas em que frequentemente cai a teoria jurídica post-marxiana e que estão presentes hoje na cultura política da esquerda, que não seriam outra coisa que não um reaproveitamento de velhos e funestos modelos de legalidade estalinista"[219].

Assim, para Ferrajoli e Zolo, enquanto não for possível a extinção do direito penal, deve ser promovida sua redução, e a socialização da responsabilidade não deve significar desprezar as garantias formais previstas pelo direito burguês, com o indivíduo devendo ser assistido pelas garantias do Estado de Direito. E por "garantias" entendiam,

> em primeiro lugar, o princípio da legalidade dos delitos (que devem continuar rigorosamente predeterminados pela lei); em segundo lugar, o princípio de legalidade das penas (taxatividade dos tipos de pena e de sua medida); em terceiro lugar, as garantias da defesa (o contraditório, o *"habeas corpus"*, etc.). A repressão penal, em outros termos, enquanto exista, deve ser de tipo jurídico e não genericamente social: em formas certas e normativamente predetermina-das, e não espontânea; rodeada de todas as garantias do direito burguês e mes-mo de outras (como a publicidade do processo desde a fase instrutória e o má-ximo de participação e de controle popular sobre a administração da justiça)[220].

Estão, aqui, nesse texto de 1977, claramente lançadas as bases teóricas do que em 1989 Luigi Ferrajoli condensou em sua "teoria do garantismo penal" com a publicação da obra *Direito e razão*.

Se em 1977 as ideias do "*garantismo*" estavam lançadas, elas foram se consolidan-do e amadurecendo em Ferrajoli nos anos seguintes, em decorrência da necessidade política de ele reagir à atuação do Estado italiano diante dos atentados terroristas dos anos 1970 e 1980. Alguns companheiros de partido e de luta em favor do comunismo foram presos, e tanto as prisões quanto os processos e as respectivas condenações foram amplamente criticados por Ferrajoli, que passou a se dedicar a encontrar nu-lidades, erros ou abusos na condução dos casos, para publicamente acusar o Estado de agir de forma emergencial e inquisitorial e reforçar a necessidade de se construir um processo "garantista".

Como recorda José Roberto Ruiz Saldaña[221], em 1979 houve um debate patrocinado pelo periódico comunista *Il Manifesto* em torno do famoso caso "*7 aprile*", relacionado aos atentados terroristas de movimentos de esquerda e que teve início em Padova,

---

219 *Ibid.*, p. 89.
220 *Ibid.*, p. 90-91.
221 RUIZ SALDAÑA, José Roberto. *El itinerario intelectual y político de Luigi, cit.*, p. 173.

78 ■ Processo Penal | Fundamentos dos fundamentos

com a prisão de inúmeras pessoas no dia 7 de abril daquele ano. Um dos presos foi o famoso professor, filósofo e militante político comunista Antonio Negri, considerado pela Justiça italiana como um dos artífices provocadores dos atentados. Naqueles anos, Antonio Negri pregava abertamente o uso da força para promover a revolução[222]. O processo do caso "*7 aprile*" foi muito polêmico pelas suposições formuladas de associação de tipo terrorista e pela pretensão de vincular Antonio Negri ao caso que resultou no sequestro e na morte do primeiro-ministro Aldo Moro, patrocinada pelas Brigadas Vermelhas. Em resposta ao debate, foi publicado um artigo no periódico *Il Manifesto*, por Rossana Rossanda, jornalista e deputada vinculada à corrente comunista italiana, fundadora do mesmo periódico, intitulado "Por que não sou 'garantista'", no qual, dentre outras coisas, afirmou que a teoria seria "pobre". Rossanda sintetizou sua crítica dizendo: "Eu sou garantista no campo processual, não sou garantista no político (...) Eu denuncio o limite formal, portanto injusto, a incapacidade política, a pobreza. E eu vejo o uso que o terrorismo faz disso..."[223]. Ferrajoli escreveu rebatendo o artigo de Rossanda, perguntando-lhe se "compartilhava de princípios de civilidade jurídica como o princípio da legalidade estrita em matéria penal, da presunção de inocência, do ônus da prova, ou se os rechaçava?". E complementou com outras duas perguntas igualmente provocativas: "prefere que a luta contra o terrorismo nos faça regressar à Idade Média? Você sustenta que esses princípios devam ser salvaguardados em qualquer sociedade, capitalista ou de transição ou socialista, na qual se continue celebrando processos, ou os considera relíquias burguesas?"[224].

Ferrajoli, então, iniciou uma defesa em debates públicos contra quem se colocava contra a ideia do garantismo. E quem seguiu reforçando a ideia do garantismo acabou sendo Antonio Negri. Mesmo estando preso, justamente em razão do processo

---

222 José Roberto Ruiz Saldaña destaca que Antonio Negri vinha "escrevendo e propondo uma ação revolucionária em escritos como 'Il dominio e il sabotaggio. Sul metodo marxista della trasformazione sociale'" (Milano: Feltrinelli, 1978 – Opuscoli marxisti), o qual devia ser considerado – dizia – "como um quinto capítulo". Os anteriores eram: "Crisi dello Stato-piano. Comunismo e organizzazione rivoluzionaria" (Milano: Feltrinelli, 1974); "Partito operaio contro il lavoro" (S. BOLOGNA; P. CARPIGNANO; A. NEGRI. "Crisis e organizzazione operaia", Milano, 1974); "Proletari e stato" (Milano: Feltrinelli, 1976) e "Autovalorizzazione operaia e ipotesi di partito" (La forma stato, Milano: Feltrinelli, 1977). No primeiro anteriormente mencionado – o último da série – havia assertivas e exclamações como estas: "para nós a violência se apresenta sempre como síntese: de forma e de conteúdo (...) como força produtiva e como força anti-institucional" (p. 67). "Basta com a hipocrisia burguesa e reformista contra a violência!" (p. 69). "O método de transformação social não pode ser outro que não aquele da ditadura proletária. Entendida em temos próprios: como luta pela extinção do Estado, para a substituição inteira do modo capitalista de produção através da autovalorização proletária e seu processo coletivo" (p. 44). Diante de tais "propostas", podemos assim chamá-las, deve-se ficar com as palavras de BOBBIO: "como se pode crer seriamente que o problema do bom governo possa ser resolvido mudando os detentores do poder e deixando intactas, ou mais ainda, piorando as estruturas de poder um estudioso que não nasceu ontem, como Negri, é para mim um mistério" (RUIZ SALDAÑA, José Roberto. *El itinerario intelectual y político de Luigi Ferrajoli*, *cit.*, p. 182).

223 ROSSANDA, Rossana. Perchè non sono "garantista". *Il Manifesto*, 17 jul. 1979, p. 2.

224 RUIZ SALDAÑA, José Roberto. *El itinerario intelectual y político de Luigi Ferrajoli*, *cit.*, p. 173-74.

"*7 aprile*", Negri escreveu da cadeia reforçando o discurso de Ferrajoli em seu favor, dizendo que, "hoje, posicionar-se em termos garantistas é válido e revolucionário"[225]. Vários outros juristas e pensadores de esquerda seguiram em defesa do garantismo naquele ano de 1979. Era uma reação coletiva à legislação de emergência ("*legge Reale*", de 1975) e ao que se considerava como práticas de uso abusivo do poder na condução das investigações e dos processos respectivos.

A defesa do garantismo seguiu sendo patrocinada por Ferrajoli em outros casos de repercussão nos anos seguintes, notadamente aqueles que envolviam políticos de esquerda acusados de vinculação com atos terroristas. No caso da acusação e da prisão preventiva, em 1981, de Edoardo Ronchi, membro do partido "*Democrazia Proletaria*", o mesmo ao qual Ferrajoli era filiado, ele fez uma acusação bastante incisiva:

> Que código de processo consultaram esses magistrados? De que compilações de jurisprudência, de quais tratados de direito processual obtiveram os referidos critérios – o comportamento processual, a atitude que se teve na instrução, a necessidade de assegurar a presença do imputado ao juízo oral, que, como é claro, tem direito ademais de negar ou de mentir também, de permanecer rebelde – para "dosar" a liberdade dos cidadãos? Esta cultura inquisitória parece bastante formada no "*Tractatus de maleficiis*" de Alberto da Gandino[226].

Tornou a repetir essa ideia de que estava sendo mantida uma "cultura inquisitória" pelos magistrados italianos no caso das sentenças condenatórias proferidas contra os integrantes de uma das organizações envolvidas no caso "*7 aprile*", a chamada *Unità Comuniste Combattenti*, em 1983, dizendo que "a cultura inquisitória e persecutória estava penetrando também a fase de juízo, impondo-se aos magistrados e não somente aos membros do Ministério Público"[227].

Foi, portanto, como reação ao que considerava abusos dos magistrados nos processos movidos contra seus companheiros de partido e contra políticos comunistas acusados de participar de atentados terroristas nos anos 1970 e 1980, que seguiu se consolidando, na estrutura teórica de Ferrajoli, a urgência do garantismo penal. A pretensão abolicionista, que sempre esteve presente na doutrina de Ferrajoli como uma opção a ser conquistada, perdeu força em seu discurso, cedendo em favor do

---

225 *Ibid.*, p. 174-75.

226 FERRAJOLI, Luigi. L'inquisizione a Bergamo. *Quotidiano dei lavoratori*, 7 nov. 1981, p. 5, *apud* RUIZ SALDAÑA, José Roberto. *El itinerario intelectual y político de Luigi Ferrajoli, cit.*, p. 178.

227 *Id.* L'imputato come nemico: un topos della giurisdizione dell'emergenza. *Dei delitti e dele pene*, n. 3, set.-dez. 1983, p. 581-93.

"garantismo" e do "direito penal mínimo", pois era difícil defender, perante a opinião pública, a simples não punição daqueles que promoviam atentados com bomba e causavam centenas de mortos nas ruas italianas. A "jurisprudência alternativa", nessa época, já tinha perdido força e era pouco debatida, tendo igualmente cedido espaço para a propagação do garantismo.

A respeito da mudança de postura de Ferrajoli, é interessante a profunda análise feita por José Roberto Ruíz Saldaña em sua tese doutoral sobre o itinerário intelectual e político de Luigi Ferrajoli. No que tange ao uso do marxismo por Ferrajoli, nos anos 1970, o autor sugere que se aplique a ele uma máxima de Bobbio lida às avessas. Bobbio dizia, naquela mesma década: "uma das minhas máximas preferidas é que hoje não se possa ser bom marxista se se é apenas marxista". E Ruiz Saldaña propõe a inversão da frase aplicada agora a Ferrajoli, para dizer "não se pode ser bom liberal sem ter passado pelo marxismo"[228].

É difícil catalogar Luigi Ferrajoli apenas como um "liberal", como quem tivesse mudado completamente seu modo de ver o mundo. Sua teoria oscila de uma visão principiológica, que não renuncia às garantias, por um lado, e, por outro, filia-se a uma visão utilitarista do Estado e do direito penal, de aceitar a pena como mínimo mal necessário. Talvez o mais adequado seja compreender que, assim, como seu principal teórico, a teoria do garantismo penal tem um pé em cada lugar, transitando no aproveitamento das garantias penais e processuais penais construídas principalmente a partir do iluminismo, mas sem abandonar completamente o horizonte das utopias abolicionistas e sua base teórica marxista. Esta última transparece principalmente na ideia de conceber, implicitamente, os mais "fracos" como equivalentes aos "proletários explorados e oprimidos pelo regime capitalista", os quais, nesse "sistema penal burguês", seriam os únicos a merecer proteção pelas garantias.

Interessante, neste ponto, analisar a obra seminal do garantismo penal de Ferrajoli – *Direito e razão* – na qual o autor nem sequer tangencia os discursos marxistas da forma como os encampava abertamente nos anos 1970[229]. Nem mesmo para fazer menção ao ideário que igualmente fundou e organizou a "jurisprudência alternativa" no âmbito da corrente da Magistratura Democrática. A referência a essa rica experiência da Magistratura Democrática, inclusive, é praticamente apagada do universo da teoria do garantismo penal. A ela só é feita rápida menção, "*en passant*", e ao final do livro, para justificar a dimensão política que o autor espera da magistratura[230]. Ferrajoli não menciona mais diretamente o embasamento marxista, salvo quando faz as abordagens

---

228 RUIZ SALDAÑA, José Roberto. *El itinerario intelectual y político de Luigi Ferrajoli, cit.*, p. 108.

229 *Vide*, por exemplo, o texto produzido com Danilo Zolo, em 1977, anteriormente destacado.

230 FERRAJOLI, Luigi. *Direito e razão, cit.*, p. 671-72.

em torno dos discursos abolicionistas[231] e para uma pontual crítica ao que chamou de "utopias delirantes da tradição anárquica e do marxismo-leninismo"[232]. Mesmo assim, de maneira suavizada e indireta, encampa o discurso "da luta de classes", em sua proposta de deontologia judiciária, ao dizer que o "horizonte axiológico" e "político" da jurisdição, "próprios do garantismo"[233], devem comportar uma atuação do magistrado orientada sob "o ponto de vista ético-político dos sujeitos titulares dos direitos fundamentais violados ou não satisfeitos pelo efetivo funcionamento do ordenamento e com referência aos quais pode ser valorada a justiça", ou seja, "dos seus sujeitos e dos seus componentes mais fracos"[234]. E indica, como um dos três significados possíveis do "garantismo", que ele, "sob o plano político, se caracteriza como uma técnica de tutela idônea a minimizar a violência e a maximizar a liberdade"[235].

Em termos teóricos, os contributos do garantismo penal se dão em diferentes frentes, já que a qualidade de pesquisa e o aprofundamento das teses são inquestionáveis na construção da teoria do garantismo penal de Ferrajoli. A estrutura do trabalho também é orientada por perguntas relevantes que sintetizam as preocupações do autor: "quando e como 'proibir', 'punir' e 'julgar'?"[236]. Como destacou Norberto Bobbio no prefácio da 1ª edição de *Direito e razão*, a obra é "a conclusão de uma extensa e minuciosa investigação, levada a efeito durante anos, sobre as mais diversas disciplinas jurídicas, especialmente o direito penal, e de uma longa e apaixonada reflexão, nutrida de estudos filosóficos e históricos, sobre os ideais morais que inspiram ou deveriam inspirar o direito nas nações civilizadas"[237]. Aqui, no entanto, interessa, em particular, a espinha dorsal do que ele denomina de "sistema de garantias", aliado à premissa e à leitura dicotômica e reducionista que Ferrajoli acaba empregando quando considera a proteção do mais "débil", orientada pela separação entre direito penal e processo penal.

Como ponto de partida, então, são relevantes a retomada e a organização das garantias iluministas no catálogo de "dez axiomas" elaborado em *Direito e razão*. Com ele, Ferrajoli estrutura o que denomina de "sistema garantista", pautado por organizar os princípios que devem nortear a possibilidade de aplicação de uma pena, a partir das seguintes máximas em latim:

---

231 *Ibid.*, p. 199 e s.
232 *Ibid.*, p. 695.
233 *Ibid.*, p. 672.
234 *Ibid.*, p. 670-71.
235 *Ibid.*, p. 684.
236 *Ibid.*, p. 75.
237 BOBBIO, Norberto. Prefácio da 1ª edição italiana. FERRAJOLI, Luigi. *Direito e razão, cit.*, p. 7.

1. *Nulla poena sine crimine*
2. *Nullum crimen sine lege*
3. *Nulla lex (poenalis) sine necessitate*
4. *Nulla necessitas sine injuria*
5. *Nulla injuria sine actione*
6. *Nulla actio sine culpa*
7. *Nulla culpa sine judicio*
8. *Nullum judicium sine accusatione*
9. *Nulla accusatio sine probatione*
10. *Nulla probatio sine defensione*[238]

Em outras palavras, os axiomas latinos podem ser representados por princípios iluministas e também norteadores do sistema garantista, respectivamente: 1) princípio da retributividade ou da consequencialidade da pena em relação ao delito; 2) princípio da legalidade estrita; 3) princípio da necessidade do direito penal; 4) princípio da lesividade; 5) princípio da materialidade da ação; 6) princípio da culpabilidade; 7) princípio da jurisdicionalidade; 8) princípio acusatório ou da separação entre acusação e juiz; 9) princípio do ônus da prova; 10) princípios do contraditório e da ampla defesa[239].

E da conjugação entre os dez axiomas, Ferrajoli ainda extrai outros quarenta e cinco teoremas, totalizando, se somados, cinquenta e seis teoremas. Para tanto, ele invoca os termos (*poena, crimen, lex, necessitas, injuria, actio, culpa, judicium, accusatio* e *probatio*) e vai conjugando, um a um, com todos os demais axiomas. Por exemplo: ele se vale da premissa "*nulla poena*" e vai fazendo a conjugação com as demais implicações dos outros nove axiomas iniciais: "*nulla poena sine lege*; *nulla poena sine necessitate*; *nulla poena sine injuria*"; e assim por diante. Em seguida, pega a premissa "*nullum crimen*" e faz o mesmo exercício. E assim sucessivamente[240].

Nessa organização das teses garantistas que compõem o "sistema garantista", a teoria de Luigi Ferrajoli é muito boa e se harmoniza com a Constituição brasileira, recebendo ampla aceitação no Brasil. Nenhum jurista que se diga defensor do Estado Democrático de Direito pode ser contra a existência desse conjunto de garantias historicamente conquistadas. O problema, no entanto, está noutro ponto de sua construção teórica, pouco comentado quando se faz alusão à teoria do garantismo penal, mas muito difundido como exercício crítico, seja na academia, seja no exercício da defesa dos acusados em processo, seja na orientação para formulação de políticas criminais no parlamento.

---

238 FERRAJOLI, Luigi. *Direito e razão, cit.*, p. 74-75.

239 *Ibid.*, p. 75.

240 *Ibid.*, p. 75.

Como ficou evidenciado anteriormente, é certo que Ferrajoli é herdeiro de uma base ideológica marxista que durante muito tempo esteve fincada em seu discurso e em seus textos e que, depois, passou a ser temperada com sua ideia de democracia constitucional. Ele busca no pacto social e na visão de Beccaria a ideia de que a justificativa do direito penal, como alternativa ao abolicionismo, é que ele "seja instrumento de defesa e garantia de todos: da maioria não desviada, porém, também, da minoria desviada"[241].

> O paradigma do direito penal mínimo assume com única justificação do direito penal seu papel de lei do mais débil como alternativa à lei do mais forte que regeria em sua ausência; não, então, genericamente a defesa social, mas a defesa do mais débil, que no momento do delito é a parte ofendida, no momento do processo é o imputado e no da execução penal, o condenado[242].

Diz, ainda, Ferrajoli, em *Direito e razão*, que:

> O objetivo do direito penal não é passível de ser reduzido à mera defesa social dos interesses constituídos contra a ameaça que os delitos representam. Este é, sim, a proteção do fraco contra o mais forte; do fraco ofendido ou ameaçado com o delito, como do fraco ofendido ou ameaçado pela vingança; contra o mais forte, que no delito é o réu e na vingança é o ofendido ou os sujeitos públicos ou privados que lhe são solidários. Precisamente – monopolizando a força, delimitando-lhe os pressupostos e as modalidades e precluindo-lhe o exercício arbitrário por parte dos sujeitos não autorizados – a proibição e a ameaça penal protegem os possíveis ofendidos contra os delitos, ao passo que o julgamento e a imposição da pena protegem, por mais paradoxal que pareça, os réus (e os inocentes suspeitos de sê-lo) contra as vinganças e outras reações mais severas. Sob ambos os aspectos a lei penal se justifica enquanto "lei do mais fraco", voltada para a tutela dos seus direitos contra a violência arbitrária do mais forte[243].

Ou seja, para Ferrajoli, o direito penal material deve ser mínimo e, nessa proporção, só se justifica se for para proteger a vítima; já o processo penal deve o máximo em termos de garantias para proteger o investigado e/ou o acusado. Sua síntese do

---

241 FERRAJOLI, Luigi. La pena en una sociedade democrática. In: FERRAJOLI, Luigi. *Escritos sobre derecho penal*, v. 1, *cit.*, p. 317.

242 *Ibid.*, p. 317.

243 *Id. Direito e razão, cit.*, p. 270.

garantismo penal é de que "as garantias penais e processuais, com efeito, não são outra coisa senão as técnicas dirigidas a minimizar a violência e o poder punitivo; ou seja, a reduzir no que for possível os delitos, a arbitrariedade dos juízes e a aflição das penas"[244]. A influência marxista e quase "romântica" do acusado marginalizado e oprimido pelo capital burguês – que existe, claro, mas não é a regra quando se pensa, por exemplo, em criminalidade do "colarinho branco", para emprestar a consagrada referência de Edwin Sutherland[245] – transparece na síntese de Ferrajoli ao considerar o imputado como "expressão de uma minoria mais ou menos marginalizada e sempre em conflito com o interesse punitivo do Estado e das suas expressões políticas"[246].

Dentro dessa chave interpretativa, qualquer regra nova, portanto, que amplie o direito penal na proteção subsidiária de bens jurídicos relevantes deve ser considerada rechaçada pelo garantismo penal. E qualquer regra de processo penal nova que venha a ampliar a possibilidade de proteção da vítima em detrimento do acusado deve, igualmente, ser considerada inválida à luz do garantismo penal. Ferrajoli, inclusive, defende um processo penal sem a possibilidade de prisão preventiva, por ele considerada "ilegítima" e "inadmissível"[247]. No garantismo penal, o processo penal deve ser estruturado de tal forma que se pense apenas em sua função de proteger o réu contra arbítrios do Estado. Esquece-se que, no processo penal, também pode haver arbítrio do réu em relação à vítima ou, ainda, em relação a novas potenciais vítimas, mediante reiteração de comportamento delitivo (criminoso habitual)[248].

Essa divisão de compreensão dos olhares protetivos diferenciados entre o direito penal e o processo penal acaba promovendo uma leitura capenga do Estado Democrático de Direito. O raciocínio de partida de Ferrajoli não é de todo errado quando considera que, no momento do crime, a vítima é a mais fraca em relação ao autor do delito e, assim, a seleção dos bens jurídicos a ela pertencentes deve ser objeto de proteção pelo Direito Penal. E também não é errado quando considera que, normalmente – mas não necessariamente (a situação pode se inverter em sede de criminalidade organizada e envolvendo os poderes político e econômico) –, o acusado é o mais fraco numa relação perante o Estado/Ministério Público que o acusa. Assim, não está errado dizer que o direito penal deve proteger as vítimas diante dos

---

244 *Id*. La pena en una sociedad democrática. FERRAJOLI, Luigi. *Escritos sobre derecho penal*, v. 1, *cit.*, p. 318.

245 SUTHERLAND, Edwin H. *El delito de cuello blanco*. White-collar crime. The uncut version. Trad. para o espanhol de Laura Belloqui. Buenos Aires: B de F, 2009.

246 FERRAJOLI, Luigi. *Direito e razão, cit.*, p. 439.

247 *Ibid.*, p. 442 e s.

248 Para entender o absurdo de se pregar a impossibilidade de adoção da prisão preventiva para casos graves, *vide*: GUIMARÃES, Rodrigo Régnier Chemim. Crônica de estupros e mortes anunciadas e a tese de que a prisão preventiva para garantir a ordem pública é inconstitucional. *Revista do Ministério Público do Estado do Paraná*, ano 4, n. 7, dez. 2017, p. 109-22.

seus potenciais agressores, e o processo penal deve proteger os acusados frente aos possíveis arbítrios estatais. O errado, à luz do Estado Democrático de Direito que se orienta para proteger réus e vítimas indistintamente e à luz das funções desempenhadas pelo direito penal e pelo processo penal, está em dizer que é só isso. Como se direito penal e processo penal pudessem ser compreendidos e efetivados um sem o outro. Como se fossem dois ramos independentes do direito, sem contato e sem vinculação alguma. Como se tanto o direito penal não devesse proteger réus e vítimas, quanto o processo penal, igualmente, não devesse fazê-lo.

Direito penal e processo penal, já ensinava Figueiredo Dias em sua clássica obra de 1974, estão numa "relação de mútua complementaridade funcional"[249], no que é secundado por Taipa de Carvalho, ao também considerar uma "relação biunívoca" entre o direito penal e o direito processual penal, pois, diferentemente de outros ramos do direito, o "direito penal só se concretiza através do processo"[250]. Um não existe sem o outro[251]. Direito Penal sem o processo representaria o abuso, o arbítrio em forma pura, sem direito de defesa, sem verificação de comportamento, sem contraditório. Já o processo penal sem o direito penal não faria o menor sentido, pois seria um ritual para o nada. Portanto, se o direito penal só se realiza por meio do processo penal e se a razão de ser deste é verificar se é o caso, ou não, de aplicar uma pena prevista no direito penal, não faz sentido promover a divisão de compreensão entre um e outro, como opera Ferrajoli.

Claus Roxin igualmente alude às diversas funções do processo penal, que deve ser estruturado dialeticamente, envolvendo interesses contrapostos da acusação e da defesa, e que visa a fins complexos: a condenação do culpado, a proteção do inocente, a legalidade do procedimento e a estabilidade jurídica da decisão[252]. À síntese de Gómez Orbaneja[253], também referida por Aury Lopes Junior[254], ao dizer que "não existe delito sem pena, nem pena sem delito e processo, nem processo penal senão para determinar o delito e impor uma pena", se acrescentaria: tampouco tudo isso se não for para prevenir delitos e proteger o cidadão-vítima.

Portanto, ainda que se possa compreender o processo penal como sendo primordialmente um instrumento de contenção de poder e, também prioritariamente, um conjunto de garantias para o acusado, não há como olvidar sua outra faceta, de

---

249 FIGUEIREDO DIAS, Jorge de. *Direito processual penal, cit.*, p. 32.

250 CARVALHO, Américo Taipa de. *Sucessão das leis penais*. Coimbra: Coimbra Editora, 1990, p. 212.

251 No mesmo sentido: BINDER, Alberto. *Introducción al derecho procesal penal*. Buenos Aires: Ad-Hoc, 2009, p. 42.

252 ROXIN, Claus. *Derecho procesal penal*. Trad. do alemão para o espanhol Gabriela E. Córdoba e Daniel R. Pastor. Buenos Aires: Editores del Puerto, 2000, p. 4.

253 GÓMEZ ORBANEJA, Emilio. *Comentários a la Ley de Enjuiciamiento Criminal*. Barcelona: Bosch, 1951. t. 1, p. 27.

254 LOPES JR., Aury. *Direito processual penal, cit.*, p. 22.

instrumentalização do direito penal à luz do "princípio da necessidade". Nessa toada, portanto, o processo penal serve para a contenção de abusos de todas as sortes, inclusive daqueles que possam se originar do cidadão acusado, em favor da proteção dos direitos fundamentais dos demais cidadãos-vítimas. Ou seja, opera também no plano horizontal, das relações de poder entre cidadãos, e não apenas entre estes e o Estado.

O processo penal, então, também exerce uma função político-criminal semelhante à função preventiva da pena. O risco é que ele o faz mediante "medidas de segurança pré-condenatórias", como diz Maria Fernanda Palma, e isso, em certa medida, acaba implicando numa violação da presunção de inocência, razão pela qual a autora sugere que ele só se legitima "até ao ponto em que o processo penal funcione como controle das reações privadas expressivas das pretensões individuais e sociais e realize a elevação da discussão sobre o crime concreto para um plano de diálogo entre o arguido e a sociedade"[255].

O que parece ocorrer com a leitura que Ferrajoli faz, portanto, é que, em alguma medida, ela deixa transparecer a origem marxista da teoria do garantismo penal. Retome-se, para essa compreensão, um trecho de Ferrajoli, anteriormente destacado, quando ele afirma que, no âmbito da Magistratura Democrática, a ideia garantista convivia com a corrente marxista, em verdadeira e inédita simbiose, "um liberalismo 'sui generis', que tentava conjugar as garantias dos direitos de liberdade e a garantia dos direitos sociais e ancorar a ambos os tipos de direitos – e, portanto, ao ponto de vista dos sujeitos débeis que são os seus titulares insatisfeitos – as próprias referências ideais"[256].

Sucede que esse discurso reproduzido na academia de processo penal tem ganhado fôlego no Brasil e passou a ser dominante nos últimos vinte anos. Em consequência, passou a servir de mote para desconsiderar toda e qualquer pretensão de melhoria da legislação penal e processual penal brasileira que, em alguma medida, tangencie a possibilidade de não ser útil ao mais débil, ou seja, no caso do processo penal à la Ferrajoli: apenas ao acusado. Nessa linha, tem-se visto, com frequência, que qualquer tentativa de aperfeiçoar a legislação processual penal que possa ser lida contra o interesse dos acusados é rotulada de "antigarantista", ou, como se costuma dizer pejorativamente, "punitivista", querendo não apenas dizer que isso seria próprio de quem quer "resolver as coisas" com mais punição, mas também, notadamente, reduzir qualquer proposta que vá em direção à efetividade da resposta penal com o insulto e

---

255 PALMA, Maria Fernanda. O problema do processo penal. PALMA, Maria Fernanda (coord.). *Jornadas de Direito Processual Penal e Direitos Fundamentais*. Organizadas pela Faculdade de Direito de Lisboa e pelo Conselho Distrital de Lisboa da Ordem dos Advogados, com a colaboração do Goethe Institut. Coimbra: Almedina, 2004, p. 41-53.

256 FERRAJOLI, Luigi. Una historia de las ideas de "Magistratura Democrática", *cit.*, p. 300.

a acoplagem de uma pecha moral negativa que, simultaneamente, encerre o debate e atraia, para o seu círculo, novos adeptos de uma espécie de senso comum crítico.

Aqui se evidencia mais uma dicotomia sectária do direito[257] que é externalizada no cotidiano das manifestações públicas dos juristas. Por exemplo, à luz dessa dicotomia (ou você é "garantista" ou é "punitivista"), caso você enxergue o processo penal apenas e tão somente como um instrumento de garantias do réu, no qual, portanto, a vítima não tem espaço, ao ver qualquer pessoa sendo presa preventivamente, seu discurso é que estamos vivendo uma era de "abusos desenfreados", uma "volta à ditadura", uma "nova inquisição", um "mundo fascista" ou, ainda, uma "pós-democracia", e por aí vai. Ao contrário, se você acha que o processo penal é apenas e tão somente um instrumento de efetivação do direito penal, no qual falar em direitos e garantias do acusado é coisa para inglês ver, e vê alguém acusado de cometer crimes obtendo liberdade provisória, o seu discurso é de que estamos vivendo uma era de "afrouxamento penal exacerbado", no qual "impera a impunidade", numa terra em que "bandidos" roubam e "não acontece nada", um "vale-tudo", e por aí vai. A defesa radical de qualquer um dos dois modelos de discurso quer se impor como duas pretensas "verdades absolutas", porém antagônicas. Não parece haver espaço para o equilíbrio, para o diálogo.

Considerando o exagerado emprego da pecha "punitivista", que parcela significativa da doutrina costuma invocar para criticar quem dela discorda, arriscaria dizer que a invocação desses rótulos é uma espécie de reflexo, na discussão jurídica, das reações destemperadas e autoritárias que se vê, hoje, em redes sociais, visando o "justiçamento" pelo "cancelamento" do outro ou pelo "silenciamento" da divergência.

Por exemplo, se o legislador brasileiro pensar em diminuir a insana sistemática recursal brasileira para, mantendo o duplo grau de jurisdição, dar racionalidade e efetividade à Justiça criminal, ele será logo tachado de "punitivista", de "não garantista". É, como dito, uma forma de encerrar a discussão. Só que a discussão não pode seguir se dando nesse nível. É preciso pensar um processo penal para a nação, e não para uma visão particular de mundo ou para defender interesses profissionais ou pessoais. Se qualquer regra processual penal pensada à luz da efetividade da Justiça criminal ou de proteção à vítima pode ser considerada "não garantista", alguma coisa está errada. O olhar que se promove na academia e no Legislativo é, nessa medida, capenga e não contribui para uma efetiva melhora da democracia em sua dupla vertente: de proibição de excessos e de proibição de proteção insuficiente. Mais à frente se retomará essa análise. Antes, no entanto, é preciso enfrentar outras posições teóricas igualmente importantes, a

---

257 Outra dicotomia, muito comum na doutrina de processo penal, e que será explorada mais adiante, é querer reduzir tudo a uma disputa entre "acusatório" e "inquisitório", como duas expressões, respectivamente, representativas do "bem" e do "mal".

Processo Penal | Fundamentos dos fundamentos

exemplo do funcionalismo redutor de Eugenio Raul Zaffaroni e de sua teoria negativa e agnóstica da pena.

1.1.2.2.3 Funcionalismo redutor de Zaffaroni e os contrapontos necessários à sua teoria negativa e agnóstica da pena

A posição teórico-dogmática do jurista argentino Eugenio Raul Zaffaroni não chega a ser abolicionista propriamente dita, não obstante ele tenha promovido uma virada de olhar que, desde 1990, direciona-se fortemente para a corrente abolicionista. Essa mudança de postura começa a ficar evidente na obra *Em busca das penas perdidas*, na qual presta homenagem a Louk Houlsman e Jacqueline Bernat de Celis, parafraseando o título de seu livro *Peines Perdues. Le système pénal en question*[258]. A explicação é dada pelo próprio Zaffaroni na *Apresentação* de seu livro:

> Diante desta situação de extrema pobreza fundamentadora e das críticas reveladoras que desacreditam o próprio saber jurídico, pretendemos sustentar a possibilidade de reconstrução da dogmática jurídico-penal de acordo com as diretrizes de um direito penal garantidor e ético, assumindo plenamente a realidade de poder do sistema penal e sua deslegitimação, ou seja, admitindo a razão proveniente do abolicionismo (ou do "minimalismo penal", se se preferir chamar "Direito Penal" ao remanescente)[259].

E mais adiante deixa ainda mais clara sua posição preferencial que se orienta em direção ao abolicionismo, dizendo que,

> em nossa opinião, o direito penal mínimo é, de maneira inquestionável, uma proposta a ser apoiada por todos os que deslegitimam o sistema penal, não como meta insuperável, e, sim, como passagem ou trânsito para o abolicionismo, por mais inalcançável que este hoje pareça; ou seja, como um momento do "*unfinished*" de Mathiesen, e não como um objetivo "fechado" ou "aberto"[260].

---

258 HOUSMAN, Louk; BERNAT DE CELIS, Jacqueline. *Peines perdues*. Le système pénal en question. Paris: Le Centurion, 1982.

259 ZAFFARONI, Eugenio Raúl. *Em busca das penas perdidas, cit.*, p. 6.

260 *Ibid.*, p. 106.

O interessante, nesse livro, é que Zaffaroni procura descolar seu discurso do rótulo de marxista, atribuindo qualquer referência ao marxismo mais como uma tentativa de deslegitimar a crítica[261]. Mesmo assim, admite que,

> diante das dificuldades e com as advertências precedentes, limitamo-nos aqui a recolher alguns dos caminhos de deslegitimação teórica do sistema penal comumente considerados no plano teórico do marxismo, sem tomar partido na disputa central pelo monopólio do qualificativo (ou na absurda disputa para se livrar dele, em nossa região marginal)[262].

No ponto teórico que interessa para compreender o pensamento de Zaffaroni, é importante considerar que ele introduziu uma nova teoria para justificar a pena e o direito penal, por ele denominada de "teoria negativa e agnóstica da pena". Zaffaroni parte, de um lado, da consideração de que todas as teorias clássicas da pena (por ele referidas como "positivas", ou seja, que "visam o bem de alguém" e que, assim, "legitimam o poder punitivo"[263]) seriam falhas[264]. De outro, ele considera que é necessário buscar uma nova justificativa da pena, de conotação "negativa" (isto é, que não legitime o poder punitivo), porém, que siga admitindo a punição, ainda que não se creia em nenhuma das funções declaradas da pena (daí a referência a ser uma teoria "agnóstica", isto é, que parte do "desconhecimento da função da pena"[265], mas não consegue abdicar da necessidade de sua existência, fundada numa "explicação política"[266]).

Esse segundo ponto leva em conta que não há como se afastar da ideia de que o sentimento da necessidade da punição de alguém que cometeu um ato não tolerado em sede de convivência social é inato a qualquer ser humano. O certo é que para Zaffaroni, ainda que a punição seja inevitável, ela não deve ser explicada a partir das teorias de repressão e prevenção.

Para ele, então, o direito penal teria como única função ser um instrumento para conter e para reduzir o poder punitivo (daí falar-se em "funcionalismo redutor"), e tudo aquilo que expanda tal punição é considerado como algo negativo. Ele se vale da metáfora do rio caudaloso para explicar sua visão. Considera que o poder punitivo equivaleria a um rio caudaloso que, contido pelas margens, corre com toda

---

261 *Ibid.*, p. 36 e s.

262 *Ibid.*, p. 52.

263 ZAFFARONI, Eugenio Raúl; ALAGIA, Alejandro; SLOKAR, Alejandro. *Derecho penal*. Parte General. 2. ed. Buenos Aires: Ediar, 2002, p. 41.

264 *Ibid.*, p. 44.

265 *Ibid.*, p. 46.

266 *Ibid.*, p. 51.

a força, arrastando tudo o que encontra pela frente. O direito penal atuaria como uma barragem, e suas poucas comportas abertas, como aquilo que é exigido que se verta de água para que o rio não avance com toda a sua potência ou não destrua a barragem. A barragem e suas comportas, ou seja, o direito penal e os comportamentos que ele seleciona como delitos, atuariam como uma forma de conter o poder punitivo representado pelo rio caudaloso[267]. Nessa linha de raciocínio, Zaffaroni não é exatamente um "abolicionista", mas, como dito, um minimalista, com um olhar voltado para o abolicionismo.

Para essa teoria, a função de prevenção geral negativa seria uma justificativa falha, o que seria demonstrável pelo fato de que as pessoas continuam a praticar crimes[268]. Seguindo, em alguma medida, essa trilha, outros juristas importantes, a exemplo de Claus Roxin[269], Feijoo Sanchez[270] e Bustos Ramirez[271], também vão considerar, em maior ou menor grau, que, cada vez que alguém comete um delito, isso seria a prova de que a função de prevenção geral negativa não foi capaz de operar.

O que essa argumentação olvida é que, se a função de prevenção geral negativa não atuou para uma pessoa específica, isso não significa dizer que não tenha operado em relação a outras pessoas que deixam de praticar determinada conduta por temer sua pena.

Ademais, esse argumento de que a prevenção geral negativa não opera porque existem pessoas que, mesmo assim, cometem crimes, é próprio do que se usou denominar de falácia de inatingência, ou falácia dedutiva de uma causa falsa, também conhecida pela máxima, em latim, "*post hoc ergo propter hoc*". Como se todo antecedente fosse a causa do consequente.

É claro, por outro lado, que não é qualquer ameaça da pena que opera como efeito intimidador, mas aquela que seja considerada uma ameaça crível e não meramente simbólica. Nesse sentido, as pesquisas empíricas das últimas décadas, adiante referidas, confirmam a máxima de Beccaria de que "um dos maiores freios dos delitos não é a crueldade das penas, mas sua infalibilidade", e que, assim, "a certeza de um castigo, mesmo moderado, sempre causará mais intensa impressão do que o temor de outro mais severo, unido à esperança da impunidade"[272]. Alguns autores, no entanto,

---

267 ZAFFARONI, Eugenio Raúl. *Estructura basica del derecho penal*. Buenos Aires: Ediar, 2009, p. 32.

268 ZAFFARONI, Eugenio Raúl; ALAGIA, Alejandro; SLOKAR, Alejandro. *Derecho penal, cit.*, p. 59.

269 ROXIN, Claus. *Problemas fundamentais de direito penal*. Trad. Ana Paula dos Santos e Luís Natscheradetz. Coimbra: Coimbra Editora, 1986, p. 24.

270 FEIJOO SANCHEZ, Bernardo. *A legitimidade da pena estatal*. Uma breve análise das teorias da pena. Trad. Nivaldo Brunoni. Florianópolis: Conceito, 2015, p. 37.

271 BUSTOS RAMIREZ, Juan. El control formal: policía y justicia. BERGALLI, Roberto *et al*. *El pensamiento criminológico*. Estado y control. Bogotá: Editorial Temis, 1983. v. II, p. 66-69.

272 BECCARIA, Cesare de Bonesana, Marquês de. *Dos delitos e das penas*. 2. ed. Trad. J. Cretella Jr. e Agnes Cretella. São Paulo: RT, 1999, p. 87.

insistem em ponderar que isso não é demonstrável[273]. Ora, já de partida é possível dizer que não basta afirmar que não é demonstrável para o que o argumento seja válido e para que ele se transforme, automaticamente, em verdade, pela chancela de autoridade de quem o exprime. E, num segundo momento, é preciso dizer que, ao contrário do que alguns autores afirmam, é "demonstrável", sim, empiricamente.

Em 2016, os pesquisadores Thomas A. Loughran, Ray Paternoster, Aaron Chalfin e Theodore Wilson, os dois primeiros da Universidade de Maryland e os outros dois da Universidade de Chicago, testaram a teoria da escolha racional criminológica nos moldes como é concebida no modelo econômico de infração penal de Gary Becker (1968)[274], usando dados de painel de nível individual de uma amostra de 1.354 in-

---

273 Existem autores de diferentes linhas que apontam para essa ideia de indemonstrabilidade empírica, sendo que alguns o fazem como argumento de autoridade, parecendo explicitar apenas suas opiniões pessoais, mediante conclusões genéricas e sem indicação de pesquisas empíricas concretas que pudessem demonstrar o que afirmam, a exemplo de HASSEMER, Winfried. *Introdução aos fundamentos do direito penal.* 2. ed. Porto Alegre: Sérgio A. Fabris Editor, 2005, p. 404-7; e de FERRAJOLI, Luigi. *Direito e razão, cit.*, p. 226. Outros autores, alinhados à Criminologia Crítica, fazem um esforço retórico enorme para sustentar que não existem evidências empíricas, mas, em sua maioria, também se limitam a afirmações genéricas e, paradoxalmente, sem apresentar pesquisas que confirmem suas afirmações. Nesse sentido, para ilustrar, *vide*, entre outros: KARAM, Maria Lúcia. Pela abolição do sistema penal, *cit.*, p. 69-107, p. 79; GENELHÚ, Ricardo; SCHEERER, Sebastian. *Manifesto para abolir as prisões.* Rio de Janeiro: Revan, 2017, p. 160; CHRISTIE, Nils. *Limites à dor, cit.*, p. 48; HULSMAN, Louk; BERNAT DE CELIS, Jacqueline. *Penas perdidas*, cit, p. 22; e COLSON, Charles; VAN NESS, Daniel. *Convicted, cit.*, p. 37. Dos autores que apresentam pesquisas empíricas para sustentar a indemonstrabilidade da prevenção geral negativa, merecem destaque MATHIESEN, Thomas. *Juicio a la prisión.* Una evaluación crítica. Trad. para o espanhol Mario Coriolano e Amanda Zamuner. Buenos Aires: Ediar, 2003, p. 105 e s.; e ALBRECHT, Peter-Alexis. *Criminologia.* Uma fundamentação para o Direito Penal. Trad. Juarez Cirino dos Santos e Helena Schiessl Cardoso. Curitiba: ICPC; Rio de Janeiro: Lumen Juris, 2010, p. 86 e s. Mathiesen apresenta pesquisas mais voltadas a demonstrar que a certeza da punição é mais efetiva do que o incremento da resposta penal ou que o incremento do policiamento. O autor também explora a pesquisa realizada por Johs Andenses, realizada na década de 1970, dizendo que ela não apontou avanços significativos na tentativa de demonstrar o efeito intimidatório da sanção. Mathiesen ainda cita, como referência de pesquisa empírica que seria capaz de demonstrar que a prevenção geral negativa não opera a contento, aquela realizada por Ross e outros, entre os anos de 1970 e 1980, a respeito do impacto de leis de trânsito menos rigorosas em casos de embriaguez na condução de veículos automotores, na Finlândia, na Dinamarca, na Suécia e na Noruega, argumentando que os índices de acidentes com morte e feridos não se alteraram significativamente na transição de um período de maior rigor punitivo para outro mais liberal. Outra pesquisa referida por Mathiesen é aquela desenvolvida por Karl Schumann e outros, em 1987 (essa mesma pesquisa é explorada por Albrecht, como se verá a seguir). Albrecht, na tentativa de demonstrar que não existem evidências empíricas, faz menção a duas pesquisas realizadas: uma de Karl Schumann e outros, intitulada "Criminalidade juvenil e os limites da prevenção geral", de 1987, e outra realizada por Heinz Schöch, em 1981. A primeira pesquisa, no entanto, foi circunscrita a um universo de jovens adolescentes infratores, a respeito das "ações puníveis por eles mesmos cometidas". Ou seja: ficou limitada a perguntar a quem já cometeu uma infração se a ameaça da pena teria tido algum efeito sobre sua conduta. A pesquisa é evidentemente falha quanto à pretensão de sustentar a tese de ausência de dados empíricos a demonstrar a operacionalidade da prevenção geral negativa. Não precisaria sequer ter sido realizada, pois, com esse universo de adolescentes (todos já praticantes de infrações), a resposta já é dada de antemão: para eles, que cometeram atos infracionais, a função de prevenção geral negativa não operou, tanto que realizaram os atos. Isso, no entanto, não significa dizer que para outro universo de adolescentes (não indagados nessa pesquisa), a função de prevenção geral negativa não opere. E a segunda pesquisa citada por Albrecht, que ampliou o público pesquisado, indagando também de quem não havia cometido infrações, vai na contramão de sua pretensão, pois afirma, conclusivamente, que "o risco de descobrimento tinha maior peso do que a gravidade da pena". Portanto, confirma que o risco de ser descoberto, ou seja, o grau de certeza da punição, é sim um fator inibidor de comportamentos socialmente não desejáveis. A ameaça da pena opera desde que seja uma ameaça crível e não meramente simbólica.

274 A teoria da escolha racional de Gary Becker pode ser sintetizada na ideia de que o ser humano é um ser racional e, assim, avalia as recompensas e os riscos possíveis ao realizar determinada conduta. Se as recompensas forem

fratores juvenis e jovens adultos, de 14 a 17 anos, em duas cidades norte-americanas: Maricopa County (Phoenix), AZ, e Philadelphia County, PA. Do universo de jovens que participaram da pesquisa, 86% eram homens, sendo que 44% dos jovens eram afrodescendentes, 29% eram hispânicos e os demais eram brancos. Eles foram indagados sobre a probabilidade de serem pegos e presos por cada um dos seguintes crimes: briga, roubo com arma, esfaqueamento, violação de domicílio ou de uma loja, roubo de roupas de uma loja, vandalismo e roubo de automóveis. Ao final da pesquisa empírica, chegaram às seguintes conclusões:

> Com essa motivação, várias descobertas importantes emergiram de nossa análise. Primeiro, encontramos um suporte amplo de que os indivíduos parecem ser responsivos às percepções de escolha racional e que isso ocorreu em diferentes tipos de crimes, incluindo crimes praticados com violência. Além disso, essas percepções ainda tiveram poder explicativo mesmo depois de levar em conta a heterogeneidade não observada entre indivíduos, bem como múltiplas variações no tempo. Em segundo lugar, descobrimos que mesmo quando condicionados à heterogeneidade observável em termos de gênero, raça e risco de alta e baixa ofensa, cada um desses subgrupos ainda respondia a esses riscos, custos e recompensas percebidos. Em terceiro lugar, observamos um elevado grau de homogeneidade em termos das magnitudes dos parâmetros entre esses subgrupos, o que sugere que houve pouca diferença em como os fatores operam em diferentes subgrupos.
>
> Constatamos que esses adolescentes com histórico de crimes graves agem de acordo com as recompensas e custos previstos de ofender e que isso é verdade tanto para tráfico de drogas e crimes violentos quanto para crimes contra o patrimônio. Também descobrimos que esses adolescentes realocam racionalmente seu tempo em resposta às mudanças esperadas nos benefícios de atividade legal e ilegal. Embora consistente com muitas pesquisas anteriores, as recompensas de comportamento geralmente têm um peso um pouco maior do que os custos; ambos são importantes influências na conduta dos jovens.

---

maiores do que o risco da descoberta e da punição, a conduta "vale a pena", como se costuma dizer popularmente. Do contrário, o sujeito tende a se conter. Nas palavras de Becker: "se a entrada em atividades ilegais pode ser explicada pelo mesmo modelo de escolha que os economistas usam para explicar entrada em atividades legais, os infratores (no limite) 'preferem o risco'. Consequentemente, as atividades ilegais 'não compensam' (no limite) quando a renda real recebida for menor do que poderia ser recebido em atividades jurídicas menos arriscadas. A conclusão de que 'o crime não compensa' é uma condição de otimização e não uma implicação sobre a eficiência da polícia ou dos tribunais; na verdade, vale para qualquer nível de eficiência, desde que os valores ótimos de 'p' [a probabilidade de ser descoberto] e 'f' [o tamanho da pena em caso de condenação], adequados para cada nível, sejam escolhidos" (BECKER, Gary Stanley. Crime and punishment: an economic approach. *Journal of Political Economy*, v. 76, n. 1, 1968, p. 169-217, tradução nossa).

Finalmente, encontramos evidências de uma resposta racional às contingências de comportamento entre jovens com diferentes níveis de risco de propensão criminal, para ambos os sexos e para jovens negros, brancos e hispânicos.

Em suma, achamos que propusemos um teste difícil para a generalidade da teoria da escolha racional, mas um teste que passou. Nossos resultados parecem confirmar inequivocamente nossa afirmação de que a teoria da escolha racional é uma teoria do crime tão geral quanto a aprendizagem social, controle social e teorias de tensão. Além disso, nossos resultados, em conjunto com os anteriores trabalhos de Anwar e Loughran (2011); Matsueda, Kreager e Huizinga (2006); e Piliavin *et al.* (1986), fornecem um contrapeso substancial à conclusão contundente alcançada por Pratt *et al.* (2006: 5) de que "os efeitos das variáveis especificadas pela teoria da dissuasão sobre crime/desvio são, na melhor das hipóteses, fracos – especialmente em estudos que empregam pesquisas com desenhos mais rigorosas". Além disso, nossos resultados também parecem fornecer um forte suporte para os princípios centrais tanto da prevenção situacional do crime (Clarke, 1983) quanto de uma teoria mais recente apresentada por Nagin, Solow e Lum (2015). No entanto, alertamos os estudiosos da escolha racional para ter cuidado ao garantir que seus modelos empíricos sejam fiéis à complexidade da teoria da escolha racional e que incluam o conjunto completo de incentivos e desincentivos por conduta legal e ilegal. Por fim, ressaltamos que muitas vezes o fracasso dos indivíduos ao agir de uma maneira totalmente racional não é necessariamente uma acusação de toda a teoria paradigma de escolha racional, mas, em vez disso, pode fornecer informações importantes sobre a heurística e desvios previsíveis do comportamento racional que podem ser úteis para ajustar a teoria[275].

Outra pesquisa que merece destaque, por ter levado em conta a questão das heurísticas do processo decisório, foi realizada pelos professores da Universidade de Nova York em Albany Greg Pogarsky, Sean Patrick Roche e Justin T. Pickett. Esclarecem os autores que os dados usados para o estudo foram extraídos de uma série de experimentos randomizados incorporados em duas pesquisas que foram administradas em 2015 com amostras nacionais de adultos (18 anos ou mais) residentes nos Estados Unidos. Ambas as pesquisas foram realizadas usando "trabalhadores" cadastrados em um *site* líder de "*crowdsourcing online*"[276] – o Amazon's Mechanical Turk (MTurk). Esses trabalhadores

---

275 LOUGHRAN, Thomas A.; PATERNOSTER, Ray; CHALFIN, Aaron; WILSON, Theodore. Can rational choice be considered a general theory of crime? Evidence from individual-level panel data. *Criminology*, v. 54, n. 1, 2016, p. 107. Tradução nossa.

276 Como esclarece Jeff Howe, criador do termo *crowdsourcing*, em entrevista concedida a Richard Goossen, a

aderiram voluntariamente ao MTurk para participar de várias "tarefas de inteligência humana" (*HIT*, na sigla em inglês), realizadas remotamente, de suas casas. Portanto, realizam tarefas como trabalhadores terceirizados, ajudando, por exemplo, a editar um livro, a escrever descrições de produtos, a classificar *sites* etc. Trabalham em troca de um pagamento em dinheiro, medido pelo tempo gasto nas tarefas. Existem, atualmente, várias centenas de milhares de trabalhadores realizando "tarefas de inteligência humana" no *site* MTurk. Para realizar as pesquisas, então, esclarecem os autores, elas foram divulgadas no *site* MTurk com os títulos de "'Pesquisa Nacional sobre Riscos na Justiça Criminal de 2015' (Pesquisa A) e 'Pesquisa Nacional sobre Riscos Criminais 2015' (Pesquisa B)", sendo que a "Pesquisa A" foi realizada primeiro e, seis dias depois, realizou-se a "Pesquisa B", com a exigência de que os participantes da "Pesquisa A" fossem impedidos de participar da "Pesquisa B". Os autores informam que, "no geral, 1.015 entrevistados iniciaram a Pesquisa A e 629 iniciaram a Pesquisa B. Dessas pessoas, 1.004 (99%) terminaram a Pesquisa A, e 623 (99%) terminaram a Pesquisa B". Os *links* para a pesquisa foram postados como "tarefas de inteligência humana" (*HIT*) no referido *site*, remunerando os participantes pelo tempo gasto em 0,75 dólares pela participação na "Pesquisa A" e 0,30 dólares para a "Pesquisa B".

Analisando os dados coletados, os autores concluíram que outros fatores também contribuem para dissuadir a pretensão de praticar crimes, mas, dizem eles, "nossas descobertas sobre ancoragem sugerem que grandes efeitos de dissuasão podem ser alcançados simplesmente alavancando fatores ou informações situacionais para fazer com que os ofensores considerem primeiro um alto nível de risco de prisão antes de estimar seu próprio risco de prisão"[277]. E acrescentaram:

> Nossas descobertas também têm amplas implicações teóricas. Por exemplo, as heurísticas cognitivas examinadas aqui podem ajudar a explicar os efeitos bem documentados de fatores de disposição nas percepções de sanções. Nem a literatura sobre prevenção situacional do crime nem a teoria da aprendizagem bayesiana são adequadas para explicar como as disposições

---

expressão pode ser definida como o "processo pelo qual uma empresa ou instituição assume um trabalho realizado tradicionalmente por determinado agente (geralmente um funcionário) e o terceiriza a um grupo de pessoas indefinido, geralmente grande, na forma de uma oferta ao público". E acrescenta: "para funcionar com eficácia, essa multidão de desconhecidos deve fazer parte de uma rede relevante. A oferta deve ir para uma 'rede inteligente' para receber as contribuições adequadas. Por exemplo, fazer uma oferta no horário nobre da televisão não faz nenhum sentido, pois 99,9% das pessoas não terão a menor ideia do que você está falando. Quando comparada à televisão, podemos ver por que a internet é uma ferramenta excepcional para *crowdsourcing*. A internet é um ambiente de 'muitos para muitos': várias ofertas podem ir para várias redes inteligentes" (GOOSSEN, Richard J. *E-empreendedor*. A força das redes sociais para alavancar seus negócios e identificar oportunidades. Trad. Sabina Alexandra Holler. Rio de Janeiro: Elsevier, 2009, p. 77).

277 POGARSKY, Greg; ROCHE, Sean Patrick; PICKETT, Justin T. Heuristics and biases, rational choice & sanction perceptions. *The British Journal of Criminology*, v. 55, n. 1, fev. 2017, p. 85-111. Tradução nossa.

ou personalidades dos indivíduos influenciam suas percepções de sanções. No entanto, estudos mostraram que vários traços de personalidade estão fortemente associados ao risco percebido de punição (Pickett e Bushway, 2015; van Gelder e de Vries, 2012, 2014) e também influenciam a atualização da percepção da sanção (Thomas, Loughran e Piquero, 2013). Em um estudo seminal, van Gelder e de Vries (2012) descobriram que honestidade-humildade, amabilidade, extroversão, consciência e autocontrole estavam todos associados ao risco de sanção percebido. Esses traços de personalidade podem influenciar a propensão dos indivíduos a julgar o risco de sanções usando heurísticas cognitivas e também podem moldar os resultados dos processos de raciocínio intuitivo[278].

Per-Olof H. Wikström, da Universidade de Cambridge, Inglaterra, em trabalho conjunto com Andromachi Tseloni, da Nottingham Trent University, e com Dimitris Karlis, da Universidade de Economia e Negócios da Grécia, realizou pesquisa embasada nos resultados colhidos pelo estudo intitulado "*Peterborough Adolescent and Young Adult Development Study*", realizado entre 2003 e 2010, envolvendo 716 jovens aleatoriamente escolhidos, na faixa etária entre 11 e 12 anos, na cidade de Peterborough, Inglaterra. Procuraram relacionar a propensão ao crime dos indivíduos (nível de tentação de cometer um crime), a percepção de dissuasão (risco percebido de ser pego) e o envolvimento no crime (delito autorrelatado). Os resultados são interessantes e casam com a lição freudiana de que quem recebeu os suficientes "nãos" da figura simbólica do "pai castrador"na primeira infância, e os introjetou, acabou construindo uma capa de contenção ("*superego*") da natural agressividade do ser humano e de sua tendência de querer gozar o tempo inteiro ("*id*"). Essas pessoas tendem a ser, na fase adulta, aquelas que respeitam o outro, que respeitam as regras. Para elas, o direito como um todo, e não apenas o penal, é desnecessário. Dizem os autores da pesquisa, em conclusão:

> Nossas descobertas apoiam a suposição derivada da teoria da ação situacional de que uma importante razão pela qual muitas pessoas não se envolvem em atos de crime (tipos particulares de crime) é que elas não veem o crime (um crime específico) como uma alternativa de ação, em vez de se abster porque temem as consequências (sua avaliação do risco de serem pegos). As pessoas que não veem o crime como uma alternativa de ação não tendem a se envolver no crime, independentemente de avaliarem o risco de serem pegas como muito alto ou muito baixo. Nossas descobertas também indicam que, entre

---

278 *Ibid.*, p. 30. Tradução nossa.

96 ■ Processo Penal | Fundamentos dos fundamentos

aqueles que mais regularmente veem o crime (um crime específico) como uma alternativa de ação, seu envolvimento no crime geralmente é influenciado pela avaliação do risco de ser pego (sua sensibilidade de dissuasão): aqueles que avaliam o risco de ser pego como mais alto tendem a cometer crimes com menos frequência[279].

Em sentido similar foram os resultados da pesquisa realizada por Bradley R. E. Wright (professor de Sociologia da Universidade de Connecticut), Avshalom Caspi (professor de Personalidade e Psicologia Social do Instituto de Psiquiatria do King's College, em Londres), Terrie E. Moffitt (pesquisadora da interação entre a natureza e a criação nas origens dos comportamentos problemáticos, particularmente comportamentos antissociais) e Ray Paternoster (professor no Departamento de Criminologia e Justiça Criminal da Universidade de Maryland). Esses pesquisadores analisaram os dados coletados pelo estudo multidisciplinar de saúde e desenvolvimento realizado na cidade de Dunedin, na Nova Zelândia, que acompanhou 1.037 pessoas entre a data de seus nascimentos (entre abril de 1972 e março de 1973) até alcançarem 26 anos de idade, catalogando dados psicológicos, médicos e sociológicos, incluindo autorrelatos e dados oficiais em torno de práticas criminosas por eles realizadas. Eles explicam assim seus métodos e resultados:

> Este artigo examinou a relação entre propensão ao crime, percepções dos riscos e custos do crime e do comportamento criminoso. Começamos revisando quatro perspectivas teóricas sobre essas relações. Uma tradicional perspectiva de dissuasão sustenta que a ameaça de punição afeta igualmente todas as pessoas, independentemente da inclinação criminal. A teoria do autocontrole sustenta que as ameaças de punições têm um efeito muito menor sobre indivíduos com baixos níveis de autocontrole. Uma terceira perspectiva, tirada de várias fontes, sustenta que a ameaça de punição seria mais saliente e, portanto, tem maior impacto sobre os indivíduos mais propensos ao crime. Uma quarta perspectiva, implícita, sustenta que o efeito da ameaça de sanção é mínimo tanto para aqueles com baixa propensão criminal, cuja conduta é provavelmente efetivamente inibida por fatores não instrumentais, como fortes crenças morais, quanto para aqueles que têm maior propensão ao crime, ou seja, aqueles que são excepcionalmente orientados para viver o presente e são impulsivos e, portanto, incapazes de muita previsão.

---

279 WIKSTRÖM, Per-Olof H.; TSELONI, Andromachi; KARLIS, Dimitris. Do people comply with the law because the fear getting caught? *European Journal of Criminology*, v. 8, n. 5, 2011, p. 401-20. Tradução nossa.

E, por fim, ainda concluem:

> Para explicações psicológicas do crime, nosso modelo afirma que as teorias de propensão, a exemplo da teoria do autocontrole (Gottfredson e Hirschi, 1990), são incorretas ao assumir que indivíduos propensos ao crime não respondem ao risco percebido de sanções criminais; na verdade, eles devem responder mais fortemente. Essa descoberta sugere a necessidade de revisitar, e talvez rejeitar, a suposição de impermeabilidade social que é central para a teoria do autocontrole. Para explicações sociológicas do crime, nosso modelo adverte contra a assunção de respostas uniformes aos controles sociais do crime, pois o impacto desses controles pode variar amplamente de acordo com as características preexistentes dos indivíduos. Para as políticas públicas, nosso modelo dá otimismo para as políticas que impediriam o comportamento criminoso aumentando seus custos. Essas políticas devem ter maior impacto naqueles que são os alvos dos formuladores de políticas – criminosos em potencial. Considerando que estudos anteriores têm efeitos de dissuasão comumente medidos na população em geral, incluindo muitos indivíduos pró-sociais e menos responsivos, esses estudos podem ter subestimado o verdadeiro efeito dissuasor de várias políticas em torno da propensão ao crime, e, portanto, as políticas de dissuasão podem ser mais bem-sucedidas do que se pensava atualmente[280].

Ou seja, o argumento de indemonstrabilidade da prevenção geral negativa também soa falho diante de inúmeras pesquisas empíricas que evidenciam que o medo da sanção é, sim, fator inibidor de comportamentos não desejáveis, ainda que não opere igualmente em todas as pessoas. A discussão, aqui, como visto, nem é essencialmente jurídica, mas mais bem compreendida a partir de pesquisas de psicologia comportamental. O que não significa dizer que não ganhe importância jurídica, claro. Aliás, no plano jurídico, é interessante observar como a Corte Interamericana de Direitos Humanos decide em torno da necessidade de se observar a prevenção geral negativa. Vale citar o caso *Barbosa de Souza versus Brasil*, sentença de 7 de setembro de 2021, no qual a Corte condenou o Estado brasileiro por sua inoperância em determinar a causa do feminicídio que vitimou Márcia Barbosa de Souza, em razão do gênero, e deixou clara sua preocupação com a não efetividade de punição e a consequente ausência da prevenção geral negativa em sede de violência doméstica contra a mulher. Do corpo da sentença se destaca a seguinte esclarecedora passagem:

---

280 *Ibid.*, p. 208. Tradução nossa.

125. A Corte recorda que, quando existem indícios ou suspeitas concretas de violência de gênero, a falta de investigação por parte das autoridades sobre possíveis motivos discriminatórios de um ato de violência contra a mulher pode constituir em si mesmo uma forma de discriminação baseada no gênero. A ineficácia judicial frente a casos individuais de violência contra as mulheres propicia um ambiente de impunidade que facilita e promove a repetição de fatos de violência em geral e envia uma mensagem segundo a qual a violência contra as mulheres pode ser tolerada e aceita, o que favorece sua perpetuação e a aceitação social do fenômeno, o sentimento e a sensação de insegurança das mulheres, bem como sua persistente desconfiança no sistema de administração de justiça. Essa ineficácia ou indiferença constitui em si mesma uma discriminação à mulher no acesso à justiça[281].

Há, portanto, o florescer de uma doutrina de pensar a questão criminal também levando em conta a prevenção geral negativa, que vem sendo inserida nas decisões da Corte Interamericana de Direitos Humanos. Aliás, as condenações do Brasil, em inúmeras ocasiões, decorrem dessa violação dos direitos das vítimas de crimes e de não dar efetividade às necessárias punições em casos graves.

De resto, se o leitor ainda não compreendeu como é falsa a ideia de que não há como avaliar que a sanção seja um fator inibidor de comportamentos não tolerados socialmente, realize o seguinte experimento: posicione-se ao lado de uma lombada eletrônica em sua cidade e anote quantos veículos diminuem a velocidade ao se aproximar da lombada eletrônica e quantos retomam a velocidade acima da permitida tão logo passam a linha que capta a imagem do veículo. Já sabemos a resposta, pelo que se presencia no cotidiano do trânsito no Brasil. Ainda que muitos possam dizer que isso não altera em nada seu comportamento, dado que já estariam na velocidade máxima permitida para a via, seguramente, se forem sinceros, os motoristas brasileiros dirão, em larga escala, que, ao se aproximar de uma lombada eletrônica, deve-se diminuir a velocidade e se ajustar à norma. Depois, porém, dirão que é possível retomar a velocidade indevida. E por que reduzem na lombada? A pergunta, ainda que seja retórica, diante da dificuldade de compreensão de alguns, exige resposta: porque temem a punição. É a certeza de que serão punidos e o medo de que isso aconteça que inibe o comportamento violador da norma. Retire-se a lombada eletrônica que registra a velocidade e fotografa o veículo transgressor, tornando certa a multa, e não se verá mais a redução

---

281 Corte Interamericana de Direitos Humanos (CIDH). Caso Barbosa de Souza *versus* Brasil. Sentença de 7 de setembro de 2021. Disponível em: https://www.corteidh.or.cr/docs/casos/articulos/seriec_435_por.pdf. Acesso em: 30 jan. 2023.

da velocidade com uma simples placa indicativa ao lado da pista. Portanto, é possível concluir, com a contribuição no mesmo sentido de Tatjana Hörnle, que "do fato de que as leis penais podem ser frequentemente violadas não se deve deduzir que as ameaças de pena legalmente estabelecidas são sempre ineficazes. Há situações nas quais a estrutura da personalidade do cidadão ponderado e as circunstâncias concretas abrem margem para uma decisão sopesada, a qual também considera o risco de uma sanção"[282].

Por outro lado, é preciso reconhecer que Zaffaroni não está equivocado quando sustenta que a função de prevenção geral negativa não é generalizável, ainda que isso não signifique necessariamente o seu simples abandono como um dos fatores de justificação da punição[283]. E, também, quando alerta para o risco de aumento indiscriminado das penas para potencializar o poder dissuasório, o que pode ser resolvido com a mensuração da proporcionalidade na fixação da pena[284].

Calha, aqui, detalhar um pouco mais a sugestão teórica da professora alemã Tatjana Hörnle, no sentido de que "uma teoria da pena que oferece uma única fundamentação não pode ser convincentemente sustentada"[285]. É necessário compatibilizar as diversas dimensões em torno das teorias de justificação da pena para a construção de uma compreensão dos seus diferentes enfoques e da possibilidade de eles serem aglutinados "de forma global". A autora indica a necessidade de se estar atento a responder ao menos quatro perguntas-chave nessa discussão:

1. *Qual a finalidade das normas penais?*
2. *As normas penais são legítimas perante os afetados?*
3. *Qual o sentido das condenações criminais?*
4. *É legítima a imposição de pena perante o apenado?*[286]

Em resposta à primeira pergunta, a autora indica que a lei penal serve à finalidade de comunicação, destacando a necessidade de se discutir quem são os destinatários e qual é a mensagem comunicada[287]. Os destinatários são de duas ordens: as autoridades estatais que podem dar vazão à pretensão punitiva e os cidadãos em geral que podem sofrer as sanções respectivas. A mensagem comunicada é no sentido de que todos devem ter comportamentos ajustados às normas, já que as leis expressam "valores centrais da

---

282 HÖRNLE, Tatjana. *Dois estudos*: teorias da pena e culpabilidade. Trad. Tatiana Stoco e Silvio Leite Guimarães Neto. Madrid. Barcelona, Buenos Aires. São Paulo: Marcial Pons, 2020, p. 23.

283 ZAFFARONI, Eugenio Raúl; ALAGIA, Alejandro; SLOKAR, Alejandro. *Derecho penal, cit.*, p. 58.

284 *Ibid.*, p. 59.

285 HÖRNLE, Tatjana. *Dois estudos, cit.*, p. 18.

286 *Ibid.*, p. 20.

287 *Ibid.*, p. 21.

Processo Penal | Fundamentos dos fundamentos

comunidade". Também opera o efeito dissuasório da intimidação que visa moldar os comportamentos em sociedade, nos moldes da teoria da prevenção geral negativa[288].

Quanto à segunda pergunta – as normas penais são legítimas perante os afetados? –, Hörnle move o olhar para aqueles que são afetados pela norma, isto é, aqueles que ajustam o seu comportamento aos termos da lei. A lei penal se legitima perante essas pessoas por ela afetadas em razão da necessidade de se protegerem os bens jurídicos relevantes. A liberdade de ação, então, pode ser legitimamente reduzida quando se visa preservar os direitos dos outros[289].

Em resposta à terceira pergunta – qual o sentido das condenações criminais? –, afasta-se a ideia meramente retributiva da pena e se raciocina à luz da prevenção geral, como sendo "'um' dos pilares argumentativos em que uma concepção teórica da pena deve se apoiar"[290]. A autora considera que as penas funcionam bem quando se compreende que as condenações são necessárias em crimes praticados racionalmente, pois funcionam como "*'back up'* da prevenção geral intimidadora". Dá sentido, portanto, às condenações daqueles que "consideram praticar, eles mesmos, um delito"[291]. Em complemento, a prevenção geral positiva dá sentido às condenações para o grupo de pessoas que confia na norma. A disposição desse grupo de observar as regras estaria comprometida caso não se condenasse quem as viola.

Hörnle ainda considera ser possível evidenciar que a "função expressiva da pena", isto é, sua potencialidade de comunicação, também se destina às vítimas dos crimes. Mesmo levando em conta o fato de que existem crimes sem uma vítima individualizada, a autora deixa claro que é possível pensar em fundamentações teóricas diferentes para cada tipo de delito, e, assim, ao menos em "crimes graves contra pessoas, o elemento 'interesse da vítima' desempenha um papel importante no mosaico de fundamentações"[292]. E quanto à quarta pergunta – é legítima a imposição de pena perante o apenado? –, a autora considera que é equivocado utilizar a etiqueta "instrumentalização", pois esse argumento pode se expandir a tal ponto que apenas proibições absolutas (ex.: tortura) poderiam justificar casos extremos de intervenção estatal. Assim, ela entende que o apenado "precisa saber que ele não seria sacrificado de uma forma duvidosa em nome do bem comum" e que "a punição não seria um encargo injusto"[293]. "Se o juízo de desvalor", diz Hörnle, "reproduz corretamente os limites entre lícito e ilícito, então o infrator não pode levantar objeções contra ele,

---

288 *Ibid.*, p. 22.
289 *Ibid.*, p. 25-6.
290 *Ibid.*, p. 35.
291 *Ibid.*, p. 33.
292 *Ibid.*, p. 39.
293 *Ibid.*, p. 46-7.

ainda que venha expressado por meio da imposição da pena, ou seja, vinculado à perda da liberdade"[294]. Ademais, ele também se beneficia da conformidade às normas pelos que não praticam delitos e, assim, não poderia considerar injusta a imposição da pena por razões preventivas.

Ao final de sua exposição, a autora conclui que

> combinações de distintas abordagens de fundamentação são inevitáveis para atender, tanto quanto possível, à heterogeneidade das formas de comportamento designadas como delitos; às distintas perspectivas temporais (proativa quanto às normas penais e retroativa quanto à imposição da pena) e à heterogeneidade de distintos, porém, legítimos, interesses sociais e individuais na resposta a fatos delitivos. Reflexões sobre a teoria da pena fornecem peças de um mosaico que, a depender do respectivo comportamento punível a ser julgado, precisam ser reunidas para formar diferentes imagens[295].

Em sentido aproximado, tem prevalecido, entre os doutrinadores justificacionistas mais modernos, o que se usou denominar de teoria preventivo-integradora, inspirada na prevenção geral positiva, centrada na ideia de reforçar, no inconsciente coletivo, a importância de proteção da norma (e não a prevenção geral negativa). Como esclarece Feijoo Sanchez, a partir da segunda metade do século XX, foi sendo desenvolvido pela doutrina alemã e escandinava "um novo entendimento da prevenção geral, mais como estratégia socialmente integradora que intimidatória"[296]. Assim, a dinâmica de imposição de penas, que é considerada pelo conjunto da sociedade como justa, promove, em médio e longo prazos, um efeito integrador e de estabilização de normas essenciais sem as quais seria impossível a vida em sociedade (prevenção geral estabilizadora[297]). Essa nova visão, portanto, leva em conta que os destinatários da punição não são exatamente aqueles que têm potencial de delinquir, mas aqueles que cumprem as regras[298]. A pena, então, influencia "positivamente na disposição geral dos cidadãos para seguir, respeitar e cumprir as normas penais"[299]. Isso reforça aquilo em que a sociedade se baseia, ou seja, o conjunto de expectativas de comportamento que estabilizem as regras e reforcem a confiança em sua vigência

---

294 *Ibid.*, p. 54-5.

295 *Ibid.*, p. 55.

296 FEIJOO SANCHEZ, Bernardo. *A legitimidade da pena estatal, cit.*, p. 63.

297 *Ibid.*, p. 95.

298 *Ibid.*, p. 63.

299 *Ibid.*, p. 64.

ou validade[300]. Essa posição de prevenção geral integradora e estabilizadora, que se orienta preferencialmente pela prevenção geral positiva, também pode ser compatibilizada com a prevenção geral negativa, na exata medida em que pode servir de parâmetro para limitar os excessos da prevenção geral negativa e, assim, admitir penas proporcionais à gravidade do delito. O autor do delito deve ser punido na exata proporção que seja considerada necessária para "manter o futuro", isto é, para se continuar permitindo que "a via pública seja um lugar de encontro", bem como para que "o Estado tenha meios para prestar serviços como educação e saúde de qualidade, economia de mercado, as liberdades que desfrutamos, a democracia, como sistema político, etc."[301]. Pune-se, assim, para evitar a experiência dos "Estados falidos, que acabam se convertendo em um problema para o seu entorno"[302]. Críticos dessa ideia de prevenção geral integradora argumentam que, ao se dar preferência à prevenção geral positiva, há um risco de excessiva "moralização" que derrubaria a separação entre direito e moral[303]. Essa crítica, no entanto, pode ser afastada quando se pensa, amparado em Habermas, que os valores que devem nortear o processo de criminalização são apenas aqueles cooriginariamente positivados na Constituição[304].

1.1.2.2.4 O funcionalismo político ou teleológico-racional de Roxin

O jurista alemão Claus Roxin inaugurou a trilha dos doutrinadores funcionalistas, isto é, que procuram pensar a teoria do delito e justificar a existência do direito penal a partir de sua função. Em sua trajetória acadêmica ele promoveu uma crítica tanto ao sistema causal-naturalista quanto ao sistema finalista da teoria do delito, que orientaram, sucessivamente e intercalados pelo sistema neokantiano, o direito penal entre as décadas de 1880 e 1970[305]. Esses sistemas pensavam o direito penal a partir de uma visão ôntica, isto é, voltada ao mundo do ser, ao passo que, para Roxin, o direito penal é uma ciência do dever-ser, programática e vinculada à política criminal.

A doutrina costuma identificar o marco inaugural dessa nova compreensão da teoria do delito com a publicação do famoso livro de Roxin intitulado *Política Criminal e*

---

300 *Ibid.*, p. 96.

301 *Ibid.*, p. 99.

302 *Ibid.*, p. 95-6.

303 *Ibid.*, p. 66.

304 HABERMAS, Jürgen. Derecho y moral (Tanners Lectures 1986). *Facticidad y validez*: sobre el derecho y el Estado democrático de derecho en términos de teoria del discurso. 4. ed. Trad. para o espanhol Manuel Jiménez Redondo. Madrid: Editorial Trotta, 2005, p. 535 e s.

305 O causalismo predominou entre 1880 a 1910; depois o neokantismo, até 1930; e dali até 1970, o finalismo.

Sistema Jurídico-Penal, publicado em 1970[306]. Esse texto apresentou uma nova visão funcionalista para a teoria do delito. Nas palavras de Roxin:

> Segundo essa teoria, o injusto típico deixa de ser um acontecimento causal ou final, para tornar-se a realização de um risco não permitido dentro do âmbito (isto é, do fim de proteção) do respectivo tipo. Assim, é possível salvaguardar, de modo político-criminalmente razoável, o tipo de uma extensão ilimitada – em especial nos delitos negligentes – reduzindo a punibilidade ao que seja indispensável do ponto de vista preventivo-geral: à criação e realização de riscos intoleráveis para um convívio seguro entre as pessoas.
>
> Além disso, a expansão sistemática da "culpabilidade" através de pontos de vista preventivos, e sua reunião no novo conceito de "responsabilidade", que já vem rapidamente exposta neste estudo, tem sido por mim considera-velmente desenvolvida e tornado produtiva para novos grupos de problemas. Segundo esta ordem de ideias, a responsabilidade penal pressupõe sempre dois requisitos: a culpabilidade do autor e, além disso, a necessidade pre-ventivo-geral ou especial da punição. Culpabilidade e prevenção limitam-se, portanto, reciprocamente: necessidades preventivas jamais podem levar a que se puna onde inexista culpabilidade. Mas a culpabilidade de uma pessoa igualmente não basta para legitimar a pena enquanto esta não seja indispen-sável do ponto de vista preventivo[307].

Como se vê do trecho anteriormente destacado, Roxin vincula a função do direito penal à proteção subsidiária de bens jurídicos relevantes orientada pela prevenção do delito. Sua doutrina se inicia formulando uma análise crítica da visão de Liszt de que o direito penal deveria ser pensado como um sistema fechado, não comunicante com política criminal, fazendo-o nos seguintes termos:

> Uma outra crítica direciona-se contra a espécie de dogmática resultante da di-cotomia lisztiana entre direito penal e política criminal: se os questionamentos político-criminais não podem e não devem adentrar no sistema, deduções que dele corretamente se façam certamente garantirão soluções claras e uniformes, mas não necessariamente ajustadas ao caso. De que serve, porém, a solução de um problema jurídico que, apesar de sua linda clareza e uniformidade, é polí-

---

306 *V.g.*, GRECO, Luís. Nota do tradutor. ROXIN, Claus. *Política criminal e sistema jurídico-penal*. Trad. Luís Greco. São Paulo: Renovar, 2002, p. V.

307 ROXIN, Claus. Prefácio do autor à tradução brasileira. ROXIN, Claus. *Política Criminal e Sistema Jurídico-Penal*. Tradução de Luís Greco. Rio de Janeiro; São Paulo: Renovar, 2002, p. XII.

tico-criminalmente errada? Não será preferível uma decisão adequada do caso concreto, ainda que não integrável ao sistema?[308]

Vê-se, por aí, a importância que Roxin dá à abertura do sistema que organiza a teoria do delito. Levar em conta a política criminal é fundamental, pois mais importante do que burocraticamente seguir um sistema deve ser considerar "as peculiaridades do caso concreto" e buscar "a solução do problema"[309]. Porém, é preciso cuidado para não cair numa aporia. De um lado, se a visão sistemática não é predominante, talvez ela não seja necessária; e, de outro lado, se a visão político-criminal prepondera, talvez ela conduza a uma sobrevalorização de valores abstratos que possam reduzir a segurança jurídica. Encontrar o equilíbrio, então, entre a necessidade de um sistema para a teoria do delito e a sua compatibilização com a observância da política criminal passou a ser o norte da teoria de Roxin. Em suma, ele considera que são três as "exigências principais com as quais se pode construir um sistema frutífero": "ordem e clareza conceitual, proximidade à realidade e orientação por fins político-criminais".

Roxin ilustra essa dupla visão de compatibilizar dogmática com política criminal ao considerar os diferentes impactos do princípio *nullum-crimen nulla poena sine lege*, que teria, por um lado, a função de proteção do bem jurídico e, por outro, a "finalidade de fornecer diretrizes de comportamento". Essa segunda função revela que o princípio se torna um "significativo instrumento de regulação social"[310]. "Desta maneira", diz Roxin, "surge uma dupla medida, que faz com que possa ser dogmaticamente correto o que é político-criminalmente errado, e vice-versa". Assim, sintetiza Roxin que:

> o caminho correto só pode ser deixar as decisões valorativas político-crimi-
> nais introduzirem-se no sistema do direito penal, de tal forma que a fun-
> damentação legal, a clareza, a previsibilidade, as interações harmônicas e as
> consequências detalhadas deste sistema não fiquem a dever nada à versão
> formal-positivista de proveniência lisztiana. Submissão ao direito e adequa-
> ção a fins político-criminais (*kriminalpolitische ZweckmäBikeit*) não podem
> contradizer-se, mas devem ser unidas numa síntese, da mesma forma que
> Estado de Direito e Estado Social não são opostos inconciliáveis, mas com-
> põem uma unidade dialética: uma ordem jurídica sem justiça social não é
> um Estado de Direito material, tampouco pode utilizar-se da denominação

---

308 ROXIN, Claus. *Política criminal e sistema jurídico-penal*. Trad. Luís Greco. São Paulo: Renovar, 2002, p. 7.
309 *Ibid.*, p. 8.
310 *Ibid.*, p. 15.

de Estado Social um Estado planejador e providencialista que não acolha as garantias de liberdade do Estado de Direito[311].

Seguindo essa trilha pontuada, é interessante reforçar que Roxin considera que "a unidade sistemática entre política criminal e direito penal" está imbuída no cumprimento de uma mesma "tarefa que é colocada a todas as esferas de nossa ordem jurídica". Assim, se "a interpretação de tipos, avalorada e quase automática, em correspondência ao ideal positivista-liberal, não alcança soluções claras ou aceitáveis, a solução é procurada teleologicamente, através do bem jurídico protegido"[312]. De fato, para Roxin, a política criminal de pensar a finalidade do direito penal como voltada à proteção subsidiária de bens jurídicos relevantes, operando à luz de reforçar as funções de prevenção geral e especial da pena, deve servir de norte na compreensão dogmática do sistema penal, impactando em cada um dos estratos da teoria do delito (tipicidade, antijuridicidade e culpabilidade). E assim, diz Roxin, "são o postulado do *'nullum-crimen'*, a regulação social mediante ponderação de interesses em situações de conflito e as exigências das teorias dos fins da pena, que formam o substrato político-criminal sobre o qual descansam as nossas conhecidas categorias do delito"[313].

Posteriormente, com a publicação de seu manual de direito penal, em 1991, Roxin aperfeiçoou sua visão "sistêmica racional-final ou teleológica (funcional) do direito penal", mas sem abandonar as "bases político-criminais da moderna teoria dos fins da pena"[314]. Para além dos aperfeiçoamentos teóricos, há, na teria de Roxin, um mérito importante, como destaca Guaragni:

> a união da teoria do crime com as finalidades da pena, pois, muito embora os elementos do crime, em seu conjunto, sirvam como necessários pressupostos para a imposição da pena, curiosamente a moderna dogmática penal desenvolveu-os de maneira independente e insulada destas finalidades[315].

Roxin, então – segue esclarecendo Guaragni –, superou "o desenvolvimento da teoria do crime e da teoria da pena como ilhas – módulos estanques um em relação ao outro".

---

311 *Ibid.*, p. 20.

312 *Ibid.*, p. 26.

313 *Ibid.*, p. 31.

314 ROXIN, Claus. *Derecho Penal. Parte General. Tomo 1. Fundamentos. La Estructura de la Teoria del Delito.* Tradução do alemão para o espanhol, de Diego-Manuel Luzón Peña, Miguel Diaz y Garcia Conlledo e Javier de Vicente Remesal. Madrid: Civitas, 1997, p. 203.

315 GUARAGNI, Fábio André. *As teorias da conduta em direito penal.* 2. ed. São Paulo: RT, 2009, p. 265. Coleção Direito e ciências afins, v. 2.

106 ■ Processo Penal | Fundamentos dos fundamentos

Voltando, agora, nosso olhar para o processo penal, não há como afastar a ideia de que ele se encontra em relação de mútua complementaridade com o direito penal e ambos estão inseridos na mesma ordem jurídica. Assim, se o direito penal é pensado a partir de sua comunicação com a política criminal, o sistema processual penal deve seguir a mesma preocupação. Portanto, partindo da visão de Roxin para a construção de sua teoria funcionalista do delito, não é possível pensar o direito processual penal como um sistema fechado e que não se comunique com a política criminal. Ao contrário, e voltando o olhar para a realidade brasileira, para a construção de um sistema processual penal brasileiro, é fundamental levar em conta a ideia fundante da República Federativa do Brasil consistente no Estado Democrático de Direito e o que isso significa. Mais adiante se retomará essa discussão.

1.1.2.2.5 O funcionalismo autopoiético de Jakobs e a teoria do "direito penal do inimigo"

O jusfilósofo alemão Günther Jakobs também desenvolveu sua compreensão em torno do direito penal a partir de uma visão sistêmica e funcionalista. Diferenciou-se, no entanto, da concepção de Roxin, particularmente pelo fato de não considerar relevante a compreensão do sistema penal a partir de sua comunicação com política criminal.

Jakobs foi influenciado pela leitura autopoiética (isto é, de circularidade, de retroalimentação) dos sistemas, desenvolvida inicialmente na biologia, notadamente pelas pesquisas dos chilenos Maturana e Varela, nos anos 1970, e depois considerada na sociologia de Niklas Luhmann[316].

---

316 Os biólogos chilenos desenvolveram seu raciocínio partindo do pressuposto de que, em Gadamer, baseado em Adolf Portmann, já era indicado, isto é, que "a autorrepresentação é um aspecto ontológico universal da natureza" e que "sabemos hoje que as concepções teleológicas da biologia não são suficientes para tornar compreensível a estruturação do ser vivo" (GADAMER, Hans-Georg. *Verdade e método I*. Traços fundamentais de uma hermenêutica filosófica. 10. ed. Trad. Flávio Paulo Meurer. Petrópolis: Vozes, 2008, p. 162). Assim, na busca da definição dos seres vivos, Maturana e Varela passaram a trabalhar com o conceito de "organização autopoiética", ou seja, a capacidade dos seres vivos de "produzirem de modo contínuo a si próprios". Portanto, para usar as palavras dos autores, "o mecanismo que faz dos seres vivos sistemas autônomos é a autopoiese, que os caracteriza como tal" (MATURANA, Humberto R.; VARELA, Francisco J. *A árvore do conhecimento*: as bases biológicas da compreensão humana. Trad. Humberto Mariotti e Lia Diskin. São Paulo: Palas Athena, 2001, p. 52). Dessa forma, Maturana e Varela, ao admitirem a impossibilidade de "fornecer uma lista que caracterize o ser vivo", optaram por "propor um sistema que, ao funcionar, gere toda a sua fenomenologia". Para eles, a função autopoiética é que caracterizaria o sistema. Maturana explica: "Nesse momento me dei conta de que o que definia e de fato constituía os seres vivos como entes autônomos que resultavam autorreferidos em seu mero operar, era que eram unidades discretas que existiam como tais na contínua realização e conservação da circularidade produtiva de todos os seus componentes, de modo que tudo o que ocorria com eles, ocorria na realização e na conservação dessa dinâmica produtiva, que os definia e, por sua vez, constituía sua autonomia". E é complementado por Varela: "O processo de constituição de identidade é circular: uma rede de produções metabólicas que, entre outras coisas, produzem uma membrana que torna possível a própria existência da rede. Essa circularidade fundamental é, portanto, uma autoprodução única da unidade vivente a nível celular. O termo autopoiese designa esta organização mínima do vivo" (MATURANA, Humberto R.; VARELA, Francisco J. *De máquinas y seres vivos*. Autopoiesis: la organización de lo vivo. 6. ed. Santiago de Chile: Editorial Universitária, 2003, p. 14 e p. 45-46, tradução nossa). A partir

Valendo-se da visão autopoiética de Maturana e Varela[317], Niklas Luhmann desenvolveu um conceito de "sistema social" para analisar as "organizações" como sistemas complexos, compostos essencialmente de decisões geradoras de seus próprios elementos, representados por novas decisões.

Luhmann não ignorou a dificuldade conceitual a respeito do que se entenda por "sistema" e, já no início de sua exposição do tema, argumentou ser possível, "em geral", "falar de sistema quando se tem diante dos olhos características tais que, se forem suprimidas, poriam em xeque o caráter de objeto de tal sistema"[318]. Procedeu, então, à análise a respeito do conceito de "organização", baseado também na Teoria Geral dos Sistemas de Bertalanffy[319]. Por fim, diferenciou "sistema" de "entorno" (ambiente), dizendo:

> Tanto as condições de utilização como também a eleição dentro do âmbito das decisões utilizáveis são influenciadas por decisões organizacionais e resultam diferentes de acordo com a forma e história organizacionais. A organização compensa, assim, um déficit lógico de racionalidade nas decisões, que são, em último termo, reduzidas à diferença entre sistema e entorno[320].

Assim, Luhmann esclareceu que "sistema e entorno, enquanto constituem as duas partes de uma forma, podem sem dúvida existir separadamente, porém não podem existir, respectivamente, um sem o outro"[321]. E ainda analisou o sistema complexo, esclarecendo que "se pode caracterizar um sistema como complexo quando ele é tão grande, quer dizer, quando inclui tantos elementos que já se não pode combinar cada elemento com cada um dos outros, e assim as relações devem produzir-se seletivamente"[322].

---

dessa concepção, Maturana e Varela ampliaram suas conclusões ao refletirem sobre "o fato de que os seres vivos têm uma organização não é exclusivo deles, mas sim comum a todas as coisas que podem ser investigadas como sistemas" (MATURANA, Humberto R.; VARELA, Francisco J. *A árvore do conhecimento, cit.*, p. 56-57). Nesse sentido, é interessante destacar que: "o aparecimento de unidades autopoiéticas sobre a superfície da Terra delimita um marco na história do nosso sistema solar. É preciso que isso seja bem compreendido. A formação de uma unidade determina sempre uma série de fenômenos associados às características que a definem" (MATURANA, Humberto R.; VARELA, Francisco J. *A árvore do conhecimento, cit.*, p. 59). A sugestão de novo paradigma para a questão dos sistemas biológicos, pautado pela visão de autopoiese, serviu de base para uma revisitação da questão funcional dos sistemas, operada no campo da Sociologia por Niklas Luhmann.

317 LUHMANN, Niklas. *Teoría de la sociedad*. Trad. para o espanhol Miguel Romero Pérez e Carlos Villalobos. Guadalajara, México, 1992, p. 39.

318 LUHMANN, Niklas. *Sistemas sociales*. Lineamientos para una teoría general. Trad. para o espanhol Silvia Pappe e Brunhilde Erker. Barcelona: Anthropos; México: Universidad Iberoamericana; Santafé de Bogotá: CEJA, Pontificia Universidad Javeriana, 1998, p. 27-28. Tradução nossa.

319 *Ibid.*, p. 31.

320 LUHMANN, Niklas. *Organización y decisión*. Autopoiesis, acción y entendimiento comunicativo. Trad. para o espanhol Dario Rodriguez Mansilla. Barcelona: Anthropos; México: Universidad Iberoamericana, p. 6-7. Tradução nossa.

321 *Id. Teoría de la sociedad, cit.*, p. 37.

322 *Id. Organización y decisión, cit.*, p. 14.

Nessa linha de pensamento, Luhmann buscou outra visão de sistema passível de ser aplicada para a definição de "sistema social", dada a natural complexidade representada nas sociedades. Percebe-se, portanto, a necessidade de fugir do convencional conceito de "sistema" para identificar um conceito capaz de lidar com a "complexidade organizada"[323]. Consoante tal pensamento, e justamente por conta de sua complexidade, a sociedade vem precisar, cada vez mais, de subsistemas, a exemplo do direito.

Dessa forma, Luhmann também considerou o chamado "sistema jurídico" como integrante (como parte da engrenagem) do "sistema social". O direito atua como uma estrutura social, ou, nas palavras de Leonel Severo Rocha:

> O direito, para Luhmann, embora visto como uma estrutura, é dinâmico devido à permanente evolução provocada pela sua necessidade de constantemente agir como uma das estruturas sociais redutoras da complexidade das possibilidades do ser no mundo[324].

Essa interessante visão a respeito dos sistemas veio a servir, inclusive e como destacado no início, de base para novos discursos funcionais no Direito Penal, particularmente com Günther Jakobs[325], que adota uma visão de sistema fechado, autopoiético, fundado na função de prevenção geral positiva. A inspiração em Luhmann é definida como relevante por Jakobs, em razão de ele compreender que foi Luhmann quem realizou a "exposição mais clara da diferenciação entre sistemas sociais e sistemas psíquicos", esclarecendo que isso "tem consequências para o ordenamento jurídico, embora com enorme distância em relação ao direito penal"[326].

O certo é que Jakobs considera a "necessidade de vigência segura da norma", afinal, diz ele, somente é possível nos orientar seguramente nos "contratos sociais" caso não se conte com a imprevisibilidade do comportamento de outras pessoas[327]. E acrescenta que "o mero fato de iniciar um contato social" já se caracteriza como um "sinal de que não se espera por algum desenlace indeterminado"[328]. A previsibilidade

---

323 *Id. Teoría de la sociedad, cit.*, p. 31.

324 ROCHA, Leonel Severo; SCHWARTZ, Germano; CLAM, Jean. *Introdução à teoria do sistema autopoiético do direito*. Porto Alegre: Livraria do Advogado, 2005, p. 32.

325 JAKOBS, Günther. *Fundamentos do direito penal*. Trad. André Luís Callegari; colaboração de Lúcia Kalil. São Paulo: RT, 2003.

326 *Id. Sociedad, norma y persona en una teoría de un derecho penal funcional*. Trad. para o espanhol Manuel Cancio Meliá e Bernardo Feijóo Sanchez. Madrid: Civitas, 1996 (reimpr., 2000), p. 10.

327 *Id. Derecho penal*. Parte General. Fundamentos y teoria de la imputación. Trad. para o espanhol Joaquim Cuello Contreras e José Luis Serrano Gonzalez de Murillo. Madrid: Marcial Pons, 1995, p. 9.

328 *Ibid.*, p. 9.

das reações do outro nas relações interpessoais e na observância das normas que as regulam é, portanto, algo necessário para a convivência social. Caso essa expectativa não se concretize em razão de o outro deixar de respeitar as normas vigentes, isso não significa que se renuncie à norma. Jakobs dá um exemplo: quem vê o condutor de um veículo ingerindo bebida alcoólica não renuncia à sua pretensão de uma viagem segura[329]. Assim, diz Jakobs, "a uma expectativa normativa não se deve renunciar mesmo em casos de decepção, já que ela pode ser mantida (contrafaticamente)". Jakobs mais uma vez exemplifica o que quer dizer: "o malfeitor vai preso para colocar em destaque o erro de sua conduta"[330]. Vem daí a ideia de a reação punitiva ser "contrafática", ou seja, contra o fato que gerou a decepção na expectativa normativa.

Estabilizar expectativas normativas, portanto, é imprescindível para possibilitar os contatos sociais. Para tanto, esclarece Jakobs, é necessário que se mantenha a expectativa de que todos "mantenham em ordem seu círculo de organização", além do que, esses círculos de organização devem ser separados. Ao mesmo tempo, também se deve nutrir a expectativa "de que as instituições elementares funcionem ordenadamente", fazendo-o "em harmonia com as esferas de organização dos indivíduos"[331]. Dentro desse quadro, quando uma infração à norma é realizada, ela representa uma "desautorização da norma", a qual, por sua vez, dá lugar a um conflito social na medida em que se considere que a norma atua como modelo de orientação. E, assim, a pena – decorrente da infração à norma – é justificada muito mais em relação à norma do que em relação ao comportamento infrator[332].

Jakobs, portanto, considera que a missão da pena não seja evitar as lesões de bens jurídicos, mas, sim, proteger a própria norma, reafirmá-la[333]. A pena, em suas palavras, "dá lugar para que a norma siga sendo um modelo de orientação idôneo"[334]. "*A pena*", diz ele em outra obra, "não repara bens, mas confirma a identidade normativa da sociedade" e, "por isso, o Direito Penal não pode reagir frente a um fato enquanto lesão de um bem jurídico, mas somente frente a um fato enquanto violação da norma"[335].

É interessante observar que Jakobs rechaça tanto o modelo de sociedade organizada a partir da consciência individual (filosofia da consciência cartesiana), ou seja, como um "sistema que pode ser composto por sujeitos que concluem contratos, produzem imperativos categóricos ou se expandem em modo similar", quanto o modelo de

---

329 *Ibid.*, p. 10.
330 *Ibid.*, p. 10-11. Tradução nossa.
331 *Ibid.*, p. 11.
332 *Ibid.*, p. 13.
333 *Ibid.*, p. 13.
334 *Ibid.*, p. 14.
335 JAKOBS, Günther. *Sociedad, norma y persona en una teoría de un derecho penal funcional, cit.*, p. 11.

sociedade de base filosófica invertida, isto é, fundada na visão aristotélica de prevalência do objeto sobre o sujeito, ou, em suas palavras: "como conjunto, orientada em atenção à comunidade"[336].

Ele acaba preferindo a visão sistêmica, circular e autopoiética, apoiada em Niklas Luhmann[337], a quem considera, como já destacado, ter realizado a "exposição mais clara da diferenciação entre sistemas sociais e psíquicos"[338]. Pontua, então, que "a missão da pena é a manutenção da norma como modelo de orientação para os contatos sociais. O conteúdo da pena é uma réplica, que tem lugar à custa do infrator, frente ao questionamento da norma"[339]. Em complemento, Jakobs considera que "somente sob a base de uma compreensão comunicativa do delito, entendido como afirmação que contradiz a norma e da pena entendida como resposta que confirma a norma, que se pode falar numa relação ineludível entre ambas e, nesse sentido, uma relação racional"[340].

Em outras palavras, a opção teórica de Jakobs vai na linha da prevenção geral positiva. Guarda, por outro lado, alguma similitude com a visão dialética desenvolvida por Hegel, quando este considerou que o crime é a negação do direito e a pena é a negação do crime. Para Hegel, ao negar a negação mediante punição, restabelece-se o direito[341]. Há, no entanto, uma diferença nos dois modelos, pois, enquanto em Hegel a ideia é voltada mais para a "compensação", para a retribuição[342], em Jakobs é voltada para a prevenção, já que ele está pensando não na punição em si, mas na estabilização das relações sociais mediante a estabilização da norma. Quanto à prevenção geral negativa, Jakobs considera que o fato de terceiros se absterem de realizar fatos criminosos no futuro, com medo da pena, até pode surgir como efeito da pena, mas não é missão desta gerar esse efeito[343].

A contribuição de Jakobs na reafirmação da importância da intersubjetividade, fundada na prevalência da prevenção geral positiva para a vida social, é significativa

---

336 *Ibid.*, p. 15.

337 Jakobs expressamente alude à obra de Luhmann, usando-a como base de seu discurso. No entanto, há autores que criticam essa vinculação, dizendo que não é possível aferir uma relação plena entre os dois autores. Nesse sentido, *vide*, por exemplo: SAAD-DINIZ, Eduardo. *Inimigo e pessoa no direito penal*. São Paulo: Liber Ars, 2012, p. 67 e s.; e GÓMEZ-TRELLEZ, Javier Sánchez-Vera. Algunas referencias de historia de las ideas, como base de la protección de expectativas por el derecho penal. *Revista Iberoamericana de Ciências Penais*, a. 2, n. 4, Porto Alegre, set.-dez. 2001, p. 214.

338 JAKOBS, Günther. *Sociedad, norma y persona en una teoría de un derecho penal funcional, cit.*, p. 16.

339 *Id. Derecho penal, cit.*, p. 14. Tradução nossa.

340 *Id. Sociedad, norma y persona en una teoría de un derecho penal funcional, cit.*, p. 17-18.

341 HEGEL, Georg Wilhelm Friedrich. *Princípios da filosofia do direito*. Trad. Orlando Vitorino. São Paulo: Martins Fontes, 1997, p. 80 e 89.

342 *Ibid.*, p. 92. Nas palavras do autor: "Neste domínio do direito imediato, a abolição do crime começa por ser a vingança que será justa no seu conteúdo se constituir uma compensação".

343 *Id. Derecho penal, cit.*, p. 19.

e merece ser levada em conta na construção de uma sociedade organizada pela ideia fundante do Estado Democrático de Direito. Caso não se tenha mais confiança na norma, isso pode gerar graves impactos, esvaziando a ideia de previsibilidade das reações do outro nas relações interpessoais. A confiança, como se sabe, é fator decisivo para a democracia[344].

Porém, há muitas críticas necessárias a outros aspectos da obra de Jakobs. A primeira delas, desenvolvida por Roxin, é que o sistema proposto por Jakobs não é comunicante com política criminal. Segue, portanto, um caminho oposto ao de Roxin nesse ponto. Roxin criticou Jakobs dizendo que "o reforço da norma é inútil se não vier acompanhado de uma redução de novos fatos puníveis"[345]. E ainda aduziu que não consegue concordar com "a tese de que a culpabilidade deve ser avaliada não segundo as capacidades individuais do autor, mas sim segundo necessidades estatais"[346]. E isso pode representar um problema, pois sua teoria, em tese, poderia legitimar qualquer política, inclusive de natureza autoritária. Jakobs rebateu essa crítica dizendo que não está pensando na política criminal, porque sua preocupação é entender o fenômeno da pena. Vale anotar que essa crítica também pode ser dirigida à teoria de Roxin, haja vista que o conceito de "política criminal" é bastante fluido e, assim, poderia legitimar uma política criminal excessivamente repressivista. O ajuste hermenêutico, por outro lado, pode ser feito vinculando a ideia de política criminal com Estado Democrático de Direito.

Outra crítica, mais potente, revela-se quando Jakobs sustenta a possibilidade de que se tenham modelos normativos diferentes: um para os "cidadãos" e outro para os "inimigos do bem jurídico". É o que se usou denominar de "direito penal do inimigo". A questão pode ser compreendida como uma espécie de retomada do abandonado discurso do "direito penal de autor", que deu lugar ao "direito penal do fato", ou "do resultado". Numa democracia, deve-se punir a pessoa pelo que ela fez, e não pelo que ela é.

No desenvolvimento de suas ideias, Jakobs julgou haver uma incompatibilidade entre um "direito penal iluminista" e uma "sociedade não iluminista". Assim, em palestra proferida no congresso de penalistas alemães, em Frankfurt, em 1985, sob o título *Incriminação no estado prévio à lesão de um bem jurídico*", na qual criticava a adoção da noção de que o direito penal visa proteger bens jurídicos como legitimadora da possibilidade de se punirem determinados atos preparatórios, ele propôs que se faça uma separação entre o direito penal "para o cidadão" e o direito penal para o "inimigo do bem jurídico", nos seguintes termos:

---

344 Sobre o tema, *vide*: CHEMIM, Rodrigo. *Mãos limpas e Lava-jato*: a corrupção se olha no espelho. 2. ed. Porto Alegre: CDG, 2018, p. 239-43.

345 ROXIN, Claus. Reflexões sobre a construção sistemática do direito penal. *Revista Brasileira de Ciências Criminais*, n. 82, 2010, p. 36.

346 *Ibid.*, p. 36.

> Para a definição do autor como inimigo do bem jurídico, segundo a qual poderiam ser combatidos já os mais prematuros sinais de perigo, embora isso possa não ser oportuno no caso concreto, deve-se contrapor aqui uma definição do autor como cidadão. O autor não somente deve ser considerado como potencialmente perigoso para os bens da vítima, como deve ser definido também, de antemão, por seu direito a uma esfera isenta de controle; e será mostrado que do *tatus* de cidadão podem se derivar limites, até certo ponto firmes, para as antecipações de punibilidade[347].

Para Jakobs, portanto, o direito penal do inimigo está fundado na proteção de bens jurídicos, ao passo que o direito penal do cidadão está orientado pela preservação das esferas de liberdade. Nessa época, ainda que Jakobs identificasse essa separação entre cidadão e inimigo do bem jurídico, ele ainda era um crítico da ideia de que se pudesse ter um "*direito penal do inimigo*", até porque sua crítica era mais voltada à ideia de que o direito penal proteja bens jurídicos[348].

Jakobs começou a acenar uma mudança já em 1996, na obra *Sociedade, norma e pessoa na teoria de um direito penal funcional*, na qual promoveu uma distinção entre "pessoa" e "sujeito", argumentando que pessoa é o "sujeito mediado pelo social" e que "ser pessoa significa ter que representar um papel"[349]. O direito, então, não trata os indivíduos como sujeitos que têm intenções e preferências altamente díspares, mas, sim, como pessoas. E exemplificou: "os contatos sociais fugazes como os que se dão entre os participantes no tráfego viário somente se podem organizar caso se proteja a confiança de que cada um somente responde por sua conduta defeituosa e não pela conduta defeituosa de outro"[350]. Outro exemplo dado por Jakobs é em relação ao vendedor de um produto que, dentro de uma economia com intensa divisão de trabalho, não tem o papel de cuidar para que o comprador não utilize o produto para a prática de delitos ou de qualquer outra forma lesiva. Assim, disse Jakobs, "as expectativas garantidas juridicamente somente se veem atingidas por uma conduta objetivamente defeituosa, sem levar em conta aspectos individuais"[351]. Portanto, o requisito mínimo para uma violação é a quebra de um papel. Jakobs, então, analisando a culpabilidade, considerou que "existe a expectativa de uma fidelidade suficiente

---

347 JAKOBS, Günther. Incriminação do estado prévio à lesão de um bem jurídico. In: *Fundamentos do direito penal*. Trad. André Luis Callegari. São Paulo: RT, 2003, p. 111.

348 GRECO, Luís. Sobre o chamado direito penal do inimigo. *Revista Brasileira de Ciências Criminais*. São Paulo, n. 56, 2005, p. 84.

349 JAKOBS, Günther. *Sociedad, norma y persona en una teoría de un derecho penal funcional, cit.* p. 50.

350 *Ibid.*, p. 54.

351 *Ibid.*, p. 54.

ao Direito". E assim, disse ele, "o papel cuja observação garante o Direito penal é o de cidadão fiel ao Direito; quer dizer, o de pessoa em Direito"[352]. Portanto, em sua visão, "com a medida da culpabilidade não se mede um sujeito, mas uma pessoa", ou seja, "aquela cujo papel é respeitar ao Direito"[353]. E, então, conclui que "o Direito se estabelece para aqueles que podem ser caracterizados como pessoas em Direito"[354].

Em 1999, noutra palestra, proferida na Conferência do Milênio, em Berlim, acabou assumindo a ideia de que seria possível pensar em diferentes modelos de direito penal: um para o cidadão e outro para o inimigo[355].

E em 2003, Jakobs e Cancio-Meliá, ainda que com visões um tanto antagônicas, publicaram um livro intitulado, justamente, *Direito penal do inimigo*. No prólogo, Jakobs já ressaltava a ideia que já estava formatada, dizendo que, se já não existe a expectativa séria de que uma pessoa adote um comportamento que seja orientado por direitos e deveres, ela "degenera até converter-se em um mero postulado, e em seu lugar aparece o indivíduo interpretado cognitivamente". "Isso significa", disse Jakobs, "para o caso da conduta cognitiva, o aparecimento do indivíduo perigoso, o inimigo"[356]. E no corpo desse seu texto deixou mais explícita a ideia:

> Pretende-se combater, em cada um destes casos, indivíduos que em seu comportamento (por exemplo, no caso dos delitos sexuais), em sua vida econômica, da criminalidade relacionada com as drogas (e de outras formas de criminalidade organizada) ou mediante sua incorporação a uma organização (no caso do terrorismo, na criminalidade organizada, inclusive já na conspiração para delinquir, §30 StGB), se tem afastado, provavelmente, de maneira duradoura, ao menos de modo decidido, do Direito, isto é, que não proporciona a garantia cognitiva mínima necessária a um tratamento como pessoa[357].

E, feita a distinção, apresentou o tratamento diferenciado entre um e outro:

---

352 *Ibid.*, p. 64.

353 *Ibid.*, p. 65.

354 *Ibid.*, p. 82.

355 PRITTWITZ, Cornelius. O direito penal entre direito penal do risco e direito penal do inimigo: tendências atuais em direito penal e política criminal. Trad. Helga Sabotta de Araújo e Carina Quito. *Revista Brasileira de Ciências Criminais*. São Paulo: RT, v. 47, 2004, p. 41-42.

356 JAKOBS, Günther; CANCIO MELIÁ, Manuel. *Direito penal do inimigo*: noções e críticas. Organização e tradução de André Luís Callegari e Nereu José Giacomolli. 2. ed. Porto Alegre: Livraria do Advogado, 2007, p. 9-10.

357 *Ibid.*, p. 35.

Portanto, o Direito penal conhece dois polos ou tendências em suas regulações. Por um lado, o tratamento com o cidadão, esperando-se até que se exteriorize sua conduta para reagir, com o fim de confirmar a estrutura normativa da sociedade, e, por outro, o tratamento com o inimigo, que é interceptado já no estado prévio, a quem se combate por sua periculosidade[358].

Para Jakobs, o "direito penal do cidadão", isto é, o direito voltado para as "pessoas que não delinquem de modo persistente por princípio", também é um direito "no que se refere ao criminoso". Já o "direito penal do inimigo" levaria em conta que "o Estado tem direito a procurar segurança frente a indivíduos que reincidem persistentemente na comissão de delitos", e "os cidadãos têm o direito de exigir do Estado que tome medidas adequadas"[359]. Assim, afirma Jakobs, "quem por princípio se conduz de modo desviado não oferece garantia de um comportamento pessoal" e, "por isso, não pode ser tratado como cidadão, mas deve ser combatido como inimigo"[360]. O modelo do cidadão, então, tem como função manifesta a "contradição", e o segundo tem como função manifesta a "eliminação de um perigo". Ainda que esses modelos não se configurem com pretensões de pureza, diz Jakobs, "ambos os tipos podem ser legítimos"[361].

O complemento dessa ideia viria pelas mãos do direito processual penal, no qual, segundo Jakobs, o imputado é chamado de "sujeito processual", mas pode sofrer medidas coercitivas preventivas, ocasião em que pode ser considerado um "inimigo", pois "com seus instintos e medos põe em perigo a tramitação ordenada do processo"[362].

Jakobs defende sua ideia de leitura dicotômica entre o direito penal do cidadão e aquele do inimigo com o argumento de que "um direito penal do inimigo, claramente delimitado, é menos perigoso, desde a perspectiva do Estado de Direito, que entrelaçar todo o Direito penal com fragmentos de regulações próprias do Direito penal do inimigo"[363].

Porém, para além de essa leitura retomar o ultrapassado modelo de direito penal de autor, e para além de ser inadmissível, num Estado Democrático de Direito, que se faça uma cisão entre cidadãos e inimigos do Estado, é de se observar que a forma exposta por Jakobs, diferentemente do que ele afirma, nem sequer traça margens seguras para estabelecer uma diferenciação entre quem mereça o tratamento de pessoa (o cidadão) e quem seja considerado o não cidadão (o inimigo). Ele até usa a referência de que os

---

358 *Ibid.*, p. 37.
359 *Ibid.*, p. 29.
360 *Ibid.*, p. 49.
361 *Ibid.*, p. 49.
362 *Ibid.*, p. 39-40.
363 *Ibid.*, p. 49-50.

"inimigos" seriam aqueles que "reincidem persistentemente na comissão de delitos", porém, esse conceito é um tanto aberto. E aí reside outro perigo: deixar à subjetividade de um juiz que avalie se vai, ou não, considerar que a quantidade de reincidência de determinado réu seria capaz de lhe afastar as garantias outorgadas aos cidadãos. Como se sabe, toda vez que um juiz tem elevado grau de discricionariedade hermenêutica, abre-se uma porta perigosa para o decisionismo, que, por sua vez, é um passo para o arbítrio, para o abuso. Assim, o grau de subjetividade que opera aqui é autoexplicativo de por que é absolutamente temerária essa ideia de Jakobs. Porém, de alguma forma – e com outros contornos, alcances e premissas –, uma visão similar floresceu nos Estados Unidos da América, sintetizada na ideia de "lei e ordem", como se passa a expor.

1.1.2.2.6 Movimento de "lei e ordem" ("janelas quebradas" e "tolerância zero")

A partir da sugestão de Richard G. Kleindiesent, que mais tarde seria procurador-geral no governo de Richard Nixon[364], o senador norte-americano Barry Goldwater, em discurso como candidato à presidência dos Estados Unidos, proferido na Convenção Nacional do Partido Republicano, em 1964, invocou a ideia de "*law and order*" ("lei e ordem") para promover uma crítica ao Partido Democrata, que toleraria a "violência em nossas ruas". A manifestação política de Goldwater provocou uma agitação civil em Nova York, desencadeando uma preocupação da presidência dos Estados Unidos com a repercussão das revoltas populares. A saída encontrada pelo presidente democrata Lyndon Johnson foi a adoção de uma política de transformar a "*war on poverty*" ("guerra contra os pobres") em "*war on crime*" ("guerra contra o crime")[365].

Barry Goldwater seguiu utilizando o slogan de "*law and order*" para promover sua campanha à presidência dos Estados Unidos, e, desde então, o lema "lei e ordem" passou a ser parte importante do discurso político daquele país[366]. Em março de 1964, nas primárias em New Hampshire, ele criticou o presidente Lyndon Johnson por ele ter divulgado que teria feito um "esforço fiscal" ao diminuir as luzes acesas no prédio da Casa Branca. Goldwater aproveitou essa demagogia de Johnson para dizer que ele deveria ligar as "luzes de uma liderança moral", tanto quanto deveria ligar "as luzes da lei e da ordem". Aludiu, para tanto, que os crimes e as revoltas populares estavam

---

364 ROXIN, Claus. *Política criminal e sistema jurídico-penal, cit.*, p. 22; STUART, Gary L. Miranda. *The story of America's right to remain silent.* Tucson: The University of Arizona Press, 2004, p. 27.

365 FLAMM, Michael W. *Law and order.* Street crime, civil unrest, and the crisis of Liberalism in the 1960s. Nova York: Columbia University Press, 2005, p. 32; HINTON, Elizabeth. *From the war on poverty to the war on crime.* The making of mass incarceration in America. Cambridge, Massachusetts e London, England: Harvard University Press, 2016, p. 1.

366 NEWBURN, Tim. *Criminology.* 3. ed. Londres: Routledge, 2017, p. 111.

crescendo nos Estados Unidos, e que isso seria fruto da doutrina da desobediência civil e do crescimento do "*welfare state*", que promoveria paternalismo e dependência, transferindo responsabilidades pessoais ao governo. Suas críticas também se voltaram para a Suprema Corte, por conta dos casos "*Mallory v. United States*"[367] e "*Escobedo v. Illinois*"[368], precedentes do famoso caso "*Miranda v. Arizona*"[369], nos quais os direitos individuais ao silêncio, a um advogado e à apresentação perante um juiz por ocasião da prisão foram mais bem delineados para fazer frente aos abusos da polícia. Goldwater chegou a anunciar uma proposta de reforma constitucional que fosse em sentido contrário a esse posicionamento da Suprema Corte. Ao longo de sua campanha, Goldwater fez inúmeras ligações de diversos problemas com a questão do aumento da criminalidade, que, na capital do país, teria se expandido em 34% nos primeiros seis meses de 1964 (o dobro da taxa nacional)[370]. Argumentou que a corrupção política em Washington promoveria aumento da criminalidade de rua; que haveria um problema de gênero na criminalidade (homens seriam, invariavelmente, os agressores, e as mulheres, as vítimas); correlacionou a diminuição da ordem com a diminuição da liberdade; e correlacionou a ameaça comunista da União Soviética à segurança internacional à falta de segurança interna[371]. Essas foram as bases nas quais a doutrina da "lei e da ordem" passou a ser defendida pelos conservadores norte-americanos[372].

Percebendo a grande aceitação desse discurso, inclusive perante os eleitores do Partido Democrata, as críticas à Suprema Corte também ganharam eco na fala do candidato democrata George Wallace, governador do Alabama. Em maio de 1964, nas primárias de Indiana, ele alegou que a Justiça teria tornado impossível condenar os criminosos, dizendo que, "se você for agredido na cabeça, na rua de uma cidade, hoje, o homem que o agrediu estará fora da cadeia antes mesmo de você chegar ao hospital"[373]. Com essa narrativa ele cresceu nas pretensões eleitorais, deixando clara a força que o discurso da "lei e da ordem" provocava no eleitorado norte-americano, de direita e de esquerda.

---

367 UNITED STATES. US Supreme Court. "Mallory *v.* United States, 354 U.S. 449 (1957)". Nesse caso, uma pessoa chamada Mallory foi presa, suspeita de cometer estupro, tendo confessado à polícia sem antes ter sido informada a respeito de seus direitos de permanecer em silêncio e de ser apresentada a um juiz.

368 UNITED STATES. US Supreme Court. "Escobedo *v.* Illinois, 378 U.S. 478 (1964)". Nesse caso, Danny Escobedo foi preso, suspeito de ter matado seu cunhado 11 dias antes, e foi impedido de ter contato com seu advogado, além de não ter sido advertido a respeito de seu direito ao silêncio.

369 UNITED STATES. US Supreme Court. "Miranda *v.* Arizona, 384 U.S. 436 (1966)". Nesse caso, Ernesto Miranda, suspeito de estupro, foi interrogado pela polícia sem ter sido advertido de seu direito ao silêncio. Esse caso conduziu a Suprema Corte dos Estados Unidos a criar as famosas "Miranda warning" (regras de Miranda).

370 FLAMM, Michael W. *Law and order, cit.*, p. 42.

371 *Ibid.*, p. 36.

372 *Ibid.*, p. 33.

373 *Ibid.*, p. 35.

O mesmo mote de "lei e ordem", por outro lado, era criticado por representar um movimento de natureza racista, já que, na prática, estaria direcionado a reprimir os negros. Um episódio ocorrido naquele ano de 1964, em Nova York, acabou reforçando essa ideia e desencadeando mais revoltas populares. Thomas Gilligan, um policial branco que estava fora de serviço, atirou e matou James Powell, um jovem negro de 15 anos, alegando que ele estava armado de uma faca e perseguindo outra pessoa. A morte do rapaz foi testemunhada por várias pessoas. A tensão no caminho de um conflito racial aumentou, e os protestos contra o policial, que tiveram início no bairro do Harlem, ganharam as demais ruas de Manhattan e do Brooklin e promoveram inúmeros confrontos com a polícia. Uma semana depois, novos protestos nas ruas em Rochester[374].

Em reação, o presidente Lyndon Johnson convocou o FBI para acabar com os protestos, com o argumento de que a cada revolta popular ele perderia algo em torno de noventa mil votos[375]. A repressão aos protestos, na linha de manter "a lei e a ordem", acabou, assim, sendo encampada também pela candidatura do Partido Democrata, ainda que, logo em seguida, tanto Johnson quanto Goldwater tenham entendido que estava arriscado seguir inflamando revoltas populares e decidido, em conjunto, que ambos não mais utilizariam a questão racial e a violência como discurso naquela campanha eleitoral.

Como se sabe, Goldwater não foi eleito, mas a bandeira da "lei e da ordem" seguiu sendo utilizada nas campanhas do Partido Republicano. Ao ser eleito presidente, Richard Nixon direcionou sua política contra o problema das drogas, considerando-as o "inimigo número um da América" e inaugurando o período de *war on drugs* ("guerra às drogas"), nos anos 1970[376]. Seguindo essa nova política, o governador republicano do estado de Nova York, Nelson Rockfeller, editou, em 1971, um conjunto de regras que se denominaram de *Rockfeller Drug Laws*[377], estabelecendo penas mínimas de quinze anos e máximas *"to life"* para tráfico de drogas naquele estado[378]. Numa reunião de trabalho, em 1972, segundo relato de seu assessor, Joseph Persico, Rockfeller ainda teria radicalizado sua política, dizendo: "Para punição por tráfico de drogas, prisão perpétua, sem *'sursis'* e sem liberdade condicional"[379]. De Nova York

---

374 RUCKER, Walter; UPTON, James Nathaniel. *Encyclopedia of American Race Riots*. Westport, Connecticut, Londres: Greenwood Press, 2007, p. 478 e s.

375 FLAMM, Michael W. *Law and order, cit.*, p. 37.

376 NEWBURN, Tim. *Criminology, cit.*, p. 111.

377 GOULD, Laurie A.; BRENT, John J. (ed.). *Routledge handbook on american prisons*. Londres: Routledge, 2021, p. 53.

378 UNITED STATES. New York State. *Rockefeller Act*, 1971.

379 MANN, Brian. The drug laws that changed how we punish. *NPR*, 14 fev. 2013. Disponível em: https://www.npr.org/2013/02/14/171822608/the-drug-laws-that-changed-how-we-punish. Acesso em: 30 jan. 2023. Tradução nossa.

essa política se expandiu rapidamente para os demais estados norte-americanos, promovendo o que por lá se usou denominar de "encarceramento em massa". De fato, essa política provocou um incremento de presos naquele país, que saltou de 330 mil, em 1973[380], para 2,06 milhões, em 2020[381].

Em paralelo ao uso político do discurso de "lei e ordem", uma teoria começou a ser desenvolvida nos Estados Unidos, relacionando o crime a uma escolha racional. Nesse sentido, foi pioneira a obra de James Q. Wilson intitulada *Thinking about crime* (*Pensando sobre o crime*)[382], publicada em 1975 e que, como recorda Gabriel Anitua, serviria de contraponto à Criminologia Crítica[383]. De fato, na leitura dos artigos originalmente publicados em 1975, James Wilson apontou que, desde os anos 1960, os Estados Unidos teriam gozado de uma prosperidade econômica significativa, com políticas de inclusão para jovens e os mais pobres, e, mesmo assim, a criminalidade não apenas não teria diminuído, como teria aumentado em níveis jamais vistos. Wilson, então, colocou em xeque o discurso de que bastaria diminuir a pobreza e a desigualdade social para que a criminalidade também diminuísse, como se costumava ouvir até então[384]. Apontou que o incremento do *Welfare* teria proporcionado aumento do uso de drogas e desemprego entre os jovens, criando uma sociedade dividida[385]. Isso provocou um paradoxo, pois, numa década na qual o desemprego em geral diminuiu, ele aumentou justamente na faixa de idade entre 16 e 19 anos (sendo, em 1963, de 23% entre os brancos e 28% entre os negros)[386]. James Wilson considerou que parte desse problema decorreu do incremento, em torno de 30%, de nascimentos ocorridos após o fim da Segunda Guerra, em 1946[387]. Em 1963, os nascidos naquele ano do pós-guerra tinham entre 16 e 17 anos de idade. Isso teria provocado o que Norman B. Ryder, professor da Universidade de Princeton, metaforizou como sendo uma "perene invasão de bárbaros que, de alguma maneira, devem ser civilizados e transformados em contribuintes"[388]. James Wilson também apontou para o elevado índice de evasão escolar e para o incremento do uso de drogas mais pesadas, a exemplo da heroína, entre os jovens ao longo dos anos 1960. Wilson, então, indicou esse conjunto de fatores – acrescido de outros tantos, que não soube definir – como responsável pelo incremento

---

380 *Ibid.*

381 WORLD PRISON BRIEF. *Institute for Crime & Justice Policy Research* (ICPR), Birkbeck, University of London. Disponível em: https://www.prisonstudies.org/. Acesso em: 30 jan. 2023.

382 WILSON, James Q. *Thinking about crime*. Ed. rev. Nova York: Basic Books, 2013.

383 IGNACIO ANITUA, Gabriel. *História dos pensamentos criminológicos, cit.*, p. 780.

384 WILSON, James Q. *Thinking about crime, cit.*, p. 3.

385 *Ibid.*, p. 4.

386 *Ibid.*, p. 8-9.

387 *Ibid.*, p. 9-10.

388 *Ibid.*, p. 10.

da criminalidade juvenil no período, e anotou que em Detroit o número de homicídios subiu de cem, em 1960, para quinhentos, em 1971[389].

Identificados esses fatores, Wilson, então, analisou a teoria criminológica da "associação diferencial", de Sutherland e Cressey, em contraponto às teorias "clássicas" de Benthan e Beccaria. Segundo Sutherland e Cressey, o comportamento criminoso é aprendido nas interações com outros criminosos cujos comportamentos são admirados. Wilson ainda indicou que Sutherland e Cressey não apontaram a pobreza ou a discriminação racial como fatores criminógenos, não obstante tenham considerado que elas podem contribuir para perpetuar a criminalidade, pois impedem essa população de abandonar locais já amplamente degradados e marginalizados, não conseguindo se afastar dos grupos atuantes no crime e com os quais se identificam[390]. Wilson, por outro lado, passou a considerar que o fator mais determinante a gerar o crime seria mais voltado à escolha racional, uma análise de "custos e benefícios"[391]. A saída, então, diz Wilson, seria aumentar os custos, tornando mais arriscada e menos compensatória a empreitada criminosa. Com isso também se demonstraria, pela lei e pela punição, que a opção pelo crime é errada, contribuindo para uma mudança de mentalidade[392]. Sobre esse tema, Wilson aprofundou sua análise na década seguinte, em trabalho escrito com Richard J. Herrnstein, como se verá mais adiante.

Fixada a base teórica primitiva, volta-se a considerar a influência política na construção de modelos de "*law and order*". Como se sabe, com o escândalo de Watergate, Nixon encerrou a carreira, dando lugar, em 1977, a Jimmy Carter, do Partido Democrata, que reverteu essa política, anunciando que promoveria a descriminalização do uso de pequena quantidade de maconha. Sua pretensão, no entanto, sofreu resistência no Congresso e não foi aprovada. O movimento de "lei e ordem" retornou à cena nos anos 1980, com a presidência de Ronald Reagan, do Partido Republicano.

Em 1984, Reagan sancionou o "*Comprehensive Crime Control Act*", que estabeleceu novas possibilidades de prisão preventiva; previu que uma pessoa seria considerada culpada caso não comparecesse aos atos processuais depois de ter sido colocada em liberdade; estabeleceu penas mínimas obrigatórias para condenações por tráfico, eliminou o sistema de liberdade condicional ("*parole*") e incrementou as penas[393]. O Título II desse documento foi intitulado *Sentencing Reform Act* e estabelecia, pela

---

389 *Ibid.*, p. 13.

390 *Ibid.*, p. 32-33.

391 *Ibid.*, p. 39-40.

392 *Ibid.*, p. 40.

393 UNITED STATES. Congress. *S.1762 – Comprehensive Crime Control Act of 1984.*

primeira vez, uma "Comissão de Sentenciamento" ("*Sentencing commission*") com o dever de ajustar parâmetros de sentenciamento. Por incrível que pareça, havia uma ampla liberdade para os juízes fixarem as penas de forma discricionária, o que gerava disparidades significativas em casos similares[394]. Na prática, essa indeterminação também transferia a avaliação do quanto exato de pena um condenado cumpriria à Comissão de Liberdade Condicional, que, por sua vez, reduzia o cumprimento das penas para cerca de um terço[395]. A reforma visava, então, acabar com essa diminuição de um terço quase sistemática e estabelecer parâmetros mais equitativos entre os casos similares, e proporcionais à gravidade do delito.

Com essa pretensão, a legislação estabeleceu "diretrizes de sentenciamento" ("*Sentencing guidelines*") para os juízes. Foi criada uma "tabela de sentenciamento" ("*Sentencing table*"), que classificou os 43 "níveis de ofensas" em quatro "zonas", as quais devem ser cruzadas com as "categorias de histórico criminal", divididas em seis grupos. A depender da zona de ofensa e do grupo de categoria de histórico criminal, a tabela indica a quantidade de meses que a sentença condenatória deve considerar[396]. Nas palavras do *Manual de sentenciamento*:

> Os Níveis de Ofensa (1-43) formam o eixo vertical da Tabela de Sentenciamento. As Categorias de Histórico Criminal (I-VI) formam o eixo horizontal da Tabela. A interseção do Nível de Ofensa e a Categoria de História Criminal exibe a Faixa de Diretriz em meses de prisão. "Vida" significa prisão perpétua. Por exemplo, o intervalo de orientação aplicável a um réu com um nível de ofensa de 15 e uma categoria de antecedentes criminais de III é de 24 a 30 meses de prisão[397].

Na elaboração dessas categorias de histórico criminal, estabeleceu-se um olhar para o passado (para análise de reincidência) e um olhar para o futuro (visando prevenir novos delitos)[398], usando os seguintes critérios de enquadramento na tabela de sentenciamento:

---

394 STITH, Kate; CABRANES, José A. *Fear of judging*. Sentencing guidelines in the Federal Courts. Chicago/Londres: The University of Chicago Press, 1998, p. 2.

395 Conforme UNITED STATES. Sentencing Comission. The Federal Sentencing Guidelines. *Guidelines Manual 2021*. Disponível em: https://www.ussc.gov/sites/default/files/pdf/guidelines-manual/2021/GLMFull.pdf. Acesso em: 30 jan. 2023, p. 3.

396 UNITED STATES. Sentencing Comission. The Federal Sentencing Guidelines. *Guidelines Manual 2021*, *cit.*, p. 407.

397 *Ibid.*, p. 408.

398 *Ibid.*, p. 379.

a) Adicionar 3 pontos para cada sentença anterior de prisão superior a um ano e um mês.

b) Adicionar 2 pontos por cada sentença anterior de prisão de pelo menos sessenta dias não contada em (a).

c) Adicionar 1 ponto para cada sentença anterior não contada em (a) ou (b), até um total de 4 pontos para esta subseção.

d) Adicionar 2 pontos se o réu cometeu o crime enquanto estava cumprindo qualquer sentença de justiça criminal, incluindo liberdade condicional, liberdade condicional, prisão, liberação para o trabalho, ou em *"status"* de fuga.

e) Adicionar 1 ponto para cada sentença anterior resultante de condenação por crime com violência que não recebeu nenhum ponto em (a), (b) ou (c) acima porque tal sentença foi tratada como uma única sentença, até um total de 3 pontos para esta subseção.

As diretrizes de sentenciamento ainda estabelecem que um réu será considerado um "criminoso de carreira", e terá sua categoria de histórico criminal sempre fixada no nível IV, caso combine os seguintes fatores: ser maior de 18 anos na data do crime que gerou condenação; o delito que gerou condenação ter sido praticado mediante violência ou ser crime de tráfico de drogas; e o réu ter pelo menos duas condenações criminais anteriores por esses tipos de crimes. Como visto, há certa complexidade na fixação da pena. Para ilustrar, na prática, o próprio *Manual de sentenciamento* exemplifica que, se o réu for condenado por uma acusação de violar o artigo 18 U.S.C. § 924, ou seja, por porte ilegal de arma de fogo em concurso com o crime de tráfico de drogas, terá uma pena mínima obrigatória de cinco anos e máxima de quarenta anos. Caso o tribunal o considere criminoso de carreira, o intervalo de orientação aplicável será de 188 a 235 meses (usando o nível de ofensa 34, porque o máximo legal para o tráfico de drogas é de 40 anos). Se ele confessar, terá menos 3 níveis e categoria IV de histórico criminal. O tribunal ainda adicionará 60 meses (o mínimo exigido pelo artigo 18 U.S.C. § 924(c)) ao mínimo e ao máximo desse intervalo, resultando em um intervalo de orientação de 248 a 295 meses. Por ser criminoso de carreira, o tribunal aplicará a subseção (c)(2)(B) e determinará o intervalo de orientação da tabela na subseção (c)(3), que é de 262 a 327 meses. O intervalo com o maior mínimo, 262 a 327 meses, é usado para impor a sentença de acordo com o artigo §5G1.2(e).

Como se vê, são critérios muito mais rigorosos se comparados à legislação brasileira. No caso exemplificado nos Estados Unidos, a pena mínima para o tráfico de drogas, de um traficante não ocasional e com emprego de arma de fogo, é de quase 22 anos de reclusão, e a máxima é de 27 anos e dois meses. No caso brasileiro, a pena mínima por tráfico de drogas, caso ele não seja traficante ocasional, é de 5 anos, e a máxima é de 15 anos de reclusão, em regime inicial fechado. Como a tradição do direito brasileiro é de se calcular a pena a partir do mínimo legal, a pena mínima, no Brasil, para o "traficante de carreira", ou seja, para o que se "dedica às atividades criminosas ou integra organização criminosa" e que emprega arma de fogo, costuma ficar em 5 anos e 10 meses, em regime inicial semiaberto, sendo que a máxima pode alcançar 25 anos de reclusão (art. 33, c.c. art. 40, IV, da Lei 11.343/2006). Já para o traficante ocasional, a pena mínima, no Brasil, fica em 1 ano e 8 meses, em regime inicial aberto (art. 33, § 4º, da Lei 11.343/2006). Não é demais relembrar que, no Brasil, a tradição hermenêutica conduz à fixação da pena sempre a partir do mínimo legal. Por isso, a política criminal norte-americana é significativamente mais rigorosa do que a brasileira.

Seja como for, quando entraram em vigor, em 1987, as *Federal Sentencing Guidelines* (Diretrizes Federais de Sentenciamento) eram compulsórias, porém, em 2005, a Suprema Corte daquele país, no caso *United States v. Booker*[399], entendeu que isso violaria a Sexta Emenda da Constituição, e transformou-as em orientações facultativas. Mesmo assim, as diretrizes seguem sendo adotadas amplamente e continuam a ser um componente-chave das sentenças criminais[400].

Reforçando a política mais repressivista, em 1986, Reagan promoveu uma "cruzada nacional contra as drogas", tendo sido editado o *Anti-Drug Abuse Act*, estabelecendo penas mínimas obrigatórias para 29 crimes, em patamar mínimo de cinco anos de reclusão para o tráfico de cem gramas de heroína, quinhentos gramas de cocaína e cinco gramas de crack; ou patamar mínimo de dez anos de reclusão para quem traficasse um quilo de heroína, ou cinco quilos de cocaína, ou cinquenta gramas de crack[401]. Considerando que os brancos eram mais propensos a usar cocaína e os negros, crack, essa diferença na quantidade acabou sendo vista como uma espécie de "*apartheid sentencing*"[402], reforçando a ideia de que a política de "guerra às drogas", inserida no modelo de "lei e ordem", teria conotação racista. Esse modelo deu continuidade à política de Nixon, somada às políticas estaduais desde Nelson Rockfeller, destacadas

---

399 UNITED STATES. Supreme Court. "United States *v.* Booker, 543 U.S. 220 (2005)". Nesse caso, Freddie J. Booker foi condenado, pelo júri, por tráfico de drogas, a uma pena que, conforme as Diretrizes Federais de Sentenciamento, seria de 210 a 262 meses de prisão. Porém, na audiência admonitória, o juiz levou em conta fatos adicionais, que não haviam sido submetidos ao júri, e, nos termos das Diretrizes de Sentenciamento, aumentou a pena para 360 meses e prisão perpétua. Ou seja, o juiz sentenciou Booker a uma pena de 30 anos em vez da sentença de 21 anos e 10 meses que ele poderia ter imposto com base nos fatos provados ao júri para "além de uma dúvida razoável". A Suprema Corte entendeu que essa decisão do juiz violava a Sexta Emenda à Constituição norte-americana, que assegura o direito de ser julgado pelo júri.

400 UNITED STATES. Sentencing Comission. The Federal Sentencing Guidelines. *Guidelines Manual 2021*, *cit.*, p. 16.

401 UNITED STATES. Congress. *Anti-drug abuse Act of 1986*.

402 PARENTI, Christian. *Lockdown America*. Police and Prisons in the Age of Crisis. London, Nova York: Verso, 2000, p. 57.

anteriormente, e seguiu contribuindo para o aumento exponencial do número de pessoas presas nos Estados Unidos. Entre 1975 e 1989, o número de presos quase triplicou, com mais de um milhão de pessoas presas pela primeira vez[403].

Voltando ao plano teórico, mais uma vez James Q. Wilson é a referência. Agora em obra escrita em coautoria com Richard J. Herrnstein, eles seguiram contribuindo para dar sustentação à política de "lei e ordem", com o livro *Crime and Human Nature* (*Crime e Natureza Humana*), publicado em 1985[404]. Nesse livro, os autores retomaram, em parte, a teoria econômica do crime, de Gary Becker. Em 1968, Becker publicou o artigo intitulado "*Crime and Punishment: An Economic Approach*" (Crime e Punição: uma abordagem econômica)[405], no qual procurou responder às perguntas "quantos recursos e quanta punição devem ser usados para fazer cumprir diferentes tipos de legislação?" e "quantas ofensas devem ser cometidas e quantos infratores devem ser punidos?"[406]. E concluiu que "a abordagem aqui adotada segue a análise de escolha usual dos economistas e assume que uma pessoa comete um crime se a utilidade esperada para ela excede a utilidade que ela poderia obter usando seu tempo e recursos em outras atividades"[407].

Tanto Becker quanto Wilson e Herrnstein apontaram que a prática de um crime seria devida a uma escolha racional do autor do delito, que realizaria um cálculo entre o risco de ser preso e as vantagens obtidas com a conduta. O livro de Wilson e Herrnstein foi criticado veementemente por Gabriel Anitua, que o considerou de conteúdo "racista", com o argumento de que os autores se referem à predisposição ao delito como uma opção racional de certos indivíduos, deixando de levar em conta o que ele – Anitua – considera ser o fator primordial da prática dos crimes: as causas sociais[408]. Essa crítica de Anitua, por outros argumentos, pode ser tomada a sério, considerando que Wilson e Herrnstein abrem um capítulo inteiro para discutir as diferentes tendências criminosas das raças[409]. E, de forma ainda mais contundente, a crítica serve, principalmente, em relação a Herrnstein, quando se constata que outro livro seu, escrito com Charles Murray, intitulado *The Bell Curve* (*A Curva Normal*), externaliza visão racista bem explícita. Nesse livro, os autores promovem discurso racista ao argumentar que negros seriam menos inteligentes do que os brancos e que

---

403 NEWBURN, Tim. *Criminology, cit.*, p. 113.

404 WILSON, James Q.; HERRNSTEIN, Richard J. *Crime & human nature*. The definitive study of the causes of crime. Nova York: The Free Press, 1998.

405 BECKER, Gary S. Crime and punishment, *cit.*, p. 169-217.

406 *Ibid.*, p. 169.

407 *Ibid.*, p. 177.

408 IGNACIO ANITUA, Gabriel. *História dos pensamentos criminológicos, cit.*, p. 788.

409 WILSON, James Q; HERRNSTEIN, Richard J. *Crime & Human Nature. The definitive study of the causes of crime*. New York: The Free Press, 1998, p. 459 e s.

Processo Penal | Fundamentos dos fundamentos

estes seriam menos inteligentes que os asiáticos[410]. O certo é que, principalmente a partir desses autores, a política de "*law and order*" ganhou um reforço teórico significativo, não se limitando mais a ser apenas um discurso político.

A influência teórica na política foi tanta que, em sua campanha à presidência dos Estados Unidos, em 1992, Bill Clinton, mesmo sendo do Partido Democrata, seguiu a linha da "lei e da ordem", tendo prometido contratar cem mil novos policiais para os Estados Unidos, o que concretizou, depois de eleito, com a edição do *Violent Crime Control and Law Enforcement Act of 1994*. Com essa legislação, Bill Clinton ainda estabeleceu a pena de morte para mais de sessenta crimes de natureza federal, incluindo "homicídios terroristas, assassinato de um policial federal, tráfico de drogas em larga escala, tiroteios resultando em morte e roubos de carro que resultaram em morte"; previu "novas e mais duras penas para crimes violentos e de tráfico de drogas cometidos por membros de gangues"; considerou penalmente imputáveis adolescentes a partir dos 13 anos de idade em crimes de natureza violenta; e adotou a política de encarceramento inspirada no jogo de basebol, conhecida por "*three strikes and you're out*" ("três faltas e você está fora"). Ou seja: "prisão perpétua obrigatória sem possibilidade de liberdade condicional para infratores de crimes federais com três ou mais condenações por crimes violentos graves ou crimes de tráfico de drogas"[411]. Como se vê, a política de encarceramento ampliado e de "lei e ordem", não obstante Gabriel Anitua a considere exclusivamente "da direita punitiva norte-americana"[412], era defendida pelos dois espectros políticos: republicanos e democratas.

Fazendo eco ao governo federal, no mesmo ano de 1994, Rudolph Giuliani, do Partido Republicano, tendo sido eleito prefeito de Nova York, com o apoio de seu chefe de polícia, William Bratton, igualmente seguiu a trilha da "lei e da ordem", implantando uma política denominada de "tolerância zero" na cidade. Essa vertente era baseada na manutenção da ordem pela polícia, reprimindo e prevenindo todo e qualquer comportamento que fosse considerado desordeiro. Uma das bandeiras de Giuliani em sua campanha ao cargo de prefeito foi acabar com os "*squeegee man*", ou seja, os "flanelinhas", que esguichavam água para limpar os vidros dos veículos no trânsito em troca de dinheiro[413]. Reprimir os flanelinhas, os bêbados, os que jogam lixo na rua, os que urinam em público, os pedintes, os que pulam as catracas do metrô, os que colocam som alto nos carros, os pichadores, os ciclistas imprudentes, os que

---

410 HERRNSTEIN, Richard J.; MURRAY, Charles. *The Bell Curve. Intelligence and class structure in american life*. New York: The Free Press, 1994, p. 269 e s.

411 UNITED STATES. Congress. *Violent crime control and law enforcement Act of 1994*.

412 IGNACIO ANITUA, Gabriel. *História dos pensamentos criminológicos, cit.*, p. 780.

413 GIULIANI, Rudolph W.; BRATTON, William J. *Police strategy n. 5*. Reclaiming the public spaces of New York. Departamento de Polícia de Nova York, 1994.

vendem bebidas alcoólicas a crianças e os que praticam prostituição, dentre outras pequenas ofensas, foi o norte dessa política[414]. Giuliani dizia que a percepção desse conjunto de pequenas ofensas seria o "sinal visível de uma cidade fora de controle, uma cidade que não consegue proteger seus espaços públicos e suas crianças"[415]. Assim, as pichações nos metrôs e suas estações foram apagadas, e os locais de ampla circulação e transporte público foram limpos e organizados, a exemplo do que ocorreu no Grand Central Terminal, na Penn Station e no Port Authority Bus Terminal. Os parques da cidade também foram revitalizados, a exemplo do Central Park e do Bryant Park, ambos recuperados da depredação nos anos 1980[416]. E as prisões por essas pequenas contravenções ("*misdemeanor*") aumentaram, em Nova York, de 133.446, em 1993, para 205.277, em 1996, acompanhadas de aumento do tempo de encarceramento[417].

Esse conjunto de ações promoveu, já em 1995, uma redução em torno de 75% da criminalidade violenta na cidade[418]. Há, de outro lado, quem sustente que essa redução não seria devida à política de tolerância zero, mas, sim, ao incremento da oferta de empregos aos jovens, já que outras cidades norte-americanas experimentaram diminuição de criminalidade sem adotar a mesma política[419], e que, assim, a política de Giuliani teria apenas contribuído para uma maior discriminação social, maior incidência de violência policial[420] e reforço do encarceramento[421]. As críticas também avançaram para considerar que, no longo prazo, a política de "tolerância zero" provocaria um efeito inverso, isto é, um incremento na criminalidade, considerando que muitas pessoas teriam antecedentes criminais e isso geraria dificuldade de inserção no mercado de trabalho, além de conduzir a um descrédito em relação às polícias por conta dos abusos cometidos[422].

---

414 GREENE, Jack R. *The encyclopedia of police science*. 3. ed. Nova York: Routledge, 2007. v. 1, p. 1385.

415 GIULIANI, Rudolph W.; BRATTON, William J. *Police strategy n. 5, cit.*, p. 4.

416 KELLING, George L.; COLES, Catherine M. *Fixing broken windows*. Restoring order and reducing crime in our communities. Nova York: Touchstone, 1997, p. 151.

417 ECK, John E.; MAGUIRE, Edward R. Have changes in policing reduced violent crimes? An assessment of the evidence. BLUMSTEIN, Alfred; WALLMAN, Joel. *The crime drop in America*. Ed. rev. Cambridge: Cambridge University Press, 2006, p. 225.

418 KELLING, George L.; COLES, Catherine M. *Fixing broken windows, cit.*, p. 152.

419 *V.g.* CORDNER, Gary W. Problem-oriented policing *vs.* zero tolerance. SHELLEY, Tara O'Connor; GRANT, Anne C. (ed.). *Problem oriented policing*. Washington: Police Executive Research Forum, 1998, p. 303-14; e SHAPIRO, Bruce. Zero-tolerance gospel. *Index of Censorship*, 1997, p. 17-23.

420 ECK, John E.; MAGUIRE, Edward R. Have changes in policing reduced violent crimes?, *cit.*, p. 227.

421 GREENE, Judith A. Zero tolerance: a case study of police policies and practices in New York City. *Crime & Delinquency*, v. 45, n. 2, abr. 1999, p. 171-187.

422 SHERMAN, Lawrence W. Defiance, deterrence, and irrelevance: a theory of the criminal sanction. *Journal of Research in Crime and Delinquency*, v. 30, 1993, p. 445-73; e SHERMAN, Lawrence W. Policing for crime prevention. SHERMAN, Lawrence W. e outros. *Preventing crime*: what works, what doesn't, what's promising – a report to the Attorney General of the United States. Washington: Departamento de Justiça dos Estados Unidos, NCJ 165366, 1997, Capítulo 8, p. 1-58.

A inspiração para Rudolph Giuliani[423] veio de uma teoria desenvolvida a partir de um artigo publicado em 1982, mais uma vez por James Q. Wilson, agora em parceria com George Kelling, intitulado "*The police and neighborhood safety: Broken Windows*" ("A polícia e a segurança do bairro: janelas quebradas")[424]. Nele os autores lançaram as bases da teoria que ficou conhecida como "janelas quebradas". Referiram um experimento realizado em 1969, por Philip Zimbardo, psicanalista. Nesse experimento, um automóvel, sem placas e com o capô levantado, foi estacionado numa rua do bairro do Bronx, e outro automóvel, em condições equivalentes, foi estacionado numa rua em Palo Alto, na Califórnia. Após ter sido "abandonado", o carro estacionado no Bronx não demorou nem dez minutos para ser objeto de desmanche. Os primeiros a iniciar a depredação compunham uma família: pai, mãe e filho pequeno. Levaram o radiador e a bateria. Em vinte e quatro horas, praticamente tudo de valor havia sido removido do automóvel. A maioria dos autores dos furtos era de pessoas bem-apessoadas e brancas. Em seguida, a destruição do veículo seguiu seu curso aleatório, com partes arrancadas, portas amassadas e estofamento rasgado. As crianças, então, passaram a usar o que sobrou do veículo como se fosse uma espécie de parque de diversões. Por outro lado, o carro estacionado em Palo Alto permaneceu intocável durante uma semana. Até que Zimbardo resolveu esmagar parte dele com uma marreta. Com esse dano visível, em poucas horas o veículo foi virado de cabeça para baixo e totalmente destruído. Os vândalos eram, mais uma vez, "pessoas brancas respeitáveis"[425]. O que a experiência revelou é que o estado de abandono de um objeto em local público facilita a sua depredação, com o vandalismo podendo ocorrer em qualquer lugar, desde que fique evidenciado que "ninguém se importa". No bairro do Bronx, esse estado de abandono de coisas era mais frequente, razão pela qual não demorou muito para que as pessoas se sentissem autorizadas a vandalizar. Em Palo Alto, abandonar coisas na rua não é um padrão identificado, razão pela qual somente após evidente indicativo de abandono do veículo é que as pessoas se sentiram autorizadas a vandalizar. O vandalismo, portanto, pode ocorrer em qualquer lugar uma vez que se identifique que as barreiras de respeito mútuo e as obrigações de civilidade sejam reduzidas por ações que pareçam sinalizar que "ninguém se importa".

Wilson e Kelling, então, acreditam que a crescente tolerância com desvios de comportamento em comunidade, que chega a criar um cenário de abandono nas ruas

---

423 Como é expressamente revelado em GIULIANI, Rudolph W.; BRATTON, William J. *Police strategy n. 5*. Reclaiming the public spaces of New York, 1994, p. 4.

424 WILSON, James Q.; KELLING, George L. The police and neighborhood safety: broken windows. *The Atlantic Monthly*, 1982, p. 29-38.

425 *Ibid.*, p. 29-38.

e a percepção de que ninguém se importa com isso, conduz ao aumento de criminalidade. Relatam que quem sofre com isso, principalmente, são os idosos residentes no bairro, pois "a perspectiva de um confronto com um adolescente barulhento ou um mendigo bêbado pode ser tão indutora do medo para pessoas indefesas quanto a perspectiva de encontrar um ladrão real"[426]. E, em resposta ao medo, as pessoas evitam sair às ruas, evitam o contato umas com as outras, enfraquecendo os controles sociais da vida comunitária. Assim, dizem Wilson e Kelling:

> O crime de rua grave floresce em áreas em que o comportamento desordenado ocorre. O mendigo não verificado é, na verdade, a primeira janela quebrada. Assaltantes e ladrões, sejam oportunistas ou profissionais, acreditam que reduzem suas chances de serem pegos ou mesmo identificados se eles operam em ruas onde as vítimas potenciais já estão intimidadas pelas condições prevalecentes. Se o bairro não pode impedir um mendigo de incomodar transeuntes, o ladrão pode raciocinar que é ainda menos provável que alguém possa chamar a polícia para identificar um assaltante em potencial ou interferir em um assalto em curso[427].

Os autores, então, apostaram em policiamento a pé pelos bairros, em contraponto ao policiamento em viaturas. Indicaram que a viatura acaba criando uma barreira física para a aproximação da polícia com a população. E anotaram que a mudança da razão de ser da polícia ao longo dos tempos – de uma polícia que tinha como norte a manutenção da ordem na rua para uma polícia que passou a ter como norte a solução de crimes – fez com que as funções de manutenção da ordem passassem a ser regidas por regras desenvolvidas para controlar as relações da polícia com suspeitos de crimes.

O problema, dizem Wilson e Kelling, é que, ao deixar de agir para conter comportamentos desordeiros, a polícia facilitou a proliferação da decadência do lugar. Dizem os autores que:

> Prender um único bêbado ou um único vagabundo que não fez mal a nenhuma pessoa identificável parece injusto, e em certo sentido é. Mas não fazer nada a respeito de vinte bêbados ou cem vagabundos pode destruir uma comunidade. Uma regra particular que parece fazer sentido no caso individual não faz sentido quando se tornou uma regra universal aplicada a todos os

---

426 *Ibid.*, p. 29-38.
427 *Ibid.*, p. 29-38.

casos. Não faz sentido porque não leva em conta a conexão entre uma janela quebrada não cuidada e mil janelas quebradas[428].

Os autores, no entanto, alertaram para o risco de a polícia agir de forma abusiva ou racista, apostando na seleção, no treinamento e na supervisão dos policiais, afinal, dizem, "a polícia existe para ajudar a regular o comportamento, não para manter a pureza racial ou étnica de um bairro". Eles finalizaram sugerindo uma atuação da polícia que proteja tanto as comunidades quanto os indivíduos, em analogia ao que sucedeu com os médicos, que passaram a reconhecer a importância de promover saúde pública em vez de apenas tratar doenças singulares. Assim, a polícia – e, também, os tribunais e a comunidade – deve reconhecer a importância de manter "as janelas intactas nas comunidades".

Em 1996, George Kelling e Catherine Coles publicaram uma "atualização" da teoria das janelas quebradas, em livro intitulado *Fixing broken windows* ("Consertando janelas quebradas")[429]. Aqui, de forma mais detalhada, abordaram aspectos que consideraram ter facilitado o incremento de práticas criminosas, retomando um discurso muito parecido com aquele do candidato republicano Barry Goldwater, anteriormente referido. Um dos pontos de contato é o fato de que Kelling e Coles consideraram que a política de aumento dos direitos individuais do cidadão teria promovido um individualismo exacerbado[430]. Apontaram que as teorias da Criminologia Crítica, com as indicações de que se deveria abandonar uma "moral da classe média" e que se deveria considerar o problema gerado pelo *"labeling approach"* (etiquetamento), favoreceriam uma visão vitimizante do criminoso, atuando como fatores criminógenos. E criticaram a postura da Suprema Corte norte-americana, que teria ampliado a leitura de garantias constitucionais, elevando-as a uma posição de grande relevância (as críticas, aqui, também foram direcionadas aos já referidos casos *Escobedo v. Illinois*, de 1964, e *Miranda v. Arizona*, de 1966). A síntese do pensamento dos autores é revelada na seguinte passagem:

> A ênfase nos direitos individuais atrelados à cultura do individualismo ajudou a estimular o aumento do comportamento desviante nas ruas das cidades, enquanto as mudanças na doutrina jurídica, especialmente no direito constitucional e penal, não apenas permitiram que tal comportamento continuasse, mas também resguardaram os direitos daqueles que se comportavam de modo

---

428 *Ibid.*, p. 29-38.
429 KELLING, George L.; COLES, Catherine M. *Fixing broken windows, cit.*, p. XVI.
430 *Ibid.*, p. 41.

desviante. Dito de outra forma, a desordem cresceu e foi tolerada, se não ignorada, porque a expressão de praticamente todas as formas de desvio não violento passou a ser considerada sinônimo de expressão de direitos individuais, particularmente a Primeira Emenda dos direitos relacionados ao discurso[431].

Kelling e Coles ainda criticaram a desinstitucionalização dos doentes mentais e a descriminalização da embriaguez em público, o que teria conduzido a uma despreocupação da polícia em relação a essas questões. Isso teria, segundo os autores, diminuído a autoridade da polícia na solução de pequenos conflitos no dia a dia[432].

Essas posturas, no entanto, revelam uma visão torta da importância das garantias constitucionais e da necessidade de encontrar outras soluções – que não apenas por meio do direito penal – para problemas sociais cotidianos. Também desconsideram que a atuação policial excessiva provoca incremento de práticas abusivas por parte de quem detém o poder.

Este, talvez, seja o grande ponto crítico, que, paradoxalmente, pode ser direcionado tanto a esse movimento de "lei e ordem" quanto ao seu oposto (o abolicionismo): o exagerado discurso sectário, de lado a lado, que não consegue admitir a importância de assegurar os direitos fundamentais de quem é investigado ou processado criminalmente, minimizando abusos por parte de quem detém poder, e, ao mesmo tempo, assegurar direitos fundamentais das vítimas (vida, propriedade, meio ambiente etc.), também por meio da punição efetiva. Daí a importância de se buscar um meio-termo.

1.1.2.3 O modelo da dupla funcionalidade constitucional para o processo penal brasileiro

Pode parecer óbvio, mas o ponto de partida para a compreensão de como se deve enxergar o processo penal é aquele evidenciado a partir da Constituição. Isso implica em orientar a interpretação a partir da opção política do Estado brasileiro, particularmente, da consolidação histórica das funções do Estado Democrático de Direito que deságuam no novel âmbito constitucional brasileiro de 1988.

Não à toa o texto constitucional considera que o Brasil é uma "República Federativa" constituída em "Estado Democrático de Direito" e fundada na soberania, na cidadania, na dignidade da pessoa humana, nos valores sociais do trabalho e da livre-iniciativa, e no pluralismo político, nos termos do art. 1º, I, II, III, IV e V, da Constituição de 1988[433].

---

431 *Ibid.*, p. 42.

432 *Ibid.*, p. 43.

433 BRASIL. *Constituição da República Federativa do Brasil*. Brasília, DF: Senado, 1988: "Art. 1º A República

Nesse contexto, é preciso recordar, com Jacinto Coutinho, que "ninguém desconhece que o 'pacto fundante' da vida moderna decorre da necessidade (vista mitologicamente) de todos precisarem de proteção, em *ultima ratio*, contra a morte violenta"[434]. E prossegue, dizendo: "eis, em apertadíssima síntese, por que o Estado tem por missão basilar produzir e aplicar leis, começando pela Constituição, e, nesta dimensão, submete-se a elas no sentido de que, nelas, vai expressa sua missão de garantidor do cidadão"[435].

Assim, pode-se referir que, se essas são as ideias fundantes que foram se consolidando como resultado do movimento iluminista em suas três fases de organização – Estado Liberal, Social e Democrático –, resultando na construção de um Estado Democrático de Direito, a ponto de restarem inseridas no texto da Constituição da República Federativa e Democrática Brasileira, são também essas ideias as que fundam o processo penal brasileiro. Vale o registro de que não se toma o texto constitucional de 1988 como um "grau zero de sentido", como se o mundo fosse outro apenas a partir de um texto, mas se leva em conta que ele decorre e tem como base o longo processo de democratização dos povos e a consolidação dos direitos e garantias dos cidadãos. Nesse mesmo sentido é a posição de Lenio Streck, quando afirma que, "no contexto da tradição em que estamos inseridos, este todo é representado pela Constituição. Mas não a Constituição enquanto um texto composto de diversas fatias: artigos, incisos, alíneas etc., mas, sim, a Constituição entendida como um evento que introduz, prospectivamente, um novo modelo de sociedade"[436]. E prossegue, em abordagem que merece destaque:

> Este evento que é a Constituição está edificado sob certos pressupostos que chegam até nós pela história institucional de nossa comunidade. Tais pressupostos condicionam toda tarefa concretizadora da norma, porque é a partir deles que podemos dizer se o direito que se produz concretamente está legitimado de acordo com uma tradição histórica que decidiu constituir uma sociedade democrática, livre, justa e solidária.

Federativa do Brasil, formada pela união indissolúvel dos Estados e Municípios e do Distrito Federal, constitui-se em Estado Democrático de Direito e tem como fundamentos: I – a soberania; II – a cidadania; III – a dignidade da pessoa humana; IV – os valores sociais do trabalho e da livre iniciativa; V – o pluralismo político".

434 COUTINHO, Jacinto Nelson de Miranda. A absurda relativização absoluta de princípios e normas: razoabilidade e proporcionalidade. In: COUTINHO, Jacinto Nelson de Miranda; FRAGALE FILHO, Roberto; LOBÃO, Ronaldo (Org.). *Constituição e ativismo judicial*: limites e possibilidades da norma constitucional e da decisão judicial. Rio de Janeiro: Lumen Juris, 2011, p. 193.

435 *Ibid.*, p. 194.

436 STRECK, Lenio Luiz. Uma leitura hermenêutica das características do neoconstitucionalismo. *Observatório de Jurisdição Constitucional*. Brasília: Instituto Brasileiro de Direito Público (IDP), ano 7, n. 2, jul.-dez. 2014, p. 25-48. Disponível em: http://www.portaldeperiodicos.idp.edu.br/index.php/observatorio/article/viewFile/1043/672. Acesso em: 30 jan. 2023, p. 37.

Este todo conjuntural, portanto, irá determinar os juízos concretos e particulares que fazemos para solucionar os problemas jurídicos. Neste sentido, por mais que essa conjuntura não apareça de modo explícito no trabalho de fundamentação que todo jurista deve realizar, ela condiciona os argumentos alinhavados na decisão de modo subterrâneo[437].

Portanto, é a partir dessa compreensão forjada pela "história institucional da comunidade" e encampada constitucionalmente que o processo penal brasileiro deve ser interpretado.

Não se olvida, igualmente, a necessidade de se estabelecerem delimitações de sentido às compreensões de soberania, cidadania e dignidade da pessoa humana, pois estas podem soar, por vezes, até mesmo como incompatíveis entre si, tudo a depender do intérprete. E, para ajustar os sentidos desses fundamentos, leva-se em conta, mais uma vez, que eles são fundantes de um "Estado Democrático de Direito", premissa que acaba sendo conglobante dos demais fundamentos. De fato, com expressa referência ao "Estado Democrático de Direito" no *caput* do art. 1º da Constituição da República de 1988, o Brasil se constituiu num modelo de Estado em substituição às velhas fórmulas do Estado Liberal de Direito e do Estado Social de Direito (este, em última análise, particularmente em versão do chamado Welfare State, jamais se efetivou no Brasil[438]).

Ou seja, a ideia de um "Estado Democrático de Direito" é resultante de um desdobramento histórico do que se apresentou no pós-Revolução Francesa, no chamado "Estado de Direito", desde quando o Direito passou a servir de "moldura normativa da ação dos sujeitos", sua "condição de coexistência", atuando com o "fim de conciliar a liberdade de um indivíduo com a liberdade do outro"[439].

Na primeira etapa dessa construção, ou seja, no chamado "Estado Liberal de Direito" do século XIX, de índole essencialmente burguesa, ao se contrapor ao Estado Absolutista anterior, o direito serviu ao indivíduo, para protegê-lo contra abusos desse mesmo Estado. Direito à vida, direito à liberdade, direito à segurança e direito à propriedade são conquistas históricas que se consolidaram como direitos

---

437 *Ibid.*, p. 37.

438 Nesse sentido, entre outros: COUTINHO, Jacinto Nelson de Miranda. O papel da jurisdição constitucional na realização do estado social. In: BRANDÃO, Claudio; ADEODATO, João Maurício (Org.). *Direito ao extremo*: coletânea de estudos. Rio de Janeiro: Forense, 2005, p. 145; e STRECK, Maria Luiza Schäfer. *Direito penal e Constituição*: a face oculta da proteção dos direitos fundamentais. Porto Alegre: Livraria do Advogado, 2009, p. 35.

439 COSTA, Pietro. O estado de direito: uma introdução histórica. COSTA, Pietro; ZOLO, Danilo (Org.). *O Estado de Direito*: História, teoria, crítica. Trad. Carlo Alberto Dastoli. São Paulo: Martins Fontes, 2066, p. 113.

humanos fundamentais de "primeira geração"[440] nessa época. Ainda que isso tenha sido relevante, não é possível desconsiderar que esse modelo de Estado Liberal se organizava essencialmente visando dar liberdade prioritariamente à classe burguesa, detentora do poder econômico, e não à população em geral. Mesmo assim, o que hoje ainda resta de relevante nesse modelo é o papel de proteção do cidadão diante do Estado, pois o ser humano que exerce poder no âmbito estatal tem uma natural tendência a abusar desse poder – daí a necessidade de o direito atuar como freio.

O processo penal brasileiro, portanto, deve ser lido como forte barreira para evitar o abuso do detentor de poder sem, contudo, agir como se fazia naquele tempo, isto é, sem agir para proteger e premiar a mesma classe dominante em detrimento da ampla população carente que costuma ser mais facilmente alcançada pelo Direito Penal[441]. Esse é um ponto de que não se pode abrir mão e que deve orientar a ideia de proibição de excessos.

De outro lado, decorrência até do "sucesso" do modelo de Estado liberal, isto é, de uma ampla ausência do Estado na regulação da vida social, o que se obteve foi a exploração exacerbada do povo mais pobre, que se viu submetido a condições desumanas nas relações de trabalho. Isso provocou um início de organização dos trabalhadores cuja origem se deu na Inglaterra, em diferentes movimentos de organização sindical ao longo do século XIX[442], e também na França, com a Lei Waldeck-Rousseau, em 1884[443], que autorizou formalmente o sindicalismo. Deu-se, portanto, início a um

---

440 A doutrina consagrou a referência a *gerações de direitos fundamentais*, sendo que a "primeira geração" estaria voltada à proteção de direitos individuais e políticos, a "segunda geração" estaria voltada à proteção de direitos sociais, a "terceira geração" estaria preocupada com direitos coletivos e difusos, a exemplo dos direitos do consumidor e o direito ao meio ambiente, a "quarta geração" teria regrado novos direitos coletivos e difusos, a exemplo do desenvolvimento econômico sustentável; alguns ainda se referem a uma "quinta geração" falando ora em "democracia universal", ora em direitos fundamentais dos animais e da natureza, desvinculando-se da ideia central de "direitos humanos". Há, no entanto, quem critique a adoção dessa terminologia, com base na ideia de que a palavra "geração" dá a entender que teria ocorrido uma substituição dos direitos fundamentais de geração para geração. E como não se trata de um continuísmo ou de uma evolução, preferem a expressão "dimensões de direitos fundamentais". Sobre o tema, *vide*, entre outros: DIMOULIS, Dimitri; MARTINS, Leonardo. *Teoria geral dos direitos fundamentais*. 9. ed. São Paulo: Thomson Reuters Brasil, 2022, p. 36 e s.; TAVARES, André Ramos. *Curso de direito constitucional*. 18. ed. São Paulo: Saraiva, 2020, p. 354 e s.

441 São inúmeras as obras sobre o tema. *Vide*, entre outros: MIRANDA, Jorge. *Teoria do estado e da Constituição*. Rio de Janeiro: Forense, 2002, p. 47 e s.; RANIERI, Nina. *Teoria do estado*: do estado de direito ao estado democrático de direito. Barueri: Manole, 2013, p. 45 e s.; e BONAVIDES, Paulo. *Teoria do estado*. 3. ed. São Paulo: Malheiros, 1995.

442 Sobre o tema, *vide*, entre outros: COLE, G. D. H. *A short history of the british working class movement 1789-1925*. 1848-1900. Londres: George Allen and Unwin Limited & The Labour Publishing Company Limited, 1926. V. II, p. 53 e s.; e COLE, G. D. H.; FILSON, A. W. *British working class movements*. Select documents 1789-1875. Londres: Palgrave Macmillan, 1965, p. 214 e s.

443 FRANÇA. Promulgation de la loi dite "Waldeck-Rousseau" autorisant les syndicats en France. *Gouvernement*, 12 mar. 2019. Disponível em: https://www.gouvernement.fr/partage/10939-promulgation-de-la-loi-dite-waldeck-rousseau-instaurant-la-liberte-syndicale. Acesso em: 30 jan. 2023.

momento de intensa cobrança do Estado para intervir em favor do cidadão oprimido[444]. Aos poucos, então, vai se organizando o que depois se denominou de "Estado Social de Direito", no início do século XX. Passou-se a pregar um intervencionismo estatal – desapegado de um suficiente controle democrático – em que o direito forçava o Estado a atuar em favor do indivíduo em sociedade[445]. De positivo, esse modelo trouxe o olhar para o todo da sociedade, mas acabou olvidando o particular. De negativo, o "sucesso" desse modelo intervencionista gerou amplas ditaduras, de direita e de esquerda, em boa parte do mundo ocidental[446]. Não se pode esquecer que, quando se fala de Estado e de exercício de poder, o que se tem não é uma entidade abstrata, mas, sim, um de nós exercitando o poder. E um de nós exercitando o poder e sendo cobrado a agir "em favor do povo" acabará agindo a seu modo. Assim, o que se viu na primeira metade do século XX foi o exercício do poder totalitário, sempre com uma bandeira de que se fazia isso "em benefício do povo". Aniquilaram-se minorias, dizimaram-se populações inteiras, e duas grandes guerras, em curto espaço de tempo, sucederam-se. O direito não foi capaz de segurar esses conflitos. O perverso se resume, portanto, à possibilidade de o cidadão ser instrumentalizado por meio do direito penal e processual penal como meio para implantação de políticas públicas.

Assim, para que o Estado Social de Direito seja harmonizado também com a ideia de limitação do poder, ele deve ser conjugado, no plano penal material, com o princípio da intervenção mínima, como refere Paulo Busato[447]. E o processo penal brasileiro deve também olhar para esse aspecto do social, inclusive por força dos mandamentos constitucionais. Assim como aventado no âmbito penal material, também o processo não se deve conduzir pelo estreitamento das garantias do cidadão, com ampliação desmesurada dos poderes de Estado.

Para uma refundação do Estado de Direito que aproveitasse as experiências anteriores e não cometesse os mesmos erros, foi, no pós-Segunda Guerra, "introduzida"

---

444 ROMANO, Santi. O estado moderno e a sua crise. Trad. Felipe Pante Leme de Campos. *Revista Brasileira de Estudos Políticos*. Belo Horizonte, n. 122, jan.-jun. 2021, p. 13-43.

445 Sobre o tema, entre inúmeros outros, *vide*: COSTA, Pietro; ZOLO, Danilo (Org.). *O estado de direito*; e HABERMAS, Jürgen. *Facticidad y validez*: sobre el derecho y el estado democrático de derecho en términos de teoría del discurso, *cit.*, p. 483 e s. e p. 592 e s.

446 *Vide*, por exemplo, a revolução russa de 1917, inicialmente com Lenin e, depois, em 1924, com Stalin; o fascismo de Mussolini, na Itália, desde 1922, que inspirou o fascismo húngaro de Gyula Gömbos, em 1932, o fascismo na Romênia, em 1933, o fascismo português com Salazar, em 1933, e o franquismo espanhol, com o general Francisco Franco, que assumiu o poder após a guerra civil de 1936 a 1939; o nacional-socialismo de Hitler, desde 1933, na Alemanha; o Estado Novo de Getulio Vargas, no Brasil, desde 1937; o golpe militar do "Grupo de Oficiais Unidos", na Argentina, em 1943, que gerou o peronismo, de Perón, em 1946; a ditadura chilena de Ibañez, desde 1927; a revolução febrerista, no Paraguai, em 1936, conduzida pelo coronel Rafael Franco, que criou condições para a posterior ditadura do general Higino Morínigo, em 1940, entre outras.

447 BUSATO, Paulo César. *Direito penal*. Parte Geral. São Paulo: Atlas, 2013, p. 32.

134 ◼ Processo Penal | Fundamentos dos fundamentos

a ideia de "democracia" nessa fórmula[448]. Organizado em "Estado Democrático de Direito" (ou até mesmo – e melhor – em "Estado Democrático e Social de Direito"[449]), o Estado passou a contar com ambos – direito e democracia – como fatores de equilíbrio dessa dupla visão. O Estado foi "situado" – como diz Pacelli – "entre pretensões prioritariamente liberais e pretensões preferencialmente sociais", no qual "se reconhece a afirmação da autonomia pública (nas relações com o poder e com o Estado) e privada (relações com os outros) dos membros da comunidade, como sujeitos do seu destino"[450].

Para tanto, a concepção desse Estado passou a ser orientada pela redefinição de democracia, agora compreendida não apenas como predominância da "vontade da maioria", como se dava nos moldes gregos antigos, mas, também, como limite à vontade – por vezes "tirânica"[451] – dessa maioria em favor da minoria. O direito nesse modelo de Estado, portanto, é chamado a atuar como um "antídoto ao voluntarismo", para usar a referência de Pietro Costa[452], conduzindo o Estado por duas vias que se completam: a primeira age visando impedir violações dos direitos humanos fundamentais por parte do Estado[453], e a segunda procura promover e dar efetividade a esses mesmos direitos humanos fundamentais por meio do Estado, o que se concretiza pela ótica de proteção constitucional e de seu controle jurisdicional. Nesse sentido a precisa observação de Maria Luiza Schäfer Streck:

> Não resta a menor dúvida de que o advento do Estado Democrático de Direito foi responsável por profundas e definitivas alterações no mundo jurídico contemporâneo. A partir do novo paradigma estabelecido pela Constituição do Brasil de 1988, não se pode mais analisar o Direito Penal e Processual

---

448 *Vide*, entre outros: COSTA, Pietro. Democracia política e estado constitucional. In: FONSECA, Ricardo Marcelo (Coord.). *Soberania, representação, democracia, ensaios de história do pensamento jurídico*. Biblioteca de História do Direito. Trad. Érica Hartman. Curitiba: Juruá, 2010, p. 235.

449 Como prefere Ingo Wolfgang Sarlet (*A eficácia dos direitos fundamentais*: uma teoria geral dos direitos fundamentais na perspectiva constitucional. 11. ed. Porto Alegre: Livraria do Advogado, 2012, p. 58 e s.).

450 OLIVEIRA, Eugênio Pacelli de. *Processo penal e hermenêutica na tutela penal dos direitos fundamentais*. 3. ed. São Paulo: Atlas, 2012, p. 10.

451 Vários autores referem-se à "vontade tirânica da maioria". *Vide*, entre outros: ARRIMADA ANTÓN, Lucas. Constitucionalismo, concepciones de democracia y diseño institucional: sobre frenos, puentes y motores en la democracia deliberativa. ALEGRE, Marcelo; GARGARELLA, Roberto; ROSENKRANTZ, Carlos F. (Org.). *Homenage a Carlos Santiago Nino*. Buenos Aires: La Ley, 2008, p. 247-68; e COSTA, Pietro. Democracia política e estado constitucional. *Soberania, representação, democracia, ensaios de história do pensamento jurídico, cit.*, p. 247.

452 COSTA, Pietro. *O estado de direito, cit.*, p. 194.

453 No âmbito penal material, mais uma vez a referência de Paulo César Busato (*Direito penal, cit.*, p. 23), quando associa o "Estado democrático" com o princípio da culpabilidade, "porquanto a ideia de pôr o Estado a serviço da defesa dos interesses do cidadão significa respeitá-lo individualmente e limitar a intervenção Estatal à efetiva atuação culpável do sujeito".

Penal sob o prisma de um modelo que serviu de base para as teorias liberal-individualistas do século XIX. A Constituição proporcionou a inserção de um arcabouço principiológico, responsável por conferir, ao indivíduo e à sociedade, uma "blindagem" contra as arbitrariedades estatais, bem como garantias de efetivação dos direitos fundamentais[454].

Em sentido similar, Ingo Sarlet anotou que "os direitos fundamentais podem ser considerados simultaneamente pressuposto, garantia e instrumento do princípio democrático da autodeterminação do povo por intermédio de cada indivíduo" e que "a doutrina tem reconhecido que entre os direitos fundamentais e a democracia se verifica uma relação de interdependência e reciprocidade"[455].

Vale também referir a afirmação de Lenio Luiz Streck e José Luis Bolzan de Morais quando tratam do tema:

> Assim, o Estado Democrático de Direito teria a característica de ultrapassar não só a formulação do Estado Liberal de Direito, como também a do Estado Social de Direito – vinculado ao *welfare state* neocapitalista –, impondo à ordem jurídica e à atividade estatal um conteúdo utópico de transformação da realidade. Dito de outro modo, o Estado Democrático de Direito é *"plus"* normativo em relação às formulações anteriores. A novidade que apresenta o Estado Democrático de Direito é muito mais em um sentido teleológico de sua normatividade do que nos instrumentos utilizados ou mesmo na maioria de seus conteúdos, os quais vêm sendo construídos de alguma data[456].

E, assim, nesse contexto, a questão penal deve ser considerada em sua dupla dimensão (de freio ao excesso estatal e de instrumento de proteção do cidadão por meio do Estado), como destacam Claus-Wilhelm Canaris[457], Winfried Hassemer[458],

---

454 STRECK, Maria Luiza Schäfer. *Direito penal e Constituição, cit.*, p. 53.

455 SARLET, Ingo. *A eficácia dos direitos fundamentais, cit.*, p. 61.

456 STRECK, Lenio Luiz; BOLZAN DE MORAIS, José Luis. Estado democrático de direito. GOMES CANOTILHO, J. J. e outros (Org.). *Comentários à Constituição do Brasil*. São Paulo: Saraiva/Almedina, 2013, p. 114.

457 CANARIS, Claus-Wilhelm. *Direitos fundamentais e direito privado*. Trad. Ingo Wolfgang Sarlet e Paulo Mota Pinto. Coimbra: Almedina, 2003, p. 103 e s.

458 HASSEMER, Winfried. Processo penal e direitos fundamentais. *Jornadas de Direito Processual Penal e Direitos Fundamentais*. Organizadas pela Faculdade de Direito de Lisboa e pelo Conselho Distrital de Lisboa da Ordem dos Advogados, com a colaboração do Goethe Institut. Coordenação científica de Maria Fernanda Palma. Coimbra: Almedina, 2004, p. 15-25.

Francesco Palazzo[459], Domenico Pulitanò[460], Vittorio Manes[461], Vittorio Grevi[462], Jorge Reis Novais[463], Pedro Aragoneses Alonso[464], Carlos Bernal Pulido[465], Alberto M. Binder[466], Eugênio Pacelli de Oliveira[467], Luciano Feldens[468], Ingo Wolfgang Sarlet[469], Lenio Luiz Streck[470], Maria Luiza Schäfer Streck[471], Américo Bedê Junior e Gustavo Senna[472], Vicente de Paulo Barreto[473], Kathia Martin-Chenut[474], Isaac Sabbá

---

459 PALAZZO, Francesco C. *Valores constitucionais e direito penal*. Trad. Gérson Pereira dos Santos. Porto Alegre: Sérgio A. Fabris Editor, 1989, p. 103 e s.

460 PULITANÒ, Domenico. La giustizia penale alla prova del fuoco. *Rivista Italiana di Diritto e Procedura Penale*, ano 40, nova série, n. 01, Milano: Giuffrè, jan.-mar. 1997, p. 3-41.

461 MANES, Vittorio. As garantias fundamentais em matéria penal, entre a Constituição e a Convenção Europeia de Direitos do Homem. Trad. Renata Jardim da Cunha Rieger e Filipe de Mattos Dall'Agnol. D'AVILA, Flávio Roberto (Org.). *Direito penal e política criminal no terceiro milênio*: perspectivas e tendências. Porto Alegre: EdiPUCRS, 2011, p. 82-118.

462 GREVI, Vittorio. *Alla ricerca di um processo penale "giusto"*. Itinerari e prospettive, *cit.*, p. 9 e s.

463 REIS NOVAIS, Jorge. *Os princípios constitucionais estruturantes da República portuguesa, cit.*, p. 261 e s. e p. 291 e s. Jorge Reis Novais trata tanto do princípio da proibição de excesso como do que denomina de "princípio da segurança jurídica e da proteção da confiança" e também do "princípio da socialidade": "Com efeito, a proteção da confiança dos cidadãos relativamente à acção dos órgãos do Estado é um elemento essencial, não apenas da segurança da ordem jurídica, mas também da própria estruturação do relacionamento entre Estado e cidadãos em Estado de Direito. Sem a possibilidade, juridicamente garantida, de poder calcular e prever possíveis desenvolvimentos de actuação dos poderes públicos susceptíveis de repercutirem na sua esfera jurídica, o indivíduo converter-se-ia, em última análise com violação do princípio fundamental da dignidade da pessoa humana, em mero objeto do acontecer estatal. Essa protecção da confiança dos particulares relativamente à continuidade na ordem jurídica é, se quisermos, o lado subjectivo da garantia mais geral de segurança jurídica inerente ao Estado de Direito".

464 ARAGONESES ALONSO, Pedro. *Proceso y derecho procesal*. Madrid: Aguilar, 1960, p. 5 e s. e p. 99 e s.

465 PULIDO, Carlos Bernal. *O direito dos direitos*: escritos sobre a aplicação dos direitos fundamentais. Trad. Thomas da Rosa de Bustamante. Madrid. Barcelona, Buenos Aires. São Paulo: Marcial Pons, 2013, p. 120 e s.

466 BINDER, Alberto M. *Derecho procesal penal*. Dimensión político-criminal del proceso penal. Eficacia del poder punitivo. Teoria de la acción penal y de la pretensión punitiva. Buenos Aires: Ad-Hoc, 2014. t. II, p. 12 e s.

467 OLIVEIRA, Eugênio Pacelli de. *Processo penal e hermenêutica na tutela penal dos direitos fundamentais, cit.*, p. 2.

468 FELDENS, Luciano. *A Constituição penal*: a dupla face da proporcionalidade no controle de normas penais. Porto Alegre: Livraria do Advogado, 2005.

469 SARLET, Ingo Wolfgang. *A eficácia dos direitos fundamentais, cit.*

470 STRECK, Lenio Luiz. *Bem jurídico e Constituição*: da proibição de excesso (*Übermassverbot*) à proibição de proteção deficiente (*Untermassverbot*) ou de como não há blindagem contra normas penais inconstitucionais. Disponível em: http://www.leniostreck.com.br/site/wp-content/uploads/2011/10/2.pdf. Acesso em: 3 maio 2014.

471 STRECK, Maria Luiza Schäfer. *Direito penal e Constituição, cit.*

472 BEDÊ JUNIOR, Américo; SENNA, Gustavo. *Princípios do processo penal*: entre o garantismo e a efetividade da sanção. São Paulo: RT, 2009.

473 BARRETO, Vicente de Paulo. *O fetiche dos direitos humanos e outros temas*. 2. ed. Porto Alegre: Livraria do Advogado, 2013.

474 MARTIN-CHENUT, Kathia. A valorização das obrigações positivas de natureza penal na jurisprudência da CIDH: o exemplo das graves violações de direitos humanos cometidas durante as ditaduras dos países do Cone Sul. Trad. Priscila Akemi Beltrame. *Revista Brasileira de Ciências Criminais*, v. 103, jul. 2013, p. 97 e s.

Guimarães[475], Gecivaldo Vasconcelos Ferreira[476], Luiz Flávio Gomes[477], Frederico Valdez Pereira[478] e, curiosamente, até mesmo o abolicionista Alessandro Baratta, que invocou a necessidade de se pensar o garantismo em dupla dimensão, falando em "garantismo negativo" e "garantismo positivo":

> Quando, na década de 1980, no quadro de uma estratégia de "direito penal mínimo", propus praticar uma "*epoché*", ou seja, uma suspensão metodológica dos conceitos de "crimes" e "penalidades", não pretendia realmente questionar a existência de situações socialmente negativas que devem ser controladas, nem a realidade do sistema punitivo. (...) Se houve uma transformação na minha perspectiva, ela consistiu em superar uma separação muito rígida entre as diferentes abordagens teóricas e as diversas instâncias de controle do Estado e da sociedade civil. (...) Ampliar a perspectiva do direito penal da Constituição na perspectiva de uma política abrangente de proteção de direitos significa também o garantismo não apenas em sentido negativo, como limite do sistema punitivo, ou seja, como expressão dos direitos de proteção em relação ao Estado, mas também e sobretudo como "garantismo positivo". Isso significa a resposta às necessidades de segurança de todos os direitos; também, daqueles de provisão do Estado (direitos econômicos, sociais e culturais) e não apenas daquela pequena, mas importante parte deles, que poderíamos chamar de "direitos de provisão de proteção", em particular contra agressões decorrentes de comportamento criminoso de certas pessoas. Essa parte da insegurança urbana decorrente do comportamento criminoso não pode ser ignorada, mas entendendo que a necessidade de segurança dos cidadãos não é apenas uma necessidade de proteção contra a criminalidade e processos de criminalização. A segurança dos cidadãos corresponde à necessidade de estar e sentir-se garantidos no exercício de "todos" os próprios direitos: o direito à vida, à liberdade, ao livre desenvolvimento da personalidade e das próprias capacidades; o direito de se expressar e de se comunicar, o direito à qualidade de vida, bem como o direito de controlar e influenciar

---

475 GUIMARÃES, Isaac Sabbá. A intervenção penal para a proteção dos direitos e liberdades fundamentais: linhas de acerto e desacerto da experiência brasileira. *Revista dos Tribunais*, v. 797, mar. 2002, p. 450 e s.

476 FERREIRA, Gecivaldo Vasconcelos. *Princípio da proibição de proteção deficiente*: a outra face do garantismo. Disponível em: http://jus.com.br/artigos/13542/principio-da-proibicao-da-protecao-deficiente. Acesso em: 30 jan. 2023.

477 GOMES, Luiz Flávio. *Princípio da proibição de proteção deficiente*. Disponível em: http://ww3.lfg.com.br/public_html/article.php?story=2009120712405123. Acesso em: 3 maio 2014.

478 PEREIRA, Frederico Valdez. *Iniciativa probatória de ofício e o direito ao juiz imparcial no processo penal*. Porto Alegre: Livraria do Advogado, 2014, p. 61.

as condições das quais depende a existência de cada um, especificamente. A relação existente entre o garantismo negativo e o garantismo positivo equivale à relação entre política de direito penal e política de proteção integral de direitos. O todo usa cada um dos elementos que o compõem, mas cada um desses elementos precisa do todo[479].

O papel da soberania é também relevante nesse contexto. No Estado Democrático de Direito, a jurisdição é exercida como demonstração da parcela da soberania do Estado, e a aplicação de sanção criminal a alguém passa a ser considerada como monopólio da jurisdição no Estado de Direito. Porém, ainda que o conceito de soberania possa ser lido desde sua origem e em diversos ângulos como ilimitado, no caso do Estado Democrático de Direito o exercício da soberania interna estatal deve ser "controlado/orientado" pela preservação dos direitos fundamentais do cidadão, minimizando e procurando mesmo impedir que a discricionariedade no exercício do poder possa se manter e conduzir o processo. Nessa medida, o princípio da necessidade da jurisdição, que norteia o direito penal, se espraia para a igual inafastabilidade do processo. Para impor uma sanção de natureza criminal, é imprescindível o processo. É somente ao final do processo que o direito penal se concretiza. Portanto, o processo, no Estado Democrático de Direito, deve ser agora lido como dupla garantia do cidadão, pois, se é somente por meio do devido processo legal que o direito penal se efetiva, esse monopólio jurisdicional inafastável na promoção da Justiça penal não dá margem ao exercício arbitrário das próprias razões, ou seja, não dá margens à vingança das vítimas e de seus familiares.

É o Estado fornecendo a resposta racional e pré-mensurada do direito penal, fazendo-o com todas as garantias ao cidadão acusado, evitando que ele seja instrumentalizado como vingança estatal. Ou seja, não se deve admitir jamais que o Estado atue numa espécie de "justiceiro" de plantão, suprimindo garantias fundamentais do acusado em nome de respostas pautadas apenas pela busca de eficiência, como precisamente alerta Jacinto Nelson de Miranda Coutinho: "Neste quadro, não é admissível, em hipótese alguma, sinonimizar efetividade com eficiência, principalmente por desconhecimento. Afinal, aquela reclama uma análise dos fins; esta, a eficiência, desde a base neoliberal, responde aos meios"[480].

---

479 BARATTA, Alessandro. *Criminologia y sistema penal* (Compilación *in memoriam*). Trad. do italiano para o espanhol Marianela Pérez Lugo e Patricia Chiantera. Buenos Aires: BdeF, Julio César Faira Editor, 2004, p. 190-92. Tradução nossa.

480 COUTINHO, Jacinto Nelson de Miranda. *Efetividade do processo penal e golpe de cena*: um problema às reformas processuais, *cit.*, p. 143.

Porém, numa democracia plena e que se preocupe com todos os direitos fundamentais de todos os cidadãos, o Estado precisa igualmente se preocupar com as garantias fundamentais constitucionais da vítima, minimizando seu sofrimento decorrente do delito, com a adoção de medidas jurídicas, sociais e psicossociais em seu favor, e – sem descurar da visão de atuar como garantia ao acusado – deve também evitar mecanismos de sua revitimização ao longo do processo. Não à toa, portanto, no artigo 5º, *caput*, fala-se nos direitos fundamentais à vida e à segurança (este secundado pelo artigo 144, *caput*), e no mesmo artigo 5º, agora em seu inciso LIX, a Constituição reservou, como direito fundamental do cidadão-vítima (mas não apenas para a vítima, pois não há essa limitação no texto constitucional, como bem destaca Eugênio Pacelli de Oliveira[481]), a possibilidade de se valer da ação penal privada subsidiária da pública. Ou seja, na eventual inércia do Estado na promoção da Justiça penal, o próprio constituinte previu mecanismo de efetividade para a vítima que implicitamente controla o princípio da obrigatoriedade.

Para que não reste dúvida: não se está aqui pregando o sectário discurso de "lei e ordem" ou de "direito penal do inimigo", ou algo equivalente, nada disso. Tem-se plena compreensão das mazelas desses modelos radicais que mitigam os direitos e garantias do cidadão de forma a aniquilá-los, como já explorado anteriormente[482]. O que se quer, outrossim, nesse novo modelo de compreensão do processo penal brasileiro, fundado no Estado Democrático e Social de Direito e orientado pelo quanto dele resultou positivado na Constituição da República, é pontuar, a partir do paradigma da intersubjetividade, a necessidade de também se voltar o olhar para a vítima no processo penal. Assim, não se deve descurar que as garantias do acusado, caso sejam lidas de forma absoluta, possam, circunstancialmente e nessa medida, servir de escudo para novas violações de garantias fundamentais da vítima. Portanto, colocadas lado a lado as garantias dos cidadãos envolvidos no drama real resultante do caso penal, de maneira excepcional e pela via da interpretação restritiva, é necessário evitar processos concretos de revitimização. O processo necessita ser visto como o instrumento que dá efetividade aos direitos e garantias dos cidadãos em sua dupla dimensão. Por exemplo: em decorrência do caso que ficou conhecido como *Caso Mariana Ferrer*[483], o legislador brasileiro resolveu editar a Lei 14.245/2021, que

---

481 OLIVEIRA, Eugênio Pacelli de. *Processo e hermenêutica na tutela penal dos direitos fundamentais, cit.*, p. 2.

482 Sobre o tema, *vide* também: COUTINHO, Jacinto Nelson de Miranda. A crise da segurança pública no Brasil. BONATO, Gilson (Org.). *Garantias constitucionais e processo penal.* Rio de Janeiro: Lumen Juris, 2002, p. 181-86.

483 O "caso Mariana Ferrer" foi assim resumido na Justificativa do Projeto de Lei n. 5.096/2020, que gerou a respectiva lei: "Recentemente o país ficou perplexo com a divulgação de imagens de uma audiência de instrução e julgamento realizada no processo que apura crime de estupro praticado contra a blogueira Mariana Ferrer. As imagens foram divulgadas pelo *site The Intercept* e demonstram que a vítima sofreu uma verdadeira

levou o seu nome *Lei Mariana Ferrer*, introduzindo, no Código de Processo Penal brasileiro, os artigos 400-A e 474-A, nos seguintes termos:

> Art. 400-A. Na audiência de instrução e julgamento, e, em especial, nas que apurem crimes contra a dignidade sexual, todas as partes e demais sujeitos processuais presentes no ato deverão zelar pela integridade física e psicológica da vítima, sob pena de responsabilização civil, penal e administrativa, cabendo ao juiz garantir o cumprimento do disposto neste artigo, vedadas:
>
> I. a manifestação sobre circunstâncias ou elementos alheios aos fatos objeto de apuração nos autos;
>
> II. a utilização de linguagem, de informações ou de material que ofendam a dignidade da vítima ou de testemunhas.
>
> Art. 474-A. Durante a instrução em plenário, todas as partes e demais sujeitos processuais presentes no ato deverão respeitar a dignidade da vítima, sob pena de responsabilização civil, penal e administrativa, cabendo ao juiz presidente garantir o cumprimento do disposto neste artigo, vedadas:
>
> I. a manifestação sobre circunstâncias ou elementos alheios aos fatos objeto de apuração nos autos;
>
> II. a utilização de linguagem, de informações ou de material que ofendam a dignidade da vítima ou de testemunhas.

O caso concreto que desencadeou a criação dessas novas regras é importante ilustração da necessidade de se ter, também, instrumentos processuais penais de proteção da vítima ao longo do processo penal. A nova lei observa o quanto definido na *Declaração dos Princípios Básicos de Justiça Relativos às Vítimas da Criminalidade e de Abuso de Poder*, aprovada pela Assembleia da ONU em 29 de novembro de 1985. Em sentido similar, a *Diretiva 2012/29/UE*, do Parlamento Europeu e do Conselho, estabelece, no art. 18, que:

> Sem prejuízo dos direitos da defesa, os Estados-Membros devem assegurar a aplicação de medidas para proteger as vítimas e os seus familiares contra a vitimização secundária e repetida, a intimidação e a retaliação, nomeada-

---

violência psicológica durante o ato processual. Enquanto juiz e promotor se omitiam, o advogado de defesa do réu ofendeu diversas vezes a honra da vítima, tentando desqualificá-la, apresentando fatos e provas alheias aos autos. A vítima chegou a chorar na audiência e exigir que fosse tratada com respeito. Por sua vez, o juiz permitiu que o advogado continuasse a atacá-la. As imagens da audiência levaram o Conselho Nacional de Justiça a instaurar procedimento para investigar a conduta do magistrado" (Câmara dos Deputados. PL n. 5.096/2020. Disponível em: https://www.camara.leg.br/proposicoesWeb/prop_mostrarintegra?codteor=1940755&filename=PL-5096-2020. Acesso em: 30 jan. 2023).

mente contra o risco de danos emocionais ou psicológicos, bem como para proteger a dignidade das vítimas durante os interrogatórios e depoimentos. Se necessário, essas medidas devem incluir também procedimentos estabelecidos ao abrigo da legislação nacional que permitam a proteção física das vítimas e dos seus familiares[484].

E tudo isso também se ajusta ao quanto vem sendo decidido, em igual sentido, tanto pela Corte Europeia de Direitos Humanos (*v.g.*, o caso *Y. versus Eslovênia* e o caso *S.N. versus Suécia*) quanto pela Corte Interamericana de Direitos Humanos (*v.g.*, o caso *Roche Azaña e outros versus Nicarágua* e o caso *Empregados da Fábrica de Fogos e Seus Familiares versus Brasil*). Segue, igualmente, a Resolução 253/2018, do Conselho Nacional de Justiça, que definiu a "Política Institucional do Poder Judiciário de atenção e apoio às vítimas de crimes e atos infracionais".

O certo é que essa perspectiva, de pensar o processo penal também como instrumento de proteção das vítimas de crimes, merece levar em conta o papel dos tratados internacionais dos quais o Brasil é signatário, particularmente o Pacto de San José da Costa Rica (Convenção Americana de Direitos Humanos). Esses tratados, como bem observa Fauzi Hassan Choukr, "acabam por fazer também o papel de limitação do poder, atuando de fora para dentro e construindo uma espécie de barreira legislativa (e, como se verá, também de vetor interpretativo)"[485]. E, prossegue Fauzi, "os tratados internacionais acabam por ter sua exigibilidade perante a Jurisdição consagrada também no próprio plano internacional, seja através das cortes criadas especificamente para tal fim (e assim estamos no plano próprio da "*justiciability*") quer no contexto político-econômico, com as respectivas pressões advindas para o respeito a tais regras acordadas"[486].

Em outra faceta dessa mesma necessidade, tome-se, também, a complexidade da ideia de soberania numa sociedade globalizada e que tem como norte a questão econômica, como hoje se encontra o Brasil e a maior parte do mundo. Aliás, os conceitos de cidadania e soberania têm sido tensionados para se provocar um deslocamento de sentido em favor da economia[487].

---

484 Parlamento Europeu. Diretiva n. 2012/29/EU, publicada em 25 out. 2012. Disponível em: https://eur-lex. europa.eu/legal-content/PT/TXT/PDF/?Uri=CELEX:32012L0029&from=en. Acesso em: 30 jan. 2023.

485 CHOUKR, Fauzi Hassan. *Processo penal de emergência*. Rio de Janeiro: Lumen Juris, 2002, p. 20.

486 *Ibid.*, p. 20-21.

487 Como percebe, entre outros, MARQUES NETO, Agostinho Ramalho. Sobre a (im)possibilidade de uma ética neoliberal. In: MONT'ALVERNE, Martonio; LIMA, Barreto; ALBUQUERQUE, Paulo Antonio Menezes (Org.). *Democracia, direito e política*: estudos internacionais em homenagem a Friedrich Müller. Florianópolis: Conceito Editorial, 2006, p. 47.

Já a cidadania e a dignidade da pessoa humana são pressupostos da existência e da razão de ser do próprio Estado Democrático e Social de Direito e, portanto, aparecem na própria Constituição desse Estado. Com efeito, como afirma Jorge Miranda, "para o constitucionalismo, o fim está na proteção em que se conquista em favor dos indivíduos, dos homens cidadãos, e a Constituição não passa de um meio para o atingir"[488].

Nesse plano de se garantir, num Estado Democrático de Direito, a cidadania e a dignidade da pessoa humana, não se pode desconsiderar que existe uma série de outros poderes de fato e de direito para além do poder estatal que igualmente ameaçam a efetividade desses fundamentos do Estado brasileiro e condicionam a liberdade dos sujeitos. Como diz Lenio Streck, "é ilusório pensar que a função do Direito (e, portanto, do Estado), nesta quadra da história, esteja restrita à proteção contra abusos estatais"[489]. Konrad Hesse também adverte que "a liberdade humana é posta em perigo não só pelo Estado, mas também por poderes não-estatais, que na atualidade podem ficar mais ameaçadores do que as ameaças pelo Estado"[490]. Por sua vez, Michel Foucault bem identificou essa construção de uma sociedade normalizada no final do século XIX, em que a "norma" já não era apenas aquela estatal, mas também cotidiana e disciplinadora do corpo das pessoas[491]. O mesmo Foucault, seguido pelas estruturas complementares de seus mais importantes "seguidores" (Agambem, Negri e Esposito), também compreendeu que essa dinâmica de controle passou a ser muito maior com a biopolítica, transferindo o controle do indivíduo para o coletivo, identificando, também, a existência de uma ampla interferência regulatória na vida das pessoas, seja pelo Estado, seja pelos aparatos de poder não estatais. Os eventos experimentados com a pandemia da Covid-19 nos anos de 2020 a 2022 bem ilustram como se dá a participação estatal no controle biopolítico.

Ou seja, ao lado do poder do Estado existe um poder normalizador exercido no cotidiano das pessoas, muitas vezes, inclusive paradoxalmente, pelas próprias pessoas físicas e jurídicas privadas, criando aparatos de vigilância e regras internas de controle onde não há ameaça de sanção estatal, mas há constante ameaça aos direitos fundamentais.

Atento a essa questão, o doutrinador português João Baptista Machado considera que o Estado de Direito exige não apenas a garantia da defesa de direitos e liberdades

---

488 MIRANDA, Jorge. *Teoria do estado e da Constituição, cit.*, p. 325.

489 STRECK, Lenio Luiz. O dever de proteção do Estado (*Schutzpflicht*): O lado esquecido dos direitos fundamentais ou qual a semelhança entre os crimes de furto privilegiado e o tráfico de entorpecentes? *Jus Navigandi*, 15 jul. 2008. Disponível em: http://jus.com.br/artigos/11493/o-dever-de-protecao-do-estado-schutzpflicht. Acesso em: 30 jan. 2023.

490 HESSE, Konrad. *Elementos de direito constitucional da República Federal da Alemanha.* Trad. Luís Afonso Heck. Porto Alegre: Sérgio A. Fabris Editor, 1998, p. 278.

491 FOUCAULT, Michel. *Vigiar e punir, cit.*, p. 179.

contra o Estado, mas, "também, a defesa dos mesmos (*sic*) contra quaisquer poderes sociais de facto"[492].

Nesse contexto, na complexa sociedade pós-moderna das últimas décadas, o Estado não é o único a exercer poder e a merecer ter esse poder limitado, contido, pelo direito. Existem hoje inúmeras instituições privadas formais e informais que exercem os chamados *"poderes sociais de facto"* a que se refere João Baptista Machado.

Em determinados setores de criminalidade (notadamente aquela organizada e/ou elitizada, isto é, do "colarinho branco", na consagrada expressão de Sutherland[493]), vale compreender o que possa significar, em sede de processo penal, a constatação de Zygmunt Bauman no sentido de que, no atual modelo de sociedade, pautado fortemente pelo consumo[494], há evidente deslocamento do exercício de poder do Estado para as megacorporações e para instituições financeiras globais, as quais, portanto, chegam a deter muito mais poder do que o próprio Estado. Isso fica visível, por exemplo, na dificuldade que o Estado brasileiro encontra de obter informações ou acesso aos conteúdos de mensagens trocadas em aplicativos de celular (o exemplo maior se deu em relação ao aplicativo Telegram, nas eleições de 2022[495]) e, também, nas redes sociais[496].

Aliás, a percepção sociológica apresentada por Bauman[497] alcançou uma constatação assustadora: o "bom cidadão", que já foi considerado como sendo equivalente ao "bom consumidor", hoje já se desloca para ser o "bom devedor". Os grandes bancos chegam ao ponto de não quererem mais os bons pagadores como clientes preferenciais. Ao contrário, preferem os devedores com capacidade de renegociação da dívida, pois estes ficam sempre numa relação de dependência financeira com o banco. Ou seja: acabam transformando boa parte da sociedade numa sociedade de devedores perenes. E o Estado, nessa nova realidade, deve agir para proteger o cidadão. Essas instituições financeiras, portanto, assim como as megacorporações, têm interesses diversos dos interesses estatais, e seus agentes, não raras vezes, cometem delitos de proporções significativamente amplas. Tal é a preocupação com essa temática que o

---

492 MACHADO, João Baptista. *Introdução ao direito e ao discurso legitimador.* 17. reimpr. Coimbra: Almedina, 2008, p. 59.

493 SUTHERLAND, Edwin H. *El delito de cuello blanco, cit.*, 2009.

494 BAUMAN, Zygmunt. *Vida para consumo.* A transformação das pessoas em mercadoria. Trad. Carlos Alberto Medeiros. Rio de Janeiro: Zahar, 2008.

495 Conforme amplamente noticiado, na tentativa de evitar a disseminação de *fake news* no processo eleitoral de 2022, o Tribunal Superior Eleitoral encontrou muita dificuldade de contatar o representante do Telegram no Brasil, cogitando determinar o banimento do aplicativo em território nacional.

496 Sobre o tema, *vide*: GUIMARÃES, Rodrigo Régnier Chemim. O Facebook e o acesso à informação para fins penais no Brasil à luz do Marco Civil da Internet: urgente necessidade de se firmar a jurisprudência do STJ. *Revista do Ministério Público do Estado do Paraná.* Curitiba: Ministério Público do Estado do Paraná, ano 5, n. 8, 2018, p. 425-35.

497 BAUMAN, Zygmunt. *Vida a crédito.* Trad. Alexandre Werneck. Rio de Janeiro: Zahar, 2010, p. 31.

direito penal no mundo ocidental – à exceção da Alemanha[498] – já vem procurando legislar a respeito da responsabilidade penal das pessoas jurídicas. No Brasil, como se sabe, essa possibilidade já é admitida constitucionalmente em crimes ambientais. O processo penal, portanto, também deve ser pensado nessa dimensão, ajustando-se à realidade de uma criminalização do ente coletivo para efetivação dos direitos fundamentais do cidadão/consumidor/devedor. Mas é preciso pensar, também, noutras potenciais vítimas dessas megaempresas que dominam setores da vida em sociedade. Se o cidadão é tratado hoje como consumidor/devedor, também nessa perspectiva ele pode ser uma vítima a merecer diferenciada proteção estatal. E aqui a grandeza de dignidade da pessoa humana, à luz do paradigma da intersubjetividade, como ideia fundante do Estado Democrático de Direito, ganha uma dimensão mais forte no sentido de proteção também das vítimas dos delitos.

Ao lado das megacorporações, das "*big techs*" e dos bancos, tem-se a instituição de outros poderes de fato, os denominados "poderes paralelos" da criminalidade organizada e mesmo aquelas estruturas de intimidação coletiva que costumam agir preferencialmente – mas não exclusivamente – nos espaços territoriais de abandono estatal. Esses exercícios paralelos de poder, esses "poderes sociais de facto", de que fala João Baptista, merecem igual atenção do Estado, que deve agir para proteger o cidadão. Ainda que se tenha consciência de que nem o direito penal e tampouco o processo penal provocarão mudanças desse quadro social de abandono, pois, como se sabe, isso só se reverte com muito investimento em educação e em efetivas políticas públicas básicas, não há como desconsiderar a realidade em que se vive. Enquanto o Estado não reverter o quadro – que parece, pelo histórico brasileiro, tendente a ser relativamente perene –, é preciso dar guarida sistemática e constitucional de proteção aos direitos fundamentais das pessoas que vivem nessas comunidades, tanto quanto a segurança privada dá à classe mais abastada.

Desse modo, seguindo ainda com o pensador português, é possível afirmar que a ideia de Estado de Direito "se demite da sua função quando se abstém de recorrer aos meios preventivos e repressivos que se mostrem indispensáveis à tutela da segurança, dos direitos e liberdades dos cidadãos"[499]. E essa preocupação vem expressada nas garantias constitucionais de inviolabilidade do direito à vida, à liberdade, à igualdade, à segurança e à propriedade, conforme disposto no *caput* do artigo 5º, c.c. artigo

---

498 A Alemanha não adotou o modelo basicamente por duas razões essenciais: foi a precursora da dogmática penal pautada na conduta humana e não pretende desvincular-se desse modelo e por ter um sistema de punição administrativa que funciona a contento, com elevado controle de desvios de comportamento dos agentes fiscais do Estado.

499 MACHADO, João Baptista. *Introdução ao direito e ao discurso legitimador, cit.*, p. 59.

144, ambos da Constituição[500], sem olvidar a gama de direitos e garantias processuais dos incisos do mesmo artigo 5º e da titularidade da ação penal pública prevista no artigo 129, inc. I, da mesma Constituição.

O que surge de dúvida na exegese dessa regra é como compatibilizar as garantias de inviolabilidade do direito à vida, à liberdade, à igualdade, à segurança e à propriedade. A colisão de interesses pode ser marcante se for levada em conta cada uma das inviolabilidades em seu sentido plenipotenciário. Mesmo a garantia à vida pode ceder diante de situações que legitimam sua eliminação (legítima defesa da vida de outrem ou até mesmo, em certa medida, a legítima defesa da propriedade, por exemplo).

Não é de se admirar que, no embate entre o Estado de Natureza e o Estado de Direito, desde Hobbes se venha procurando segurança como forma de garantir a vida (que decorre do medo da morte violenta, como refere Agostinho Ramalho[501]), restando saber em que medida isso seria razoável sem restringir exageradamente a liberdade das pessoas. Como já destacado, Freud não deixou de tratar dessa questão, analisando-a tanto em *O futuro de uma ilusão* quanto em *O mal-estar na civilização*, explicitando como é dramática essa colisão de interesses, notadamente entre a liberdade de gozar plenamente todos os impulsos inatos e a necessidade de estabelecer freios em nome de uma segurança pessoal e coletiva. Do primeiro texto, extrai-se esta importante passagem:

> Se se imaginarem suspensas as suas proibições – se, então, se pudesse tomar a mulher que se quisesse como objeto sexual; se fosse possível matar sem hesitação o rival ao amor dela ou qualquer pessoa que se colocasse no caminho, e se, também, se pudesse levar consigo qualquer dos pertences de outro homem sem pedir licença –, quão esplêndida, que sucessão de satisfações seria a vida! É verdade que logo nos deparamos com a primeira dificuldade: todos os outros têm exatamente os mesmos desejos que eu, e não me tratarão com mais consideração de que eu os trato. Assim, na realidade, só uma única pessoa se poderia tornar irrestritamente feliz através de uma tal remoção das restrições da civilização, e essa pessoa seria um tirano, um ditador, que se tivesse apoderado de todos os meios de poder. E mesmo ele teria todos os

---

500 BRASIL. Constituição Federal de 1988: "Art. 5º Todos são iguais perante a lei, sem distinção de qualquer natureza, garantindo-se aos brasileiros e aos estrangeiros residentes no País a inviolabilidade do direito à vida, à liberdade, à igualdade, à segurança e à propriedade, nos termos seguintes (...)".

501 MARQUES NETO, Agostinho Ramalho. Hobbes e as paixões. *Empório do Direito*. Disponível em: http://emporiododireito.com.br/hobbes-e-as-paixoes-por-agostinho-ramalho-marques-neto/. Acesso em: 6 de jun. 2015.

Processo Penal | Fundamentos dos fundamentos

> motivos para desejar que os outros observassem pelo menos um mandamento cultural: não matarás[502].

E nesse contexto angustiante de ser necessário conter os próprios instintos, o mesmo Freud considerou que são três as fontes de onde nasce o sofrimento humano: "o poder superior da natureza, a fragilidade de nossos próprios corpos e a inadequação das regras que procuram ajustar os relacionamentos mútuos dos seres humanos na família, no Estado e na sociedade"[503]. Já se sabe que as duas primeiras não são plenamente controláveis pelo homem, mas a terceira costuma inclusive ser repudiada pelo homem que não gostaria de se ver privado de sua liberdade. Porém, vale o alerta de Agostinho Ramalho: "falar de liberdade é sempre e necessariamente falar de limites"[504]. Assim que o próprio Freud alerta para os riscos de uma liberdade plena, como no trecho anteriormente destacado, e, portanto, admite que o "homem civilizado trocou uma parcela de suas possibilidades de felicidade por uma parcela de segurança"[505]. Uma troca, no entanto, e como refere Bauman, necessariamente conduz à compreensão de uma perda, com o que se permite dizer que "a liberdade sem segurança não tende a causar menos infelicidade do que a segurança sem liberdade". Bauman ainda considera que procurar estabelecer "o equilíbrio entre liberdade e segurança talvez seja uma incongruência lógica e uma impossibilidade prática, mas isso, por si mesmo, é a mais poderosa razão para procurar formas ainda melhores para a troca"[506], com o que ele conclui analisando a transição histórica que permite enxergar um deslocamento da contenção estatal em relação à segurança:

> Durante a maior parte da história moderna, o principal perigo para a democracia foi corretamente visto nas restrições impostas sobre a liberdade humana pelos poderes de polícia das instituições a cargo da "segurança assegurada coletivamente". Parece que hoje a democracia está ameaçada principalmente pelo lado oposto: é a segurança garantida de forma coletiva que deixa muito a desejar – sendo abandonada de maneira gradual como um objetivo válido de política pública e desacreditado como um valor que vale a pena defender.

---

502 FREUD, Sigmund. O futuro de uma ilusão. *Edição standard brasileira das obras psicológicas completas de Sigmund Freud*. O futuro de uma Ilusão. O mal-estar da civilização e outros trabalhos (1927-1931). Rio de Janeiro: Imago, 1996. v. 21, p. 24.

503 FREUD, Sigmund. O mal-estar na civilização, *cit.*, p. 93.

504 MARQUES NETO, Agostinho Ramalho. Sobre a (im)possibilidade de uma ética neoliberal, *cit.*, p. 44.

505 FREUD, Sigmund. O mal-estar na civilização, *cit.*, p. 119.

506 BAUMAN, Zygmunt. *A sociedade individualizada*. Vidas contadas e histórias vividas. Trad. José Grade. Rio de Janeiro: Zahar, 2008, p. 58-59.

O déficit de liberdade resulta numa incapacidade para a autoafirmação, para resistir, para "ficar de pé e ser contado". O déficit de segurança resulta numa dissipação da coragem para imaginar uma causa plausível para a resistência e para se reorganizar em nome de uma sociedade mais hospitaleira para as necessidades e os desejos humanos. Em ambos os casos, o resultado é muito similar: o enfraquecimento das pressões democráticas, a crescente incapacidade para atuar politicamente, um maciço afastamento da política e da cidadania responsável.

Temos boas razões para suspeitar que a reconciliação e a coexistência pacífica completa e livre de conflitos entre a liberdade e a segurança é um objetivo inalcançável. Mas existem razões igualmente fortes para supor que o principal perigo, tanto para a liberdade como para a segurança, está em abandonar a busca por tal coexistência ou mesmo em diminuir a energia com que tal busca é conduzida. Do modo como estão as coisas neste momento, é preciso dedicar mais atenção à segurança dessa união desejada[507].

Disso tudo resulta, como destaca Ricardo Marcelo Fonseca, que, ao lado do "sujeito de direito", encontra-se o "sujeito real", o qual cada vez tem menos autonomia política e intelectual para "desatar-se do caráter sistêmico das diversas racionalidades que o envolvem, cada vez mais envolto em dispositivos e tecnologias de poder que o tornam mais controlado, disciplinado e 'normalizado'"[508]. E conclui Ricardo Marcelo: "percebe-se em nossa contemporaneidade uma teia de incidência de poderes sobre os sujeitos concretos que os limitam, os constrangem, os dirigem, os isolam, os disciplinam e os controlam, sem que o poder do direito (o único que as teorias política e jurídica tradicionais trabalham) se dê conta disso"[509].

Assim, no Estado Democrático de Direito, para além de se compreender que os direitos e garantias devam servir de barreira para evitar abusos estatais, tem-se também a preocupação de enxergar o Estado como sendo um garante dos direitos dos cidadãos, inclusive do "cidadão-real". Nesse contexto, deve-se ter em conta a referência à ideia de "vida nua" de Giorgio Agamben, inspirada no conceito de "mera

---

507 BAUMAN, Zygmunt. *A sociedade individualizada*, *cit.*, p. 75-76.

508 FONSECA, Ricardo Marcelo. O poder entre o direito e a "norma": Foucault e Deleuze na teoria do estado. FONSECA, Ricardo Marcelo (Org.). *Repensando a teoria do estado*. Belo Horizonte: Fórum, 2004, p. 279.

509 FONSECA, Ricardo Marcelo. *Repensando a teoria do estado*, *cit.*, p. 279.

vida"[510] de Walter Benjamin[511]. Como explica Agamben, a "vida nua" é considerada como uma vida que é colocada à margem do ordenamento[512]. Para ele, o espaço da vida nua (*"zoé"*) é separado das formas de vida qualificadas (*"bíos"*), permitindo que o ser humano seja tratado como a vetusta figura romana do *"homo sacer"*, isto é, como aquele que podia ser morto por qualquer um impunemente[513]. Assim, se uma vida não se ajusta às regras do poder, não é por ele considerada como tal, é esvaziada, fazendo com que o sujeito passe a viver em constante "estado de exceção". O poder acaba conduzindo a "vida nua" a espaços de não proteção, a exemplo do que se verificou com os prisioneiros de Guantánamo, que se encontravam numa espécie de "limbo" jurídico. E essa "vida nua" do sujeito não politizado, do *"homo sacer"* esquecido pelo Estado, pode ser atribuída a qualquer um, sendo que, no âmbito do processo penal, esse *"homo sacer"* pode ser tanto o réu (violado em seus direitos e garantias pelo Estado) quanto a vítima (violada em seus direitos e garantias pelo outro), e até mesmo ambos (na convivência das violações de garantias pelo Estado e pelo particular). As violações de garantias de lado a lado, portanto, também podem ser fortemente influenciadas pelo contexto social em que o sujeito estiver inserido.

Nessa perspectiva, um "processo para o cidadão real", que vise evitar a colocação do sujeito como *"homo sacer"*, deve ser um processo que sirva para todos os sujeitos e, nessa medida, sirva para a nação, levando em conta que se vive numa sociedade excludente e de "tradicional" despreocupação com o cidadão, como é a brasileira. O processo deve servir principalmente para proteger dos abusos – públicos e particulares – aquele que costuma ser o "outro" (ou, *"contrario sensu"* e didaticamente, um processo que se gostaria de ver aplicado quando "nós" fossemos os réus, sem esquecer, de outro lado, que também "nós" poderemos ser as vítimas).

É nesse contexto que se dá relevância à exegese da dignidade da pessoa humana como integrante da ideia fundante do sistema acusatório, a qual deve levar em conta o imperativo categórico kantiano no sentido de que "nunca se deve tratar qualquer pessoa (nem permitir que a própria pessoa seja tratada) como coisa, ou seja, apenas

---

510 A tradução para o português foi por "mera vida", mas há quem diga que seria "vida nua". Jeanne Marie Gagnebin, que organiza, apresenta e introduz notas ao texto de Walter Benjamin, refere, em nota de rodapé à página 151: "no original, *das blosse Leben*. O adjetivo *bloss* significa 'mero', 'simples', 'sem nenhum suplemento'. Há uma nuance entre *nackt*, que designa a nudez de uma criança que sai do corpo de sua mãe, e *bloss*, que designa o 'nu' no sentido de 'despido', em oposição a 'coberto' com roupa ou roupagem (retórica, por exemplo). Nesse contexto, é discutível a aproximação instigante, mas talvez apressada, que Giorgio Agamben estabelece entre este ensaio de Benjamin e o conceito de 'vida nua', base da biopolítica contemporânea..." (GAGNEBIN, Jeanne Maria. Para uma crítica da violência. In: BENJAMIN, Walter. *Escritos sobre mito e linguagem (1915-1921)*. Trad. Suzana Kampff Lages e Ernani Chaves. São Paulo: Editora 34, 2011, p. 151).

511 BENJAMIN, Walter. Para uma crítica da violência, *cit.*, p. 151.

512 AGAMBEN, Giorgio. *"homo sacer"*. O poder soberano e a vida nua. 2. ed. Trad. Henrique Burigo. Belo Horizonte: Editora UFMG, 2012, p. 16.

513 *Ibid.*, p. 135.

como meio para a consecução de fins quaisquer"[514]. Luís Roberto Barroso bem detalha as três dimensões de conteúdo que essa ideia considera. O primeiro norte filosófico e ontológico de interpretação da dignidade da pessoa humana vincula-se ao "valor intrínseco de todos os seres humanos". A pessoa humana não é coisa e não é animal, pois tem o diferencial da racionalidade. Assim, se a "coisa tem preço", a "pessoa tem dignidade". O ser humano, portanto, não pode ser usado como "um meio para a realização de metas coletivas ou de projetos pessoais dos outros", assim, é preciso também considerar que o Estado "existe para o indivíduo, e não o contrário"[515]. Juridicamente, isso se evidencia nos direitos humanos fundamentais, a exemplo do direito à vida, à integridade física e psíquica e à "igualdade perante a lei e na lei"[516]. A segunda dimensão aponta para a "autonomia de cada indivíduo", isto é, para a questão ética, ilustrada pelo fato de que se deve considerar que a pessoa humana tem capacidade de ter vontade, de fazer escolhas, em decorrência de seu livre-arbítrio e do uso da razão[517]. Baseado na classificação de Habermas, Barroso aponta que a autonomia se desdobra em "autonomia privada", ao se referir à capacidade de autogoverno de cada pessoa, identificada na liberdade de ir e vir, de se expressar, de seguir uma religião, e em "autonomia pública", que é associada à ideia de cidadania. Nesse último sentido, deve-se considerar que todos têm direito de participar da vida pública, filiando-se a partidos políticos, votando e sendo votado, associando-se a movimentos sociais, concorrendo a cargos públicos e participando do debate público. Ainda nessa dimensão, é ínsito à ideia de dignidade humana o conceito de "mínimo existencial", isto é, o direito básico às provisões necessárias para que se viva dignamente[518]. Por fim, Barroso aponta para o "valor comunitário" da dignidade da pessoa humana, referindo as situações nas quais a autonomia pode ser legitimamente limitada em nome de interesses do Estado ou da sociedade. Ele invoca o famoso poema do inglês John Donne ("nenhum homem é uma ilha, completa em si mesma") e aponta que "os contornos da dignidade humana são moldados pelas relações do indivíduo com os outros, assim como com o mundo ao seu redor"[519]. Identifica, então, uma limitação à autonomia por "compromissos, valores e crenças

---

514 Conforme precisamente referido por GIACOIA JUNIOR, Oswaldo. *Nietzsche x Kant*: uma disputa permanente a respeito de liberdade, autonomia e dever. Rio de Janeiro: Casa da Palavra; São Paulo: Casa do Saber, 2012, p. 21.

515 BARROSO, Luís Roberto. *A dignidade da pessoa humana no direito constitucional contemporâneo*. A construção de um conceito jurídico à luz da jurisprudência mundial. Trad. Humberto Laport de Mello. 3. reimpr. Belo Horizonte: Fórum, 2014, p. 77.

516 *Ibid.*, p. 78.

517 *Ibid.*, p. 81.

518 *Ibid.*, p. 83-85.

519 *Ibid.*, p. 87.

compartilhadas" pela comunidade e pelas normas impostas pelo Estado, que podem se verificar para assegurar o direito de outrem. O indivíduo, portanto, diz Barroso, "vive dentro de si mesmo, de uma comunidade e de um Estado, e sua autonomia pessoal é restringida por valores, costumes e direitos de outras pessoas tão livres e iguais quanto ele, assim como pela regulação estatal coercitiva"[520]. Assim, a dignidade como valor comunitário enfatiza o "papel do Estado e da comunidade no estabelecimento de metas coletivas e de restrições sobre direitos e liberdades individuais em nome de certa concepção de vida boa"[521]. Quando alguém é lesado, portanto, quando se pratica um crime, é possível pensar na punição da pessoa humana como forma de proteger o outro. Há também casos nos quais é necessário proteger a pessoa dela mesma, como se deu com o caso do "arremesso de anão", proibido na França[522]. E, ainda, aqueles casos nos quais é possível se pensar na imposição de valores sociais compartilhados, como se dá, por exemplo, com a criminalização da pedofilia. E isso tudo, pondera Barroso, não é incompatível com a lição kantiana em torno do tema, pois Kant organizou um sistema "fundado sobre um dever de moralidade que inclui o respeito por outros e por si mesmo"[523].

Essa compreensão também deve ser conjugada com o quanto defendido pela Filosofia da Libertação de Enrique Dussel, temperada com os aspectos psicanalíticos identificados por Freud e Lacan, que revelam como funciona e como se comporta a natureza humana nas relações interpessoais. Assim, é partindo do imperativo categórico kantiano, da fusão do paradigma da identificação das vítimas a que refere Dussel – de todas elas – e da forma como se estrutura a psique humana que se poderá melhor compreender o sentido do princípio da dignidade da pessoa humana e, portanto, estabelecer qual modelo de sociedade esse novo processo penal deve tutelar. Partindo da premissa do "outro-vítima", de que fala Dussel, deve-se compreender o processo penal, de um lado, prioritária e paradoxalmente, como se ele fosse destinado a ser usado contra quem é o intérprete da Constituição e das leis, pois somente quando se consegue colocar na posição do "outro" é que se compreende a dimensão dramática do processo como meio, como instrumento, para efetivação do direito penal. Só assim se consegue compreender que o sistema de garantias processuais previsto no texto constitucional tem importância

---

520 *Ibid.*, p. 87.

521 *Ibid.*, p. 88.

522 Barroso assim descreve o caso: "O prefeito de Morsang-sur Orge, uma cidade próxima de Paris, proibiu uma atração de casas noturnas conhecida como '*lancer de nain*', na qual um anão, equipado com aparelhos de proteção, era lançado a curtas distâncias pelos fregueses do estabelecimento até cair sobre um colchão de ar. Ao julgar um recurso contra esse ato, a Corte Administrativa anulou a decisão do prefeito, mas o Conselho de Estado, a corte superior em matéria administrativa, reverteu essa decisão e reestabeleceu a proibição. O raciocínio do Conseil foi baseado na defesa da ordem pública e da dignidade humana".

523 BARROSO, Luís Roberto. *A dignidade da pessoa humana no direito constitucional contemporâneo, cit.*, p. 89.

significativa para todos os cidadãos, inclusive para o intérprete, que não está livre de, amanhã ou depois, vir a se encontrar na condição de acusado.

No entanto, simultaneamente e de outro lado, é necessário também se colocar na posição do "outro" como vítima que possa – como não raras vezes acontece – enfrentar mecanismos legais e ilegais de revitimização (também chamada de "vitimização secundária" ou, ainda, de "sobrevitimização"[524]) ao longo do curso do processo não apenas pelo aparato estatal, mas também, notadamente, pelos aparatos de poder privados. Não são raros os exemplos do cotidiano brasileiro a revelar como isso se dá, valendo por todos os inúmeros casos de redução à condição análoga à de escravo que ainda ocorrem em diversas lavouras brasileiras[525] ou mesmo o domínio territorial e as submissões, humilhações e constrangimentos cotidianos que os traficantes de drogas[526], ou mesmo as novéis "milícias"[527], impõem aos moradores de diversas favelas no Rio de Janeiro.

Enfim, o que se deve ter, no processo penal constitucional de dupla face dos direitos e garantias, é um processo garantista para o "outro-acusado" como premissa básica de interpretação, porém, moderado com instrumentos que garantam também ao "outro-vítima" não passar por constrangimentos de revitimização que possam ser debitados, paradoxalmente, ao próprio sistema de garantias do réu no processo.

---

524 BARROSO, Luís Roberto. *A dignidade da pessoa humana no direito constitucional contemporâneo, cit.*, p. 89.

525 Segundo o relatório de 2006 da Organização Internacional do Trabalho: "de 1995 até 2005, 17.983 pessoas foram libertadas em ações dos grupos móveis de fiscalização, integrados por auditores fiscais do Trabalho, procuradores do Trabalho e policiais federais. No total, foram 1.463 propriedades fiscalizadas em 395 operações. As ações fiscais demonstram que quem escraviza no Brasil não são proprietários desinformados, escondidos em fazendas atrasadas e arcaicas. Pelo contrário, são latifundiários, muitos produzindo com alta tecnologia para o mercado consumidor interno ou para o mercado internacional. Não raro nas fazendas são identificados campos de pouso de aviões. O gado recebe tratamento de primeira, enquanto os trabalhadores vivem em condições piores do que as dos animais" (SAKAMOTO, Leonardo (coord.). *Trabalho escravo no Brasil do século XXI*. Brasília: OIT, 2006, p. 24). Disponível em: https://www.ilo.org/wcmsp5/groups/public/---americas/---ro-lima/---ilo-brasilia/documents/publication/wcms_227551.pdf. Acesso em: 30 jan. 2023.

526 Existem inúmeros estudos a respeito do problema do tráfico de drogas e do domínio em torno da população no Brasil. A título ilustrativo, *vide*: BARCELLOS, Caco. *Abusado*: o dono do morro Dona Marta. Rio de Janeiro: Record, 2003.

527 Sobre o tema, *vide*, entre outros: CANO, Ignacio; DUARTE, Thais. *No sapatinho*: evolução das milícias no Rio de Janeiro (2008-2011) – CANO, Ignacio; DUARTE, Thais (coord.); ETTEL, Kryssia; CRUZ, Fernanda Novaes (pesq.). Rio de Janeiro: Fundação Heinrich Böll, 2012. Disponível em: http://br.boell.org/sites/default/files/no_sapatinho_lav_hbs1_1.pdf. Acesso em: 30 jan. 2023, p. 132, *verbis*: "Assim, a definição do conceito de milícia no momento atual no estado do Rio de Janeiro, poderia ser feita a partir de cinco pontos que deveriam se dar de forma simultânea: a) controle de pequenos territórios e das suas respectivas populações por parte de grupos armados irregulares que fazem uso efetivo ou potencial da violência; b) coação contra moradores e comerciantes locais. Embora exista sempre um grau parcial de legitimação e de tolerância dos moradores, se a intimidação estiver ausente, estaríamos falando em segurança privada; c) motivação de lucro individual dos componentes desses grupos. Na ausência do antigo discurso de legitimação público, o objetivo das milícias ficou mais escancarado. Isso não exclui, em alguns casos, a tentativa de implantar, em paralelo, agendas ou projetos morais (luta contra o consumo de drogas etc.), mas essas motivações são sempre secundárias em relação ao lucro; d) posições de comando ocupadas por parte de agentes de segurança pública do Estado que agem de forma privada; e) imposição de taxas obrigatórias a moradores ou comerciantes em troca da suposta proteção e/ou aplicação de monopólios coativos sobre certos produtos e serviços consumidos na comunidade. Como no segundo ponto, a coerção é essencial, caso contrário estaríamos perante grupos de segurança privada ou monopólios com base econômica".

Nesse contexto, como refere Tzvetan Todorov, o princípio democrático recomenda que todos os poderes sejam limitados: não só os dos Estados, mas também os dos indivíduos, inclusive quando vestem os "ouropéis da liberdade"[528]. Mais adiante ele sintetiza: "nada nos obriga a limitar-nos à escolha entre 'o Estado é tudo' e o 'indivíduo é tudo': precisamos defender os dois, Estado e indivíduo, cada um limitando os abusos do outro"[529], intersubjetivamente. Ou seja, os direitos fundamentais do cidadão também devem produzir seus "efeitos perante terceiros", como também destacam, dentre outros, Konrad Hesse[530] e Gomes Canotilho[531].

O Supremo Tribunal Federal brasileiro, por sua Segunda Turma, em voto vencedor do ministro Gilmar Mendes, também acenou para essa dupla face da proteção dos direitos fundamentais previstos na Constituição, valendo destacar o seguinte trecho do julgado:

> Mandados constitucionais de criminalização: A Constituição de 1988 contém significativo elenco de normas que, em princípio, não outorgam direitos, mas que, antes, determinam a criminalização de condutas (CF, art. 5º, XLI, XLII, XLIII, XLIV; art. 7º, X; art. 227, § 4º). Em todas essas é possível identificar um mandado de criminalização expresso, tendo em vista os bens e valores envolvidos. Os direitos fundamentais não podem ser considerados apenas proibições de intervenção (*"Eingriffsverbote"*), expressando também um postulado de proteção (*"Schutzgebote"*). Pode-se dizer que os direitos fundamentais expressam não apenas uma proibição do excesso (*"Übermassverbote"*), como também podem ser traduzidos como proibições de proteção insuficiente ou imperativos de tutela (*"Untermassverbote"*). Os mandados constitucionais de criminalização, portanto, impõem ao legislador, para seu devido cumprimento, o dever de observância do princípio da proporcionalidade como proibição de excesso e como proibição de proteção insuficiente. 1.2. Modelo exigente de controle de constitucionalidade das leis em matéria penal, baseado em níveis de intensidade: Podem ser distinguidos 3 (três) níveis ou graus de intensidade do controle de constitucionalidade de leis penais, consoante as diretrizes elaboradas pela doutrina e jurisprudência constitucional alemã: a) controle de evidência (*"Evidenzkontrolle"*); b) controle de sustentabilidade ou justificabilidade (*"Vertretbarkeitskontrol-*

---

528 TODOROV, Tzvetan. *Os inimigos íntimos da democracia*. Trad. Joana Angélica d'Ávila Melo. São Paulo: Companhia das Letras, 2012, p. 149.

529 *Ibid.*, p. 149.

530 HESSE, Konrad. *Elementos..*, *cit.*, p. 281.

531 GOMES CANOTILHO, J. J. *Direito constitucional e teoria da Constituição*. 7. ed. Coimbra: Almedina, 2003, p. 409.

le"); c) controle material de intensidade (*"intensivierten inhaltlichen Kontrolle"*). O Tribunal deve sempre levar em conta que a Constituição confere ao legislador amplas margens de ação para eleger os bens jurídicos penais e avaliar as medidas adequadas e necessárias para a efetiva proteção desses bens. Porém, uma vez que se ateste que as medidas legislativas adotadas transbordam os limites impostos pela Constituição – o que poderá ser verificado com base no princípio da proporcionalidade como proibição de excesso (*"Übermassverbot"*) e como proibição de proteção deficiente (*"Untermassverbot"*) –, deverá o Tribunal exercer um rígido controle sobre a atividade legislativa, declarando a inconstitucionalidade de leis penais transgressoras de princípios constitucionais[532].

Nesta quadra, excepcionalmente, mas sempre em sede de interpretação circular e restritiva, o processo penal no Estado Democrático e Social de Direito orientado à luz da dignidade da pessoa humana e da intersubjetividade pode ser igualmente pensado em termos de "condutas positivas" do Estado "tendentes a efetivar e proteger a dignidade do indivíduo", no sentido dado por Ingo Sarlet[533], o qual ainda considera, na mesma linha de pensamento de Luís Roberto Barroso, anteriormente destacada, que é preciso pensar "na dimensão comunitária (ou social) da dignidade da pessoa humana, na medida em que todos são iguais em dignidade e como tais convivem em determinada comunidade ou grupo"[534]. Vem daí que, no mesmo artigo 5º da Constituição Federal, existem determinadas normas constitucionais "incriminadoras", ou mandamentos constitucionais de intervenção do legislador penal[535], que podem ser usadas nesse sentido. Para além das regras de tipificação material, também é preciso considerar as de cunho processual penal, a exemplo da prisão preventiva (art. 5º, LXVI), como hipótese igualmente legitimada na proteção de direitos e garantias do cidadão-vítima. Fica clara, aqui, a necessidade de se equilibrar a compreensão da dupla face dos direitos fundamentais.

Assim, se é certo que o acusado deve responder ao processo penal em liberdade, pois ao cidadão se assegura a presunção de inocência e lhe restringir a liberdade nesse momento representaria uma violação da proibição de excessos, também é certo que a vítima não pode ficar refém de ameaças concretas contra sua vida ou atitudes intimidatórias igualmente concretas no sentido de vir a ser novamente vítima em sede de reiteração de comportamento por parte daquele que ainda responde ao processo, pois a Constituição lhe assegura o direito fundamental à vida, à integridade física

---

532 STF, 2ª T., HC 102.087/MG, rel. p/ o ac. Min. Gilmar Mendes, j. 28/2/2012. Disponível em: https://jurisprudencia.stf.jus.br/pages/search/sjur212669/false. Acesso em: 30 jan. 2023.

533 SARLET, Ingo Wolfgang. *A eficácia dos direitos fundamentais, cit.*, p. 106.

534 *Ibid.*, p. 102.

535 Conforme, entre outros: FELDENS, Luciano. *A Constituição penal, cit.*

e à segurança. Dessa forma, abandonar a vítima à própria sorte diante de ameaças concretas por parte de um acusado presumidamente inocente, no curso de um processo penal naturalmente moroso, é violar a proibição de proteção insuficiente aos direitos fundamentais da vítima.

Nesse compasso, num sistema de processo penal fundado no Estado Democrático e Social de Direito, ainda que se admita como regra a liberdade do acusado no curso do processo como espelho da vedação de excesso ao Estado, também se admite, em caráter excepcional, a possibilidade da prisão preventiva (ou de outras medidas cautelares diversas da prisão) como um efeito da proibição de proteção insuficiente aos direitos fundamentais da vítima e perante terceiros, atuando como espelho da vedação de proteção insuficiente do Estado. Aliás, nesse tema, vale registrar que, antes da reforma parcial do Código de Processo Penal brasileiro, no Título "Da Prisão, das Medidas Cautelares e da Liberdade Provisória", em 2011, a legislação tratava a matéria da prisão cautelar com evidente violação tanto ao princípio da proibição de excessos quanto, paradoxalmente, ao princípio da proibição da proteção insuficiente, pois deixava o magistrado vinculado a duas opções radicais: ou o réu ficava preso ou solto, sem possibilidades de adoção de medidas alternativas à prisão cautelar. A reforma de 2011, ao criar nove medidas cautelares diversas da prisão, revelou que, em diversas situações, elas podem ser mais adequadas e menos traumáticas à solução de possíveis abusos por parte do acusado, sem radicalizar com sua prisão processual, que pode colidir de forma excessiva com a presunção de inocência[536].

É utópico – sem descurar da importância da utopia como móvel que se permita avançar para outra realidade – querer estabelecer, desde já, um processo penal que ignore a realidade em todos os seus aspectos, isto é, que desconsidere seja a realidade de pobreza extrema de boa parte da população brasileira, seja a realidade de privilégios e da existência de castas[537] ainda dificilmente alcançáveis em seus desmandos, seja que ambos estão inseridos num modelo de sociedade capitalista.

Qualquer discussão de modelo de processo penal na atual realidade brasileira deve levar isso em conta ou então trabalhar com realidade não evidenciada, de um mundo ideal platônico e utópico que, sinceramente, é difícil acreditar possa estar se aproximando. E, antes que algum apressado juízo "rotulador" pregue logo a marca de "conservador antiutopista", como costumam fazer alguns sectaristas, é preciso deixar claro que a questão é muito mais complexa e vai muito mais além do que a

---

536 Sobre o tema, *vide*, entre outros: ALMEIDA, Marcius Alexandros Antunes de. Proibição de excesso na prisão preventiva. FAYET JR., Ney; MAYA, André Machado (Org.). *Ciências penais e sociedade complexa II*. Porto Alegre: Núria Fabris, 2009, p. 259-74.

537 Sobre o tema, *vide*, entre outros: FAORO, Raymundo. *Os donos do poder*. Formação do patronato político brasileiro. 4. ed. São Paulo: Globo, 2008.

visão reducionista e ideológica possa querer impor. De fato, não se quer simplesmente manter o *"status quo"* a privilegiar sempre os mesmos. Mas, também, não se quer a anarquia pura e simples, ou a implantação de um regime socialista que, como a história do socialismo real e a natureza humana já revelaram, somente se implementa em bases ditatoriais. O que se quer é o caminho da "utopia possível" de que fala Dussel, buscando uma nova realidade, mas sem descurar da realidade presente. Um processo penal que, atuando no paradigma da intersubjetividade, sirva, portanto, para todos os outros (réus e vítimas), e não apenas para alguns.

Até por isso Dussel é importante, pois ele não desconsidera a realidade, trabalha com ela e conduz seu discurso na paulatina necessidade de avançar para um melhor modelo de sociedade, visando

> construir efetivamente a utopia possível, as estruturas ou instituições do sistema onde a vítima possa viver e "viver bem" (que é a nova "vida boa"); é tornar livre o escravo; é culminar o "processo" da libertação como ação que chega à liberdade efetiva do anteriormente oprimido. É um "libertar para" o novum, o êxito alcançado, a utopia realizada[538].

Sucede que esse "oprimido" que precisa ser "libertado" em termos de direito penal e processo penal e da preservação dos fundamentos do Estado de Direito Democrático brasileiro não pode ser visto apenas como o réu; também precisa ser visto como a vítima do delito, por vezes tão desamparada e "oprimida" quanto o acusado e, portanto, igualmente merecedora de proteção estatal.

Nesta quadra, e voltando a análise para o tema aqui proposto, eis por que o sistema processual penal brasileiro, fundado na ideia do Estado Democrático e Social de Direito e orientado pelo princípio da dignidade da pessoa humana e pela cidadania, deve ser um instrumento de duas espécies de contenção: de contenção "do" Estado, para evitar que ele abuse, e de contenção do conflito social, "por meio" do Estado.

1.1.2.3.1 Proibição de excessos

Analisando o texto da Constituição brasileira, não é preciso muito esforço para compreender que, sendo ela o resultado documentado desse modelo de Estado Democrático e Social de Direito, determina a proteção dos direitos fundamentais por dois mecanismos paralelos e extremos: de um lado, o faz pela proibição de excessos

---

538 DUSSEL, Enrique. *Ética da libertação na idade da globalização e da exclusão*. 2. ed. Trad. Ephraim Ferreira Alves, Jaime A. Clasen e Lúcia M. E. Orth. Petrópolis: Vozes, 2002, p. 566.

Processo Penal | Fundamentos dos fundamentos

e, de outro, pela proibição de proteção insuficiente. E aí se espelham os princípios[539] que devem orientar as balizas de interpretação do processo penal brasileiro, os quais são justamente integrados pelas funções de dupla garantia – repita-se – da proibição de excessos e da proibição de proteção insuficiente.

A primeira baliza de compreensão funcional e de exegese do processo penal, portanto, é herdada do modelo de Estado Liberal de Direito e está relacionada ao princípio de proibição de excessos, o qual visa proteger o cidadão contra possíveis abusos do Estado, limitando-o em seu agir a partir de seus regramentos. Nesse sentido, merece destaque a lição de Jacinto Coutinho:

> Ninguém desconhece que um processo de cariz acusatório faz sobressair os direitos e garantias individuais e, diante dos casos penais, acaba por salientar a proibição de excesso (art. 5º). Está-se em consonância com a CR/88.
>
> A cultura acusatória, do seu lado, impõe aos juízes o lugar que a Constituição lhes reservou e de importância fundamental: a função de garante! Contra tudo e todos, se constitucional, devem os magistrados assegurar a ordem posta e, de consequência, os cidadãos individualmente tomados. À ordem de prevalência, nesta dimensão, não se tem muito o que discutir, mormente porque não há direito coletivo mais relevante que aqueles fundamentais dos cidadãos.
>
> Deve-se ver com parcimônia, portanto, toda a grande disputa que se levou à ribalta entre os direitos individuais e os coletivos (da sociedade, como um todo), mormente porque em um Estado de democracia tardia, a figura do juiz é imprescindível para o cidadão, com frequência vilipendiado em seus direitos e infinitamente mais fraco, por sinal como projetado pelos contratualistas, embora não se possa ingenuamente asseverar sem restrições, em relação a todos, coisa do gênero. A isonomia, porém, não se faz distinção entre os cidadãos e isso é imprescindível para se deitar a luz constitucional sobre todos[540].

---

539 Não se descura da diferenciação traçada entre "princípios" e "postulados" por parte da doutrina nacional, notadamente a partir do trabalho de Humberto Ávila (*Sistema constitucional tributário*. 5. ed. São Paulo: Saraiva, 2002, p. 96). Ainda que esse autor trabalhe com a ideia de que "os postulados não se enquadram na definição nem de regras nem de princípios segundo o modelo tradicional" e que alguns autores importantes de processo penal, a exemplo de Eugenio Pacelli de Oliveira (*Curso de processo penal, cit.*, p. 33), prefiram a noção de postulado ao tratar da "máxima efetividade dos direitos fundamentais" e da "proibição de excesso", preferimos considerá-los como princípios, nos moldes de Dworkin e Lenio Streck, isto é, como normas, de cunho deontológico, devem ser.

540 COUTINHO, Jacinto Nelson de Miranda. Sistema acusatório: cada parte no lugar constitucionalmente demarcado. *O novo processo penal à luz da Constituição (análise crítica do Projeto de Lei n. 156/2009, do Senado Federal), cit.*, p. 15-16.

Assim, em termos de processo penal, não é razoável que se admita, por exemplo, um mandado de busca e apreensão de natureza genérica, como aquele expedido por um juiz no Rio de Janeiro autorizando a polícia a ingressar em qualquer residência de determinada área (Parque União e Nova Holanda, no Complexo da Maré[541]) em busca de quaisquer objetos que julgassem pertinentes. Essa permissividade, ainda que não guarde direta relação com o princípio dispositivo e a gestão da prova pelo juiz, pois o pedido partiu da polícia ou do Ministério Público, viola o princípio da proibição de excessos no agir estatal.

Quando se refere à ideia de "proibição de excessos", o que se visa é trabalhar com o norte exegético de se admitir uma medida legislativa apenas quando, nos dizeres de Canotilho, "não for possível escolher outro meio igualmente eficaz, mas menos 'coativo', relativamente aos direitos restringidos", e se constitui como "um limite constitucional à liberdade de conformação do legislador"[542]. O mesmo princípio também orienta no sentido de não ser admissível restrição de direitos "em nome de interesses públicos não constitucionalmente protegidos"[543].

A proibição de excessos, então, deve ser norteada pelos elementos que a compõem, como refere Jorge Reis Novais: idoneidade (as medidas restritivas em causa devem ser "aptas a realizar o fim visado com a restrição"), indispensabilidade ou necessidade (dos meios idôneos disponíveis se deve "escolher o que produza efeitos menos restritivos") e proporcionalidade em sentido restrito (correlação entre o "sacrifício imposto pela restrição e o benefício por ela prosseguido")[544].

Também se procura evitar, nessa seara da proibição de excessos, a presença do paradigma filosófico da consciência que desemboca na discricionariedade judicial, hoje ainda fortemente estampada numa espécie de tradição inautêntica que decorre da má compreensão dos princípios da "livre apreciação da prova" e "do livre convencimento do juiz".

Vem daí uma série de garantias orientadas pela proibição de excessos e previstas nos demais princípios reitores do artigo 5º da Constituição da República, que conduzem ao fechamento de um lado do processo penal constitucional brasileiro nesse plano. São "garantias" do "direito à liberdade", insculpido no *caput* do artigo 5º. Assim, os incisos

---

541 Sobre o tema, *vide* inúmeras reportagens na mídia, dentre elas: SOARES, Rafael. Justiça expede mandado coletivo e polícia pode fazer buscas em todas as casas do Parque União e da Nova Holanda. *Extra*, 29 mar. 2014. Disponível em: http://extra.globo.com/casos-de-policia/justica-expede-mandado-coletivo-policia-pode-fazer-buscas-em-todas-as-casas-do-parque-uniao-da-nova-holanda-12026896.html#ixzz2zdpkquU5. Acesso em: 30 jan. 2023.

542 GOMES CANOTILHO, J. J. *Direito constitucional e teoria da Constituição, cit.*, p. 457.

543 *Ibid.*, p. 458.

544 REIS NOVAIS, Jorge. *Os princípios constitucionais estruturantes da República portuguesa.* Coimbra: Coimbra Editora, 2011, p. 162-63.

158 ■ Processo Penal | Fundamentos dos fundamentos

do artigo 5º "garantem" esse "direito", a saber: a proibição da tortura (III[545]), a proteção da intimidade e da vida privada, honra e imagem (X[546]), a liberdade de locomoção e o direito ao *habeas corpus* (XV[547] c.c. LXVIII[548]), o devido processo legal (LIV[549]), o monopólio e a necessidade da jurisdição penal (LIII[550]), a proibição de provas ilícitas (LVI[551]), a presunção de inocência (LVII[552]), a ampla defesa e o contraditório no processo penal (LV[553]), o juiz natural (XXXVII[554] c.c. LIII[555]), o tribunal do júri para crimes dolosos contra a vida (XXXVIII[556]), a publicidade (XXXIII[557] c.c. LX[558] e c.c. art. 93, IX) e o direito ao silêncio (LXIII[559]), ampliado pelo princípio da não autoincriminação (Pacto de San José da Costa Rica, art. 8, 2, "g"[560]). Ainda complementam essa vertente

---

545 BRASIL. Constituição Federal de 1988: "Art. 5º (...) III – ninguém será submetido a tortura nem a tratamento desumano ou degradante".

546 BRASIL. Constituição Federal de 1988: "Art. 5º (...) X – são invioláveis a intimidade, a vida privada, a honra e a imagem das pessoas, assegurado o direito a indenização pelo dano material ou moral decorrente de sua violação".

547 BRASIL. Constituição Federal de 1988: "Art. 5º (...) XV – é livre a locomoção no território nacional em tempo de paz, podendo qualquer pessoa, nos termos da lei, nele entrar, permanecer ou dele sair com seus bens".

548 BRASIL. Constituição Federal de 1988: "Art. 5º (...) LXVIII – conceder-se-á *"habeas corpus"* sempre que alguém sofrer ou se achar ameaçado de sofrer violência ou coação em sua liberdade de locomoção, por ilegalidade ou abuso de poder".

549 BRASIL. Constituição Federal de 1988: "Art. 5º (...) LIV – ninguém será privado da liberdade ou de seus bens sem o devido processo legal".

550 BRASIL. Constituição Federal de 1988: "Art. 5º (...) LIII – ninguém será processado nem sentenciado senão pela autoridade competente".

551 BRASIL. Constituição Federal de 1988: "Art. 5º (...) LVI – são inadmissíveis, no processo, as provas obtidas por meios ilícitos".

552 BRASIL. Constituição Federal de 1988: "Art. 5º (...) LVII – ninguém será considerado culpado até o trânsito em julgado de sentença penal condenatória".

553 BRASIL. Constituição Federal de 1988: "Art. 5º (...) LV – aos litigantes, em processo judicial ou administrativo, e aos acusados em geral são assegurados o contraditório e ampla defesa, com os meios e recursos a ela inerentes".

554 BRASIL. Constituição Federal de 1988: "Art. 5º (...) XXXVII – não haverá juízo ou tribunal de exceção".

555 BRASIL. Constituição Federal de 1988: "Art. 5º (...) LIII – ninguém será processado nem sentenciado senão pela autoridade competente".

556 BRASIL. Constituição Federal de 1988: "Art. 5º (...) XXXVIII – é reconhecida a instituição do júri, com a organização que lhe der a lei, assegurados: *a)* a plenitude de defesa; *b)* o sigilo das votações; *c)* a soberania dos veredictos; *d)* a competência para o julgamento dos crimes dolosos contra a vida".

557 BRASIL. Constituição Federal de 1988: "Art. 5º (...) XXXIII – todos têm direito a receber dos órgãos públicos informações de seu interesse particular, ou de interesse coletivo ou geral, que serão prestadas no prazo da lei, sob pena de responsabilidade, ressalvadas aquelas cujo sigilo seja imprescindível à segurança da sociedade e do Estado".

558 BRASIL. Constituição Federal de 1988: "Art. 5º (...) LX – a lei só poderá restringir a publicidade dos atos processuais quando a defesa da intimidade ou o interesse social o exigirem".

559 BRASIL. Constituição Federal de 1988: "Art. 5º (...) LXIII – o preso será informado de seus direitos, entre os quais o de permanecer calado, sendo-lhe assegurada a assistência da família e de advogado".

560 BRASIL. Pacto de San José da Costa Rica (Convenção Americana de Direitos Humanos). Decreto 678/1992. GOMES, Luiz Flávio (Org.). *Código Penal, Código de Processo Penal, Constituição Federal, Legislação penal e processual penal, cit.*, p. 743: "Art. 8º (...) 2. (...) *g)* direito de não ser obrigada a depor contra si mesma, nem a declarar-se culpada".

o princípio da inércia jurisdicional (implicitamente extraído do art. 129, I[561]), bem como novas referências à publicidade e à necessidade de fundamentação das decisões estampadas no inciso IX do art. 93 da Constituição[562].

1.1.2.3.2 Proibição de proteção insuficiente

A segunda baliza de orientação do processo penal no Estado Democrático e Social de Direito brasileiro, que fecha o sistema no plano inverso, é o princípio da proibição de proteção insuficiente.

Vale referir que essa segunda baliza fica mais bem delimitada como "proibição de proteção *insuficiente*", isto é, que não se basta, escassa, falha, em vez de utilizar a expressão mais usual na doutrina, que é "proibição de proteção *deficiente*", pois, quando se refere a "proibição de proteção deficiente", remete-se imediatamente à ideia de "eficiência", a qual lida como um princípio orientador do processo penal e pode ser perigosa. Em nome da "eficiência" – compreendida sob a ótica economicista neoliberal que norteia esses tempos "pós-modernos"[563] –, pode-se premiar os resultados em detrimento dos meios, diminuindo ou até mesmo eliminando as garantias dos acusados, o que não se quer. Com efeito, na visão econômica há leituras que consideram a "eficiência" como "o melhor caminho para assegurar o máximo de crescimento"[564], ou para assegurar o melhor resultado. O problema é que, uma vez transportada essa forma de orientação econômica para o processo penal, esse "melhor resultado" poderia ser lido pelo prisma de "maior diminuição de desvios de comportamentos". E isso, lido de forma "eficiente" e, portanto, sem freios em busca de um melhor rendimento, poderia colidir com a proibição de excessos que deve igualmente prevalecer como princípio. Portanto, aqui, é preferível utilizar a

---

561 BRASIL. Constituição Federal de 1988: "Art. 129. São funções institucionais do Ministério Público: I – promover, privativamente, a ação penal pública, na forma da lei".

562 BRASIL. Constituição Federal de 1988: "Art. 93. (...) IX – todos os julgamentos dos órgãos do Poder Judiciário serão públicos, e fundamentadas todas as decisões, sob pena de nulidade, podendo a lei limitar a presença, em determinados atos, às próprias partes e seus advogados, ou somente a estes, em casos nos quais a preservação do direito à intimidade do interessado no sigilo não prejudique o interesse público à informação".

563 Sobre esse enfoque, *vide*, entre outros: COUTINHO, Jacinto Nelson de Miranda. Glosas ao "Verdade, dúvida e certeza", de Francesco Carnelutti, para os operadores do direito. *Observações sobre a propedêutica processual penal*. Curitiba: Observatório da Mentalidade Inquisitória, 2019, p. 90; CHOUKR, Fauzi Hassan. Modelos processuais penais: apontamentos para a análise do papel do juiz na produção probatória. DIDIER JR., Fredie; NALINI, José Renato; RAMOS, Glauco Gumerato; LEVY, Wilson (coord.). *Ativismo judicial e garantismo processual*. Salvador: Juspodivm, 2013, p. 190; FARIA, José Eduardo. *Direito e economia na democratização brasileira*. São Paulo: Malheiros, 1993, p. 12; AVELÁS NUNES, A. J. *Noção e objecto da economia política*. 2. ed. 2. reimpr., 1996. Coimbra: Almedina, 2006; e COELHO, Fábio Ulhoa. A análise econômica do direito. SUNFELD, Carlos Ari e outros. *Cadernos do Programa de Pós-graduação em Direito – PUC/SP*. São Paulo: Max Limonad, 1995, p. 155.

564 AVELÁS NUNES, A. J. *Noção e objecto da economia política, cit.*, p. 79.

160 ■ Processo Penal | Fundamentos dos fundamentos

expressão "proibição de proteção insuficiente", isto é, a proteção dos cidadãos pelo Estado não pode ser de tal ordem que se revele insuficiente, escassa, falha, omissa.

Nesse plano, o processo penal brasileiro encontra, no mesmo artigo 5º da Constituição da República de 1988, em seu *caput*, os "direitos" à "vida", "segurança" e "propriedade", todos "garantidos" pelos seguintes princípios constitucionais complementares previstos nos incisos do mesmo artigo: o tribunal do júri para crimes dolosos contra a vida (XXXVIII[565]), a possibilidade de ação penal privada subsidiária (LIX[566]), a razoável duração do processo e os meios que garantam a celeridade de sua tramitação (LXVIII[567]), a possibilidade de prisão em flagrante (XI[568] c.c. LXI[569]), a inafiançabilidade para crime de racismo (XLII[570]), para crimes hediondos e equiparados (XLIII[571]) e para ação de grupos armados, civis ou militares, contra a ordem constitucional e o Estado Democrático (XLIV[572]), a possibilidade de prisão cautelar (LXI[573] c.c. LXVI[574]), a possibilidade de interceptação de comunicação telefônica e a possibilidade de expedição de mandado de busca e apreensão (XI[575]), complementados pelo princípio da oficialidade, consignado na regra do monopólio da ação penal de natureza pública pelo Ministério Público (art. 129, I).

---

565 BRASIL. Constituição Federal de 1988: "Art. 5º (...) XXXVIII – é reconhecida a instituição do júri, com a organização que lhe der a lei, assegurados: *a*) a plenitude de defesa; *b*) o sigilo das votações; *c*) a soberania dos veredictos; *d*) a competência para o julgamento dos crimes dolosos contra a vida".

566 BRASIL. Constituição Federal de 1988: "Art. 5º (...) LIX – será admitida ação privada nos crimes de ação pública, se esta não for intentada no prazo legal".

567 BRASIL. Constituição Federal de 1988: "Art. 5º (...) LXVIII – conceder-se-á *"habeas corpus"* sempre que alguém sofrer ou se achar ameaçado de sofrer violência ou coação em sua liberdade de locomoção, por ilegalidade ou abuso de poder".

568 BRASIL. Constituição Federal de 1988: "Art. 5º (...) XI – a casa é asilo inviolável do indivíduo, ninguém nela podendo penetrar sem consentimento do morador, salvo em caso de flagrante delito ou desastre, ou para prestar socorro, ou, durante o dia, por determinação judicial".

569 BRASIL. Constituição Federal de 1988: "Art. 5º (...) LXI – ninguém será preso senão em flagrante delito ou por ordem escrita e fundamentada de autoridade judiciária competente, salvo nos casos de transgressão militar ou crime propriamente militar, definidos em lei".

570 BRASIL. Constituição Federal de 1988: "Art. 5º (...) XLII – a prática do racismo constitui crime inafiançável e imprescritível, sujeito à pena de reclusão, nos termos da lei".

571 BRASIL. Constituição Federal de 1988: "Art. 5º (...) XLIII – a lei considerará crimes inafiançáveis e insuscetíveis de graça ou anistia a prática da tortura, o tráfico ilícito de entorpecentes e drogas afins, o terrorismo e os definidos como crimes hediondos, por eles respondendo os mandantes, os executores e os que, podendo evitá-los, se omitirem".

572 BRASIL. Constituição Federal de 1988: "Art. 5º (...) XLIV – constitui crime inafiançável e imprescritível a ação de grupos armados, civis ou militares, contra a ordem constitucional e o Estado Democrático".

573 BRASIL. Constituição Federal de 1988: "Art. 5º (...) LXI – ninguém será preso senão em flagrante delito ou por ordem escrita e fundamentada de autoridade judiciária competente, salvo nos casos de transgressão militar ou crime propriamente militar, definidos em lei".

574 BRASIL. Constituição Federal de 1988: "Art. 5º (...) LXVI – ninguém será levado à prisão ou nela mantido, quando a lei admitir a liberdade provisória, com ou sem fiança".

575 BRASIL. Constituição Federal de 1988: "Art. 5º (...) XI – a casa é asilo inviolável do indivíduo, ninguém nela podendo penetrar sem consentimento do morador, salvo em caso de flagrante delito ou desastre, ou para prestar socorro, ou, durante o dia, por determinação judicial".

Como se vê, portanto, o Estado também deve agir para proteger o cidadão-vítima sem que isso tenha que ser lido sob a ótica pejorativa do signo "inquisitório", e o processo penal não deixa de ser instrumento político complementar também nessa perspectiva.

Assim, se é certo que o processo penal deve ser utilizado como freio a possível arbítrio estatal e por isso as garantias para o acusado são fundamentais, também é certo que ele deve, em certa medida e numa interpretação circular com as ideias fundantes e o princípio unificador, somado aos demais princípios reitores, analisado de forma restritiva quanto ao alcance, porém necessária, atuar para garantir a segurança do cidadão.

Por isso a preocupação do constituinte brasileiro refletiu-se em conjugar no *caput* do artigo 5º, ou seja, justamente no artigo que trata dos direitos e garantias, lado a lado, vida, liberdade e segurança.

É a partir dessa harmonização entre as duas vias de contenção, do Estado e pelo Estado, que se identificam os princípios que complementam e unificam o sistema processual penal constitucional brasileiro: proibição de excessos e proibição de proteção insuficiente.

2. OS FUNDAMENTOS DOS FUNDAMENTOS: NECESSIDADE DE REORIENTAÇÃO DO SISTEMA PROCESSUAL PENAL BRASILEIRO À LUZ DA FILOSOFIA DA LINGUAGEM

Como alertam importantes autores[1], não obstante seja possível dizer que existem diferentes discursos com a pretensão de estabelecer o fundamento do direito na modernidade, sob o prisma da organização das normas e de sua estrutura é possível dizer que ele se dá pelo sistema que o organiza e pelos princípios que o sustentam. E, por sua vez, tanto o sistema quanto os princípios devem observar o paradigma filosófico que os fundamenta, o qual corresponde àquilo que Kaarlo Tuori denomina de "estrutura profunda"[2] do direito moderno, ou, em termos similares, ao que Jacinto Coutinho refere como sendo os "fundamentos dos fundamentos"[3].

Para se compreender o porquê de determinado sistema e dos princípios que o norteiam, é necessário saber também o que o fundamenta. Isso, basicamente, se dá a partir dos paradigmas filosóficos que organizam a compreensão do mundo pelo ser humano. São três: metafísica clássica aristotélica – a verdade está no mundo, nos objetos; filosofia da consciência cartesiana – a verdade está no sujeito; e a Filosofia da Linguagem – a verdade é construída intersubjetivamente pela linguagem.

Feito isso, será preciso avançar para uma discussão necessária – e pouco enfrentada na doutrina – a respeito da dicotomia dos sistemas processuais penais. De uns duzentos anos para cá, essa questão se consagrou à luz de se considerar, de forma antagônica, os sistemas processuais penais em "inquisitório" ou "acusatório". Mesmo

---

1   *V.g.* CHIASSONI, Pierluigi. *O enfoque analítico na Filosofia do Direito: de Bentham a Kelsen.* Tradução de Heleno Taveira Torres e Henrique Mello. São Paulo: Contracorrente, 2017; BOBBIO, Norberto. *Teoria Geral do Direito.* Tradução de Denise Agostinetti. São Paulo: Martins Fontes, 2007; e DIMOULIS, Dimitri. *Positivismo Jurídico. Introdução a uma teoria do direito e defesa do pragmatismo jurídico-político.* São Paulo: Método, 2006.

2   TUORI, Kaarlo. *Critical Legal Positivism.* New York: Routledge, 2016, p. 148.

3   COUTINHO, Jacinto Nelson de Miranda. Por que Sustentar a Democracia do Sistema Processual Brasileiro. *Empório do Direito.* 28 de fevereiro de 2015. Disponível em: https://emporiododireito.com.br/leitura/por-que-sustentar-a-democracia-do-sistema-processual-penal-brasileiro. Acesso em: 23 abr. 2021.

não havendo consenso na doutrina a respeito do que se possa compreender por um sistema de processo penal ("acusatório") em comparação com o outro ("inquisitório"), é de se reconhecer o importante esforço empreendido por boa parte da doutrina nacional para implementar no Brasil um modelo de processo denominado de "acusatório". Esse esforço visou estabelecer um processo forjado à luz das pretensões de manutenção das garantias constitucionais, fazendo a necessária crítica à ideologia arbitrária e totalitária que imperou na estruturação do Código de Processo Penal de 1941. Nesse sentido, são relevantes as considerações de Jacinto Coutinho:

> Portanto, inquisitório e acusatório são adjetivos de um sistema que se coloca como substantivo e, como tal, não pode nunca ser esquecido. O ponto de partida que a finalidade vai definir como princípio, no caso, ou é o princípio inquisitivo ou o princípio dispositivo. Naquele (sistema inquisitório), a finalidade, em face da opção política, encarrega ao juiz, prioritariamente, o dever de trazer à luz o conhecimento; a iniciativa probatória, antes de tudo, é sua. Eis o princípio inquisitivo. Neste – sistema acusatório – a finalidade, em face da opção política, encarrega às partes (autor e réu), prioritariamente, o dever (que aqui se toma como ônus) de trazer à luz o conhecimento; a inciativa probatória, antes de tudo, é sua. Eis o princípio dispositivo. Daí que se não tenha, mais, sistema puros (como ficaram conhecidos) porque, todos, ou são, na base, inquisitórios ou acusatórios; mas têm a si agregados elementos provenientes do outro sistema, razão por que seriam mistos[4].

E mais adiante conclui:

> Diante de uma situação de tal monta, de todo caótica, qual o caminho a se adotar? Desistir ou lutar? A resposta parece evidente, mas não tem sido assim. Embaralhadas as coisas pela complexidade e fustigados pela pressa de se ver tudo resolvido "para ontem" (isso seria um sintoma dos tempos em que se vive?), muitos têm procurado soluções alternativas, algumas com real brilho, sem embargo de que tudo se possa estar fazendo em detrimento dos fundamentos e, pior – porque mais difícil de perceber – dos fundamentos dos fundamentos.
>
> Por isso, atenção, muita atenção. É preciso ter paciência; que se não concilia com resignação. Afinal, esperança é de democracia; e ela, seja lá em que face

---

4   *Ibid.* No mesmo sentido: CHOUKR, Fauzi Hassan. Modelos Processuais Penais: apontamentos para a análise do papel do juiz na produção probatória. *Ativismo Judicial e Garantismo Processual, cit.*, p. 190-191.

> se apresente, não é nunca o que se quer e sim sempre o que se conquista. Por isso é preciso muita paciência, tanto quanto resistência para não se desistir nas primeiras ou mesmo nas mais duras dificuldades; e luta porque, no jogo pela democracia, muitos não querem saber de fair play, começando por aqueles que, como diziam os romanos, pensam-se em um lugar de "*legibus solutio*". Trata-se, portanto, de uma receita amarga, de luta dura; mas é a que se pode ter se não se quiser fazer a racionalidade ou manter tudo como está ou – pior – fazer um novo sistema que seja igual ao que se quer superar[5].

É dessa importante passagem de Jacinto Coutinho que se extrai a referência de se estar voltado a buscar "os fundamentos dos fundamentos" dos sistemas e seus princípios reitores. Nesse ponto, o problema maior reside no fato de que, na compreensão do processo penal, há muitos doutrinadores que insistem na vinculação de seu estudo a partir do que consideram ser dois sistemas processuais penais "puros": "acusatório" ou "inquisitório". Esses doutrinadores, todos bem-intencionados, claro, têm, por outro lado, envolvido os olhos dos intérpretes numa espécie de véu da ilusão. Não lhes permitem enxergar que, mais importante do que insistir na adoção da expressão "sistema acusatório", é saber como se deve pensar e organizar o processo penal brasileiro a partir do paradigma filosófico da intersubjetividade decorrente do giro linguístico ôntico-ontológico para as grandes questões sistemáticas.

Não atentar para esse "fundamento dos fundamentos" é deixar de favorecer a consagração dos dispositivos democráticos, notadamente aqueles inseridos na Constituição brasileira. É conduzir a incertezas interpretativas não desejadas, inclusive quanto ao papel que merece ser reservado às garantias processuais da ampla defesa, do contraditório e da função do juiz no processo penal brasileiro. Com efeito, nessa discussão política a respeito do sistema processual penal brasileiro, é preciso compreender que a opção de deixar a gestão da prova nas mãos das partes visa evitar a quebra de uma já naturalmente frágil imparcialidade judicial. Porém, é preciso também compreender que a inércia absoluta do juiz, alijando-o de qualquer atividade complementar, provoca um efeito de não aproveitamento de toda a potencialidade dos princípios constitucionais da ampla defesa e do contraditório e continua premiando, mesmo que num primeiro momento pareça o inverso, o paradigma filosófico da consciência. Esses princípios, seja no modelo de visão "inquisitória", no qual o juiz "busca a

---

5   COUTINHO, Jacinto Nelson de Miranda. *Por que Sustentar a Democracia do Sistema Processual Brasileiro.* Inédito. Texto parcialmente apresentado em palestra proferida no Seminário de Direito Penal, Criminologia e Processo Penal em Homenagem a Winfried Hassemer, Escola da Magistratura do Estado do Rio de Janeiro – EMERJ. Rio de Janeiro, 21.03.14.

verdade material", seja no modelo de pretensão "acusatória", em que o juiz deve ser sempre inerte para preservar sua "imparcialidade", acabam sendo subaproveitados.

Daí por que, repita-se, abandonando o véu dicotômico dos sistemas "puros", é preciso reafirmar o papel da filosofia da linguagem e da consequente adoção da inter-subjetividade na compreensão do mundo como algo que deva ser levado em conta na compreensão do sistema processual penal brasileiro (não importa o nome que se lhe dê).

Na linha proposta pelo filósofo alemão Hans-Georg Gadamer[6], esse trabalho exige prévio exercício de desapego dos pré-conceitos sistêmicos "puros", até porque, como se verá adiante, eles são forçados e irreais, seja no prisma histórico, seja em suas pretensões ideais ou "puras". Assim, é preciso abrir a mente para abandonar os rótulos "bom" e "mau" para esta ou aquela questão de processo penal, deste ou daquele pretenso "sistema", e estabelecer a premissa de que, seja "bom", seja "mau" (até porque esses conceitos dependem mais do ponto de vista do que propriamente de uma certeza moral), o que deve valer mesmo é o quanto se extrai historicamente de normatividade democrática do que se constituiu para o Brasil.

Para tanto, é preciso explicitar os problemas dos paradigmas filosóficos do conhecimento que "fundamentam os fundamentos" do processo penal brasileiro. Faz-se, então, uma abordagem analisando como, historicamente, a metafísica clássica aristotélica se organizou na busca de uma resposta ao problema filosófico da "mudança" do ser. Explica-se, como ponto de partida, a filosofia pré-socrática da compreensão do "ser", seja na visão de Heráclito ("tudo flui"), seja na visão de Parmênides ("o ser é, o não ser não é"), estabelecendo-se, em seguida, o modo de solução dado por Platão e o contra-ponto aristotélico que funda esse primeiro paradigma filosófico do conhecimento[7].

Vale anotar que não se tem, aqui, a pretensão de lecionar filosofia, mas não há como estudar o Direito em geral, e o Direito Processual Penal em particular, sem ter noção de que há algo que o fundamenta, que estrutura o modo de pensá-lo. E esse "algo" é o

---

6   GADAMER, Hans-Georg. *Verdade e Método I. Traços Fundamentais de uma Hermenêutica Filosófica, cit.*, p. 356 e s.

7   Platão buscou uma resposta a essa questão, estabelecendo uma divisão entre corpo e alma, indicando que a verdade não está no mundo físico, mas no mundo celestial, no mundo das Ideias. Essa base epistemológica foi, séculos mais tarde, mais bem desenvolvida por Descartes, que apostou num sujeito que seria capaz de pensar o mundo a partir de si, desconsiderando os objetos e os outros. É o que se organizou naquilo que se denomina de "Filosofia da Consciência". Antes, porém, é preciso considerar Aristóteles e como ele inverteu essa lógica platônica e identificou uma verdade que é imanente ao próprio ser, explicando que sua constante mutação não implica no seu abandono como "ser". Aristóteles desenvolveu um método para alcançar essa verdade, apostando no silogismo e numa visão metafísica que busca pela "causa primeira" no encadeamento de causas e efeitos que nos conduz ao "ser". Essa construção aristotélica é considerada o primeiro paradigma filosófico do conhecimento e indica uma verdade que está no mundo e não no sujeito. Assim, a metafísica clássica aristotélica considera que é preciso ir investigar a verdade, buscá-la, silogisticamente. Essa estrutura filosófica tem servido de base epistemológica para a construção, pela doutrina mais tradicional, da "busca da verdade real" no processo penal, facilitando as iniciativas investigatórias e probatórias do juiz. Essa ideia, como se verá na sequência, por ocasião da abordagem da Filosofia da Linguagem (o terceiro paradigma filosófico do conhecimento), é equivocada, mas insiste em se fazer presente em parte da doutrina e da jurisprudência.

Processo Penal | Fundamentos dos fundamentos

paradigma filosófico do conhecimento. É ele que traz o "fundamento dos fundamentos" do direito. E, a depender de qual seja esse paradigma, ele pode provocar mudanças na compreensão do direito. Quem quiser passar ao largo dessa discussão, para se limitar ao estudo dos princípios ou das regras, poderá até ter uma noção do que eles tratam, mas não conseguirá identificar falhas e acertos do legislador ou do intérprete das leis. Portanto, abre-se um espaço necessário para algumas discussões relevantes do percurso da filosofia do conhecimento que permitirão estabelecer as bases necessárias para compreender questões relevantes na estruturação do sistema processual penal brasileiro.

2.1 A metafísica clássica aristotélica e a ideia de busca da verdade real ou material

Analisando as questões a que os pré-socráticos tentaram responder, Karl Popper sintetizou que "há pelo menos um problema filosófico que interessa a todos os homens: o problema de compreender o mundo em que vivemos e, portanto, a nós mesmos (que somos parte do mundo) e nosso conhecimento acerca dele"[8].

Em busca dessa compreensão, a primeira aposta documentada no mundo ocidental pode ser evidenciada a partir das famosas Histórias de Heródoto (484-420 a.C.). Nelas, Heródoto anotou que "durante muito tempo ignorou-se a origem de cada deus, sua forma e natureza, e se todos eles sempre existiram", esclarecendo, ainda, que "Homero e Hesíodo, que viveram quatrocentos anos antes de mim, foram os primeiros a descrever em versos a teogonia, a aludir aos sobrenomes dos deuses, ao seu culto e funções e a traçar-lhes o retrato"[9].

O que se sabe, então, é que, desde pelo menos a *Ilíada* e a *Odisseia* de Homero (850 a.C.[10]), passando pelas tragédias gregas da *Oresteia*, de Ésquilo (525-456 a.C.), da *Antígona*, de Sófocles (497-406 a.C.), entre outras, todo o mundo grego antigo era compreendido a partir e por meio dos deuses e dos mitos.

Aristóteles, em sua *Metafísica*[11], considerou que foram os filósofos gregos pré-socráticos aqueles que, em substituição aos mitos das divindades primitivas, procuraram definir o princípio substancial, o princípio primeiro das coisas, buscando a essência

---

8   POPPER, Karl. *O Mundo de Parmênides. Ensaios sobre o iluminismo pré-socrático*. Tradução de Roberto Leal Ferreira. São Paulo: Editora Unesp, 2014, p. 02.

9   HERÓDOTO. História. Livro II, LIII. *Clássicos Jackson, V. XXIII. Heródoto. História. 1º Volume*. Tradução de J. Brito Broca. Rio de Janeiro. São Paulo. Porto Alegre: W.M. Jackson Inc., 1964, p. 137.

10   Como destacado, Heródoto considera que Homero viveu 400 anos antes do seu tempo, o que, então, implicaria numa data algo em torno de 850 a.C.

11   ARISTÓTELES. *Metafísica, cit.*, p. 44 e s.

de todas elas, a chamada *"arché"*[12] (ou *"arquê"*[13]). A variação de compreensão do que seria a *"arché"* foi bastante ampla. Sem pretender esgotar todos aqueles que pensaram sobre o tema, os mais relevantes podem ser indicados como sendo Tales de Mileto (624-548 a.C.[14]), para quem a *"arché"* estava na água[15]; Anaxímenes de Mileto (585-528 a.C.) e Diógenes de Apolônia (499-428 a.C.), que consideravam o ar como sendo a *"arché"*, pois este seria anterior à água; Empédocles de Agrigento (490-435 a.C.), que via a Terra como sendo a *"arché"*; Hipaso de Metaponto e Heráclito de Éfeso (540-470 a.C.), os quais consideravam que a *"arché"* estaria no fogo; Anaximandro de Mileto (611-547 a.C.) e Anaxágoras de Clazômenas (500-428 a.C.), que entendiam a *"arché"* como relacionada ao ápeiron (infinito), isto é, o mundo em que se vive era apenas um dentre infinitos outros[16].

Aliás, aqui é importante abrir um parêntese para anotar que Anaximandro foi o primeiro a registrar a percepção da mudança constante do mundo, tema que norteou as discussões filosóficas seguintes. Como refere Karl Popper, Anaximandro procurou explicar "as mudanças mais óbvias, a alternância do dia e da noite, as mudanças dos ventos e do tempo, as estações, da semeadura à colheita e do crescimento das plantas, dos animais e dos homens". Para ele, "tudo estava ligado ao contraste de temperaturas, com a oposição entre o quente e o frio, e ao contraste entre o seco e o molhado"[17]. Assim, para Anaximandro, os ventos eram responsáveis pelas mudanças do tempo, do sol e da lua. Ele dizia que "o fogo precisava de ar e buracos de ventilação; estes eram, às vezes, bloqueados ('obstruídos'), e, com isso, o fogo era abafado"[18]. Essa percepção da mudança do ser foi, depois, explorada por Heráclito (540-470 a.C.), ao pontuar que "todas as coisas se deslocam e nada permanece"[19]. Ele comparava os seres à corrente de um rio, afirmando que "não se pode entrar duas vezes no mesmo rio"[20]. Heráclito, então, recorreu à razão para "ressaltar que vivemos num mundo de coisas cujas mudanças

---

12 POPPER, Karl. *O Mundo de Parmênides. Ensaios sobre o iluminismo pré-socrático.* Tradução de Roberto Leal Ferreira, *cit.*, 188. Na nota de rodapé n. 188, Popper explica: "A linguagem da teoria da natureza é, muito obviamente, tomada em boa medida da linguagem da sociedade e em especial da linguagem da guerra. 'Arché', 'princípio' ou 'origem' vem de 'archo' ('conduzir, governar, comandar')".

13 MARCONDES, Danilo. *Iniciação à História da Filosofia. Dos Pré-Socráticos a Wittgenstein.* 14. reimpr. Rio de Janeiro: Zahar, 2007, p. 25.

14 As datas correspondentes aos períodos de vida dos filósofos pré-socráticos são extraídas da obra: *Os Pré-Socráticos. Coleção Os Pensadores, v. 1.* Tradução de Ernildo Stein. São Paulo: Victor Civita, 1973.

15 Aristóteles rememora cada um dos filósofos dessa época (ARISTÓTELES. *Metafísica, cit.*, p. 48 e s.). No mesmo sentido refere HEGEL, Georg W. F. Crítica Moderna. *Os Pré-Socráticos. Coleção Os Pensadores, v. 1, cit.*, p. 15.

16 BORNHEIM, Gerd A (Org.). *Os Filósofos Pré-Socráticos.* São Paulo: Cultrix, 1998.

17 POPPER, Karl. *O Mundo de Parmênides, cit.*, p. 11.

18 *Ibid.*, p. 9.

19 PLATÃO. *Crátilo.* Tradução de Maria José Fiqueiredo. Lisboa: Instituto Piaget, 2001, 402a, p. 69.

20 *Ibid.*, p. 69.

escapam aos nossos sentidos, embora saibamos que elas mudem". Com isso, "criou dois novos problemas: o 'problema da mudança' e o 'problema do conhecimento'"[21]. Por sua vez, Parmênides (530-460 a.C.) explorou essa percepção da mudança como um problema filosófico, apostando na imutabilidade do mundo e considerando que o mundo da transformação, apontado por Heráclito, não passaria de uma ilusão[22]. Afinal, questionou: "Como pode uma coisa mudar sem perder a identidade? Se permanece a mesma, ela não muda, mas se perde a identidade, então já não é a mesma coisa que mudou"[23]. Então, dizia Parmênides, aquilo que é, é, e aquilo que não é, não é. A discussão provocou um paradoxo, como explica Karl Popper, pois "pode-se dizer que uma folha verde muda quando se torna marrom, mas não dizemos que a folha verde muda quando a substituímos por uma folha marrom. É essencial para a ideia de mudança que a coisa que muda conserve a identidade ao mudar. E, no entanto, deve tornar-se outra coisa; era verde, se torna marrom"[24]. Esse paradoxo filosófico serviu de motor para as filosofias platônica e aristotélica, como se verá mais adiante.

Antes, fechando o parêntese, vale anotar que essa significativa variação em busca da "*archê*" encontrou seu ponto culminante quando Demócrito de Abdera (460-370 a.C.), seguindo os passos de seu mestre Leucipo de Mileto (500-430 a.C.), sintetizou-a na ideia e no conceito do "átomo"[25]. A respeito de Demócrito, Aristóteles anotou que, para ele e seu mestre Leucipo, "os elementos são o 'cheio' e o 'vazio', classificando o primeiro como o 'ser' e o segundo como o 'não ser'"[26]. Nessa abordagem Hegel explicou que Demócrito teve, como ponto de partida, acreditar na "realidade do movimento porque o pensamento é movimento". Desdizia Parmênides, portanto, apostando na mutabilidade do ser. E prosseguiu: "Este é seu ponto de ataque: o movimento existe porque eu penso e o pensamento tem realidade. Mas se há movimento deve haver um espaço vazio, o que equivale a dizer que o não ser é tão real quanto o ser". E em seguida concluiu como Demócrito compreendeu e concebeu o conceito de átomo:

> Se toda grandeza fosse divisível ao infinito, não haveria mais nenhuma grandeza, não haveria mais ser. Se deve subsistir um pleno, isto é, um ser, é preciso que a divisão não possa ir ao infinito. Mas o movimento demonstra o ser, tanto quanto

---

21   POPPER, Karl. *O Mundo de Parmênides, cit.*, p. 12-13.

22   *Ibid.*, p. 14.

23   *Ibid.*, p. 10.

24   *Ibid.*, p. 13.

25   BORNHEIM, Gerd A. *Os Filósofos Pré-Socráticos, cit.*, p. 106.

26   ARISTÓTELES. *Metafísica, cit.*, p. 52-53.

o não ser. Se somente o não ser existisse, não haveria movimento. O que resta são os "átomos". O ser é a unidade indivisível[27].

Esse foi o ponto alto nas discussões de compreensão do mundo dessa filosofia denominada de pré-socrática. Porém, ainda que esses filósofos pré-socráticos procurassem definir a essência do mundo na natureza, estabeleciam uma "distinção entre o conhecimento, conhecimento real, verdade certa ('saphes', 'aletheia'; mais tarde: 'episteme'), que é divina e só acessível aos deuses, e a opinião ('doxa'), que os mortais podem possuir"[28]. É o que se vê claramente nos Fragmentos do poema de Parmênides[29] e nos Fragmentos de Heráclito[30].

Karl Popper acrescenta que "o primeiro a se rebelar contra tal ideia foi Protágoras"[31] de Abdera (490-421 a.C.), considerado, ao lado de Górgias de Leontinos (487-380 a.C.), como um dos mais relevantes sofistas. E, como se sabe, os sofistas não acreditavam em nenhuma verdade, isto é, relativizavam a verdade ao extremo. Protágoras, por exemplo, pregava "que nada sabemos sobre os deuses – nem se existem, nem se não existem", e, nessa linha, concluía que o "homem é a medida de todas as coisas". Górgias sustentava que "nada existe que possa ser conhecido; se pudesse ser conhecido não poderia ser comunicado, se pudesse ser comunicado não poderia ser compreendido"[32]. Ou seja, para os sofistas não existe nenhuma verdade absoluta divina, toda ela é relativizada pelo homem. Eles patrocinaram, então, o início de um primeiro "giro antropológico". Se o homem é a medida de todas as coisas, é ele quem define o que seja a sua verdade. No entanto, ainda não é possível dizer que se encontre aqui uma leitura de um sujeito solipsista[33], como ocorreu no século XVII

---

27   HEGEL, Georg W. F. Crítica Moderna. *Os Pré-Socráticos. Coleção Os Pensadores*, v. 1, *cit.*, p. 354.

28   POPPER, Karl. *O Mundo de Parmênides. Ensaios sobre o iluminismo pré-socrático*, *cit.*, p. XXIII.

29   PARMÊNIDES. Fragmentos. Tradução de José Cavalcante de Souza. *Os Pré-Socráticos. Coleção Os Pensadores, v. 1, cit.*, p. 147 e s.

30   HERÁCLITO. Fragmentos. COSTA, Alexandre. *Heráclito: fragmentos contextualizados*. Tradução, apresentação e comentários por Alexandre Costa. Rio de Janeiro: Difel, 2002, p. 197 e s.

31   POPPER, Karl. *O Mundo de Parmênides. Ensaios sobre o iluminismo pré-socrático*, *cit.*, p. XXIII.

32   Conforme, dentre outros, MARÍAS, Julián. *História da Filosofia*. Tradução de Cláudia Berliner. São Paulo: Martins Fontes, 2004, p. 42.

33   Lenio Streck explica que "'solipsista' quer dizer egoísta, que se basta, encapsulado. É ele que se 'encarrega' de fazer a 'inquisição'. E a verdade será a que ele, o 'sujeito', estabelecerá a partir de sua consciência" (...) "Com efeito, como afirma Blackburn, o solipsismo 'é a consequência extrema de se acreditar que o conhecimento deve estar fundado em estados de experiência interiores e pessoais, não se conseguindo estabelecer uma relação direta entre esses estados e o conhecimento objetivo de algo para além deles'. Trata-se, portanto, de uma corrente filosófica que determina que exista apenas um Eu que comanda o Mundo, ou seja, o mundo é controlado consciente ou inconscientemente pelo Sujeito. Devido a isso, a única certeza de existência é o pensamento, instância psíquica que controla a vontade. O mundo ao redor é apenas um esboço virtual do que o Sujeito imagina, quer e decide o que é. Desse modo, quando falo aqui – e em tantos outros textos – de um sujeito solipsista, refiro-me a essa consciência encapsulada que não sai de si no momento de decidir." (...) "para o solipsismo filosófico – e pensemos aqui na discricionariedade positivista, louvada até mesmo pelos setores

170 ■ Processo Penal | Fundamentos dos fundamentos

com a filosofia de Descartes. Como esclarece Heidegger, é somente com Descartes que se dará esse efetivo giro no paradigma da consciência[34], como se verá mais adiante.

Quem rivalizou com os sofistas, pelo que se sabe dos escritos de Platão[35] (428-347 a.C.), foi Sócrates (470-399 a.C.) – e depois, claro, seu discípulo, isto é, o próprio Platão. Ele procurou adotar um conceito de verdade que fosse universal, por meio de uma nova forma de filosofia que conduziu a discussão da verdade para o campo das ideias, abandonando a preocupação com o mundo físico para ingressar naquele metafísico. O que Platão visou foi encontrar uma saída para o "problema da mudança" que havia sido inaugurado com Anaximandro, explicitado por Heráclito e que Parmênides, em seu Poema "As Duas Vias", apresentou como um dualismo em favor do imobilismo: "o ser é, o não ser não é". Nas palavras de Parmênides:

> E agora vou falar; e tu, escuta as minhas palavras e guarda-as bem, pois vou dizer-te dos únicos caminhos de investigação concebíveis. O primeiro (diz) que (o ser) é e que o não-ser não é; este é o caminho da convicção, pois conduz à verdade. O segundo, que não é, é, e que o não ser é necessário; esta via, digo-te, é imperscrutável; pois não podes conhecer aquilo que não é – isto é impossível – nem expressá-lo em palavra[36].

---

críticos da teoria do direito –, o mundo seria/é apenas o resultado das representações que realizamos a partir de nosso 'feixe de sensações'" (STRECK, Lenio Luiz. *O que é Isto? – Decido Conforme Minha Consciência?* 2. ed. Coleção O que é Isto? Porto Alegre: Livraria do Advogado Editora, 2010, v. 1, p. 58-59). A respeito do termo, Ferrater Mora complementa, dizendo que a palavra "solipsismo" vem do latim "*solus*", que significa "só", e "*ipse*", que significa 'eu' (portanto: "eu só"). É conhecida também como a "doutrina do só eu". FERRATER MORA, J. *Dicionário de Filosofia. Tomo IV.* 2. ed. São Paulo: Edições Loyola, 2004, p. 2732-2733.

34 HEIDEGGER, Martin. *A Época das Imagens de Mundo.* Tradução de Cláudia Drucker, p. 8 e s. Disponível em: www.ghiraldelli.pro.br. Acesso em: 15 jan. 2015. Verbis: "O mundo grego está ainda mais distante da interpretação moderna do ente. (...) A essência do homem na grande época dos gregos é ser olhado pelo ente, mobilizado e detido por ele, portanto também por ele carregado; é ser envolvido pelos seus contrastes e escolhido para assinalar suas discrepâncias. (...) O homem grego 'é' na medida em que percebe o ente, e por isso, entre os gregos, o mundo nunca pode se transformar em imagem. (...) A percepção entre os gregos significa algo bem diferente da representação moderna, cujo significado se expressa na palavra 'repraesentatio'. Re-apresentar significa aqui: trazer para diante de si, de quem representa, o ente à mão, e fazer com que esta relação consigo repercuta como se fora o âmbito normativo. Quando isto acontece, o homem se instala na imagem a respeito do ente. Na medida em que o homem se instala na imagem desta forma, ele se põe em cena, isto é, no âmbito do ato de representar, universal e publicamente. Deste modo o homem se põe como a cena em que, daqui por diante, o ente se re-presenta, apresenta, isto é, precisa ser uma imagem. O homem se torna o representante do ente no sentido do objeto".

35 PLATÃO. Sofista. *Diálogos. O Banquete. Fédon. Sofista. Político. Coleção Os Pensadores,* v. 3. Tradução de Jorge Paleikat e João Cruz Costa. São Paulo: Victor Civita, 1972, p. 137 e s.; PLATÃO. *Górgias.* Tradução de Carlos Alberto Nunes, créditos da digitalização: membros do grupo de discussão Acrópolis (Filosofia), página do grupo: http://br.egroups.com/group/acropolis/. Disponível em: http://www.dominiopublico.gov.br/download/texto/cv000034.pdf. Acesso em: 10 dez. 2013.

36 PARMÊNIDES. As Duas Vias. MARCONDES, Danilo. *Textos Básicos de Filosofia. Dos pré-socráticos a Wittegenstein.* 2. ed. Rio de Janeiro: Zahar, 2007, p. 13.

Parmênides, então, procurou demonstrar que o movimento entre o "ser" e o "não ser" era impossível. Na síntese de Karl Popper:

1. Só o ser é (só o que é, é).
2. O nada, o não ser, não pode ser.
3. O não ser seria a ausência de ser: seria o vácuo.
4. Não pode haver vácuo.
5. O mundo é cheio: um bloco.
6. O movimento é impossível[37].

Ou seja: de um lado havia quem apresentasse tudo como em constante mutação (Heráclito); e, de outro, havia Parmênides, para quem o mundo era imóvel. Platão se ocupou desse problema, como apresentou no diálogo entre Sócrates e Teodoro:

> E esse problema, não o recebemos dos antigos velado pela poesia, para melhor escondê-lo das multidões, que o Oceano e Tétis, geradores do resto das coisas, são corrente d'água, e que nada é imóvel? É o que os modernos, mais sábios do que eles, demonstram abertamente, para que os próprios sapateiros, ouvindo-os, assimilem tamanha sabedoria e deixem de acreditar estultamente que há seres parados e seres em movimento, e aprendam que tudo é movimento, com o que passarão a reverenciar os mestres. Porém por pouco me esqueceu, Teodoro, que outros sustentam precisamente o contrário, como, por exemplo:
>
> Só como imóvel, de fato, é que o Todo deverá chamar-se, e tudo o mais quanto os Melissos e os Parmênides atiram contra aqueles, a saber: que tudo é um e se mantém imóvel em si mesmo, não havendo lugar para onde possa declinar. E agora, amigo, que faremos no meio de toda essa gente? Avançando aos pouquinhos, viemos cair, sem o percebermos, entre os dois grupos, e se não descobrirmos jeito de escapar de ambos, incorreremos em penalidade[38].

Havia, então, uma tensão entre os dois modos de compreender. Platão, pela palavra atribuída a Sócrates, deu preferência à compreensão da mutabilidade, do "devir":

---

37 POPPER, Karl. *O Mundo de Parmênides, cit.*, p. 84.
38 PLATÃO. *Teeteto*. 181 a. Tradução de Carlos Alberto Nunes. Texto digitalizado pelos membros do grupo de discussão Acrópolis (Filosofia). Disponível em: http://br.egroups.com/group/acropolis/. Acesso em: 2 fev. 2022.

a translação das coisas, do movimento e da mistura de umas com as outras é que se forma tudo o que dizemos existir, sem usarmos a expressão correta, pois a rigor nada é ou existe, tudo devém. Sobre isso, com exceção de Parmênides, todos os sábios, por ordem cronológica, estão de acordo: Protágoras, Heráclito e Empédocles[39].

Levou em conta, portanto, o "problema da mudança" e procurou enfrentá-lo, pois, se é certo que sempre se está deixando de ser algo e vindo a ser outra coisa, como se poderá chegar à verdade do ser nessa constante mutação? Essa foi a preocupação de Platão, que entendeu necessário encontrar a verdade que corresponda ao ser sem se vincular a essa instabilidade do "mundo sensível", que faz tudo oscilar entre o ser e o não ser[40]. Abandonou, então, o mundo físico e se voltou para o mundo das "Ideias". Considerou que o que há de imutável num objeto é a "Ideia". A palavra "Ideia", aqui, deve ser lida como essência, e não nos moldes modernos, como se costuma fazer hoje em dia (de ideia como representação mental)[41]. Referiu, então, que haveria um "Céu das Ideias" (ou "lugar celeste", "topos uranus")[42]. Este seria o lugar onde as coisas são imutáveis, preexistentes. Ele passou a ser o "*locus*" da verdade[43]. Para explicar essa divisão entre o mundo sensível e o mundo das ideias, Platão apostou no dualismo entre corpo e alma, como referiu ao representar o diálogo que Fédon travou com Sócrates, momentos antes de sua morte:

> – Há algum sentido corporal por meio do qual chegaste a apreciar as coisas de que te falo, como a nobreza, a sanidade, a força, em resumo, a essência de todas as coisas, isto é, aquilo que são nelas mesmas? Conhece-se, tendo o corpo como mediador, o que nelas existe de mais verdadeiro? Ou se aproximará mais do fim desejado aquele entre nós que se encontre em maior grau e mais preparado para pensar por si mesmo a coisa que observa e toma por objeto?

---

39 *Ibid.*, 181 a.

40 PLATÃO. *Parmênides*. Tradução de Maura Iglésias e Fernando Rodrigues. Rio de Janeiro: Editora PUC-Rio, Edições Loyola, 2003, p. 31 e s.; e PLATÃO. Sofista. *Diálogos. O Banquete. Fédon. Sofista. Político. Coleção Os Pensadores*, v. 3. Tradução de Jorge Paleikat e João Cruz Costa. São Paulo: Victor Civita, 1972, p. 168 e s.

41 *Id. Fedro ou Da Beleza*. 6. ed. Tradução de Pinharanda Gomes. Lisboa: Guimarães Editores, 2000, p. 65. Nas palavras de Platão: "a inteligência humana deve exercer-se segundo o que designamos por Ideia, indo desde a multiplicidade das sensações para uma unidade cuja abstração é a verdade racional. Este ato de abstração consiste numa recordação das verdades eternas contempladas pela alma no momento em que se integrava no séquito de um deus, quando podia contemplar estas existências a que atribuímos a realidade e quando, depois, levantava os olhos para o que é verdadeiramente real."

42 *Ibid.*, p. 64

43 *Ibid.*, p. 59 e s.

– Com certeza.

– E o conseguirá mais claramente quem examinar as coisas apenas com o pensamento, sem pretender aumentar sua meditação com a vista, nem sustentar seu raciocínio por nenhum outro sentido corporal; aquele que se servir do pensamento sem nenhuma mistura procurará encontrar a essência pura e verdadeira sem o auxílio dos olhos ou dos ouvidos e, por assim dizê-lo, completamente isolado do corpo, que apenas transtorna a alma e impede que encontre a verdade. Se alguém pode conhecer a essência das coisas, não é precisamente este de que acabo de falar?

– Tens razão, Sócrates, e falas admiravelmente.

– Deste princípio – prosseguiu Sócrates – não se segue que os filósofos precisam pensar e dizer: a razão deve seguir apenas um caminho em suas investigações, enquanto tivermos corpo e nossa alma estiver absorvida nessa corrupção, jamais possuiremos o objeto de nossos desejos, isto é, a verdade[44].

Nessa perspectiva, para Platão, a alma, antes de encarnar num corpo, habitava o "Céu das Ideias", e, pela contemplação das Ideias, ela era capaz de conhecer a verdade[45]. Acontece que a alma resolveu encarnar e, ao fazê-lo, teve que atravessar o rio Lete[46], considerado o rio do esquecimento, de cuja água todas as almas que iriam reencarnar eram obrigadas a beber um pouco. Na mitologia grega, aqui incorporada por Platão, quanto mais água determinada alma consumia, mais ela se esquecia da verdade[47]. Ao reencarnar, ficavam algumas lembranças de ter acessado um dia a verdade. Elas permitiam, no entanto, o esforço de procurar sempre buscar essa verdade. Isso autorizou Platão a dizer que, se a alma já conheceu a verdade alguma vez antes de nascer, de reencarnar, é porque, em vida, é capaz de buscá-la.

Com essa explicação, Platão dava uma resposta aos sofistas, que se valiam de um paradoxo para colocar em xeque a busca da verdade. Diziam que não seria possível buscar a verdade, pois ou eu não sei o que ela é e, nesse caso, não faz sentido procurá-la, já que não a identificarei caso a encontre; ou eu já sei o que é a verdade e, assim, não preciso

---

44 PLATÃO. Fédon. *Diálogos. Coleção Os Pensadores*. São Paulo: Nova Cultural, 2204, p. 127.

45 *Id. Fedro ou Da Beleza*. p. 66. Nas palavras de Platão: "Conforme disse anteriormente, em virtude da essência, todas as almas humanas contemplaram a Verdade, pois, se assim não acontecesse, jamais poderiam insuflar-se num corpo humano. Mas nem todas as almas podem recordar-se daquela Verdade perante a simples contemplação das coisas deste mundo com a mesma facilidade, pois, uma vez sujeitas à queda, facilmente são impelidas à prática da injustiça, olvidando augustos mistérios que um dia tinham contemplado."

46 Platão refere ao "rio Ameles", mas a interpretação que se costuma fazer é que se trata de uma confusão, e o rio se chamaria "Lete" ou "Lethes".

47 PLATÃO. *A República*. Tradução de Enrico Corvisieri. São Paulo: Nova Cultural, 2004, p. 352.

procurá-la mais. Platão, como visto, desconstruiu essa armadilha sofista, dizendo que a alma já contemplou um dia a verdade, antes de encarnar. Assim, ela pode buscar a verdade, desde que consiga se libertar da prisão do corpo que a impede de compreendê-la.

E o método que Platão desenvolveu para chegar à verdade foi a dialética[48], ou seja, a promoção de um diálogo interrogante no qual se dividem as questões até que se alcance o indivisível: a *Ideia*[49]. O famoso exemplo da caverna facilita a compreensão. Nas palavras de Sócrates, em diálogo com Glauco, referido por Platão:

> Sócrates – Recordas-te do homem da caverna: a sua libertação das correntes, a sua conversão das sombras para as figuras artificiais e a luz que as projeta, a sua ascensão para o Sol e daí a incapacidade em que se vê ainda de olhar para os animais, as plantas e a luz do Sol, que o força a mirar nas águas as suas imagens divinas e as sombras de coisas reais, e não mais as sombras projetadas por uma luz que, comparada com o Sol, não é senão uma imagem também. São precisamente estes os efeitos do estudo das ciências que acabamos de examinar: elevam a parte mais sublime da alma até a contemplação do mais excelente de todos os seres, como há instantes vimos o mais perspicaz dos órgãos do corpo erguer-se à contemplação do que há de mais luminoso na região do material e do visível. (...) E também que só o poder dialético pode revelá-lo a um espírito versado nas ciências que examinamos, o que, por qualquer outro caminho, é impossível". (...) o método dialético é o único que se eleva, destruindo as hipóteses, até o próprio princípio para estabelecer com solidez as suas conclusões, e que realmente afasta, pouco a pouco, o olhar da alma da lama grosseira em que está mergulhado e o eleva para a região superior, usando como auxiliares para esta conversão as artes que enumeramos[50].

Nesse sentido é, também, a explicação de Aristóteles:

---

48 *Ibid.*, p. 246 e 247. Nas palavras de Sócrates, em diálogo com Glauco, referido por Platão: "Sócrates – Ora, caro Glauco, não é então essa ária que a dialética executa? Faz parte do inteligível, mas é imitada pelo poder da visão, que, como dissemos, tenta primeiro olhar os seres vivos, depois os astros e por fim o próprio Sol. Eis que quando alguém tenta, através da dialética, sem o auxílio de nenhum sentido, mas por meio da razão, alcançar a essência de cada coisa e não se detém antes de ter apreendido apenas pela inteligência a essência do bem, atinge o limite do inteligível, como o outro, ainda há pouco, atingia o limite do visível. Glauco – Com toda a certeza. Sócrates – Pois então! Não é a isto que chamas o seguimento dialético? Glauco – Indubitavelmente"; e PLATÃO. *Fedro ou Da Beleza*. p. 102. Nas palavras de Sócrates, referido por Platão: "Eu também sou muito dado, caro Fedro, a esta maneira de reduzir e analisar as ideias, pois é o melhor processo de aprender a falar e a pensar, e sempre que me convenço de que alguém é capaz de aprender, simultaneamente, o todo e as partes de um objeto, decido-me a seguir esse homem como se 'seguisse as pegadas de um deus!' Em verdade, aos homens que possuem esse talento – se tenho ou não tenho razão ao dizer isto, o deus o sabe! – sempre os tenho chamado por 'dialéticos'."

49 PLATÃO. Sofista. *Diálogos. O Banquete. Fédon. Sofista. Político. Coleção Os Pensadores*, p. 184 e s.

50 *Id. A República*. Tradução de Enrico Corvisieri. p. 246.

As filosofias descritas anteriormente foram sucedidas pelo sistema de Platão, o qual em muitos aspectos harmonizava-se com elas, mas que também encerrava características distintas daquelas da filosofia itálica. (...) E quando Sócrates, deixando de lado a natureza e confinando seu estudo às questões éticas, buscou nessa esfera o universal e foi o primeiro a concentrar-se nas definições, Platão a ele aderiu e concebeu que o problema da definição não diz respeito a qualquer coisa sensível, mas a entidades de outro tipo, isto porque é impossível haver definição geral de coisas sensíveis, que estão em contínua mutação. Chamou essas entidades de "Ideias" e sustentou que todas as coisas sensíveis são nomeadas segundo elas e em função de sua relação com elas, uma vez que a pluralidade das coisas, que têm o mesmo nome que as Formas, existe por participação nelas[51].

Aristóteles (384-322 a.C.), como discípulo de Platão, fez o contraponto de seu mestre, o qual é, em grande parte, ainda hoje dominante e influente na forma de muitos compreenderem o mundo, considerando a verdade como inerente às coisas, e não às ideias. Portanto, para os filósofos gregos antigos, notadamente a partir de Sócrates e Platão, de um lado, e levando em conta o contraponto de Aristóteles, de outro, como destacado anteriormente, ou os sentidos estavam nos sujeitos, que "assujeitavam" as coisas a si (Platão); ou os sentidos estavam nas coisas, que "assujeitavam" os sujeitos a elas (Aristóteles).

Com isso, não se quer dizer que os filósofos desse longo período deixassem de se preocupar com a relação entre a linguagem e a verdade, com a definição dos conceitos, dos signos e dos significados. Heidegger[52] e Gadamer[53], o primeiro analisando *Fragmento 50*, de Heráclito, e o segundo *A Política*, de Aristóteles, referem que, não obstante a palavra "*logos*" tenha sido tradicionalmente traduzida por "razão ou pensar", ela também era utilizada e compreendida como "linguagem".

É possível até mesmo considerar que a obra *Crátilo*, de Platão, seja uma primeira referência filosófica a se preocupar com a questão da linguagem. De fato, a linguagem ganhou importância quando, em *Crátilo*, Platão apresentou os diálogos atribuídos a Hermógenes, Crátilo e Sócrates colocando uma questão crucial: as palavras podem contribuir para o conhecimento da realidade? Em busca da resposta nesse diálogo, foram apresentadas duas ideias divergentes: a de Heráclito (naturalista: cada coisa

---

51 ARISTÓTELES. *Metafísica, cit.*, p. 57-58.

52 HEIDEGGER, Martin. Logos (Heráclito, fragmento 50). *Ensaios e Conferências*. Tradução de Emmanuel Carneiro Leão, Gilvam Fogel e Márcia de Sá Cavalcante Schuback. Petrópolis: Vozes, 2002, p. 183 e s.

53 GADAMER, Hans-Georg. *Verdade e Método II: complemento e índice*. 6. ed. Tradução de Ênio Paulo Giachini. Petrópolis: Vozes, 2011, p. 173.

176 ■ Processo Penal | Fundamentos dos fundamentos

tem seu nome por natureza), representada pela fala de Crátilo, e a dos sofistas, representada por Hermógenes (nominalista ou convencionalista: cada coisa tem seu nome por convenção). Sócrates foi o mediador do diálogo.

Já no início da obra, Hermógenes apresentou a Sócrates a forma de Crátilo pensar e como ele – Hermógenes – o indagou a esse respeito, num nítido estilo questionador e de provocar contradições nos interlocutores, como faziam os sofistas:

> Hermógenes – Aqui o Crátilo dizia, ó Sócrates, que cada um dos seres tem um nome correto que lhe pertence por natureza (...). Por isso, eu perguntei-lhe se o seu nome é verdadeiramente Crátilo. E ele assentiu. "E o de Sócrates?", perguntei-lhe. "É Sócrates", disse ele. "Quer dizer que, relativamente a todos os outros homens, aquilo que lhes chamamos é o nome de cada um deles, e esse é, para cada um, o seu nome?", disse eu. "Bem, o teu não é Hermógenes", respondeu ele, "apesar de todos os homens te chamarem assim". Mas, embora eu o interrogue e esteja cheio de vontade de conhecer o que pode ele querer dizer, ele nada esclarece e finge-se ignorante comigo, afetando pensar dentro de si próprio qualquer coisa que ele conhece, e que, se quisesse expor claramente, me faria concordar com ele e dizer as mesmas coisas que ele diz. Ora, se tu puderes interpretar o oráculo de Crátilo, ouvir-te-ei com prazer; mas ainda com mais prazer ouviria aquilo que pensas sobre a correção dos nomes, se quiseres dizer-mo[54].

Quando Crátilo disse que o nome de Hermógenes não era dele, referiu-se ao fato de que Hermógenes significa, etimologicamente, "filho de Hermes", deus protetor do comércio[55], e assim brincou com o fato de Hermógenes não ser realmente filho de Hermes e tampouco ter muita riqueza, a exemplo do que teria um filho do deus Hermes[56]. No entanto, acabou caindo na armadilha dos sofistas, contradizendo-se na provocação de Hermógenes, pois, se Crátilo sustentava que haveria uma relação natural entre o que considerava ser o "signo" (a palavra) e a coisa significada, e o nome dado a Hermógenes não pode significar ser ele filho de Hermes, o nome dado a Hermógenes não teria relação com ele mesmo e, assim, seria arbitrário. E é esta última – a posição contrária de Crátilo – aquela defendida por Hermógenes, sustentando que os nomes decorrem "da convenção e do acordo"[57], o que se ajusta

---

54 PLATÃO. *Crátilo*. Tradução de Maria José Fiqueiredo. 383a, p. 43.
55 Como explica SANTOS, José Trindade. Nota 2. PLATÃO. *Crátilo*, *cit.*, p. 44.
56 PLATÃO. *Crátilo*, *cit.*, 384c, p. 44.
57 *Ibid.*, 384d, p. 44.

à concepção de Protágoras de que "o homem é a medida de todas as coisas" e, como tal, atribui o nome que quiser às coisas:

> Hermógenes – Quanto a mim, ó Sócrates, muitas vezes conversei com eles e com muitos outros, e não sou capaz de me deixar persuadir de que a correção dos nomes seja outra coisa para além da convenção e do acordo. (...) De facto, nenhum nome pertence por natureza a nenhuma coisa, mas é estabelecido pela lei e pelo costume daqueles que o usam, chamando as coisas[58].
>
> (...)
>
> Hermógenes – De facto, ó Sócrates, tenho para mim que não há outra correção dos nomes senão esta, ser cada coisa para mim chamada por um nome, aquele que eu lhe pus, e para ti por outro, aquele que tu lhe puseste; e da mesma maneira vejo as cidades atribuírem nomes particulares às mesmas coisas, e os gregos darem nomes diferentes dos que dão outros gregos, e os gregos darem nomes diferentes dos que dão os bárbaros[59].

E, assim, se os nomes seriam fruto da vontade de cada um e do consenso dos homens, como defendiam os sofistas, é porque não eram nem uma expressão da natureza, como pregavam os primeiros filósofos pré-socráticos, nem decorriam da vontade dos deuses, como pregava a mitologia. Mas, no diálogo com Sócrates, Hermógenes foi conduzido a admitir que o convencionalismo absoluto, como ele apresentava, também gerava problemas de comunicação e, assim, não poderia ser seguido à risca, como se vê da seguinte passagem:

> Sócrates – E poderá alguém falar corretamente se falar de acordo com a sua opinião sobre o modo como se deve falar? Ou fracassará e nada fará, a não ser que diga as coisas como lhes pertence por natureza e como devem ser ditas e por meio do que devem sê-lo e, falando assim, fará e dirá uma coisa melhor?
>
> Hermógenes – Parece-me ser como dizes.
>
> Sócrates – Mas então, o nomear não é uma parte do falar? Pois é nomeando que produzimos os discursos.
>
> Hermógenes – Completamente.
>
> Sócrates – Nesse caso, o nomear é uma certa ação, já que o falar era uma certa ação acerca das coisas.
>
> Hermógenes – Sim.

---

58 *Ibid.*, 384d, p. 44.
59 *Ibid.*, 385d, p. 46.

Sócrates – Mas vimos que as ações não são relativamente a nós, mas têm uma certa natureza própria que é sua.

Hermógenes – Assim é.

Sócrates – Desse modo, e para estarmos de acordo com o que foi dito anteriormente, as coisas devem ser nomeadas como lhes pertence por natureza serem nomeadas e por meio do que devem sê-lo, e não como nós queremos; e, assim, faremos e nomearemos melhor, mas de outra maneira não.

Hermógenes – Parece-me que sim[60].

A diferença de abordagem, portanto, foi apresentada por Sócrates, que, no diálogo mantido com Hermógenes, fez alusão à figura de um ser divino, o "*nomothetês*" (ou "legislador dos nomes"[61]), como sendo aquele capaz de identificar a verdadeira natureza das coisas, incumbido de lhes designar nomes, convencionando-os em "signos". Estes eram vistos como referencial de um modelo ideal, porém sem qualquer vinculação com a coisa e, assim, sem ter importância para a definição da verdade das coisas. O resultado do diálogo em *Crátilo* permitiu a Platão admitir, por intermédio da fala que atribuiu a Sócrates, que havia uma necessidade de se buscar a verdade nas ideias, para além das palavras:

> Sócrates: Mas então, estando os nomes em guerra, e afirmando uns que são semelhantes à verdade, e outros que são eles que têm essa semelhança, com base em que fato poderemos decidir, ou em que nos apoiaremos? Pois não poderá ser em nomes diferentes destes, porque não existem, mas é claro que teremos de procurar outras entidades, para além dos nomes, que nos mostrem, sem os nomes, qual dos dois grupos é o verdadeiro, exibindo de forma clara a verdade dos seres[62].

A obra serviu, então, de base para que Platão construísse sua ideia de que os "signos" (e a linguagem) não são importantes no conhecimento da verdade, já que expressam meras convenções. A linguagem, em Platão, portanto, era vista mais como um problema, um obstáculo para o conhecimento, para a verdade, pois, no mundo sensível e constantemente mutável, as palavras não se apegam aos objetos. Platão

---

60 *Ibid.*, 387b, p. 48-49.

61 *Ibid.*, p. 184, 388e4, p. 50.

62 *Ibid.*, p. 438d, p. 122.

também discutiu a questão da linguagem noutros textos, a exemplo de *Górgias*, criticando o uso da palavra como retórica de convencimento, inclusive nos tribunais[63].

Assim, Platão, influenciado por Sócrates, que lhe incutiu uma série de dúvidas na mente[64], tinha uma percepção de mundo ideal, trabalhando, portanto, no universo das *Ideias* e construindo o discurso da existência de uma verdade no qual a linguagem tem papel secundário. Enfim, Platão acreditava num mundo ideal e que seria nesse mundo que a verdade essencial das coisas se revelaria. Para Platão, então, a verdade estava no mundo do "dever-ser", no mundo das ideias, na mente das pessoas (no que ele, de certa forma, também deu pistas de uma filosofia da consciência que se estruturou séculos depois com o "*cogito*" cartesiano), e, assim, deveria ser descoberta pela razão, como deixa claro na obra *Timeu*:

> Na minha opinião, temos primeiro que distinguir o seguinte: o que é aquilo que é sempre e não devém, e o que é aquilo que devém, sem nunca ser? Um pode ser apreendido pelo pensamento com o auxílio da razão, pois é imutável. Ao invés, o segundo é objeto da opinião acompanhada da irracionalidade dos sentidos e, porque devém e se corrompe, não pode ser nunca.
>
> (...)
>
> Todavia, sempre que se aplica ao racional e sempre que o círculo do Mesmo, que se movimenta com destreza, revela isto, é forçoso que daí resulte saber e intelecção. No que respeita àquilo em que se geram estes dois modos de conhecer, se alguma vez alguém disser que é outra coisa que não a alma, esse alguém estará a dizer tudo menos a verdade[65].

---

63 PLATÃO. "Górgias, *cit*.: Górgias – Que é, de fato, o maior bem, Sócrates, e a causa não apenas de deixar livres os homens em suas próprias pessoas, como também de torná-los aptos para dominar os outros em suas respectivas cidades. Sócrates – Que queres dizer com isso? Górgias – O fato de por meio da palavra poderem convencer os juízes no tribunal, os senadores no conselho e os cidadãos nas assembleias ou em toda e qualquer reunião política. Com semelhante poder, farás do médico teu escravo, e do pedótriba teu escravo, tornando-se manifesto que o tal economista não acumula riqueza para si próprio, mas para ti, que sabes falar e convencer as multidões. (...) Sócrates – De qual dessas persuasões se vale a retórica nos tribunais e nas demais assembleias, relativamente ao justo e ao injusto? Da que é fonte de crença sem conhecimento, ou da que é fonte só de conhecimento? Górgias – Evidentemente, Sócrates, da que dá origem à crença. Sócrates – Então, ao que parece, a retórica é obreira da persuasão que promove a crença, não o conhecimento, relativo ao justo e ao injusto? Górgias – Exato. Sócrates – Sendo assim, o orador não instrui os tribunais e as demais assembleias a respeito do justo e do injusto, mas apenas lhes desperta a crença nisso. Em tão curto prazo não lhe fora possível instruir tamanha multidão sobre assunto dessa magnitude".

64 Sobre o tema, *vide*, dentre outros: DROIT, Roger-Pol. *Filosofia em Cinco Lições*. Tradução de Jorge Bastos. Rio de Janeiro: Nova Fronteira, 2012, p. 29 e s.

65 PLATÃO. *Timeu-Crítias*. Tradução de Rodolfo Lopes. Colecção autores gregos e latinos. Série Textos, Coimbra: Centro de Estudos Clássicos e Humanísticos, Universidade de Coimbra, 2011, obra digitalizada e disponível em: https://bdigital.sib.uc.pt/jspui/bitstream/123456789/64/7/platao_timeu_critias.pdf. Acesso em: 20 jun. 2014, p. 93-94 e p. 108-109.

Já Aristóteles, como dito, caminhou no sentido oposto ao de seu mestre. Realista, deu preferência ao "ser", como fez na *Metafísica*, sustentando terem as coisas uma essência, sendo que a linguagem não teria autonomia em relação às coisas.

Com isso, também, não se quer dizer que Aristóteles desconsiderasse a linguagem. Ao contrário, pois ele inclusive destacava sua importância como sinal caracterizador e distintivo dos seres humanos e dos animais:

> É evidente que o homem é um animal mais político do que as abelhas ou qualquer outro ser gregário. A natureza, como se afirma frequentemente, não faz nada em vão, e o homem é o único animal que tem o dom da palavra. E mesmo que a mera voz sirva para nada mais do que uma indicação de prazer ou de dor, e seja encontrada em outros animais (uma vez que a natureza deles inclui apenas a percepção de prazer e de dor, a relação entre elas e não mais que isso), o poder da palavra tende a expor o conveniente e o inconveniente, assim como o justo e o injusto. Essa é uma característica do ser humano, o único a ter noção do bem e do mal, da justiça e da injustiça. E é a associação de seres que têm uma opinião comum acerca desses assuntos que faz uma família ou uma cidade[66].

Aristóteles ainda avançou em suas considerações a respeito da linguagem para explorar a questão das diferentes línguas e símbolos dos sons da fala e da escrita, sem olvidar-se dos correspondentes "signos" universais, em texto intitulado *Da Interpretação* (*Órganon*):

> Os sons emitidos pela fala são símbolos das paixões da alma (ao passo que) os caracteres escritos [formando palavras] são os símbolos dos sons emitidos pela fala. Como a escrita, também a fala não é a mesma em toda parte [para todas as raças humanas]. Entretanto, as paixões da alma, elas mesmas, das quais esses sons falados e caracteres escritos (palavras) são originariamente signos, são as mesmas em toda parte [para toda a humanidade], como também o são os objetos dos quais essas paixões são representações ou imagens. (...) Como por vezes assomam pensamentos em nossas almas desacompanhadas da verdade ou da falsidade, enquanto assomam por vezes outros que necessariamente encerram uma ou outra, coisa idêntica ocorre em nossa linguagem, uma vez que a combinação e a divisão são essenciais para que se tenham a verdade e a falsidade. (...)

---

66   ARISTÓTELES. *A Política*. I, 2. Coleção Os Pensadores. São Paulo: Nova Cultural, 2004, p. 146.

> O nome é um som que possui significado estabelecido somente pela convenção, sem qualquer referência ao tempo, sendo que nenhuma parte dele tem qualquer significado, se considerada separadamente do todo. (...) Já dissemos que um nome tem este ou aquele significado por convenção. Nenhum som é naturalmente um nome: converte-se em um tornando-se um símbolo[67].

Como se extrai do texto anteriormente reproduzido, para Aristóteles, os significados dos signos (extraídos da paixão da alma) são convenções universais forjadas numa relação entre a mente e o objeto, ainda que refira, na mesma linha já vista no Crátilo de Platão, que "os nomes têm este ou aquele significado por convenção". A diferença é que, na visão aristotélica, o ser humano usa os signos para falar do real.

Aristóteles enfrentou o mesmo dilema da oposição entre Heráclito e Parmênides e, assim como Platão, procurou solucionar a questão da mutabilidade do ser. Se a realidade é uma constante passagem do "ser" ao "não ser", decorrente da instabilidade do "ser" no mundo sensível, isso colocava o problema de que, então, essa passagem seria do "ser" ao "nada", o que não é possível. Há algo que precisa ser compreendido. Era preciso, assim como fez Platão, encontrar uma resposta que explicasse a mudança e permitisse alcançar o elemento estável: a verdade. Platão, como visto, apostou no dualismo entre corpo e alma, entre o mundo sensível e o das ideias. Se o mundo sensível é essa constante mutação, é preciso abandoná-lo e depositar no mundo das Ideias a sua explicação para a verdade. Já Aristóteles, que também levava em conta esse dualismo entre o mundo sensível e a razão, entendeu que era possível remeter a instabilidade do mundo sensível a um princípio de estabilidade que estaria nele mesmo. Não seria, então, necessário buscar a verdade num mundo transcendente, até porque, também nesse "mundo das Ideias", o problema do "ser" poderia ser colocado. Aliás, alcançaria mesmo situações de absurdo que não foram pensadas por Platão. Assim, por exemplo, se Platão considerava que, para cada objeto no mundo sensível, haveria uma essência no mundo das Ideias, como explicar a criação de um novo objeto no mundo sensível? Será que, ao criar um objeto inédito no mundo sensível – um telefone celular, por exemplo –, isso remeteria, automaticamente, à criação de uma essência do telefone celular no mundo das Ideias? E ainda: se os objetos no mundo sensível estão em constante mutação, essa mutação seria representada também por correspondentes novas essências mutáveis no mundo das Ideias? Essas perguntas, retóricas, claro, permitem compreender que há uma falha

---

67 *Id.* Da Interpretação. *Órganon, cit.*, p. 81 e 82.

no pensamento platônico, até porque Platão considerava as Ideias (as formas) como eternas, perenes, imutáveis, universais[68].

Aristóteles, então, considerou que não há necessidade de insistir na dualidade entre o mundo sensível e o das ideias, dizendo que apenas o mundo que se apresenta diante de nós é correspondente à realidade. Pensar a respeito da realidade nada mais seria do que operar uma duplicação intelectual da realidade. A realidade sensível é a única dimensão aceita. O pensamento, por outro lado, passou a ser um instrumento do intelecto que ajudava a colocar alguma estabilidade nessa desordem do mundo sensível. O dualismo de Aristóteles, portanto, não é aquele que separa o mundo em dois, mas apenas o que leva em conta que há duas formas de considerar o mesmo mundo: a sensibilidade e a razão. Em vez de considerar a "transcendência", como Platão, Aristóteles considerou a "imanência", ou seja, o mundo da razão é imanente ao mundo sensível e não transcendente a ele. A forma de pensar (uso da razão) sobre determinado objeto (mundo sensível) é imanente a ele[69].

Assim, para Aristóteles, a verdade seria a correspondência entre o que se pensa e a coisa que se analisa; a adequação entre o intelecto e a coisa; "*veritas est adequatio intelectus et rei*", como, mais tarde, sintetizaria Tomás de Aquino[70], desvendando, assim, a essência das coisas. Ou seja, para Aristóteles, ao se considerar que as coisas tinham uma essência, elas passavam a ter um sentido.

A partir de Aristóteles, portanto, os gregos se indagavam a respeito do "ser" e consideravam que a verdade estava nele, na essência das coisas. O intelecto é que deveria adaptar-se à coisa, compreendê-la[71]. Na análise aristotélica, quando se faz uma afirmação a respeito de alguma coisa, essa afirmação somente será considerada verdadeira se, de fato, ela corresponder à essência da coisa. Por exemplo, ao afirmar-se "a taça é de cristal", essa afirmação somente será verdadeira se a taça, de fato, for de cristal. Se, ao contrário, ela for feita de vidro, a afirmação é falsa. Enfim, para ser verdadeira, a afirmação deve ter uma correspondência com a coisa em si.

---

68   PLATÃO. *Fedro ou Da Beleza*, *cit.*, p. 62.

69   ARISTÓTELES. Da Interpretação. *Órganon*, *cit.*, p. 91.

70   AQUINO, Tomás de. *Verdade e Conhecimento: tradução, estudos introdutórios e notas de Luiz Jean Launad e Mario Bruno Sproviero*. São Paulo: Martins Fontes, 2002, p. 167.

71   ARISTÓTELES. *Metafísica*, *cit.*, p. 177-178, 1027b24-1028a2, *verbis*: "Por 'combinar ou dissociar no pensamento' entendo pensá-los não como uma sucessão, mas como uma unidade, pois falsidade e verdade não estão nas coisas – o bom, por exemplo, sendo verdadeiro e o mau, falso – mas no pensamento; e no tocante a conceitos simples e essências, não há verdade ou falsidade nem no pensamento. Quais os pontos que devemos investigar em relação ao ser e o não ser nesse sentido, é algo a ser examinado posteriormente. Mas uma vez que a combinação e a dissociação existem no pensamento e não nas coisas, e este sentido de ser difere dos sentidos próprios (porquanto o pensamento associa ou dissocia a essência, a qualidade, a quantidade ou alguma outra categoria), podemos descartar o acidental e os sentidos verdadeiros de ser, pois a causa do primeiro é indeterminada, ao passo que a do segundo é uma afecção do pensamento; e ambas estão ligadas ao gênero remanescente de ser e não indicam nenhuma realidade objetiva".

O método para conhecer a verdade, para estabilizar a constante mutação do mundo sensível, foi organizado a partir da lógica. Se o "*logos*" (a razão, o pensar, a lógica) governa a realidade sensível, existe um mundo real e existe uma expressão intelectual desse mundo, imanente a ele, que é a lógica. É a razão (ou a lógica) que irá proporcionar a estabilidade do mundo real. Aristóteles, então, usou uma articulação lógica, ou "categorial"[72], para ordenar a mutação do mundo sensível. O "ser", quando está em movimento, não passa a "não ser", mas segue sendo o "ser", articulando-se e saindo de um estado para outro. Ele pode vir a ter novos atributos, que talvez exijam a necessidade de redefini-lo, mas ele não é, como dizia Heráclito, um "ser" que se transforma no "não ser". Segue sendo o mesmo "ser", apenas com novos atributos.

E o método para estabilizar a realidade, para encontrar a essência do ser, foi o analítico, com as formas indutiva e dedutiva de raciocinar. Esse método era o caminho para se chegar à essência das coisas. Para fazer uma correta adequação, era preciso verificar o ser, apreendê-lo pelos sentidos (tato, visão, olfato, audição e paladar) e buscar pela sua "causa primeira". O primeiro percurso é indutivo, isto é, regressivo, ascendente, e vai da coisa até sua origem, do efeito para a causa, do particular para o geral; e o outro é o seu inverso, o dedutivo. Assim, no primeiro caminho referido, caso se queira conhecer alguma coisa, vai-se em busca da sua causa, até porque, se as coisas são mutáveis, é preciso identificar as causas do seu movimento. Esse não é, para Aristóteles, exatamente o caminho de uma ciência, mas, sim, o caminho preparatório de uma ciência, até porque não é possível começar esse percurso pela "causa primeira", porque ela ainda não é conhecida.

Nessa linha, a causalidade é a razão que explica o porquê. Quando se quer conhecer uma coisa, parte-se sempre daquilo que é considerado um seu efeito e, de forma regressiva, ascendente, visa-se buscar a sua causa. É preciso identificar a razão pela qual o efeito existe daquela maneira. Essa razão é o "*motor imediato*", como refere Aristóteles[73].

---

72 As "categorias" que Aristóteles enumera em seus textos servem de instrumento para conhecer a realidade. Dividem-se em dois tipos. O primeiro é "o que (a substância)" e o segundo aglutina várias outras: "quão grande, quanto (a quantidade), que tipo de coisa (a qualidade), com o que se relaciona (a relação), onde (o lugar), quando (o tempo), qual a postura (a posição), em quais circunstâncias (o estado ou a condição), quão ativo, qual o fazer (a ação), quão passivo, qual o sofrer (a paixão)" (ARISTÓTELES. Categorias. *Órganon, cit.*, p. 41). Etimologicamente, a "substância" é aquilo que "está por baixo" e é considerado o aspecto estável ou permanente do ser. A "substância", portanto, é uma categoria "essencial". As demais categorias são "acidentais", mutáveis (ARISTÓTELES. *Metafísica, cit.*, p. 174). Essa divisão é usada ainda hoje para definir, na narrativa fática de uma denúncia criminal, por exemplo, se as circunstâncias fáticas são "essenciais" ou "acidentais", sendo, as primeiras, consideradas imprescindíveis para a validade do ato processual de denunciar, e, as demais, não necessárias. Assim, descrever o fato imputado ao réu fazendo uso das circunstâncias elementares do tipo objetivo e subjetivo é essencial. Sem isso, a denúncia é inepta. Porém, não há necessidade de que se descreva a cor da calça do réu na descrição fática, dado que isso é acidental, não modifica o fato em si. Se essa circunstância acidental não for descrita a denúncia segue sendo válida (ARISTÓTELES. Categorias. Órganon, *cit.*, p. 39 e s.).

73 ARISTÓTELES. *Metafísica, cit.*, p. 299.

Identificada essa causa, ela passa a ser considerada o efeito de outra anterior. Assim, vai-se em busca dessa nova causa. E assim sucessivamente, até se chegar à "causa primeira", à essência da coisa. Promove-se uma análise regressiva dos efeitos para as causas, de forma encadeada. Mas é importante ter presente que Aristóteles considera que não se pode querer regredir ao infinito[74]. É preciso considerar que, se existe um "efeito atual", que é a realidade, é preciso identificar a "causa primeira" que seja atual, que dê conta da atualidade desse efeito e dê conta da totalidade do movimento que se segue[75]. É o que Aristóteles chama de "primeiro motor imóvel"[76]. Se ela é a causa primeira do ser, ela não está em movimento. Ela o antecede e o move, daí "motor imóvel". É o que a religião cristã chama de "Deus", e que Aristóteles vai considerar como sendo a "filosofia primeira", ou, na expressão que se consagrou posteriormente, "metafísica". Assim, determina-se o ser. Conhecer é determinar.

Nesse percurso, Aristóteles descreveu um conjunto de quatro fatores de articulação das causas e dos efeitos[77]. Disse que nas coisas há pelo menos quatro causas a determiná-las: formal, material, eficiente e final. Aristóteles deu o exemplo da estátua de bronze[78], dizendo que, antes de ela ter sido feita, foi pensada como "forma" na mente do escultor. Depois, ela se transformou em "matéria", com o uso do bronze. Sua causa material é o bronze. Em seguida, o escultor atuou sobre o bronze, manipulando-o para transformar a matéria bruta na estátua. Essa é a sua causa eficiente. E a causa final (a finalidade) é o resultado, isto é, a estátua pronta, representando, por exemplo, algum deus, destinando-se a ornar determinado lugar.

Identificada a "causa primeira", é possível fazer o caminho de retorno. Aqui, sim, a ciência se faz presente, pois o conhecimento está seguindo a "ordem do ser". E essa analítica funcionava a partir de estruturas silogísticas para construir a verdade: premissa maior, premissa menor, síntese. Dizia Aristóteles:

> Se há ou não outro método de conhecer é um assunto que será discutido mais tarde. Mas o nosso interesse agora é que efetivamente obtermos conhecimento pela demonstração. Por demonstração entendo o silogismo científico, e por [silogismo] científico aquele em virtude do qual compreendemos alguma coisa pelo mero fato de apreendê-la.

---

74   *Ibid.*, p. 76.

75   *Ibid.*, p. 47.

76   *Ibid.*, p. 310.

77   *Ibid.*, p. 47.

78   *Ibid.*, p. 299.

Ora, se o conhecimento é o que estamos supondo que seja, o conhecimento demonstrativo tem que proceder de premissas que sejam verdadeiras, primárias, imediatas, mais bem conhecidas e anteriores à conclusão e que sejam causa desta. Somente sob estas condições os primeiros princípios podem ser corretamente aplicados ao fato a ser demonstrado. O silogismo enquanto tal será possível sem tais condições, mas não a demonstração, pois o resultado não será conhecimento[79].

Nessa linha metodológica, muitos autores atribuem o seguinte exemplo de silogismo a Aristóteles: "Todo homem é mortal. Sócrates é um homem. Logo, Sócrates é mortal"[80]. No entanto, não há nenhuma passagem na obra de Aristóteles que utilize o referido exemplo, e este, então, parece mais uma forma consagrada pela tradição de exemplificar o silogismo aristotélico. Jan Lukasiewicz[81] informa que uma variação desse famoso exemplo, com referência a "animal" em vez de "mortal", encontra-se em texto de Sexto Empírico (160 a.C.). Aristóteles, por sua vez, deu exemplos menos "poéticos": "Se A se aplica a B, e B a C, A se aplica a C"[82]; ou, então: "Pitaco é liberal, porque aqueles que prezam a honra são liberais, e Pitaco preza a honra"[83].

Seja como for, para considerar válido o silogismo, Aristóteles pressupunha uma premissa verdadeira: "a causa primeira". Do contrário, não se atingiria o conhecimento, dizia ele. E aqui entra o problema da circularidade do método. Ao olhar para o ser, ainda não se conhece sua "causa primeira", mas ela é necessária para realizar o silogismo científico. Muitas vezes, o que pode ocorrer, então, é que a premissa maior desse silogismo parta de um "entimema", isto é, de uma economia da própria premissa. Nas palavras do próprio Aristóteles:

> O entimema [é] formado de poucas premissas e em geral menos do que o silogismo primário. Porque se alguma dessas premissas for bem conhecida, nem sequer é necessário enunciá-la; pois o próprio ouvinte a supre. Como, por exem-

---

79 ARISTÓTELES. Analíticos Posteriores. *Órganon*. 2. ed. Tradução de Edson Bini. São Paulo: Edipro, 2010, Livro I, §2, 71b18, p. 253-254.

80 *V.g.* MARGUTTI PINTO, Paulo Roberto. *Iniciação ao Silêncio. Análise do Tractatus de Wittgenstein como forma de argumentação*. São Paulo: Edições Loyola, 1998, p. 95.

81 LUKASIEWICZ, Jan. *Aristotle's Syllogistic from the Standpoint of Modern Formal Logic*. Oxford: Clarendon Press, 1951, p. 01. Disponível em: http://www.questia.com/read/54588614/aristotle-s-syllogistic-from-the--standpoint-of-modern. Acesso em: 4 jan. 2013.

82 ARISTÓTELES. Analíticos Posteriores, 98b, 7. *Órganon*. Ob. cit, p. 339.

83 *Id*. Analíticos Anteriores, Livro II, XXVII, 70a, 25. *Órganon, cit.*, p. 248-249.

plo, para concluir que Dorieu recebeu uma coroa como prêmio da sua vitória, basta dizer: pois foi vencedor em Olímpia[84].

Como se percebe do texto acima, Aristóteles considerava que, se algumas premissas são "bem conhecidas", não preciso nem sequer enunciá-las, "pois o ouvinte as supre". E isso é problemático, notadamente quando o magistrado, mesmo dos tempos atuais, acaba tendo uma mentalidade formada pela conjugação do método silogístico aristotélico com o solipsismo cartesiano. Não é de se admirar, então, que ainda hoje se verifiquem magistrados que vão em "busca de uma verdade real ou material" (embasados nessa metafísica aristotélica) e, paradoxalmente, também afirmem que julgarão de "acordo com a sua consciência" (embasados na filosofia platônica e, de forma mais clara, na filosofia da consciência cartesiana, como se verá mais adiante). A ambiguidade e a confusão na compreensão de seu papel no processo penal falam por si.

Antes, porém, de aprofundar essa questão, é imperioso entender que a alternância desses discursos – entre Platão e Aristóteles, entre o dever-ser e o ser – foi mantida também no curso da escolástica, na Idade Média. Nela "se deu o extraordinário encontro das doutrinas filosóficas gregas com a revelação judaica reinterpretada pelo cristianismo"[85], com ampla colaboração para a manutenção do discurso de uma busca pela verdade real no processo penal.

2.2 A influência judaico-cristã na consolidação da cultura processual penal tradicional de busca de uma verdade absoluta

Levando em conta a ampla prevalência da Igreja Católica na formação da cultura ocidental desde o período mais decisivo da chamada "queda do Império Romano"[86], passando pela Idade Média até a modernidade, não é surpresa constatar que a construção discursiva de uma "verdade absoluta" como norte do processo penal foi, em grande medida, fruto da influência da religião católico-cristã (e, implicitamente, também de sua base judaica) na formação e na condução do modo de pensar e agir da humanidade ocidental.

No prisma religioso, já em várias passagens do chamado *Velho Testamento* (ou *Torá*, para os judeus), localiza-se a construção da ideia de verdade divina como verdade absoluta. Vale, por exemplo, referir, dentre inúmeras outras, as seguintes passagens: "Ele é Rocha, cuja obra é perfeita, porque todos os seus caminhos juízos são: Deus é a verdade,

---

84   *Id. Retórica.* I, 1357a.

85   DROIT, Roger-Pol, *cit.*, p. 81.

86   Sobre o tema, *vide*: GIBBON, Edward. *Declínio e Queda do Império Romano.* Tradução de José Paulo Paes. São Paulo: Companhia de Bolso, 2005.

e não há nele injustiça, justo e recto é"[87]; e, também: "Ante a face do Senhor, porque vem, porque vem julgar a terra: julgará o mundo com Justiça e os povos com a sua verdade"[88]; ou, ainda: "A Tua Justiça é uma Justiça eterna, e a Tua lei é a verdade"[89].

Com as referências evangélicas às pregações de Jesus Cristo, esse discurso foi ampliado. São atribuídas a Jesus, dentre outras, as seguintes reveladoras passagens bíblicas: "Conhecereis a Verdade, e a Verdade vos libertará"[90]; e, também: "Eu sou o Caminho, a Verdade, e a Vida"[91].

Essa doutrina religiosa católico-cristã a respeito da verdade absoluta, da verdade divina que Jesus (ou Deus mesmo) representa, foi repaginada no século V por Santo Agostinho (354 a 430 d.C.), discípulo de Santo Ambrósio[92] (340 a 386 d.C.), então bispo de Milão[93].

Santo Agostinho construiu seu pensamento filosófico, em boa medida, a partir de uma releitura de Platão[94] (partindo da radical divisão entre o certo e o errado, entre "o que é" e "o que deve ser") e, assim, praticamente "refundou" o catolicismo ao "divinizar" o discurso platônico e estabelecer a necessidade de aproximação da "cidade dos homens" ("*civitas terrena*") com a "cidade de Deus" ("*civitas Dei*"), externada em sua famosa obra *A Cidade de Deus*[95].

Em suas *Confissões*, o discurso ideológico da verdade divina diante da fragilidade humana também é facilmente identificável e, séculos mais tarde, serviu ao mesmo

---

87 BÍBLIA. A.T. *Pentateuco. A Tora Viva – Os cinco livros de Moisés e as Haftarot: uma nova tradução baseada em fontes judaicas tradicionais, com comentários, introdução, mapas, tabelas, gravuras, bibliografia e índice remissivo.* Por Aryeh Kaplan. Tradução por Adolpho Wasserman. São Paulo: Maayanot, 2000. Velho Testamento. Deuteronômio 32,4.

88 *Ibid.*, Salmos 96,13.

89 *Ibid.*, Salmos 119, Tsade, 142.

90 *Ibid.*, Novo Testamento. João, 8;32.

91 *Ibid.*, Novo Testamento. João, 14;6.

92 Conforme relato do próprio. AGOSTINHO, Santo. *Confissões, cit.*, p. 115 e s.

93 Vale considerar que Agostinho escreve sua obra concomitantemente ao fim do Império Romano, com o caos já instalado tanto em Roma quanto em Hipona, sua cidade natal no norte da África, ambas invadidas e saqueadas pelos "bárbaros" (conforme, dentre outros, MONTANELI, Indro. *História de Roma. Da Fundação à Queda do Império.* Tradução de Margarida Periquito. Lisboa: Edições 70, 2006, p. 310. *Vide*, também, SUFFERT, Georges. *Tu és Pedro. Santos, papas, profetas, mártires, guerreiros, bandidos. A história dos primeiros 20 séculos da Igreja fundada por Jesus Cristo.* Tradução de Adalgisa Campos da Silva. Rio de Janeiro: Objetiva, 2001, p. 87. E, ainda: BROWN, Peter. *Santo Agostinho, uma biografia.* 3. ed. Tradução de Vera Ribeiro. Rio de Janeiro: Record, 2005, p. 525 e s.). Nesse aspecto, considera-se como relevante o papel desempenhado por Santo Ambrósio. Segundo relato de Luciano de Crescenzo, Santo Ambrósio chegou a impedir o próprio imperador Teodósio de entrar numa Igreja milanesa considerando o fato de que uma semana antes este ordenara uma chacina em território grego. Noutra ocasião o mesmo Santo Ambrósio "mandou escorraçar da cúria metropolitana o imperador do Ocidente, Valentiniano II, só porque não se havia ajoelhado com a devida humildade diante do crucifixo", tendo, assim, papel importante na independência da Igreja em relação ao Império Romano (conforme CRESCENZO, Luciano de. *História da Filosofia Medieval.* Tradução de Mario Fondelli. Rio de Janeiro: Rocco, 2006, p. 29).

94 Com expressa confissão feita por AGOSTINHO, Santo, *cit.*, p. 162.

95 AGOSTINHO, Santo. *A Cidade de Deus: (contra os pagãos).* V. I e II. Tradução de Oscar Paes Leme. Bragança Paulista: Editora Universitária São Francisco, 2003.

propósito de uso da força – e particularmente da tortura – como meio de busca da "verdade divina" que está em tudo, e, assim, também está no homem.

Das várias passagens da obra de Agostinho que poderiam merecer destaque para ilustrar essa filosofia, as seguintes são autoexplicativas:

Deus está no homem, e este em Deus.

(...)

Eu nada seria, meu Deus, nada seria em absoluto se não estivesses em mim; talvez seria melhor dizer que eu não existiria de modo algum se não estivesse em ti, de quem, por quem e em quem existem todas as coisas?[96]

(...)

A verdade de Deus

(...)

Confia à Verdade quanto da Verdade recebeste, e nada perderás; antes, tu podridão reflorescerá e serão curadas todas as tuas fraquezas, e serão reformadas e renovadas, estreitamente unidas a ti, tuas partes inconsistentes; e já não te arrastarão para a ladeira por onde descem, mas permanecerão contigo para sempre onde está Deus, eterno e imutável[97].

(...)

O que é confessar a Deus?

E, para ti, Senhor, que conheces o abismo da consciência humana, que poderia haver de oculto em mim, ainda que não to quisesse confessar?[98]

(...)

A ignorância do homem.

És tu, Senhor, quem me julga, porque ninguém conhece o que se passa no homem, a não ser o seu espírito que nele está; todavia há no homem coisas que até o espírito que nele habita ignora. Mas tu, Senhor, que o criaste, conheces todas as suas coisas.

(...)

Confessarei, portanto, o que sei de mim, e também o que de mim ignoro, porque o que sei de mim só o sei porque me iluminas, e o que

---

96 AGOSTINHO, Santo. *Confissões, cit.*, p. 30.

97 *Ibid.*, p. 89.

98 *Ibid.*, p. 211.

de mim ignoro continuarei ignorando até que minhas trevas se transformem em meio-dia, em tua presença[99].

(...)

Invocação à verdade

Ó verdade, luz de meu coração, faze com que se calem as minhas trevas. Deixei-me cair nelas e fiquei às escuras; mas, mesmo do fundo desse abismo, eu te amei ardentemente. Andei errante, mas lembrei de ti. Ouvi tua voz atrás de mim, que me exortava a que voltasse; mas dificilmente podia escutá-la, por causa do tumulto de minha alma. E agora, eis que, ardente e anelante, volto à tua fonte. Que ninguém mo impeça: beberei de sua água, e assim viverei. Que não seja eu minha própria vida! Vivi mal por minha culpa, e fui a causa de minha morte. Em ti eu revivo! Fala-me, ensina-me. Creio em teus livros, e tuas palavras encerram profundos mistérios[100].

O fundamental neste ponto, não é demais reiterar, é que essa postura radical – e o próprio uso da linguagem –, que aqui não estabelece meio-termo e está fulcrada na verdade divina contra a corrupção humana[101], tomou como aliada a ideia de o ser humano ser predestinado, o que serviu de justificativa filosófica para outros desmandos da própria Igreja Católica na manutenção do modelo processual de cunho rotulado como "inquisitório". É como aponta Bryan Magee:

Uma doutrina de Santo Agostinho que nunca foi oficialmente aceita pela Igreja, mas que teve consequências a longo prazo, e trágicas, em muitos aspectos, foi sua doutrina de predestinação. Ela baseava-se no seu conceito de que não podemos ser salvos através do exercício das nossas próprias vontades independentemente de Deus, mas que a intervenção e a graça de Deus são necessárias para a nossa salvação. As almas que vão para o Inferno são as almas por quem Deus não interveio. Por conseguinte, os condenados ao Inferno são-no por vontade de Deus[102].

---

99 *Ibid.*, p. 215.

100 *Ibid.*, p. 291.

101 Neste sentido, *vide* BROWN, Peter. *Santo Agostinho, uma biografia*. 3. ed. Tradução de Vera Ribeiro. Rio de Janeiro: Record, 2005, p. 291, do qual se extrai a seguinte marcante passagem do próprio Agostinho: "Irmãos, dizei apenas isto aos donatistas: 'Eis Agostinho (...) um bispo da Igreja católica. (...) Aquilo que aprendi a buscar acima de tudo é a Igreja católica. Não depositarei minha confiança em homem algum'".

102 MAGEE, Bryan. *História da Filosofia*. Tradução de Ana Maria Pinto da Silva. Singapura: Livraria Civilização Editora, 1999, p. 52.

Enfim, de tudo quanto se extrai da obra de Santo Agostinho, é possível compreender que ele repartiu a humanidade entre dois mundos concomitantes e, também, entre "eleitos" de Deus e "condenados" ao inferno. Partindo dessa premissa, Santo Agostinho dizia – como visto nos trechos destacados das *Confissões* – que a única verdade admitida é a verdade de Deus. Dizia, ainda, que Deus está em tudo, inclusive no homem. Assim, construiu a ideia de que o homem, trazendo Deus dentro de si, trazia também a verdade, não obstante muitas vezes ele não soubesse disso, não tivesse essa consciência. Era preciso, pois, "arrancar" dele essa verdade por meio da confissão.. "para sua salvação".

A preocupação com o uso da palavra, dos signos e da linguagem também foi objeto de ocupação de Santo Agostinho em *Do Mestre* (*De Magistro*)[103] e em *A Doutrina Cristã*, em que apresentou uma definição do "signo" como sendo "toda coisa que, além da impressão que produz em nossos sentidos, faz com que nos venha ao pensamento outra ideia distinta"[104]. Essa síntese antecipou a própria percepção de Lacan sobre a linguagem: "o fundamento mesmo da estrutura da linguagem é o significante, que é sempre material e que reconhecemos em Santo Agostinho no '*verbum*', e o significado"[105]. E prossegue Lacan: "Tomados um a um, estão numa relação que parece estritamente arbitrária. Não há mais razão para chamar à girafa girafa e ao elefante elefante do que para chamar à girafa elefante e ao elefante girafa"[106]. O signo que conduz a outro signo e que, assim, "é enganador, diz Santo Agostinho, porque não mantém nenhuma relação natural com a coisa"[107]. Lacan vai na mesma linha:

> Santo Agostinho argumenta – a palavra pode ser enganadora. Ora, por si só, o signo só pode se apresentar e sustentar na dimensão da verdade. Porque, por ser enganadora, a palavra se afirma como verdadeira. Isso para aquele que escuta. Para aquele que diz, a tapeação mesma exige inicialmente o apoio da verdade que se trata de dissimular, e à medida que ela se desenvolve, supõe um verdadeiro aprofundamento da verdade, a que, se se pode dizer, ela responde[108].

---

103 AGOSTINHO, Santo. *De Magistro (Do Mestre)*. Tradução de Ângelo Ricci. Coleção Os Pensadores, 2. ed. São Paulo: Abril Cultural, 1980, p. 349 e s.

104 *Id. A Doutrina Cristã: Manual de Exegese e Formação Cristã*. Tradução de Nair de Assis Oliveira. São Paulo: Paulinas, 1991, p. 93.

105 LACAN, Jacques. A verdade surge da equivocação. *Seminário 1. Os Escritos Técnicos de Freud*. 2. ed. Rio de Janeiro: Zahar, 2009, p. 343.

106 *Id. Seminário 1. Os Escritos Técnicos de Freud*, cit., p. 343.

107 GARCIA-ROZA, Luiz Alfredo. *Palavra e Verdade na Filosofia Antiga e na Psicanálise*. 5. ed. Rio de Janeiro: Zahar, 2005, p. 96.

108 LACAN, Jacques. *Seminário 1. Os Escritos Técnicos de Freud*, cit., p. 342.

Ademais, não apenas no conceito, mas também nos exemplos utilizados por Santo Agostinho, é possível evidenciar sua ideia intuitiva do "signo", como se extrai destas passagens: "(...) por exemplo, quando vemos uma pegada, pensamos que foi impressa por animal. Ao ver fumaça, percebemos que embaixo deve haver fogo"[109].

Assim, a doutrina da Igreja Católica, que sempre veio calcada na necessidade de descoberta do pecado do homem, de todos os pecados, como única forma capaz de lhe permitir a expiação e a absolvição, ganhou novo fôlego. Segundo relata Michel Foucault:

> Um dos teólogos da época, Alcuíno, dizia: "O que o poder sacerdotal pode absolver em termos de falta, se ele não conhece os laços que amarram o pecador? Os médicos não poderão fazer mais nada no dia em que os doentes se recusarem a mostrar suas feridas. O pecador deve pois ir ver um padre, como o doente deve ir ver o médico, explicando-lhe de que sofre e qual a sua doença"[110].

No século XIII também pesaram, para a consolidação da verdade absoluta, a retomada do pensamento aristotélico de um "mundo eterno"[111] e a contribuição de São Tomás de Aquino, influenciado pelo próprio Santo Agostinho[112]. Ainda que São Tomás de Aquino tenha filosoficamente pensado a verdade a partir do que pregava Aristóteles ("verdade é a adequação das coisas e do intelecto"[113]), também desenvolveu, por exemplo, toda uma construção teórica em torno da verdade cristã, mesmo aquela que "ultrapassa as capacidades da razão humana"[114], estabelecendo que "há somente uma verdade pela qual todas as coisas são verdadeiras"[115].

Como se sabe, coube a Tomás de Aquino a tarefa de rebater os discursos que procuravam minar a religião católico-cristã, vindos, em grande medida, da recém-inaugurada

---

109 AGOSTINHO, Santo. *A Doutrina Cristã: Manual de Exegese e Formação Cristã, cit.*, p. 85.

110 FOUCAULT, Michel. *Os anormais*. Tradução de Eduardo Brandão. São Paulo: Martins Fontes, 2002, p. 218.

111 Sobre a influência de Aristóteles em São Tomás de Aquino, *vide* AQUINO, Tomás de. *Verdade e conhecimento: tradução, estudos introdutórios e notas de Luiz Jean Launad e Mario Bruno Sproviero, cit.*, p. 141 e s. Sobre a influência de Aristóteles em geral nesse período medieval, *vide* RUBENSTEIN, Richard E. *Herdeiros de Aristóteles, como cristãos, muçulmanos e judeus redescobriram o saber da Antiguidade e iluminaram a Idade Média*. Tradução de Vera Ribeiro. Rio de Janeiro: Rocco, 2005.

112 Conforme se vê diretamente de seu texto: AQUINO, Tomás de, *cit.*, p. 139. No mesmo sentido, de forma explicativa, *vide*: FORMENT, Eudaldo. *Santo Tomás de Aquino, El oficio de sabio*. Barcelona: Ariel, 2007 e, também, MATTOS, Carlos Lopes de. *Vida e Obra de Tomás de Aquino*. Coleção Os Pensadores. São Paulo: Editora Nova Cultural, 2004, p. 6 e s.

113 AQUINO, Tomás de. *cit.*, p. 149 e 167.

114 *Id. Súmula contra os Gentios*. Tradução de Luiz João Baraúna. Coleção Os Pensadores. São Paulo: Editora Nova Cultural, 2004, p. 133 e s. e, também, p. 143.

115 *Id. Verdade e conhecimento: tradução, estudos introdutórios e notas de Luiz Jean Launad e Mario Bruno Sproviero, cit.*, p. 171 e s.

192 ■ Processo Penal | Fundamentos dos fundamentos

Universidade de Paris. Ela já contava com as traduções das obras de Aristóteles e com a consequente análise de Averróis[116], considerado o maior comentarista de Aristóteles. Os professores de Paris seguiam fielmente os pensamentos de Averróis – a quem chamavam de *Comentador* –, e este, por sua vez, pregava que a filosofia era um saber superior à religião e que a religião "ocupava o lugar mais baixo no conhecimento da verdade". Ou seja, pregava o que na época ficou conhecido como "dupla verdade": há uma verdade na fé e outra na razão, e as duas seriam legítimas[117].

Em defesa da religião, São Tomás de Aquino vai então discutir "se há somente uma verdade pela qual todas as coisas são verdadeiras"[118], apresentando argumentos de um lado e de outro, para, ao final, fazer sua opção:

> Objeções.
>
> (...)
>
> Nada supera a mente humana a não ser Deus, como diz Agostinho; mas a verdade, como prova Agostinho no livro Soliloquiorum [De libero arbítrio II, 12], supera a mente humana, pois não se pode dizer que seja inferior: senão a mente humana poderia julgar a verdade, o que é falso. De fato, a mente não julga a verdade, mas julga segundo a verdade, como o juiz não julga a lei mas segundo a lei, como ainda diz Agostinho [De vera religione 31]. Analogamente não se pode dizer que a verdade seja igual à mente porque a alma julga todas as coisas segundo a verdade, não julga todas as coisas segundo si mesma; portanto, a verdade é precisamente Deus, e assim há apenas uma verdade.
>
> Agostinho prova [LXXXIII Quaestionum q.9] que a verdade não é percebida pelos sentidos corporais: só é percebido pelos sentidos aquilo que é mutável, mas a verdade é imutável; portanto não é percebida pelos sentidos. Analogamente se pode argumentar: toda a criatura é mutável, mas a verdade não é mutável; portanto, não é uma criatura, é uma realidade incriada. Portanto há apenas uma verdade[119].
>
> (...)
>
> Em contrário.
>
> (...)

---

116 Falecido em 1198, cujos comentários da obra de Aristóteles foram igualmente traduzidos para o latim naquela mesma época.

117 Conforme FORMENT, Eudaldo. *Santo Tomás de Aquino, El oficio de sabio*. Barcelona: Ariel, 2007, p. 136-138.

118 AQUINO, Tomás de. *Verdade e conhecimento: tradução, estudos introdutórios e notas de Luiz Jean Launad e Mario Bruno Sproviero, cit.*, p. 171 e s.

119 *Ibid.*, p. 175.

Como a verdade criada só pode manifestar-se ao intelecto em virtude da verdade incriada, assim toda potência na criatura só pode fazer algo em virtude da potência incriada; ora, não dizemos de modo algum que há uma única potência de todas as coisas que têm potência; portanto, não se deve dizer de modo algum que haja uma única verdade de todas as coisas verdadeiras[120].

(...)

"A verdade é a adequação da coisa e do intelecto"; mas não pode haver uma única adequação ao intelecto de coisas especificamente diferentes; portanto, sendo as coisas verdadeiras especificamente diversas, não pode haver uma única verdade de todas as coisas verdadeiras[121].

(...)

Solução.

Fica claro do que foi dito que a verdade encontra-se propriamente no intelecto humano ou divino, como a saúde no animal; nas outras coisas, porém, a verdade encontra-se pela relação do intelecto, como também a saúde diz-se de algumas coisas enquanto são efetivas ou conservativas da saúde do animal. Portanto, a verdade está primeira e propriamente no intelecto divino; própria mas secundariamente no intelecto humano; nas coisas, todavia, imprópria e secundariamente, porquanto se encontra somente por relação a uma das duas verdades[122].

Com essa análise, Tomás de Aquino, por assim dizer, "ajustou" a filosofia católico-cristã às obras de Aristóteles, dando sobrevida à pregação religiosa católico-cristã. Noutro texto, São Tomás de Aquino ainda estabeleceu a diferença entre a palavra divina e a humana, apontando para a falibilidade desta última:

A segunda diferença entre a nossa palavra e a palavra divina é que a nossa é imperfeita, enquanto o Verbo divino é perfeitíssimo. E isto porque nós não podemos expressar em uma única palavra tudo o que há em nossa alma e devemos valer-nos de muitas palavras imperfeitas e, por isso, exprimimos fragmentária e setorialmente tudo o que conhecemos[123].

---

120 *Ibid.*, p. 177.
121 *Ibid.*, p. 179.
122 *Ibid.*, p. 181.
123 *Ibid.*, p. 293.

Essa argumentação permitiu reforçar a base ideológica para a busca da verdade absoluta no processo penal de natureza inquisitorial da Igreja.

Retomam-se agora as críticas que a doutrina mais moderna de processo penal[124] tem ponderado em relação ao discurso da "verdade absoluta" como norte exegético do processo penal. Como já destacado, essa doutrina moderna critica, acertadamente, o uso – e abuso – do discurso da verdade real no processo penal sob dois prismas: o histórico e o filosófico. Inicia-se pela problemática histórica.

Como se viu, a Igreja Católica conseguiu harmonizar seu discurso religioso mesmo com o antagonismo filosófico evidenciado entre o discurso platônico de Santo Agostinho e o aristotélico de São Tomás de Aquino. A unificação desses discursos pela relegitimação filosófica de São Tomás reforçou o papel da busca da *"verdade divina"*.

No aspecto histórico, o problema reside essencialmente no quanto esse discurso já legitimou de abusos ao longo da história da humanidade, notadamente no contexto das inquisições da Igreja Católica e no uso da tortura como mecanismo de busca da confissão e consequente "descoberta" da *"verdade real"*. De forma mais detalhada, será abordado, mais adiante, como se deu a absorção da doutrina de Santo Agostinho e São Tomás de Aquino pela Igreja, particularmente a partir dos regramentos inseridos no IV Concílio de Latrão e na bula papal *Ad Extirpanda*, e o quanto essa doutrina permitiu o uso da tortura como forma de extração da confissão e solução de casos penais.

Assim, se o discurso da *"verdade real"* é aquele que legitimou os abusos de tortura nesse período da história, desconsiderar esse seu papel é também desconsiderar o perigo do retorno dessa mecânica. E isso não pode ser descartado, notadamente quando se constata a adoção, por parte de países estruturados em democracias fortes, a exemplo dos Estados Unidos, de posturas e leis para casos de suspeita de terrorismo, voltadas, de certa forma, ao modelo de busca da "verdade" a qualquer custo. Portanto, sob o prisma histórico, a crítica da doutrina moderna de processo penal é procedente e, por si só, já exigiria reflexões no sentido da não adoção de uma orientação exegética para o processo penal pautada pela pretensão de buscar uma verdade absoluta.

De qualquer sorte, para além do drama histórico no uso da tortura como mecanismo de obtenção da "verdade absoluta", há também a problemática de compreensão da construção de uma filosofia da consciência, agora com Descartes e o racionalismo, que veio em resposta à pretensão de tudo se justificar na palavra divina, como se passa a expor.

---

124 *Verbi gratia*: FERRAJOLI, Luigi. *Direito e razão: teoria do garantismo penal, cit.*, p. 38 e s.; LOPES JR., Aury. *Direito Processual Penal*. 10. ed. São Paulo: Saraiva, 2013, p. 566; OLIVEIRA, Eugenio Pacelli de. *Curso de Processo Penal*, 17. ed. São Paulo: Atlas, 2013, p. 332; PACHECO, Denilson Feitoza. *Direito Processual Penal: teoria, crítica e práxis*. 3. ed. Niterói: Ímpetus, 2005, p. 64; KHALED JR., Salah H. *A busca da verdade no processo penal: para além da ambição inquisitorial*. São Paulo: Atlas, 2013; CUNHA MARTINS, Rui. *O Ponto Cego do Direito. The Brazilian Lessons*. 2. ed. Rio de Janeiro: Lumen Juris, 2011, p. 88.

2.3 A filosofia da consciência cartesiana e os julgamentos "conforme a minha consciência" à luz do "livre convencimento"

Na modernidade o homem passou a se questionar e, principalmente, passou a questionar a primazia de Deus como criador do Universo. É o período da prioridade do sujeito racional, pensante e cognoscente, caracterizando o que se denomina de um novo "giro antropológico"[125]. E é nesse momento, no século XVII, que René Descartes (1596-1650), movido justamente pela razão, provoca uma nova revolução no modo de pensar, sintetizado por ele mesmo em seu famoso: *"cogito, ergo suum"* (penso, logo existo):

> (...) adverti que, enquanto eu queria assim pensar que tudo era falso, cumpria necessariamente que eu, que pensava, fosse alguma coisa. E, notando que esta verdade, "eu penso, logo existo", era tão firme e tão certa que todas as mais extravagantes suposições dos céticos não seriam capazes de a abalar, julguei que podia aceitá-la, sem escrúpulo, como o primeiro princípio da Filosofia que procurava. (...) E, tendo notado que nada há no "eu penso, logo existo" que me assegure de que digo a verdade, exceto que vejo muito claramente que, para pensar, é preciso existir, julguei tomar por regra geral que as coisas que concebemos mui clara e mui distintamente são todas verdadeiras, havendo apenas alguma dificuldade em notar bem quais são as que concebemos distintamente[126].

Descartes inverteu a lógica aristotélica, mas, curiosamente, valeu-se do próprio método analítico de Aristóteles com a diferença de que Descartes deu primazia à racionalidade, com prevalência da razão sobre o ser. Com esse novo modelo, passou-se a conjugar as crenças em Deus com a crença no homem[127], e, por via de consequência, na ciência[128]. E as ciências, como se sabe, têm pretensões de buscar verdades absolutas. Opera-se, então, um reforço do discurso da verdade real, não mais legitimada

---

125 O primeiro "giro antropológico", como visto anteriormente, é considerado aquele que dividiu os "pré-socráticos" da filosofia dos Sofistas e de Sócrates e Platão.

126 DESCARTES, René. O Discurso do Método. *Descartes: obras escolhidas.* Organizadores: J. Guinsburg, Roberto Romano e Newton Cunha. Tradução de J. Guinsburg, Bento Prado Jr., Newton Cunha e Gita K. Guinsburg. São Paulo: Perspectiva, 2010, p. 87 e 88.

127 *Id.* O Discurso do Método. *Descartes: obras escolhidas, cit.,* p. 88 e s.

128 *Id.* A Procura da Verdade pela Luz Natural. *Descartes: obras escolhidas, cit.,* p. 52 e s. E, também: *Id.* O Discurso do Método. *Descartes: obras escolhidas, cit.,* p. 63 e s. e *Id.* Meditações. *Descartes: obras escolhidas, cit.,* p. 151 e s.

196 ■ Processo Penal | Fundamentos dos fundamentos

pela palavra de Deus, mas agora pelo homem racional e pelo método cartesiano de pesquisa. Essa, de forma declarada, também era a preocupação de Descartes:

> (...) por desejar então ocupar-me somente com a pesquisa da verdade, pensei que era necessário agir exatamente ao contrário, e rejeitar como absolutamente falso tudo aquilo em que pudesse imaginar a menor dúvida, a fim de ver-se, após isso, não restaria algo em meu crédito, que fosse inteiramente indubitável[129].

Sucede que, se o sentido não é mais dado pela essência das coisas, como referia Aristóteles, mas, ao contrário, é dado pelo sujeito, tem-se uma prevalência do sujeito sobre o objeto, e esse sujeito acaba "assujeitando" o objeto. Para bem compreender, vale repetir um trecho do texto supratranscrito, no qual Descartes afirma: "julguei tomar por regra geral que as coisas que concebemos mui clara e mui distintamente são todas verdadeiras"[130]. Com essa forma de pensar, Descartes "criou" o sujeito solipsista, pois, para ele, o homem diz "a verdade" das coisas exclusivamente a partir do seu "consciente", do que ele "concebe mui clara e mui distintamente". Enfim, o ser – a "verdade" – passa a ser a expressão daquilo que o sujeito diz que ele (ou ela, a verdade) é. O homem constrói a verdade a partir de suas impressões (de suas "intuições" e "deduções") sobre ela, por meio de um método sintetizado por Descartes como "infalível" para a descoberta da verdade:

> (...) Assim, em vez desse grande número de preceitos de que se compõe a lógica, julguei que me bastariam os quatro seguintes, desde que tomasse a firme e constante resolução de não deixar uma só vez de observá-los.
>
> O primeiro era o de jamais acolher alguma coisa como verdadeira que eu não conhecesse evidentemente como tal; isto é, de evitar cuidadosamente a precipitação e a prevenção, e de nada incluir em meus juízos que não se apresentasse tão clara e tão distintamente a meu espírito, que eu não tivesse motivo algum de pô-lo em dúvida.
>
> O segundo, o de dividir cada uma das dificuldades que eu examinasse em tantas parcelas quantas possíveis e quantas necessárias fossem para melhor resolvê-las.
>
> O terceiro, o de conduzir por ordem meus pensamentos, começando pelos objetos mais simples e mais fáceis de conhecer, para subir, pouco a pouco,

---

129 *Id*. O Discurso do Método. *Descartes: obras escolhidas, cit.*, p. 86.
130 *Ibid.*, p. 88.

como por degraus, até o conhecimento dos mais compostos, e supondo mesmo uma ordem entre os que não se precedem naturalmente uns aos outros.

E o último, o de fazer em toda parte enumerações tão completas e revisões tão gerais, que eu tivesse a certeza de nada omitir[131].

Esse método proposto por Descartes foi também acrescido de um conjunto de regras que ele julgava necessário para conhecer a verdade, conforme apresentado na obra *Regras para a Direção do Espírito*[132]. Na "*Regra III*", Descartes se valeu, novamente, do método analítico aristotélico ao estabelecer a intuição e a dedução como necessárias à aquisição da ciência:

> (...) vamos enumerar aqui todos os atos de nosso entendimento pelos quais podemos chegar ao conhecimento das coisas sem qualquer medo de erro. Há apenas dois: a intuição e a dedução.
>
> Por intuição, entendo não o testemunho mutável dos sentidos ou o juízo enganador de uma imaginação que compõe mal seu objeto, mas a concepção de um espírito puro e atento, concepção tão fácil e distinta que nenhuma dúvida permanece sobre o que compreendemos; ou, o que é a mesma coisa, a concepção firme de um espírito puro e atento que nasce apenas da luz da razão e que, sendo mais simples, é, por conseguinte, mais segura do que a própria dedução, a qual, no entanto, não pode ser mal concebida pelo homem...
>
> (...)
>
> Em seguida, já pudemos nos perguntar por que, além da intuição, acrescentamos aqui um outro modo de conhecimento que se faz por dedução, operação pela qual entendemos tudo o que se conclui necessariamente de outras coisas conhecidas com certeza. Mas foi preciso assim proceder porque muitas coisas são conhecidas com certeza, embora elas mesmas não sejam evidentes, desde que sejam deduzidas, a partir de princípios verdadeiros e conhecidos, por um movimento contínuo ou ininterrupto do pensamento que tenha uma intuição clara de cada coisa[133].

Dessa passagem se extrai que Descartes admitiu o uso da intuição – e da dedução – para alcançar a verdade e, mais adiante, no mesmo texto, na "*Regra XII*", deixou claro considerar necessário "servir-se de todos os auxílios que se possam extrair do

---

131 *Ibid.*, p. 75 e 76.

132 *Id.* Regras para a Direção do Espírito. *Descartes: obras escolhidas, cit.*, p. 405-487.

133 *Ibid.*, p. 412 e 413.

entendimento, da imaginação, dos sentidos e da memória, seja para ter intuição distinta das proposições simples, seja para bem compreender as coisas que se buscam com as que conhecemos, a fim de descobri-las"[134].

De outra sorte, Descartes, ao fazer referência à linguagem, considerava-a como uma das "fontes do erro", *verbis*: "LXXIV. A quarta fonte de nossos erros é que ligamos os nossos pensamentos a palavras que não os exprimem com exatidão"[135].

Enfim, esse era o método considerado por Descartes como ideal para descobrir a verdade, e, como dito, ele está na mesma linha do método analítico aristotélico. O problema é que ambos são apenas métodos de aproximação da verdade, e não a verdade em si, como Descartes acreditava ser possível alcançar. O agravante do método cartesiano se resume justamente no solipsismo por ele venerado, isto é, nessa possibilidade de o sujeito dizer o que intui das coisas e transformar essa intuição em "verdade". O problema se amplia ainda mais quando se constata que tanto o método aristotélico quanto o método cartesiano acabaram constituindo a forma de pensar no mundo ocidental, com forte influência ainda hoje, inclusive no estudo do direito e, em particular, do direito processual penal. Para ilustrar, basta ver a atual redação do art. 239 do Código de Processo Penal, quando conceitua *"indício"* como prova, praticamente regrando o pensamento cartesiano:

> Art. 239. Considera-se indício a circunstância conhecida e provada, que, tendo relação com o fato, autorize, por indução, concluir-se a existência de outra ou outras circunstâncias[136].

Não são raros os casos nos quais a decisão penal é pautada apenas por indícios, por vezes frágeis, inclusive na linha cartesiana de busca da verdade. Para dizer o mínimo, é preocupante a situação na qual as premissas são inconsistentes ou mesmo questionáveis, mas são dadas como "provadas", permitindo criar a base para a posterior indução ou dedução conclusiva.

De fato, essa prevalência do sujeito na construção da verdade é tão forte na formação do pensamento ocidental que ainda hoje se identificam decisões dos tribunais brasileiros pautadas por esse modelo constitutivo da verdade pessoal. É fácil perceber, na prática, como esse método cartesiano ainda é adotado no cotidiano dos julgamentos de casos penais por magistrados que buscam incluir em seus juízos somente o

---

134 *Id.* Regras para a Direção do Espírito. *Descartes: obras escolhidas, cit.*, p. 443.

135 *Id. Princípios da Filosofia.* 2. ed. Tradução de Ana Cotrim e de Heloisa da Graça Burati. São Paulo: Rideel, 2007, p. 56 e 57.

136 BRASIL. *Código Penal, Código de Processo Penal, Constituição Federal, Legislação Penal e Processual Penal.* GOMES, Luiz Flávio (organizador). 15. ed. São Paulo: Revista dos Tribunais, 2013, p. 415.

que se apresente – como dizia Descartes – *"mui claro e mui distintamente"*, que não se tenha *"motivo algum de duvidar dele"*. Olvidam, no entanto, toda a problemática do inconsciente e dos pré-juízos de valor na seleção dessa *"certeza"*.

Nessa constante alternância de conhecer a verdade, percebe-se que todo o modo de raciocinar está limitado por uma relação sujeito-objeto. Ou seja, ou o objeto representa a verdade (ser), ou a verdade está no sujeito (dever-ser). Não se desvincula dessa dupla forma de compreender (na relação sujeito-objeto).

Assim, se tanto Descartes quanto Aristóteles operavam suas análises numa relação sujeito-objeto, deixavam a linguagem comunicativa em segundo plano, e aí residia a falha de ambos, como se exporá mais adiante. Antes, no entanto, é preciso compreender como se desenvolveram os contrapontos à filosofia cartesiana e como ela retornou, num constante vaivém de disputa filosófica entre o "ser" e o "dever-ser", sub-repticiamente, na filosofia kantiana.

2.4 Interseções entre o racionalismo e o empirismo na discussão da verdade

O pensamento cartesiano foi contraposto principalmente por autores anglo-saxões que passaram a dar importância relevante às experiências em detrimento da razão, dentre os quais se destacam Francis Bacon (1561-1626), Thomas Hobbes (1588-1679), John Locke (1632-1704), George Berkeley (1685-1753), David Hume (1711-1776) e Edmund Burke (1729-1797).

Desses, os que merecem maior destaque na oposição à visão cartesiana são Locke e Hume.

John Locke colocou em xeque o *"cogito"* cartesiano afirmando que "não há princípios inatos na mente humana"[137] e, "se considerarmos cuidadosamente as crianças recém-nascidas, teremos bem poucos motivos para crer que elas tragam consigo a este mundo muitas ideias"[138]. A mente seria, então, tal qual um "um papel em branco"[139], uma "tábula rasa"[140], e somente por meio das experiências, das sensações captadas do mundo exterior é que ela se instruiria. Locke dizia que a capacidade da mente humana de conhecer as coisas é inata, mas o conhecimento é adquirido[141]. O

---

137 LOCKE, John. *Ensaio acerca do entendimento humano.* Coleção Os Pensadores. Tradução de Anoar Aiex. São Paulo: Nova Cultural, 1999, p. 37 e s.

138 *Ibid.*, p. 51.

139 *Ibid.*, p. 57.

140 LOCKE, John. *Draft a do ensaio sobre o entendimento humano.* Tradução de Pedro Paulo Pimenta. São Paulo: Editora Unesp, 2013, p. 7.

141 LOCKE, John. *Ensaio acerca do entendimento humano, cit.*, p. 39.

Processo Penal | Fundamentos dos fundamentos

pensar dependeria, portanto, das experiências vividas, e, assim, quando se pensa, se pensa a respeito de algo que se experimentou. Essa compreensão, como destacado, é contrária à ideia de Descartes, para quem o pensar preexiste a tudo. Para Locke, a "essência real" das coisas pertence a elas, e o ser humano conhece somente a "essência nominal", isto é, a concordância de certas ideias abstratas que permitem chamar a coisa por determinado nome[142]. E deu um exemplo:

> Por exemplo, a essência nominal de ouro é esta ideia complexa entendida pela palavra "ouro", sendo isto, por exemplo, um corpo amarelo, de um certo peso, maleável, fusível e fixo. Mas a essência real é a constituição das partes insensíveis deste corpo, do qual dependem todas as qualidades e todas as outras propriedades do ouro. Até onde essas duas são diferentes, embora sejam denominadas essências, é óbvia a sua descoberta à primeira vista[143].

Locke também deixou registrada sua compreensão da importância da linguagem como fator comunicacional, dizendo que as palavras teriam "imperfeições" consistentes na incerteza de seus significados, pois, muitas vezes, a palavra "não estimula no ouvinte a mesma ideia que indica na mente de quem fala"[144]. Referia-se, ainda, aos abusos no uso das palavras e à ausência de ideias claras no ser humano, que representam fatores de dificuldade de comunicação[145]. E asseverava:

> Na verdade, a necessidade de comunicação da linguagem aproxima os homens a um acordo com respeito ao significado das palavras ordinárias com certo escopo tolerável que deve servir para a conversa cotidiana; e, deste modo, um homem não pode ser suposto totalmente ignorante das ideias que estão anexadas às palavras pelo uso ordinário na língua que lhe é familiar. Mas o uso ordinário é apenas uma regra incerta, que se reduz a si mesma, no fim, às ideias de determinados homens, provadas frequentemente pelo modelo muito variável[146].

---

142 *Ibid.*, p. 157 e p. 171 e s.
143 *Ibid.*, p. 171-172.
144 *Ibid.*, p. 188.
145 *Ibid.*, p. 195.
146 *Ibid.*, p. 206 e 207.

Vê-se que Locke antecipou muito do que se aperfeiçoaria de discurso, posteriormente, a respeito da linguagem como fator comunicacional. E no que concerne à "busca da verdade", Locke considerava, preliminarmente, que:

> se nosso conhecimento de nossas ideias termina nelas, e não vai além disso, onde há algo mais para ser designado, nossos mais sérios pensamentos serão de pouco mais uso que os devaneios de um cérebro louco; e as verdades construídas deste modo não pesam mais que os discursos de um homem que vê coisas claramente num sonho e com grande segurança as expressa[147].

Em seguida, definiu uma distinção entre o que denominou de "verdade verbal" e "verdade real", estabelecendo que a "verdade verbal" é "aquela em que os termos são reunidos segundo o acordo ou desacordo das ideias que significam, sem tomar em consideração se nossas ideias são tais como temos realmente, ou são tais que serão capazes de ter uma existência na natureza"[148]. Essa "verdade verbal" conteria a "verdade real" "quando esses sinais estão reunidos segundo o acordo de nossas ideias, e nossas ideias serão capazes de ter uma existência na natureza, ao passo que em substâncias não podemos saber se realmente existiram"[149].

David Hume também fez relevantes contrapontos à filosofia cartesiana. Hume inicialmente seguiu a mesma linha empirista de Hobbes, Bacon e Locke, no sentido de que as ideias se originam das experiências numa relação de causa e efeito:

> Temos dito que todos os argumentos referentes à existência se fundam na relação de causa e efeito; que nosso conhecimento daquela relação provém inteiramente da experiência; (...) Em verdade, todos os argumentos derivados da experiência se fundam na semelhança que constatamos entre objetos naturais e que nos induz a esperar efeitos semelhantes àqueles que temos visto resultar de tais objetos.
>
> (...) se há alguma relação entre os objetos que visamos a apreender com perfeição, é aquela de causa e efeito. Nela se fundamentam todos os nossos raciocínios sobre as questões de fato ou de existência. Apenas por meio desta relação podemos ter alguma segurança sobre os objetos distanciados do atual testemunho de nossa memória e dos sentidos[150].

---

147 *Ibid.*, p 237.

148 *Ibid.*, p. 245.

149 *Ibid.*, p. 245-246.

150 HUME, David. *Ensaio sobre o entendimento humano*. Tradução de Anoar Aiex, créditos da digitalização: membros do grupo de discussão Acrópolis (Filosofia). Homepage do grupo: http://br.egroups.com/group/

Então, como explica Vives Antón, para Hume, "as ideias de causa e efeito nascem de nossas experiências de conjunção constante entre alguns acontecimentos e outros e podem extrapolar-se, de modo meramente provável, a suposições que guardem com os observados certa semelhança"[151]. O problema, diz o autor, é que esse modo de compreender conduz a "dois paradoxos: um, o regresso infinito (pois a causa teria que ter, por sua vez, outra causa), e outro, o de que o mesmo princípio, que nos permite efetuar inferências prováveis não pode nascer da probabilidade dessas inferências, pois, do contrário, seria, por sua vez, causa e efeito da probabilidade"[152].

Assim, Hume incutiu dúvidas nessa relação de causa e efeito, questionando se de fato ela seria inevitável. No famoso exemplo das bolas de bilhar, Hume apresentou uma análise do quanto resulta do choque das bolas. Ainda que o jogador imagine um resultado decorrente do choque das bolas na mesa de bilhar, quando elas se chocam o resultado obtido pode ser outro. Com essa análise Hume considerou que o efeito de uma causa não é passível de ser necessária e mentalmente antecipado na causa. O efeito é diferente da causa e não pode ser descoberto nela, pois não está contido nela. Nas palavras do próprio Hume:

> Se qualquer objeto nos fosse mostrado, e se fôssemos solicitados a pronunciar-nos sobre o efeito que resultará dele, sem consultar observações anteriores; de que maneira, eu vos indago, deve o espírito proceder nesta operação? Terá de inventar ou imaginar algum evento que considera como efeito do objeto; e é claro que esta invenção deve ser inteiramente arbitrária. O espírito nunca pode encontrar pela investigação e pelo mais minucioso exame o efeito na suposta causa. Porque o efeito é totalmente diferente da causa e, por conseguinte, jamais pode ser descoberto nela. O movimento na segunda bola de bilhar é um evento bem distinto do movimento na primeira, já que não há na primeira o menor indício da outra.
>
> (...)
>
> Do mesmo modo que a imaginação inicial ou invenção de um efeito particular é, em todas as operações naturais, arbitrária se não consultamos a experiência, devemos igualmente supor como tal o laço ou a conexão entre a causa e o efeito, que une um ao outro e faz com que seja impossível que

---

acropolis/. Disponível em: http://www.livrosgratis.com.br/arquivos_livros/cv000027.pdf. Acesso em: 16 jun. 2014.

151 VIVES ANTÓN, Tomás S. *Fundamentos del Sistema Penal*. Valencia: Tirant lo Blanch, 1996, p. 284. Tradução nossa.

152 *Ibid.*, p. 284-285. Tradução nossa.

qualquer outro efeito possa resultar da operação desta causa. Quando vejo, por exemplo, que uma bola de bilhar desliza em linha reta na direção de outra, mesmo se suponho que o movimento na segunda me seja acidentalmente sugerido como o resultado de seu contato ou impulso, não posso conceber que cem diferentes eventos poderiam igualmente resultar desta causa? Não podem ambas as bolas permanecer em absoluto repouso? Não pode a primeira bola voltar em linha reta ou ricochetear na segunda em qualquer linha ou direção? Todas estas suposições são compatíveis e concebíveis. Por que, então, deveríamos dar preferência a uma que não é mais compatível ou concebível que o resto? Todos os nossos raciocínios *"a priori"* nunca serão capazes de nos mostrar fundamento para esta preferência.

Em uma palavra: todo efeito é um evento distinto de sua causa. Portanto, não poderia ser descoberto na causa e deve ser inteiramente arbitrário concebê-lo ou imaginá-lo *"a priori"*. E mesmo depois que o efeito tenha sido sugerido, a conjunção do efeito com sua causa deve parecer igualmente arbitrária, visto que há sempre outros efeitos que para a razão devem parecer igualmente coerentes e naturais. Em vão, portanto, pretenderíamos determinar qualquer evento particular ou inferir alguma causa ou efeito sem a ajuda da observação e da experiência[153].

Hume afirmou que até se pode imaginar e prever o efeito a partir da causa, mas isso tudo é decorrente de suas próprias experiências primevas. Ou seja: acredita-se que a bola de bilhar vá produzir tal efeito ao se chocar com outra, mas só se antecipa esse efeito como resultado das próprias experiências anteriores. Gérard Lebrun explicita o problema apresentado por Hume indagando inicialmente se não se saberia, "desde sempre, que uma bola de bilhar que se acha em movimento deve ter recebido um impulso?". Ao que ele apresenta a resposta de Hume: "O problema – replicava Hume – é que não é essa a questão: o que lhe pergunto é se a simples noção de 'movimento da bola' envolve já a de 'impulso' e se, por mero raciocínio, antes de qualquer experiência, você poderia descobrir esta contida naquela"[154].

Hume, portanto, colocou também em dúvida a forma indutiva de raciocinar e, desse modo, de se chegar à verdade. Questionou, inclusive, a respeito da certeza sobre o nascer do sol: será que o sol vai se levantar amanhã?[155] Nesse sentido,

---

153 HUME, David. *Ensaio sobre o entendimento humano*, cit., p. 23.

154 LEBRUN, Gérard. *Sobre Kant*. Tradução de José Oscar de Almeida Marques, Maria Regina Avelar Coelho da Rocha e Rubens Rodrigues Torres Filho. São Paulo: Iluminuras, 2012, p. 7.

155 HUME, David. *Ensaio sobre o entendimento humano*, cit., p. 23.

observa Roger-Pol Droit, "sem dúvida podemos admitir haver uma probabilidade extremamente forte de que o sol vai mais uma vez se levantar amanhã. Mas não se pode afirmar com certeza. O que garante que o comportamento das galáxias, da maneira como vem se dando até o presente, continue, na próxima hora, de maneira rigorosamente idêntica?"[156]. O raciocínio indutivo, portanto, é baseado em crenças e conduz a incertezas na visão de Hume. Nessa linha, "se a razão está sujeita a crenças", ela "perdia a pureza e a transparência que a metafísica lhe atribuía sem discutir"[157]. Ou, como refere Vives Antón, "a conexão 'necessária' entre a causa e o efeito se extrai de nossas experiências passadas, que colocam em evidência a conjunção constante entre uma e outra. A causalidade não radica, pois, nos objetos, mas em uma relação entre eles, em virtude da qual a mente adota o hábito de passar de um a outro". E sintetiza: "a este hábito chamamos necessidade e, justamente nele, consiste a 'lei' causal"[158].

Pensando dessa forma, como destaca Wayne Morrison, David Hume foi o "homem que desmascarou as pretensões da razão de tornar-se a base e o guia do desenvolvimento de uma nova sociedade"[159] e, numa visão cética do mundo, colocou a razão em xeque. Nas palavras de Hume:

> A razão parece aqui lançada a um estado de assombro e de vacilação que, sem que ela tenha necessidade das sugestões de nenhum cético, lhe ensina a desconfiar de si mesma e do terreno em que pisa. Visualiza uma luz clara iluminando certos lugares, mas esta luz está cercada pela mais profunda escuridão. Entre as duas, a razão fica tão ofuscada e confundida que raramente pode pronunciar-se com certeza e segurança sobre algum objeto[160].

E, por desconfiar de tudo, Hume colocou em dúvida a verdade e a certeza racionais, explorando a capacidade de imaginação do ser humano:

> Não há nada mais livre do que a imaginação humana; embora não possa ultrapassar o estoque primitivo de ideias fornecidas pelos sentidos externos e internos, ela tem poder ilimitado para misturar, combinar, separar e dividir

---

156 DROIT, Roger-Pol. *Filosofia em cinco lições*. Tradução de Jorge Bastos. Rio de Janeiro: Nova Fronteira, 2012, p. 229.

157 *Ibid.*, p. 230.

158 VIVES ANTÓN, Tomás S. *Fundamentos del Sistema Penal, cit.*, p. 284-285. Tradução nossa.

159 MORRISON, Wayne. *Filosofia do Direito. Dos Gregos ao Pós-Modernismo*. Tradução de Jefferson Luiz Camargo. São Paulo: Martins Fontes, 2012, p. 121-122.

160 HUME, David. *Ensaio sobre o entendimento humano, cit.*, p. 105.

estas ideias em todas as variedades da ficção e da fantasia imaginativa e nove-lesca. Ela pode inventar uma série de eventos com toda aparência de realida-de, pode atribuir-lhes um tempo e um lugar particulares, concebê-los como existentes e descrevê-los com todos os pormenores que correspondem a um fato histórico, no qual ela acredita com a máxima certeza. Em que consiste, pois, a diferença entre tal ficção e a crença?

(...)

Conclui-se, portanto, que a diferença entre a ficção e a crença se loca-liza em algum sentimento ou maneira de sentir, anexado à última e não à primeira, que não depende da vontade e não pode ser manipulado a gosto. É preciso que a natureza a desperte como os outros sentimentos; é preciso que ela nasça da situação particular em que o espírito se encontra em cada conjuntura particular. Todas as vezes que um objeto se apresenta à memória ou aos sentidos, pela força do costume, a imaginação é levada imediatamente a conceber o objeto que lhe está habitualmente unido; esta concepção é acompanhada por uma maneira de sentir ou sentimento, diferente dos vagos devaneios da fantasia. Eis toda a natureza da crença. Visto que nossa mais firme crença sobre qualquer fato sempre admite uma concepção que lhe é contrária, não haveria, portanto, nenhuma diferença entre nosso assentimento ou rejeição de qualquer concepção, se não hou-vesse algum sentimento distinguindo uma da outra. Se vejo, por exemplo, uma bola de bilhar deslizar em direção de outra numa mesa polida, posso imaginar com clareza que uma parará ao chocar-se com a outra. Esta con-cepção não implica contradição, porém a sinto muito diferente da con-cepção pela qual me represento o impulso e a comunicação do movimento de uma bola a outra[161].

Em sua análise cética a respeito de tudo, Hume desmontou o racionalismo, reduzindo-o a mero jogo de retórica, como o apresentou na seguinte passagem de *Tratado da Natureza Humana*:

Tampouco é necessário um conhecimento muito profundo para se desco-brir quão imperfeita é a atual condição de nossas ciências. Mesmo a plebe lá fora é capaz de julgar, pelo barulho e vozerio que ouve, que nem tudo vai bem aqui dentro. Não há nada que não seja objeto de discussão e sobre o qual os estudiosos não manifestem opiniões contrárias. A questão mais

---

161 *Ibid.*, p. 36.

trivial não escapa à nossa controvérsia, e não somos capazes de produzir nenhuma certeza a respeito das mais importantes. Multiplicam-se as disputas, como se tudo fora incerto; e essas disputas são conduzidas da maneira mais acalorada, como se tudo fora certo. Em meio a todo esse alvoroço, não é a razão que conquista os louros, mas a eloquência; e ninguém precisa ter receio de não encontrar seguidores para suas hipóteses, por mais extravagantes que elas sejam, se for hábil o bastante para pintá-las em cores atraentes. A vitória não é alcançada pelos combatentes que manejam o chuço e a espada, mas pelos corneteiros, tamborileiros e demais músicos do exército[162].

Ou seja, para Hume, a retórica é capaz de convencer qualquer um de qualquer coisa, e assim a verdade não se extrai da razão, pois esta camufla a verdade com palavras. Não há como, para Hume, sustentar-se o mundo em verdades absolutas. É o relativismo sofista aparecendo novamente, sob outra roupagem, é claro.

Esse desapego de verdades absolutas e a necessidade de se orientar pelas experiências e tradições exerceram forte influência no direito anglo-americano. Nesse sentido, destaca Wayne Morrison, a filosofia empirista e cética de Hume permitiu compreender por que "os dois suportes essenciais da *common law* – a experiência e a tradição – puderam sobreviver diante do crescimento potencial do positivismo jurídico", pois, "ao sabotar as alegações da razão, Hume permite que as alegações da experiência e da tradição sobrevivam e sejam 'racionalmente defendidas'"[163]. Enfim, o mesmo Morrison resume a questão posta por Hume ao apresentar o questionamento deste a respeito da verdade: "de onde virão estas verdades?". E responde: "Hume não confia na razão pura, argumenta que tal razão não tem nada de importante a nos dizer sobre o mundo"[164], e, com isso, Hume iniciou a desconstrução da ideia do eu, demonstrando que temos de contar com a experiência e a tradição "social", e não com o individualismo metodológico[165].

Por conta dessa crítica de Hume é que Immanuel Kant (1724-1804) se debruçou, na trilogia *Crítica da Razão Pura*, *Crítica da Razão Prática* e *Crítica da Faculdade do Juízo*[166]. De fato, Kant foi fortemente influenciado, de um lado, pelo racionalismo de Descartes (e, também, de Leibniz e Christian Wolff), e, de outro, pelo pensamento

---

162 HUME, David. *Tratado da Natureza Humana: uma tentativa de introduzir o método experimental de raciocínio nos assuntos morais*. 2. ed. Tradução de Débora Danowski. São Paulo: Editora Unesp, 2009, p. 19-20.

163 MORRISON, Wayne, *cit.*, p. 123.

164 *Ibid.*, p. 124.

165 *Ibid.*, p. 127.

166 Como refere, dentre outros, DROIT, Roger-Pol, *cit.*, p. 243.

empirista de Bacon (é a ele que Kant dedica a obra *Crítica da Razão Pura*)[167], Locke[168], e, principalmente, como dito, ficou "incomodado" pela obra de David Hume, a ponto de dizer, em *Prolegômenos*, que foi Hume quem lhe "despertou do sono dogmático"[169]. Kant, no entanto, criticou-os e procurou harmonizar[170] a divisão existente entre os racionalistas e os empiristas, cuja compreensão acaba retornando ao discurso da filosofia da consciência e do dever-ser.

Assim, em *Crítica da Razão Pura*, Kant buscou delimitar a possibilidade de uma "razão pura", isto é, da razão "desligada do sensível"[171], desapegada da experiência, justamente em resposta a Hume. Harmonizando os dois polos (empirismo e racionalismo), Kant admitiu que "dúvida não há de que todo o nosso conhecimento principia pela experiência", mas apresentou um contraponto dizendo: "porém, se todo o conhecimento se principia com a experiência, isso não prova que todo ele derive da experiência"[172]. Assim, se há um conhecimento independente da experiência, ele se distingue do empírico, abrindo-se uma divisão entre conhecimentos "*a priori*" (puros, ou seja, que não derivam da experiência) e "*a posteriori*" (que derivam da experiência)[173]. Will Dudley dá um exemplo esclarecedor:

> Se os solteiros comem suficientes vegetais é uma questão empírica, que somente pode ser respondida com base na experiência. Ter-se-ia que estudar a nutrição humana e então embarcar num inquérito mundial sobre solteiros para determinar seus hábitos de alimentação. Se solteiros são casados, no entanto, é uma questão que pode ser respondida por qualquer competente falante de inglês sem qualquer outro tipo de experiência. Seria absurdo embarcar numa pesquisa sobre os solteiros do mundo para averiguar o "*status*" marital deles. "Solteiros não são casados" é, portanto, um conhecimento "*a priori*", enquanto "solteiros não comem suficientes vegetais" é um "*a posteriori*"[174].

---

167 KANT, Immanuel. *Crítica da Razão Pura*. Tradução de Alex Marins. São Paulo: Martin Claret, 2006, p. 13.

168 Sobre a influência provocativa Locke, *vide* o Prefácio da Primeira Edição de *Crítica da Razão Pura*. KANT, Immanuel. *Crítica da Razão Pura*, *cit.*, p. 16.

169 O próprio Kant externa essa influência, dizendo: "Confesso francamente: a lembrança de David Hume foi justamente o que há muitos anos interrompeu pela primeira vez meu sono dogmático e deu às minhas pesquisas no campo da filosofia especulativa uma direção completamente nova". KANT, Immanuel. *Prolegômenos*. Tradução de Tânia Maria Bernkopf. Coleção Os Pensadores. São Paulo: Abril Cultural, 1974, p. 104.

170 Sobre o tema, *vide*, dentre outros: DUDLEY, Will. *Idealismo alemão*. Tradução de Jacques A. Wainberg. Petrópolis: Vozes, 2013, p. 25-26.

171 Para usar a expressão de LEBRUN, Gérard, *cit.*, p. 11.

172 KANT, Immanuel. *Crítica da Razão Pura*, *cit.*, p. 44.

173 *Ibid.*, p. 44.

174 DUDLEY, Will, *cit.*, p. 33.

Então, algumas verdades não dependem de demonstração empírica, são conhecidas "*a priori*", e outras dependem dessa demonstração.

Kant ainda traçou uma distinção entre a "coisa-em-si" ("número") e a "coisa-em-mim" ("fenômeno")[175]. A primeira é inacessível para mim, pois sua realidade é dela, é própria, é ôntica. Assim, a coisa que conheço não é ela mesma, mas apenas sua representação em mim: a "coisa-em-mim", seu fenômeno em determinado tempo e espaço, ou seja, a coisa "afetada pela minha subjetividade", como esclarece Julián Marías[176]. Assim, ainda segundo o mesmo autor, para Kant, "o pensamento, ao ordenar o caos de sensações, faz as coisas". Kant, então, também inverteu a lógica aristotélica, no que ele mesmo considerou ser uma descoberta equiparável à "revolução copernicana"[177]: se para Aristóteles a verdade era a adequação do intelecto à coisa, para Kant a verdade é a adequação da coisa ao intelecto. Ou seja: para Kant não é possível compreender a coisa-em-si, separada do ser humano, mas apenas seu fenômeno, sua representação. De resto, Kant traçou uma divisão entre o saber e a crença. Se para Hume tudo não passava de crença, para Kant, como explica Droit, "os conhecimentos racionais constituídos no seio do campo da experiência" vinculam-se ao saber:

> mesmo quando se trata de uma experiência pura, como a experiência pura do espaço, para a geometria, ou a experiência pura do tempo, para a aritmética. Em contrapartida, quando saímos do campo da experiência, a razão gira no vazio, se ilude e acredita obter resultados quando apenas especula, sem certeza alguma[178].

Com essa divisão entre crença e saber, o que Kant provocou foi uma desnecessidade de se fixar a filosofia numa metafísica incapaz de ser demonstrada. O que se deve fazer, então, é focar na instrução e na razão.

O interessante é que, voltando para a discussão da "busca da verdade" no processo penal, ainda que se permitisse raciocinar apenas com essa filosofia kantiana, também seria possível dizer que a "verdade absoluta" é inatingível, notadamente no campo do processo penal, considerado como um mecanismo de recognição de um fato pretérito por meio da produção de provas naturalmente frágeis, como, por todas, é a prova testemunhal (a mais usada das provas). Com efeito, raciocinando dentro desse prisma filosófico kantiano, especialmente quanto à referida prova testemunhal, é possível

---

175 KANT, Immanuel. *Prolegômenos*, *cit.*, p. 143.
176 MARÍAS, Julián. *História da Filosofia*, *cit.*, p. 314.
177 KANT, Immanuel. *Crítica da Razão Pura*. Prefácio à 2. edição, *cit.*, p. 32.
178 DROIT, Roger-Pol, *cit.*, p. 248.

dizer que, toda vez que alguém "abre a boca" para se referir a algum fato passado, já não é mais o fato em si ("númeno"), mas sim uma representação dele ("fenômeno"), uma imagem do fato, um fragmento, uma versão desse fato impressa na mente da pessoa, mas nunca ele mesmo. É como diz Andrés Ibáñez: "Quando os fatos adquirem relevância processual já não existem mais como tais, pertencem ao passado. (...) Em consequência não é de fatos em sentido ontológico, senão de enunciados sobre fatos do que se trata no processo"[179]. A "verdade absoluta", portanto, seria ôntica, inatingível. Ou ainda: tem-se a verdade da coisa-em-si (numênica e inatingível) e a verdade fenomênica, de linha igualmente solipsista.

Seja como for, com essa forma de compreender o mundo, Kant é considerado o precursor de um movimento filosófico denominado de "idealismo alemão", em contraposição ao realismo empirista que o precedia. De fato, os filósofos alemães pós-Kant (notadamente Fichte, Schelling e Hegel – e até mesmo Schopenhauer[180]), que dão corpo a esse "idealismo alemão", iniciam suas filosofias apresentando-as como "interpretações de Kant"[181].

Mas o que interessa para a discussão da verdade nessa linha kantiana e do idealismo alemão é que mais uma vez se retorna à dualidade do discurso: ou a verdade está na coisa ou está em mim (ou está em ambos). Ser e dever-ser continuam se apresentando em constante alternância desde os gregos antigos, fazendo-se presente também na filosofia kantiana. A discussão – ao menos até aqui – não escapa dessa relação "sujeito-objeto". Essa mistura do racionalismo e do empirismo, somada à evolução das ciências naturais, no entanto, abriu espaço para uma nova crítica e uma nova corrente filosófica: o positivismo, o qual, por sua vez, servirá de alicerce para o desenvolvimento de duas importantes concepções a respeito do ser e da linguagem, como se passa a expor.

2.5 A emergência da psicanálise e da semiologia a partir do positivismo naturalista: abrindo caminhos para novas perspectivas da verdade

Fruto em grande parte do racionalismo iluminista pós-Revolução Francesa e como uma espécie de reação ao idealismo alemão do início do século XIX, em meados do mesmo

---

179 ANDRÉS IBÁÑEZ, Perfecto. *Valoração da Prova e Sentença Penal*. Tradução de Lédio Rosa de Andrade. Rio de Janeiro: Lumen Juris, 2006, p. 37.

180 *Vide*, dentre outros, DUDLEY, Will, *cit.*, p. 76 e s.

181 MARÍAS, Julián. *História da Filosofia, cit.*, p. 327.

século despontou um movimento filosófico que é considerado um misto de positivismo e naturalismo, operante como novo paradigma[182] de pensamento desse período[183].

O positivismo encontrou no avanço das ciências naturais (notadamente a física, a química e a biologia) campo fértil para sua expansão[184], promovendo, como refere Abbagnano, uma "exaltação romântica da ciência", a tal ponto de vir a ser por ele chamada de uma nova "religião autêntica" e, nessa medida, sendo considerada o "único fundamento possível da vida humana individual e social"[185].

Apostando que o conhecimento se dá por meio das experiências e respectivas descrições e análises, a ciência passou a ser fonte de explicação para todos os fenômenos. Metodologias e sistemas passaram a ser importantes para a compreensão das coisas, e pregou-se um forte discurso de neutralidade[186] da ciência e da obtenção de certezas (de "verdades") absolutas (com a criação de leis universalmente válidas).

O método de descoberta dessas "verdades absolutas", por excelência, passou a ser baseado na experiência e na verificação e demonstração das hipóteses, ou seja, um método causal-explicativo. Um retorno ao empirismo de Locke, um retorno ao "ser" e um afastamento do "dever-ser". A recorrente dualidade mais uma vez se fez presente, agora no contraponto ao discurso idealista kantiano. Enfim, a preocupação científica da época permitiu, inclusive, compreender que não é à toa que o discurso sistemático do processo penal, ou seja, que a preocupação de se pensar o processo penal como ciência, estruturou-se nesse período, ainda que isso tenha ocorrido de forma, diga-se, um tanto "forçada", como se verá mais adiante, nos capítulos que tratam do sistema processual penal.

Auguste Comte (1798-1857), com *Curso de Filosofia Positiva*[187], de 1830, e Charles Darwin (1809-1882), com o famoso livro *A Origem das Espécies*, de 1859[188], aparecem,

---

182 Para emprestar o consagrado termo cunhado por KUHN, Thomas Samuel. *A estrutura das revoluções científicas*. Tradução de Beatriz Vianna Boeira e Nelson Boeira. 3. ed. São Paulo: Perspectiva, 1992.

183 Sobre o tema, *vide*, dentre outros: SOUZA SANTOS, Boaventura de. *Um discurso sobre as ciências*. 5. ed. São Paulo: Cortez, 2008, p. 33 e s.

184 *Vide*, dentre outros, LARENZ, Karl. *Metodologia da ciência do direito*. 3. ed. Tradução de José Lamego. Lisboa: Fundação Calouste Gulbekian, 1997, p. 45 e s.

185 ABBAGNANO, Nicola. *História da Filosofia*. 4. ed. Tradução de Armando da Silva Carvalho e António Ramos Rosa. Lisboa: Editorial Presença, 2000, v. 9, p. 70.

186 Desde Francis Bacon (1561-1626), contemporâneo de Descartes, prega-se um discurso de neutralidade, de desapego aos preconceitos, *verbis*: "LII – Tais são os ídolos a que chamamos de ídolos da tribo, que têm origem na uniformidade da substância espiritual do homem, ou nos seus preconceitos, ou bem nas suas limitações, ou na sua contínua instabilidade; ou ainda na interferência dos sentimentos ou na incompetência dos sentidos ou no modo de receber impressões". BACON, Francis. *"Novum Organum"* ou *Verdadeiras Indicações Acerca da Interpretação da Natureza*. Tradução e notas: José Aluysio Reis de Andrade, versão digital. Disponível em: http://www.psb40.org.br/bib/b12.pdf, créditos da digitalização: membros do grupo de discussão Acrópolis (Filosofia). Homepage do grupo: http://br.egroups.com/group/acropolis/. Acesso em: 16 jun. 2014.

187 COMTE, Auguste. *Curso de Filosofia Positiva*. Coleção "Os Pensadores". Tradução de José Arthur Gianotti. São Paulo: Abril Cultural, 1978.

188 DARWIN, Charles. *A origem das espécies*. Tradução de André Campos Mesquita. São Paulo: Larousse, 2009.

lado a lado[189], como significativos precursores dessa concepção paradigmática revelada no pensamento da segunda metade do século XIX.

Essa compreensão de que tudo pode ser estudado, verificado, demonstrado e explicado influenciou, também, o estudo dos signos (e, assim, da linguagem) e do ser humano. Ou seja, o método que se organizou à luz da identificação da causa e do efeito serviu para desenvolver a semiótica e estudar o comportamento humano. Esses novos estudos que objetificam a linguagem e o inconsciente, como se verá mais adiante, também representaram novas perspectivas de discussão da verdade, seja no campo da nascente Filosofia da Linguagem, seja no campo da igualmente nova psicanálise, seja, inclusive e principalmente, na interseção entre esses dois ramos do conhecimento humano.

No campo do estudo dos signos e da linguagem, dois importantes autores surgiram nesse período: o norte-americano Charles Sanders Peirce (1839-1914) e sua semiótica, e o suíço Ferdinand Saussure (1857-1913) e sua semiologia. Não que "semiótica" e "semiologia" sejam termos que representem análises assim tão díspares, mas foram as terminologias respectivamente adotadas[190].

---

189 Como refere John Kelly, "Comte escreveu numa época em que a evolução biológica estava no ar; e, embora tenha morrido antes de a grande obra de Darwin ser publicada, propôs a ideia de que a sociedade se desenvolvia e mudava em resposta a certas leis análogas aos princípios biológicos que governam o desenvolvimento das espécies individuais" (KELLY, John M. *Uma Breve História da Teoria do Direito Ocidental*. Tradução de Marylene Pinto Michael. São Paulo: Martins Fontes, 2010, p. 437).

190 A respeito dessas duas terminologias, Winfried Nöth, professor de linguística e semiótica e diretor do Centro Interdisciplinar de Estudos Culturais da Universidade de Kassel, explica: "*Nomes específicos para designar essa ciência geral dos signos surgiram relativamente tarde. Entre eles, os termos semiótica e semiologia se firmaram como as designações mais conhecidas para a ciência do signo, às vezes como sinônimos, às vezes como rivais terminológicos. Alternativas terminológicas, tal como semasiologia, sematologia ou semologia caíram em desuso. Também caiu em desuso um antigo sentido do conceito de semiótica ligado à sinalização militar, embora, no Novo Dicionário Aurélio (edição de 1975), encontra-se ainda a seguinte definição de semiótica: 'arte de comandar manobras militares por meio de sinais, e não de voz'. Tanto o termo semiótica quanto o termo semiologia têm as raízes de suas constituintes iniciais e principiais nas palavras gregas semeîon, 'signo', e sema, 'sinal', 'signo'. Tal como a gramática e a aritmética ou a biologia e a filologia, que são campos de estudos de diversas áreas de conhecimento humano, a semiótica e a semiologia, nas suas origens, são os campos de estudo dos signos e dos sinais. (...) Um breve resumo de várias opiniões sobre o assunto é o seguinte: (1) Quem fala de semiótica se enquadra na tradição da teoria geral dos signos, especialmente de Charles Sanders Peirce, ao passo que os que preferem o conceito de semiologia se vêem na tradição semio-linguística de Ferdinand de Saussure. (2) Enquanto a semiótica é a ciência geral dos signos, que inclui o estudo dos signos da natureza não humana, a semiologia é uma ciência humana que vai além da linguística, estudando fenômenos trans-linguísticos (textuais) e códigos culturais. (3) Em Hjelmslev, encontra-se a concepção de que a semiologia é uma metassemiótica que contém uma teoria dos mais diferentes sistemas de signos. Estes, por sua vez, são definidos como 'semióticas'. (4) Semiótica e semiologia são sinônimos. Uma certa preferência do termo semiologia nada mais indica senão a proveniência do autor de um país de fala românica. Um argumento de purismo linguístico, que se ouviu na França nos anos de 1970, era que o conceito de semiologia é uma melhor tradução do termo inglês semiotics para as línguas romanas e, por isso, é preferível ao termo semiótica, por um motivo puramente estilístico. No início do século XXI, todas as distinções entre semiótica e semiologia esboçadas anteriormente parecem coisas do passado. A semiótica internacional se desenvolveu sem as restrições propostas por aqueles que acharam uma divisão entre semiótica e semiologia necessárias. No Brasil, por exemplo, há programas de estudos semióticos, mas não de estudos semiológicos. Porém, o progresso da pesquisa feito sob o nome de semiótica não invalida aqueles feitos em décadas anteriores sob o nome de semiologia*". NÖTH, Winfried. Semiótica e Semiologia: os conceitos e as tradições. *Com Ciência – Revista Eletrônica de Jornalismo Científico*, 10 de março de 2006. Disponível em: http://comciencia.br/comciencia/handler.php?section=8&edicao=11&id=82&tipo=1. Acesso em: 20 jun. 2014.

Como explica Lúcia Santaella, Peirce "tomou a si a tarefa de criar uma lógica das ciências, fundar uma nova metodologia das ciências que fosse capaz de responder aos desafios do desenvolvimento científico"[191]. Elaborou, então, uma forte crítica ao método cartesiano e o substituiu por "um conceito absolutamente original em toda a história da filosofia, o conceito do pensamento como signo, isto é, do signo como corporificação do pensamento"[192]. Justus Buchler refere que, nesse percurso, Peirce acabou construindo "seu próprio empirismo, no qual o falibilismo substituiu o ceticismo e o pragmatismo substituiu o positivismo"[193].

Porém, no que concerne às suas influências e estudos, foi o próprio Peirce quem – em prática não muito usual e, de certa forma, até egocêntrica – se apresentou ao leitor de sua obra, em introdução intitulada "*A Respeito do Autor*", na qual se autoelogia destacando suas inúmeras qualidades pessoais e intelectuais por ocasião da publicação de seus escritos, dizendo, dentre inúmeras outras descrições de sua formação pessoal, que ele foi treinado em laboratório de química, porém tinha seus fundamentos não apenas em tudo aquilo que era sabido por físicos e químicos, mas também na forma pela qual os avanços do conhecimento aconteciam em seu tempo. Peirce ainda esclareceu que prestou muita atenção aos métodos e conviveu muito proximamente com "as grandes mentes das ciências físicas de nossos tempos"[194].

O que se vê, portanto, é que Peirce foi fortemente influenciado por todo o movimento positivista naturalista, e, ainda que possa ter posteriormente abandonado seus métodos e crenças (para substituí-los por métodos próprios, como referido anteriormente), é fato que transformou o signo em objeto de detalhado estudo científico, como se verá mais à frente.

Ferdinand de Saussure, por sua vez, contemporâneo de Peirce e sem conhecê-lo, também trabalhou com sistematização e organização classificatória dos signos e da linguagem. Sua obra de referência, na verdade, é fruto de anotações de seus alunos acerca do que ele lecionou no *Curso de Linguística Geral*, ministrado entre 1907 e 1911, e foi publicada somente em 1916, três anos após sua morte[195]. Nesse curso, o próprio Saussure indicou que foi a partir da obra de Franz Bopp, intitulada *Sistema da Conjugação do Sânscrito*, publicada em 1816, na qual Bopp fazia uma comparação entre a língua sânscrita e certos idiomas europeus, que "se pôde compreender que as

---

191 SANTAELLA, Lucia. *O método anticartesiano de C. S. Peirce*. São Paulo: Editora Unesp, 2004, p. 23.

192 *Ibid.*, p. 24.

193 BUCHLER, Justus. *Introduction. Philosophical Writings of Peirce*. New York: Dover Publications, 1955, p. IX. Tradução nossa.

194 PEIRCE, Charles Sanders. *Concerning the Author*. In: BUCHLER, Justus. *Philosophical Writings of Peirce*. New York: Dover Publications, 1955, p. 1-4

195 DEPECKER, Loïc. *Compreender Saussure a partir dos manuscritos*. Tradução de Maria Ferreira. Petrópolis: Vozes, 2012, p. 11.

relações entre as línguas parentes podiam converter-se em matéria de uma ciência autônoma"[196]. Porém, criticou Saussure, não obstante essa escola tenha tido o "mérito de abrir um campo novo e fecundo", ela "não chegou a constituir a verdadeira ciência linguística", pois "nunca se preocupou em isolar a natureza de seu objeto de estudo". E, como referiu Saussure, "sem essa operação elementar, uma ciência é incapaz de procurar-se um método"[197]. Ou seja, como se vê do texto do próprio Saussure, a influência do discurso científico positivista na elaboração de seus estudos de semiologia é igualmente marcante.

Portanto, em síntese suficiente para este momento a respeito das influências de seu tempo na elaboração da semiologia e da semiótica, é possível dizer que tanto Peirce quanto Saussure trabalharam o estudo dos signos a partir de categorias classificatórias, com pretensões científicas e a partir de bases empíricas. Pela importância desses autores na estruturação do que décadas mais tarde viria a ser chamado de "*Filosofia da Linguagem*" e, também, na compreensão de aspectos centrais da futura psicanálise lacaniana, ambos serão abordados de forma mais detalhada no próximo capítulo.

Em paralelo aos estudos de semiótica e semiologia, despontaram, nesse mesmo período, estudos empíricos da natureza humana que permitiram o surgimento da psicologia e da psicanálise. Deve-se igualmente levar em conta que isso também envolvia o discurso que era a representação do "espírito de seu tempo: *Zeitgeist*", pois, se à época, como explica Abbagnano, era "propícia a uma teoria do progresso que não o restringisse ao destino do homem no mundo, mas sim o estendesse ao mundo inteiro, na totalidade de seus aspectos", esse "clima do positivismo iria estimular poderosamente a tendência da Psicologia a constituir-se como ciência positiva e rigorosa, análoga às ciências naturais"[198].

Foi nesse contexto que Herbert Spencer publicou, em 1855, a obra *Princípios da Psicologia* e, depois, Wilhelm Wundt publicou *Princípios de Psicologia Fisiológica*, em 1874[199], nos quais desenvolveram a psicologia como ciência autônoma[200].

Spencer chegou a classificar a psicologia em "psicologia objetiva que estuda os fenômenos psíquicos no seu substrato material" e "psicologia subjetiva, fundada na

---

196 SAUSSURE, Ferdinand de. *Curso de Linguistica General*. Tradução para o espanhol de Mauro Armiño. Madrid: Akal, 2009, p. 24-25.

197 *Ibid.*, p. 27.

198 ABBAGNANO, Nicola, *cit.*, p. 122 e 146.

199 *Ibid.*, p. 146.

200 STERNBERG, Robert J. *Psicologia cognitiva*. Tradução da 5. ed. norte-americana por Anna Maria Dalle Luche e Roberto Galman. São Paulo: Cencage Learning, 2013, p. 5.

Processo Penal | Fundamentos dos fundamentos

introspecção que 'constitui uma ciência completamente à parte, única no seu gênero, independentemente oposta a cada uma delas'"[201].

Já Wundt teve o mérito de dar impulso à psicologia experimental, como refere Abbagnano, sendo o primeiro a sistematizar esse estudo no que ele denominou de "*Psicologia sem alma*", ou seja, uma "Psicologia que estuda os fenômenos psíquicos prescindindo de qualquer pretensa substância espiritual, considerando-os em estreita relação com os fenômenos fisiológicos e servindo-se da experiência como instrumento de investigação"[202]. A influência do positivismo naturalista era tanta que Wundt afirmava que "o objetivo primordial da Psicologia experimental é fazer uma descrição exata da consciência"[203]. A consciência, então, foi vista e considerada como objeto de estudo científico.

Esse campo foi propício para que o jovem médico neurologista Sigmund Freud, também influenciado pelas descobertas de Darwin, como se vê particularmente do modo como desenvolveu, já em 1913, o texto *Totem e Tabu*[204], realizasse estudos e experimentos que lhe conduziram a identificar algo além da consciência: o inconsciente.

A influência das ciências naturais e do positivismo, tanto na evolução da psicologia e da ciência quanto no surgimento da psicanálise freudiana, é claramente descrita por Peter Gay, biógrafo de Freud, ao esclarecer como Freud, em 1875, acabou tendo contato com o empirismo anglo-saxão e seus respectivos textos científicos:

> Em 1875 Freud viajou a Manchester para fazer uma visita aos seus meios-irmãos. Desde sua infância Freud lia e apreciava bastante a literatura inglesa. Ao retornar de sua viagem, Freud trouxe em sua bagagem mais do que souvenires e recordações agradáveis, havia entrado em contato com vários livros científicos ingleses: Tyndall, Huxley, Lyell, Darwin, Thomson, Lockyer, etc. Além disso, o empirismo inglês e sua aversão à metafísica o haviam encantado, e ajudado a afastar seus interesses das especulações filosóficas. Em seu retorno à universidade, concentrou-se em seu trabalho no laboratório de Carl Claus – que era um dos mais eficientes e prolíficos divulgadores de Darwin em língua alemã. Foi por essa época, sob a tutela de Carl, que Freud viajou ao mediterrâneo para pesquisar as gônadas das enguias, tendo dissecado um número enorme delas.

---

201 ABBAGNANO, Nicola, *cit.*, p. 127.

202 *Ibid.*, p. 146.

203 Conforme COLLIN, Catherine *et al. O Livro da Psicologia.* Tradução de Clara M. Hermeto e Ana Luisa Martins. São Paulo: Globo, 2012, p. 36.

204 FREUD, Sigmund. Totem e Tabu. *Edição Standard Brasileira das Obras Psicológicas Completas de Sigmund Freud, V. 13. Totem e Tabu e outros trabalhos (1913-1914).* Tradução sob a direção de Jayme Salomão. Rio de Janeiro: Imago, 1996.

A busca das gônadas da enguia contribuiu para ensinar a Freud a observação paciente e exata, o tipo de atenção concentrada que mais tarde julgaria tão indispensável ao ouvir seus pacientes[205].

Peter Gay ainda prossegue esclarecendo o quanto o positivismo de Ernest Wilhelm Von Brücke, professor de medicina de Freud, em Viena, foi relevante na estruturação das ideias freudianas:

> A filosofia da ciência de Brücke foi tão formativa para Freud quanto seu profissionalismo. Era um positivista por temperamento e convicção. O positivismo não era tanto uma escola organizada de pensamento, e sim uma atitude difusa em relação ao homem, à natureza e aos métodos de investigação. Seus partidários tinham a esperança de trazer o programa das ciências naturais, suas descobertas e métodos, para a investigação de todo o pensamento e ação humanos, públicos e privados. Típico dessa tendência intelectual é que Auguste Comte, o profeta do positivismo do começo do século XIX em sua forma mais extremada, tenha considerado possível dar bases sólidas ao estudo do homem em sociedade, inventando o termo "sociologia" e definindo-a como uma espécie de física social. Nascido do iluminismo do século XVIII, rejeitando a metafísica de maneira apenas ligeiramente menos categórica do que a teologia, o positivismo havia prosperado no século XIX, com as vitórias espetaculares da física, da química, da astronomia – e da medicina. Brücke era seu representante mais eminente em Viena[206].

Paul-Laurente Assoun também explica essa influência e esclarece a obstinação de Freud em considerar a psicanálise como pertencente à família das "ciências da natureza", dizendo que "foi sob o signo do 'espírito do rigor' das 'ciências naturais' que a Psicanálise foi fundada"[207].

E, ao longo dos textos de Freud, fica clara a preocupação em dar à psicanálise o mesmo *status* de uma ciência da natureza, como se vê, por exemplo, nesta passagem de *Conferências Introdutórias à Psicanálise*, em 1916:

---

205 GAY, Peter. *Freud: uma vida para o nosso tempo*. Tradução de Denise Bottmann. São Paulo: Companhia das Letras, 2004, p. 46.

206 *Ibid.*, p. 48.

207 ASSOUN, Paul-Laurente. *Freud e as Ciências Sociais. Psicanálise e Teoria da Cultura*. Tradução de Luiz Paulo Rouanet. São Paulo: Edições Loyola Jesuítas, 2012, p. 33.

Processo Penal | Fundamentos dos fundamentos

No decorrer dos tempos, a humanidade teve de tolerar dois grandes insultos a seu ingênuo amor-próprio, por parte da ciência. O primeiro, quando descobriu que nossa Terra não é o centro do universo, e sim uma ínfima partícula de um sistema cósmico cuja grandeza mal se pode imaginar. Essa afronta se liga, para nós, ao nome de Copérnico, embora já a ciência alexandrina tivesse anunciado coisa semelhante. O segundo, quando a pesquisa biológica aniquilou a suposta prerrogativa humana na criação, remetendo a descendência dos homens ao reino animal e apontando o caráter indelével de sua natureza animalesca. Essa reavaliação ocorreu em nossos dias sob a influência de Darwin, Wallace e de seus predecessores, não sem enfrentar a mais veemente oposição dos contemporâneos. O terceiro e mais sensível insulto, no entanto, a mania de grandeza humana deve sofrer da pesquisa psicológica atual, que busca provar ao Eu que ele não é nem mesmo senhor de sua própria casa, mas tem de satisfazer-se com parcas notícias do que se passa inconscientemente na sua psique. Nós, psicanalistas, não fomos os primeiros nem os únicos a exortar o autoexame, mas parece que cabe a nós defendê-lo com a máxima insistência e sustentá-lo com material empírico ao alcance de todos[208].

Essa preocupação persistiu ao longo de sua obra e foi retomada, anos mais tarde, já em 1933, por ocasião das *Novas Conferências*:

Se esta é a natureza de uma visão de mundo, a resposta é fácil, no que toca à psicanálise. Enquanto ciência específica, um ramo da psicologia – uma psicologia da profundeza ou psicologia do inconsciente –, ela é totalmente inadequada para criar uma visão de mundo própria, deve aceitar aquela da ciência. (...) o intelecto e a psique são objetos da investigação científica, exatamente como qualquer outra coisa não humana[209].

O fato é que essa preocupação metodológica e empírica de pretender explicar tudo a partir da verificação e demonstração de causas e efeitos também permitiu que Freud, inicialmente, como dito, um médico preocupado com neurociência, pudesse ter o *"insight"* experimental que o levou a desenvolver o conceito de inconsciente e,

---

208 FREUD, Sigmund. A Fixação do Trauma, o Inconsciente. Conferências Introdutórias à Psicanálise. *Obras Completas, V. 13. Conferências Introdutórias à Psicanálise (1916-1917)*. Tradução de Sérgio Tellaroli. São Paulo: Companhia das Letras, 2014, p. 380-381.

209 FREUD, Sigmund. Acerca de uma visão de mundo. Novas Conferências Introdutórias à Psicanálise. *Obras Completas, V. 18. O Mal Estar na Civilização, Novas Conferências Introdutórias à Psicanálise e Outros Textos (1930-1936)*. Tradução de Paulo César de Souza. São Paulo: Companhia das Letras, 2010, p. 322-323.

assim, praticamente fundasse a psicanálise. As ações humanas, portanto, passaram a ser explicadas também pelo método causal-explicativo, ou seja, para Freud, todos os atos (sejam os atos externos, sejam os pensamentos, ideias, angústias, traumas, sonhos etc.) decorrem de alguma causa, inclusive inconsciente.

Enfim, a emergência das ciências do "ser" passou a abrir dois caminhos para explorar novas concepções de verdade, e não há mais como desconsiderar as influências da psicanálise e da linguagem nessa avaliação. Assim, ambas podem ser consideradas "filhas" desse positivismo-naturalista. E o interessante é que, não obstante, nesse momento do século XIX, esses dois caminhos se apresentem como "distintos" – cada um a seu modo, sem interação e com objetos aparentemente não convergentes –, seus destinos se cruzaram em meados do século XX, com as obras de Heidegger, Gadamer e Lacan. De fato, Heidegger, e principalmente seu discípulo Gadamer, provocaram uma nova compreensão da verdade, numa hermenêutica filosófica que prima pela circularidade da compreensão, por meio da linguagem, levando em conta que o homem é um "ser-no-mundo", temporal e finito. Lacan, por sua vez, conseguiu, a partir da identificação do inconsciente freudiano, e fortemente influenciado pela semiologia de Saussure, inter-relacionar a filosofia da linguagem com a psicanálise, compreendendo que também o inconsciente é "estruturado como uma linguagem", ou, de forma mais detalhada, "o inconsciente é, em seu fundo, estruturado, tramado, encadeado, tecido de linguagem"[210]. Assim, do casamento dessas duas linhas surge um novo "giro linguístico" na compreensão do mundo, como se verá mais adiante.

2.6 A psicanálise como primeiro caminho divergente: contribuição da "dialética do pulsional", entre Schopenhauer e Nietzsche, na elaboração do inconsciente freudiano.

Não obstante a psicanálise freudiana tenha sido fortemente influenciada pelo positivismo naturalista, como se viu anteriormente, há também outras importantes referências da filosofia a serem levadas em conta na elaboração do pensamento de Freud e que merecem ser aqui avaliadas nessa trajetória de compreensão de como o discurso de "busca da verdade real" está equivocado em servir de norte para o processo penal.

Assim, para compreender melhor a maneira pela qual Freud elaborou suas ideias a respeito do inconsciente, também é importante analisar como ele foi igualmente influenciado pelas filosofias contrapostas de Schopenhauer (1788-1860) e Nietzsche

---

210 LACAN, Jacques. *O Seminário, Livro 3: as Psicoses (1955-1956)*. Tradução de Dulce Duque Estrada. Rio de Janeiro: Zahar, 1981, p. 135.

(1844-1900) e identificar como elas forneceram amplas bases para o aperfeiçoamento de sua "nova ciência".

A respeito desses dois importantes filósofos, é bom que se diga que Schopenhauer está, cronologicamente, numa espécie de transição entre o idealismo alemão e o positivismo naturalista, ao passo que Nietzsche já é contemporâneo do discurso positivista naturalista e do próprio Freud (1856-1939). Seja como for, ambos são filósofos que, pelas suas particulares abordagens, ficam à margem dessas classificações. Serão, no entanto e como destacado, juntamente com a influência positivista naturalista de análise do "ser", isto é, de enxergar o ser humano como objeto de investigação empírico-científica, fortes contributos à compreensão freudiana do inconsciente.

A certeza solipsista cartesiana também foi questionada, agora no contexto daquilo que se pode denominar, emprestando a expressão de Enrique Dussel, de "dialética do pulsional"[211], identificada entre Schopenhauer, Nietzsche e Freud (e, depois, complementada por Lacan), ao longo da segunda metade do século XIX e a primeira metade do século XX. Assim, para compreender a complexidade que envolve o tema da "busca da verdade" no processo penal, e como – e por que – insistir na "filosofia da consciência" expressada pelo "*cogito*" cartesiano possa ser equivocado, é imprescindível bem compreender o que resulta dessa chamada "dialética do pulsional" como premissa interpretativa do inconsciente e de sua influência na elaboração da "verdade".

Seção I – Premissas schopenhauerianas

O ponto de partida da "dialética do pulsional" foi a tese desenvolvida por Schopenhauer apresentada na famosa obra intitulada *O Mundo como Vontade e Representação*. Schopenhauer considerava a "Vontade"[212] como sendo, ao lado da "representação", as duas formas definidoras do mundo. Para ele, o mundo é composto de "Vontade" e "representação".

Schopenhauer tomou como base o discurso kantiano de o mundo ser lido ou como fenômeno (representação) ou como número (coisa-em-si), para deixar registrado, num primeiro momento, que "toda representação, não importa seu tipo, todo objeto é fenômeno. Coisa-em-si, entretanto, é apenas Vontade"[213]. Com isso queria dizer que

---

211 DUSSEL, Enrique. *Ética da libertação. Na idade da globalização e da exclusão.* 2. ed. Tradução de Ephraim Ferreira Alves, Jaime A. Clasen e Lúcia M. E. Orth. Petrópolis: Vozes, 2002, p. 345 e s.

212 Aqui grafado com "V" maiúsculo, seguindo a opção de Jair Barboza, tradutor da obra de Schopenhauer para o português, que assim visou evitar confusões com o senso comum do conceito, diferenciando a "Vontade", com inicial maiúscula, como algo equivalente à coisa-em-si, inerente a toda a natureza, como explica, da "vontade", com inicial minúscula, equivalente a uma vontade individual (SCHOPENHAUER, Arthur, *cit.*, p. 169, nota 8).

213 SCHOPENHAUER, Arthur, *cit.*, p. 168.

considerava a Vontade como sendo "a essência íntima" de tudo; desde o caráter do homem até a qualidade da pedra, tudo seria sintetizado nessa ideia de "Vontade"[214]. Para ele, "cada força originária e universal da natureza nada mais é, em sua essência íntima, do que a objetivação da Vontade num grau baixo"[215].

Assim, no entender de Schopenhauer, os corpos das pessoas percebem o mundo ora como objetos ("representações"), ora como experimentos a partir de dentro ("Vontade"), mas o mundo continua o mesmo, não se altera em razão dessas diferentes percepções[216]. A Vontade de dar um soco em alguém (plano interno – "Vontade") e a realização do movimento que permite que essa Vontade se concretize (plano externo – "representação") não estão em mundos diferentes e se compõem em um mesmo acontecimento, experimentado, pelo homem, de duas maneiras diferentes[217]. Quando se vê o movimento do braço em direção à outra pessoa concretizando o soco, ainda que se perceba apenas a representação externa da Vontade, esta – a Vontade – também está presente. Essa "Vontade", portanto, sempre está presente em tudo e é, assim, a energia responsável por todas as coisas no mundo. Com isso Schopenhauer via a humanidade à mercê dessa "Vontade" universal, incontrolável e até mesmo despropositada e, portanto, para ele sem sentido, sem significado, conduzindo-o a uma angústia existencial, por ele assim sintetizada: "nenhuma Vontade: nenhuma representação, nenhum mundo. Diante de nós queda-se apenas o nada"[218].

Com essa estrutura de pensamento, Schopenhauer também considerou o mundo não como bom ou ruim, mas apenas sem significado, entendendo que, quando as pessoas lutam para encontrar a felicidade, alcançam, na melhor das hipóteses, satisfação e, na pior das hipóteses, dor e sofrimento.

Schopenhauer, então, percebeu ser a vida composta de uma constante sequência alternada entre desejo, satisfação e frustração: desejo; me satisfaço; e me frustro; desejo; me satisfaço; e me frustro, assim, indefinidamente, até a morte. Nas palavras do próprio Schopenhauer:

> O mesmo também se mostra, por fim, nas aspirações e nos desejos humanos, cujo preenchimento sempre nos acena como o fim último do querer; porém, assim que são alcançados, não mais se parecem os mesmos e, portanto, logo são esquecidos, tornam-se caducos e, propriamente dizendo, embora não se

---

214 *Ibid.*, p. 187.

215 *Ibid.*, p. 196.

216 Ainda que, também amplamente influenciado pela filosofia védica, Schopenhauer ponderasse a respeito do mundo ser uma ilusão.

217 SCHOPENHAUER, Arthur, *cit.*, p. 76.

218 *Ibid.*, p. 518.

admita, são sempre postos de lado como ilusões desfeitas. Suficientemente feliz é quem ainda tem algo a desejar, pelo qual se empenha, pois assim o jogo da passagem contínua entre o desejo e a satisfação e entre esta é um novo desejo – cujo transcurso, quando é rápido, se chama felicidade, e quando é lento se chama sofrimento – é mantido, evitando-se aquela lassidão que se mostra como tédio terrível, paralisante, apatia cinza sem objeto definido, langor mortífero. Em conformidade com tudo isso, onde o conhecimento a ilumina, a Vontade sempre sabe o que quer aqui e agora, mas nunca o que quer em geral[219].

E, mais adiante em sua obra, retomou o tema de forma ainda mais direta, esclarecendo que o ser humano é movido pela carência, pela falta; que gera um sofrimento; que cria uma necessidade e que, por sua vez, revela um querer que precisa ser satisfeito, gozado; e assim sucessivamente:

> Todo querer nasce de uma necessidade, portanto de uma carência, logo, de um sofrimento. A satisfação põe um fim ao sofrimento; todavia, contra cada desejo satisfeito permanecem pelo menos dez que não o são. Ademais, a nossa cobiça dura muito, as nossas exigências não conhecem limites; a satisfação, ao contrário, é breve e módica. Mesmo a satisfação final é apenas aparente: o desejo satisfeito logo dá lugar a um novo: aquele é um erro conhecido, este um erro ainda desconhecido. Objeto algum alcançado pelo querer pode fornecer uma satisfação duradoura, sem fim, mas ela se assemelha sempre apenas a uma esmola atirada ao mendigo, que torna sua vida menos miserável hoje, para prolongar seu tormento amanhã. (...) E em essência é indiferente se perseguimos ou somos perseguidos, se tememos a desgraça ou almejamos o gozo: o cuidado pela Vontade sempre exigente, não importa em que figura, preenche e move continuamente a consciência[220].

O tema, enfim, é recorrente em sua obra, permitindo-lhe explicar sua ideia de felicidade e preparar o terreno para a construção de sua "Vontade de Vida", como fez na seguinte passagem:

> Portanto, entre querer e alcançar, flui sem cessar toda vida humana. O desejo, por sua própria natureza, é dor; já a satisfação logo provoca saciedade: o fim

---

219 *Ibid.*, p. 231.
220 *Ibid.*, p. 266.

fora apenas aparente: a posse elimina a excitação, porém o desejo, a necessidade aparece em nova figura; quando não, segue-se o langor, o vazio, o tédio, contra os quais a luta é tão atormentadora quanto contra a necessidade. Quando desejo e satisfação se alternam em intervalos não muito curtos nem muito longos, o sofrimento ocasionado por eles é diminuído ao mais baixo grau, fazendo o decurso de vida o mais feliz possível[221].

Assim, Schopenhauer sintetizou sua filosofia na expressão "Vontade de Vida", ou seja, em suas palavras: "Onde existe Vontade, existirá vida, mundo. Portanto, à Vontade de vida a vida é certa, e, pelo tempo que estivermos preenchidos de Vontade de vida, não precisamos temer por nossa existência, nem pela visão da morte"[222]. Essa, como resta evidente, é a base de compreensão do ser humano e do mundo que no século XX permitiu a construção freudiano-lacaniana de "Pulsão de Morte", não sem antes passar pela importante colaboração construtiva da antítese de Nietzsche.

Seção II – Contrapontos nietzschianos

Se Schopenhauer "é um escritor claro", como destacou Georg Simmel em seu ciclo de conferência sobre Schopenhauer e Nietzsche, em 1906[223], Friedrich Nietzsche prefere a sutileza poética, exigindo esforço maior na compreensão de suas ideias. Mesmo assim, e mesmo que faça contrapontos ao discurso de Schopenhauer, Nietzsche deixou claro que partiu do ponto de vista schopenhaueriano[224], conduzindo-se para além dele para construir sua "Vontade de Potência", a exemplo desta passagem de *Além do Bem e do Mal*:

> Sejamos, pois, mais discretos, menos filósofos e admitamos que em cada vontade existe, antes de mais nada uma infinidade de sentimentos: o do estado do qual se quer sair, o do estado ao qual se tende, a sensação de duas direções, ou seja "daqui" "até lá"; enfim uma sensação muscular que, sem chegar a pôr em movimento braços e pernas, toma parte dele assim que nos dispomos a

---

221 *Ibid.*, p. 404.

222 *Ibid.*, p. 211, 222 e 358.

223 SIMMEL, Georg. *Schopenhauer & Nietzsche*. Tradução de César Benjamin. Rio de Janeiro: Contraponto, 2011, p. 9.

224 "Os filósofos gostam de falar da verdade como se fosse a melhor coisa do mundo. Schopenhauer deu a entender inclusive que a vontade é algo que realmente distinguimos, algo perfeitamente reconhecido e sem demasia e sem falta, mas parece-me que Schopenhauer, neste caso como em outros, seguiu a mesma rota que todos os filósofos: adotou e exagerou ao máximo um preceito popular. A vontade se me apresenta antes de mais nada como algo complexo" (NIETZSCHE, Friedrich. *Além do Bem e do Mal. Prelúdio de uma filosofia do futuro.* Tradução de Armando Amado Júnior. São Paulo: WVC, 2001, Primeira Parte, 16, p. 37).

"querer". Do mesmo modo que o sentir, um sentir multíplice, é evidente que um dos componentes da vontade, contém também um "pensar", em todo ato voluntário há um pensamento diretor e, portanto, deve-se evitar a crença de que se pode afastar esse pensamento do "querer" para obter um precipitado que continuaria sendo vontade. Vontade não é apenas um conjunto de sensações e pensamentos, mas também e antes de tudo um estado afetivo, a emoção derivada do mando, do poderio. Aquilo que se chama "livre-arbítrio" é essencialmente o sentimento de superioridade ante um subalterno, "Eu sou livre, ele deve obedecer", eis o que há no fundo de toda vontade, a certeza íntima que constitui o estado de ânimo de quem manda[225].

Como se vê, ao mesmo tempo que Nietzsche tomou como ponto de partida a ideia da "Vontade" schopenhaueriana, ele criticou a "Vontade de Vida" de Schopenhauer[226], considerando que ela se constitui numa multiplicidade de sensações. Como recorda Georg Simmel, deve-se levar em conta que, entre Schopenhauer e Nietzsche, está Darwin, e, assim, "enquanto Schopenhauer se detém na negação da vontade (...) de viver, Nietzsche encontra na evolução da espécie humana a possibilidade de um fim que permita a vida afirmar-se"[227]. E prossegue esclarecendo que "Nietzsche, em oposição a Schopenhauer, extrai do conceito de evolução um novo pensamento sobre a vida: em sua maior intimidade, ela é intensificação, aumento, concentração cada vez maior das forças ambientes no sujeito"[228]. Essa opção fica clara quando se avalia que, na elaboração de suas ideias, Nietzsche levou em conta a polaridade do apolíneo e do dionisíaco:

> Com a palavra "dionisíaco" é expresso: um ímpeto à unidade, um remanejamento radical sobre pessoa, cotidiano, sociedade, realidade, sobre o abismo do perecer: o passionalmente doloroso transporte para estados mais escuros, mais plenos, mais oscilantes; (...) a eterna vontade de geração, de fecundidade, de retorno; o sentimento da unidade da necessidade do criar e do aniquilar.
>
> Com a palavra "apolíneo" é expresso: o ímpeto ao perfeito ser-para-si, ao típico "indivíduo", a tudo o que simplifica, destaca, torna forte, claro, inequívoco, típico: a liberdade sobre a lei.

---

225 NIETZSCHE, Friedrich. *Além do Bem e do Mal. Prelúdio de uma filosofia do futuro, cit.*, p. 38.

226 *Id. Assim Falava Zaratustra.* Tradução de Márcio Ferreira dos Santos. Petrópolis: Vozes, 2011, p. 130-133.

227 SIMMEL, Georg, *cit.*, p. 16.

228 *Ibid.*, p. 17.

Esta contrariedade do dionisíaco e do apolíneo no interior da alma grega é um dos grandes enigmas pelo qual me senti atraído, frente à essência grega. Não me esforcei, no fundo, por nada senão adivinhar por que precisamente o apolinismo grego teve de brotar de um fundo dionisíaco: o grego dionisíaco tinha necessidade de se tornar apolíneo: isso significa quebrar sua vontade de descomunal, múltiplo, incerto, assustador, em uma vontade de medida, de simplicidade, de ordenação a regra e conceito[229].

Ou seja, enquanto o deus grego Dioniso representa a embriaguez e, de forma ampla, tudo o que dá prazer (visto, posteriormente, como o "*id*", o inconsciente, movido pelo princípio do prazer em Freud), Apolo é regra, limite, é castração (é a moral, ou o "superego" em Freud). E ambos, em contrariedade, estão presentes "no interior da alma grega", como disse Nietzsche. Como se percebe, é evidente a influência de Nietzsche até mesmo na estruturação da psique humana posteriormente aperfeiçoada por Freud, como se verá mais adiante, sem que aqui se deixe passar a oportunidade de referir a crítica nietzschiana ao "*cogito*" de Descartes, que igualmente serviu de base ao pensamento freudiano, como se vê na seguinte passagem de *Além do Bem e do Mal*:

> É o fato de que um pensamento acontece apenas quando quer e não quando 'eu' quero, de modo que é falsear os fatos e dizer que o sujeito 'eu' é determinante na conjugação do verbo "pensar". Algo pensa, porém não é o mesmo que o antigo e ilustre 'eu', para dizê-lo em termos suaves, não é mais que uma hipótese, porém não com certeza, uma certeza imediata. Já é demasiado dizer que algo pensa, pois esse algo contém uma interpretação do próprio processo[230].

Ou seja, Nietzsche via todo o problema da humanidade no predomínio dessa moral apolíneo-cristã. Considerava que os "fortes" haviam sido derrotados pelos "fracos" que criaram estruturas de repressão impostas pela disciplina e pelo castigo[231]. Sustentava, assim, a necessidade de o homem se libertar, permitindo que sua "Vontade de Potência" novamente triunfasse e que o homem, assim, transcendesse a moral, se libertasse como apresentou em Zaratustra, seu *übermenshen*, ou "sobre-humano", ou "além-homem", ou "super-homem", ou, ainda, o "homem que transcende"[232].

---

229 NIETZSCHE, Friedrich. *Sobre o Niilismo e o eterno retorno – 1881-1888 – O retorno*, §1050.

230 NIETZSCHE, Friedrich. *Além do Bem e do Mal. Prelúdio de uma filosofia do futuro, cit.*, p. 36, § 17.

231 *Id. A genealogia da moral*, Primeiro Tratado, 9, p. 39.

232 *Id. Assim Falava Zaratustra, cit.*, p. 14 e s.

Nietzsche considerava, então, que o sentimento de culpa era fruto de uma questão histórica, notadamente da vitória dos mais "fracos" e, portanto, resultado de uma questão cultural. Com isso, Nietzsche "transforma o 'mundo como representação' de Schopenhauer num mundo histórico e regido pelos instintos reprodutivos de Apolo e pelos criativos de Dioniso", como destaca Dussel[233], também servindo de base para o pensamento freudiano.

Nietzsche, então, com sua crítica incisiva a todo o modo de vida pautado pela moral e pela certeza construída pelo homem, atacou frontalmente tanto o *"cogito"* de Descartes quanto o "eu quero" de Schopenhauer, como se tem, novamente, numa passagem de *Além do Bem e do Mal*:

> Existem ainda ingênuos acostumados à introspecção que creem que há "certezas imediatas", por exemplo, o "eu penso", ou como era a crença supersticiosa de Schopenhauer, o "eu quero"; como se nesse caso o conhecimento conseguisse apreender seu objeto pura e simplesmente, enquanto "coisa em si" sem alteração por parte do objeto e do sujeito. Afirmo que a "certeza imediata", bem como o "conhecimento absoluto" ou a "coisa em si", encerram uma *"contradictio in adjecto"*; seria, pois, esta a ocasião de livrar-se do engano que encerram as palavras.
>
> O vulgo acredita que o conhecimento consiste em chegar ao fundo das coisas; por outro lado, o filósofo deve dizer-se: "Se analiso o processo expressado na frase 'eu penso', obtenho um conjunto de afirmações arriscadas, difíceis e talvez impossíveis de ser justificadas; por exemplo, que sou eu quem pensa, que é absolutamente necessário que algo pense, que o pensamento é o resultado da atividade de um ser concebido como causa, que exista um 'eu'; enfim, que se estabeleceu de antemão o que se deve entender por pensar e que antecipadamente respondido à questão por minha própria razão, como poderia julgar que não se trata de uma 'vontade' ou de um 'sentir'? Resumindo o exposto, este 'eu penso' implica que 'comparo' meu estado momentâneo com outros estados observados em mim para estabelecer o que é, posto que é preciso recorrer a um 'saber de origem diferente', pois 'eu penso' não tem para mim nenhum valor de 'certeza imediata'"[234].

Dessa forma, em contraponto à filosofia da consciência de Descartes, que considerava o homem como centro do conhecimento, Nietzsche, por assim dizer, inaugurou o

---

233 DUSSEL, Enrique, *cit.*, p. 348.

234 NIETZSCHE, Friedrich. *Além do Bem e do Mal. Prelúdio de uma filosofia do futuro, cit.*,16, p. 35.

questionamento à luz da verdade construída pela linguagem e pela intersubjetividade, reformulando o paradigma da relação sujeito-objeto para a relação sujeito-sujeito na "construção" da "verdade" das coisas que deixa de ser uma verdade absoluta. Mas, como Nietzsche tinha, por assim dizer, uma complexidade tão própria em sua filosofia, mesmo diante do relativismo "de que não há fatos, só interpretações", também é possível destacar outro aspecto relevante e grande contributo para a psicanálise de Freud e Lacan, pois Nietzsche chegou mesmo a antecipar as percepções lacanianas de que as coisas compreendidas como linguagem não passam de metáforas de sons e imagens, metonímias inclusive, como se vê destas passagens de *Sobre a Verdade e Mentira no Sentido Extramoral*, de 1873:

> (...) porque o homem, ao mesmo tempo por necessidade e tédio, quer existir socialmente e em rebanho, ele precisa de um acordo de paz e se esforça para que pelo menos a máxima *"bellum omnium contra omnes"* desapareça de seu mundo. Esse tratado de paz traz consigo algo que parece ser o primeiro passo para alcançar aquele enigmático impulso à verdade. Agora, com efeito, é fixado aquilo que doravante deve ser "verdade", isto é, é descoberta uma designação uniformemente válida e obrigatória das coisas, e a legislação da linguagem dá também as primeiras leis da verdade: pois surge aqui pela primeira vez o contraste entre verdade e mentira[235].
>
> (...) o que se passa com aquelas convenções da linguagem? São talvez frutos do conhecimento, do senso de verdade; as designações e as coisas se recobrem? É a linguagem a expressão adequada de todas as realidades?[236]
>
> (...) O que é uma palavra? A figuração de um estímulo nervoso em sons. Mas concluir do estímulo nervoso uma causa fora de nós já é um resultado de uma aplicação falsa e ilegítima do princípio da razão. Como poderíamos nós, se somente a verdade fosse decisiva na gênese da linguagem, se somente o ponto de vista da certeza fosse decisivo nas designações, como poderíamos no entanto dizer: a pedra é dura: como se para nós esse "dura" fosse conhecido ainda de outro modo, e não somente como uma estimulação inteiramente subjetiva![237]
>
> (...) A "coisa em si" (tal seria justamente a verdade pura sem consequências) é, também para o formador da linguagem, inteiramente incaptável e

---

235 *Id*. Sobre verdade e mentira no sentido extra-moral. *Obras incompletas*. Trad. Rubens Rodrigues Torres Filho. (Coleção "Os Pensadores"). São Paulo: Abril, 1974, p. 54.

236 *Ibid.*, p. 55.

237 *Ibid.*, p. 55.

nem sequer algo que vale a pena. Ele designa apenas as relações das coisas aos homens e toma em auxílio para exprimi-las as mais audaciosas metáforas. Um estímulo nervoso, primeiramente transposto em uma imagem! Primeira metáfora. A imagem, por sua vez, modelada em um som! Segunda metáfora. E a cada vez completa mudança de esfera, passagem para uma esfera inteiramente outra e nova[238].

(...) acreditamos saber algo das coisas mesmas, se falamos em árvores, cores, neve e flores e, no entanto, não possuímos nada mais do que metáforas das coisas, que de nenhum modo correspondem às entidades de origem[239].

(...) O que é verdade, portanto? Um batalhão móvel de metáforas, metonímias, antropomorfismos, enfim, uma soma de relações humanas, que foram enfatizadas poética e retoricamente, transpostas, enfeitadas, e que, após longo uso, parecem a um povo sólidas, canônicas e obrigatórias: as verdades são ilusões, das quais se esqueceu que o são, metáforas que se tornaram gastas e sem força sensível, moedas que perderam sua efígie e agora só entram em consideração como metal, não mais como moedas[240].

Pela importância de compreensão de uma nova discussão de "verdade" que se construiu posteriormente pela linguagem e pelo inconsciente, vale repetir os últimos trechos anteriormente destacados: "acreditamos saber algo das coisas mesmas, se falamos em árvores, cores, neve e flores e, no entanto, não possuímos nada mais do que metáforas das coisas, que de nenhum modo correspondem às entidades de origem". E a verdade, diz Nietzsche, é "um batalhão móvel de metáforas, metonímias, antropomorfismos, enfim, uma soma de relações humanas". Como se vê, Nietzsche praticamente antecipou a compreensão lacaniana de como operam linguagem e inconsciente, ou, ao menos, deu forte base para as conclusões posteriores tanto de Jakobson quanto de Lacan, como se verá mais adiante.

Nietzsche também considerou que a "longa história da origem da responsabilidade" é essencialmente cultural, imposta por meio da "moralidade dos costumes". Há, no entanto, um grupo de homens que não se submete a essa moralidade dos costumes: o "indivíduo soberano" (os senhores, artistas, nobres), que constrói a sua medida de valor e considera o outro a partir de si mesmo (sua consciência – ter o direito de dizer sim a si mesmo).

---

238 *Ibid.*, p. 55.
239 *Ibid.*, p. 55.
240 *Ibid.*, p. 56.

Porém, esse grupo de homens fortes, como destacado, é derrotado pelos "fracos" (escravos, a plebe), os quais, para implantar uma memória da moral, criaram as estruturas de repressão e impuseram, pela disciplina, pelo castigo, o 'eu', a "consciência moral", o apolíneo.

Disse Nietzsche: "Vamos ater-nos aos fatos: o povo é que venceu – ou 'os escravos', 'a plebe', 'o rebanho' ou como queiram chamá-lo –, se isso se deve aos judeus, muito bem! Jamais um povo teve missão histórica de maior alcance. Foram abolidos os amos, triunfou a moral do povo"[241]. Segundo Nietzsche, é preciso negar a repressão desses valores morais e reimplantar um modelo de sociedade no qual a "Vontade de Potência" triunfe novamente. Para isso, é imperioso que os homens se libertem, como Zaratustra, transformando-se em seres humanos que transcendam.

Enfim, Nietzsche transformou a "Vontade de Viver" schopenhaueriana (origem de toda dor) em "Vontade de Poder", afastada de toda moral.

Como se vê, não obstante essa "Vontade de Poder" de Nietzsche possa favorecer o decisionismo e o abuso de poder solipsista, seu discurso também era fortemente inclinado à linguagem na compreensão das coisas. Essa análise foi incorporada por Freud, que conseguiu apreender os aspectos positivos dos dois discursos antagônicos (Schopenhauer e Nietzsche), operando a importante síntese que permitiu – com a colaboração de Lacan – melhor compreender como a questão da verdade atua na psique humana.

2.7 A síntese freudiana na constatação de como opera a psique humana

Do que se expôs anteriormente, não há como negar a influência de Schopenhauer e Nietzsche na obra de Sigmund Freud. É possível até dizer que ele promoveu a síntese entre os dois autores.

Das lições de Schopenhauer, Freud aproveitou as referências à "*Vontade*" (como equivalente ao inconsciente), ao desejo, à falta, ao gozo e, inclusive, ao impulso sexual, já que Schopenhauer também o destacava numa escala de desejos dessa natureza[242]. Aliás, o próprio Freud não negou essa influência, deixando-a patente nesta passagem de *Uma Dificuldade no Caminho da Psicanálise*, de 1917:

---

241 *Id. A genealogia da moral*, Primeiro Tratado, 9, p. 39.

242 SCHOPENHAUER, Arthur, *cit.*, p. 428: "Semelhante afirmação se mostra como conservação do corpo por meio do emprego de suas forças. A ela se liga imediatamente a satisfação do impulso sexual, parte da afirmação, visto que os genitais pertencem ao corpo. Eis por que a renúncia VOLUNTÁRIA da satisfação desse impulso, não baseado em MOTIVO algum, já é negação da Vontade de vida. Trata-se de uma autossupressão voluntária do querer mediante a entrada em cena de um conhecimento que atua como QUIETIVO".

Provavelmente muito poucas pessoas podem ter compreendido o significado, para a ciência e para a vida, do reconhecimento dos processos mentais inconscientes. Não foi, no entanto, a psicanálise, apressemo-nos a acrescentar, que deu esse primeiro passo. Há filósofos famosos que podem ser citados como precursores – acima de todos, o grande pensador Schopenhauer, cuja Vontade inconsciente equivale aos instintos mentais da psicanálise. Foi esse mesmo pensador, ademais, que em palavras de inesquecível impacto, advertiu a humanidade quanto à importância, ainda tão subestimada pela espécie humana, da sua ânsia sexual[243].

Assim, reconhecendo que a filosofia de Schopenhauer antecedeu a descoberta do inconsciente, quando Freud apresentou o que considerou serem os elementos da pulsão do inconsciente, também deixou transparecer de forma muito clara a influência de Schopenhauer. Pode-se dizer que em Freud a "pulsão" (*"Trieb"*[244]) é considerada uma "força" (*"Drang"*) constante (algo como a "Vontade" em Schopenhauer), que age por meio de uma energia, que é a libido[245]. A "meta da pulsão" (*"Ziel"*) é outro elemento, considerado como a satisfação da pulsão[246]; e o "objeto" (o que Freud

---

243 FREUD, Sigmund. Uma Dificuldade no Caminho da Psicanálise. *Edição Standard Brasileira das Obras Psicológicas Completas de Sigmund Freud, V. 17. História de Uma Neurose Infantil e Outros Trabalhos (1917-1919)*. Tradução inglesa de Joan Riviere. Traduzido do alemão e do inglês sob a direção de Jayme Salomão. Rio de Janeiro: Imago, 1996, p. 87 e 88.

244 Há duas traduções diversas para a palavra alemã *"Trieb"*. Alguns traduzem como "instinto", outros como "pulsão". Lacan também diferencia os termos *"Trieb"* e *"Instinkt"*, considerando o primeiro como "pulsão" (LACAN, Jacques. O problema da sublimação. *O Seminário. Livro 7. A Ética da Psicanálise*. Tradução de Antônio Quinet. Rio de Janeiro: Zahar, 2008, p. 112-113). A esse respeito, *vide* também: GOMES, Gilberto. Os dois conceitos Freudianos de "Trieb". *Psicologia: Teoria e Pesquisa*, v. 17, n. 3, set.-dez. 2001, p. 249-255, *verbis*: "O objetivo deste trabalho é rastrear, na obra freudiana, o conceito de 'Trieb' (geralmente traduzido, ou como 'pulsão', ou como 'instinto'), desfazendo alguns equívocos frequentes e explorando suas articulações teóricas. É bem sabido que há, na obra de Freud, duas teorias sobre as pulsões. Um dos pontos importantes de nossa análise será o de mostrar que cada uma dessas teorias utiliza um conceito diferente de pulsão. O que muda não é apenas a concepção sobre quais são as pulsões fundamentais (pulsões sexuais e de autopreservação, na primeira teoria, e pulsões de vida e de morte, na segunda). Também se altera a própria concepção do que é uma pulsão. Na primeira teoria, a pulsão se define em função de quatro outros conceitos (fonte, alvo, objeto e pressão), que, como veremos, não se aplicam ao conceito da segunda teoria. O mesmo termo designa, em cada teoria, um objeto conceitual distinto". *Vide*, ainda, COUTINHO, Jacinto Nelson de Miranda. Jurisdição, Psicanálise e o Mundo Neoliberal. *Direito e Neoliberalismo. Elementos para uma Leitura Interdisciplinar*. Curitiba: EDIBEJ, 1996, p. 39-77, p. 43, *verbis*: "Enunciar é manifestar, falar; e a pulsão é o caminho, embora desconheça por completo a verdade da qual é portadora. É o motivo pelo qual a pulsão ('trieb', em alemão, para não ser confundida como instinto – 'instinkt' –, que é algo diverso e tem objeto); não tem qualquer objeto predeterminado, o que desloca a análise de uma eventual relação semântica para outro lugar, ou seja, um lugar onde o referencial não diz nada enquanto objeto".

245 FREUD, Sigmund. Teoria Geral das Neuroses. A Vida Sexual Humana. *Obras Completas, V. 13. Conferências Introdutórias à Psicanálise (1916-1917)*. Tradução de Sérgio Tellaroli. São Paulo: Companhia das Letras, 2014, p. 415.

246 *Id.* Os Instintos e seus Destinos. *Obras Completas, V. 12. Introdução ao Narcisismo, Ensaios de Metapsicologia e Outros Textos (1914-1917)*. Tradução de Paulo César de Souza. São Paulo: Companhia das Letras, 2010, p. 58.

refere como *"das Ding"* – "a coisa"[247]) é o que falta, e pode ser qualquer coisa. Como se vê, de uma similaridade incrível com o discurso de Schopenhauer. Lacan seguiu a mesma trilha e nomeou esse objeto de "objeto a"[248]. Assim, "objeto a" é um objeto que não há, é o que falta. Até mesmo a *"fonte"* (*Quelle*), compreendida como *"o processo somático num órgão ou parte do corpo"*[249], numa estrutura de borda, de furo, e onde se dá a partida da pulsão (ou seja, a boca e o ânus, por exemplo), também segue a percepção schopenhaueriana a respeito da sexualidade.

De Nietzsche, Freud aproveitou tanto a ideia relacionada ao homem ser agressivo por natureza (Dioniso), vinculada à estrutura do *"Id"*[250], ao sentimento de falta e ao princípio do prazer, quanto o sentimento de culpa interiorizado (Apolo), além de outras passagens que o ajudaram a compreender a questão do sonho[251]. Quando de seu primeiro dualismo pulsional (1910)[252], e seguindo a premissa de Schopenhauer composta com a linha de Nietzsche[253], Freud opôs as "pulsões sexuais" (princípio

---

247   *Id.* Projeto para uma Psicologia Científica. *Edição Standard brasileira das obras psicológicas completas de Sigmund Freud. V. 1 Publicações Pré-psicanalíticas e Esboços Inéditos (1886-1899).* Rio de Janeiro: Imago, 1990, p. 212 e s. Esse conceito foi depois aproveitado por LACAN, Jacques. Introdução da Coisa. *O Seminário. Livro 7. A Ética da Psicanálise, cit.*, p. 57 e s.

248   Lacan trata do "objeto a" a partir de considerações a respeito do objeto (LACAN, Jacques. As Três Formas da Falta do Objeto. *O Seminário. Livro 4. A Relação de Objeto.* Tradução de Dulce Duque Estrada. Rio de Janeiro: Zahar, 1995, p. 35) e depois quando trata da "Revisão do '*Status*' do Objeto": LACAN, Jacques. Revisão do '*Status*' do Objeto. Ele não é sem tê-lo. *O Seminário. Livro 10. A Angústia.* Tradução de Vera Ribeiro. Rio de Janeiro: Zahar, 2005, p. 97 e s.

249   FREUD, Sigmund. Os Instintos e seus Destinos. *Obras Completas, V. 12. Introdução ao Narcisismo, Ensaios de Metapsicologia e Outros Textos (1914-1917), cit.*, p. 59.

250   Em *Além do Bem e do Mal,* aforismo 17, Nietzsche refere que "um pensamento acontece apenas quando quer e não quando 'eu' quero, de modo que é falsear os fatos dizer que o sujeito 'eu' é determinante na conjugação do verbo 'pensar'. Algo pensa, porém não é o mesmo que o antigo e ilustre 'eu' (NIETZSCHE, Friedrich. *Além do Bem e do Mal. Prelúdio de uma Filosofia do Futuro, cit.*, p. 36). Essa passagem acabou servindo de base também para Freud elaborar seu conceito de Id, como se vê, referenciado em nota de rodapé, quando Freud analisa a influência de Nietzsche em Groddeck, na elaboração da estrutura do *Id.* FREUD, Sigmund. O Eu e o Id (1923). *Obras Completas, V. 16, O Eu e o Id, "Autobiografia" e Outros Textos.* Tradução de Paulo César de Souza. São Paulo: Companhia das Letras, 2011, p. 29, *verbis*: "O próprio Groddeck seguiu provavelmente o exemplo de Nietzsche, que com frequência utiliza esse termo gramatical para o que nós é impessoal e, digamos, necessário por natureza".

251   Como se vê, por exemplo, no Capítulo VII de *A Interpretação dos Sonhos,* denominado Psicologia dos Processos Oníricos, em FREUD, Sigmund. A Psicologia dos Processos Oníricos. *Edição Standard Brasileira das Obras Psicológicas Completas de Sigmund Freud, V. 5. Interpretação dos Sonhos (II) e Sobre os Sonhos (1900-1901).* Traduzido do alemão e do inglês sob a direção de Jayme Salomão. Rio de Janeiro: Imago, 1996, p. 156, *verbis*: "Podemos calcular quão apropriada é a asserção de Nietzsche de que, nos sonhos, 'acha-se em ação alguma primitiva relíquia da humanidade que agora já mal podemos alcançar por via direta'; e podemos esperar que a análise dos sonhos nos conduza a um conhecimento da herança arcaica do homem, daquilo que lhe é psiquicamente inato".

252   FREUD, Sigmund. A Concepção Psicanalítica da Perturbação Psicogênica da Visão. *Edição Standard Brasileira das Obras Psicológicas Completas de Sigmund Freud, V. 11. Cinco lições de psicanálise, Leonardo da Vinci e outros trabalhos (1910).* Tradução de Paulo Dias Corrêa. Rio de Janeiro: Imago, 1996.

253   NIETZSCHE, Friedrich. *Além do Bem e do Mal. Prelúdio de uma Filosofia do Futuro, cit.*, aforismo 83, p. 97, *verbis*: "O instinto – Quando a casa arde esquece-se até de comer. Mas, depois come-se sobre as cinzas"; e aforismo 189, *verbis*: "Em todos os lugares em que reina o poder dos instintos e dos hábitos é função do legislador introduzir dias em que cada um destes instintos seja amordaçado e encadeado para que apreenda a desejar de novo".

do prazer) às "pulsões do eu" (que premia a autoconservação, a exemplo de saciar a fome)[254]. Já em seu segundo dualismo pulsional (1920)[255], Freud aglutinou as "pulsões sexuais" e as "pulsões do eu" numa única "pulsão de vida", e identificou algo "além do princípio do prazer". Isso decorreu, essencialmente, de suas percepções dos pacientes traumatizados com acidentes com risco de vida, muito frequentes nas experiências da Primeira Guerra[256], e, também, das observações que fez de seu neto de um ano e meio, na repetição da brincadeira infantil que, em alemão, Freud denominou de "*fort-dâ*". Trata-se de um jogo repetitivo do bebê, consistente em atirar as coisas ao chão e as receber de volta das mãos de um adulto[257]. Freud, então, identificou o segundo dualismo pulsional, caracterizado pela "pulsão de vida" (princípio do prazer) versus "pulsão de morte" (princípio da realidade, ou seja, a compulsão à repetição). Nas próprias palavras de Freud:

> Na teoria psicanalítica, não hesitamos em supor que o curso dos processos psíquicos é regulado automaticamente pelo princípio do prazer; isto é, acreditamos que ele é sempre incitado por uma tensão desprazerosa e toma uma direção tal que o seu resultado final coincide com um abaixamento dessa tensão, ou seja, com uma evitação do desprazer ou geração do prazer[258].

E mais adiante complementou:

> Sabemos que o princípio do prazer é próprio de um modo de funcionamento primário do aparelho psíquico, e que, para a autoafirmação do organismo em

---

254 FREUD, Sigmund. Os Instintos e seus Destinos. *Obras Completas, V. 12. Introdução ao Narcisismo, Ensaios de Metapsicologia e Outros Textos (1914-1917)*, *cit.*, p. 61.

255 *Id*. Além do Princípio do Prazer. *Obras Completas, V. 14. História de uma Neurose Infantil ("O Homem dos Lobos"), Além do Princípio do Prazer e outros textos (1917-1920)*. Tradução de Paulo César de Souza. São Paulo: Companhia das Letras, 2010.

256 *Id*. Além do Princípio do Prazer, *cit.*, I, p. 168.

257 *Ibid.*, p. 170 e s.: "Esse bom menino tinha o hábito, ocasionalmente importuno, de jogar todos os pequenos objetos que alcançava para longe de si, a um canto do aposento, debaixo da cama, etc., de modo que reunir os seus brinquedos não era coisa fácil. Ao fazer isso ele proferia, com expressão de interesse e satisfação, um forte e prolongado o – o – o – o, que, no julgamento da mãe e no deste observador, não era uma interjeição e significava *'fort'* ('foi embora'). Afinal percebi que era um jogo e que o menino apenas usava todos os seus brinquedos para jogar 'ir embora'. Um dia pude fazer a observação que confirmou minha opinião. Ele tinha um carretel de madeira, em que estava enrolado um cordão. Nunca lhe ocorria, por exemplo, puxá-lo atrás de si pelo chão, brincar de carro com ele; em vez disso, com habilidade lançava o carretel, seguro pelo cordão, para dentro do berço, através de seu cortinado, de modo que ele desaparecia, nisso falando o significativo o – o – o – o, e depois o puxava novamente para fora do berço, saudando o aparecimento dele com um alegre 'da' ('está aqui'). Então era essa a brincadeira completa, desaparecimento e reaparição, de que geralmente via-se apenas o primeiro ato, que era repetido incansavelmente como um jogo em si, embora sem dúvida o prazer maior estivesse no segundo ato".

258 *Id*. Além do Princípio do Prazer, *cit.*, I, p. 162.

meio às dificuldades do mundo externo, já de início é inutilizável e mesmo perigoso em algo grau. Por influência dos instintos de autoconservação do Eu é substituído pelo princípio da realidade, que, sem abandonar a intenção de obter afinal o prazer, exige e consegue o adiamento da satisfação, a renúncia á várias possibilidades desta e a temporária aceitação do desprazer, num longo rodeio para chegar ao prazer[259].

Com isso, Freud promoveu um retorno a Schopenhauer, como ele mesmo admitiu em certas referências:

> Se é lícito aceitarmos, como experiência que não tem exceção, que todo ser vivo morre por razões internas, retorna ao estado inorgânico, então só podemos dizer que o objetivo de toda vida é a morte, e, retrospectivamente, que o inanimado existia antes que o vivente[260].
>
> E há outra coisa que não podemos ignorar: que inadvertidamente adentramos o porto da filosofia de Schopenhauer, para quem a morte é "o autêntico resultado" e, portanto, o objetivo da vida, enquanto o instinto sexual é a encarnação da vontade da vida[261].
>
> O fato de havermos reconhecido como tendência dominante da vida psíquica, talvez da própria vida dos nervos, o esforço de diminuir, manter constante, abolir a tensão interna dos estímulos (o princípio do Nirvana, na expressão de Barbara Low), tal como se exprime no princípio do prazer – é um dos nossos mais fortes motivos para crer na existência de instintos de morte[262].

Freud fez um esforço para esclarecer que sua forma de estruturar a psicanálise vai um pouco além da filosofia de Schopenhauer, revelando-se não como mera repetição filosófica, mas como ciência de compreensão da psique humana, como deixou claro na seguinte passagem de *Angústia e Instintos*:

> Vocês dirão, talvez, encolhendo os ombros: "Isto não é ciência natural, é filosofia schopenhaueriana". Mas por que, senhoras e senhores, um pensador ousado não teria adivinhado o que depois é confirmado pela sóbria e laborio-

---

259 *Ibid.*, p. 165.
260 *Id.* Além do Princípio do Prazer, *cit.*, V, p. 204.
261 *Ibid.*, p. 220.
262 *Ibid.*, p. 228

sa pesquisa de detalhes? Além do mais, tudo já foi dito alguma vez, e antes de Schopenhauer houve muitos que disseram coisas semelhantes. E o que dizemos não é exatamente Schopenhauer. Não afirmamos que a morte é o único objetivo da vida; não deixamos de ver, junto à morte, a vida. Reconhecemos dois instintos fundamentais e admitimos para cada um sua própria meta[263].

Assim, uma das grandes contribuições de Freud para a compreensão da psique humana é que ele identificou algo a mais em relação às ponderações de Schopenhauer e Nietzsche. Mesmo seguindo os passos de Nietzsche para conseguir elaborar uma importante estruturação da psique humana[264] em *Id* (ou "Isso"), "Ego" (ou 'eu') e "Superego" (ou "Super-eu")[265], Freud difere de Nietzsche e de Schopenhauer essencialmente por identificar o papel do "pai castrador" como fator determinante na construção inicial do "superego" da criança[266], que não depende apenas da cultura e é inerente ao ser humano[267]. Assim, enquanto o *Id* é movido pelas pulsões e regido pelo princípio do prazer, o "superego" ("Super-eu") representa os limites, as castrações, e o "Ego" ('eu') procura fazer uma síntese desses dois, moldando a personalidade do sujeito:

> Os três tirânicos senhores são o mundo externo, o Id e o Super-eu. Se acompanharmos os esforços do Eu em atendê-los simultaneamente – melhor dizendo: em obedecer-lhes simultaneamente –, não lamentaremos ter personificado esse Eu, tê-lo apresentado como um ente particular. Ele se sente constrangido de três lados, ameaçado por três tipos de perigos, aos quais, em caso de apuro, reage desenvolvendo angústia.
>
> (...)
>
> Desse modo, impelido pelo Id, constrangido pelo Super-eu, rechaçado pela realidade, o Eu luta para levar a cabo sua tarefa econômica de estabelecer a harmonia entre as forças e influências que atuam nele e sobre ele, e compreen-

---

263 *Id*. Angústia e Instintos. *Obras Completas, V. 18, O Mal Estar na Civilização, Novas Conferências Introdutórias à Psicanálise e Outros Textos (1930-1936)*. Tradução de Paulo César de Souza. São Paulo: Companhia das Letras, 2010, p. 258.

264 Como destacado anteriormente: NIETZSCHE, Friedrich. *Além do Bem e do Mal. Prelúdio de uma filosofia do futuro, cit.*, p. 36, §17.

265 FREUD, Sigmund. A Dissecação da Personalidade Psíquica. *Obras Completas, V. 18, O Mal Estar na Civilização, Novas Conferências Introdutórias à Psicanálise e Outros Textos (1930-1936)*. Tradução de Paulo César de Souza. São Paulo: Companhia das Letras, 2010, p. 212 e 213: "Acompanhando o uso de Nietzsche, e seguindo a sugestão de Georg Groddeck, passaremos a chama-lo de Id [Es]. Esse pronome impessoal parece particularmente adequado para exprimir a principal característica dessa província mental, o fato de ser alheia ao Eu. Super-eu, Eu e Id são os três reinos, âmbitos, províncias em que decomposto o aparelho psíquico da pessoa".

266 *Ibid.*, p. 199.

267 *Ibid.*, p. 205.

demos por que tantas vezes não podemos suprimir a exclamação: "A vida não é fácil!". Se o Eu é obrigado a admitir sua fraqueza, ele irrompe em angústia: angústia realista ante o mundo externo, angústia de consciência ante o Super-eu, angústia neurótica ante a força das paixões do Id[268].

O grande problema, alertou Freud, é que o inconsciente não é controlável[269] e em boa parte é formado por mecanismos de recalque (ou "repressão"), como explica no texto "O Inconsciente": "tudo que é reprimido tem de permanecer inconsciente, mas constatamos logo de início que o reprimido não cobre tudo que é inconsciente. O inconsciente tem o âmbito maior; o reprimido é uma parte do inconsciente"[270]. E, em outro texto, complementou: "chamamos um processo de inconsciente quando temos de supor que 'no momento' ele está ativado, embora 'no momento' nada saibamos dele"[271].

Já para Lacan não há um dualismo pulsional, mas sim um monismo, pois ele considerou que toda pulsão é virtualmente uma pulsão de morte (gozo). E Lacan será fundamental nessa compreensão da "verdade" que leva em conta o inconsciente, notadamente pela crítica direta a Descartes[272] e pelo diálogo mantido com a Filosofia da Linguagem. Nesse percurso, portanto, Freud deu os primeiros passos, que depois permitiram a Lacan – com apoio também em Saussure e Heidegger – compreender o inconsciente estruturado como linguagem[273]. E é dessa premissa que se permite uma aproximação de dois níveis teóricos – uma interseção ou até mesmo, e em certa medida, uma espécie de "fusão de horizontes", para usar o linguajar heideggeriano –, isto é, da psicanálise de Freud e Lacan com a hermenêutica filosófica de Heidegger e Gadamer na discussão da questão do "decisionismo", como será explorado mais adiante.

Porém, antes de analisar como isso se estruturou em Lacan, é preciso compreender que, em paralelo a essa construção dialética autorizadora da compreensão de como opera a estrutura da psique humana, influenciada pelo inconsciente, desenvolveu-se

---

268 *Ibid.*, p. 220-221.

269 *Id.* A Dissecação da Personalidade Psíquica, *cit.*, p. 210.

270 *Id.* O Inconsciente. *Obras Completas, V. 12. Introdução ao Narcisismo, Ensaios de Metapsicologia e Outros Textos (1914-1916).* Tradução de Paulo César de Souza. São Paulo: Companhia das Letras, 2010, p. 100 e s.

271 *Id.* A Dissecação da Personalidade Psíquica, *cit.*, p. 210.

272 LACAN, Jacques. Do Sujeito da Certeza. *O Seminário. Livro 11. Os Quatro Conceitos Fundamentais da Psicanálise.* Tradução de M. D. Magno. Rio de Janeiro: Zahar, 2008, p. 43, *verbis*: "Descartes não sabia, a não ser que fosse o sujeito de uma certeza e rejeição de todo o saber anterior – mas nós, nós sabemos, graças a Freud, que o sujeito do inconsciente se manifesta, que isso pensa antes de entrar na natureza".

273 *Id.* O Inconsciente e a Repetição. *O Seminário. Livro 11. Os quatro conceitos fundamentais da psicanálise.* Rio de Janeiro: Zahar, 2008, p. 27.

234 ■ Processo Penal | Fundamentos dos fundamentos

uma nova percepção do processo de conhecimento e de construção da verdade centrada na linguagem.

2.8 A linguagem como segundo caminho divergente: a Filosofia da Linguagem e os "giros linguísticos"

Somente a partir da segunda metade do século XIX e início do século XX, em decorrência do que posteriormente se denominou de "giro linguístico"[274], a linguagem ganhou a dimensão de importância para constituir o que se pode dizer uma nova filosofia do conhecimento, denominada, justamente, de Filosofia da Linguagem.

Essa nova denominação, no entanto, pode ser passível de críticas, pois permite abarcar tanto aqueles que se ocuparam de compreender como opera a estrutura da linguagem nas relações interpessoais quanto aqueles que se ocuparam de filosofar usando a linguagem como ferramenta para a construção da compreensão da verdade.

Nesse contexto, não obstante se possa dizer que as referências tomam a linguagem mais como objeto do que como método, há também quem sustente uma ampla variação de abordagens que comporta a compreensão da chamada Filosofia da Linguagem, podendo, até mesmo, considerar-se a existência não de apenas uma Filosofia da Linguagem, mas várias filosofias da linguagem, no plural, com diversas "funções cognitivas, interativas e usufruitivas da linguagem"[275], seja na analítica, seja na fenomenologia, seja na hermenêutica, seja na psicanálise, seja, enfim, em qualquer outra pretensão metacrítica da linguagem.

De qualquer forma, segundo Cristina Lafont, o ponto comum e relevante nesse novo paradigma é que se deixou de utilizar a linguagem como "mero instrumento" para o conhecimento da verdade, e ele passou a ter um "papel constitutivo" "em nossa relação com o mundo"[276]. E, sobre esse ponto, ela indica tanto a crítica feita

---

274 A expressão foi cunhada por Gustav Bergmann, em seu artigo intitulado *Strawson's Ontology*, publicado pela primeira vez no *The Journal of Philosophy*, v. LVII, n. 19, 15 de setembro de 1960, p. 601-622. BERGMANN, Gustav. *Strawson's Ontology. Collected Works: selected papers, V. II*, Michigan: Ontos Verlag, 2003, p. 123 e s. Na página 129 consta a seguinte passagem (tradução nossa): "Todos os filósofos linguísticos falam sobre o mundo querendo falar de uma linguagem adequada. Este é o giro linguístico, a jogada fundamental como um método, no qual os filósofos da linguagem ordinária e ideal (LPO, PLI) concordam. Igualmente fundamental é que eles discordam sobre o que é, nesse sentido, uma 'linguagem' e o que a torna 'adequada'. Posteriormente, em 1967, Richard Rorty publicou uma coletânea de artigos sob o título '*The Linguistic Turn. Recent essays in Philosophical Method*', popularizando a expressão" (RORTY, Richard. *El giro lingüístico*. Tradução para o espanhol de Gabriel Bello. Barcelona: Ediciones Paidós, 1990).

275 CABRERA, Julio. *Margens das Filosofias da Linguagem. Conflitos e Aproximações Entre Analíticas, Hermenêuticas, Fenomenologias e Metacríticas da Linguagem*. Brasília: Editora Universidade de Brasília, 2003, p. 13 e s.

276 LAFONT HURTADO, Cristina. *Lenguaje y Apertura del Mundo. El Giro Lingüístico de la Hermenéutica de Heidegger*. Versão espanhola de Pere Fabra i Abat. Madrid: Alianza Editorial, 1997, p. 18.

por Johann Georg Hamann (1730-1788) à obra de Kant quanto os textos de Johan Gottfried von Herder (1744-1803) e Wilhelm von Humboldt (1767-1835). Cristina Lafont analisa que "Hamann localizou na linguagem a raiz comum do entendimento e a sensibilidade buscada por Kant e com isso conferiu à linguagem uma dimensão ao mesmo tempo empírica e transcendental". E considera que foi "precisamente este passo que converteu a linguagem numa instância que compete com o Eu transcendental (ou com a 'consciência em geral'), na medida em que agora devem reclamar-se para a linguagem idênticas funções constitutivas da experiência (ou do 'mundo')"[277].

Com essa abertura, diz Lafont, "'referência' e 'verdade' se convertem em dimensões imanentes à linguagem e, com isso, seu alcance e validade ficam também relativizados às distintas aberturas linguísticas do mundo"[278]. Para impedir que essa relativização se torne plena, Hamann aposta na intersubjetividade da comunicação.

Ao lado de Hamann, Humboldt tem também um importante papel ao procurar romper com a tradição de considerar a linguagem apenas como tendo uma função de designação a tal ponto de Gadamer considerá-lo como o "criador da moderna filosofia da linguagem"[279]. Ele procurou, então, desvincular-se da ideia de que a linguagem sirva apenas como instrumento, estabelecendo uma diferença entre o referente da palavra e o "significado"[280]. Com isso, explica Lafont, ele "exclui ao mesmo tempo toda possibilidade de uma relação de pura designação entre um nome e seu objeto, quer dizer, daquela relação que havia sido o paradigma para a explicação tradicional do funcionamento da linguagem"[281]. A linguagem, então, somente se refere aos objetos indiretamente, isto é, por meio de significados ou conceitos. Nas palavras de Humboldt:

> Denominamos palavra o signo correspondente a um conceito. A sílaba forma uma unidade sonora; só se transforma em palavra quando obtém uma significatividade própria, o que frequentemente requer a união de várias sílabas. Por isso, a palavra apresenta uma unidade dupla, a do som e a do conceito. É assim que as palavras se transformam nos verdadeiros elementos da fala, já que as sílabas carentes de significação própria não podem ser realmente consideradas como tais.

---

277 *Ibid.*, p. 22. Tradução nossa.

278 *Ibid.*, p. 24. Tradução nossa.

279 GADAMER, Hans-Georg. *Verdade e Método I. Traços fundamentais de uma hermenêutica filosófica*, *cit.*, p. 566.

280 LAFONT HURTADO, Cristina, *cit.*, p. 26.

281 *Ibid.*, p. 26. Tradução nossa.

> (...)
> Não é possível imaginar a origem da linguagem começando pela designação de objetos através de palavras e passando disso à integração da expressão. Na realidade, não é a fala que é composta por palavras que a precedem; ao contrário, são as palavras que nascem do conjunto do discurso[282].

E como as diversas línguas existentes tratam diferentemente das coisas, essas diversas línguas apresentam "perspectivas diferentes do mundo", como também referiram Herder, Giambatista Vico (1668-1744) e os norte-americanos Edward Sapir (1884-1939) e Benjamin Lee Whorf (1897-1941), com a famosa "hipótese Sapir-Whorf", segundo a qual "a língua de uma determinada comunidade organiza sua cultura, sua visão de mundo", havendo uma "interdependência entre linguagem e cultura"[283].

Assim, a linguagem atua como condição de possibilidade para uma "abertura do mundo" em vez de servir apenas como função designativa[284]. A linguagem, como refere Gadamer, analisando Humboldt, "não é somente um dentre muitos dotes atribuídos ao homem que está no mundo, mas serve de base absoluta para que os homens tenham mundo", fazendo com que se compreenda que "esse estar-aí do mundo é constituído pela linguagem"[285]. E a consequência disso, explica Cristina Lafont, é que, "devido aos diferentes sistemas conceituais ou 'perspectivas de mundo' que lhes são inerentes", faz com que as diferentes linguagens "prejulguem de tal modo nossa experiência que a suposição – implícita em nossa intuição da 'verdade' – de um mundo objetivo relativamente independente da linguagem (...) já não pode ser mantida com sentido"[286].

Depois de Humboldt, é possível identificar um ponto de destaque: a preocupação com o papel dos signos, dos significantes e dos significados na construção de "estruturas conceituais" da verdade, como "estruturas constituintes (ou coconstituintes) de conceitos" que "permitem articular o mundo com o intuito de torná-lo significativo para nós"[287], como referiu Julio Cabrera e como se passa a expor à luz dos principais autores que importam para essa abordagem[288].

---

282 HUMBOLDT, Wilhelm von. Sobre a Diferença de Estrutura das Línguas Humanas. MARCONDES, Danilo. *Textos Básicos de Linguagem. De Platão a Foucault.* Rio de Janeiro: Jorge Zahar ed. 2009, p. 63.

283 Conforme MARCONDES, Danilo, *cit.*, p. 67-68.

284 LAFONT HURTADO, Cristina, *cit.*, p. 27.

285 GADAMER, Hans-Georg. *Verdade e Método I. Traços fundamentais de uma hermenêutica filosófica, cit.*, p. 571.

286 LAFONT HURTADO, Cristina, *cit.*, p. 27-28.

287 CABRERA, Julio, *cit.*, p. 17.

288 É evidente que inúmeros são os autores que abordam a questão da linguagem e vão muito além dos que aqui foram selecionados.

2.9 O início do chamado primeiro "giro linguístico": Charles Sanders Peirce e Ferdinand de Saussure

Naquilo que se pode denominar de primeira fase da Filosofia da Linguagem, decorrência da identificação de que existem dois "giros linguísticos", o início (para além da base dada essencialmente por Humboldt) desse primeiro momento pode ser atribuído tanto a Charles Sanders Peirce quanto a Ferdinand de Saussure, na viragem do século XIX para o século XX. Foi com eles que a linguagem passou a ser estudada como objeto de interpretação das coisas, como algo que atravessa a relação sujeito-objeto, mas ainda não com a capacidade de deslocar plenamente a discussão para uma relação sujeito-sujeito, como sucederá com o segundo giro da linguagem, o qual é considerado um giro "ôntico--ontológico-linguístico",[289] com Heidegger, Gadamer e Wittgenstein. Isso não significa que esse primeiro momento não tenha importância, ao contrário, vai servir de base relevante para a compreensão dessa vertente da filosofia pela linguagem, influenciando também decisivamente os estudos de Lacan e do inconsciente estruturado como linguagem, como se verá mais adiante.

Considerando que, cronologicamente, primeiro foram publicados os estudos de semiótica de Charles Sanders Peirce, no texto denominado *Lógica Como Semiótica: A Teoria dos Signos*[290] (composto por uma coletânea de textos produzidos entre 1893 e 1910), é por ele que se inicia essa abordagem, sem descurar que Peirce também teceu forte crítica ao cartesianismo, externada no artigo intitulado *Algumas Consequências das Quatro Incapacidades*, ainda em 1868[291].

Peirce considerava a lógica como equivalente à semiótica, conceituando-a como "a quase necessária teoria dos signos"[292]. Para Peirce, o signo, ou "*representamen*", cria na mente da pessoa outro signo equivalente, por ele chamado de "*Interpretant*" ("interpretante") do primeiro signo. Esse signo representa alguma coisa, ou seja, seu "objeto", ficando vinculado ao objeto não em todos os sentidos, mas como uma espécie de ideia, "tomada em seu sentido platônico", chamada por Peirce de "*ground*

---

289 Como se verá, Heidegger promove uma ressignificação do "ser", descolando-o do "ente" (da coisa). Assim, a palavra "ontologia", que sempre foi empregada para dizer a respeito do estudo do "ser", passa a ser acompanhada da palavra "ôntico", para o estudo do "ente". Daí "ôntico-ontológico", isto é, que abrange o estudo tanto do "ser" quanto do "ente". E "ôntico-ontológico-linguístico", porque o acesso ao ser e ao ente se dá pela linguagem.

290 PEIRCE, Charles Sanders. Logic as Semiotic: The Theory of Signs. BUCHLER, Justus. *Philosophical Writings of Peirce*. New York: Dover Publications, 1955, p. 98 e s.

291 *Id.* Some Consequences of Four Incapacities. BUCHLER, Justus. *Philosophical Writings of Peirce*. New York: Dover Publications, 1955, p. 228 e s.

292 *Id.* Logic as Semiotic: The Theory of Signs, *cit.*, p. 98.

of representamen" ("base[293] do signo", ou do "*representamen*")[294]. Ou seja: um signo interpretante construído no plano ideal na mente (base do signo) do sujeito (interpretante) permite interpretar outro signo, na interpretação de um objeto. Assim, cada representação fica vinculada a três coisas: a "base do signo ou do representamen", o "objeto" e o "interpretante"[295]. O "signo", então, representa o "objeto", e o "significado" equivale ao efeito produzido em quem está interpretando, que, por sua vez, acaba criando outro signo.

Em busca da explicação de como isso tudo se realiza e, como já destacado, fruto de sua formação como cientista e do discurso positivista de meados do século XIX, Peirce elaborou uma ampla classificação do signo à luz de três tricotomias[296] e dez classes de signos[297].

A 1ª tricotomia é de acordo com o "signo como mera qualidade", e nela o signo pode ser o que Peirce denominou de "qualisign" ("uma qualidade que é um signo"); de "sinsign" ("onde a sílaba 'sin' é tomada como equivalente a *'single'*", isto é, único, um signo único); ou de *"legisign"* (uma "lei", normalmente estabelecida pelo homem, que é um signo: um signo como convenção)[298].

A 2ª tricotomia é de acordo com "a relação do signo com seu objeto", e nela um signo pode ser considerado como *"Icon"* (Ícone); *"Index"* (Índice); ou *"Symbol"* (Símbolo). Um "Ícone", diz Peirce, "é um signo que se refere ao Objeto que denota por uma virtude de caracteres próprios, por ele também possuídos, independentemente se tal Objeto realmente exista ou não"[299]. Peirce exemplifica dizendo que desenhos, diagramas e fórmulas algébricas são Ícones[300]. Já um "Índice", explica Peirce, "é um signo que se refere ao Objeto que denota por uma virtude de ser realmente afetado por esse Objeto"[301]. Por ser afetado por seu Objeto, o Índice deve ter alguma qualidade comum com o Objeto, mas ele também envolve uma espécie de Ícone e não é uma mera semelhança do seu Objeto. Peirce dá exemplos de "Índices": "Vejo um homem com um 'andar gingado' *('rolling gait')*. Isto provavelmente indica que ele é um marinheiro"[302]. Ou: "um relógio

---

293 Peirce usa a palavra inglesa *"ground"*, que literalmente é traduzida por "terreno" ou por "chão". No contexto de sua expressão, no entanto, ela melhor se traduz por "base" ou por "fundamento" do "representamen", que por sua vez, ou é mantido no original, ou pode ser traduzido por "representante".

294 PEIRCE, Charles Sanders. Logic as Semiotic: The Theory of Signs, *cit.*, p. 99.

295 *Ibid.*, p. 99.

296 *Ibid.*, p. 101 e s.

297 *Ibid.*, p. 115 e s.

298 *Ibid.*, p. 101 e 102.

299 *Ibid.*, p. 102. Tradução nossa.

300 *Ibid.*, p. 105 a 107.

301 *Ibid.*, p. 102. Tradução nossa.

302 *Ibid.*, p. 108. Tradução nossa.

indica a hora do dia"; "uma batida na porta" é um índice e indica que alguém está do lado de fora pedindo para entrar; "a estrela polar ou um dedo indicando o norte", enfim, "qualquer coisa que concentre a atenção é um índice"[303]. Já um "Símbolo", diz Peirce, é "um signo que se refere ao Objeto que denota como uma lei, geralmente uma associação de ideias gerais, que opera para fazer com que o símbolo seja interpretado como referente àquele Objeto"[304]. Peirce exemplifica dizendo que "todas as palavras, frases, livros e outros signos convencionados são Símbolos"[305] e que "qualquer palavra, como 'dar', 'pássaro', 'casamento', é um exemplo de um símbolo. É aplicável a qualquer coisa que se encontre para realizar a ideia conectada com a palavra, mas ele não identifica, por si só, aquelas coisas"[306]. Enfim, "um Símbolo não pode indicar uma coisa em particular, mas denota um tipo de coisa"[307].

Em *Existential Graphs*, um dos textos de Peirce publicados "*post mortem*", ele assim conclui sua análise sobre o relacionamento desta tricotomia:

> Então, o modo de ser de um símbolo é diferente daquele de um ícone e daquele de um índice. Um ícone tem um ser que pertence à experiência passada. Ele existe apenas como uma imagem na mente. O índice tem um ser da experiência presente. O ser de um símbolo consiste na satisfação do real. Ou seja, ele vai influenciar o pensamento e a conduta de seu intérprete. Toda palavra é um símbolo. Toda frase é um símbolo. Todo livro é um símbolo. (...) O valor de um símbolo é que ele serve para tornar o pensamento e a conduta racionais e permite-nos prever o futuro[308].

Como se vê na passagem acima, Peirce considerava o símbolo (a palavra, a frase, o livro) como capaz de "influenciar o pensamento e a conduta de seu intérprete" a partir da experiência e do "preenchimento de determinadas condições", mas ainda acreditava ser o símbolo capaz de "tornar racionais o pensamento e a conduta".

Ou seja, uma tentativa de se desvincular de Descartes, mas, de certa forma, ainda é influenciado pela razão (noutra passagem ele parece compreender o problema dessa vinculação à razão, como se considerará mais adiante).

---

303 *Ibid.*, p. 108 e 109. Tradução nossa.

304 *Ibid.*, p. 102. Tradução nossa.

305 *Ibid.*, p. 112. Tradução nossa.

306 *Ibid.*, p. 114. Tradução nossa.

307 *Ibid.*, p. 112. Tradução nossa.

308 PEIRCE, Charles Sanders. Existential Graphs. *Collected Papers of Charles Sanders Peirce*. Belknap Press of Harvard University Press, 1974, p. 360. Tradução nossa.

240 ■ Processo Penal | Fundamentos dos fundamentos

De qualquer sorte, essa percepção de Peirce é importante para compreender, juntamente com Freud e Lacan, como o inconsciente das pessoas – e, dentre elas, em particular do magistrado no curso da instrução processual penal, por exemplo – pode "traduzir" símbolos (palavras, frases) ditados ou usados pelas testemunhas não necessariamente pela razão, mas pelo inconsciente e, assim, por coisas que não necessariamente correspondem aos significantes simbolizados por elas mesmas.

Para Peirce, a 3ª tricotomia é de acordo com o que "o seu interpretante representa como signo", na qual um signo pode ser considerado "*rheme*" (representa uma possibilidade qualitativa para seu interpretante, como se representasse um objeto); "*dicent sign*" (representa uma existência atual para seu interpretante); ou "*dicisign*" (que envolve uma parte dos dois anteriores e representa uma indicação para seu interpretante). Peirce ainda refere o "*argument*" como um signo que, para seu interpretante, equivale a um signo da lei.

Ao longo de sua ampla abordagem classificatória, Peirce considera que "a única maneira de se comunicar diretamente uma ideia é por meio de um ícone. Assim, cada afirmação deve conter um ícone ou um conjunto de ícones, ou então deve conter signos cujos significados só são explicáveis por ícones"[309], e que "nós pensamos somente em signos. Estes signos mentais são de variadas naturezas; e as partes-símbolos dos signos são os chamados conceitos. Se um homem faz um novo símbolo, ele o faz em decorrência do pensamento envolvendo conceitos. Por isso, é somente pelos símbolos que um novo símbolo pode crescer"[310].

Apresentada a tricotomia, Peirce conclui que um "signo ou é um Ícone, ou é um Índice ou é um Símbolo", com uma predominância de um dos três sobre os outros, mas pondera que "seria difícil, senão impossível, citar um exemplo de índice absolutamente puro, assim como encontrar um signo que seja completamente desprovido de qualidade indexadora"[311].

E, mais adiante, complementa:

> Quando pensamos, então, em nós mesmos, como nós somos naquele momento, aparecemos como um signo. Agora, um signo tem, como tal, três referências: primeiro, é um signo "para" algum pensamento que o interpreta; segundo, é um signo "para" algum objeto que naquele pensamento é equi-

---

309 *Id.* Logic as Semiotic: The Theory of Signs, *cit.*, p. 105. Tradução nossa.

310 *Ibid.*, p. 108. Tradução nossa.

311 *Ibid.*, p. 108. Tradução nossa.

valente; terceiro, é um signo, de algum aspecto ou qualidade, que o leva à conexão com seu objeto[312].

A partir dessa classificação, mesclando os signos apresentados em sua tricotomia, Peirce elenca dez classes de signos: 1) *"qualisign"*; 2) *"iconic sinsign"*; 3) *"rhematic indexical sinsign"*; 4) *"dicent sinsign"*; 5) *"iconic legisign"*; 6) *"rhematic indexical legisign"*; 7) *"dicent indexical legisign"*; 8) *"rhematic symbol"* ou *"symbolic rheme"*; 9) *"dicent symbol"* ou *"ordinary proposition"*; 10) *"argument"*.

Toda essa estruturação classificatória será importante para os estudos posteriores da linguagem, inclusive quando mesclados com as descobertas da psicanálise, notadamente aqueles desenvolvidos por Roman Jakobson, como se verá mais adiante.

Outro ponto de impacto que aqui interessa na filosofia de Peirce está na crítica a Descartes e aos filósofos cartesianos. Peirce considera não ser admissível começar qualquer análise sempre pautada por "uma dúvida completa", como sugere a máxima cartesiana[313], mas, ao contrário, deve-se "levar em conta todos os preconceitos que já temos ao ingressar no estudo da filosofia. Esses preconceitos não podem ser afastados por uma máxima"[314]. E em seguida complementa: "uma pessoa pode, é verdade, no curso de seus estudos, encontrar razão para duvidar do que ele começou acreditando; mas, nesse caso, ele duvida porque tem uma razão positiva para tanto, e não por conta de uma máxima cartesiana. Que nós não pretendamos duvidar na filosofia do que não duvidamos em nossos corações"[315]. Peirce prossegue em sua crítica ao cartesianismo, agora atacando outra máxima de Descartes ("tudo o que estou claramente convencido, é verdade"), dizendo que, "se estivesse realmente convencido, eu deveria ter feito com a razão, e não deveria requerer nenhum teste de certeza. Mas isso de tornar simples indivíduos em juízes absolutos da verdade é o mais pernicioso"[316]. E, então, relembra as quatro incapacidades do ser humano:

1. Nós não temos poder de Introspecção, todo o conhecimento do mundo interior é derivado de raciocínios hipotéticos do nosso conhecimento de fatos exteriores.

2. Nós não temos poder de Intuição, todo conhecimento é determinado logicamente por conhecimentos prévios.

---

312 *Id. Some Consequences of Four Incapacities*, cit., p. 231. Tradução nossa.

313 "Para examinar a verdade, é necessário, ao menos uma vez no curso de nossa vida, duvidar, o mais possível, de todas as coisas" (DESCARTES, René. *Princípios da Filosofia*, cit., p. 25).

314 PEIRCE, Charles Sanders. *Some Consequences of Four Incapacities*, cit., p. 228. Tradução nossa.

315 *Ibid.*, p. 229. Tradução nossa.

316 *Ibid.*, p. 229. Tradução nossa.

3. Nós não temos poder de pensar sem signos.

4. Nós não temos nenhuma concepção do absolutamente incognoscível[317].

Peirce ainda coloca em xeque o processo silogístico, considerando que o homem possa confiar nas premissas, mas estas serem falsas, falaciosas, e, mesmo assim, ele ainda possa agir "a partir delas", dizendo-as "serem verdadeiras"[318]. Toma, assim, em consideração, inclusive, a questão dos juízos hipotéticos que acabam guiando o investigador na busca da verdade, dizendo que:

> (...) quando um homem deseja ardentemente conhecer a verdade, seu esforço será o de imaginar o que aquela verdade pode ser. Ele não pode proceder sua busca muito tempo sem descobrir que a imaginação desenfreada é certa para levá-lo fora da trilha. No entanto, apesar disso, continua a ser verdade que há, afinal, nada mais que a imaginação, a qual pode sempre fornecer-lhe uma noção da verdade[319].

Mesmo assim, Peirce faz a ressalva de se levar em conta que o sujeito "pode olhar estupidamente para os fenômenos, mas, na ausência de imaginação, eles não vão ligar-se de alguma forma racional"[320]. Ou seja, para proceder à investigação da "verdade", não há como deixar de construir hipóteses mentais que precisam ser verificadas, mas corre-se o risco de que a imaginação conduza a apenas uma "noção da verdade".

E, ainda, de certa forma antecipando o que a psicanálise de Freud, Lacan e mesmo Jung ("inconsciente coletivo") melhor construiria ao longo do século XX, Charles Peirce, em texto datado de 1896, avaliava o papel do subconsciente em contraponto à razão cartesiana:

> A consciência realmente pertence ao subconsciente do homem, àquela parte da alma que dificilmente é distinta em diferentes indivíduos, uma espécie de consciência da comunidade, ou espírito público. Não é absolutamente uma e a mesma coisa em diferentes cidadãos, e, ainda assim, não é, de forma alguma, independente neles. A consciência foi criada por experiência, assim como é qualquer conhecimento, mas ela é modificada somente com lentidão secular por outras experiências.

---

317 *Ibid.*, p. 230. Tradução nossa.

318 *Ibid.*, p. 231. Tradução nossa.

319 *Id. The Scientific Attitude and Fallibilism, cit.*, p. 43. Tradução nossa.

320 *Ibid.*, p. 43. Tradução nossa.

(...)

Mas em última análise, a parte subconsciente da alma, sendo mais forte, recupera a sua predominância e insiste em definir a matéria direito. Homens, então, continuam a dizer a si mesmos que regulam a sua conduta pela razão, mas eles aprendem a olhar além e ver a quais conclusões um determinado método vai levar, antes de aderir a ele. Em suma, não é mais o raciocínio que determina o que a conclusão deve ser, mas é a conclusão que determina o que o raciocínio deve ser[321].

Enfim, analisando a obra de Peirce, é possível concluir ter ele estabelecido o signo como "corporificação do pensamento", sendo "concebido como mediação ou relação triádica", questionando "o ego cartesiano de uma maneira arrasadora só comparável à demolição desse conceito provocada por Freud", como bem sintetizou Lúcia Santaella[322].

Como já referido anteriormente, quase simultaneamente a Peirce, são igualmente fundamentais os estudos de semiologia de Ferdinand de Saussure, publicados "*post mortem*" a partir das anotações dos alunos de seus cursos, no famoso Curso de Linguística Geral[323], em 1916. Saussure define sua semiologia como sendo "uma ciência que estuda a vida dos signos no seio da vida social", e ela "ensina no que consistem os signos, o que os rege"[324].

Saussure, assim, precisou os conceitos de "signo", "significante" e "significado" no contexto da linguagem. Segundo ele, os "termos implicados no signo linguístico são físicos e estão unidos em nosso cérebro pelo laço de associação"[325] e, assim, o "signo linguístico une, não uma coisa e um nome, mas um conceito e uma imagem acústica"[326], atuando como uma entidade psíquica "de duas caras" (conceito e imagem), pois, ainda que não se abra a boca para externar alguma fala, é possível falar consigo mesmo, considerando que "as palavras da língua são para nós imagens acústicas"[327].

Partindo dessa percepção, Saussure denominava "signo" a combinação do conceito e da imagem acústica. Quando se fala "árvore", o "signo" é a combinação do conceito de "árvore" com sua imagem acústica reproduzida na mente. Por "imagem acústica"

---

321 *Ibid.*, p. 43. Tradução nossa.

322 SANTAELLA, Lúcia, *cit.*, p. 24.

323 SAUSSURE, Ferdinand de. *Curso de Linguistica General.* Tradução para o espanhol de Mauro Armiño. Madrid: Akal, 2009.

324 *Ibid.*, p. 43. Tradução nossa.

325 *Ibid.*, p. 102. Tradução nossa.

326 *Ibid.*, p. 102. Tradução nossa.

327 *Ibid.*, p. 102: "Nós propomos conservar a palavra 'signo' para designar a totalidade, e substituir 'conceito' e 'imagem acústica', respectivamente por 'significado' e 'significante'". Tradução nossa.

quer-se dizer a soma do desenho das letras que compõem a palavra "árvore" com o som da palavra árvore.

Portanto, o "signo linguístico" é para ele a totalidade, sendo que a palavra "conceito" é substituída por "significado", e a expressão "imagem acústica" por "significante"[328].

Saussure também deixa assentado, como um primeiro princípio de sua semiologia, que o "laço que une o significante ao significado é arbitrário", e, assim, o próprio "signo linguístico" é arbitrário[329]. Arbitrário não no sentido de que o "sujeito falante" possa livremente escolher o seu significado[330], mas de que "é imotivado", isto é, não há nada que una o significante ao significado na realidade, ou, nas palavras de Saussure, "arbitrário em relação ao significado, com o qual não tem nenhum vínculo natural na realidade"[331]. Dessa forma, as palavras que simbolizam os "significantes" não teriam significado algum se vistas pelo seu desenho ou pelo som isolado de suas letras. Ao se usar o significante "casa", por exemplo, a soma das letras (ou mesmo dos "significantes") "c", "a", "s" e "a" "não está ligada por nenhuma relação interior com a série de sons"[332] que as letras isoladas promovem, e o desenho delas no papel somente é compreendido como "casa" por um arbítrio linguístico formulado por um grupo de pessoas que falam a mesma língua (no caso, a língua portuguesa). Esse grupo de pessoas chegou ao consenso[333] de considerar esse conjunto de letras, ou seja, esse conjunto de significantes, ordenados como estão, como significando o objeto "casa". Noutra língua o significante até pode ser outro, como se exemplifica com a língua inglesa – "*house*" –, mas o significado arbitrado é o mesmo.

O segundo princípio é apresentado como o caráter linear do significante. Saussure explica que, sendo o significante "de natureza auditiva, ele se desenvolve somente no tempo e tem os caracteres que toma do tempo"[334]. Assim, representa uma extensão que tem uma só dimensão: é uma linha. Seus elementos se apresentam um atrás do outro e, assim, formam uma sequência, ou, nas palavras de Saussure, uma "cadeia de significantes"[335]. Ou seja: são "significantes" encadeados, colocados lado a lado, um após o outro. A cada novo significante (letra ou palavra) que se acrescenta na "cadeia de significantes", é possível alterar o significado do significante (da palavra ou da frase). Um significante 2, colocado ao lado do significante 1, ressignifica o

---

328 *Ibid.*, p. 103-104. Tradução nossa.

329 *Ibid.*, p. 104.

330 *Ibid.*, p. 106.

331 *Ibid.*, p. 106.

332 *Ibid.*, p. 104. Tradução nossa.

333 *Ibid.*, p. 161.

334 *Ibid.*, p. 107.

335 *Ibid.*, p. 107-108.

significado deste. Assim, se a cadeia de significantes "c" "a" "s" "a" pode significar a palavra "casa", ou seja, o local no qual as pessoas residem, quando se acrescenta, por exemplo, um novo significante a essa cadeia, no caso o significante "r", ele ressignifica o significado da palavra, já que agora a cadeia de significantes não é mais "casa", mas, sim, "casar", e isso significa a união de duas pessoas em matrimônio. Portanto, para compreender o significado da cadeia de significantes, muitas vezes é preciso aguardar para saber qual será o próximo significante, pois apenas com ele se terá o pleno significado da cadeia de significantes. A compreensão de como isso opera é fundamental para o estudo e a compreensão do significado que se possa extrair de uma cadeia de significantes probatória no processo penal, bem como de como se obtém o processo decisório que conduz o juiz para a condenação ou absolvição do acusado. Trata-se, portanto, não de buscar uma verdade absoluta, mas de aproximar-se dela, com as limitações linguísticas próprias, produzindo, ao final da instrução probatória, um significado (que pode ser pela condenação ou pela absolvição).

Outro aspecto que Saussure considerou relevante é a imutabilidade do signo: "se em relação à ideia que representa o significante aparece como livremente eleito, ao contrário, em relação à comunidade linguística que o emprega, não é livre, é imposto"[336]. Assim, "a língua aparece sempre como uma herança da época precedente".

De forma aparentemente contraditória, Saussure também afirma que "o tempo, que assegura a continuidade da língua", tem também outro efeito, qual seja, "o de alterar mais ou menos rapidamente os signos linguísticos, e, em certo sentido, pode-se falar, ao mesmo tempo, de imutabilidade e de mutabilidade do signo"[337]. E isso é possível justamente porque há uma continuidade do signo ao longo dos tempos. Saussure ainda explica que "qualquer que sejam os fatores de alterações, atuem isoladamente ou combinados, sempre conduzem a um deslocamento da relação entre o significado e o significante"[338]. E alerta: "uma língua é radicalmente impotente para defender-se contra os fatores que deslocam a cada momento a relação do significado e do significante. Esta é uma das consequências da arbitrariedade do signo"[339].

Essa estruturação da linguagem em signo, significante e significado e as características anteriormente apontadas foram fundamentais para Lacan compreender o inconsciente estruturado como uma linguagem, como se verá mais adiante.

---

336 *Ibid.*, p. 109. Tradução nossa.
337 *Ibid.*, p. 112-113. Tradução nossa.
338 *Ibid.*, p. 113. Tradução nossa.
339 *Ibid.*, p. 114. Tradução nossa.

Processo Penal | Fundamentos dos fundamentos

Antes, no entanto, é preciso analisar os principais filósofos da linguagem que irão igualmente influenciar Lacan e o modo de se pensar a produção de "verdade" no processo penal.

2.10 Ludwig Wittgenstein: da verdade como correspondência ao "giro pragmático" da linguagem

Ludwig Wittgenstein foi outro importante filósofo a contribuir para o segundo giro linguístico que se deu na Filosofia da Linguagem. Os estudiosos de seu trabalho[340] costumam dividi-lo em duas fases, rotulando-as de "o primeiro Wittgenstein", como sendo aquele da juventude, que ainda trabalhava com a linguagem vista como instrumento de conexão com o mundo, e "o segundo Wittgenstein", mais maduro e que se contrapõe ao discurso da primeira fase, provocando o que se denominou de "giro pragmático" da linguagem, no qual a linguagem é vista no contexto do seu uso. Essas duas grandes "fases" correspondem às suas duas grandes obras: *Tractatus Logico-Philosophicus*, publicada a primeira vez em 1921, ainda em vida; e *Investigações Filosóficas*, escrita entre 1945 e 1949, mas publicada apenas *post mortem*, em 1953. O próprio Wittgenstein admite que mudou muito da primeira obra para a segunda, atestando, no prefácio de *Investigações Filosóficas*, que:

> Há quatro anos tive ocasião de ler novamente o meu primeiro livro (o *Tratado Lógico-Filosófico*) e de esclarecer os seus pensamentos. Pareceu-me, de repente, que eu deveria publicar aqueles antigos pensamentos junto com os novos: estes poderiam receber sua reta iluminação somente pelo confronto com os meus pensamentos mais antigos e tendo-os como pano de fundo.
>
> Desde que comecei, pois, há dezesseis anos, a me ocupar novamente com a filosofia, tive que reconhecer graves erros naquilo que eu expusera naquele primeiro livro[341].

O *Tractatus Logico-Philosophicus*, não obstante tenha esse nome "pomposo" e seja anunciado pelo próprio Wittgenstein como capaz de "no essencial" ter "resolvido

---

340 *Vide*, dentre outros: MONK, Ray. *Wittgenste o dever do gênio*. Tradução de C. A. Malferrari. São Paulo: Companhia das Letras, 1995; e MIRANDA, Sérgio. Introdução. In: WITTGENSTEIN, Ludwig. *Da Certeza*, *cit.*, p. 12 e s.

341 WITTGENSTEIN, Ludwig. *Investigações Filosóficas*. 6. ed. Tradução de Marcos G. Nontagnoli. Petrópolis: Vozes, 2009, p. 12.

de vez os problemas" filosóficos fundamentais[342], não é muito extenso (conta com algo em torno de oitenta páginas na edição brasileira) e não apresenta uma narrativa linear, caracterizando-se por ser uma seleção de aforismas, dos quais são relevantes, para o presente estudo, os seguintes:

3. A figuração lógica dos fatos é o pensamento[343].

(...)

3.203. O nome significa o objeto. O objeto é seu significado ("A" é o mesmo sinal que "A").

3.221. Os objetos, só posso nomeá-los. Sinais substituem-nos. Só posso falar sobre eles, não posso enunciá-los. Uma proposição só pode dizer como uma coisa é, não o que ela é[344].

(...)

4. O pensamento é a proposição com sentido.

4.001. A totalidade das proposições é a linguagem.

4.002. O homem possui a capacidade de construir linguagens com as quais se pode exprimir todo sentido, sem fazer ideia de como e do que cada palavra significa – como também falamos sem saber como se produzem os sons particulares. (...) A linguagem é um traje que disfarça o pensamento.

(...)

4.01. A proposição é uma figuração da realidade. A proposição é um modelo da realidade tal como pensamos que seja[345].

(...)

5. A proposição é uma função de verdade das proposições elementares[346].

Como se vê dos extratos supracitados, o "primeiro" Wittgenstein considerava que o que configura os fatos é o pensamento manifestado em proposições, e é ele quem dá o sentido e tem uma função de verdade. Nesse contexto, Wittgenstein deu importância à linguagem como se suas funções "se esgotassem na descrição do que acontece (ou pode acontecer), do que é (ou pode ser) o caso", como refere Vives Anton[347] e como se vê do exemplo figurado e detalhado nesta passagem do "primeiro" Wittgenstein:

---

342 WITTGENSTEIN, Ludwig. *Tractatus logico-philosophicus*. Tradução de Luiz Henrique Lopes dos Santos. 3. ed. 2 reimpr. São Paulo: Edusp, 2010, p. 133.

343 *Ibid.*, p. 147.

344 *Ibid.*, p. 151.

345 *Ibid.*, p. 165.

346 *Ibid.*, p. 203.

347 VIVES ANTÓN, Tomás S. *Fundamentos del Sistema Penal, cit.*, p. 210. Tradução nossa.

4.063. Um modo figurado de explicar o conceito de verdade: mancha preta sobre papel branco; pode-se descrever a forma da mancha indicando-se, com respeito a cada ponto da superfície, se é preto ou branco. (...) No entanto, para poder dizer que um ponto é preto ou branco, devo saber de antemão quando um ponto é chamado de preto e quando é chamado de branco; para poder dizer: "p" é verdadeira (ou falsa), já devo ter determinado em que circunstâncias chamo "p" de verdadeira, e com isso determino o sentido da proposição[348].

Ou seja: as verdades ditas dependem dos conhecimentos prévios e da capacidade linguística das pessoas, e essa capacidade, por ser limitada, caracteriza os próprios "limites do seu mundo" que Wittgenstein sintetizou nos seguintes aforismas:

5.6. Os limites de minha linguagem significam os limites do meu mundo[349].

(...)

5.61. O que não podemos pensar, não podemos pensar; portanto, tampouco podemos dizer o que não podemos pensar[350].

5.62. Essa consideração fornece a chave para se decidir a questão de saber em que medida o solipsismo é uma verdade.

O que o solipsismo quer significar é inteiramente correto: apenas é algo que não se pode dizer, mas que se mostra.

Que o mundo seja meu mundo, é o que se mostra nisso: os limites da linguagem (a linguagem que, só ela, eu entendo) significam os limites de meu mundo[351].

(...)

5.64. Aqui se vê que o solipsismo, levado às últimas consequências, coincide com o puro realismo. O eu do solipsismo reduz-se a um ponto sem extensão e resta a realidade coordenada por ele.

(...)

5.641. (...) O eu entra na filosofia pela via de que "o mundo é meu mundo"[352].

---

348 WITTGENSTEIN, Ludwig. *Tractatus logico-philosophicus, cit.*, p. 175.

349 *Ibid.*, 5.6, p. 245.

350 *Ibid.*, 5.61, p. 245.

351 *Ibid.*, 5.62, p. 245.

352 *Ibid.*, 5.64, p. 247.

Já o "segundo Wittgenstein" compreende as questões com outro ponto de vista. Nesse segundo momento de sua filosofia, Wittgenstein esclarece o modo de as pessoas registrarem os fatos em suas mentes, recordar-se deles e comunicar a lembrança a terceiros, como destaca:

> Eu quis dizer.. Você lembra de detalhes diferentes. Mas eles não mostram esta intenção. É como se fosse gravada a imagem de uma cena, mas dela se pudesse ver apenas alguns detalhes esparsos; aqui uma mão, acolá um pedaço de um rosto ou um chapéu – o restante é escuro. E, entretanto, é como se eu soubesse com toda certeza o que a imagem toda representa. Como se eu pudesse ler o escuro.
>
> Esses "detalhes" não são irrelevantes no sentido em que são outras as circunstâncias das quais posso me lembrar igualmente. Mas a pessoa a quem comunico: "Eu queria dizer por um momento...", com isto ela não toma conhecimento destes detalhes, e também não tem que adivinhá-los. Ela não tem que saber, p. ex., que eu já tinha aberto a boca para falar. Ela pode, no entanto, "imaginar" o processo deste modo (e esta capacidade pertence a compreensão da minha comunicação)[353].
>
> (...)
>
> Interpretar é pensar, agir (...) são fáceis de reconhecer os casos em que interpretamos. Se interpretamos, então fazemos hipóteses que podem revelar-se falsas[354].

Ou seja, como refere Vives Antón, "no caminho de sua formulação, Wittgenstein desapega-se, paulatinamente, da semântica do *Tractatus*. Abandona, pois, a ideia da linguagem como sistema de regras de cálculo lógico e o concebe como uma atividade polifacética, governada por regras convencionais"[355].

Essa nova formulação de Wittgenstein é relevante para compreender, por exemplo, como se desenvolve o depoimento da testemunha no processo penal, pois, quando ela abre a boca para dizer sobre alguma coisa, não está dizendo o que é essa coisa (pois não consegue fazê-lo por meio da linguagem), mas dando uma versão de como a compreendeu, de como pensa que ela seja. Essa versão produzida pela testemunha ainda pode vir permeada de lacunas que acabam sendo preenchidas pela linguagem

---

353 WITTGENSTEIN, Ludwig. *Investigações Filosóficas*, *cit.*, p. 219.

354 *Ibid.*, p. 276.

355 VIVES ANTÓN, Tomás S. *Fundamentos del Sistema Penal*, *cit.*, p. 210. Tradução nossa.

e conduzem até mesmo a falsas análises, tudo ampliado pela interpretação dada pelo receptor, que, ao interpretar, constrói "hipóteses (que) podem revelar-se falsas".

Em *Investigações Filosóficas*, esse "segundo Wittgenstein" aprofunda as abordagens relacionadas à linguagem e faz críticas ao solipsismo:

> A importância de tais possibilidades de transformação, p. ex., de todas as frases afirmativas em frases que se iniciam com a cláusula "Eu penso", ou "Eu creio" (portanto, digamos, em descrições de minha vida interior), vai-se mostrar mais claramente em um outro lugar (Solipsismo)[356].

Wittgenstein desenvolveu, também, uma ampla compreensão pragmática da linguagem como jogo e como imagem, dizendo que "ter compreendido uma explicação significa possuir em espírito um conceito do que foi explicado, e isto é um padrão ou uma imagem. Caso alguém me mostre folhas diferentes e diga 'Isto chama-se folha', obtenho então um conceito de forma de folha, uma imagem dela no espírito"[357]. E esclareceu que essas imagens variam de pessoa para pessoa, pois, "de acordo com a experiência, quem vê a folha de um determinado modo, emprega-a deste e daquele modo ou de acordo com tais e quais regras"[358]. Wittgenstein explicou que, ao se ouvir uma palavra, "paira-nos no espírito a mesma coisa, e que o seu emprego pode ser um outro"[359], isto é, pode ter significados diferentes em ocasiões diferentes. É como explica Warat: "a mensagem nunca se esgota na significação de base das palavras empregadas. O sentido gira em torno do dito e do calado. Desta forma, o êxito de uma comunicação depende de como o receptor possa interpretar o sentido latente"[360]. Isso tudo conduz à compreensão de que nos jogos de linguagem "a palavra deve ter uma família de significados"[361], e dá um exemplo:

> Olhem com atenção o seguinte exemplo: Quando se diz "Moisés não existiu", isto pode significar diversas coisas. Pode significar: Os israelitas não tiveram um guia quando saíram do Egito – ou: seu guia não se chamava

---

356 WITTGENSTEIN, Ludwig. *Investigações Filosóficas*, cit., p. 28.

357 *Ibid.*, p. 55. Outro exemplo é dado na página 145: "A certeza de que o fogo vai me queimar fundamenta-se em indução. Significa que tiro a conclusão para mim mesmo. Eu sempre me queimei numa chama, portanto, isto vai acontecer agora também? Ou é a experiência anterior a causa da minha certeza e não a sua razão? É a experiência anterior a causa da certeza? – depende do sistema de hipóteses, de leis naturais, no qual consideramos o fenômeno da certeza".

358 WITTGENSTEIN, Ludwig. *Investigações Filosóficas*, cit., p. 56.

359 *Ibid.*, p. 81.

360 WARAT, Luis Alberto. *O Direito e sua Linguagem*. 2. ed. Porto Alegre: Sérgio Antonio Fabris Editor, 1995, p. 65.

361 WITTGENSTEIN, Ludwig. *Investigações Filosóficas*, cit., p. 57.

Moisés – ou: não houve um homem que tivesse realizado tudo o que a Bíblia narra a respeito de Moisés – ou: etc., etc.[362]

E, partindo desse exemplo, Wittgenstein deu mostras de como pode ser complexa a obtenção de uma explicação suficiente e da satisfação do ouvinte na compreensão da linguagem do outro, até porque "o efeito de qualquer explicação ulterior"[363] depende da reação do outro:

> Suponha que eu explique: "Por Moisés entendo o homem, caso tenha existido, que tirou os israelitas do Egito, não importando como ele se chamava naquela época ou o que ele possa ou não ter feito". Mas, sobre as palavras desta explicação, são possíveis dúvidas equivalentes àquelas sobre o homem "Moisés" (o que é que você chama de "Egito", a quem você chama "os israelitas", etc.?). Estas perguntas também não terminam, se chegarmos a palavras como "vermelho", "escuro", "doce". Mas então como pode uma explicação ajudar na compreensão, se ela não é a derradeira explicação? Então a explicação jamais está terminada; portanto, não entendo ainda e nunca vou entender o que ele tem em mente! É como se uma explicação, por assim dizer, estivesse pendurada no ar, caso uma outra não a sustentasse. Ao passo que uma explicação pode repousar sobre uma outra que se tenha dado, mas uma não precisa da outra – a menos que nós precisemos dela para evitar um mal-entendido que aconteceria sem a explicação; mas não aquele mal-entendido que eu posso imaginar[364].

O que sucede, explicou Wittgenstein, é que a lógica é a essência do nosso pensar[365], e ela não admite vagueza, imprecisão, pois "vivemos na ideia de que o ideal 'tem que' se encontrar na realidade"[366], até porque "o ideal está fixado em nossos pensamentos de modo irremovível"[367], assim, é possível dizer que "fui treinado para ter uma determinada reação frente a este signo, e é assim que reajo agora"[368].

O problema de fundo ocorre quando se acredita poder "encontrar essa ordem, o ideal, na linguagem real", pois "ficamos insatisfeitos com o que se chama usualmente

---

362 *Ibid.*, p. 58.
363 *Ibid.*, p. 84.
364 *Ibid.*, p. 62 e 63.
365 *Ibid.*, p. 67.
366 *Ibid.*, p. 69.
367 *Ibid.*, p. 69.
368 *Ibid.*, p. 112.

de 'proposição', 'palavra', 'signo'"[369]. Nesse caso o que se encontra não é "uma unidade formal imaginada por mim, mas a família de estruturas mais ou menos aparentadas entre si"[370], e, aí, o rigor da lógica desaparece por completo. E, então, o "preconceito de pureza cristalina só pode ser eliminado dando uma guinada em nossa reflexão"[371].

Assim, ao se utilizar determinada expressão numa comunicação com alguém, é possível que se esteja pretendendo chamar sua atenção "para o fato de que ele está em condições de representar-se isto"[372], ou seja, disse Wittgenstein, "eu queria colocar esta imagem diante de seus olhos, e seu reconhecimento desta imagem consiste em que ele agora está inclinado a considerar um caso dado de outra maneira: ou seja, a compará-lo com esta série de imagens. Modifiquei o seu modo de ver"[373]. Ou, noutras palavras, em termos psicanalíticos, operou-se uma metanoia, isto é, uma mudança no modo de pensar, pois, como mais uma vez sintetizou Wittgenstein: "A língua é um labirinto de caminhos. Você vem de um lado, e se sente por dentro; você vem de outro lado para o mesmo lugar, e já não se sente mais por dentro"[374]. Esse ponto é fundamental para se compreender como a inércia judicial absoluta no momento da produção probatória pode ser prejudicial às partes, inclusive ao réu, até porque, como indagou Wittgenstein em suas últimas reflexões em vida, "se tudo depõe a favor de uma hipótese e nada contra – então ela é certamente verdadeira?". E ele mesmo responde, provocando outra pergunta: "Pode-se dizer isso. Mas ela corresponde certamente à realidade, aos factos? Com essa pergunta, tu já te moves num círculo"[375]. Mais adiante se retomará essa discussão.

Essa leitura pragmática da linguagem como comunicação também foi explorada por outros autores importantes, como Charles Sanders Peirce, já apresentado anteriormente, John Langshaw Austin (1911-1960) e John Searle (1932-), com a teoria dos atos de fala, além de Roman Jakobson (1896-1982), Richard Rorty (1931-2007), bem como Jürgen Habermas (1929-) e Karl-Otto Apel (1922-), com as teorias da ação comunicativa[376].

---

369 *Ibid.*, p. 69.

370 *Ibid.*, p. 70.

371 *Ibid.*, p. 70.

372 *Ibid.*, p. 84.

373 *Ibid.*, p. 84.

374 *Ibid.*, p. 114.

375 WITTGENSTEIN, Ludwig. *Da Certeza, cit.*, p. 179.

376 Como refere STRECK, Lenio Luiz. *Hermenêutica jurídica e(m) crise. Uma exploração hermenêutica da construção do Direito, cit.*, p. 176.

2.11 A teoria dos atos de fala de Austin e Searle

A obra mais famosa do filósofo inglês John Langshaw Austin – *Quando Dizer é Fazer* (*How to Do Things with Words*)[377] – é o resultado da coletânea de suas conferências proferidas em 1955 na Universidade de Harvard, e foi publicada "*post mortem*", em 1962. Nela se tem o início da chamada "teoria dos atos de fala", a qual foi posteriormente desenvolvida pelo norte-americano John Searle.

Austin partiu da visão pragmática da linguagem do segundo Wittgenstein, mais especificamente da ideia dos jogos de linguagem, ou seja, de que o uso da linguagem prepondera sobre a semântica, e, dependendo do contexto em que é empregado, o significado pode ser diverso. Na discussão de uma possível "verdade" produzida no processo penal no qual há predominância do discurso, notadamente de falas de testemunhas que servem para ilustrar o julgador, a análise dos atos de fala também ganha relevância.

Já na *Primeira Conferência*, Austin classificou o uso da linguagem em duas categorias: para descrever ou relatar fatos e eventos e para realizar algo ("*to perform*"[378]), correspondendo às frases "constatativas e performativas"[379]. Um exemplo da primeira é "João está correndo", e da segunda é "Prometo que lhe pagarei amanhã". As frases constatativas podem ser verificadas em sua veracidade. A frase referida será verdadeira se João, de fato, neste mesmo momento, estiver correndo[380]. Já a segunda categoria – das frases performativas – não é possível de ser avaliada em sua veracidade, pois dependerá das circunstâncias e consequências de realização do ato[381]. As frases performativas são "expressões que disfarçam", como refere Austin[382], e podem ser "felizes" ou "infelizes", segundo sua classificação[383].

Porém, Austin percebeu que também as sentenças constatativas têm uma dimensão performativa, pois descrever é igualmente um ato que pode ser malsucedido e não corresponder à realidade, e, de outra sorte, as sentenças performativas também têm algo de constatativo, pois estão relacionadas a um fato. Como explica Danilo Marcondes, no caso do exemplo anteriormente destacado, a sentença performativa "Prometo que lhe pagarei amanhã" também tem uma concepção constatativa

---

377 AUSTIN, John Langshaw. *Quando Dizer é Fazer: Palavras e Ação*. Tradução de Danilo Marcondes de Souza Filho. Porto Alegre: Artes Médicas, 1990.

378 *Ibid.*, p. 25.

379 *Ibid.*, p. 21 e s.

380 *Ibid.*, p. 58.

381 Conforme explica MARCONDES, Danilo. *Textos Básicos de Linguagem. De Platão a Foucault, cit.*, p. 115.

382 AUSTIN, John Langshaw. *Quando Dizer é Fazer: Palavras e Ação, cit.*, p. 23.

383 *Ibid.*, p. 111.

concernente ao fato de que eu possa ter ou não ter lhe pagado[384]. Diante desse quadro, Austin propôs que a concepção performativa seja estendida para toda a linguagem, tomando-se o ato de fala em três dimensões, correspondentes a três atos: "locucionário" (no qual as palavras são "incluídas em determinada construção, e com um certo 'significado' no sentido filosófico favorito, isto é, com um sentido e uma referência determinados"[385]), "ilocucionário" (considerado o núcleo do ato de fala; quando digo "prometo que lhe pagarei amanhã", o verbo "prometer" constitui o próprio ato de prometer; isto é, o ato "ilocucionário" é a "realização de um ato ao dizer algo, em oposição à realização de um ato de dizer algo"[386]) e "perlocucionário" ("dizer algo frequentemente, ou até normalmente, produzirá certos efeitos ou consequências sobre os sentimentos, pensamentos, ou ações dos ouvintes, ou de quem está falando, ou de outras pessoas"[387], o que pode ser realizado com a "intenção ou objetivo de produzir tais efeitos"[388]).

Austin admitiu que os atos performativos visam produzir efeitos intencionais, mas que nem sempre esses efeitos são produzidos, alertando também que eles podem produzir efeitos não intencionais, explicando que isso ocorre "quando a pessoa que fala tenciona causar um efeito que pode, contudo, não ocorrer" e também "quando a pessoa que fala não tenciona causar um efeito ou tenciona deixar de causá-lo e, contudo, o efeito ocorre"[389]. E dá um exemplo bastante significativo para a questão da audiência da testemunha no processo penal:

> Assim, se nos perguntam "O que ele fez?", podemos responder qualquer uma destas coisas: "Matou o burro; Disparou o revólver; Puxou o gatilho; Apertou o dedo que estava sobre o gatilho"; e todas as respostas poderiam estar corretas[390].

Como se percebe, há uma variação de respostas que podem surgir de uma única pergunta, e todas elas não são necessariamente "falsas". Porém, podem produzir resultados interpretativos diversos, notadamente no contexto da inquirição e da compreensão da fala.

---

384 MARCONDES, Danilo. *Textos Básicos de Linguagem. De Platão a Foucault, cit.*, p. 116.

385 AUSTIN, John Langshaw. *Quando Dizer é Fazer: Palavras e Ação, cit.*, p. 85.

386 *Ibid.*, p. 89.

387 *Ibid.*, p. 89.

388 *Ibid.*, p. 90.

389 *Ibid.*, p. 93.

390 *Ibid.*, p. 93.

Austin, então, enfatizou a natureza contratual desses atos performativos, pois "proferir um ato de fala nas circunstâncias adequadas equivale a assumir um compromisso com o ouvinte: 'Minha palavra é meu compromisso'"[391]. E deu seu exemplo: "quando digo diante do juiz ou no altar, etc., 'Aceito', não estou relatando um casamento, estou me casando"[392]. O ato performativo corresponde a uma ação. O mesmo se dá no âmbito da fala da testemunha no processo penal, pois, como explica Austin, "o relato do que se disse vale como prova, caso o que tenha sido dito seja um proferimento do tipo que chamamos de performativo, porque este é considerado um relato com força legal, não pelo que foi dito (...) mas por ter sido algo realizado, uma ação"[393]. A testemunha no processo penal, portanto, não está apenas referindo algo que presenciou, mas está também "provando".

Contudo, Austin alertou que, para ser considerado um ato de fala, o proferimento performativo ainda depende das circunstâncias nas quais ocorre. Por exemplo, ao dizer "eu aposto" antes da corrida de cavalos começar, realiza-se um ato de fala, porém, ao proferir a mesma fala depois de terminada a corrida de cavalos, esta não é capaz de gerar o mesmo efeito performativo. No segundo caso, explica Austin, a fala é malograda caracterizando-se como o que ele denomina de "doutrina das infelicidades"[394]. As infelicidades, disse Austin, são "herdadas por todos os atos cujo caráter geral é ser ritual ou cerimonial"[395]. No âmbito do processo penal, é fácil compreender essa questão, pois tudo é ritualizado, e a não observância da forma gera nulidade do ato. Para evitar esse malogro, Austin apresentou seis regras que reputou essenciais para que o proferimento performativo seja válido:

> (A.1) Deve existir um procedimento convencionalmente aceito, que apresente um determinado efeito convencional e que inclua o proferimento de certas palavras, por certas pessoas, e em certas circunstâncias; e além disso, que
> (A.2) as pessoas e circunstâncias particulares, em cada caso, devem ser adequadas ao procedimento específico invocado.
> (B.1) O procedimento tem de ser executado, por todos os participantes, de modo correto e
> (B.2) completo.

---

391 MARCONDES, Danilo. *Textos Básicos de Linguagem. De Platão a Foucault, cit.*, p. 115 e 116.
392 AUSTIN, John Langshaw. *Quando Dizer é Fazer: Palavras e Ação, cit.*, p. 25.
393 *Ibid.*, p. 30.
394 *Ibid.*, p. 30.
395 *Ibid.*, p. 34.

(r.1) Nos casos em que, como ocorre com frequência, o procedimento visa às pessoas com seus pensamentos e sentimentos, ou visa à instauração de uma conduta correspondente por parte de alguns dos participantes, então aquele que participa do procedimento, e o invoca deve de fato ter tais pensamentos ou sentimentos, e os participantes devem ter a intenção de ser conduzirem de maneira adequada, e, além disso,

(r.2) devem realmente conduzir-se dessa maneira subsequentemente[396].

Austin chamou os atos referidos sem observância das regras "A" e "B" de "desacertos", e os atos referidos sem observância das regras "r" de "abusos". Nos casos chamados de "desacertos", Austin considerou que os atos são nulos, e nos casos que denominou de "abusos" de procedimento, diz que eles foram "vazios", não tendo sido consumados[397].

E complementou, esclarecendo que não se pode olvidar um "tipo de infelicidade" que deriva do "mal-entendido". Para que seja válido o ato, é preciso que quem fale seja ouvido por alguém e seja entendido por essa pessoa[398]. Nas palavras de Austin:

> Há alguns anos começamos a perceber cada vez com mais clareza que a ocasião de um proferimento tem enorme importância, e que as palavras utilizadas têm de ser até certo ponto "explicadas" pelo "contexto" em que devem estar ou em que foram realmente faladas numa troca linguística[399].

Segundo Danilo Marcondes[400], Austin inaugurou um novo paradigma teórico: o da linguagem como ação, entendendo que a linguagem pode operar sobre o real e, nessa medida, pode constituir o real. Nessa medida, "a verdade é substituída pelo conceito de eficácia do ato, de sua 'felicidade', de suas condições de sucesso, e também pela dimensão moral do compromisso assumido na interação comunicativa"[401]. A linguagem, então, é vista como uma espécie de ação, considerada em razão de seu uso e não como uma representação da realidade. Não se analisa mais a sentença de suas partes (sujeito, predicado, objeto), mas sim a partir de seu uso. Como disse Austin, "a verdade ou falsidade de uma declaração não depende unicamente do significado

---

396 *Ibid.*, p. 31.

397 *Ibid.*, p. 32.

398 *Ibid.*, p. 36.

399 *Ibid.*, p. 89.

400 SOUZA FILHO, Danilo Marcondes de. Apresentação. A Filosofia da Linguagem de J. L. Austin. AUSTIN, John Langshaw. *Quando Dizer é Fazer: Palavras e Ação, cit.*, p. 10.

401 *Ibid.*, p. 10.

das palavras, mas também do tipo de atos que, ao proferi-las, estamos realizando e das circunstâncias em que os realizamos"[402].

Para John Searle, sucessor da teoria de Austin, determinada "unidade semântica é uma consequência da tese de que a intencionalidade das sentenças deriva da intencionalidade dos estados mentais"[403] que é percebida pela pessoa. Ou seja, quando se tem determinado estado mental, pode-se aferir se ele está ou não satisfeito. Sucede que perceber que se está em determinado estado mental não significa que se esteja assumindo compromissos com outras pessoas a respeito do preenchimento das condições de satisfação de seu estado mental. No entanto, ao "produzir um proferimento linguístico que coincida com as condições de satisfação de um de seus estados mentais"[404], é preciso assumir o compromisso em relação às demais pessoas a respeito do preenchimento daquelas condições de satisfação, sob pena de não conseguir se fazer entender, de não conseguir se comunicar. Assim, "a existência desses compromissos, segundo Searle, confere uma normatividade especial aos conteúdos linguísticos, o que falta aos conteúdos mentais dos quais eles derivam em última instância"[405].

Searle exemplifica com o problema das metáforas, dizendo que, para compreender a emissão, no caso das metáforas, como "as condições de verdade da asserção não são determinadas pelas condições de verdade da sentença e de seu termo geral"[406], é necessário que o ouvinte tenha "alguma coisa além do conhecimento da língua, da consciência das condições da emissão e das suposições de base que compartilha com o falante"[407]. E, mesmo assim, não raras vezes a compreensão da metáfora pode "escapar" do pretendido pelo falante. Searle dá um exemplo de como sua leitura de uma passagem da peça de Shakespeare *Romeu e Julieta* colide com o sentido que dela extraiu outro autor:

> Assim, por exemplo, na análise do enunciado metafórico de Romeu, "Julieta é o sol", Cavell (1976, p. 78-9) propõe, como parte de sua explicação, que Romeu quer dizer que seu dia começa com Julieta. Ora, desconsiderado o contexto particular da peça, essa leitura nunca me teria ocorrido. Para suprir os

---

402 AUSTIN, John Langshaw. *Quando Dizer é Fazer: Palavras e Ação, cit.*, p. 119.

403 TSOHATZIDIS, Savas L. Introdução. TSOHATZIDIS, Savas L. (Org.). *A Filosofia da Linguagem de John Searle: força, significação e mente*. Tradução de Luiz Henrique de Araújo Dutra. São Paulo: Editora Unesp, 2012, p. 2.

404 *Ibid.*, p. 3.

405 *Ibid.*, p. 3.

406 SEARLE, John. *Expressão e Significado. Estudos da Teoria dos Atos de Fala*. Tradução de Ana Cecília G. A. de Camargo e Ana Luiza Marcondes Garcia. São Paulo: Martins Fontes, 2002, p. 134.

407 *Ibid.*, p. 134.

258 ■ Processo Penal | Fundamentos dos fundamentos

valores de R na fórmula[408], eu procuraria outras propriedades do sol. Dizê-lo não é fazer objeção a Shakespeare ou a Cavell, porque a metáfora em questão, como a maioria das metáforas, é aberta precisamente desta maneira[409].

Essa abertura a múltiplas possibilidades de compreensão de determinadas metáforas também é relevante para compreender a necessidade de um diálogo esclarecedor entre o falante e o ouvinte. Searle se propõe a resolver essa questão relacionada ao funcionamento das metáforas, isto é, a tentar entender "como uma coisa nos lembra outra"[410]. Para as metáforas mais simples, Searle refere que o ouvinte deve dar passos de três tipos: ter uma estratégia para saber se deve pensar que se trata de uma metáfora; ter um conjunto de estratégias para computar os valores do que a metáfora poderia querer representar; e ter um conjunto de estratégias para decidir qual das diversas possibilidades de referência está sendo utilizada pelo falante[411].

Enfim, todas essas compreensões do papel dos atos de fala importam igualmente para que se possa considerar a importância do diálogo e da intersubjetividade no momento da produção da prova, como se explorará mais adiante. Na mesma linha de importância, Roman Jakobson também merece consideração, como se passa a analisar.

2.12 A linguística em Roman Jakobson

Roman Jakobson se vale amplamente dos conceitos tanto de Charles Sanders Peirce[412] quanto de Ferdinand Saussure, aproveitando-se, inclusive, de interseções com a psicanálise de Sigmund Freud, como deixou claro na Conferência de Antropólogos e Linguistas realizada na Universidade de Indiana, Estados Unidos, em 1952.

---

408 John Searle refere-se aqui à seguinte "fórmula" da metáfora por ele explicada: "quando o falante diz 'S é P', ele quer significar 'S é R'" (*Ibid.*, p. 134).

409 *Ibid.*, p. 149.

410 *Ibid.*, p. 163.

411 *Ibid.*, p. 164.

412 Jakobson refere expressamente à obra de Charles Peirce, a quem considera fundamental, dizendo que, "desde 1867, C. S. Peirce, que, repito, deve ser considerado como o autêntico e intrépido precursor da Linguística estrutural, estabelecera nitidamente o caráter linguístico da semântica. Como dizia ele, o signo – e em particular o signo linguístico – para ser compreendido exige não só dois protagonistas que participem do ato da fala, mas, além disso, de um 'interpretante'. Segundo Peirce, a função desse interpretante é realizada por outro signo ou conjunto de signos, que são dados juntamente com o signo em questão ou que lhe poderiam ser substituídos. Eis, sem dúvida nenhuma, algo que deveria ser o ponto de partida de todas as nossas discussões futuras sobre o tratamento linguístico das significações – problema que estará certamente no centro de nossas preocupações no futuro imediato" (JAKOBSON, Roman. *Linguística e Comunicação*. 24. ed. Tradução de Izidoro Blikstein e José Paulo Paes. São Paulo: Cultrix, 2007, p. 30).

Seguindo a linha de Peirce, Jakobson considerou os "fatores fundamentais da comunicação linguística", ou seja, que "qualquer ato de fala envolve uma mensagem e quatro elementos que lhe são conexos: o emissor, o receptor, o tema (topic) da mensagem e o código utilizado"[413]. E, mesmo havendo uma ampla variação nessas relações, "qualquer comunicação seria impossível na ausência de certo repertório de 'possibilidades preconcebidas' ou de 'representações pré-fabricadas', como dizem os engenheiros"[414].

Jakobson então esclarece que "qualquer discurso individual supõe uma troca" e "não há emissor sem receptor – exceto, é claro, quando o emissor é um doente mental ou um bêbado"[415]. Nesse processo, "o decodificador recebe uma mensagem. Conhece o código. A mensagem é nova para ele e, por via do código, ele a interpreta. Ao compreender essa operação, a Psicologia nos pode dar um grande auxílio"[416]. Com essa referência à psicologia, Jakobson quer deixar registrada sua compreensão do inconsciente freudiano nesse processo todo.

Jakobson ainda avalia que, na conversa entre duas pessoas – assim como ocorre no interrogatório do réu ou no depoimento colhido da testemunha no processo penal –, há uma necessária ligação entre o emissor e o receptor (e o receptor, no contexto do processo penal, em última análise, não fica circunscrito às partes, mas é primordialmente o juiz; pois é o juiz que não conhece e precisa conhecer), que devem compartilhar os símbolos utilizados para que a mensagem atinja o receptor:

> Os constituintes de qualquer mensagem estão necessariamente ligados ao código por uma relação interna e à mensagem por uma relação externa. A linguagem, em seus diferentes aspectos, utiliza os dois modos de relação. Quer mensagens sejam trocadas ou a comunicação proceda de modo unilateral do remetente ao destinatário, é preciso que, de um modo ou de outro, uma forma de contiguidade exista entre os protagonistas do ato da fala para que a transmissão da mensagem seja assegurada. A separação no espaço, e muitas vezes no tempo, de dois indivíduos, o remetente e o destinatário, é franqueada graças a uma relação interna: deve haver certa equivalência entre os símbolos utilizados pelo remetente e os que o destinatário conhece e interpreta. Sem tal equivalência, a mensagem se torna infrutífera – mesmo quando atinge o receptor, não o afeta[417].

---

413 JAKOBSON, Roman. *Linguística e Comunicação, cit.*, p. 18.

414 *Ibid.*, p. 20.

415 *Ibid.*, p. 21.

416 *Ibid.*, p. 22.

417 *Ibid.*, p. 40.

Processo Penal | Fundamentos dos fundamentos

E uma vez que a mensagem chegue ao receptor, este atribui significado ao signo linguístico, que acaba tendo "sua tradução por outro signo que lhe pode ser substituído, especialmente um signo 'no qual ele se ache desenvolvido de modo mais completo', como insistentemente afirmou Peirce"[418]. Há, assim, "uma realimentação, um feedback entre a fala e a audição"[419], como diz Jakobson, e, então, o problema que pode ocorrer se dá quando o receptor não compreende adequadamente a mensagem, notadamente nos casos em que possa haver homonímia, como exemplifica Jakobson:

> Quando se diz "vão", sabe-se de antemão se se quer dizer "vão" (adjetivo) ou "vão" (do verbo ir), ao passo que o ouvinte depende das probabilidades condicionais do contexto. Para o receptor, a mensagem apresenta grande número de ambiguidades onde não havia qualquer equívoco para o emissor. As ambiguidades do trocadilho e da poesia utilizam, para a emissão, esta propriedade da recepção[420].

Ou seja, quando há "uma semelhança parcial entre dois significados", também pode haver "uma semelhança parcial entre os significantes", e nesses casos a mente muitas vezes opera por "metáforas ou metonímias", promovendo a "vinculação de um significante a um significado secundário, associado por semelhança (ou por contiguidade) com o significado primário"[421]. É o que ocorre no diálogo exemplificativo dado mais uma vez pelo próprio Jakobson: "'Por que é que você sempre diz Joana e Margarida, e nunca Margarida e Joana? Será porque prefere Joana à sua irmã gêmea?' 'De modo nenhum; só porque assim soa melhor'"[422].

Nesse diálogo vê-se, nitidamente, que um dos interlocutores considerou que o outro, ao referir-se às duas pessoas nesta ordem, "Joana e Margarida", e nunca ao seu inverso, somente poderia assim agir por conta de uma preferência do seu interlocutor por Joana em vez de Margarida, quando, pela explicação dada por este, assim agia por mera comodidade sonora na ordem dos nomes.

Portanto, nem sempre o que o emissor comunica é plenamente compreendido pelo receptor, e em algumas ocasiões o significado captado pelo receptor é completamente diverso daquele imaginado pelo emissor, até porque o interno não se traduz como correspondência, é só uma dimensão do ato de fala. Esclarecimentos

---

418 *Ibid.*, p. 63.
419 *Ibid.*, p. 80.
420 *Ibid.*, p. 79 e 80.
421 *Ibid.*, p. 111 e 112.
422 *Ibid.*, p. 127.

adicionais, portanto, por vezes são fundamentais para evitar mal-entendidos. Prolongar a comunicação também pode ser uma forma de melhorá-la, de chamar a atenção do interlocutor e fazê-lo compreender melhor o que se quer comunicar. Jakobson explica:

> Há mensagens que servem fundamentalmente para prolongar ou interromper a comunicação, para verificar se o canal funciona ("Alô, está me ouvindo?"), para atrair a atenção do interlocutor ou afirmar sua atenção continuada ("Está ouvindo?" ou, na dicção shakespeareana, "Prestai-me ouvidos!" – e, no outro extremo do fio, "Hm-hm!"). Este pendor para o CONTATO ou, na designação de Malinowski, para a função FÁTICA pode ser evidenciado por uma troca profusa de fórmulas ritualizadas, por diálogos inteiros cujo único propósito é prolongar a comunicação. Dorothy Parker apanhou exemplos eloquentes: "Bem – disse o rapaz. Bem! – respondeu ela. Bem, cá estamos – disse ele. Cá estamos – confirmou ela –, não estamos? Pois estamos mesmo – disse ele. Upa! Cá estamos. Bem! – disse ela. Bem! – confirmou ele. Bem!"[423].

Essa compreensão é essencial para que se tenha presente a necessidade de se reduzirem os fatores de complexidade das interlocuções promovidas em audiências das testemunhas. Se o juiz não compreendeu a fala da testemunha, deve buscar esclarecimentos adicionais; e se compreendeu errado, esclarecimentos adicionais podem provocar mudanças de rumo da compreensão. O tema será retomado mais adiante. Antes, porém, é preciso avançar para outros relevantes campos de discussão das filosofias da linguagem, seja no plano da pretensão de uma verdade consensuada, com Habermas, seja no plano de uma verdade ontológica, com Heidegger e depois Gadamer, na importante contribuição da verdade como referência existencial do "ser-no-mundo".

2.13 Habermas e a "verdade consensuada": requisitos impossíveis de operar na prática processual penal

Nessa trajetória da Filosofia da Linguagem, também surgem como relevantes os contributos de Jürgen Habermas e Karl-Oto Apel, ambos conduzindo suas ideias no caminho pragmático da ação comunicativa. Esses autores, no entanto, consideram necessários diversos requisitos que operariam como condição de possibilidade da ação comunicativa, os quais acabam revelando o desacerto de suas análises.

A *Teoria do Agir Comunicativo* de Habermas tem importância significativa quando considera a necessidade de dois ou mais sujeitos para que se atinja um consenso sobre

---

423 *Ibid.*, p. 125 e 126.

alguma coisa. Habermas esclarece que procura substituir a razão prática pela razão comunicativa[424]. Sai da moral individual e caminha para a linguagem intersubjetiva. Considera que há uma relação de cooriginalidade entre o direito e a moral, a qual se localiza no âmbito da Constituição[425]. Busca, então, compreender a verdade num plano de consenso entre os interlocutores. Diz Habermas que "a razão comunicativa começa distinguindo-se da razão prática porque já não é atribuída ao ator particular ou a um macrosujeito estatal-social". E prossegue esclarecendo que o que torna possível a razão comunicativa está relacionado ao "meio linguístico, mediante o qual se concatenam as interações e se estruturam as formas de vida"[426]. Nessa perspectiva, a teoria é interessante e importante, pois abandona a filosofia da consciência que estava pautada pela relação sujeito-objeto e procura trabalhar à luz da linguagem como canal comunicativo numa relação sujeito-sujeito[427]. Substitui, portanto, como esclarece Simioni, uma "moral corretiva, que diz solipsisticamente 'o que devo fazer', por uma moral procedimental, que diz intersubjetivamente 'como devemos proceder para saber o que devemos saber'"[428].

Como explica Flavio Beno Siebeneichler, "Habermas descobre, com J. Searle, que a comunicação por linguagem comum é autorreferente e que os atos de fala possuem uma estrutura dupla"[429]. Habermas, assim, estabelece uma diferença entre o falar e o agir, esclarecendo que os "atos de fala interpretam-se a si próprios, têm uma estrutura autorreferente", pois, ao dizer algo, o "locutor diz, ao mesmo tempo, o que faz", mas esse "sentido performativo do ato de fala" só se torna "acessível a um potencial ouvinte" quando ele "renuncia à perspectiva de observador para abraçar a perspectiva de participante"[430]. Já uma ação, do ponto de vista do observador, "não

---

424 HABERMAS, Jürgen. *Facticidad y Validez: sobre el derecho y el Estado democrático de derecho en términos de teoria del discurso*. 4. ed. Tradução para o espanhol de Manuel Jiménez Redondo. Madrid: Editorial Trotta, 2005, p. 65.

425 *Id.* Derecho y Moral (Tanners Lectures 1986). *Facticidad y Validez: sobre el derecho y el Estado democrático de derecho en términos de teoria del discurso*, cit., p. 535 e s.

426 *Id. Facticidad y Validez: sobre el derecho y el Estado democrático de derecho en términos de teoria del discurso*, cit., p. 65. Tradução nossa.

427 *Id. Teoria do Agir Comunicativo. Sobre a Crítica da Razão Funcionalista*. Tradução de Flávio Beno Siebeneichler. São Paulo: Martins Fontes, 2012, v. 2, p. 6 e s.

428 SIMIONI, Rafael Lazzarotto. *Curso de Hermenêutica Jurídica Contemporânea: do positivismo clássico ao pós-positivismo jurídico*. Curitiba: Juruá, 2014, p. 480. No texto de Habermas: HABERMAS, Jürgen. *Facticidad y Validez: sobre el derecho y el Estado democrático de derecho en términos de teoria del discurso*, cit., p. 71.

429 SIEBENEICHLER, Flávio Beno. Apresentação à Edição Brasileira. HABERMAS, Jürgen. *Teoria do Agir Comunicativo. Racionalidade da Ação e Racionalização Social*. Tradução de Flávio Beno Siebeneichler. São Paulo: Martins Fontes, 2012, v. 1, p. XX.

430 HABERMAS, Jürgen. *Pensamento Pós-Metafísico*. Tradução de Lumir Nahodil. Coimbra: Almedina, 2004, p. 80-81.

pode ser descrita com segurança como a execução de um plano de acção específico; pois para tal precisaríamos de conhecer a intenção associada a essa acção"[431].

A partir de sua teoria da ação comunicativa, Habermas procura estabelecer novo ponto de compreensão na interpretação do direito pelo juiz. Parte do que Dworkin havia estabelecido para a obtenção de uma "decisão correta" e considera que é preciso avançar para além de uma decisão solipsista do isolado Juiz-Hércules de Dworkin, para "uma teoria discursiva do direito que faça depender a aceitabilidade racional das sentenças judiciais não somente da qualidade dos argumentos, mas também da estrutura do processo de argumentação"[432]. Com isso, Habermas afasta a ideia de que a correção da decisão possa se explicar "no sentido de uma teoria da verdade como correspondência"[433]. Até aqui a tese de Habermas é válida, pois, além de se afastar do equívoco compreensivo de que se possa privilegiar o discurso da verdade como correspondência no processo penal, Habermas premia o diálogo, o contraditório, e, nesse sentido, sua tese é relevante. Habermas considera, então, acertadamente, que um argumento "substancial" particular tem um "vazio de racionalidade"[434].

No entanto, procurando estabelecer critérios que neutralizem essa unilateralidade do discurso do magistrado, Habermas aposta na possibilidade de se alcançar uma verdade cooperada, consensuada. Para tanto, estabelece que o procedimento argumentativo de busca cooperativa da verdade pressupõe "condições ideais de uma situação de fala imunizada de forma especial contra a repressão e a desigualdade, uma situação de fala na qual os proponentes e os oponentes tematizem uma pretensão de validade" que se resolva somente com razões capazes de avaliar "se a pretensão defendida pelo proponente deve ou não ser recebida"[435].

E é aí que reside o problema da verdade consensuada de Habermas, pois ele acredita ser possível desenvolver um procedimento capaz de dar ouvidos a todas as argumentações para, ao final, formar um "conjunto coerente, que produz um acordo sem coerções a respeito da aceitação da pretensão de validade em litígio"[436]. Em suas palavras:

> No discurso racional supomos condições de comunicação que, primeiro, impedem uma interrupção da argumentação, que não seja racionalmente motiva-

---

431 *Ibid.*, p. 80.

432 HABERMAS, Jürgen. *Facticidad y Validez: sobre el derecho y el Estado democrático de derecho en términos de teoria del discurso, cit.*, p. 297.

433 *Ibid.*, p. 297-298.

434 *Ibid.*, p. 299.

435 *Ibid.*, p. 299.

436 *Ibid.*, p. 298.

da; que, segundo, através de iguais direitos de todos a aceder à argumentação, assim como através de uma participação na argumentação, simétrica e dotada de iguais oportunidades, asseguram tanto a liberdade na eleição de temas, como, também, a inclusão das melhores informações e razões; e que, terceiro, excluem toda coerção que se possa exercer desde fora sobre o processo de entendimento, ou que possa surgir desse processo de entendimento, a não ser a coerção do melhor argumento e que, portanto, neutralizem todos os motivos com exceção àquele de busca cooperativa da verdade[437].

E ainda acrescenta, noutra passagem, um elemento adicional de validade do processo consensual da verdade relacionado à honestidade dos argumentos, isto é, os interlocutores devem ser sinceros, honestos no que externam, não podem querer enganar o outro. Nesse ponto, nem é preciso muito esforço para compreender como essa pretensão de verdade como consenso não funciona num processo penal no qual o réu não é obrigado a falar e ainda se tolera sua mentira em homenagem à ampla defesa[438]. De resto, como alude Lenio Streck, referindo-se a Gadamer, não há grau zero de sentido na compreensão e, assim, "não há como estabelecer condições ideais de fala para alcançar um resultado, a partir de uma 'imparcialidade' proporcionada por um princípio D, como quer Habermas"[439]. Ademais, "cada um já vem de um lugar de compreensão, que é a pré-compreensão"[440]. Então, não há como eliminar as pré-compreensões, os pré-juízos de valor nessa pretensão de consenso.

Vale o registro de que o próprio Habermas acabou reduzindo o alcance de seu procedimentalismo, admitindo falhas, como ele menciona em *Verdade e Justificação*, dizendo que, "nesse meio-tempo, eu me deixei convencer (sobretudo em discussões com Albrecht Wellmer e Cristina Lafont) de que não resulta dessa circunstância nenhuma conexão conceitual entre verdade e assertividade racional em condições ideais"[441]. Nesse ponto, ele esclarece que não se pode conceber a verdade como uma "propriedade inalienável" de enunciados, pois "até mesmo os argumentos que nos convencem aqui e agora da verdade de 'p' podem se revelar falsos em outra situação epistêmica"[442].

---

437 *Ibid.*, p. 301-302. Tradução nossa.

438 Há, no entanto, quem defenda a possibilidade de que o processo penal se oriente por estas "condições ideais de fala". *Vide*, por exemplo: VIVES ANTÓN, Tomás. El Proceso Penal de la Presunción de Inocencia. *Jornadas de Direito Processual Penal e Direitos Fundamentais*. Organizadas pela Faculdade de Direito de Lisboa e pelo Conselho Distrital de Lisboa da Ordem dos Advogados, com a colaboração do Goethe Institut. Coordenação Maria Fernanda Palma, Coimbra: Almedina, 2004, p. 27-39.

439 STRECK, Lenio Luiz. *Verdade e Consenso: constituição, hermenêutica e teorias discursivas, cit.*, p. 135.

440 *Ibid.*, p. 135.

441 HABERMAS, Jürgen. *Verdade e Justificação: ensaios filosóficos*. 2. ed. Tradução de Milton Camargo Mota. São Paulo: Edições Loyola, 2009, p. 48.

442 *Id. Verdade e Justificação: ensaios filosóficos, cit.*, p. 48.

Seja como for, particularmente quando Habermas se refere ao processo penal, deixa transparecer a crença em algumas falácias por ele tomadas como pressupostos para construção de uma verdade consensuada. Habermas refere, expressamente, que "a distribuição de papéis sociais no processo estabelece uma simetria entre o Ministério Público e a defesa" e que "durante o procedimento o tribunal pode assumir o papel de um terceiro imparcial de modos distintos – ativamente admitindo ou rechaçando provas, ou neutralmente, limitando-se a observar"[443]. E prossegue, explicando o que compreende do contexto da produção probatória no processo penal:

> Durante a produção da prova as cargas probatórias vêm reguladas para os participantes no processo de forma mais ou menos unívoca. O procedimento probatório mesmo – de forma muito mais marcada no processo civil que no processo penal – está sustentado em termos agônicos como uma espécie de competição entre partes que perseguem seus próprios interesses. Mesmo quando no processo penal o tribunal "com o objetivo de averiguar a verdade ampliará de ofício as diligências probatórias a todos os fatos e meios de prova que sejam relevantes para a decisão" (§244 sec. 2 StPO), os papéis nos quais se articula a participação no procedimento estão definidos de sorte que a prática de diligências probatórias não está estruturada em termos integralmente discursivos no sentido de uma busca cooperativa da verdade. Porém, da mesma forma que ocorre no procedimento anglo-saxão de jurados, os âmbitos estratégicos de ação estão também estruturados de sorte que, sendo possível, podem escutar-se todos os fatos relevantes para a constituição do estado de coisas de que se trata. E é isso que o Tribunal coloca na base da valoração das provas, valoração que é atribuição sua, e da decisão judicial que emite[444].

Habermas, em seguida, aposta suas fichas na valoração das provas pelo juiz externadas de maneira fundamentada na sentença, as quais podem ser objeto de recursos às instâncias superiores, e, ao final, acabam sendo aceitas pelos implicados no processo e pela opinião pública[445].

Vários aspectos dessa análise poderiam ser questionados. Habermas acredita que o juiz fique neutro quando inerte na questão probatória. Não há como se aceitar essa

---

443 *Id. Facticidad y Validez: sobre el derecho y el Estado democrático de derecho en términos de teoria del discurso*, cit., p. 307.

444 *Ibid.*, p. 307-308. Tradução nossa.

445 *Ibid.*, p. 308-309.

pretensão de neutralidade no juiz, mesmo naquele inerte, pois a inércia não afasta os pré-conceitos, em sentido negativo, do juiz-no-mundo. Ademais, a distribuição do ônus da prova no processo penal não é similar àquela do processo civil, como o próprio Habermas, timidamente, até admitiu *"en passant"*. Como se sabe, em decorrência da presunção de inocência do acusado, que orienta o processo penal, toda a carga probatória recai no Ministério Público. Não há, portanto, como considerar que exista uma "simetria entre o Ministério Público e a defesa" e que "as cargas probatórias vêm reguladas para os participantes no processo de forma mais ou menos unívoca", como diz Habermas.

Assim, no âmbito do processo penal, essa pretensão de buscar uma verdade consensuada ou "cooperada" somente se dá quando o Ministério Público se convence, ao longo do processo, da inocência do acusado e busca para ele – e com ele – uma decisão favorável, obtendo-a do juiz. Ou nos modelos de justiça penal negociada, como ocorre na transação penal brasileira para as infrações penais de menor potencial ofensivo ou no acordo de não persecução penal. Também é relevante considerar que o Ministério Público, quando acusa, o faz à luz de um juízo valorativo de culpa em relação ao acusado, pois, do contrário, não deveria tê-lo acusado. O Ministério Público atinge em sua mente um prévio juízo de culpa em relação ao acusado ao decidir pela acusação. Pode até alterar sua compreensão de culpa movendo-se do quadro mental já posto para outro, operando-se nele uma metanoia (uma forma diferente de enxergar o caso), e passar a também defender o acusado. Mas a defesa do acusado não poderá aceitar e se convencer dos argumentos acusatórios do Ministério Público a eles aderindo e sustentando, com ele, a culpa do acusado. Isso implicaria em violação do direito de ampla defesa, pois o acusado estaria sem efetiva defesa técnica. Ou seja, no processo penal, não há como se pretender usar, como princípio, a necessidade de as partes estarem abertas à possibilidade de consenso.

A verdade como consenso, portanto, não é alcançável como regra no âmbito do processo penal. Aliás, verdade não é consenso, pois o consenso não é condição para a verdade, não obstante a verdade seja condição para o consenso.

2.14 Martin Heidegger e sua filosofia de reação ao objetivismo positivista

Martin Heidegger (1889-1976) desenvolveu sua "primeira"[446] filosofia em contraponto ao que se havia estabelecido como verdades científicas positivistas no século XIX, nas quais, como já destacado anteriormente, tudo era passível de ser analisado,

---

446 Os biógrafos e estudiosos da vida de Heidegger indicam dois momentos distintos de sua filosofia: um anterior à Segunda Guerra Mundial e outro posterior a ela.

classificado e organizado, com base em certezas absolutas. Se tudo era passível de ser objetificado e estudado, o próprio ser humano também não escapou de ser analisado sob esse prisma classificatório, como se viu no desenvolvimento da psicologia e da psicanálise. Soma-se a esse ambiente científico o amplo desenvolvimento da indústria e da tecnologia, sintetizado na ideia de uma "revolução industrial". O mundo civilizado que resulta ao final do século XIX, portanto, era um mundo que acreditava ter alcançado o ápice da organização e da certeza, um mundo estabelecido em bases de uma "organização total".

Mas esse quadro também gerou uma espécie de angústia coletiva, criando um caldo cultural propício a movimentos contrários. Não há como esquecer que, nesse início do século XX, havia um movimento forte em vários setores culturais, denominado expressionismo, no qual, fruto justamente da angústia de viver, os artistas se sentiam impulsionados a externar uma realidade deformada que os consumia por dentro. Ainda nesse mesmo início de século eclodiu a Primeira Grande Guerra (1914-1918), provocando uma matança não antes vista, o que foi debitado também à evolução tecnológica e ao uso da ciência nesse incremento da tecnologia bélica, com aviões e novas armas capazes de destruir em maior escala. Esse marcante e triste evento da humanidade colaborou para que os vários questionamentos do expressionismo fossem levados adiante, com o ser humano se questionando se toda aquela evolução tecnológica da modernidade era suficiente para dar conta da complexidade do ser humano.

Assim, no início do século XX (um pouco antes até, caso se leve em conta o que Nietzsche já havia afirmado sobre o drama humano), emergiram novas teorias em contraponto ao "sucesso" do positivismo, questionando a redução das coisas às leis universais do positivismo.

Serve como exemplo marcante a fenomenologia de Edmund Husserl, que procurava reconhecer uma objetividade no pensamento humano, o que também provocou reflexões em Heidegger, já que ele foi assistente de Husserl em 1916[447]. De Husserl, inclusive, Heidegger herdou o método fenomenológico na elaboração da sua filosofia[448], deixando claro que foi a partir das *Investigações Lógicas* de Husserl, as quais fizeram nascer a fenomenologia, que Heidegger desenvolveu suas ideias[449].

De fato, é da ideia de "fenômeno", lida como a "*aletheia*" dos gregos antigos, como "mostrar-se", como equivalente a "trazer para a luz do dia, pôr no claro", como "o que

---

447 Conforme indicam os autores que comentam sobre sua obra, *verbi gratia*, GIACOIA JR., Oswaldo. *Heidegger Urgente: introdução a um novo pensar*. São Paulo: Três Estrelas, 2013, p. 15.

448 HEIDEGGER, Martin. *Ser e Tempo*. 2ª ed. Tradução de Márcia Sá Cavalcante Schuback. Petrópolis: Vozes, 2007, p. 65 e s.

449 *Ibid.*, p. 78.

se mostra em si mesmo"[450], que Heidegger teve o "*insight*" de olhar para o ente como quem procura mostrar o que ele de fato é. A verdade desvelada, não mais tomada no sentido grego aristotélico de "concordância", mas como "desvelamento", como "descobrimento"[451]. Nessa questão da verdade, Heidegger criticou tanto o realismo quanto o idealismo, dizendo que ambos se equivocaram[452]. Segundo Heidegger, o realismo se equivocou pois, "para demonstrar, recorre sempre a uma outra coisa" e, assim, assume a "possibilidade de encobrir". E no idealismo "a verdade do juízo" acaba sendo apenas "a contrapartida deste encobrir, isto é, um fenômeno de verdade derivado em muitos aspectos"[453]. Com a obra *Ser e Tempo*, então, Heidegger procurou desvelar o "ser", que estava tão profundamente encoberto que chegou a ser esquecido e, pior, até mesmo distorcido ao longo da história da filosofia[454].

Foi, então, pouco depois da Primeira Grande Guerra e do contexto do referido caldo cultural efervescente que, em 1927, Heidegger publicou seu grande livro[455], no qual, como destaca Rüdiger Safranski, "em certo sentido", Heidegger "prossegue a obra de Nietzsche: pensar a morte de Deus e criticar os 'últimos seres humanos' (Nietzsche) que recorrem a lamentáveis deuses-sucedâneos e nem admitem o terror pelo desaparecimento de Deus". E o mesmo Safranski sintetiza: "em *Ser e Tempo a* fórmula da capacidade de poder sentir terror é: coragem para a angústia"[456].

A preocupação inicial de Heidegger centrava-se na compreensão do ser humano, que, para ele, não poderia ser aquela figura estudada pela via científico-positivista[457], que objetificava o homem. O que incomodava Heidegger, segundo análise de Gianni Vattimo[458], era o fato de que, se tudo havia sido objetificado, inclusive o ser humano, ele não compreendia como o ser humano podia ser objeto de si mesmo. Na obra *Ser e Tempo*, Heidegger colocou a questão do que significa "*ser*" a partir do "*ente*". Em suas palavras:

---

450 *Ibid.*, p. 67.

451 *Ibid.*, p. 72.

452 *Ibid.*, p. 276.

453 *Ibid.*, p. 73.

454 *Ibid.*, p. 75-76.

455 Para Ernildo Stein, esse seria o "único" livro de Heidegger, já que os demais seriam fruto de registros de suas aulas e seminários (STEIN, Ernildo. *Introdução ao Pensamento de Martin Heidegger*. Porto Alegre: EDIPUCRS, 2002, p. 41). Sobre este ponto, Gianni Vattimo discorda, indicando outros livros anteriores a "Ser e Tempo", publicados por Heidegger, como fruto de sua dissertação de Laurea e como resultado da tese de livre docência (VATTIMO, Gianni. *Introduzione a Heidegger*. Roma-Bari: Laterza, 1991, p. 5).

456 SAFRANSKI, Rüdiger. *Heidegger. Um Mestre na Alemanha Entre o Bem e o Mal*. 2. ed. Tradução de Lyz Lerr Luft. São Paulo: Geração Editorial, 2005, p. 187.

457 HEIDEGGER, Martin. *Ser e Tempo, cit.*, p. 45.

458 VATTIMO, Gianni. Heidegger e la fisolofia della crisi. *Il Caffè Filosofico: La Fisolosofia Raccontata dai Filosofi*. Torino: La Repubblica. L'Espresso. DigitalE, Media Publishing, 2009.

Enquanto questionado, ser exige, portanto, um modo próprio de demonstração que se distingue essencialmente da descoberta de um ente. Em consonância, "o perguntado", o sentido do ser, requer também uma conceituação própria que, por sua vez, também se diferencia dos conceitos em que o ente alcança a determinação de seu significado[459].

Heidegger, então, disse da necessidade de se compreender que há um "ente" (que ele considerou como sendo a "presença" compreendida no homem[460]) que questiona o que é o "ser". "Ser é sempre ser de um ente", afirmou Heidegger[461].

E esse questionamento a respeito do "ser" surgiu, para Heidegger, quando ele fez o contraponto com o conceito de ser que foi herdado da tradição positivista[462], na qual o "ser" é pura objetividade. Isso permitiu questionar, como o fez Gianni Vattimo: "mas se o ser é objeto, o que eu sou?"[463]. Heidegger considerou que o ser não pode ser uma coisa, uma sustância, um objeto[464], pois eu não sou objetivo na medida em que vivo no "presente"[465] e "no mundo",[466] e tenho sentimentos e interesses oscilantes em relação ao tempo e ao espaço. Eu não sou apenas uma coisa, mas um "ser-aí", isto é, um ser que olha ao redor do mundo, que está-aí por alguma razão, com algum propósito. O ser tem uma função, intenções, motivos[467].

O ser, então, foi visto por Heidegger como uma "presença ôntico-ontológica", isto é, uma presença que tem um "primado múltiplo em relação a outros entes", como explica o próprio Heidegger:

> O primeiro é um primado ôntico: a presença é um ente determinado em seu ser pela existência. O segundo é um primado "ontológico": com base em sua determinação de existência, a presença é em si mesma "ontológica". Pertence à presença, de maneira igualmente originária, e enquanto constitutiva da compreensão da existência, uma compreensão do ser de todos os entes que não possuem o modo de ser da presença. A presença tem, por conseguinte, um

---

459 HEIDEGGER, Martin. *Ser e Tempo, cit.*, p. 42.

460 *Ibid.*, p. 52.

461 *Ibid.*, p. 44.

462 *Ibid.*, p. 47 e p. 89 e s.

463 VATTIMO, Gianni. *Heidegger e la fisolofia della crisi, cit.*

464 HEIDEGGER, Martin. *Ser e Tempo, cit.*, p. 92.

465 *Ibid.*, p. 48.

466 *Ibid.*, p. 49, 53, 83, 98 e s.

467 *Ibid.*, p. 44.

terceiro primado, que é a condição ôntico-ontológica da possibilidade de todas as ontologias.

Deste modo, a presença se mostra como o ente que, ontologicamente, deve ser o primeiro interrogado, antes de qualquer outro[468].

Vale destacar e refletir a respeito da parte final do trecho supratranscrito, no qual Heidegger referiu que "a presença se mostra como o ente que, ontologicamente, deve ser o primeiro interrogado". Essa "ontologia" de que fala Heidegger, no entanto, deve ser bem compreendida. "Ontologia", como explica Giacoia Jr., é "a disciplina filosófica que estuda o ser dos entes"[469], mas, para Heidegger, a ontologia "remete à pergunta pelo sentido do Ser enquanto Ser, e não ao ser dos entes em geral"[470]. Assim, "ôntico" é um "predicado dos entes como tais", e o "exemplo mais elevado desse tipo de atribuição são os conceitos gerais, que podem ser predicados de todos os entes que figuram em um discurso", denominados de "categorias" por Aristóteles[471]. Já o "ontológico" remete ao plano do Ser, em sua diferença com os entes. O termo ontológico não diz respeito às características particulares dos entes existentes ou possíveis, mas designa o funcionamento originário que os torna o que eles essencialmente são, ou seja, que os constitui em seu ser próprio", como ainda explica Giacoia Jr.[472] Em outras palavras: quando se faz uma investigação "ôntica", investiga-se como as coisas são em suas formas, isto é, como elas são em sua matéria, altura, peso, cor etc. É o que Heidegger chama de "entes intramundanos". O homem, nessa análise ôntica, explica Giacoia Jr., é um ente "intramundano", como refere Heidegger[473], quando é analisado como qualquer outro animal ou planta, ou mesmo como também são os números, minerais ou seres fictícios[474]. Já numa investigação "ontológica", é preciso levar em conta uma série de outros fatores constitutivos do ser e suas variações em função do tempo. E aí o homem é ontologicamente visto de outra forma.

Para definir essa compreensão ontológica do homem, Heidegger utilizou a palavra "*Dasein*", que, em alemão, provém da conjunção entre "*Da*" (aí) e "*sein*" (ser). Como não há uma palavra equivalente em língua portuguesa, ela costuma ser traduzida por expressões compostas: "ser-no-mundo" ou "ser-aí". E "aí" não no sentido espacial

---

468 *Ibid.*, p. 49.

469 GIACOIA JR., Oswaldo. *Heidegger Urgente: introdução a um novo pensar, cit.*, p. 53.

470 *Ibid.*, p. 57.

471 *Ibid.*, p. 57.

472 *Ibid.*, p. 58.

473 HEIDEGGER, Martin. *Ser e Tempo, cit.*, p. 102.

474 GIACOIA JR., Oswaldo. *Heidegger Urgente: introdução a um novo pensar, cit.*, p. 58.

(como se fosse o contraponto de "aqui"), mas no sentido de exterioridade[475]. No plano ontológico, portanto, "*Dasein*" (o "ser-aí") é o "ser-no-mundo". Isso remete à importância de se questionar o "ser-aí" à luz de sua contingência, de sua facticidade[476], de sua cotidianidade desvelada "como modo da temporalidade"[477] e, portanto, também de sua finitude (morte)[478]. Para Heidegger, o tempo é o "horizonte de toda a compreensão e interpretação do ser", "o tempo é de onde a presença em geral compreende e interpreta implicitamente o ser"[479]. Mas a ideia de "temporalidade", em Heidegger, é lida como "este fenômeno unificador do porvir que atualiza o vigor de ter sido" e não "pelo conceito vulgar de tempo como 'futuro', 'passado' e 'presente'"[480].

Para Heidegger, o ser humano está no mundo como um "projeto lançado" no mundo[481] (ou, como se traduz do alemão para o italiano: "progetto gettato"[482], que também poderia ser traduzido para o português como "projeto jogado"). Ou seja: é como alguém que chegou ao mundo como uma espécie de "tábula rasa"[483] (influência dos empiristas), porém, num mundo já posto, com linguagem dada, cultura dada, com significados dados, e que, portanto, chegou como alguém que foi "lançado" (ou "jogado") nesse mundo como um projeto de continuidade, considerando o que se herdou da tradição e considerando o que se pode contribuir para a frente[484]. Assim, o ser humano se relaciona com as coisas de forma aberta (em determinado estado de espírito) e em determinada temporalidade[485].

E estar neste mundo como um "projeto lançado" (ou "jogado"), como referiu Heidegger, é dar conta de toda essa tradição histórica precedente e de suas condições pessoais naquele momento. Uma vez que recebe essa carga toda, o ser humano olha ao redor e percebe os objetos como instrumentos para uma finalidade a ser buscada a partir do seu ser[486]. Age, nesse contexto, interessado, seja para mudar o mundo, seja para

---

475 *Ibid.*, p. 63.

476 HEIDEGGER, Martin. *Ser e Tempo*, *cit.*, p. 102 e s.

477 *Ibid.*, p. 307, 416 e s., 419 e s.

478 *Ibid.*, p. 309 e s.

479 *Ibid.*, p. 55 e 57.

480 *Ibid.*, p. 410-411.

481 *Ibid.*, p. 247, 412, 426 e 475.

482 Em italiano, a tradução do termo alemão é para "*progetto gettato*", cuja tradução literal para o português é "projeto jogado". Essa tradução é mais significativa do que aquela que usualmente vem sendo empregada pelos tradutores da obra de Heidegger para a língua portuguesa ("projeto lançado"), pois representa melhor a ideia de Heidegger. Ser um "projeto jogado no mundo", portanto, é mais significativo do que ser um "projeto lançado no mundo". Nesse sentido, VATTIMO, Gianni. *Introduzione a Heidegger*, *cit.*, p. 32.

483 Como explica VATTIMO, Gianni. *Introduzione a Heidegger*, *cit.*, p. 30.

484 HEIDEGGER, Martin. *Ser e Tempo*, *cit.*, p. 58 e s.

485 *Ibid.*, p. 303 e s.

486 *Ibid.*, p. 116 e s.

mantê-lo, seja por qualquer outro motivo, mas não como uma coisa inanimada. Não há um ser desinteressado. O cientista pode até se despir de seus prejuízos e preconceitos quando vai investigar alguma coisa, mas, se investiga, é porque tem algo em mente, um objetivo, busca alguma coisa[487]. Age num "círculo ontológico-hermenêutico". E, como disse Heidegger, "o decisivo não é sair do círculo, mas entrar no círculo de modo adequado"[488], pois "nele se esconde a possibilidade positiva do conhecimento mais originário, que, decerto, só pode ser apreendida de modo autêntico se a interpretação tiver compreendido que sua primeira, única e última tarefa é de não se deixar guiar, na posição prévia, visão prévia e concepção prévia, por conceitos populares e inspirações"[489]. Assim, "toda interpretação funda-se no compreender"[490] e o "compreender guarda em si a possibilidade de interpretação, isto é, de uma apropriação do que se compreende"[491].

E isso se faz nessa "presença" cuja possibilidade ontológica, referiu Heidegger, se dá numa significância na qual ela esteja "familiarizada" e "em seus movimentos de compreender e interpretar, pode abrir 'significados', que, por sua vez, fundam a possibilidade da palavra e da linguagem"[492]. "A fala", disse Heidegger, "é a articulação da compreensibilidade. Por isso, a fala se acha à base de toda intepretação e enunciado"[493].

Portanto, quando alguém procura dizer a verdade das coisas, o faz a partir do seu "projeto lançado" (ou "jogado") e nessa "presença". Nesse contexto, necessita fazer uso da linguagem, mesmo que aí "abra significados" próprios do ser. É por meio da linguagem que o "ser-aí" se desvela. Heidegger afirmou que "o pensar consuma a relação do ser com a essência do homem"[494], ou seja, o pensar oferece essa relação ao ser, sendo que "esta oferta consiste no fato de, no pensar, o ser ter acesso à linguagem"[495] e que, por sua vez, "a linguagem é a casa do ser", e "nessa habitação do ser mora o homem"[496]. Em outras palavras: o sujeito tem determinado vocabulário, fruto de seu "projeto lançado" (ou "jogado") no mundo, ou seja, das condições históricas nas quais está situado[497], em determinado tempo e espaço, e é com esse arcabouço

---

487 *Ibid.*, p. 40.

488 *Ibid.*, p. 214.

489 *Ibid.*, p. 214-215.

490 *Ibid.*, p. 215.

491 *Ibid.*, p. 223.

492 *Ibid.*, p. 138.

493 *Ibid.*, p. 223.

494 HEIDEGGER, Martin. *Carta Sobre o Humanismo*. 2. ed. Tradução de Rubens Eduardo Frias. São Paulo: Centauro Editora, 2010, p. 7.

495 *Ibid.*, p. 8.

496 *Ibid.*, p. 8.

497 HEIDEGGER, Martin. *Ser e Tempo, cit.*, p. 463 e s.

linguístico que consegue pensar. Assim, é pela linguagem que ele se desvela, desvela o seu ser. Enfim, a linguagem "é a casa da verdade do ser"[498].

A influência do "*a priori*" de Kant aqui também é evidente e citada em diversas passagens por Heidegger[499]. Gianni Vattimo explica que a diferença essencial entre os dois é que para Kant a razão humana deveria funcionar sempre do mesmo modo (imperativos categóricos), não interessam as circunstâncias de tempo e espaço; já Heidegger compreende que a mente, não sendo um objeto para ela mesma, opera de forma variável, oscilante, pois as pessoas somente são quando estão inseridas num mundo que traz determinando conjunto de prejuízos, preconceitos, pressupostos culturais e, principalmente, linguísticos[500].

Heidegger ainda abordou a questão da comunicação pela fala que "nunca é a transposição de vivências, por exemplo, de opiniões e desejos, do interior de um sujeito para o interior de outro sujeito"[501]. E afirmou que, nessa comunicação do compreender, é preciso "escutar", pois não é à toa que se diz não compreender alguma coisa quando não se escuta "bem" ("a escuta é constitutiva da fala", e escutar é o estar aberto existencial da presença enquanto ser-com os outros). Mas, além de "escutar", também é preciso, sobretudo, "ouvir", pois o "ouvir possui o modo de ser de uma escuta compreensiva"[502], e a "tendência ontológica da comunicação é fazer o ouvinte participar do ser que se abriu para o ser que se fala"[503]. Até porque a verdade é relativa ao ser da presença e "possibilita pressuposições"[504], assim, "pressupor 'verdade' significa, pois, compreendê-la como algo em virtude da qual a presença é"[505]. Dessa forma, afirmou Heidegger, "do mesmo modo que não se pode refutar um cético, não se pode 'provar' o ser da verdade"[506].

Enfim, o que Heidegger procurou transmitir é que a verdade do ser é sempre uma verdade contingencial e temporal, de um ser-no-mundo que não consegue apreender o todo justamente porque, ao pensar sobre alguma coisa, algo não consegue ser pensado, e esse algo que não consegue ser pensado é justamente o que torna possível

---

498 *Id. Carta Sobre o Humanismo, cit.*, p. 16.

499 *Id. Ser e Tempo, cit.*, p. 40; p. 46; p. 61; p. 62; p. 65.

500 VATTIMO, Gianni. Heidegger e la fisolofia della crisi. *Il Caffè Filosofico: La Fisolosofia Raccontata dai Filosofi, cit.*

501 HEIDEGGER, Martin. *Ser e Tempo, cit.*, p. 225.

502 *Ibid.*, p. 226.

503 *Ibid.*, p. 232.

504 *Ibid.*, p. 299.

505 *Ibid.*, p. 299.

506 *Ibid.*, p. 300.

274 ■ Processo Penal | Fundamentos dos fundamentos

o pensamento. Como afirma Emmanuel Carneiro Leão: "este 'não pensado', que nunca poderá ser pensado, é, pois, um nada"[507].

Com essa forma de compreender o ser-no-mundo e a questão da verdade sendo orientada a partir de uma comunicação e da linguagem num "círculo hermenêutico" no qual "o conhecimento prático e o conhecimento teórico se relacionam a partir de uma circularidade"[508], como afirma Lenio Streck, Heidegger "desloca o solipsismo subjetivista para um contexto intersubjetivo de fundamentação"[509], o que será mais bem estruturado com seu aluno Hans-Georg Gadamer, como se passa a expor.

2.15 A hermenêutica ontológica de Gadamer e sua verdade "contra" o método

Hans-Georg Gadamer (1900-2002) é discípulo de Martin Heidegger e teve o privilégio de viver cento e dois anos. Assim, ao longo do século XX, desenvolveu seu pensamento e, numa nova "viragem linguística", "transformou" a "Filosofia Hermenêutica", iniciada por seu mestre, em "Hermenêutica Filosófica"[510], condensada em sua obra principal, intitulada *Verdade e Método*, publicada em 1960[511].

Já de início é preciso estar atento ao título da referida obra e não cometer equívocos de compreensão do que Gadamer pretendeu com esse título. Ao colocar a "verdade" e o "método" assim, "lado a lado", Gadamer realçou, de forma crítica, a importância que a humanidade vinha dando ao "método" para descobrir a "verdade". O método era tão importante no positivismo científico dos oitocentos que chegou a se equivaler à própria verdade. O que Gadamer, então, quis criticar, já de início, no próprio título da obra, é que não é possível considerar a verdade vinculada a um método, pois ela somente se dá por meio de um sentido que ocorre na situação concreta. Para Gadamer, não existem verdades dadas, de antemão e prontas a serem descobertas por um método. Trata-se, portanto, como destaca Lenio Streck, de uma "verdade contra o método"[512]. Ou, como diz o próprio Gadamer, no prefácio à segunda edição de sua obra *Verdade e Método*:

---

507 LEÃO, Emmanuel Carneiro. Posfácio. HEIDEGGER, Martin. *Ser e Tempo, cit.*, p. 550.

508 STRECK, Lenio Luiz. Hermenêutica e Decisão Jurídica: questões epistemológicas. In: STEIN, Ernildo e STRECK, Lenio Luiz (Org.). *Hermenêutica e Epistemologia: 50 anos de Verdade e Método*. Porto Alegre: Livraria do Advogado, 2011, p. 153-172, p. 155.

509 *Ibid.*, p. 154.

510 STEIN, Ernildo. Gadamer e a Consumação da Hermenêutica. *Hermenêutica e Epistemologia: 50 anos de Verdade e Método, cit.*, p. 9-24.

511 GADAMER, Hans-Georg. *Verdade e Método I. Traços fundamentais de uma hermenêutica filosófica, cit.*, p. 559 e s.

512 STRECK, Lenio Luiz. O Problema da Decisão Jurídica em Tempos Pós-Positivistas. *Revista Novos Estudos Jurídicos – NEJ*, Itajaí: Univali – Universidade Vale do Itajaí, v. 14, n. 2, p. 3-26, 2º quadrimestre de 2009,

A questão colocada aqui quer descobrir e tornar consciente algo que foi encoberto e ignorado por aquela disputa sobre os métodos, algo que, antes de limitar e restringir a ciência moderna, precede-a e em parte torna-a possível[513].

É assim que a obra de Gadamer deve ser considerada. E a essa ideia se deve somar a importância que Heidegger, Schleiermacher[514] e Dilthey[515] tiveram na estruturação da filosofia gadameriana. Como o próprio Gadamer admitiu, no mesmo prefácio à segunda edição de *Verdade e Método*, para desenvolver sua filosofia contra o método ele se aproveitou do que Heidegger considerou a respeito de uma estrutura prévia da compreensão e do círculo hermenêutico[516]. Ademais, Gadamer levou em conta também o que ele denominou de "pré-história da hermenêutica do século XIX". É nela que aparece a influência de Friedrich Daniel Ernst Schleiermacher (1768-1834), notadamente nessa questão do círculo hermenêutico e da utilização da hermenêutica para além das tradicionais formas voltadas apenas para textos bíblicos ou jurídicos. Foi Schleiermacher quem acenou para a possibilidade de uma compreensão hermenêutica para além desses horizontes, ou seja, uma hermenêutica geral, aplicada para todos os campos do conhecimento humano, e não apenas para a religião ou o direito. Gadamer considerou que a contribuição de Schleiermacher se deu no desenvolvimento de uma "verdadeira doutrina da arte de compreender em vez de uma 'agregação de observações'", sendo que Schleiermacher "chega inclusive a definir que 'a hermenêutica é a arte de evitar o mal-entendido'"[517], numa compreensão circular. Nas palavras de Schleiermacher:

> Hermenêutica e Crítica, ambas disciplinas filológicas, ambas ciências da arte, pertencem uma à outra, pois o exercício de cada uma supõe a outra. Aquela é no geral a arte de compreender corretamente o discurso de alguém outro, predominantemente o escrito, e esta é a arte de avaliar corretamente e de constatar, à base de testemunhos e dados suficientes, a autenticidade dos escritos e das passagens. Uma vez que a crítica somente pode conhecer a importância dos testemunhos em relação a obras ou passagens duvidosas após a devida e correta compreensão das últimas, o seu

---

p. 8. Disponível em: http://www6.univali.br/seer/index.php/nej/article/viewFile/1766/1406. Acesso em: 1º out. 2014.

513 GADAMER, Hans-Georg. *Verdade e Método I. Traços fundamentais de uma hermenêutica filosófica, cit.*, p. 15.

514 *Ibid.*, p. 254 e s.

515 DILTHEY, Wilhelm. *A Essência da Filosofia*. Tradução de Marco Antônio Casanova. Petrópolis: Vozes, 2014.

516 GADAMER, Hans-Georg. *Verdade e Método I. Traços fundamentais de uma hermenêutica filosófica, cit.*, p. 16.

517 *Ibid.*, p. 255.

exercício supõe a hermenêutica. Por outro lado, uma vez que a interpretação na averiguação do sentido só pode se dar com segurança quando a autenticidade do escrito ou da passagem pode ser pressuposta, também o exercício da hermenêutica supõe a crítica[518].

E a respeito da mecânica de compreensão, Schleiermacher explicitou o móvel progressivo e necessário dos esclarecimentos adicionais:

> progredindo pouco a pouco desde o início de uma obra, a compreensão gradual, de cada particular e das partes do todo que se organiza a partir delas, sempre é apenas provisória; um pouco mais completa, se nós podemos abarcar com a vista uma parte mais extensa, mas também começando com novas incertezas [e como no crepúsculo], quando nós passamos a uma outra parte, [porque então] temos diante de nós um novo começo, embora subordinado; no entanto, quanto mais nós avançamos, tanto mais tudo o que precede é esclarecido pelo que segue, até que no final então cada particular como que recebe de um golpe sua plena luz e se apresenta com contornos puros e determinados[519].

E logo em seguida Schleiermacher sintetizou sua "compreensão circular", dizendo que "faz-se necessário certamente, assim, uma compreensão do todo", para então afirmar que "nós podemos, depois que o todo esteja dado, retroceder aos elementos, para então compreendê-los mais precisa e completamente a partir do todo"[520]. Sobre essa questão, Gadamer considerou, então, que "compreender é sempre um mover-se nesse círculo, e é por isso que o constante retorno do todo às partes e vice-versa se torna essencial"[521]. Gadamer ainda acrescentou que "esse círculo está sempre se ampliando, já que o conceito do todo é relativo e a interpretação em contextos cada vez maiores afeta sempre também a compreensão do individual"[522]. Nesse aspecto, continuou Gadamer, é sempre nesse movimento circular de "vaivém" que "se aprende a compreender uma opinião estranha, uma língua estrangeira ou um passado estranho"[523]. E concluiu,

---

518 SCHLEIERMACHER, Friedrich Daniel Ernst. *Hermenêutica e Crítica*. V. 1. Tradução de Aloísio Ruedell. Ijuí: Editora Unijuí, 2005, p. 87.

519 SCHLEIERMACHER, Friedrich Daniel Ernst. *Hermenêutica: arte e técnica da interpretação*. Tradução de Celso Reni Braida. Petrópolis: Vozes, 1999, p. 49-50.

520 *Ibid.*, p. 51.

521 GADAMER, Hans-Georg. *Verdade e Método I. Traços fundamentais de uma hermenêutica filosófica, cit.*, p. 261.

522 *Ibid.*, p. 261.

523 *Ibid.*, p. 263.

citando uma passagem de Schleiermacher: "o movimento circular ocorre porque 'nada do que se deve interpretar pode ser compreendido de uma só vez'"[524].

Wilhelm Dilthey (1833-1911) também colaborou para ampliar a base dessa discussão, colocando a questão de que o ser humano, inserido em seu mundo, no seu tempo, tem visões particulares e próprias, unilaterais, as quais colidem com os juízos universais[525]. Dilthey esclareceu que o "modo de comportamento, no qual concebemos o vivenciado e o dado, gera nossa imagem de mundo, nossos conceitos de realidade efetiva, as ciências particulares, nas quais o conhecimento dessa realidade efetiva se distribui – e, com isso, o nexo final do conhecimento da realidade efetiva"[526]. Assim, segundo Dilthey, o homem precisa ampliar sua visão particular do mundo colocando-se no lugar do outro, o que se efetiva, circularmente, por meio da compreensão[527].

Vê-se, portanto, como esses dois autores foram importantes, tanto para a filosofia de Heidegger e sua construção de "ser-no-mundo" inserido numa circularidade que vai da "pré-compreensão"[528] à "compreensão" plena por meio da linguagem (repita-se o alerta heideggeriano: "o decisivo não é sair do círculo, mas entrar no círculo de modo adequado"[529]), quanto para Gadamer. Aliás, para Gadamer o problema dos projetos filosóficos de Schleiermacher e Dilthey residia no fato de eles se aproximarem da essência da compreensão a partir do modelo da ciência, do qual Gadamer busca se afastar em sua obra principal, *Verdade e Método*[530].

De fato, *Verdade e Método* é estruturada em três partes, nas quais Gadamer procurou fazer uma crítica à metodologia das ciências modernas, explorando a hermenêutica na arte, na história e na linguagem. Ele iniciou colocando a questão de que "compreender e interpretar textos não é um expediente reservado apenas à ciência, mas pertence claramente ao todo da experiência do homem no mundo"[531], e, ademais, "na sua origem, o fenômeno hermenêutico não é, de forma alguma, um problema de método"[532]. Esclareceu Gadamer:

---

524 *Ibid.*, p. 263.

525 DILTHEY, Wilhelm, *cit.*, p. 154: "Assim, a metafísica se encontra no ponto final de seu caminho com a teoria do conhecimento, que tem o próprio sujeito conceptor por seu objeto. A transformação do mundo no sujeito que concebe por meio dos sistemas conceptuais é por assim dizer a eutanásia da metafísica". No mesmo sentido é a referência à compreensão de Dilthey em CASANOVA, Marco Antonio. Apresentação à Edição Brasileira. GADAMER, Hans-Georg. *Hermenêutica da Obra de Arte, cit.*, p. VIII.

526 DILTHEY, Wilhelm, *cit.*, p. 60.

527 CASANOVA, Marco Antonio. Apresentação à Edição Brasileira. GADAMER, Hans-Georg. *Hermenêutica da Obra de Arte, cit.*, p. VIII.

528 HEIDEGGER, Martin. *Ser e Tempo, cit.*, p. 211 e s.

529 *Ibid.*, p. 214.

530 CASANOVA, Marco Antonio. Apresentação à Edição Brasileira. GADAMER, Hans-Georg. *Hermenêutica da Obra de Arte, cit.*, p. IX.

531 GADAMER, Hans-Georg. *Verdade e Método I. Traços fundamentais de uma hermenêutica filosófica, cit.*, p. 29.

532 *Ibid.*, p. 29.

O fenômeno da compreensão e a maneira correta de se interpretar o compreendido não são apenas um problema específico da teoria dos métodos aplicados nas ciências do espírito. Desde os tempos mais antigos, sempre houve uma hermenêutica teológica e outra jurídica, cujo caráter não era tanto teórico-científico, mas correspondia e servia muito mais ao procedimento prático do juiz ou do sacerdote instruídos pela ciência. Por isso, desde sua origem histórica, o problema da hermenêutica ultrapassa os limites que lhe são impostos pelo conceito metodológico da ciência moderna[533].

E, ao explorar a questão da compreensão nas dimensões da arte, da história e da linguagem, Gadamer o fez para demonstrar que são "modos de experiência nos quais se manifesta uma verdade que não pode ser verificada com os meios metodológicos da ciência"[534]. Nessa medida, considerou que todas elas se dão por meio da linguagem, e, assim, fora da linguagem não há como haver compreensão. Então, tem-se, em Gadamer, uma filosofia "contra o método" que melhor explora a questão da hermenêutica heideggeriana na chamada "Hermenêutica Filosófica". Segundo explica Ernildo Stein:

> denominar a hermenêutica de filosófica dava a Gadamer dois tipos de liberdade. Em primeiro lugar, o autor poderia introduzir uma maneira de compreender diferente daquela das ciências do espírito. Mas, de outro, Gadamer, por assim dizer, se libertava do uso estrito de hermenêutica, como aparecia em Heidegger, o que lhe permitia modificar também o seu conceito de compreensão[535].

Para Gadamer, "o sujeito que compreende não o faz elegendo arbitrariamente um ponto de vista, pois seu lugar lhe é dado com anterioridade"[536]. Para ele, "todo saber-se procede de um dado histórico prévio", e isso ocorre, explicou Gadamer, porque o saber "suporta toda opinião e comportamento do sujeito e, com isso, prefigura e delimita toda possibilidade de compreender uma tradição em sua alteridade histórica"[537]. Gadamer seguiu o entendimento de Heidegger nesse aspecto, considerando que a compreensão – como antecipação de sentido – sempre acontece

---

533 *Ibid.*, p. 29.

534 *Ibid.*, p. 30.

535 STEIN, Ernildo. Gadamer e a Consumação da Hermenêutica. *Hermenêutica e Epistemologia: 50 anos de Verdade e Método, cit.*, p. 12.

536 STRECK, Lenio Luiz. Hermenêutica e Decisão Jurídica: questões epistemológicas, *cit.*, p. 162.

537 GADAMER, Hans-Georg. *Verdade e Método I. Traços fundamentais de uma hermenêutica filosófica, cit.*, p. 399.

antes[538], assim, "os métodos de interpretação sempre chegam tarde", como mais uma vez recorda Lenio Streck[539]. Nas palavras de Gadamer:

> Faz muito tempo que nem tudo aquilo que acompanhamos com a consciência de nossa liberdade é realmente consequência de uma decisão livre. Fatores inconscientes, compulsões e interesses não dirigem apenas nosso comportamento, mas também determinam nossa consciência[540].
>
> Porém, diz Gadamer, "toda interpretação correta tem que proteger-se da arbitrariedade de intuições repentinas e da estreiteza dos hábitos de pensar imperceptíveis, e voltar seu olhar para 'as coisas elas mesmas'"[541], o que, segundo ele, não seria "uma decisão 'heroica', tomada de uma vez por todas, mas verdadeiramente 'a tarefa primeira, constante e última'"[542]. Gadamer afirmou, então, que interpretar é explicitar o compreendido[543]. Com a interpretação, então, não se quer "buscar uma verdade" previamente dada.

Diversamente do que Schleiermacher e Dilthey pensavam, isto é, de que seria possível, pela circularidade, encontrar (ou reencontrar) o sentido dado pelo autor, como explica Casanova[544], Gadamer considerou que, na interpretação, a compreensão, recheada de preconceitos e pressupostos, "atualiza" o que ela abre de sentidos possíveis. Porém, atualiza esses sentidos sem que a pessoa fique presa aos seus preconceitos e pressupostos iniciais, pois esse "projeto prévio" deve "ir sendo constantemente revisado (...) conforme se avança na penetração do sentido"[545].

Dessa forma, e na mesma linha de Heidegger, Gadamer esclareceu que "quem busca compreender está exposto a erros de opiniões prévias que não se confirmam nas próprias coisas"[546], assim, é a revisão constante do projeto prévio de sentido, decorrente de "projetos rivais" que "possam se colocar lado a lado" na antecipação de "um novo projeto de sentido", que faz com que a interpretação que começou "com conceitos prévios" possa permitir que eles sejam substituídos por outros mais

---

538 *Ibid.*, p. 354 e s.

539 STRECK, Lenio Luiz. Hermenêutica e Decisão Jurídica: questões epistemológicas, *cit.*, p. 162.

540 GADAMER, Hans-Georg. *Hermenêutica da Obra de Arte*, *cit.*, p. 50.

541 GADAMER, Hans-Georg. *Verdade e Método I. Traços fundamentais de uma hermenêutica filosófica*, *cit.*, p. 355.

542 *Ibid.*, p. 355.

543 *Ibid.*, p. 406.

544 CASANOVA, Marco Antonio. Apresentação à Edição Brasileira. GADAMER, Hans-Georg. *Hermenêutica da Obra de Arte*, *cit.*, p. X.

545 GADAMER, Hans-Georg. *Verdade e Método I. Traços fundamentais de uma hermenêutica filosófica*, *cit.*, p. 356.

546 *Ibid.*, p. 356.

280 ■ Processo Penal | Fundamentos dos fundamentos

adequados, "até que se estabeleça univocamente a unidade de sentido"[547]. E complementou dizendo que "a compreensão só alcança sua verdadeira possibilidade quando as opiniões prévias com as quais inicia não forem arbitrárias"[548].

Assim, prosseguiu Gadamer, "quando se ouve alguém ou quando se empreende uma leitura, não é necessário que se esqueçam todas as opiniões prévias sobre seu conteúdo e todas as opiniões próprias. O que se exige é simplesmente a abertura para a opinião do outro ou para a opinião do texto"[549]. Portanto, não é possível ignorar o outro ou o texto; ao contrário, como explicou Gadamer, a "tarefa hermenêutica" é pautada pela coisa em questão e está "sempre codeterminada por esta"[550]. Assim, quem quer compreender um texto ou uma fala "deve estar disposto a deixar" que esse texto ou o outro "lhe diga alguma coisa", não se entregando "de antemão ao arbítrio de suas próprias opiniões prévias"[551]. E isso "não pressupõe uma ausência de neutralidade em relação à coisa", "tampouco um anulamento de si mesmo", mas uma compreensão dos "próprios pressupostos", permitindo que o "texto possa apresentar-se em sua alteridade" e se possa, então, "confrontar" a verdade dele com as suas "opiniões prévias pessoais"[552]. E tudo isso ocorre simultaneamente, pois a interpretação não é um ato posterior à compreensão, e a aplicação também não é um terceiro momento, como afirmava a velha tradição hermenêutica. "Compreender é sempre interpretar, e, por conseguinte, a interpretação é a forma explícita da compreensão", que se estrutura na linguagem e se completa na aplicação ao caso concreto[553]. Compreender a lei, por exemplo, é "compreendê-la a cada instante, ou seja, compreendê-la em cada situação concreta de uma maneira nova e distinta. Aqui, compreender é sempre também aplicar"[554]. Gadamer exemplificou a questão no contexto da intepretação jurídica, dizendo que "o conhecimento do sentido de um texto jurídico e sua aplicação a um caso jurídico concreto não são dois atos separados, mas um processo unitário"[555]. E explicou:

> Assim, fica claro o sentido da aplicação que já está de antemão em toda forma de compreensão. A aplicação não é o emprego posterior de algo universal,

---

547 *Ibid.*, p. 356.
548 *Ibid.*, p. 356.
549 *Ibid.*, p. 358.
550 *Ibid.*, p. 358.
551 *Ibid.*, p. 358.
552 *Ibid.*, p. 358.
553 *Ibid.*, p. 406.
554 *Ibid.*, p. 408.
555 *Ibid.*, p. 409.

compreendido primeiro em si mesmo, e depois aplicado a um caso concreto. É, antes, a verdadeira compreensão do próprio universal que todo texto representa para nós. A compreensão é uma forma de efeito, e se sabe a si mesma como tal efeito[556].

Lenio Streck esclarece que "explicitar o compreendido quer dizer que a compreensão ocorre em um nível estruturante (razão hermenêutica) em que o sentido se dá de forma antecipada, face aos nossos inelutáveis pré-juízos (autênticos ou inautênticos) que temos acerca dos entes intramundanos"[557]. E prossegue: "a explicação desse compreendido é a forma de entificação minimamente necessária para que, no plano da intersubjetividade – portanto, superando o cognitivo esquema sujeito-objeto – consigamos nos comunicar"[558].

E, nesse contexto, entra em jogo a questão da linguagem, com ponderação de Gadamer de que:

> A própria expressão "uso de linguagem" sugere que existem coisas que ultrapassam a essência de nossa experiência de mundo que se dá na linguagem. Isso dá a impressão de que dispomos de palavras guardadas no bolso da calça, das quais lançamos mão quando precisamos, como se o uso de linguagem estivesse submetido ao arbítrio de quem utiliza a linguagem. A linguagem não depende de quem a usa. Na verdade, uso de linguagem significa também que a língua resiste a ser usada de maneira equivocada. É a própria língua que prescreve o que significa o uso de linguagem. Não se trata de uma mitologização da linguagem, mas de uma exigência da linguagem, que jamais poderá ser reduzida a uma opinião subjetiva individual[559].

Repita-se: "a linguagem não depende de quem a usa", ou seja, não se pode fazer um uso tal da linguagem que seja considerado "arbitrário" e que sirva apenas ao interesse do intérprete, sem levar em conta que a "língua resiste a ser usada de maneira equivocada". Do contrário, retornar-se-ia ao mesmo solipsismo discricionário e ao relativismo pleno no qual tudo seria passível de ser dito.

Das diversas análises anteriormente conduzidas (notadamente com Wittgenstein, Austin/Searle, Jakobson, Habermas, Heidegger e Gadamer), toma-se como certa a

---

556 *Ibid.*, p. 446-447.
557 STRECK, Lenio Luiz. Hermenêutica e Decisão Jurídica: questões epistemológicas, *cit.*, p. 166.
558 *Ibid.*, p. 166.
559 GADAMER, Hans-Georg. *Verdade e Método II. Complementos e Índice*. 6. ed. Tradução de Enio Paulo Giachini. Petrópolis: Vozes, 2011, p. 231.

compreensão de que a relação de construção de "verdades" sobre os fatos pressupõe interlocução dada na relação sujeito-sujeito. Os requisitos para a aceitação das "verdades" por eles desenvolvidas, no entanto, acabam desconsiderando, em certa e relevante medida, aspectos psicológicos, psicanalíticos e até mesmo as recentes descobertas da neurociência, inerentes ao ser-no-mundo, como se passa a expor.

2.16 O encontro dos dois caminhos: a verdade na interseção entre a Filosofia da Linguagem e a psicanálise

Do que se expôs a respeito da viragem linguística relacionada à questão da verdade, entendida, como afirma Lenio Streck, "a partir do giro linguístico, no seu primeiro momento, e no giro pragmático, no seu segundo momento"[560], é possível resumir, com Carlos Nieto Blanco[561], quais são as premissas nas quais ela merece ser considerada:

a) **o conhecimento ocorre na linguagem**. Qualquer discurso científico possui em comum com os demais a sua natureza linguística;

b) **é na linguagem que há a surgência do mundo**. É na linguagem que o mundo se desvela. Pela linguagem o mundo nos aparece e se dá enquanto mundo. Está-se, pois, longe das posições nominalistas, nas quais pensar em linguagem era só questão de palavras. Não é que o mundo esteja atrás na linguagem, mas, sim, que está na linguagem. Há um compromisso ontológico preso em toda a linguagem, pela semantização do mesmo. Este mundo que encontramos na linguagem nos afasta dos perigos de uma filosofia da consciência, impossível no interior de nossa "mundanização linguística";

c) **é na linguagem que o sujeito surge-aparece-ocorre**. Como sujeito que fala, como sujeito da enunciação e como sujeito que entende a linguagem dos outros;

d) **é na linguagem que ocorre a ação**. Não só a linguagem tem vocação representativa, declarativa ou constatativa; também existe a vocação realizativa da linguagem, que conecta a linguagem com a prática, assim como as práticas e os interesses com a linguagem;

e) **é na linguagem que se dá o sentido**. O sentido do que há, em primeiro lugar, porque a linguagem tem necessariamente um componente signi-

---

560 STRECK, Lenio Luiz. *Hermenêutica Jurídica e(m) Crise. Uma exploração hermenêutica da construção do Direito*, cit., p. 177.

561 BLANCO, Carlos Nieto. *La Conciencia Linguística de la Filosofia*. Madrid: Editorial Trotta, 1997, p. 271.

ficativo para uma comunidade de usuários e sem ela não funciona; em segundo lugar, porque a linguagem pode criar novos mundos na medida em que abre novos caminhos ao sentido. Nomear, adjetivar é, em certo sentido, criar[562].

Sucede que, em paralelo à importância dessa viragem filosófico-linguística, ao longo do século XX também ganhou igual relevância o que se desenvolveu no estudo da questão do inconsciente na psicanálise freudiana.

Ernildo Stein destaca as coincidências que se operaram naquele momento da história e que, paradoxalmente, permitiram a construção de caminhos diversos para a filosofia de Husserl e para a psicanálise de Freud, pois, no mesmo ano de 1900, Freud produzia *A Interpretação dos Sonhos*, enquanto Husserl concluía *Investigações Filosóficas*[563]. Esclarece Stein que "Husserl lutava para estabelecer a hegemonia e o império da consciência, enquanto Freud se empenhava para destronar e desfazer as ilusões da consciência e encontrar o caminho para o inconsciente"[564]. O mais interessante, seguindo as observações de Stein, é que "ambos lutavam contra os reducionismos de uma psicologia incipiente", ainda que um o fizesse "para pôr em seu lugar uma lógica do sentido dos atos conscientes, e o outro, para pôr em seu lugar o sentido de uma lógica (latente) dos fenômenos não conscientes"[565]. Porém, prossegue Stein, ambos "viveram os impasses de um paradigma: o paradigma da teoria da consciência que se conduz pelo modelo da relação sujeito-objeto, pelo dualismo cartesiano da relação mente-mundo"[566], e não responderam às questões fundamentais de uma e de outra teoria:

> Nem Husserl aceitou responder à questão: "Qual é o modo de ser do que constitui?"; nem Freud aceitou responder à questão: "Qual é o modo de ser de quem sonha?". Ambos poderiam ter respondido com a questão-chave de "Ser e Tempo": "O homem é ser-no-mundo".
>
> Foi com esta afirmação que Heidegger produziu o "encurtamento hermenêutico". *Ser e Tempo* foi o topos, onde se manifestou ao mesmo tempo a visão da metafísica, com seu paradigma fundado na teoria da consciência e no mo-

---

562 STRECK, Lenio Luiz. *Hermenêutica Jurídica e(m) Crise. Uma exploração hermenêutica da construção do Direito*, cit., p. 177-178.

563 STEIN, Ernildo. *Seis Estudos Sobre "Ser e Tempo". Comemoração dos Sessenta Anos de Ser e Tempo de Heidegger.* Petrópolis: Vozes, 1988, p. 125.

564 *Ibid.*, p. 126.

565 *Ibid.*, p. 126.

566 *Ibid.*, p. 126.

delo da objetivação, a ser destruída (destruição fenomenológica) pelas e nas secções da Segunda Parte, e onde foi explicitada a impossibilidade de reduzir o homem à "naturalidade" de um impossível mundo natural. A hermenêutica do estar-aí, investida na analítica, seria o caminho para a superação do racionalismo e do seu análogo, o naturalismo[567].

E, mesmo que Heidegger não tenha trabalhado com as teorias de Freud na elaboração de *Ser e Tempo*, e sua obra não tenha decorrido da psicanálise de Freud, Stein observa que a "estrutura interna de *Ser e Tempo* e aspectos centrais do método parecem ter parentesco formal estreito com a concepção da psicanálise", destacando os seguintes: "a) a ideia do velamento e desvelamento; b) a assistência antecipadora (p. 122 SeT); c) a presentificação através da ausência; d) o sentimento de situação; e) a fuga diante da angústia", o que "parece sugerir um parentesco espiritual"[568].

Mas, talvez, o ponto de interseção mais marcante se dê pela linguagem e com a intervenção posterior de Lacan. De fato, quando o inconsciente freudiano passou a ser lido a partir da interdisciplinaridade, ganhou uma nova dimensão ao se "inter-relacionar" com a Filosofia da Linguagem, permitindo se compreender, também, o inconsciente como estruturado "como" e "pela" linguagem, particularmente a partir da semiologia de Saussure. E o papel do inconsciente como linguagem nessa questão da verdade também guardou suma relevância, pois, se o acesso às coisas se dá por meio da linguagem e do inconsciente, como colocou Lacan, também é estruturado como linguagem. Assim, uma nova perspectiva se desenhou, como se passa a expor.

2.17 O encontro da psicanálise e da linguagem em Lacan

Lacan considerou que o ser humano é "servo da linguagem", a qual é, inclusive, preexistente ao seu nascimento, pois a linguagem é fundante da cultura na qual se nasce e vem inscrita na pessoa "nem que seja sob a forma de seu nome próprio"[569].

Assim, se é por meio da linguagem que o ser humano é estruturado em sua psique, a linguagem não pode mais ser desconsiderada. Ela é capaz de ser constitutiva das "verdades" pelas quais o ser humano compreende o mundo. Soma-se a isso o fato de que o ser humano também é constituído por meio de seu inconsciente e este é estruturado a partir da linguagem. Portanto, ao discutir a questão da verdade e de

---

567 *Ibid.*, p. 126-127.

568 *Ibid.*, p. 127.

569 LACAN, Jacques. A Instância da Letra no Inconsciente ou a Razão desde Freud. *Escritos*. Tradução de Vera Ribeiro. Rio de Janeiro: Zahar, 1998, p. 498.

como ela é compreendida pelo ser humano, deve-se levar em conta, depois de Freud e Lacan, esse quadro do inconsciente estruturado como linguagem.

E foi Lacan quem melhor compreendeu o papel da linguagem nessa estrutura do inconsciente. Em artigo intitulado "A Instância da Letra no Inconsciente ou a Razão desde Freud", Lacan se valeu do que assinalou Ferdinand de Saussure a respeito do significante e do significado, considerando-os como uma "distinção primordial" que "vai muito além do debate relativo à arbitrariedade do signo"[570].

Com apoio em Santo Agostinho (*De Magistro*), Lacan partiu da premissa de que "nenhuma significação se sustenta a não ser pela remissão a uma outra significação"[571]. Assim, explicou Lacan, não se pode prender na ilusão de compreender o significante como capaz de "atender à função de representar o significado"[572]. Nesses termos, como refere Peter Dews, "para Lacan não há pontos privilegiados em que a linguagem alcance diretamente o real"[573]. Para esclarecer sua análise, Lacan se valeu do exemplo das portas gêmeas de banheiros públicos, onde constam placas com dizeres alusivos ao homem e à mulher. As portas gêmeas, sozinhas, não dão todo o significado, e é preciso que as placas com os dizeres (homem ou mulher) complementem a significação de cada uma delas. Nesse exemplo, Lacan ainda considerou que "o olhar pestanejante de um míope talvez tivesse razão em questionar se é realmente ali que convém ver o significante, cujo significado, nesse caso, receberia da dupla e solene procissão da nave superior as derradeiras honras"[574]. E a verdade, nesse caso, pode ser vivenciada de forma diversa dependendo do ponto de vista da pessoa, como no exemplo de um trem que chega à estação e conta com duas crianças sentadas frente a frente na janela. Uma delas olhando pela janela, e vendo apenas uma das placas dos banheiros públicos, diria: "Olha! Chegamos a Mulheres!", no que seria repreendida pela outra, que tem visão de outro ângulo e que lhe diria: "Imbecil! Não está vendo que nós estamos em Homens?"[575]. E completou seu raciocínio esclarecendo que cada uma das crianças terá certeza de sua afirmação e do significado extraído das placas, não conseguindo ceder em favor da outra, *verbis*:

---

570 *Ibid.*, p. 500.

571 *Ibid.*, p. 501.

572 *Ibid.*, p. 501.

573 DEWS, Peter. A Verdade do Sujeito: linguagem, validade e transcendência em Lacan e Habermas. Tradução de André Carone. SAFLATLE, Vladimir (Org.). *Um Limite Tenso: Lacan entre a filosofia e a psicanálise*. São Paulo: Editora Unesp, 2003, p. 75-105, p. 77.

574 LACAN, Jacques. A Instância da Letra no Inconsciente ou a Razão desde Freud. *Escritos, cit.*, p. 503.

575 *Ibid.*, p. 503.

A partir desse momento, Homens e Mulheres serão para essas crianças duas pátrias para as quais a alma de cada uma puxará sua brasa divergente, e a respeito das quais lhes será tanto mais impossível fazer um pacto quanto, sendo elas em verdade a mesma, nenhum deles poderia ceder da primazia de uma sem atentar contra a glória da outra[576].

E é por meio da "cadeia de significantes", compreendida como "anéis cujo colar se fecha no anel de um outro colar feito de anéis", ou seja, como as "correlações do significante com o significante", que se terá as "condições estruturais" para fornecer "o padrão de qualquer busca de significação"[577].

No entanto, alertou Lacan, também é preciso levar em conta que "o significante, por sua natureza, sempre se antecipa ao sentido". E prosseguiu exemplificando: "é o que se vê no nível da frase, quando ela é interrompida antes do termo significativo: Eu nunca..., A verdade é que..., Talvez também..."[578]. Com isso, Lacan quis dizer que "é na cadeia de significantes que o sentido insiste, mas que nenhum dos elementos da cadeia consiste na significação de que ele é capaz nesse mesmo momento", o que exige sempre um "deslizamento incessante do significado sob o significante"[579].

E, dessa forma, a estrutura da cadeia de significantes permite que o sujeito se utilize da linguagem comum com outros sujeitos "para expressar algo completamente diferente do que ela diz". Assim, explicou Lacan, para além da função de "disfarçar o pensamento (quase sempre indefinível) do sujeito", a fala também tem a função de "indicar o lugar desse sujeito na busca da verdade". E, nesse contexto, seguindo os passos de Nietzsche e Jakobson, Lacan afirmou que o que se extrai é que a linguagem opera por metonímias, ou seja, vale-se da possibilidade de se utilizar um nome como referência de outro (ex.: "*Parquet*" em vez de Ministério Público) e pela possibilidade de a "parte ser tomada pelo todo"[580].

Não bastasse, a linguagem também opera por metáforas, isto é, substitui "uma palavra por outra"[581], usa um termo por outro, como analogia. E essa metáfora, explicou Lacan, "brota entre dois significantes dos quais um substitui o outro, assumindo seu lugar na cadeia significante, enquanto o significante oculto permanece presente em sua conexão (metonímica) com o resto da cadeia"[582]. Lacan ainda explicou que

---

576 *Ibid.*, p. 504.
577 *Ibid.*, p. 505.
578 *Ibid.*, p. 505.
579 *Ibid.*, p. 506.
580 *Ibid.*, p. 509.
581 *Ibid.*, p. 510.
582 *Ibid.*, p. 510.

a "metáfora se coloca no ponto exato em que o sentido se produz no não senso"[583], ou seja, naquilo que Freud denominou de inconsciente.

Assim, na compreensão da verdade, a linguagem vai operar através de uma cadeia de significantes, em que o significante 1 (S1) tem seu significado alterado pelo significante seguinte (S2). O S2 ressignifica o S1 e, assim, dependendo de qual segundo significante se coloque nessa cadeia de significantes, o significado produzido pode ser diverso daquele que seria produzido com outro segundo significante.

Jacinto Coutinho, ao tratar do tema no âmbito jurídico, é preciso:

> Não há Direito sem uma dogmática onde as palavras tenham um sentido aceito pela maioria, ainda que elas escorreguem e, de tanto em tanto, mereçam – e tenham – uma alteração de curso. Metáforas e metonímias (ou condensações e deslocamentos, como queria Freud), a partir da demonstração de Lacan, esvaziam de sentido (ou conteúdo) preestabelecido qualquer palavra que ganhe um giro marcado pela força pulsional e, portanto, determinada pelo inconsciente[584].

Ao se pensar novamente em termos de reconstituição de fatos pretéritos no processo penal, basta um depoimento ser sucedido por outro para que o primeiro tenha seu significado alterado ou compreendido com novas significações. A verdade que se produz nesse modelo, portanto, não é necessariamente uma verdade real ou material, e, mesmo que ela seja alcançada em algum processo, não se poderá disso ter certeza. Portanto, ainda que se considere a existência do "real" (afinal, num processo por crime de homicídio costuma não haver muita dúvida quanto à morte da vítima – a morte é "real"), o que importa é que, no contexto da compreensão humana e da influência do inconsciente constituído como linguagem e operando por metonímias e metáforas, o que se produz no processo penal não é, necessariamente, uma equivalência a esse real. O que se produz, normalmente, é outra coisa: um significado conclusivo, extraído de uma cadeia de significantes probatórios que tem a pretensão de se aproximar do real e que conduz à tomada de decisão pela condenação ou absolvição. Somam-se a isso tudo as recentes descobertas da neurociência a respeito de uma possível demonstração científica do determinismo e, assim, também do inconsciente.

---

583 *Ibid.*, p. 512.

584 COUTINHO, Jacinto Nelson de Miranda. Dogmática Crítica e Limites Linguísticos da Lei. *Diálogos Constitucionais: direito, neoliberalismo e desenvolvimento em países periféricos, cit.*, p. 225.

2.18 Descobertas recentes da neurociência e a demonstração (?) do inconsciente freudiano

No âmbito da neurociência, as pesquisas das últimas quatro décadas e meia vêm provocando a apresentação de novas "certezas" a respeito do determinismo e, assim, também da "demonstração" neurocientífica do inconsciente.

Os estudos começaram com a publicação, em 1964, das experiências desenvolvidas por Benjamin Libet, Alberts, Wright, Delattre, Levin e Feinstein, sob o título *Produção de limiares de sensação consciente por estimulação elétrica do córtex somatossensorial humano*[585], as quais já diziam que havia sido identificado "um substancial atraso, de até cerca de 0,5 segundo, antes de a atividade cerebral atingir níveis de 'adequação neuronal' que provocassem uma experiência somatossensorial consciente"[586].

Essas pesquisas prosseguiram com novos trabalhos, publicados principalmente por Benjamin Libet, nos anos de 1967[587], 1972[588], 1973[589] e 1978[590], e alcançaram um grau considerado importante, na época, com a pesquisa realizada por Benjamin Libet, Wright, Feinstein e Pearl, cujo resultado foi publicado em 1979 com o título *Referência subjetiva do tempo para uma experiência sensorial consciente: um papel funcional para o sistema somatossensorial de projeção específica no homem*[591].

Outro resultado importante foi apresentado por Benjamin Libet, Gleason, Wright e Pearl, em 1983, intitulado *Tempo de intenção consciente de agir em relação ao início da atividade cerebral (prontidão-potencial): a iniciação inconsciente de um ato*

---

585 LIBET, B., ALBERTS, W. W., WRIGHT, E. W., JR., DELATTRE, L. D., LEVIN, G. and FEINSTEIN, B. Production of threshold levels of conscious sensation by electrical stimulation of human somatosensory cortex. *Journal of Neurophysiology*, n. 27, jul. 1964, p. 546-578. Tradução nossa.

586 Conforme relatam LIBET, Benjamin; WRIGHT, Elwood. W.; FEINSTEIN, Bertram e PEARL, Dennis K. Subjective Referral of the Timing for a Conscious Sensory Experience: a functional role for the somatosensory specific projection system in man. *Brain*, n. 102, 1979, p. 193-224. Disponível em: http://web.gc.cuny.edu/cogsci/private/Libet-et-al-sv-referral-Brain.pdf. Acesso em: 12 dez. 2013. Tradução nossa.

587 LIBET, B.; FEINSTEIN, B. Responses of human somatosensory cortex to stimuli below threshold for conscious sensation. *Science*, n. 158, 1967, p. 1597-1600.

588 LIBET, B. Cortical and thalamic activation in conscious sensory experience. Neurophysiology Studied in Man. In: *Excerpta Medica*. Amsterdam: Edited by G. G. Somjen, 1972, p. 157-168.

589 *Id*. Electrical stimulation of cortex in human subjects and conscious sensory aspects. *Handbook of Sensory Physiology*, v. 2, Heidelberg: Springer-Verlag, 1973, p. 743-790.

590 *Id*. Neuronal vs. subjective timing, for a conscious sensory experience. *Cerebral Correlates of Conscious Experience*. Amsterdam: Elsevier, 1978, p. 69-82.

591 LIBET, Benjamin; WRIGHT, Elwood. W.; FEINSTEIN, Bertram e PEARL, Dennis K. Subjective Referral of the Timing for a Conscious Sensory Experience: a functional role for the somatosensory specific projection system in man. *Brain*, n. 102, 1979, p. 193-224. Disponível em: http://web.gc.cuny.edu/cogsci/private/Libet-et-al-sv-referral-Brain.pdf. Acesso em: 12 dez. 2013.

livremente voluntário[592]. Para compreender o grau de complexidade desta última pesquisa realizada, e, de outra via, compreender que as circunstâncias de ambiente também poderiam provocar oscilações de resultado, vale aludir ao método por eles assim explicado em 1983:

> O sujeito sentou-se em uma posição parcialmente reclinada em uma espreguiçadeira com um observador presente na sala. Cada experimento foi iniciado apenas quando o sujeito se considerava confortavelmente pronto. O experimento começava com um breve tom de alerta. Esse sinal determinava que durante os próximos 1 a 3 segundos o sujeito deveria relaxar os "músculos, especialmente os da cabeça, pescoço e antebraço, piscar as pálpebras", se quisesse, e fixar o olhar no centro de uma tela circular de 5 polegadas de um Osciloscópio de Raio Catódico (CRO), que estava posicionado a cerca de 1,95 metro em sua linha direta de visão. Ao final desses períodos irregulares de "alerta", o operador ativava o computador PDP-12 para iniciar o giro circular do feixe do CRO. A mancha de luz do CRO rodava em círculo no sentido horário próximo da circunferência da tela a partir da posição de "12 horas". Este movimento simulava uma segunda varredura de um relógio, sendo que cada volta era completada em 2,56 segundos, em vez de 60 segundos. Uma escala circular, com os números em posição a cada "5 segundos", foi montada na borda externa da tela CRO, e uma grade de plástico na parte periférica da tela exibia linhas radiais iluminadas e espaçadas em intervalos de "2,5 segundos" (cada um equivalente a 107 ms de tempo real). Os indivíduos foram orientados a manter o olhar fixo no centro da tela CRO e não seguir o ponteiro do CRO girando, mesmo que tivessem que relatar as informações relativas à "posição do ponteiro do relógio" em determinados momentos. O ângulo visual subtendido entre o centro e a posição periférica da "hora do relógio" do ponteiro do CRO em cada evento, ou seja, o EMG com ato motor ou estimulador de sincronia com pulsão de estímulos para a pele, foi gravado pelo computador PDP-12. Os participantes foram treinados para fazer o seu movimento voluntariamente de forma suficientemente rápida para que, no prazo máximo de 10 a 20 ms a partir do início de quaisquer potenciais EMG, eles alcançassem a amplitude pré-definida para acionar o computador.

---

592 LIBET, Benjamin; GLEASON, Curtis A.; WRIGHT, Elwood. W.; e PEARL, Dennis K. Time of conscious intention to act in relation to onset of cerebral activity (readiness-potential). The unconscious initiation of a freely voluntary act. *Brain*, n. 106, set. 1983, p. 623-642. Disponível em: http://web.gc.cuny.edu/cogsci/private/libet-et-al-1983.pdf. Acesso em: 11 dez. 2013. Tradução nossa.

Foi pedido ao sujeito para não piscar, desde o momento em que a mancha do ponteiro do CRO começasse a rodar, até o momento após o evento. Para minimizar a possibilidade de que a necessidade de piscar pudesse se tornar um fator de controle "externo" que o obrigasse ou o impelisse a agir, o sujeito foi informado de que poderia piscar durante o experimento em caso de necessidade, mas, se ele piscasse (ou fizesse algum outro movimento estranho), deveria simplesmente esperar que o ponteiro do CRO fizesse pelo menos mais uma volta completa antes de realizar o rápido movimento voluntário, como no início do experimento.

Foram estudados dois tipos diferentes de série.

(1) Atos voluntários. O sujeito foi convidado a esperar por uma volta completa do ponteiro do CRO para então, em qualquer momento posterior, quando ele sentisse vontade de fazê-lo, realizar a rápida e abrupta flexão dos dedos e/ou do pulso de sua mão direita (ver Libet *et al.*,1982). Uma instrução adicional para incentivar a "espontaneidade" do ato foi dada rotineiramente aos indivíduos do Grupo 2, e só na segunda metade a dois terços das sessões com o Grupo 1. Para isso, o sujeito foi instruído a deixar o desejo de agir aparecer por conta própria, a qualquer momento, sem qualquer planejamento prévio ou concentração de quando "agir", ou seja, para tentar ser "espontâneo" na decisão de quando realizar cada ato. Essa instrução foi concebida para provocar atos voluntários que fossem caprichosamente livres na origem.

(2) Estímulos de pele "em momentos desconhecidos". Para esta série o sujeito esperava receber uma pulsão de estímulo próximo à parte traseira da mão direita. O momento da pulsão era decidido pelo operador em horários irregulares e desconhecidos pelo sujeito, mas somente depois de o ponteiro do CRO completar sua primeira volta. As pulsões foram efetivamente disparadas aleatoriamente durante a segunda ou terceira volta do ponteiro (isto é, entre cerca de 2,6 e 7,6 segundos após o ponteiro começar a girar). Essa faixa foi sobreposta com os tempos dos movimentos voluntários. Essas condições deixaram quase paralelas as atenções e as outras necessidades associadas com a performance e recordavam o tempo do relógio CRO para atos voluntários e "espontâneos" (ver também Libet *et al.*, 1982).

Relatos dos sujeitos do momento de um evento. A posição do ponteiro giratório do relógio do CRO, no momento da consciência de um evento pelo sujeito, foi observada pelo sujeito para mais tarde ser recordada. Dentro de poucos segundos após o evento, o sujeito era convidado a dar seu relato a respeito daquele momento, lembrando-se de uma imagem espacial qualquer da hora do relógio em conjunto com o outro evento. Foi enfatizado que somente uma recordação pós-evento da experiência era necessária, e que o sujeito não deveria se preocupar com a tarefa antes de cada evento. Os sujeitos rapidamente tornaram-se acostumados a essa tarefa durante os treinamentos realizados e não a consideraram desgastante ou estressante. Essa tarefa também não detectou qualquer efeito ou RPs (Libet *et al*, 1982.)[593].

Após analisar os resultados, os pesquisadores de 1983 concluíram que as pesquisas iniciadas na década de 1960 haviam atingido seu ápice com a demonstração empírica de que há atividade cerebral antecedente à tomada de consciência, ou seja, há uma iniciação inconsciente de um ato livremente voluntário. Fizeram-no nos seguintes termos:

> Considerando que o aparecimento regular de RP teve início em, pelo menos, várias centenas de milissegundos antes do relato do aparecimento de um tempo de consciência de qualquer intenção subjetiva ou desejo de atuar, parece que alguma atividade neuronal associada à eventual realização do ato começou bem antes de qualquer iniciação consciente ou intervenção que seria possível. Dito de outra forma, o cérebro evidentemente "decide" iniciar ou, pelo menos, preparar-se para iniciar o ato um tempo antes que haja qualquer consciência subjetiva relatável a respeito de que tal decisão tenha ocorrido. Conclui-se que a iniciação cerebral mesmo de um ato voluntário espontâneo, do tipo aqui estudado, pode iniciar-se, e geralmente o faz, de forma inconsciente. O termo "inconsciente" refere-se aqui simplesmente a todos os processos que não são expressos como uma experiência consciente. Isso inclui e não faz distinção entre pré-consciente, subconsciente ou outros possíveis processos inconscientes não relatados[594].

No entanto, essas conclusões preliminares publicadas por esses pesquisadores acabaram não sendo levadas muito a sério por vários de seus colegas[595], destacando,

---

593 LIBET, Benjamin; GLEASON, Curtis A.; WRIGHT, Elwood. W.; e PEARL, Dennis K. Time of conscious intention to act in relation to onset of cerebral activity (readiness-potential). The unconscious initiation of a freely voluntary act, *cit.*, p. 625 e 626. Tradução nossa.

594 *Ibid.*, p. 640. Tradução nossa.

595 Como deixam claro DANQUAH, Adam N.; FARREL, Martin J.; O'BOYLE, Donald J. *Biases in the subjective timing of perceptual events: Libet et al. (1983) revisited.* Elsevier. 07 de novembro de 2007. Disponível em: http://cogpsy.info/wp-content/uploads/2013/05/Danquah-et-al_2008_Biases-in-the-subjective-timing-of-perceptual-events.pdf. Acesso em: 11 dez. 2013. Para uma crítica da década de 1990, *vide*: GOMES, Gilberto. The Timing of Conscious Experience: A Critical Review and Reinterpretation of Libet's Research, *Consciousness and Cognition*, n. 7, 1998, p. 559-595. Disponível em: http://www.allpsych.uni-giessen.de/thomas/teaching/literatur_bw/gomes-1998.pdf. Acesso em: 11 dez. 2013.

292 ■ Processo Penal | Fundamentos dos fundamentos

por todos, as conclusões críticas de Patrick Haggard e Martin Eimer, que puseram em xeque o método de Benjamin Libet e sua equipe:

> Nós investigamos a relação entre os acontecimentos neurais e o tempo percebido de ações voluntárias ou o tempo percebido para iniciar estas ações, utilizando o método de Libet. Não foram encontradas diferenças em ambos os movimentos potenciais relacionados ou percebido tempo de eventos motores entre uma condição fixa de movimento, na qual os sujeitos fizeram movimentos voluntários de um único dedo em cada bloco, e, numa condição de livres movimentos, em que os sujeitos escolheram responder com o dedo indicador esquerdo ou direito em cada tentativa[596].

Dentre os vários questionamentos feitos, o maior problema parece se relacionar às dificuldades técnicas da época, pois Libet e seus colegas usavam uma máquina de eletroencefalograma (EEG) para anotar os registros de percepção cerebral. Diferentemente da atual tecnologia, essa máquina não permite registros temporais precisos das reações inconscientes dos pacientes submetidos à pesquisa, assim, a fração de segundo diferenciada entre os estímulos e a tomada de consciência dos sujeitos submetidos à experiência, que levou à conclusão esposada na pesquisa, foi considerada insuficiente para dar credibilidade aos resultados. Enfim, essa primeira experiência ficou prejudicada principalmente pela dificuldade técnica então disponível, como destacam Stefan Bode, Anna Hanxi He, Chun Siong Soon, Robert Trampel, Robert Tuner e John-Dylan Haynes:

> Como seres humanos, nós experimentamos a capacidade de escolher conscientemente nossas ações, bem como o tempo em que nós as realizaremos. Tem-se postulado, porém, que essa experiência subjetiva da liberdade pode ser nada além de uma ilusão, e até mesmo nossos objetivos e motivações podem operar fora da nossa consciência. Os primeiros estudos descobriram a presença de uma chamada "prontidão-potencial"[597] (ou "*Bereitschafts potencial*", BP), uma lenta mudança negativa potencial na atividade EEG que precede

---

596 HAGGARD, Patrick; EIMER, Martin. On the relation between brain potentials and the awareness of voluntary movements. *Exp Brain Res*, n. 126, 1999, p. 128-133. Disponível em: http://brainb.psyc.bbk.ac.uk/PubMartin/..%5CPDF%5CLIBET.PDF. Acesso em: 13 dez. 2013. Tradução nossa.

597 A expressão "*readiness-potential*", em inglês, é de difícil tradução para a língua portuguesa. Poderia ser traduzida também como "potencial de disposição"; no entanto, considerando que "*ready*" significa "pronto", para maior fidelidade ao termo original, optou-se por traduzi-lo como "prontidão", ou seja, o estado de alguém que está disponível a qualquer momento. Em espanhol tem sido traduzida como "*potencial de preparación*", conforme LAGIER, Daniel González. La Tercera humillación? (sobre neurociência, filosofia y libre albedrío). In: TARUFFO, Michele; NIEVA FENOLL, Jordi (Coords.). *Neurociencia y proceso judicial*. Madrid: Marcial Pons, 2013, p. 27.

o movimento voluntário. Libet *et al.* demonstraram que a "prontidão-potencial" também precede a consciência de iniciar o movimento por várias centenas de milissegundos, e isso foi então atribuído a processos inconscientes que antecedem as ações voluntárias.

(...)

Os primeiros estudos realizados por Libet *et al.* foram criticados por várias razões. Foi questionado se os julgamentos de tempo eram confiáveis, uma vez que o tempo de janela entre a intenção relatada e o movimento foi muito curto (cerca de meio segundo) e como se sabe os aspectos de tempo podem causar distorções adicionais. Como o estudo original pesquisou somente a "prontidão-potencial" de regiões do cérebro relacionadas com o movimento, é ainda mais possível que o pré-SMA/SMA possa ter estado envolvido apenas nos estágios finais do planejamento motor, enquanto outras regiões cognitivas de controle superior pudessem ser candidatas mais prováveis para o planejamento da decisão a ser tomada. Além disso, é importante pesquisar se algum sinal de escolha-preditiva reflete uma inespecífica preparação global de uma decisão ou se eles estão relacionados com o resultado específico de uma decisão, tal como sugerido no trabalho posterior com base em lateralizadas prontidões-potenciais.

Nos últimos anos, a combinação multivariada de classificação de padrões com ressonância magnética funcional (fMRI) rendeu uma nova maneira de lidar com este problema. Estas novas abordagens foram previamente utilizadas para investigar a codificação do conteúdo das decisões e as regras das tarefas abstratas e, na verdade, já permitiram novos insights sobre o reino das decisões livres[598].

Ou seja, como destacado anteriormente, em que pese as pesquisas de Benjamin Libet e seus colegas tenham sido questionadas em diversos aspectos, ao menos forneceram o ponto de partida necessário para que novos experimentos fossem realizados, agora acompanhados de um incremento tecnológico que lhes deu maior precisão de resultado.

Assim, com o avanço da tecnologia em favor da ciência, particularmente em razão do uso de máquinas que passaram a colher "imagens funcionais de ressonância

---

598 BODE, Stefan; HE, Anna Hanxi; SOON, Chun Siong; TRAMPEL, Robert; TURNER, Robert; HAYNES, John-Dylan. Tracking the Unconscious Generation of Free Decisions Using Ultra-High Field – fMRI. *Plos One*, v. 6, n. 6, Londres: Sam Gilbert, University College London, 27 de junho de 2011. Artigo disponível na internet em http://www.plosone.org/article/info%3Adoi%2F10.1371%2Fjournal.pone.0021612. Acesso em: 11 dez. 2013. Tradução nossa.

magnética" ("*functional magnetic resonance imaging – fMRI*"), foram possíveis novas experiências apontando para um grau de "certeza" a respeito da ausência de livre-arbítrio e da demonstração do inconsciente, como a realizada pelos neurocientistas Chun Siong Soon, Marcel Brass, Hans-Jochen Heinze e John-Dylan Haynes, publicada em 2008:

> Aqui nós investigamos diretamente quais regiões do cérebro predeterminam as intenções conscientes e o momento em que elas começam a dar forma a uma decisão motora. Pessoas que deram consentimento informado por escrito realizaram uma tarefa de tomada livre de decisões motora enquanto o ritmo de sua atividade cerebral foi medido usando a ressonância magnética funcional (fMRI)[599].

A metodologia usada foi muito parecida com aquela desenvolvida por Libet *et al.*, como explicam os próprios autores:

> Os indivíduos foram convidados a relaxar enquanto concentravam-se no centro da tela, onde um fluxo de letras foi apresentado. Em algum momento, quando sentiam o desejo de fazê-lo, eles estavam livres para escolher entre um dos dois botões, operados pelos dedos indicadores direito e esquerdo, e deviam pressioná-lo imediatamente. Em paralelo, eles deviam lembrar a letra apresentada quando a decisão motora foi feita conscientemente. Depois de os indivíduos pressionarem seu botão de resposta livre escolha, uma tela de "resposta de mapeamento", com quatro opções, apareceu. Eles então indicavam quando tinham feito a sua decisão motora, selecionando a letra correspondente com um segundo toque de botão[600].

Ao final da coleta de dados, concluíram que seria possível identificar um lapso de tempo de até dez segundos na atividade cerebral do córtex pré-frontal e parietal antes de ela se tornar consciente:

> Houve uma longa controvérsia se subjetivamente as decisões "livres" estão determinados por atividade cerebral antes do tempo. Aqui nós mostramos que o resultado de uma decisão é codificado na atividade cerebral do córtex pré-frontal

---

599 SOON, Chun Siong; BRASS, Marcel; HEINZE, Hans-Jochen; e HAYNES, John-Dylan. Unconscious determinants of free decisions in the human brain. *Nature Neuroscience*, v. 11, n. 5, maio 2008, p. 543-545. Disponível em: http://pt.scribd.com/doc/105822040/Soon-Et-Al-2008-Unconscious-Determinants-of-Free-Decisions-in-the-Human-Brain. Acesso em: 11 dez. 2013. Tradução nossa.

600 *Ibid.* Tradução nossa.

e parietal em até dez segundos antes de se tornar consciente. Esse atraso presumivelmente reflete a operação de uma rede de áreas de monitoramento de alto nível que começam a preparar uma decisão que está por vir muito antes de ela entrar na consciência[601].

Sucede que três anos depois, ou seja, em 2011, essa pesquisa foi refeita e aprofundada em alguns aspectos por Stefan Bode, Anna Hanxi He, Chun Siong Soon, Robert Trampel, Robert Tuner e John-Dylan Haynes em trabalho intitulado *Acompanhando a geração inconsciente das decisões livres usando Ultra-High Field – fMRI*, publicado em 2011[602]. Não é demais destacar que, dos seis autores desta última pesquisa, dois deles (Chun Siong Soon e John-Dylan Haynes) também integravam a equipe da pesquisa de 2008 e, não obstante continuem confirmando a "conclusão" do trabalho publicado em 2008, valendo-se das novas e mais precisas máquinas de tomografia computadorizada que em 2011 já estavam disponíveis na Alemanha e nos Estados Unidos em tecnologia de 7 Tesla, puderam analisar os resultados de forma que não era possível fazer com a tecnologia anterior.

Para que se possa compreender o que essa nova tecnologia de 7 Tesla empregada nas máquinas de tomografia computadorizada representa no avanço das pesquisas de neurociência, quanto maior o número de Tesla, maior a qualidade e o detalhamento da imagem registrada pela máquina, portanto, maior a confiabilidade dos resultados obtidos. A tecnologia de 7 Tesla tem qualidade de imagem dez vezes superior àquela até então utilizada. Para ilustrar, o padrão das máquinas de tomografia computadorizada hoje utilizadas nos melhores hospitais do Brasil (a exemplo do Hospital Sírio-Libanês e do Hospital Albert Einstein, entre outros) e na maioria dos hospitais de referência ao redor do mundo é de 3 Tesla. A novidade dessa tecnologia também pode ser compreendida a partir do dado de que a primeira máquina de tomografia computadorizada com tecnologia de 7 Tesla utilizada na América Latina somente chegou ao Brasil em meados do ano de 2012, ao custo de 3 milhões de dólares, numa parceria da USP com a empresa alemã Siemens[603].

Assim, Stefan Bode, Anna Hanxi He, Chun Siong Soon, Robert Trampel, Robert Tuner e John-Dylan Haynes puderam refazer a pesquisa de 2008 e demonstrar que os "paradigmas de intepretação" dos dados considerados corretos naquele ano não

---

601 *Ibid*. Tradução nossa.

602 BODE, Stefan; HE, Anna Hanxi; SOON, Chun Siong; TRAMPEL, Robert; TURNER, Robert; HAYNES, John-Dylan. Tracking the Unconscious Generation of Free Decisions Using Ultra-High Field – fMRI, *cit*.

603 Tudo segundo notícia encontrada na página considerada referência em saúde e negócios na internet, denominada "Saúde Web". Disponível em: http://saudeweb.com.br/29466/siemens-traz-ressonancia-de-7-tesla-ao-brasil-em-parceria-com-usp/. Acesso em: 12 dez. 2013.

296 ■ Processo Penal | Fundamentos dos fundamentos

eram exatamente o que se pensava, no sentido de que as decisões primitivamente tomadas acabam ficando estáveis durante um período, aproximando-se da tomada de consciência. Dizem os pesquisadores:

> Essas melhorias nos permitiram investigar explicitamente a estabilidade temporal desses padrões relacionados com a decisão antecipada, o que não foi abordado no estudo original. Além disso, após a sessão de digitalização, avaliamos o comportamento dos nossos sujeitos e os seus pensamentos durante o experimento para investigar fatores que podem ter influenciado os resultados da decisão. Isso forneceu evidências para determinar se os padrões de atividade preditivos iniciais já refletem aspectos conscientes do processo de decisão, ou se estes estão relacionados a componentes verdadeiramente inconscientes de evolução intenções.
>
> (...)
>
> Comparando ao estudo original, as intenções dos indivíduos puderam ser lidas cerca de sete segundos antes de se tornarem conscientes. Dado o atraso na hemodinâmica, é provável que este reflita processos neurais que ocorreram anteriormente por alguns segundos. O local de codificação de informações foi encontrado como sendo o córtex frontopolar, também referido como o córtex pré-frontal rostral lateral ou o córtex pré-frontal anterior, e aproximando-se da parte mais anterior da área 10 de Brodmann. A mesma região foi identificada no estudo original, mas no hemisfério oposto. No presente estudo, otimizamos o posicionamento da fatia para minimizar os efeitos de distorção e sinalizar desistências, que são um problema comum, devido à proximidade com seios frontal, especialmente em maior intensidade do campo[604].

Com a nova tecnologia, os pesquisadores também fizeram descobertas novas em relação à pesquisa de 2008, as quais são bastante significativas para permitir se arriscarem, aqui, algumas críticas às conclusões esposadas pelos neurocientistas. Disseram os pesquisadores:

> Curiosamente, observou-se um aumento na similaridade entre os padrões com o aumento da proximidade temporal com a decisão consciente. Esse aumento na correlação foi retratado pelo aumento no conteúdo da informação

---

604 BODE, Stefan; HE, Anna Hanxi; SOON, Chun Siong; TRAMPEL, Robert; TURNER, Robert; HAYNES, John-Dylan, *cit*. Tradução nossa.

sobre o resultado da decisão. Assim, uma possível explicação para este achado é que, durante a fase inconsciente da formação da intenção, os padrões lentamente "evoluem" para a decisão consciente final, o que é comparável a um processo de difusão, postulado para decisões baseadas em estímulos rápidos. Essa hipótese indica que, uma vez que determinado limite é cruzado (certo padrão é estável o suficiente), uma decisão consciente é feita e padrões de ativação perdem o seu poder de previsão[605].

Esse dado novo descoberto em 2011 parece sintomático e significativo quanto ao que ainda possa vir a ser "descoberto" em novas pesquisas futuras. Do que se extrai da passagem supra, os pesquisadores de 2011 consideraram haver um "aumento no conteúdo da informação sobre o resultado da decisão", o que, para eles, pode ser explicado pelo fenômeno de que, durante "a fase inconsciente da formação da intenção", "os padrões lentamente evoluem para a decisão consciente final". Pela constatação transcrita da experiência neurocientífica, já não há uma separação absoluta entre um momento e outro, mas, sim, uma "evolução lenta" da tomada de decisão para a plena consciência. Uma atividade neuronal prévia à consciência se repete em graus de concentração cada vez mais uniformes até um patamar em que há produção da "consciência". Isso decorre de um "processo de difusão", e, do que se extrai das conclusões dos cientistas, é possível dizer que, mesmo havendo atividade neural prévia à "tomada de consciência", é somente a partir desta que o processo decisório se completa. Agora, uma coisa não ficou clara nessa conclusão: seria a consciência um produto resultante e inevitável de uma independente decisão prévia e inconsciente ou seria a consciência uma condição para que a decisão prévia se estabilize e se torne concreta, produzindo um resultado exterior? Ou, em outras palavras: o que é mais relevante no processo decisório, o inconsciente (psicanalítico ou neurocientífico) ou as pré-compreensões conscientes (que atuam como condição de possibilidade da decisão)? Ou as duas coisas? A resposta talvez conduza à aceitação de uma colaboração entre os dois processos mentais. Seja como for, ao final, concluíram os pesquisadores:

> Em resumo, nós pudemos refazer a descoberta de Soon *et al.,* no sentido de que as intenções motoras foram codificados no córtex frontopolar em até sete segundos antes de os participantes estarem cientes de suas decisões. Usando um campo de scanner ultra-alto fMRI, de 7 Tesla, pudemos mostrar que esses padrões se tornaram mais estáveis com a crescente proximidade temporal da

---

605 *Ibid.* Tradução nossa.

decisão consciente. Estas descobertas permitem a conclusão de que o córtex frontopolar é parte de uma rede das regiões cérebro que moldam as decisões conscientes muito antes de elas atingirem a consciência[606].

Como se vê, as conclusões das pesquisas, de certa forma, têm procurado demonstrar a diferença temporal entre a "tomada de decisão" inconsciente e sua respectiva consciência. Em 2008, em torno de 10 segundos; em 2011, em torno de 7 segundos, com a "descoberta" adicional de que há uma "evolução lenta" ou uma "estabilidade" entre um momento e outro. Seja como for, também é possível constatar que a relativa oscilação dos resultados e novas descobertas acabam acompanhando o desenvolvimento da tecnologia. Surge uma máquina nova, com melhor tecnologia, e os resultados podem ser "confirmados", "revistos", "ampliados" e, quiçá, até "desmentidos".

Não bastasse, ainda há que se ponderar que, em todas as pesquisas de neurociência anteriormente relatadas, os experimentos se deram em pequenos grupos de pessoas (em média, grupos de quatro ou cinco pessoas jovens previamente selecionadas, descartadas as que apresentaram tendências de apertar qualquer botão), acomodadas confortavelmente em espreguiçadeiras, relaxadas, em ambientes isolados e estimuladas a mexer o dedo apertando um botão. Ou seja: não foram consideradas inúmeras hipóteses decisórias espontâneas – não precedidas de uma provocação ou instrução de como agir –, ou mesmo inversamente complexas, tomadas, em maior ou menor grau, cotidianamente, pelos seres humanos. Nesse sentido, são relevantes as considerações críticas de Francisco José Soler Gil[607], considerando baixos os índices percentuais de acertos (40%) no experimento de Soon, Brass, Heinze e Haynes (suprarreferido), e também sopesando o fato de que a maioria de nossas ações cotidianas é de fato involuntária (o ato de respirar é um dos exemplos por ele citados), com destaque para a crítica de que "a consciência presta atenção, em geral, a problemas e situações novas – para as quais ainda não se arquivou no cérebro um padrão de conduta rotineira, ou para as quais se busca o padrão correspondente"[608]. O mesmo Soler Gil ainda elenca uma série de cuidados a serem tomados nas novas pesquisas para atingir um grau

---

606 *Ibid.* Tradução nossa.

607 SOLER GIL, Francisco José. Relevancia de los Experimentos de Benjamin Libet y de John-Dylan Haynes para el Debate en Torno a La Libertad Humana en los procesos de decisión. *Thémata. Revista de Filosofía*, n. 41, 2009, p. 540-547. Disponível em: http://institucional.us.es/revistas/themata/41/34soler.pdf. Acesso em: 17 dez. 2013.

608 *Ibid.*, p. 544. Tradução nossa.

mínimo de confiabilidade quanto ao pretendido resultado de demonstração de que o livre-arbítrio não existe, a saber:

> Em primeiro lugar, o experimento deveria realizar-se nas situações nas quais a pessoa se encontre diante de alternativas que não sejam indiferentes. É preciso que se exija uma deliberação para resolver entre elas. E, quanto mais sério seja o assunto em jogo, melhor (poderia tratar-se, por exemplo, de uma decisão-chave vital, como a decisão de quais estudos seguir).
>
> Em segundo lugar, deveria tratar-se de situações nas quais a pessoa não seja obrigada a tomar sua decisão imediatamente, mas que possa dilatar sua reflexão tanto tempo quanto considerar oportuno (pois, de outro modo, e diante da urgência e da impossibilidade de decidir o melhor, poderia pôr-se em marcha um processo inconsciente que concluiria em forma de "palpite").
>
> Em terceiro lugar, e se se pretende descartar a conjectura de Libet a respeito da liberdade como instância supervisora com direito de veto, seria necessário chegar a um nível muito alto de previsão das decisões tomadas.
>
> E, finalmente, se se quer descartar a possibilidade de que os próprios processos inconscientes nos quais se baseia a previsão tenham sido, de algum modo, "encarregados" pela consciência – da mesma forma que um governo estabelece as diretrizes gerais de sua política, porém em seguida delega a diferentes instâncias a elaboração dos detalhes concretos das leis e atos a serem realizados –, seria preciso mostrar que a atividade cerebral que teve lugar em tais processos vinha determinada pelos estados cerebrais no início dos processos conscientes deliberativos[609].

Diante desse quadro, ainda que os neurocientistas estejam hoje apontando de forma um tanto "alarmante" – e, arrisca-se dizer, até precipitada – para uma demonstração neurocientífica de "inexistência do livre-arbítrio" e apresentando uma "prova" igualmente neurocientífica do inconsciente, também é possível fazer-se um contraponto importante nessa "descoberta" e nessa "conclusão". Uma coisa é dizer categoricamente que o "livre-arbítrio" não existe; outra, bem diferente, é dizer terem sido identificados registros captados por máquinas de tomografia computadorizada, com tecnologia de 7 Tesla, de movimentações em partes do cérebro – hoje consideradas como não correspondentes à consciência – em torno de alguns poucos segundos (ou frações de segundos) antes de essa tomada de decisão chegar a ser percebida pela pessoa. Experimentos, repita-se, voltados a atividades

---

609 *Ibid.*, p. 546. Tradução nossa.

300 ■ Processo Penal | Fundamentos dos fundamentos

extremamente simples, como associações entre imagens e movimento manuais (um homicídio é, certamente, algo que transcende essa simplificação). É como também pondera Michele Taruffo:

> Por outro lado, parece claro que esta perspectiva se baseia num erro conceitual que consiste em fazer coincidir condutas que se consideram voluntárias com processos cerebrais, ou ainda na atribuição da voluntariedade aos processos cerebrais. O fato é que as intenções não são processos cerebrais, e do mesmo modo a intencionalidade não se "coloca" numa zona do cérebro e não se reduz a um estado cerebral.
>
> Como já se disse, a consciência não é algo que "acontece" no cérebro, como a digestão se produz no estômago, já que implica o contato com o mundo exterior, numa complexa interação do cérebro, corpo e mundo. Numa palavra: *"we are not our brains"*[610].

O que se quer pontuar diante das pesquisas neurocientíficas realizadas é que, ainda que se considere o seu resultado como vem sendo colocado, ou seja, como demonstração de inexistência do livre-arbítrio (o que talvez, nestes termos, ainda seja um tanto precipitado), os mesmos resultados são capazes de demonstrar a existência do inconsciente, e isso confirma o que Freud já havia constatado também empiricamente, mas sem as tecnologias do presente. E, por enquanto, é suficiente essa conclusão. Avançar para além dela e se permitir acreditar numa demonstração neurocientífica de absoluta ausência de livre-arbítrio já seria provocar uma série de outras reflexões a que talvez num futuro próximo se deva igualmente estar atento, mas que, ao menos por ora, seriam precipitadas.

De fato, para um rápido panorama das consequências de se vir a confirmar inquestionavelmente a absoluta ausência de livre-arbítrio no ser humano, para além das consequências penais materiais perigosas (novo lombrosianismo), há também consequências processuais penais a serem levadas em conta. Discutindo essa questão, inclusive à luz dos últimos resultados neurocientíficos, Jordi Nieva Fenoll pondera que, se hoje ainda se aceita a possível influência das vivências anteriores dos juízes como inevitáveis[611], acreditando que ele possa ser capaz de se alhear delas no momento de elaborar seu juízo de valor sobre o caso penal, ao se levar em conta as conclusões dos neurocientistas:

---

610 TARUFFO, Michele, *cit.*, p. 20. Tradução nossa.

611 Como já alertava MUÑOZ CONDE, Francisco. *La Búsqueda de la Verdad en el Proceso Penal*. 2. ed. Buenos Aires: Hammurabi, 2003, p. 27 e 28.

essas vivências terão modificado o cérebro do juiz, de maneira que ele mesmo não seja mais capaz de sobrepor-se a essas modificações, considerando que já fazem parte do seu ser. E se isso é assim, a única conclusão possível é que a imparcialidade não pode existir, cientificamente falando, nem mesmo servir de guia da atuação judicial, já que não se pode ter como objetivo aquilo que não pode existir ontologicamente[612].

E conclui: "se não existe imparcialidade, não deveriam existir juízes".

Não se crê que essa seja a melhor alternativa, ao menos não para o atual estágio civilizatório, pois esse raciocínio poderia – se levado ao inevitável extremo – servir para o direito como um todo. E tanto o Direito em geral quanto o Direito Penal material e o Direito Processual Penal, em particular, continuam sendo necessários instrumentos para regrar a vida em sociedade.

Talvez a solução para esse futuro panorama pudesse se dar no mecanismo de seleção dos juízes, os quais, após submetidos a criteriosos exames neurológicos, pudessem ser considerados conhecedores do ordenamento jurídico e não predeterminados a tendências metapunitivas. Poder-se-ia pensar em órgãos colegiados em primeiro grau e em reforçar o mecanismo de julgamento dos recursos, com maior debate e intersubjetividade, para minimizar as influências deterministas dos magistrados. Conjeturando nessa linha, os resultados dos exames neurológicos dos juízes deveriam ser públicos, haja vista que suas condicionantes biológicas deveriam ser de conhecimento das partes, permitindo-lhes saber com quais julgadores e modos de pensar estariam lidando.

A produção probatória também sofreria alterações profundas, pois as testemunhas deveriam ser previamente submetidas a exames neurológicos, para antever suas condicionantes, acessar suas memórias, descartar as falsas percepções, quiçá utilizando-se de um maquinário mais potente e "neurocientificamente" confiável na detecção de mentiras das testemunhas, em substituição ao tradicional polígrafo ou "detector de mentiras", como registra René Molina Garcia[613].

Assim, os reflexos penais e processuais penais dessa nova "certeza" neurocientífica implicarão repensar várias categorias do direito penal e procurar mecanismos que reforcem as garantias processuais penais. Isso se o discurso não for ampliado e resultar

---

612 NIEVA FENOLL, Jordi. Proceso Judicial y Neurociencia: una revisión conceptual del derecho procesal. In: TARUFFO, Michele; NIEVA FENOLL, Jordi (Coord.). *Neurociencia y proceso judicial*. Madrid: Marcial Pons, 2013, p. 172.

613 MOLINA GARCIA, René. Neurociencia, Neuroética, Derecho y Proceso. In: TARUFFO, Michele; NIEVA FENOLL, Jordi (Coord.). *Neurociencia y proceso judicial*. Madrid: Marcial Pons, 2013, p. 68 e s.

na desconsideração do direito como um todo, pois o livre-arbítrio acaba sendo a base de qualquer manifestação de vontade.

Enfim, o que decorre de concreto para o presente dos resultados neurocientíficos – e das afirmações da psicanálise lacaniana – é que o ser humano de fato constrói imagens inconscientes, que "são estruturadas como linguagem", e, como tais, de uma forma ou de outra, e agora neurocientificamente demonstrado, interferem no consciente.

E quando se pensa em termos de processo penal e "busca da verdade", esse inconsciente[614] que interfere na construção de verdades sobre os fatos implica em considerar ser outra – que não a busca da verdade real – a principal questão em jogo no processo penal. Resta apenas saber qual.

2.19 Que resta de "verdade" a ser discutida no processo penal? Partindo dos juízos de certeza e probabilidade, passando pela verdade analógica e pela compreensão, e chegando na "captura psíquica do juiz" e na decidibilidade

De tudo quanto se expôs nos capítulos precedentes, fica clara a ideia de que não é a "busca da verdade real" que deve orientar o processo penal, em que pese vários autores contemporâneos ainda sustentem nessa linha. Para além da dificuldade

---

614 Ainda que o "inconsciente" da Neurociência não seja o mesmo "inconsciente" de Freud e Lacan, como refere Leonard Mlodinow (MLODINOW, Leonard. *Subliminar: como o inconsciente influencia nossas vidas*. Tradução de Claudio Carina. Rio de Janeiro: Zahar, 2013, p. 22, 23 e 24: "O moderno conceito de inconsciente, baseado nesses estudos e medições, costuma ser chamado de 'novo inconsciente', para diferenciá-lo da ideia do inconsciente popularizado por um neurologista transformado em clínico chamado Sigmund Freud. (...) No tratamento de seus pacientes, chegou à conclusão correta de que boa parte do comportamento deles era regida por processos mentais que não percebiam. Na falta de instrumentos técnicos com que explorar essa ideia de modo científico, ele simplesmente conversava com os pacientes, tentava extrair o que acontecia nas profundezas de sua mente, observava-os e fazia as interferências que considerava válidas. Porém, como veremos, esses métodos não são confiáveis, e há muitos processos inconscientes que não podem jamais ser revelados diretamente por esse tipo de autorreflexão estimulada pela terapia, pois ocorrem em áreas do cérebro não abertas à consciência. Por isso, Freud estava um pouco fora dos trilhos. (...) Ainda que a ciência psicológica tenha agora reconhecido a importância do inconsciente, as forças internas do novo inconsciente têm pouco a ver com as motivações inatas descritas por Freud, como o desejo dos garotos de matar o pai para se casar com a mãe, ou a inveja das mulheres do órgão sexual masculino. Decerto devemos dar crédito a Freud por ter compreendido o imenso poder do inconsciente – foi uma grande descoberta –, mas precisamos também reconhecer que a ciência lançou sérias dúvidas quanto à existência de muitos dos fatores inconscientes específicos, emocionais e motivacionais, que Freud identificou como agentes formadores do inconsciente. (...) O inconsciente, divisado por Freud, nas palavras de um grupo de neurocientistas, era 'quente e úmido; fervilhava de ira e luxúria; era alucinatório, primitivo e irracional', enquanto o novo inconsciente é 'mais delicado e gentil que isso, e está mais ligado à realidade'. Nessa nova visão, os processos mentais são considerados inconscientes porque há parcelas da mente inacessíveis ao consciente por causa da arquitetura do cérebro, não por estarem sujeitas a formas motivacionais, como a repressão. A inacessibilidade do novo inconsciente não é vista como um mecanismo de defesa ou como algo não saudável. É considerada normal".

filosófica de se alcançar uma verdade absoluta, a orientação do processo nesse sentido toleraria abusos e premiaria o aproveitamento de provas ilícitas e desvios de finalidade não compatíveis com a democracia. Porém, já de partida também é bom reforçar, isso não significa dizer que as provas produzidas no processo não tenham a pretensão de aproximar a compreensão dos atores processuais, em particular do juiz, a respeito da ocorrência, ou não, do fato imputado ao acusado. Dizer que a verdade real é inalcançável filosoficamente não significa uma autorização para a relativização ou para o abandono da ideia de que existe um real. Ou seja, o processo penal segue sendo um meio de solução de casos penais, ainda que não seja a verdade absoluta aquela que o norteie.

Ademais, pode-se dizer que, depois da "troca" do juízo valorativo de verdade real, de orientação divina, por aquele de linha cartesiana, racional, e, finalmente, pelo discurso científico-positivista, outras tentativas de compreender a verdade, notadamente na linha empirista, desenvolveram-se em paralelo. Isso se deu tanto no direito italiano, desde, pelo menos, Giacomo Menochio, quanto, especialmente, no direito anglo-saxão e com base na filosofia de John Locke e David Hume.

Ou seja, o discurso da "verdade real" veio paulatinamente sendo substituído por juízos de valor que vão da mera "possibilidade", passando pela "verossimilhança" ou "probabilidade", até a "certeza".

Com efeito, já em 1575, Giacomo Menochio[615] publicava o tratado *De praesumptionibus, conjecturis, signis et indiciis*[616], no qual apresentava a fórmula "*probatio artificialis, veresimilis, credibilis in qua ex aliquis positis veresimiliter atque ita probabiliter non autem necessário sequitur quod indendimus*", isto é, "prova artificial, verossímil, crível, na qual, de algo estabelecido, se segue aquilo que afirmamos com verossimilhança e probabilidade, mas não necessariamente"[617]. E, no século XVII, John Locke apresentava seu contraponto ao discurso cartesiano, orientando um dualismo entre a "verdade real" e a "verdade verbal":

> Homens possivelmente inquisitivos e observadores podem, pelo vigor do julgamento, penetrar mais além, e, com base em probabilidades tiradas de cautelosa observação, e indícios bem reunidos, frequentemente conjeturar corretamente

---

615 A respeito da vida de Giacomo Menochio, *vide Treccani.it, L'enciclopedia italiana*. Disponível em: http://www.treccani.it/enciclopedia/giacomo-menochio_(Dizionario-Biografico)/. Acesso em: 31 jul. 2014.

616 MENOCHII, Jacobi. *De praesumptionibus, conjecturis, signis et indiciis. Tomus Primus*. Geneve: Gabrielis de Tournes & Filiorum, 1724. Disponível em: www.books.google.com. Acesso em 31 de julho de 2014; e MENOCHII, Jacobi. *De praesumptionibus, conjecturis, signis et indiciis. Tomus II*. Geneve: Cramer, Perachon & Cramer Filii, 1724. Disponível em: www.books.google.com. Acesso em: 31 jul. 2014.

617 Conforme GIL, Fernando. *Provas*. Estudos Gerais. Série Universitária. Lisboa: Imprensa Nacional, Casa da Moeda, 1985, p. 41.

o que a experiência ainda não revelou. Mas isto continua ainda a ser apenas conjetura; correspondente apenas à opinião, e não possui a certeza que é exigida pelo conhecimento[618].

Como se vê, Locke considerava que as conjeturas de "homens inquisitivos e observadores" podem até ser conjeturas corretas, mas não passam disso: conjeturas, "correspondentes apenas à opinião". Antecipou, portanto, uma importante crítica ao modo cartesiano, de pensar a "certeza/verdade absoluta" para apresentar, em seguida, diferentes graus de compreensão da verdade:

> Nosso conhecimento, como tem sido demonstrado, sendo muito limitado, nós não somos suficientemente felizes para encontrar certa verdade em tudo que temos ocasião para considerar; a maioria das proposições pelas quais pensamos, raciocinamos, discursamos, são tais que não podemos ter conhecimento indubitável de sua verdade; apesar disso, algumas delas estão tão próximas da certeza que não formamos em absoluto nenhuma dúvida sobre elas, mas assentimos a elas tão firmemente, e agimos, segundo este assentimento, tão resolutamente como se elas fossem infalivelmente demonstradas, e nosso conhecimento delas perfeito e evidente. Mas há graus nisto, desde a bem próxima vizinhança da certeza e demonstração, bem abaixo da improbabilidade e desigualdade, até os limites da impossibilidade, e também graus de assentimento desde a segurança total e confiança até o bem abaixo para a conjectura, dúvida e desconfiança[619].

Esse discurso acabou influenciando outros pensadores, a exemplo de Voltaire, que viveu um bom tempo na Inglaterra e lá passou a admirar Locke, sendo, portanto, também ele, forte crítico de Descartes, como se vê desta passagem das *Cartas Inglesas*:

> Nosso Descartes, nascido para descobrir os erros da Antiguidade, a fim de substituí-los pelos seus próprios, e arrastado pelo espírito sistemático que cega os maiores homens, imaginou ter demonstrado que a alma era a mesma coisa que o pensamento, como, segundo ele, a matéria é a mesma coisa que a extensão. (...)
>
> Tantos raciocinadores tendo escrito o romance da alma, veio enfim um sábio que modestamente escreveu sua história. Locke desenvolveu a razão

---

618 LOCKE, John. *Ensaio Acerca do Entendimento Humano, cit.*, p. 251.
619 *Ibid.*, p. 251.

humana para o homem, como um excelente anatomista explica as molas do corpo humano[620].

E, ao tratar das *Certezas em História*, Voltaire sintetizou a questão valendo-se do plano de análise de Locke, dizendo que "toda certeza que não encontre uma demonstração matemática é uma simples probabilidade. A certeza histórica é dessa espécie"[621].

Beccaria, outro baluarte do Iluminismo, seguiu a mesma trilha e assim se referiu ao tema no famoso *Dei delitti e delle pene*:

> Eu falo de probabilidade em matéria de delitos, os quais, para merecer pena, devem ser certos. Mas desaparecerá o paradoxo para quem considere que rigorosamente a certeza moral não é nada mais que uma probabilidade, mas uma tal probabilidade que é chamada de certeza, porque cada homem de bom senso dá seu assentimento necessariamente para um costume nascido da necessidade de agir, e anterior a cada especulação[622].

Sem perder de vista que o forte na doutrina predominante na Europa, ao longo do século XIX e primeira metade do século XX, ainda era sustentar a busca da verdade real no processo penal[623], o discurso da probabilidade também chegou ao século XX. Merece destaque a contribuição de Piero Calamandrei, ainda que ele tenha trabalhado mais no campo do processo civil e no âmbito de uma discussão de teoria geral do processo no debate que travou com Carnelutti[624]. Partindo de uma referência ao pensamento de Wach, que considera que "no processo todo juízo de verdade se reduz a um juízo de verossimilhança, que pode dar a certeza

---

620 VOLTAIRE. François Marie Arouet. *Cartas Inglesas. Décima Terceira Carta. Sobre o Sr. Locke*. Tradução de Marilena de Souza Chauí Berlinck. Coleção Os Pensadores. V. XXIII. São Paulo: Victor Civita Editor, 1973, p. 27.

621 *Id. Dicionário Filosófico. História. Seção III. Da certeza em história*. Tradução de Marilena de Souza Chauí Berlinck. Coleção Os Pensadores. V. XXIII. São Paulo: Victor Civita Editor, 1973, p. 213.

622 BECCARIA, Cesare Bonesana, Marchesi di. *Dei delitti e delle pene. A cura di Franco Venturi*. Torino, Italia: Giulio Einaudi Editore, 1973, p. 34. Tradução nossa.

623 *Vide*, por exemplo, o texto de CAPOGRASSI, Giuseppe. Giudizio Processo Scienza Verità. *Rivista di Diritto Processuale*. V. V, Parte I, Padova: Cedam, 1950, p. 01-22, p. 04: "Daí ter resultado como essência do processo a '*lex veritatis*': ao final o que se quer, nestas crises concretas da experiência jurídica, senão ver como estão as coisas, o que aconteceu, quem agiu e porque agiu, o que diz a lei, quem tem efetivamente razão, quem está efetivamente errado, quem é culpável e quem é inocente? Não se quer outra coisa que não seja procurar a verdade das coisas em concreto". Tradução nossa.

624 A sequência da polêmica pode ser cronologicamente assim posta: CALAMANDREI, Piero. Il Giudice e lo Storico. *Rivista di Diritto Processuale Civile*. V. 2, Padova: Cedam, 1939; CARNELUTTI, Francesco. La Certeza del Diritto. *Rivista di Diritto Processuale Civile*. Padova: Cedam, 1943; CALAMANDREI, Piero. Verità e Verossimiglianza nel Processo Civile. *Rivista di Diritto Processuale*. V. X, Parte I, Padova: Cedam, 1955, p. 164-192; CARNELUTTI, Francesco. Verità, Dubbio, Certezza. *Rivista di Diritto Processuale*, V. XX (II Serie), Padova: Cedam, 1965, p. 04-09.

jurídica, mas não aquela psicológica ou sociológica"[625], e citando expressamente Voltaire em duas passagens, em texto publicado em 1955, Calamandrei mesclou as ideias de verossimilhança e probabilidade, assim explicando o que considerava estar em jogo no processo:

> *"Aller Beweis ist richtig verstanden nur Wahrscheinlichkeitsbeweis"*: todas as provas, se bem vistas, não passam de provas de verossimilhança. Esta afirmação de relativismo processual, feita para o processo civil por um grande jurista, pode valer igualmente não apenas para o processo penal, mas também fora do campo mais propriamente processual, para cada juízo histórico sobre fatos que se dizem ter acontecido. Quando se diz que um fato é verdadeiro, para aquele que o julga, aquele grau máximo de verossimilhança que, em relação aos meios limitados de conhecimento de que o julgador dispõe, é o suficiente para dar-lhe a certeza subjetiva de que aquele fato aconteceu. Falo, é claro, não das verdades lógicas ou morais, mas das verdades dos fatos acontecidos, das verdades assim chamadas de históricas, para as quais Voltaire já advertia que *"les veritès historiques ne sont que des probabilitès"*[626].
>
> (...)
>
> Mas, mesmo quando, no sistema das provas "livres", parece que a liberdade de apreciação seja o instrumento mais bem adaptado ao alcance da, assim chamada, "verdade substancial", a valoração, porquanto livre, conduz invariavelmente a um juízo de probabilidade e de verossimilhança, não de verdade absoluta. Mesmo se todas as testemunhas estão de acordo em atestar um fato, o juiz, quando chega a concluir que o fato é verdadeiro, quer dizer em substância, talvez sem se dar conta, que como todos aqueles testemunhos estão de acordo em referir daquele jeito, é verossímil que o fato tenha mesmo acontecido assim: *"celui qui a entendu dire la chose à douze mille témoins oculaires n'a que douze mille probabilitès, égales à una forte probabilitè, laquelle n'est pas égale à la certitude"*[627].

Calamandrei até explicou as diferenças de grau de confiabilidade que se encontra entre "possível", "verossímil" e "provável"[628], mas tratou as três categorias ("possibilida-

---

625 CALAMANDREI, Piero. Verità e Verossimiglanza nel Processo Civile, *cit.*, p. 188.

626 *Ibid.*, p. 164-165. Tradução nossa.

627 *Ibid.*, p. 165. Tradução nossa.

628 *Ibid.*, p. 170: "Possível é aquilo que pode ser verdadeiro; verossímil é aquilo que tem a aparência de ser verdadeiro. Provável seria, etimologicamente, aquilo que se pode provar como verdadeiro. Mas, na linguagem

de", "verossimilhança" e "probabilidade") como se fossem sinônimas, considerando-as meras "nuances psicológicas que cada julgador compreende a seu modo", *verbis*:

> Mas estas diferenças não têm uma precisa reflexão no vocabulário dos juristas: no máximo, ao tomar-se como termo de referência o acertamento da verdade, pode-se dizer que estas três qualificações (possível, verossímil, provável) constituem, nesta ordem, uma gradual aproximação, uma progressiva acentuação em direção ao reconhecimento daquilo que é verdadeiro. Quem diz que um fato é verossímil, está mais próximo de reconhecê-lo verdadeiro de quem diz que é possível; e quem diz que é provável, é ainda mais além de quem diz que é verossímil, porque vai além da aparência, e começa a admitir que existam argumentos para acreditar que a aparência corresponda à realidade. Mas trata-se de nuances psicológicas, que cada julgador compreende a seu modo[629].

Esses discursos da probabilidade e da verossimilhança ainda serviram de base para Francesco Carnelutti em *Lições sobre o Processo Penal*, de 1946. Nesse texto, ele apresentou o resultado de suas compreensões nesse tema, avançando para identificar que, quando o grau de probabilidade é muito alto, ele equivale a juízos de "certeza":

> (...) o juízo, o qual, deduzindo do presente o passado ou induzindo dele o futuro, tira outra existência da possibilidade, cuja existência toma captada imediatamente em virtude dos sentidos, a probabilidade é existência captada, mediatamente, em virtude do juízo. Quando a probabilidade alcança um grau tão alto que chega a praticamente equivaler à certeza, costumamos chamá-la com este mesmo nome; apenas ultimamente, através de um longo e difícil caminho, compreendemos que a equivalência prática não deve induzir a verdadeira certeza com o que se chama de certeza mesmo que na verdade não o seja[630].

Assim, depois de "muito meditar" sobre o tema, Carnelutti chegou a propor que possa ser a "certeza", traduzida por ele como "escolha", aquilo que vem em substituição à "verdade", mesmo a "verdade formal". Essa temática retornou naquele que talvez seja o último texto produzido por Carnelutti, pois publicado originariamente no

---

filosófica e teológica, a palavra encontra-se utilizada no sentido do razoável, 'aquilo que se acredita ser contrário à razão'". Tradução nossa.

629 *Ibid.*, p. 165. Tradução nossa.

630 CARNELUTTI, Francesco. *Lições Sobre o Processo Penal.* Tradução de Francisco José Galvão Bruno. Campinas: Bookseller, 2004, v. 1, p. 274.

308 ◼ Processo Penal | Fundamentos dos fundamentos

mesmo ano de sua morte. Trata-se de um texto curto, mas definitivo para o próprio Carnelutti, denominado *Verità, Dubbio, Certezza* ("Verdade, Dúvida, Certeza"), publicado na *Rivista di Diritto Processuale*, em 1965.

Nesse texto, ainda que Carnelutti revele que tenha compreendido, com Heidegger, que "a coisa é uma parte; ela é e não é; pode ser comparada a uma medalha na qual, de um lado, está gravado o seu ser, e, do outro, o seu não ser", e que "a verdade está no todo, não na parte; e o todo é demais para nós"[631], ele trocou a ideia de "busca da verdade" pela "busca da certeza". Em suas palavras, nesse famoso artigo *Verità, Dubbio, Certea*, Carnelutti concluiu: "Portanto, a minha estrada, iniciada por atribuir ao processo a busca da verdade, substituiu a verdade pela certeza"[632]. E ainda compreendeu essa "busca da certeza" no processo penal como equivalente a uma "escolha do juiz", *verbis*:

> Foram necessários anos, muitos anos, até os últimos, isto é, até que escrevi *"Diritto e Processo"*, para que tomasse consciência de que o significado originário de *"cernere"*, não é aquele de "ver", mas o de "escolher". A certeza, então escrevi, implica uma escolha; e isso, provavelmente, foi o passo decisivo para compreender não apenas o verdadeiro valor do seu conceito, mas também o drama do processo[633].

Como visto, Carnelutti se fixava na questão da "busca" e equiparava a certeza à escolha. E, ingenuamente, acreditava numa "bondade da escolha"[634], como se a "bondade" fosse um significante com um único significado[635]. Ou seja: Carnelutti conseguiu alcançar o "drama do processo", como ele diz, mas admitia que essa "escolha" do juiz pudesse estar de certa forma legitimada. E mais, avaliava ser possível buscar essa certeza por ele mesmo considerada, em última análise, como mera escolha. Essa análise, portanto, apresenta esse problema de confundir a decisão com uma escolha.

---

631 *Id.* Verità, Dubbio, Certezza. In: CARNELUTTI, Francesco. *Lições Sobre o Processo Penal, cit.*, p. 4-9. Tradução nossa.

632 *Ibid.*, p. 5. Tradução nossa.

633 *Ibid.*, p. 5. Tradução nossa.

634 *Ibid.*, p. 7: "Da bondade da escolha depende o resultado do processo". Tradução nossa.

635 Jacinto Nelson de Miranda Coutinho, com base em Agostinho Ramalho, alerta para o risco dessa crença na "bondade dos bons": "O enunciado da 'bondade da escolha' provoca arrepios em qualquer operador do direito que frequenta o foro e convive com as decisões. Afinal, com uma base de sustentação tão débil, é sintomático prevalecer a 'bondade' do órgão julgador. O problema é saber, simplesmente, qual é o seu critério, ou seja, o que é a 'bondade' para ele. Um nazista tinha por decisão boa ordenar a morte de inocentes; e neste diapasão os exemplos multiplicam-se" (COUTINHO, Jacinto Nelson de Miranda. Glosas ao Verdade, Dúvida e Certeza, de Francesco Carnelutti, para os operadores do Direito. *Revista de Estudos Criminais*, ano 4, n. 14. Porto Alegre: PUC/ITEC, 2004, p. 77-94, p. 88).

Via de consequência, ainda hoje as discussões de possibilidade, probabilidade e certeza influenciam análises dogmáticas no processo penal contemporâneo quando se leva em conta que a probabilidade é considerada um grau de juízo valorativo abaixo da certeza[636]. Diz-se que não é certo, mas é provável que tenha acontecido assim. E, portanto, também não é de verdade absoluta que se fala.

De qualquer sorte, como destaca Jacinto Coutinho, "verdade, dúvida e certeza (tomadas individualmente) são questões imanentes ao processo e, por conseguinte, não há como livrar-se delas"[637]. Sucede que a complexidade em jogo no processo penal é ainda maior, pois, como prossegue Coutinho, "falar de processo é, antes de tudo, falar de atividade recognitiva: a um juiz que não sabe, mas que precisa saber, dá-se a missão (...) de dizer o direito no caso concreto, com o escopo (da sua parte) pacificador"[638].

No entanto, no âmbito dessa recognição, é preciso levar em conta o alerta de Michele Taruffo[639] e Rui Cunha Martins[640]. Ambos criticam a vinculação à ideia da verossimilhança como preponderante no processo. Cunha Martins indica que essa visão provoca o que Fernando Gil denomina de "paradoxo da prova":

> A prova não deve ser fraca: prova fraca é aquela que se satisfaz com a verossimilhança, com o que se diz ser uma crença racional. Mas a verossimilhança que, fora da lógica e da matemática, é o regime normal da prova, não é em si um critério satisfatório, por mais convincente que seja. A verossimilhança não remove a eventualidade de excepções e de contraexemplos – e as crenças racionais podem revelar-se erróneas: os erros judiciários assentam sempre em verossimilhanças e crenças racionais. Portanto, a prova tem que ser forte. Mas a prova forte revela-se de imediato "demasiado forte" – e, nesse momento, se essa demasia se dá nos termos de uma ostensão de feição alucinatória, ela resvala sem escape para o terreno da evidência, a qual, veja-se a ironia, tende a dispensar a prova[641].

---

636 Veja-se, por todos: AROCENA, Gustavo Alberto; BALCARCE, Fabián Ignacio; CESANO, José Daniel. *Prueba en Materia Penal*. Buenos Aires: Astrea, 2009, p. 79.

637 COUTINHO, Jacinto Nelson de Miranda. Glosas ao Verdade, Dúvida e Certeza, de Francesco Carnelutti, para os operadores do Direito, *cit.*, p. 79.

638 *Ibid.*, p. 79.

639 Michele Taruffo arrisca dizer que alguns autores tratam o conceito de verossimilhança confundindo-o com o de probabilidade: *tende-se a pensar que se um enunciado é verossímil, então, é também provável; ou seja, tende-se a pensar que esse é provavelmente verdadeiro.* TARUFFO, Michele. *Uma Simples Verdade. O Juiz e a Construção dos Fatos*. Tradução de Vitor de Paula Ramos. São Paulo: Marcial Pons, 2012, p. 112.

640 CUNHA MARTINS, Rui. *O Ponto Cego do Direito. The Brazilian Lessons, cit.*, p. 7.

641 *Ibid.*, p. 7-8.

310 ■ Processo Penal | Fundamentos dos fundamentos

E, no contexto desse "paradoxo da prova", a linguagem – ainda vista como instrumento retórico e não como condição de possibilidade da compreensão – também merece ser considerada. É como anota Nilo Bairros de Brum ao identificar o que cunhou como sendo os "requisitos retóricos da sentença penal", dentro dos quais sobressai a necessidade de o juiz, ao "apresentar sua reconstrução fática como a verdadeira"[642], fazendo-o narrativamente e como técnica de imunização contra possíveis críticas, demonstrar que sua sentença provocará no leitor um "efeito de verossimilhança fática"[643]. Brum explica:

> Com o uso adequado desse instrumental tópico-retórico, o juiz exaltará o valor das provas que sustentam a versão que deseja fixar e desqualificará as provas (ou interpretação das provas) que respaldem as versões que deseja refutar.
>
> Se a argumentação for persuasiva, isto é, se o fato foi reconstruído segundo os cânones aceitos pela comunidade jurídica, poderá o julgador obter o efeito de verdade indispensável para que sua decisão seja acatada e legitimada definitivamente.
>
> Isto não quer dizer absolutamente que a versão eleita pelo juiz seja falsa, mas também não significa que seja verdadeira. O que se obtém através da reconstrução processual é a verossimilhança, que nada mais é que a retórica imunização do discurso jurisdicional contra possíveis críticas. A verossimilhança, pois, é o primeiro argumento contra a reforma da sentença judicial[644].

O juiz que se vale dessa retórica acaba substituindo as coisas e o caso penal que deve julgar "capas de sentido". Elas se substituem ao objeto do processo. Então, quando se volta ao problema da verdade para o processo penal, é preciso levar em conta que, nessa mecânica de recognição de um fato pretérito, no qual se valoram probabilidades, produzem-se discursiva e retoricamente efeitos de verossimilhança fática e se acreditam em certezas, está em jogo a linguagem, vista agora também como condição de possibilidade de compreensão do caso penal. Nesse plano, é necessário considerar a complexidade do que sucede no processo, em que os interlocutores – juízes, partes e testemunhas – podem ter dificuldades de acesso à compreensão, notadamente na questão do significado da prova produzida. Isso é fácil de visualizar quando se analisa a palavra dita pela testemunha. Não raras vezes, a testemunha, por limitações de formação pessoal, por

---

642 BRUM, Nilo Bairros de. *Requisitos Retóricos da Sentença Penal*. São Paulo: Revista dos Tribunais, 1980, p. 77.

643 *Ibid.*, p. 73.

644 *Ibid.*, p. 77.

dificuldade de conhecimento e domínio da língua, ou por qualquer outro fator (até mesmo o inconsciente), não tem palavras suficientes em sua estrutura linguística para externar o que viu e, assim, não tem palavra para definir certa coisa. Assim, quando há uma carência de domínio da língua por baixa instrução pessoal e precário domínio do arcabouço linguístico, a testemunha sofre natural mal-estar, pois acaba compreendendo que é incapaz de falar sobre a coisa, é incapaz de falar sobre aquilo que apreendeu do que viu e presenciou. Mas deve falar sobre isso, sobretudo quando se trata de uma testemunha no processo penal. Assim, na ausência da palavra para nominar a coisa e como resultado do somatório da pressão de ter que dizer com a angústia de sua própria incapacidade de memória ou de comunicação, o sujeito coloca no lugar outra palavra. Vale repetir, para deixar marcado: se falta, à testemunha, a palavra, o que ela coloca no lugar é outra palavra! Vale-se de uma palavra que ela conheça, domine ou mesmo que lhe constitua, via inconsciente.

Seu "discurso de verdade", portanto, é construído a partir das palavras por ela conhecidas, não necessariamente compreendidas à luz de um inconsciente também constituído, metafórica e metonimicamente, como linguagem. Nessa perspectiva, ela constrói discursivamente a "verdade" do ser com toda a dificuldade que a limitação de sua linguagem e o próprio inconsciente representam. Afinal, como lembra Lenio Streck, para Lacan, "se não consigo dizer algo sobre algo, esse não dito é real, pois é o que sobra"[645]. Nessa angústia, a testemunha acaba utilizando várias palavras, metáforas e metonímias, principalmente para elaborar a cadeia de significantes que lhe permita definir um objeto ou um fato. É por meio do conjunto de palavras que ela vai dando sentido, significado à coisa.

Com efeito, se a palavra é um significante (uma "imagem acústica do signo", como a definiu Saussure[646]), é por meio de um conjunto de significantes que se constrói uma frase. A testemunha, portanto, opera frases por uma "cadeia de significantes"[647] para definir a sua percepção da coisa. E um significante em seguida ao outro provoca uma cadeia de ressignificações, pois um significante vai ressignificando o antecedente e assim por diante, até se dar uma cadeia de significação. Nesse percurso, como já dito anteriormente, se um significante der outro sentido ao significante anterior, muda-se a compreensão da coisa. Se a cadeia de significação tem um sentido, ela pode tomar outro sentido, dependendo do significante que lhe for introduzido. Assim, ao colocar uma palavra – que a testemunha domina – no

---

645 STRECK, Lenio Luiz. *Hermenêutica Jurídica e(m) Crise: uma exploração hermenêutica da construção do Direito*, *cit.*, p. 209.

646 SAUSSURE, Ferdinand de, *cit.*, p. 103-104.

647 *Ibid.*, p. 108.

lugar de outra palavra – que ela não domina –, a narrativa pode ter seu significado alterado pelas metáforas e metonímias próprias da formação do inconsciente. Como ensina Garcia-Roza, na metonímia "ocorre um deslizamento de termo a termo segundo uma relação de contiguidade, sem que, no entanto, a substituição se faça de forma a manter unívoco o significado"[648]. Ou seja, ainda com Garcia-Roza: "não é a semelhança que regula a substituição, mas o deslizamento por contiguidade, e nesse deslizamento o significado original pode permanecer oculto"[649]. Somam-se a esse quadro os pré-conceitos e pré-juízos de valor do "ser-no-mundo" (aqui considerados em seu sentido negativo, e não como equivalentes a pré-compreensões linguísticas) que estão impregnados no inconsciente, formado via experiências recalcadas e que afloram para o consciente de forma incontrolável. As palavras que faltam podem vir – e de fato vêm – do inconsciente do sujeito.

E, por vezes, o inverso também se dá: tem-se a palavra, mas não se tem a coisa. É a falta constitutiva do "ser" referida por Freud e Lacan. O real é substituído pela palavra. A palavra no lugar de uma pretensa "verdade absoluta".

Porém, se muitas vezes as testemunhas dizem palavras que não estão ligadas ao objeto, como não lhes pertencendo, também é certo que existem acordos linguísticos que dão sentidos uniformes para determinadas palavras. É aqui que entra a pré-compreensão como condição de possibilidade hermenêutica. Há uma limitação semântica que deve ser levada em conta. Vale, então, atentar para a circularidade hermenêutica de Heidegger e, notadamente, Gadamer, na compreensão do que diz a testemunha e do que se pode produzir de verdade no processo penal.

Dessa forma, ainda que a "verdade real" exista, afinal, não há como negar, por exemplo, que, num caso de homicídio ocorrido no trânsito, documentado por imagens que evidenciam a cabeça da vítima separada do seu corpo, alguém morreu, não é exatamente dela que se trata no processo penal. Sim, pois, no contexto da Filosofia da Linguagem, a compreensão do fato acaba sendo construída a partir de estruturas de significação que se reconfiguram na dialética do processo. Vale repetir o que dizia Carnelutti, na mesma linha de Heidegger: "a verdade está no todo, não na parte; e o todo é demais para nós"[650]. Ou seja: não temos suficientes palavras para descrever o todo do mundo, e, quando nos falta uma palavra, como já dito, colocamos outra palavra no lugar. E aí, filosoficamente, já não é mais do que falávamos que se trata.

De tudo já exposto, extrai-se que é ultrapassado o discurso da doutrina "tradicional" de que o processo penal seria pautado pela ideia de busca de uma verdade

---

648 GARCIA-ROZA, Luiz Alfredo. *Freud e o Inconsciente*. 24. ed. Rio de Janeiro: Zahar, 1994, p. 148.

649 *Ibid.*, p. 148.

650 CARNELUTTI, Francesco. Verità, Dubbio, Certeza, *cit.*, p. 5.

absoluta, pois ela é deslocada de significação no contexto do processo e da capacidade de compreensão do ser humano. Dessa forma, também não pode ser esse pretenso "princípio" aquele capaz de legitimar a atividade probatória do juiz.

Por outro lado, nessa discussão da verdade no âmbito processual penal, também é preciso ter o cuidado de não relativizar tudo, valendo o alerta de Jacinto Coutinho:

> Eis que chega o problema da verdade. Todos tratam de mostrar que "não existe verdade" (pelo menos como se vinha pensando). Mas, perceba-se. Não ter verdade (desse modo) não significa dizer (como estão a imaginar) que se não tenha nada lá. Você pode dizer que não tem verdade, mas a coisa não termina aí. Serviria, aqui, a célebre frase de William Shakespeare em *Romeu e Julieta: "What's in a name? That which we call a rose by any other name would smell as sweet"* ("O que é um nome? Se dermos um outro nome àquilo que nós chamamos de rosa ela continuará com seu tão doce perfume"). Em realidade, se não tem "verdade", o que tem? Enfim, o que se faz quando se faz um processo? Verdade, como era tratada, não tem mais. Perfeito. Mas se é assim – e continuam os processos – o que é que tem neles? Neste ponto, é como se as pessoas ficassem órfãs: se não tem verdade, já não tem mais nada; não se tem o que pensar; não se consegue imaginar o que possa estar lá no lugar. Assim, embora de maneira singela, pode-se dizer que no processo se continua a tentar dar conhecimento a quem não tem, de modo a que se possa julgar. Desde este ponto de vista, bem se vê que a verdade (usada ideologicamente) é uma qualidade que se atribui ao conhecimento. Dizer que tal qualidade (seja ela qual for: material, formal, etc.) não se pode dar ao conhecimento é dizer que o que se dizia ser verdade já não serve mais; mas não retira o conhecimento daquele lugar[651].

Com essa importante exposição, Jacinto Coutinho se pergunta o que pode estar no lugar dessa discussão de verdade no processo penal. Ou seja, como diz Jacinto, ainda que se saiba que não se trata de uma busca de verdade absoluta, pois, filosoficamente, ela é inalcançável, o fato é que o real existe, o processo continua aí e nele se continua trabalhando com a ideia de que é preciso dar a conhecer a quem não conhece, para que possa julgar. Como fazer, então, para que a ausência do alcance linguístico de uma verdade absoluta não venha premiar os pré-juízos de valor e os pré-conceitos,

---

651 COUTINHO, Jacinto Nelson de Miranda. *Os Sistemas Processuais Agonizam?* Conferência proferida no Seminário Direito Penal e Processo Penal: entre a Prática e a Ciência. Evento comemorativo aos 30 anos do Curso Prof. Luiz Carlos, Curitiba, 29 de novembro de 2013.

Processo Penal | Fundamentos dos fundamentos

fazendo com que eles acabem por vezes prevalecendo para além da pré-compreensão estruturante e que, nessa medida, possam deturpar fatos e análises probatórias?

Enquanto as respostas neurocientíficas não são capazes de permitir adoções mais radicais como as anteriormente pontuadas (se é que, de fato, algum dia o serão, e não que isso possa representar, necessariamente, uma "solução"), o ponto de partida para a saída do dilema apontado por Jacinto Coutinho e pela ausência de alcance de uma verdade absoluta no processo pode ser encontrado – em parte[652] – na obra de Khaled Jr., na noção por ele construída de uma "verdade analógica" obtida "a partir da reconstrução narrativa dos rastros da passeidade"[653], ou, ainda, com Jacinto Coutinho: nos "restos de linguagem", aquilo que "sobra" do crime praticado[654]. Nesse passo, não se ignora o que ocorreu (insista-se: a realidade existe), mas apenas se pondera a respeito da dificuldade de sua reconstituição pela via dos rastros deixados:

> Se, de um lado, o passado não pode ser um Mesmo, de outro lado também não pode ser um Outro, pura e simplesmente, caso esteja preservado na forma de rastros. Somente considerá-lo em função da distância acaba produzindo uma ontologia negadora do passado, na medida em que, mesmo tendo sido, ele persiste na forma de rastros e, portanto, de certa forma, ainda é. O conhecimento que se sustenta em provas não é, certamente, em absoluto, um Outro completo em relação ao tempo que escoou, desprovido de qualquer relação significativa com o que ocorreu no passado. Que isso fique claro: o conhecimento sobre o passado não pode ter o estatuto de uma verdade correspondente (no sentido de o Mesmo), Porém ele também não é completamente um Outro em relação ao passado (o que implicaria falsidade pela diferença absoluta e reduziria o processo e sua dimensão de saber a pó, uma vez que ele não guardaria relação alguma com a verdade, o que certamente o afastaria por completo do ideal de justiça e o reduziria a mero jogo argumentativo marcado pelo decisionismo)[655].

---

652 Como análise crítica da importante obra de Khaled Jr., destaca-se que ele ainda trabalha a questão da verdade no processo penal fortemente influenciado pelo discurso dos sistemas acusatório *versus* inquisitório, lidos num contexto de certa forma reducionista, e pela visão unilateral e liberal burguesa do século XIX de que o processo serve apenas para contenção do poder do Estado e, justamente em decorrência dessas fortes vinculações discursivas, prega uma inércia absoluta do magistrado na questão probatória (com o que não se concorda pelos motivos que mais à frente serão melhor explorados).

653 KHALED JR., Salah H. *A busca da verdade no processo penal: para além da ambição inquisitorial, cit.*, p. 8.

654 COUTINHO, Jacinto Nelson de Miranda. Prefácio. Per un Tango da Ballare Tutti Insieme. In: AMARAL, Augusto Jobim do. *Política da Prova e Cultura Punitiva: a governabilidade inquisitiva do processo penal brasileiro contemporâneo*. São Paulo: Almedina, 2014, p. 17-27, p. 24.

655 KHALED JR., Salah H, *cit.*, p. 349.

Khaled Jr. seguiu a estrutura do pensamento de Paul Ricouer na análise que este fez da obra *Sofista*, de Platão. Ricouer compreendeu que a relação com o passado deve passar "sucessivamente sob o signo do Mesmo, do Outro e do Análogo". Em suas palavras:

> A articulação intelectual que proponho para esse enigma é transposta da dialética entre "grandes gêneros" que Platão elabora no *Sofista* (254 b-259 d). Escolhi, por motivos que serão esclarecidos à medida que avance o trabalho de pensamento, os três "grandes gêneros" do Mesmo, do Outro e do Análogo. Não digo que a ideia de passado se constrói pelo próprio encadeamento desses três "grandes gêneros"; afirmo apenas que dizemos algo de sensato sobre o passado ao pensá-lo sucessivamente sob o signo do Mesmo, do Outro e do Análogo[656].

Com efeito, é a partir desses "três grandes gêneros" que Ricouer recolheu do *Sofista*, de Platão, que Salah H. Khaled Jr. complementa sua proposta para a verdade análoga no processo penal:

> É a partir da noção de rastro que sustentamos que o conhecimento sobre o passado não deve ser situado isoladamente no âmbito do Mesmo, ou do Outro. Caso esteja embasada em rastros do passado, a narrativa elaborada pelo juiz deve ser situada em uma terceira esfera ontológica: a do Análogo. Por Análogo, compreenda-se simultaneamente Ser-como e Não-ser; uma verdade que opera no âmbito da constante tensão entre o desvelamento e o encobrimento, para finalmente ser analogicamente produzida como um artefato narrativo elaborado pelo juiz, como ser-no-mundo que é. Portanto, trata-se de uma verdade analogicamente produzida sob a forma narrativa, o que conforma um critério de verdade enquanto (re)produção analógica do passado e não enquanto correspondência – ainda que relativa ou aproximada – em relação a um evento que pertence a um tempo escoado[657].

Portanto, compreendido que o processo penal se conduz, quando muito, pela limitação de linguagem, na perspectiva de alcançar uma "reconstrução narrativa dos rastros da passeidade que compõe uma verdade analógica", como refere Khaled Jr., é preciso norteá-lo no que respeita à metodologia e ao papel das partes e do juiz nesse

---

656 RICOUER, Paul. *Tempo e Narrativa. V. 3. O Tempo Narrado.* Tradução de Claudia Berliner. São Paulo: Martins Fontes, 2010, p. 239.

657 KHALED JR., Salah H., *cit.*, p. 356.

316 ∎ Processo Penal | Fundamentos dos fundamentos

universo. As partes procuram demonstrar ao juiz que têm razão em suas pretensões. Visam, portanto, operar aquilo que Franco Cordero, a partir de James Goldschmidt, denominou de "captura psíquica do juiz":

> Cada processo é ação falada a três ou mais locutores: as partes pedem alguma coisa, o juiz acolhe ou não os pedidos. Numa importante suma sobre o "*Prozess als Rechtslage*", James Goldschmidt desenvolve a análise dessa figura: perguntas, afirmações, instâncias sobre as provas, são "*Erwirkungshandlungen*": chamemo-las "atos destinados a uma captura psíquica do juiz"[658].

Porém, nessa "ação falada a três", na qual as partes realizam "atos destinados a uma captura psíquica do juiz", este não pode ser mais visto apenas como alguém que está em busca da verdade absoluta, ou, pior ainda, de uma escolha, pois o método analítico-silogístico aristotélico e o método cartesiano não servem mais de paradigmas isolados para o processo penal.

Chega-se então ao cerne da questão: a perspectiva de reconstrução de um fato pretérito, ainda que analógica e não absoluta, não é abandonada no processo penal, até porque se parte de uma premissa de que o real existe. Alguém morreu; alguém teve seu patrimônio subtraído; alguém sofreu violência sexual; alguém, enfim, fez algo que produziu um resultado no mundo físico. Você, leitor, existe. As pessoas existem, o mundo existe. O que não se consegue é alcançar, pela linguagem, o todo desse mundo. Mas deve-se buscar aproximar a compreensão dessa realidade o mais amplamente possível, para que o juiz possa ter elementos capazes de lhe dar o conforto mental necessário para julgar. Assim, em paralelo a essa pretensão de reconstrução do passado, o que também está em jogo é o julgamento, e, aí entra a decidibilidade, como pontua Tércio Sampaio Ferraz Junior[659]. É na discussão do momento e da forma pela qual as partes conseguem promover a "captura psíquica do juiz", dando maior efetividade ao contraditório e à ampla defesa, aliado ao momento em que este corta o elo comunicativo com as provas e com as partes, ou seja, na discussão de como se forma e em que momento ocorre a decisão do magistrado, que se deve melhor compreender a complexidade do processo. De fato, até mesmo no plano semântico a palavra "decisão" é formada com o prefixo "de" (fora) e "cisão" (que vem do latim "*caedere*", corte, cortar[660]), significando dizer que, quando o juiz "decide", ele "corta fora" a comunicação que estava mantendo com as partes.

---

658 CORDERO, Franco. *Guida alla Procedura Penale*. Torino: UTET, 1986, p. 194. Tradução nossa.
659 FERRAZ JR., Tércio Sampaio. *Direito, retórica e comunicação*. São Paulo: Saraiva, 1973, p. 95 e s.
660 IRTI, Natalino. *Diritto Senza Verità*. Roma-Bari: Laterza, 2011, p. 71.

Assim, é importante deixar marcado que nesse processo, no qual se produzem provas com a pretensão de reconstrução analógica do passado e de busca da captura psíquica do juiz, a preocupação com a decidibilidade é a chave. E é necessário criar condições para que ela não se converta em decisionismo, em arbítrio. É preciso, igualmente, ter o cuidado de evitar que a sentença não passe de uma "bricolage de significantes" premiada pelo solipsismo, para usar a expressão cunhada por Alexandre Morais da Rosa[661]. É preciso neutralizar a possibilidade de prevalecer a ideia que hoje tem dominado a jurisprudência brasileira, na má-recepção do que se quer dizer com "livre convencimento" judicial, principalmente aquela que vem somada ao discurso de que seria admissível "decidir conforme a minha consciência". É preciso, então, abandonar a Filosofia da Consciência que ainda orienta esse pensamento, e caminhar para fundamentar o processo penal brasileiro a partir da Filosofia da Linguagem, que premia a intersubjetividade, e não o decisionismo. Assim, como mais adiante se retomará, é fundamental também encontrar o lugar do juiz em relação à prova, não apenas "preservando-se" as garantias processuais no âmbito de construção dessa decidibilidade, mas também dando maior efetividade linguística a elas.

E, para tanto, é preciso retomar e ampliar a análise do que se procurou apresentar nas seções precedentes, isto é, se, com a supervalorização do sujeito verificada na modernidade, a atenção se voltou para ele, com a Filosofia da Linguagem se percebeu que algo está entre o sujeito e o objeto, atuando como condição de possibilidade na mediação do sentido: a linguagem.

Porém, registre-se, nessa questão é importante bem compreender que a palavra passa a ser intermediária entre o sujeito e o objeto não apenas no sentido de que ela se interpõe entre o sujeito e o objeto, mas também no sentido dado por Heidegger e Gadamer, de que ela atua como "condição de possibilidade"[662] da compreensão. É compartilhada, dada antes, pré-compreendida, não privada. E a questão da "verdade", assim, coloca-se numa relação "sujeito-sujeito", e não mais "sujeito-objeto", na qual, como destaca Ernildo Stein, o "acesso a algo nunca é direto e objetivante, o acesso a algo é pela mediação do significado e do sentido (...) não existe acesso às coisas sem a mediação do significado"[663].

Nessa perspectiva, se depois de Heidegger se sabe que é o sujeito, em sua ontologia como "ser-no-mundo", com sua pré-compreensão e sua facticidade[664], agindo em relação com o outro sujeito, que constitui o sentido das coisas pelas palavras, com

---

661 ROSA, Alexandre Morais da. *Decisão Penal: A Bricolage de Significantes*. Rio de Janeiro: Lumen Juris, 2006.

662 STRECK, Lenio. *Verdade e Consenso: constituição, hermenêutica e teorias discursivas, cit.*, p. 217.

663 STEIN, Ernildo. *A Caminho de Uma Fundamentação Pós-Metafísica*. Porto Alegre: EDIPUCRS, 1997, p. 86.

664 HEIDEGGER, Martin. *Ontologia (Hermenêutica da Faticidade)*. 2. ed. Tradução de Renato Kirchner. Petrópolis: Vozes, 2013.

Gadamer também se sabe que é essa comunicabilidade pela linguagem que acaba sendo a condição de possibilidade de se dar sentido às coisas. E, nesse processo, deve-se ter cuidado com as palavras, as quais, além de dar sentido aos objetos, podem também lhes alterar os sentidos. No final desse processo de compreensão do sentido das provas, o que sobra é decisão do magistrado. O juiz, em determinado momento do curso processual, decide e, depois de tomada essa decisão, precisará convencer, na sentença e pela linguagem, os receptores de sua decisão[665]. Nesse contexto, é preferível que forme sua decisão com a atenção mais efetiva possível ao que as partes sustentam e ao que as testemunhas afirmam, para evitar que, em vez de decidir, o juiz opere por "escolhas" pessoais. As questões cruciais que se colocam, então, são: quando o juiz decide? Como ele decide? De forma arbitrária, fazendo "escolhas" mediante "livre apreciação"? Como as partes podem interferir nesse processo decisório ampliando a efetividade do contraditório e da ampla defesa? Será por meio da inércia probatória do juiz, inclusive no momento da produção da prova apresentada pelas partes? A inércia do magistrado realmente opera como condição de possibilidade para a correção do caráter alucinatório das evidências? A inércia do juiz é capaz de acabar com o protagonismo judicial? Na inércia do juiz deixaria de haver a má-recepção da "livre apreciação" como equivalente a dizer qualquer coisa sobre qualquer prova? Como controlar esse juiz em seu processo mental decisório? Enfim, serão essas as perguntas que se procurará responder ao pensar o processo penal brasileiro a partir do paradigma da Filosofia da Linguagem.

Antes, porém, é preciso enfrentar a base de excesso epitemológico do discurso dicotômico dos sistemas processuais penais, até para desvelar o que hoje é dominante no que aqui se pode denominar de um misto entre uma "tradição inautêntica" e um "senso comum teórico crítico" da doutrina moderna, para melhor construir um sistema processual penal brasileiro, orientado pelas balizas funcionais democráticas identificadas na Constituição de 1988.

De fato, se de um lado ficou claro que o juiz não pode ter sua atividade probatória legitimada pela ideia de busca de uma verdade real, por outro, é preciso compreender que não é porque o sistema é chamado de acusatório que se deve repelir a possibilidade de atividade probatória secundária do magistrado.

É certo que essa dicotomia discursiva dos sistemas tem se mostrado importante como norte de enfrentamento do modelo processual autoritário como é o brasileiro na origem de um Código de Processo Penal de 1941, de estrutura ideológica, em parte, fascista. Porém, ela apresenta uma série de imprecisões e, dependendo do ângulo de análise, pode orientar a interpretação do processo penal para um lado ou para outro.

---

665 CARNELUTTI, Francesco. Verità, Dubbio, Certezza, *cit.*, p. 6: *e ricordare che prima si giudica e poi si ragiona.*

Porém, é importante também compreender que a análise de parte da doutrina "mais moderna" de processo penal, ao pregar uma absoluta inércia judicial como afirmação de um denominado "sistema acusatório", está tão equivocada quanto a doutrina "mais tradicional" ao legitimar o ativismo probatório dos juízes em nome da "busca da verdade real" ou de seus correlatos.

Passa-se, então, como segundo ponto fundamental na discussão de como deve ser pensado e interpretado o processo penal brasileiro, a analisar a problemática envolvendo a vinculação dicotômica dos denominados "sistemas" processuais penais, usada por alguns autores como fator impeditivo da atividade probatória dos juízes, mesmo aquela de natureza complementar.

3. A DISCUSSÃO EM TORNO DOS SISTEMAS PROCESSUAIS PENAIS

Antes de analisar a discussão que se trava em torno dos sistemas processuais penais, é importante apontar para o longo trajeto das pretensões de reforma do Código de Processo Penal de 1941 e entender quando é que entrou nessa agenda a discussão de se adotar o chamado "sistema acusatório" de processo penal para o país.

Há mais de sessenta anos, o Brasil discute um novo Código de Processo Penal. A primeira iniciativa se deu no governo de Jânio Quadros, com a criação de um *Serviço de Reforma de Códigos*, em 1961[1], com pretensões de reformar praticamente todos os códigos vigentes. Com o Decreto 1.490/62[2], esse *"Serviço"* foi autorizado a contratar especialistas para as reformas dos códigos. Foi, então, contratado o professor Hélio Bastos Tornaghi para essa tarefa, tendo ele apresentado seu anteprojeto em 1963[3]. A discussão, aqui, ainda não se dava em termos de uma disputa entre o "sistema inquisitório" e o "sistema acusatório".

Após o golpe de 1964, o projeto de Hélio Tornaghi foi abandonado[4], tendo, em 1967, sido revogado o decreto que criava o *Serviço de Reforma de Códigos*, substituindo-o por uma nova *Comissão de Coordenação e Revisão dos Códigos vigentes*[5].

Foi, então, elaborado novo anteprojeto, agora pelo professor José Frederico Marques, que, em 10 de junho de 1970, entregou-o ao Ministro da Justiça[6]. Passou por um período de revisão e, em 1975, foi encaminhado ao Congresso Nacional. Mais uma vez, a discussão em torno da dicotomia sistêmica ficou de lado.

Na Câmara dos Deputados, o *Projeto Frederico Marques* ganhou o n. 633/75 e passou por ampla discussão entre junho de 1975 e novembro de 1977. Porém, ao ser

---

1 BRASIL. Presidência da República. *Decreto n. 51.005, de 20 de julho de 1961*.

2 BRASIL. Presidência da República. *Decreto n. 1.490, de 8 de novembro de 1962*.

3 TORNAGHI, Hélio Bastos. *Anteprojeto de Código do processo penal. Apresentado ao Exmo. Sr. João Mangabeira, Ministro da Justiça e Negócios Interiores, pelo professor Helio Tornaghi*. Rio de Janeiro: Departamento de Imprensa Nacional, 1963.

4 PIERANGELLI, José Henrique. *Processo Penal. Evolução Histórica e Fontes Legislativas, cit.*, p. 169-170.

5 BRASIL. Presidência da República. *Decreto n. 61.239, de 25 de agosto de 1967*.

6 MARQUES, José Frederico. *Anteprojeto de Código de Processo Penal*. São Paulo: Sugestões Literárias, 1970.

enviado ao Senado (com o n. 05/78), o Parlamento se surpreendeu com a Mensagem n. 179, vinda do Poder Executivo, em 30 de agosto de 1978, dizendo que retirava o projeto porque precisava fazer um "reexame" de seu conteúdo[7]. Diante dessa situação, o deputado Sérgio Murilo apresentou, na Câmara, um novo projeto de lei, que recebeu o n. 1.268/79, o qual era basicamente uma cópia do Projeto 633/75, "sem lograr, contudo, sucesso algum"[8].

Para proceder ao "reexame" do Projeto 633/75, em 1980 foi nomeada nova comissão da qual participaram os professores Rogério Lauria Tucci, Francisco de Assis Toledo e Hélio Fonseca. A comissão ainda contou com a colaboração de Manoel Pedro Pimentel, Miguel Reale Junior, Ricardo Antunes Andreucci e Sérgio Marcos de Moraes Pitombo[9]. Ao final da elaboração desse novo anteprojeto, foi feita nova revisão por José Frederico Marques, que "acolheu as principais inovações introduzidas e apresentou quase uma centena de novas modificações, as quais foram incorporadas ao anteprojeto"[10]. Mais uma vez, não se travou a discussão em tornos dos sistemas. Em 30 de junho de 1983, o projeto de lei foi encaminhado à Câmara dos Deputados, onde recebeu o n. 1.655/83. Em 1984 passou a tramitar no Senado da República, sob o n. 175/84. Por ali tramitou até que, em 20 de novembro de 1989, em decorrência da aprovação da nova Constituição de 1988, o Poder Executivo enviou mensagem retirando o projeto.

Seguiu-se que, pela Portaria n. 3, de 10 de junho de 1992, foi nomeada nova comissão de juristas, presidida pelo Ministro Sálvio de Figueiredo Teixeira, do Superior Tribunal de Justiça, e integrada por "Luiz Vicente Cernicchiaro e Sidnei Agostinho Beneti para as funções de coordenação e secretaria, respectivamente"[11]. Porém, essa comissão entendeu que a reforma não poderia ser global (portanto, não poderia ser "sistêmica"), limitando os temas que passaram a ser objeto de preocupação: inquérito policial, procedimento ordinário, procedimentos sumário e sumaríssimo, suspensão condicional do processo, prova ilícita, prova pericial, prova testemunhal, defesa efetiva, citação edital e da suspensão do processo, intimação, prisão e outras medidas restritivas, fiança, prisão temporária, agravo, embargos e júri.

Em 25 de novembro de 1994, foram apresentados dezesseis anteprojetos que acabaram aglutinados em seis projetos de lei encaminhados, em 1995, à Câmara dos Deputados: os Projetos n. 4.895, 4.896, 4.898 e 4.899 (todos depois retirados pelo

---

7   Conforme descreve CORRÊA, Plínio de Oliveira. Justa Causa na Reforma Processual Penal Brasileira. *RSP*, ano 40, v. 111, n. 2, abr.-Jun. de 1983, p. 59-64, p. 59.

8   PIERANGELLI, José Henrique. *Processo Penal. Evolução Histórica e Fontes Legislativas, cit.*, p. 171.

9   *Ibid.*, p. 171.

10 CORRÊA, Plínio de Oliveira. *Justa Causa na Reforma Processual Penal Brasileira, cit.*, p. 60.

11 DOTTI, René Ariel. Um Novo e Democrático Tribunal do Júri, III. *Jornal O Estado do Paraná, Caderno Direito e Justiça*, Curitiba, 29 de junho de 2008.

322 ■ Processo Penal | Fundamentos dos fundamentos

governo em janeiro de 1996) e o Projeto n. 4.897, transformado na Lei n. 9.271, de 17 de abril de 1996, que deu nova redação aos artigos 366 a 370 do Código de Processo Penal.

Em 2000, o então Ministro da Justiça, José Carlos Dias, publicou a Portaria n. 61/00, constituindo outra nova comissão para reformar o Código de Processo Penal, integrada por Ada Pellegrini Grinover (presidente), Petrônio Calmon Filho (secretário), Antônio Magalhães Gomes Filho, Antônio Scarance Fernandes, Luiz Flávio Gomes, Miguel Reale Júnior, Nilzardo Carneiro Leão, René Ariel Dotti (depois, Rui Stoco), Rogério Lauria Tucci e Sidnei Beneti. Os debates não foram em torno de um novo código integralmente orientado por um novo sistema acusatório, tendo sido fatiada a reforma em sete anteprojetos de lei temáticos, apresentados em 6 de dezembro de 2000. Eles foram transformados em projetos de lei em 2001, tratando: do tribunal do júri (n. 4.203), do interrogatório do acusado (n. 4.204), das provas (n. 4.205), dos recursos (n. 4.206), da sentença e procedimentos (n. 4.207), da prisão e medidas cautelares (n. 4.208), e da investigação criminal (n. 4.209). Em 2008, três deles foram aprovados e sancionados: o do júri, o das provas e o dos procedimentos, transformados, respectivamente, nas Leis n. 11.689/2008, n. 11.690/2008 e n. 11.719/2008.

A discussão em torno de um novo sistema para o processo penal brasileiro apareceu com força nesse mesmo ano de 2008[12]. Por ocasião do Requerimento n. 227, de 2008, aditado pelos Requerimentos n. 751 e 794, de 2008, de autoria do senador Renato Casagrande, foi novamente designada uma Comissão de Notáveis para elaborar novo anteprojeto de Código de Processo Penal para o Brasil. A comissão foi designada pelos Atos do Presidente do Senado n. 11, 17 e 18, de 2008, e foi formada por Hamilton Carvalhido (coordenador), Eugênio Pacelli de Oliveira (relator), Antonio Correa, Antonio Magalhães Gomes Filho, Fabiano Augusto Martins Silveira, Felix Valois Coelho Junior, Jacinto Nelson de Miranda Coutinho, Sandro Torres Avelar e Tito Souza do Amaral. Na exposição de motivos apresentada por Eugenio Pacelli de Oliveira, ficou clara a opção por adotar um "princípio acusatório" e ajustar o processo penal brasileiro ao que se chamou de "sistema acusatório público":

> Na linha, então, das determinações constitucionais pertinentes, o anteproje-
> to deixa antever, já à saída, as suas opções estruturais, declinadas como seus
> princípios fundamentais. A relevância da abertura do texto pela enumeração
> dos princípios fundamentais do Código não pode ser subestimada. Não só
> por questões associadas à ideia de sistematização do processo penal, mas, so-
> bretudo, pela especificação dos balizamentos teóricos escolhidos, inteiramente

12 Sobre como esste tema foi trabalhado se retomará mais adiante, no item 3.7.

incorporados nas tematizações levadas a cabo na Constituição da República de 1988. Com efeito, a explicitação do princípio acusatório não seria suficiente sem o esclarecimento de seus contornos mínimos, e, mais que isso, de sua pertinência e adequação às peculiaridades da realidade nacional (...)[13].

O resultado dos debates travados nessa comissão foi apresentado ao Senado em 2009, transformando-se no Projeto de Lei do Senado 156/2009. Seguiram-se as alterações encampadas na Comissão Temporária de Estudo da Reforma do Código de Processo Penal do Senado, e o projeto foi aprovado no Senado com redação final apresentada em 7 de dezembro de 2010, pelo Parecer n. 1.636/2010. Dali o texto seguiu, no início de 2011, para discussão na Câmara dos Deputados, onde tramita sob o n. 8.045/2010.

Durante muito tempo, o projeto ficou praticamente parado na Câmara, tendo retomado seu curso de debates a partir de uma decisão do então presidente da Câmara, Eduardo Cunha, no auge da polêmica envolvendo o processo de *"impeachment"* da presidente Dilma Rousseff, em 2016, quando se formou uma nova comissão na Câmara para discuti-lo.

Em abril de 2018, foi apresentado um substitutivo ao projeto, pelo relator-geral da Comissão Especial Destinada a Proferir Parecer ao PL 8.045, de 2010, o deputado João Campos, do PRB de Goiás. Em setembro de 2019, foi encerrado o prazo para emendas ao projeto, tendo sido apresentadas 95, das quais 26 foram retiradas em seguida. Em 26 de abril de 2021, o deputado João Campos apresentou outro substitutivo ao projeto original. No mesmo mês foi prorrogado, por doze sessões, a partir de 20 de abril de 2021, o prazo para a Comissão Especial discutir e votar o projeto e as emendas com os pareceres. Em 2 de junho de 2021, o presidente da Câmara, deputado Artur Lira, decidiu extinguir a Comissão Especial, e, no dia 30 do mesmo mês, instalou-se um "Grupo de Trabalho" para análise do novo código. A legislatura se encerrou e o Grupo não apresentou resultado. Em 31 de janeiro de 2023 foram apresentados dois pareceres: o primeiro, da Relatora da Comissão de

---

13 BRASIL. Senado Federal. *Comissão de Juristas responsável pela elaboração de anteprojeto de reforma do Código de Processo Penal.* Coordenador: ministro Hamilton Carvalhido. Relator: Dr. Eugênio Pacelli de Oliveira, 2009, p. 14. No mesmo sentido COUTINHO, Jacinto Nelson de Miranda. Mettere il Pubblico Ministero al suo Posto – ed anche il Giudice. In: LIMA, Joel Corrêa; CASARA, Rubens R. R. (Coord.). *Temas para uma Perspectiva Crítica do Direito: homenagem ao Professor Geraldo Prado.* 2. ed. 2. tir. Rio de Janeiro: Lumen Juris, 2012, p. 419-493, p. 492, *in verbis:* "Foi o que se tentou fazer no Anteprojeto de reforma global de CPP realizado por Comissão Externa de Juristas criada no âmbito do Senado Federal e ora em curso no Projeto n. 156/2009 – PLS. No segundo caso (mudança para o sistema acusatório), como o mais importante dos precitados caminhos – e de todos os demais –, a questão diz com o princípio ontológico (fundante) do processo penal, ou seja, o princípio dispositivo. Centrado na gestão da prova, o processo penal será acusatório se ela não couber (sua busca), nunca, ao juiz. Neste aspecto, decidiu a referida Comissão, por maioria, por uma fórmula tanto mitigada quanto perigosa, certamente apostando na democracia processual: 'O processo penal terá estrutura acusatória, nos limites definidos neste Código, vedada a iniciativa do juiz na fase de investigação e a substituição da atuação probatória do órgão de acusação'" (art. 4º).

Constituição e Justiça, Dep. Zulaiê Cobra, pela constitucionalidade, juridicidade e técnica legislativa, e, no mérito, pela aprovação do Projeto e da EMR 1 CCJR, da EMR 2 CCJR, da EMC 1/2000 CCJR, e da EMC 2/2000 CCJR, apensadas; o segundo, do Relator da Comissão de Segurança Pública e Combate ao Crime Organizado, Dep. Antonio Carlos Biscaia (PT-RJ), pela aprovação do Projeto, com substitutivo, e pela rejeição do PL 5.353/01, apensado. Em 15 de fevereiro de 2023, foi apresentado o Requerimento n. 190/2023, pelo Deputado Coronel Assis (UNIÃO/ MT), que "Requer a criação de Grupo de Trabalho destinado a reestudar e elaborar proposição legislativa destinada a instituir o novo Código de Processo Penal a partir do ponto em que o respectivo estudo se interrompeu na legislatura anterior". E em 21 de março de 2023, foi apresentado requerimento de constituição de Comissão Especial de Estudo n. 829/2023, pelo então Deputado Deltan Dallagnol (PODE/ PR). Até setembro de 2023, ocasião do fechamento do texto desse livro, os pedidos de formação de novo grupo de trabalho e de constituição de uma Comissão Especial ainda não haviam sido apreciados.

Como se viu anteriormente, o percurso da mudança global do Código de Processo Penal é longo e tortuoso. O certo é que, desde 2009, há um novo projeto de lei em trâmite no Congresso Nacional visando essa reforma global. Como foi destacado, entende-se que é necessário abandonar o velho Código de 1941, fruto do Estado Novo de Getúlio Vargas, e renovar a legislação infraconstitucional, adaptando-a à Constituição democrática de 1988 e ao "sistema acusatório público".

Essa discussão é resultado do que significativa parcela da doutrina "mais moderna" tem pregado desde a Constituição de 1988. Passou-se a vincular a necessidade de reforma global a uma discussão de sistemas de processo penal, vista a partir de um prisma dicotômico: ou o sistema é "acusatório" (colando nesse rótulo todas as regras que potencializam a gestão das provas pelas partes e ampliam as garantias aos réus) ou é "inquisitório" (colando nesse rótulo todas as regras que autorizem o juiz a agir de ofício ou que diminuam garantias aos réus). Há, em parte dessa doutrina mais moderna, uma visão de que seria possível distinguir um sistema do outro e que haveria como implantar uma pureza sistemática que adotasse apenas o que se considera "acusatório" em detrimento do que se considera "inquisitório".

Os problemas dessa vinculação dicotômica são de diferentes ordens. O primeiro é no sentido de compreender que não há consenso doutrinário a respeito da ideia fundante e dos princípios unificadores de um e de outro sistema. A depender de qual ideia fundante ou de qual princípio unificador se invoque, a leitura de um e de outro sistema pode apresentar significativas diferenças. O segundo é na linha de compreender que a construção de sistemas com pretensão de pureza, e à luz dessa dicotomia "acusatório" ou "inquisitório", não encontra referência histórica e é impossível de operar na prática. Não há país algum no mundo que adote o que se procura dizer a respeito de um e de outro sistema em termos "puros". O terceiro é no sentido de que a divisão dos sistemas em "acusatório", lido como representação do "bem", e "inquisitório", lido como representação do "mal", provoca uma reducionista vinculação maniqueísta que inverte a construção teórica e hermenêutica das regras de processo penal. Em vez de analisar, por exemplo, se uma regra nova é constitucional ou convencional, promovendo-se uma leitura circular hermenêutica que permita compreendê-la, ou não, como tal, os rótulos de "acusatório" e "inquisitório" chegam antes e, apressadamente, passam a servir de *slogans* a quem tem a pretensão de encerrar qualquer discussão a respeito de qualquer instituto de processo penal, por qualquer razão metajurídica, inclusive de natureza pessoal ou profissional. Passa a ser uma forma fácil de fazer valer sua vontade pessoal, de encerrar um debate ou "cancelar" quem pensa diferente[14]. Assim, o que se tem percebido, em parcela da doutrina, é que, se ela conseguir colar o rótulo de "inquisitório" a determinada regra aprovada pelo Parlamento, é o que basta para que os leitores e receptores dessa doutrina parem de pensar a respeito da constitucionalidade e da necessidade, ou não, daquela regra para a realidade brasileira. E é o que basta para que se passe a, cegamente, considerá-la como regra não válida. Afinal, ninguém pode ser a favor do que é a representação do "mal". O inverso é verdadeiro. Se um grupo de doutrinadores entender que determinada regra nova é favorável ao seu interesse (seja ele qual for, inclusive de natureza pessoal, profissional, política ou econômica), basta colar o rótulo de "acusatório" e ninguém poderá ser contra a regra, dado que não é razoável ser contra a representação do "bem". Em vez de permitir uma crítica positiva e na pretensão de se firmar um sistema processual conforme a Constituição, por vezes, a adoção desses rótulos acaba produzindo "significados emotivos" no intérprete – para usar a expressão de Ennio Amodio[15]. A discussão deixa de ser racional, deixa de ser orientada pela Constituição e pelas convenções internacionais, e passa a ser emotiva e maniqueísta. E o quarto problema é que essa vinculação dicotômica não considera a necessidade de dar um passo atrás na discussão dos sistemas e compreender que eles devem ser organizados a partir dos paradigmas filosóficos do conhecimento.

---

14 Como se sabe, a ideia de "cancelamento" de pessoas, de ideias ou do debate passou a ser um modo amplamente difundido em alguns grupos sociais para, ao mesmo tempo, reforçar, no grupo, uma ideia mista de sinalização de virtude moral superior, e de evitar que suas ideias sejam desconstruídas racionalmente. O autoritarismo dessa forma de agir relembra os períodos mais perversos das inquisições católicas, onde a "heresia" era compreendida como uma forma de pensar diferente da religião oficial da Igreja.

15 AMODIO, Ennio. *Processo Penale, Diritto Europeo e Common Law:* dal rito inquisitório al giusto processo. Milano: Giuffrè, 2003, p. 195.

Não se trabalha pensando na necessidade de abandonar tanto o paradigma da metafísica clássica aristotélica quanto aquele da Filosofia da Consciência e, assim, não se consegue fundar o sistema e seus princípios unificadores em bases próprias da Filosofia da Linguagem.

Mesmo não enfrentando esses problemas, parcela da doutrina insiste em seguir na leitura dicotômica e, assim, sustenta que é necessário sair de um sistema "inquisitório", que seria aquele do Código de 1941, e implantar um sistema "acusatório", nos termos da Constituição de 1988. E, fruto dessa pressão teórica, uma das propostas que estava em discussão no Parlamento no projeto de lei para mudar o Código de Processo Penal acabou sendo apressadamente aprovada por ocasião da Lei 13.964, de 2019, conhecida como *Pacote Anticrime*. Nela se destacou a referência de que o processo penal brasileiro "terá estrutura acusatória", como se vê da novel redação do art. 3º-A do Código de Processo Penal brasileiro (com o STF atribuindo interpretação conforme para "assentar que o juiz, pontualmente, nos limites legalmente autorizados, pode determinar a realização de diligências suplementares, para o fim de dirimir dúvida sobre questão relevante para o julgamento do mérito" – ADI's n. 6.298, 6.299, 6.300 e 6.305, em 24/8/2023):

> Art. 3º-A. O processo penal terá estrutura acusatória, nos limites definidos neste Código, vedadas a iniciativa do juiz na fase de investigação e a substituição da atuação probatória do órgão de acusação.

Não obstante uma leitura apressada dessa referência a uma "estrutura acusatória" possa dizer que ela seja algo positivo, já que, à luz do que sustenta parte da doutrina mais moderna, representaria a adoção de um processo penal democrático, a questão não é tão simples assim, notadamente quando não há uma referência clara ao significado dessa expressão. Assim, tudo depende de como se interpreta a expressão "estrutura acusatória", já que ela não tem significado unívoco na doutrina. Afinal, o que seria essa pretendida "estrutura acusatória" de que fala o artigo supratranscrito? E qual seria o sentido de estabelecer uma vedação de iniciativa probatória do juiz em "substituição da atuação probatória do órgão de acusação"? Seria a inércia judicial no plano probatório uma efetiva virada do processo penal do paradigma filosófico da consciência para o paradigma da linguagem e da intersubjetividade? Seria essa premissa suficiente para controlar o juiz e evitar decisionismos e arbitrariedades na valoração da prova e no processo decisório? O parágrafo único do art. 212 do Código de Processo Penal, que permite ao juiz formular perguntas complementares às testemunhas, foi revogado indiretamente? Com essa nova regra, será possível sair de um modelo fundado hoje numa paradoxal mescla entre o paradigma da metafísica clássica aristotélica, revelado em discursos que premiam a "busca pela verdade real", e a Filosofia da Consciência cartesiana, que se expressa na ideia deturpada do "livre convencimento do juiz"? Essa nova regra representa uma nova realidade paradigmática, fundada na intersubjetividade reveladora da Filosofia da Linguagem, a qual permite um novo olhar sobre a importância de potencializar a ampla defesa e o contraditório? Seria essa regra a indicação de que o Brasil adotou um "sistema acusatório" de processo penal?

São muitas as questões que a redação do novo art. 3º-A do Código de Processo Penal gera, e, por ora, o foco é colocado na última delas: afinal, o Brasil adotou um "sistema acusatório"? O problema hermenêutico começa com a demonstração de que há uma dificuldade conceitual e prática na referência a um "sistema acusatório", para o que se trabalha com o parâmetro exemplificativo dos contratempos exegéticos que a Itália[16], o Tribunal Penal Internacional[17] e a Corte Europeia de Direitos Humanos[18] vêm enfrentando.

16 Ao tratar do tema, Giulio Illuminati percebeu o problema paradigmático da referência legislativa expressa ao "sistema acusatório", dizendo que "o conteúdo preceptivo da disposição citada, tal como vem formulada, resulta inevitavelmente impreciso, devido ao fato de que se utiliza uma definição (sistema acusatório) que não possui um significado unívoco e universalmente aceito". E prossegue esclarecendo o quadro de dificuldades e subjetividades que podem nortear o modelo: "o verdadeiro problema, de fato, radica em individualizar os caracteres distintivos que identificam o modelo processual acusatório, caracteres sobre os quais nem sempre existe uma unanimidade entre os juristas, dependendo de quais sejam suas opções ideológicas em relação à hierarquia de valores implicada na justiça penal" (ILLUMINATI, Giulio. *El Sistema Acusatorio en Italia, cit.*, p. 136. Tradução nossa). Com efeito, no que diz respeito à realidade italiana, basta verificar que a lei de delegação do *Codice di Procedura Penale italiano* de 1988 (*Delega legislativa al Governo della Repubblica per l'emanazione del nuovo códice di procedura penale – Legge 16 febbraio 1987, n. 81*), que também estabelece expressamente a referência ao "sistema acusatório", "tentou" explicar o significado desse "sistema" em "apenas" 105 (cento e cinco) "princípios e critérios" de orientação hermenêutica! Nesse cabedal de "princípios e critérios", é curioso observar que vários deles poderiam facilmente ser indicados como "inquisitórios", nos pretensos modelos ideais de doutrina. O Ministério Público italiano, por exemplo, à luz da referida lei de delegação, tem poder exacerbado de determinar prisões, decretar quebras de sigilo bancário e fiscal, proceder a interceptações telefônicas e estabelecer sigilo nas investigações, sem necessitar recorrer ao juiz. Mas o que mais chama atenção no modelo italiano é que, no cerne da discussão do princípio unificador do "sistema acusatório" (a disponibilidade, a gestão da prova pelas partes e a inércia judicial, para a doutrina moderna), a referida *Delega legislativa* italiana manteve a possibilidade de intervenções e determinações probatórias de ofício por parte do julgador, o que, para essa mesma doutrina, é uma característica sintomática do sistema inquisitório. Aliás, seguindo a orientação da *Delega legislativa*, o novo *Codice di Procedura Penale Italiano*, que entrou em vigor em 24 de outubro de 1989, estabeleceu, em seu art. 507, a possibilidade de o juiz agir de ofício na complementação da prova produzida pelas partes. E, para ilustrar o problema no plano jurisprudencial, segue decisão da Corte Costituzionale da Itália que, apreciando, em conjunto, dez recursos de decisões proferidas por diferentes Tribunais regionais italianos, considerou constitucional essa regra: "A configuração do poder instrutório conferido ao juiz pelo art. 507 como exceção, e, portanto, a ser excluído em caso de decadência ou inatividade das partes, desce, na lógica pressuposta dos juízos remetentes, à suposição de imanência do novo código, como consequência da escolha acusatória, de um princípio dispositivo em matéria de prova. Trata-se, porém, de um assunto que não encontra respaldo nem nos princípios da Lei Delegada, nem no tecido normativo concretamente desenhado no código" (ITALIA. Corte Costituzionale della Repubblica Italiana. *Sentenza 111/1993*).

17 CAIANIELLO, Michele. First Decisions on the Admission of Evidence at ICC Trials: A Blending of Accusatorial and Inquisitorial Models? *Journal of International Criminal Justice*, v. 9, n. 2, 2011, p. 385-410. Disponível em: http://jicj.oxfordjournals.org/content/9/2/385. Acesso em: 24 abr. 2012. Em sentido similar: MCCARTHY, Conor. Victim Redress and International Criminal Justice. *Journal of International Criminal Justice*, v. 10, n. 2, 2011, p. 351-372. Disponível em: http://jicj.oxfordjournals.org/content. Acesso em: 14 mar. 2013.

18 A Corte Europeia de Direitos Humanos, que também insiste em lidar com modelos de sistemas ideais, vê-se com evidente dificuldade de compatibilizar modelos processuais dos países signatários do tratado

328 ■ Processo Penal | Fundamentos dos fundamentos

O problema se amplia com a falta de definição e uniformidade de sentido que se tem do que seja o referido "sistema". Nessa questão, aliás, identifica-se que a hesitação doutrinária é tão grande que se revela já na evidente dificuldade conceitual de delimitar o que se entenda por "sistema"[19]. A problemática se alarga quando se constata que a doutrina não se entende quanto a quais seriam os princípios unificadores dos sistemas chamados de "acusatório" e "inquisitório". Não há consenso algum nessa temática e, dependendo da corrente a ser seguida, a conclusão pode ser uma ou outra no que concerne a se observar ou não o chamado "sistema acusatório".

---

europeu, decorrente justamente da adoção da premissa dos "sistemas", o que leva John D. Jackson a sugerir que ela estaria praticamente construindo um novo sistema e gerando dificuldades de orientação aos países europeus que a ela se submetem: "Tudo isso sugere que, como a Corte Europeia refina e desenvolve a sua visão de prova participativa à luz das condições modernas de hoje em dia, e leva o processo penal além dos limites tradicionais do discurso acusatório/inquisitório, os Estados europeus passam a ter considerável liberdade de manobra no realinhamento seus procedimentos de uma maneira que respeite os direitos da defesa. Isso significa que enquanto os países podem, naturalmente, tentar fazer prevalecer, o melhor que podem, as tradições processuais nativas em seus sistemas, eles são incentivados a desenvolver distintos processos que divergem da norma tradicional para determinados tipos de caso. A isso se segue que pode haver divergência considerável nas condições em que os princípios participativos desenvolvidos pela Corte são traduzidos de um sistema para outro e até mesmo de uma categoria de caso para outra dentro do mesmo Sistema" (JACKSON, John D. The Effect of Human Rights on Criminal Evidenciary Processes: Towards Convergence, Divergence or Realignment? *The Modern Law Review Limited*, Oxford, UK, Blackwell Publishing, 2005, p. 737-764. Tradução nossa).

19 Jacinto Nelson de Miranda Coutinho já alertava para esse problema em COUTINHO, Jacinto Nelson de Miranda. Efetividade do Processo Penal e Golpe de Cena: Um Problema às Reformas Processuais. In: WUNDERLICH, Alexandre (Org.). *Escritos de Direito e Processo Penal em Homenagem ao Professor Paulo Cláudio Tovo*. Rio de Janeiro: Lumen Juris, 2002, p. 139-147, p. 140, *in verbis*: "Assim, princípio, sistema, conteúdo do processo (qualquer um mais perquiridor sabe não existir lide no processo penal), são conceitos/matérias que não encontram a necessária paz suficiente na teoria do direito processual penal, antes de tudo por falta de fundamentos extradogmáticos, a começar pelo mau vezo de se querer impor uma teoria geral do direito processual que, para nós – há de se insistir –, nada mais é que a teoria geral do direito processual civil aplicada, desmesuradamente, aos outros ramos e com maior vigor ao direito processual penal e ao direito processual do trabalho". E também em: COUTINHO, Jacinto Nelson de Miranda. O Projeto de Justiça Criminal no Novo Governo Brasileiro. In: BONATO, Gilson (Org.). *Processo Penal: Leituras Constitucionais*. Rio de Janeiro: Lumen Juris, 2003, p. 123-145, p. 134 e 135, *in verbis*: "O entrave às reformas, por outro lado, vai além: e diz respeito a um problema crônico vivido pelo Direito Processual Penal brasileiro: a falta de sincronia terminológica quanto aos conceitos fundamentais, supondo-se que deles há um domínio. Tal suposição, sem embargo, tem-se mostrado falsa. Afinal, há falta de sincronia quanto aos conceitos, mas, mais grave, quanto aos referenciais semânticos isso também acontece em grande escala. E aí começa um dos maiores suplícios da via-sacra do Direito Processual Penal. (...) O problema é que quando não há uma mínima paz doutrinária, é do lugar do poder que acabam vindo, em *ultima ratio*, as normas, como expressão das regras contidas na lei. A jurisdição, da sua parte, faz o seu papel e, naturalmente, em face do vazio criado acaba por construir um saber fragmentado e, não raro, em descompasso com a Justiça".

Por exemplo, alguns doutrinadores – de visão mais tradicional (tanto brasileiros[20] quanto estrangeiros[21]) – consideram não haver nada de errado no fato de o juiz ser o gestor da prova, haja vista que o poder de decidir está em suas mãos, e ele deve se pautar pela decisão que "espelhe a verdade dos fatos". Assim, para esse grupo de doutrinadores, seria razoável admitir que o juiz possa sanar suas dúvidas antes de decidir. Sucede que esses autores não levam em conta – e em sua grande maioria nem sequer discutem – o fato de o juiz ser-no-mundo e de sua natural ausência de neutralidade[22], procurando legitimar esse comportamento ativo do magistrado na ultrapassada e mesmo falaciosa ideia de que o processo penal seria orientado pela busca de uma "verdade material" (fundada no paradigma da metafísica clássica aristotélica). Alguns chegam a ironizar quem defende tese em sentido contrário, dizendo que o juiz não pode ser uma

---

20 Por exemplo: FREDERICO MARQUES, José. *Elementos de Direito Processual Penal. V. II.* 2. ed. rev. e atual. por Eduardo Reale Ferrari. Campinas: Millenium, 2000, p. 338 e s.; TOURINHO FILHO, Fernando da Costa. *Processo Penal*, 25. ed. São Paulo: Saraiva, 2003, v. 1, p. 36 e s.; MIRABETE, Julio Fabbrini, *cit.*, p. 47; NORONHA, Magalhães. *Curso de Direito Processual Penal*, 28. ed. São Paulo: Saraiva, 2002, p. 118 e s.; MUCCIO, Hidejalma. *Curso de Processo Penal*, Bauru: Edipro, 2000, v. 1, p. 74; ROCHA, Francisco de Assis do Rêgo Monteiro. *Curso de Direito Processual Penal*. Rio de Janeiro: Forense, 1999, p. 26; CAPEZ, Fernando. *Curso de Processo Penal*, 5. ed. São Paulo: Saraiva, 2000, p. 22; BARROS, Francisco Dirceu. *Direito Processual Penal*, Rio de Janeiro: Campos/Elsevier, 2005, p. 5; NUCCI, Guilherme de Souza. *Manual de Processo Penal e Execução Penal*, 5. ed. São Paulo: RT, 2008, p. 104; ISHIDA, Valter Kenji. *Processo Penal*. São Paulo: Atlas, 2009, p. 34; DEMERCIAN, Pedro Henrique e MALULY, Jorge Assaf. *Curso de Processo Penal*, 3. ed. Rio de Janeiro: Forense, 2005, p. 2; BONFIM, Edilson Mougenot. *Curso de Processo Penal*, 4. ed. São Paulo: Saraiva, 2009, p. 47; CARVALHO, Djalma Eutímio de. *Curso de Processo Penal*. Rio de Janeiro: Forense, 2007, p. 263; BATISTI, Leonir. *Curso de Direito Processual Penal*, Curitiba: Juruá, 2006, v. 1, p. 38; MEDEIROS, Flávio Meirelles. *Manual do Processo Penal*. Rio de Janeiro: AIDE, 1987, p. 181 e s.; MOSSIN, Heráclito Antonio. *Curso de Processo Penal*, 2. ed. São Paulo: Atlas, 1998, v. 1, p. 64 e s.; AQUINO, José Carlos G. Xavier de.; NALINI, José Renato. *Manual de Processo Penal*. São Paulo: Saraiva, 1997, p. 59.

21 Por exemplo: BETTIOL, Giuseppe. *Istituzioni di diritto e procedura penale*, Padova: CEDAN, 1966, p. 200 e s.; FLORIAN, Eugenio. *De las pruebas penales*. Bogotá: Temis, 1990, v. 1, p. 41; PISAPIA, Gian Domenico. *Compendio di Procedura Penale*. 3. ed. Padova: CEDAN, 1982, p. 206 e s.; LEONE, Giovanni. *Tratado de Derecho Procesal Penal*. Tomo I, tradução para o espanhol de Santiago Sentis Melendo, Buenos Aires: EJEA, 1989, p. 187 e s.; BELING, Ernst, *Derecho Procesal Penal*. Buenos Aires: DIN Editora, 2000, p. 25; SCHÜNEMANN, Bernd. *Obras*. Tomo II. Santa Fe: Rubinzal-Culzoni, 2009, p. 412 e s.; GÖSSEL, Karl Heinz. *El Derecho Procesal Penal en el Estado de Derecho*, Tomo I, Santa Fe: Rubinzal-Culzoni, 2007, p. 22 e s.; FIGUEIREDO DIAS, Jorge de. *Direito Processual Penal*, Primeiro Volume, Coimbra: Coimbra, 1974, p. 187 e s.; MOREIRA DOS SANTOS, Gil. *O Direito Processual Penal*. Porto: Asa Edições, 2002, p. 60 e s.

22 Mais à frente se aprofundará essa questão. Por ora, vale referir, por todos: COUTINHO, Jacinto Nelson de Miranda. O Papel do Novo Juiz no Processo Penal. *Crítica à Teoria Geral do Direito Processual Penal*. Rio de Janeiro: Renovar, 2001, p. 03-55, p. 15, *in verbis*: "Desde logo, no entanto, é preciso que fique claro que não há imparcialidade, neutralidade e, de consequência, perfeição na figura do juiz, que é um homem normal e, como todos os outros, sujeito à história de sua sociedade e à sua própria história". Mas se isto é tão evidente, "pela própria condição humana", parece lógico que a desconexão entre o "dever ser" e o "ser" só é possível e aceita em função de "fatores externos" (manutenção do *status quo*") e "internos" (manutenção, ainda que vã, do equilíbrio), em uma retroalimentação do sistema processual penal em vigor.

"samambaia de sala de audiência"[23] ou, ainda, que o juiz não pode ser um "convidado de pedra"[24] do processo.

Outro grupo de doutrinadores – particularmente aqueles que têm uma visão mais moderna e, portanto, transdisciplinar da complexidade do processo penal[25] – entende que o magistrado não deve ter qualquer ingerência na gestão da prova. Considera que o juiz, a exemplo de qualquer ser humano, não é neutro e, assim, ao se imiscuir de forma ativa na produção da prova, pode (até inconscientemente) agir em busca da validação de pré-conceitos e pré-juízos de valor que possa ter a respeito do réu ou do fato. Dessa forma, esses autores sustentam que apenas as partes devem participar diretamente da iniciativa de produção da prova, reservando ao juiz um papel de absoluta inércia. Alguns desses autores ainda esclarecem que, mesmo no curso da produção da prova introduzida pelas partes, caso o juiz fique em dúvida, ele deve permanecer inerte, e a "solução", assim, se daria pela absolvição em homenagem ao "*in dubio pro reo*", que decorre da presunção de inocência[26]. Para uma parcela significativa de autores de processo penal, qualquer intepretação diferente disso seria catalogada como "inquisitória"[27]. A repetição irrefletida dessa

---

23 NUCCI, Guilherme de Souza. Palestra Proferida no Curso de Atualização dos Magistrados no Tribunal de Justiça do Paraná. BRASIL. Tribunal de Justiça do Paraná. Órgão Especial. *Agravo Regimental Crime n. 413084-9/01*. Relator Desembargador Leonardo Lustosa. Julgado em 16 de outubro de 2009. Disponível em: https://www.tjpr.jus.br/consulta-2grau. Acesso em: 26 maio 2015, de onde se extrai a seguinte passagem: "Esse conceituado autor – em palestra proferida num curso de atualização de magistrado aqui no Paraná – chegou a asseverar que, caso contrário, só restaria ao juiz assistir à audiência, indeferindo uma pergunta aqui e outra acolá, podendo, ao final, apenas complementar a inquirição, concluindo, então, que os defensores dessa tese querem transformar os juízes em 'samambaia de sala de audiências'".

24 Conforme referido por MOREIRA, José Carlos Barbosa. O Processo Penal Norte-Americano e sua Influência. *Revista Síntese de Direito Penal e Processual Penal*, v. 1, n. 01. Porto Alegre: Síntese, abr./maio 2000, p. 5-11, p. 5. Citando a doutrina de José Carlos Barbosa Moreira ao comentar o parágrafo único do art. 212 do Código de Processo Penal: MENDONÇA, Andrey Borges de. *Nova Reforma do Código de Processo Penal: comentada artigo por artigo*. São Paulo: Método, 2008, p. 196.

25 *V.g.* FERRAJOLI, Luigi. *Direito e Razão: teoria do garantismo penal*. Tradução de Ana Paula Zomer e outros. São Paulo: RT, 2002, p. 488; LOPES JR., Aury. *Direito Processual Penal*. 10. ed. São Paulo: Saraiva, 2013; RANGEL, Paulo. *Direito Processual Penal*. 22. ed. São Paulo: Atlas, 2014, p. 510; ROSA, Alexandre Morais da. *Guia Compacto do Processo Penal Conforme a Teoria dos Jogos*. Rio de Janeiro: Lumen Juris, 2013, p. 55; THUMS, Gilberto. *Sistemas Processuais Penais. Tempo, Tecnologia, Dromologia e Garantismo*. Rio de Janeiro: Lumen Juris, 2006, p. 126; BARROS, Flaviane de Magalhães. *(Re)forma do Processo Penal: comentários críticos dos artigos modificados pelas Leis n. 11.690/08 e 11.719/08*. Belo Horizonte: Del Rey, 2009, p. 6; KHALED JR., Salah H. *A busca da verdade no processo penal: para além da ambição inquisitorial*. São Paulo: Atlas, 2013; PLETSCH, Natalie Ribeiro. *Formação da Prova no Jogo Processual Penal: o atuar dos sujeitos e a construção da sentença*. São Paulo: IBCCRIM, 2007, p. 65 e s. Vale também conferir, nessa mesma linha, os diversos artigos publicados em: *O Novo Processo Penal à Luz da Constituição (Análise Crítica do Projeto de Lei n. 156/2009, do Senado Federal)*. COUTINHO, Jacinto Nelson de Miranda; CARVALHO, Luis Gustavo Grandinetti Castanho de (Org.). Rio de Janeiro: Lumen Juris, 2010.

26 *V.g.* KHALED JR., Salah. *A Busca da Verdade no Processo Penal: para além da ambição inquisitorial, cit.*, p. 151; BARROS, Flaviane de Magalhães. *(Re)forma do Processo Penal: comentários críticos dos artigos modificados pelas Leis n. 11.690/08 e 11.719/08, cit.*, p. 50-51; TASSE, Adel El; MILÉO, Eduardo Zanoncini; PIASECKI, Patrícia Regina. *O Novo Sistema de Provas no Processo Penal. Comentários à Lei 11.690/08*. Curitiba: Juruá, 2008, p. 65.

27 *Vide*, por exemplo: FERRAJOLI, Luigi. *Direito e Razão: teoria do garantismo penal, cit.*, p. 488; KHALED JR., Salah H, *cit.*, p. 37; BARROS, Flaviane de Magalhães. *(Re)forma do Processo Penal: comentários críticos*

conclusão é tamanha nessa parte da doutrina mais moderna que chega a se caracterizar até mesmo como um "senso comum teórico dos juristas", para usar a crítica de Warat[28]. De fato, a impressão que se tem, lendo determinados autores, é que, dogmaticamente, já se "decidiu" que o juiz não deve produzir provas no processo penal. Registre-se: não se ignora que foram lançados importantes argumentos nesse sentido, porém, eles são dados hoje, por uma parte da doutrina mais "moderna", como absolutamente "verdadeiros", não se admitindo a possibilidade de serem contrapostos sem que imediatamente essa doutrina recorra ao "véu de Maia" impeditivo de qualquer crítica ao seu modo de pensar, colando-lhe apressadamente o rótulo de "inquisitório". Como dito, a adoção do rótulo "inquisitório" hoje tem servido, em parte da doutrina, mais como um refrão pejorativo que macula tudo o que a ele se vincula[29]. Decorrência dessa crença, falar em atividade probatória do juiz, mesmo que apenas no sentido de complementar a prova introduzida no processo pelas partes, para alguns autores, passou a ser sinônimo de ignorância, e quem defende essa possibilidade – muitos, é claro, por fazê-lo embasados em premissas erradas como a "busca da verdade real", diga-se – passou a ser patrulhado, rotulado e por vezes até ridicularizado no mesmo sentido pejorativo. O problema está em considerar que, havendo essa premissa errada – rotulada com a pecha de inquisitória –, toda e qualquer defesa da ideia de o juiz ter parcela de postura ativa complementar na produção probatória também deva ser embasada na mesma premissa falsa e, portanto, deva também ser lida pejorativamente.

---

dos artigos modificados pelas Leis n. 11.690/08 e 11.719/08, cit., p. 50-51; TASSE, Adel El; MILÉO, Eduardo Zanoncini; PIASECKI, Patrícia Regina. *O Novo Sistema de Provas no Processo Penal. Comentários à Lei 11.690/08, cit.*, p. 65; AMARAL, Augusto Jobim do. *Política da Prova e Cultura Punitiva: a governabilidade inquisitiva do processo penal brasileiro contemporâneo, cit.*, p. 463-464; EBERHARDT, Marcos. Reformas Processuais Penais no Âmbito da Produção Probatória. In: NUCCI, Guilherme de Souza (Org.). *Reformas do Processo Penal.* 2. ed. Porto Alegre: Verbo Jurídico, 2009, p. 99-134, p. 123; FIORI, Ariane Trevisan. O Desafio do Novo. In: COUTINHO, Jacinto Nelson de Miranda; CARVALHO, Luis Gustavo Grandinetti Castanho de (Org.). *O Novo Processo Penal à Luz da Constituição (Análise Crítica do Projeto de Lei n. 156/2009, do Senado Federal).* Rio de Janeiro: Lumen Juris, 2010, p. 69-75, p. 74; HARTMANN, Helen. Alguns Apontamentos Sobre o Projeto de Lei 156/2009-PLS e o Interrogatório do Acusado. COUTINHO, Jacinto Nelson de Miranda; CARVALHO, Luis Gustavo Grandinetti Castanho de (Org.). *O Novo Processo Penal à Luz da Constituição (Análise Crítica do Projeto de Lei n. 156/2009, do Senado Federal).* Rio de Janeiro: Lumen Juris, 2010, p. 25-36, p. 35; GIACOMOLLI, Nereu José. Atividade do Juiz Criminal Frente à Constituição: Deveres e Limites em Face do Princípio Acusatório. In: GAUER, Ruth Maria Chittó (Coord.). *Sistema Penal e Violência.* Rio de Janeiro: Lumen Juris, 2006, p. 209-230; BARROS, Flaviane de Magalhães. *(Re)forma do Processo Penal: comentários críticos dos artigos modificados pelas Leis n. 11.690/08 e 11.719/08, cit.*, p. 31.

28 WARAT, Luís Alberto. *Saber Crítico e Senso Comum Teórico dos Juristas, cit.*, p. 51.

29 Nesse sentido também é a percepção de PICÓ I JUNOY, Joan. *El Juez y la Prueba: estudio de la errónea recepción del brocardo "iudex iudicare debet secundum allegata et probata, non secundum conscientiam" y su repercusión actual.* Bogotá: Pontificia Universidad Javeriana, Facultad de Ciencias Juridicas: Grupo Editorial Ibáñez, 2011, p. 129 e s. No mesmo sentido: SCHWIKKARD, Pamela Jane. *Procedural Models and Fair Trial Rights.* International Association of Procedural Law, Toronto Conference, 2009. Disponível em: http://www.docstoc.com/docs/30851484/Procedural-models-and-fair-trial-rights. Acesso em: 15 set. 2014.

Outros doutrinadores já admitem que o juiz possa ao menos complementar a inquirição das testemunhas nos moldes hoje permitidos pelo art. 212 do Código de Processo Penal[30]. Para alguns, a exemplo do jurista italiano Franco Cordero, como regra, o juiz deve ser inerte no que concerne às iniciativas de produção da prova, mas pode ter atividade probatória complementar em relação a alguns casos previstos em lei[31], bem como pode complementar com novas perguntas a inquirição das testemunhas propostas pelas partes[32]. De resto, alguns outros poucos doutrinadores[33], também de leitura mais moderna, admitem atividade probatória do juiz "apenas" em favor do réu (entendimento, aliás, que restou incorporado ao texto do art. 3º-A do Código de Processo Penal brasileiro). O problema é que, ao defenderem essa linha de atuação, desconsideram o resultado que possa advir dessa atuação pretensamente unilateral do magistrado, ou seja, tanto que isso possa representar uma quebra de imparcialidade quanto que a prova produzida possa ser contra o acusado, e não a favor dele[34].

Entende-se que todas essas posições, da forma como estão colocadas e fundamentadas, precisam ser mais bem compreendidas a partir do enfrentamento da

---

30 *V.g.* COUTINHO, Jacinto Nelson de Miranda. Sistema Acusatório e Outras Questões Sobre a Reforma Global do CPP. In: COUTINHO, Jacinto Nelson de Miranda e CARVALHO, Luis Gustavo Grandinetti Castanho (Org.). *O Novo Processo Penal à Luz da Constituição.* Rio de Janeiro: Lumen Juris, 2011, v. 2, p. 17-35, p. 20-21; LOPES JR., Aury. *Direito Processual Penal, cit.,* p. 657.

31 CORDERO, Franco. *Procedura Penale, cit.,* p. 621, *in verbis:* "O poder instrutório do juiz sobrevive em alguns contextos: quando N, testemunha, indica P como informado sobre os fatos (este segundo testemunho é passível de aquisição mesmo se nenhum dos contraditores o peça: art. 195); idem em relação às perícias (art. 224); e a 'qualquer documento proveniente do imputado' (art. 237); e à leitura das atas importadas de outro lugar segundo o art. 239; e também quando, admitidas as provas deduzidas *'hinc inde',* resultem 'absolutamente necessárias' outras, cuja existência tenha surgido (art. 507, porém adjetivo e advérbio integram uma fórmula enfática: para a intervenção aquisitiva basta que a prova de que se trate, hipoteticamente considerada, modifique o quadro decisório); a respeito da leitura das declarações tomadas nas investigações ou na audiência preliminar pelos acusados nos processos conexos, quando tenha fracassado a condução à força do declarante ou a inspeção domiciliar ou uma rogatória internacional, pedidas pela parte (neste caso, o artigo 513, exige somente que sejam 'ouvidas as partes') por último, na renovação do debate em apelação (art. 603)". Tradução nossa.

32 CORDERO, Franco. *Procedura Penale, cit.,* p. 682, *in verbis:* "Ao final, por vontade própria ou porque lhe pediu um colega, interlociona em dois modos: indiretamente, assinalando às partes os pontos que convém estender o exame; ou com perguntas diretas às testemunhas já examinadas, preservado o direito dos contraditores a fazerem intervenções sucessivas na mesma ordem (art. 506)". Tradução nossa.

33 A exemplo de PRADO, Geraldo. *Sistema Acusatório: a conformidade constitucional das leis processuais penais.* 4. ed. Rio de Janeiro: Lumen Juris, 2006, p. 137, e OLIVEIRA, Eugênio Pacelli de. *Curso de Processo Penal.* 9. ed. Rio de Janeiro: Lumen Juris, 2008.

34 Como aponta COUTINHO, Jacinto Nelson de Miranda. Sistema Acusatório: cada parte no lugar constitucionalmente demarcado. In: COUTINHO, Jacinto Nelson de Miranda; CARVALHO, Luis Gustavo Grandinetti Castanho de (Org.). *O Novo Processo Penal à Luz da Constituição (Análise Crítica do Projeto de Lei n. 156/2009, do Senado Federal).* Rio de Janeiro: Lumen Juris, 2010, p. 1-17, p. 15, *in verbis:* "Dúvida maior, porém, veio com a intervenção dele quanto à produção da prova de defesa. Parte da Comissão entendeu que isso não se deveria passar, dentre outros motivos pelo fato de que, ao final, se houver dúvida, deve o réu ser absolvido, em face do 'in dubio pro reo'. Ademais, à intervenção probatória do magistrado não se tem, pela lei, qualquer mecanismo de garantia que não atuará ele contra o réu; e sim a seu favor".

complexidade que move o processo penal e a natureza humana do juiz diante da prova e do mecanismo decisório que lhe ocorre, e não representam efetiva mudança de paradigma filosófico. No fundo, o que seria ideal, insista-se, seria abandonar a discussão dicotômica (que não permite enxergar para além dela própria) e promover um redirecionamento do processo penal para o paradigma filosófico da linguagem e da intersubjetividade.

Trilha-se, então, o caminho de indicar outras soluções de compreensão para essa problemática relacionada ao papel do juiz no novo processo penal brasileiro, seja à luz da hermenêutica filosófica (que parte de Heidegger e se consolida em Gadamer), seja no plano da psicanálise (de Freud e Lacan) e da psicologia cognitiva[35] (de Amos Tversky e Daniel Kahnemann), sem descurar que a questão também está umbilicalmente vinculada com a necessidade de se dar maior efetividade tanto às garantias do contraditório e da ampla defesa quanto à Filosofia da Linguagem no processo. Nessa mesma linha, também se visa diminuir o problema que a má recepção do princípio do livre convencimento por parte de significativa parcela da jurisprudência brasileira judicial vem ocasionando, pois é errônea a leitura que vários juízes e tribunais fazem desse princípio, notadamente quando o consideram como se equivalesse a uma espécie de autorização à discricionariedade na valoração probatória, dizendo não ser necessário valorar todas as provas, justificar todas as opções de preferência probatória ou mesmo analisar todas as teses das partes.

Para tanto, é preciso demonstrar os equívocos de interpretação que hoje têm norteado a discussão da possibilidade de o juiz participar da produção probatória no processo penal em modo complementar, seja no contexto da visão tradicional (que é favorável com base na ideia de busca da verdade real[36]), seja no ângulo de análise de parte da visão moderna (que é contrária por considerá-la "inquisitória" em razão da ideia de que o juiz não é neutro e elabora "quadros mentais paranoicos" a partir dos quais poderia dar prevalência às suas hipóteses mentais em detrimento do próprio fato).

Aqui, portanto, pretende-se desvelar os equívocos discursivos de excessivo apego aos dois sistemas lidos em suas pretensões de "pureza" dicotômica, para provocar no intérprete e no doutrinador a necessidade de eles também se desapegarem de seus pré-conceitos a respeito dos sistemas processuais penais, permitindo-lhes ver que é

---

35   Segundo Robert J. Sternberg, este é o ramo da Psicologia que estuda como as pessoas percebem, aprendem, lembram-se e pensam a informação. STERNBERG, Robert J. *Psicologia Cognitiva*. Tradução da 5ª edição norte-americana por Anna Maria Dalle Luche e Roberto Galman. São Paulo: Cencage Learning, 2013, p. 1.

36   Nessa linha de raciocínio, vale citar, por todos, o quanto anota NUCCI, Guilherme de Souza, *cit.*, p. 98, *in verbis*: "... falar em verdade real implica provocar no espírito do juiz um sentimento de busca, de inconformidade com o que lhe é apresentado pelas partes, enfim, um impulso contrário à passividade. Afinal, estando em jogo direitos fundamentais do homem, tais como liberdade, vida, integridade física e psicológica e até mesmo honra, que podem ser afetados seriamente por uma condenação criminal, deve o juiz sair em busca da verdade material, aquela que mais se aproxima do que realmente aconteceu".

possível integrar à ideia de gestão das provas pelas partes, inclusive para otimizá-la, a possibilidade de o juiz complementar a inquirição das testemunhas, até porque "atividade probatória complementar do juiz" e "inquisitorialismo" não guardam necessária vinculação histórica (e assim, não excluem o sistema inverso – "acusatório"), e, portanto, não precisam continuar a ser considerados como sinônimos perversos.

Assim, levando em conta que o fundamento central de parcela da doutrina mais moderna de processo penal está centrado justamente no rótulo do "sistema inquisitório" para embasar a proibição de o juiz produzir prova complementar de ofício, no intuito de demonstrar como esse rótulo pode ser repensado, começa-se procurando bem delimitar o que se compreenda por "sistema", já que a palavra não é necessariamente adotada com o cuidado devido na doutrina, o que, por si só, já conduz a interpretações questionáveis.

Sem uma definição precisa e orientadora do discurso, quando se fala em "sistema", tudo acaba sendo válido, e, nessa medida, o que acontece na doutrina em geral é o fato de qualquer um dizer "qualquer coisa sobre qualquer coisa"[37] em termos de sistemas processuais penais. Aliás, a doutrina não costuma enfrentar a definição do que se compreenda por "sistema", e dá-la como certa, como presumida, além de arriscado, torna-se a razão primordial pela qual alguns equívocos discursivos proliferam nesse campo. Enfrenta-se, então, como necessidade preliminar para a compreensão das análises doutrinárias na temática dos sistemas processuais, a dinâmica histórico-filosófica envolvendo essa palavra, para ter presente seu conceito técnico e preciso como norte de exegese.

3.1 O conceito preferencial de "sistema" e sua importância para o processo penal

Para que se possa melhor visualizar tanto a disparidade doutrinária quanto a dificuldade que irá decorrer na exegese das regras processuais penais, caso prevaleça, no novo Código, a premissa hoje delineada no art. 3º-A do Código de Processo Penal brasileiro, não se pode perder de mira, como já destacado, que vários autores que escrevem sobre processo penal não se dão muito ao trabalho de conceituar "sistema", até porque a palavra foi empregada ao longo de boa parte da história, desde Aristóteles até Kant, com significativa ausência de rigor semântico.

Em síntese, é possível dizer que a definição kantiana de "sistema" seja a melhor conceituação até hoje elaborada. E nem se diga que Kant possa estar ultrapassado nesse aspecto, pois, como lembra Jacinto Coutinho, Kant somente "seria ultrapassado

---

37   STRECK, Lenio Luiz. *Hermenêutica jurídica e(m) crise: uma exploração hermenêutica da construção do Direito*, cit, p. 311.

se se tivesse algo para colocar no lugar dele (pensando como a base do fundamento jurídico): mas não há! Seria o mesmo que dizer que Copérnico [1473-1543] é velho, ou melhor, ultrapassado.. porque é do século XV-XVI"[38]. E, seguindo a estrutura de pensamento de Christian Wolff[39], no que se refere ao conceito de sistema, Kant apresentou o entendimento de que todo sistema deve partir de uma "ideia fundante" e estar orientado por um "*princípio da unidade sistemática*" ou "princípio unificador", à luz do que ele denominou ser a "arquitetônica"[40], que consiste justamente em unificar o conhecimento mediante essa referida ideia fundante.

O que se tem, portanto, é que, para Kant, é a partir da aceitação de se estar inserido num "sistema" de regras (significantes) e do exato alcance de seus significados que se pode vir, então, a alargar os horizontes e estabelecer critérios fundamentais de hermenêutica, sem os quais as regras não devem passar de um "agregado" ilógico e desorientado.

Compreendido, portanto, que "sistema" pressupõe a identificação de uma ideia fundante orientadora da exegese do conjunto de regras que o compõe, verificam-se na doutrina nacional e estrangeira os critérios usados para localizar os princípios unificadores e demonstrativos sobre a disparidade existente entre os dois sistemas processuais penais construídos doutrinariamente: o acusatório e o inquisitório.

Essa tarefa revela que a maioria dos doutrinadores não se ampara no conceito kantiano de sistema, na medida em que constroem os denominados "sistemas acusatório e inquisitório" "*a posteriori*", isto é, com os olhos de hoje voltados ao passado, selecionando regras esparsas de textos antigos e agrupando-as arbitrariamente em pretensos modelos ideais. Não é demais pontuar que, ao selecionar regras que sirvam ao propósito de enxergar um sistema em regramentos antigos, por óbvio, esses doutrinadores deixam outras regras, igualmente vigentes à época, de lado. Esses doutrinadores, ademais, não levam em conta que o aglomerado de regras que regulavam modelos procedimentais de apuração de delitos, ao longo da história, não costumava ser organizado a partir de uma ideia fundante, muito menos se orientar a partir de um princípio unificador. Fazem análises muito anacrônicas, desconsiderando os usos e costumes da época. Assim, justamente por não terem a precisa compreensão dos diversos modelos antigos de processo penal, esses mesmos doutrinadores não conseguem atingir o consenso quanto aos princípios unificadores dos "sistemas" que procuraram selecionar, conforme se explicará mais adiante.

---

38 COUTINHO, Jacinto Nelson de Miranda. *Os Sistemas Processuais Agonizam?* Conferência proferida no Seminário Direito Penal e Processo Penal: entre a Prática e a Ciência. Evento comemorativo aos 30 anos do Curso Prof. Luiz Carlos, Curitiba, 29 de novembro de 2013.

39 WOLFF, Christian, *cit.*, p. 90 e s.

40 KANT, Immanuel. *Crítica da Razão Pura*, *cit.*, p. 584 e s.

É claro que toda visão reducionista pode implicar em alguma dificuldade de enxergar além de sua própria redução, mas, para o ponto de partida de orientação do conjunto de regras, entende-se que não há como escapar dela. Aqui a redução conceitual é fundamental e, ainda que se possam identificar características outras a complementar os sistemas, e mesmo que se possa ter diferentes sistemas, abertos ou fechados, ou ainda que se autorreproduzam, para emprestar a preocupação de Luhmann, impende-se orientar o pensamento por uma linha mestra sólida e irrenunciável. Portanto, a noção de "sistema" deve ser compreendida a partir da existência de uma ideia fundante e do referido "princípio unificador".

Vale anotar que a importância de se pensar o processo penal a partir da ideia de sistemas não se esgota na questão conceitual, por óbvio, sendo necessário avaliar qual seria o sentido em se insistir nessa vinculação à organização e interpretação sistemática. A resposta é dada a partir da explicação oferecida por Dirk Baecker, ao considerar que a ideia de se trabalhar com uma "teoria de sistema" surge com força na modernidade para favorecer as formas de controlar e supervisionar a sociedade[41]. "Todo controle é um ato de comunicação", explica Baecker, "e somente pode ter êxito na medida em que a comunicação tenha êxito"[42]. Ao se estabelecer que a comunicação só é válida nos limites do sistema, determinada agência de poder também estabelece um dos mecanismos de manutenção de seu poder. Quem quiser discutir a legitimidade do poder fora dos limites está fadado a ser desconsiderado, pois violará o sistema.

Porém, ainda que a teoria dos sistemas seja estruturada nesse sentido "negativo", de favorecer o poder, pode-se ler a mesma ideia em seu sentido inverso, isto é, de que essa teoria serve igualmente para controlar esse mesmo poder, limitando-o e controlando-o na medida inversamente proporcional à sua pretensão de controle social. Isso é visível quando se analisam as transformações dos modelos de Estado pelas quais se passou desde a Revolução Francesa. De um Estado liberal ao Estado Social e, principalmente, ao Estado Democrático de Direito, ocorreram relevantes mudanças na forma de se compreender e limitar o exercício do poder. Essa transformação dos modelos de Estado será retomada mais adiante, no próximo capítulo, de forma mais detalhada; por ora, basta compreender que a utilização de uma teoria de sistemas acompanha esse movimento transformador, sem descurar de sua característica e função dominantes de servir de instrumento de controle, seja de controle social, seja de limitação do controle de Estado.

---

41 BAECKER, Dirk. ¿Por qué una Teoría de Sistemas? *Teoría de Sistemas y Derecho Penal. Fundamentos y Posibilidad de Aplicación* (Carlos Gómez-Jara Díez, editor). Lima: ARA Editores, 2007, p. 23-41, p. 23.

42 *Ibid.*, p. 24. Tradução nossa.

De fato, partindo do conceito kantiano, e se valendo do quanto explica Dirk Baecker, ao se construir a ideia de sistema se promovem seleções de possibilidades de comunicação orientadas por uma ideia fundante e pelo princípio unificador que delimita o seu entorno. Fora das possibilidades de comunicação selecionadas inexiste condição de comunicabilidade. Se é assim que opera o sistema, ao mesmo tempo que o detentor da agência de poder pode determinar quais são as possibilidades de comunicação dentro de um sistema e, com isso, restringir outras possibilidades fora dos limites do sistema, há também o efeito inverso, pois, uma vez estabelecidos os limites desse sistema, mesmo o detentor do poder não poderá operar fora deles. Portanto, a teoria dos sistemas também se presta, *"contrario sensu"*, a controlar quem exercita o poder, pois, como dito, este não poderá ultrapassar os limites comunicacionais preestabelecidos.

Assim, um sistema que venha a interligar determinado conjunto de regras comuns numa hermenêutica de compreensão circular, numa forma de enxergar as regras como pertencentes a um todo e de as interpretar de maneira não excludente, mas principiologicamente orientadas de forma unitária, nos moldes de orientação da Hermenêutica Filosófica de Gadamer, é também um campo de controle do exercício de poder estatal. E o processo penal como instrumento poderoso de Estado merece ser controlado e limitado.

Neste ponto poderia surgir algum questionamento relacionado a uma possível incongruência na redação do último parágrafo, talvez criticando a pretensão ali externada de harmonizar e fundir os horizontes da Hermenêutica Filosófica com a ideia de sistema no âmbito do processo penal. Um crítico mais atento poderia ponderar dizendo algo como "mas Gadamer não trabalha com uma análise sistêmica...". Em resposta a essa potencial crítica, vale, como contraponto inicial, outra referência ao texto de Dirk Baecker, no sentido de que se deve ter em conta que colocar questões entre parênteses, suspensas, como se elas não importassem, não significa deixá-las efetivamente de lado[43].

Arrisca-se, então, a dizer que Hermenêutica Filosófica, por exemplo, parece implicitamente colocar entre parênteses o inconsciente e o mecanismo decisório psicológico/neurocientífico do juiz, desconsiderando-os, como se eles não importassem no processo de compreensão. Com isso não se quer afirmar, é claro, que Heidegger e Gadamer desconsiderassem os pré-conceitos do ser-no-mundo também em seu sentido pejorativo (isto é, para além das pré-compreensões estruturantes como condição de possibilidade de compreensão linguística – esse tema será retomado mais adiante de forma mais detalhada). Porém, se não desconsideravam tais aspectos do inconsciente e da psicologia cognitiva/neurocientífica (também denominada "neurociência cognitiva social"[44]), de certa forma suspendiam sua relevância, colocando-os

---

43   *Ibid.*, p. 31.

44   Como refere Leonard Mlodinow, *in verbis*: "Com o advento da fMRI e a capacidade cada vez maior de os cientistas

"entre parênteses", para usar a expressão de Dirk Baecker. E, se os colocavam entre parênteses, insista-se, não os deixavam realmente de lado.

Nessa linha de compreensão, ainda que se tenha noção da aparente incongruência suprarreferida, entende-se não haver necessariamente uma compreensão excludente entre a Hermenêutica Filosófica gadameriana com a manutenção de uma ideia kantiana de sistema para o processo penal. Ao contrário, pois, quando Gadamer, embasado em Heidegger, prega uma interpretação que leve em conta as pré-compreensões do ser-no-mundo e seja circular, isto é, que vá do todo para a parte e da parte para o todo, ele exclui outras possibilidades comunicativas de interpretação. Ou seja: elabora um sistema, selecionando critérios e excluindo outros, estabelecendo possibilidades comunicativas em torno de uma "ideia fundante" consistente em controlar o hermeneuta e evitar o solipsismo. De resto, age orientado por um "princípio unificador" – ou por um "vetor de racionalidade", como prefere Ernildo Stein[45]: o *Dasein* heideggeriano. Assim, se a Hermenêutica Filosófica tem como pretensão controlar o hermeneuta e evitar o solipsismo, como se disse, essa é uma circunstância que um sistema pode perfeitamente desenvolver. Como referido por Dirk Baecker, os sistemas em geral também têm esse papel de controle, na medida em que definem um conjunto de possibilidades que estruturam controles mediante comunicação.

Assim, um sistema processual penal que seja orientado para diminuir discricionariedade judicial compartilha do mesmo interesse que a Hermenêutica Filosófica, notadamente nos moldes em que esta é trazida ao campo do Direito por Lenio Streck e sua importante Crítica Hermenêutica do Direito.

Com efeito, Lenio Streck, fundindo o discurso de Heidegger e Gadamer com aquele de Dworkin, também parte de uma ideia fundante que considera o hermeneuta um ser-no-mundo estruturado em suas pré-compreensões, e que deve ser controlado intersubjetivamente na interpretação das normas levando em conta os princípios constitucionais trabalhados circularmente com a regra, sem descurar dos princípios

---

estudarem como diferentes estruturas do cérebro contribuem para a formação de pensamentos, sentimentos e comportamentos, as duas escolas que seguiram o behaviorismo começaram a juntar forças. Os psicólogos sociais perceberam que poderiam desemaranhar e validar suas teorias sobre os processos psicológicos conectando-os às suas fontes no cérebro. Os psicólogos cognitivos perceberam que poderiam rastrear as origens dos estados mentais. Também os neurocientistas, que se concentravam no cérebro físico, perceberam que poderiam entender melhor seu funcionamento se aprendessem mais sobre os estados mentais e processos psicológicos produzidos pelas diferentes estruturas. E assim surgiu o novo campo de neurociência cognitiva social, ou simplesmente neurociência social. É um 'ménage a trois', uma 'relação a três': psicologia social, psicologia cognitiva e neurociência" (MLODINOW, Leonard. *Subliminar: como o inconsciente influencia nossas vidas, cit.*, p. 124).

45   STEIN, Ernildo. *Pensar é Pensar a Diferença. Filosofia e Conhecimento Empírico*. Ijuí: Editora Unijuí, 2002, p. 180: "O vetor serão as condições de modo de ser-no-mundo: a compreensão do ser e a diferença ontológica. Esse vetor é a base de qualquer teoria do conhecimento. Então o ser-aí, o Dasein, baseado na estrutura do ser-no-mundo, passa a ser o vetor de racionalidade".

unificadores da coerência e da integridade. Ou seja: ainda que se não admita expressamente, trabalha dentro de critérios e limites hermenêuticos que permitem dizer que opera num campo sistemático.

Neste ponto vale recordar o que referia Gothard Günther, em texto originalmente publicado em 1962, ao explicar a ideia de sistema num paralelismo com o Universo e suas partes. Diferentemente do que ocorre com o Universo, que é um todo sem fronteiras e, assim, não pode ser autorreferente, "centros individuais têm, como sabemos muito bem, um ambiente genuíno (que o Universo não tem!), e o que eles refletem é esse mesmo ambiente". E prossegue: "É lógico que estes sistemas de autorreflexão com centros próprios não poderiam se comportar como eles fazem a menos que fossem capazes de 'desenhar uma linha' divisória entre eles mesmos e seu ambiente"[46]. Ou seja, um sistema necessita de uma linha divisória entre si e seu entorno para dele se distinguir e ser capaz de se autorrefletir. Se não há um sistema, há apenas o todo, e este, assim como o Universo referido por Gothard Günther, tende a carecer de inteligência, como igualmente explica Dirk Baecker ao tratar, justamente, da "inteligência do sistema":

> O todo tende a carecer de inteligência na medida em que deixa de refletir-se num entorno; em seu lugar, trata de absorver qualquer entorno e insistir em sua própria plenitude. E então isso estabelece uma tendência que não *conduz à reflexão, mas à generalização e à abstração*[47].

Vem daí a importância de se insistir na vinculação sistemática para a compreensão do processo penal. Se o sistema também opera como mecanismo de controle, ele serve tanto como condição de possibilidade de comunicação entre os atores processuais quanto como mecanismo de restrição de possibilidades de comunicação, ao se afastar de seu entorno, dele se distinguindo. Mais uma vez é importante recordar a lição de Dirk Baecker, ao explicar que "controle significa estabelecer uma causalidade para assegurar a comunicação, quer dizer, consiste em reduzir os graus de liberdade na autosseleção dos eventos"[48]. E prossegue dizendo que "é por isso que a noção de 'condicionamento' é uma das mais importantes no campo da teoria dos sistemas", esclarecendo que "o condicionamento se dá quando se introduz uma distinção que

---

46 GÜNTHER, Gotthard. *Cybernetic Ontology and Transjunctional Operations*, p. 58. Disponível em: http://www.vordenker.de/ggphilosophy/gg_cyb_ontology.pdf, Acesso em: 20 fev. 2015. Publicado originariamente em: YOVITS, M. C.; JACOBI, G. T.; GOLDSTEIN, G. D. (Org.). *Self-Organizing System*. Washington D. C.: Spartan Books, 1962, p. 313-392. Tradução nossa.

47 BAECKER, Dirk. ¿Por qué una Teoría de Sistemas?, *cit.*, p. 27. Tradução nossa.

48 *Ibid.*, p. 23 e s.

separa um subconjunto de possibilidades, por um lado, e um observador forçado a eleger, de outro". Nesse caso, esse observador, inserido num sistema, somente pode eleger dentro dos espaços previamente selecionados pelo sistema.

Pensando em termos de processo penal, o sistema indica a necessidade de ser selecionado determinado fato a ser discutido como objeto do processo (é o "caso penal", para usar a expressão de Jacinto Coutinho[49]). Este, como se sabe, vem delimitado na denúncia. A imputação fática constante da denúncia e o princípio da correlação amarram as possibilidades comunicativas das partes e do processo decisório do juiz. Tudo que estiver fora desse campo de imputação fática está fora do sistema do processo em curso. Se a denúncia seleciona determinado fato, dentre inúmeras outras possibilidades fáticas de imputação, e se o juiz aceita o fato selecionado na denúncia como capaz de ser objeto de discussão no processo, o próximo passo relevante é de verificação probatória desse fato selecionado para permitir o posterior *"accertamento"* do caso, como dizem os italianos (isto é, quando o juiz aplica a lei e "acerta" a aplicação da norma ao caso, integrando o comando [legal] ao caso dado[50]). É preciso, então, selecionar quais provas serão/poderão ser comunicadas e como essa comunicação operará. Chega-se ao momento de ouvida das testemunhas em audiência. Enquanto uma testemunha fala, tanto as partes quanto o juiz são observadores dessa fala. Na complexidade de sua estrutura mental, de sua capacidade linguística e do processo mnemônico, a testemunha seleciona possibilidades de discurso dentro dessas limitações para falar sobre o que sabe/lembra-se do caso penal, e as partes operam como observadores em relação a ela. Uma das partes espera da testemunha determinado tipo de discurso (ex.: o Ministério Público espera que a testemunha confirme o que consta da imputação fática da denúncia), e a outra espera algo em sentido inverso (ex.: a defesa espera que a testemunha não confirme os fatos imputados ao acusado). Há, por vezes, portanto, uma dupla expectativa conflitante. As partes, então, no ambiente da audiência, podem ser autorizadas a interferir na fala da testemunha. Nesse caso, para além de uma dupla expectativa que tinham como observadores, promovem, agora como partícipes, uma dupla intervenção e um duplo constrangimento em relação à testemunha. Mas há, também, o juiz, que atua inicialmente como um terceiro observador e que pode estar com expectativas diversas daquelas imaginadas/selecionadas/comunicadas pelas partes. Essa ideia de o juiz ser um terceiro é trabalhada por alguns autores como devendo

---

49 COUTINHO, Jacinto Nelson de Miranda. *A Lide e o Conteúdo do Processo Penal.* Curitiba: Juruá, 1989, p. 134.

50 *Ibid.*, p. 32.

ser uma postura apenas de espectador, e não de ator/partícipe[51]. Essa visão, no entanto, não pode ser tomada de forma absoluta. Natalino Irti melhor explica o lugar do juiz no processo, considerando-o um terceiro que está "com" as partes e "acima" das partes: "'com elas', porque o problema das partes é também um problema do terceiro, e as respectivas 'razões' se tornam termos de dúvida e possibilidades de escolha. 'Acima delas', porque o terceiro tem o poder da decisão, de encerrar o conflito com a vitória de uma e a derrota da outra"[52]. O autor, então, explica esse papel do magistrado como equivalente ao que ele denomina de "princípio do terceiro incluído"[53]. E, prossegue Natalino Irti, "o conflito jurídico é, por assim dizer, triádico: não pode ser reduzido a dois, mas precisa necessariamente de três"[54]. Assim, caso se leve em conta o juiz como mero observador, o resultado da compreensão do que a testemunha tinha a dizer poderá se evidenciar como dupla ou até tripla frustração.

Entra, também aqui, a importância do sistema. Se não tenho sistema algum, tudo é válido e não há controle algum, nem em relação à testemunha, nem em relação às partes ou mesmo em relação ao juiz. Sem o controle comunicacional, o resultado será indeterminado. O sistema, então, se impõe como um modo pelo qual o ordenamento jurídico dará respostas a determinado problema. Assim, se tenho um sistema processual penal operando, posso estabelecer critérios e controles de como se permitirá essa operação de seleção, comunicação e compreensão da fala da testemunha. Ainda que se admita que *toda a construção* do sistema também "se encontra 'imersa' na indeterminação"[55], essa indeterminação é eliminada com a autorreferência sistemática, ou seja, o sistema poderá determinar o indeterminado, estabelecendo critérios de limitação. Estes poderão ser direcionados apenas para as partes; ou apenas para o juiz; ou, ainda, para todos ou para nenhum dos observadores. Mas o fato é que o sistema opera estabelecendo as condições de interferência – e, assim, de controle – desses observadores em relação à testemunha. Controla a comunicação do que a testemunha tem a dizer, ampliando-a ou reduzindo-a, dependendo do modelo adotado, isto é, dependendo dos graus de liberdade que o sistema permitir na autosseleção dos eventos por parte da testemunha.

---

51   *V.g.* LOPES JR., Aury. *Direito Processual Penal, cit.*, p. 178. *Vide* também, dentre outros: PLETSCH, Natalie Ribeiro. *Formação da Prova no Jogo Processual Penal: o atuar dos sujeitos e a construção da sentença, cit.*, p. 72.

52   IRTI, Natalino. *Diritto Senza Verità, cit.*, p. 65. Tradução nossa.

53   *Ibid.*, p. 66. Tradução nossa.

54   *Ibid.*, p. 66. Tradução nossa.

55   BAECKER, Dirk. ¿Por qué una Teoría de Sistemas?, p. 37.

De resto, o sistema também é relevante ao atuar nessa mecânica de controle por meio da comunicação, ao longo de toda a interpretação das regras. Com efeito, ao se pensar num processo penal democrático, que premie garantias do cidadão, que simultaneamente controle o poder do Estado e o faça operar dentro de determinados marcos principiológicos, o sistema deve se afastar do entorno potencialmente autoritário que possa querer se impor como princípio.

Em outras palavras, não basta pensar numa circularidade hermenêutica que opere avaliando a regra em conjunto com o princípio; é preciso ir além e garantir que esse princípio e essa regra, também eles, sejam orientados por uma ideia fundante e por princípios orientadores esculpidos a partir da consolidação de uma tradição histórica autêntica que premie os direitos fundamentais do cidadão no âmbito resultante de uma democracia constitucional. Entra em cena, aqui, a importância da política criminal, de que fala Roxin, ao pensar na dogmática penal e na construção de seu modelo funcionalista. Ela é algo a ser levado em conta também na elaboração de um sistema para o processo penal brasileiro, orientado pelas balizas políticas inseridas na Constituição. E, nessa medida, a importância de se manter a compreensão do processo penal à luz de um sistema vem à tona, permitindo que, uma vez identificada/precisada sua ideia fundante e seu princípio unificador, o sistema possa se distinguir de seu entorno, autorrefletindo suas estruturas e excluindo as possibilidades diversas que estão ao redor.

De outra sorte, ao mesmo tempo que o sistema deva ser estruturado de forma unitária e concatenado, não é possível esquecer o grau de complexidade atingido pela sociedade e o próprio grau de complexidade que o inconsciente dos atores processuais, como seres humanos que são, apresenta. Decorrentemente, aproveitando a precisa observação de Leonel Severo Rocha, é possível admitir que "um sistema diferenciado deve ser, simultaneamente, 'operativamente fechado' para manter a sua unidade e 'cognitivamente aberto' para poder observar a sua diferença constitutiva"[56].

Tem-se, portanto, que o sistema processual penal brasileiro deva ser um sistema "operativamente fechado", mas "cognitivamente aberto", estimulado pelas informações do ambiente, isto é, do caso concreto e aberto em relação à possibilidade de admitir revisões estruturais pela via legislativa e de sofrer influências outras, a exemplo da complexidade gerada pelo inconsciente e pelo mecanismo psicológico/neurológico do processo decisório.

Enfim, do que já foi dito até aqui, é possível estabelecer a premissa de que é a partir do conceito kantiano, mas também da hermenêutica filosófica, que se passará

---

56 ROCHA, Leonel Severo; SCHWARTZ, Germano; CLAM, Jean, *cit.*, p. 38.

Rodrigo Chemim ▪ 343

a analisar os dois "sistemas" processuais penais consagrados pela doutrina, iniciando pela dificuldade que os processualistas penais de hoje em dia encontram na definição do critério diferenciador entre eles.

3.2 A "Babel" dos sistemas processuais penais: ninguém se entende

Ao tratar dos denominados sistemas processuais penais, a doutrina é, em geral, divergente quanto à caracterização do denominado "sistema acusatório" e quanto à sua diferenciação do denominado "sistema inquisitório". Nesse particular, ao consultar como a maioria dos doutrinadores aborda o assunto, chega-se à constatação de que a identificação de um "sistema acusatório" somente é passível de ser verificada no plano doutrinário-discursivo de um modelo ideal, "puro", que historicamente nunca existiu, tampouco existirá com a reforma em curso, conforme também concluem, dentre outros[57], Ettore Dezza e Michele Pifferi:

> Na intervenção introdutória deste meu encontro entre historiadores do direito e estudiosos do processo penal, Michele Pifferi focou-se no tema da relação entre os modelos acusatório e inquisitório, e oportunamente convidou a desconfiar das construções (e das reconstruções) excessivamente teóricas e abstratas: como historicamente nunca existiu (nem mesmo, podemos acrescentar, nas experiências de *common law* um processo acusatório puro, assim como nunca existiu

---

57 Vários autores hoje colocam em xeque a dicotomia no seu prisma histórico. Para além de DEZZA, Ettore e PIFFERI, Michele, também acenam nesse sentido: ILLUMINATI, Giulio. El Sistema Acusatorio en Italia. In: WINTER, Lorena Bachmaier (Coord.). *Proceso penal y sistemas acusatórios*. Madrid. Barcelona, Buenos Aires: Marcial Pons, 2008, p. 135-160; AMODIO, Ennio. *Processo Penale, Diritto Europeo e Common Law: dal rito inquisitório al giusto processo*. Milano: Giuffrè, 2003, p. 195 e s.; PRIMOT, Ludovic. *Le Concept d'Inquisitoire en Procédure Pénale. Représentations, Fondements et Définition. Bibliothèque des Sciences Criminelles*. Tome 47, Paris: LGDJ, 2010, p. 261 e s. JACKSON, John D. The Effect of Human Rights on Criminal Evidenciary Processes: Towards Convergence, Divergence or Realignment? *The Modern Law Review Limited*, Oxford, UK, Blackwell Publishing, 2005, p. 737-764; WINTER, Lorena Bachmaier. Acusatorio *versus* Inquisitivo. Reflexiones acerca del proceso penal. In: WINTER, Lorena Bachmaier (Coord.). *Proceso penal y sistemas acusatórios*. Madrid. Barcelona, Buenos Aires: Marcial Pons, 2008, p. 11-48; MONTERO AROCA, Juan. *Principio acusatório y prueba en el processo penal. La inutilidade jurídica de un eslogan político*, cit., p. 17-66; ARMENTA DEU, Teresa. *Principio Acusatorio y Derecho Penal*. Barcelona: JM Bosch, 1995, p. 11; COSTA, Pietro. Il Modelo Acusatório in Italia: fra "attuazione della costituzione" e mutamenti di paradigma. *Diritti Individuali e Processo Penale nell'Italia Republicana: matteriali dall'incontro di studio, Ferrara, 12-13 novembre 2010. Per la storia del pensiero giuridico moderno*, n. 93, Milano: Giuffrè, 2011, p. 151-160; AMBROISE-CASTEROT, Coralie. *De l'accusatoire et de l'inquisitoire dans l'instruction préparatoire*. Thèse. Université Montesquieu-Bourdeaux IV, 2000; JACOBS, Ann. Petit Tour du Monde du Contradictoire. *Le Contradictoire dans le Procès Pénal. Nouvelles Perspectives. Actes du coloque organisé le 8 décembre 2011 par l'Institut de Sciences Criminelles de Grenoble*. RIBEYRE, Cédric (Direction). Paris: Cujas, 2012, p. 25-38; PRADEL, Jean. Rapport de Synthèse. Le Contradictoire dans la Procédure Pénale. *Le Contradictoire dans le Procès Pénal. Nouvelles Perspectives. Actes du coloque organisé le 8 décembre 2011 par l'Institut de Sciences Criminelles de Grenoble*. RIBEYRE, Cédric (Direction). Paris: Cujas, 2012, p. 161-173; SKLANSKY, David Alan. Anti-Inquisitorialism. *Harvard Law Review*. Forthcoming; UC Berkeley Public Law Research Paper n. 1283274, nov. 2008. Disponível em: SSRN: http://ssrn.com/abstract=1283274. Acesso em: 4 set. 2014; PEREIRA, Frederico Valdez. *Iniciativa Probatória de Ofício e o Direito ao Juiz Imparcial no Processo Penal*. Porto Alegre: Livraria do Advogado, 2014, p. 50.

um processo inquisitório puro. Os eventos históricos do processo penal nos oferecem ao contrário um quadro articulado e composto, formado – como nos recorda Pifferi – por "contaminações, interferências, desperdícios e hibridações", numa contínua e oscilante alternância, de resto já claramente advertida e sinteticamente descrita por Felippo Maria Renanzi em 1777[58].

No mesmo sentido atesta Pietro Costa ao dizer que "esta contraposição é tanto líquida quanto esquemática". E explica, em seguida, o que quis dizer com isso:

> Se projetada sobre todo o arco da história do processo medieval e moderno, esta distinção tipológica muito simples torna-se, como persuasivamente demonstrou Giorgia Alessi, um leito de Procusto, incapaz de acolher a variedade da fenomenologia processual, tanto na Europa continental, quanto nos países de *common law*[59].

A metáfora do "leito de Procusto", referida por Pietro Costa, é perfeita para compreender como se estruturou o discurso da dicotomia dos sistemas em acusatório e inquisitório e como, paradoxalmente à própria ideia de dicotomia, cada um defende uma forma de compreender o tema. A questão tem início, como será mais bem detalhado adiante, no que a doutrina do século XIX buscou selecionar de práticas do passado, na construção do antagonismo sistêmico. Com efeito, para dar um ar de "sistema" às conflitivas e esparsas práticas do que se efetivava no âmbito dos processos penais do século XIII, a doutrina teve que "esticar" algumas categorias teóricas de um lado e "cortar" fora aquelas que atrapalhavam. Tudo deveria caber na "cama" dos discursos de forma antagônica. E assim vem sendo feito pela doutrina que veio a reboque dessa seletividade dos oitocentos. Com efeito, boa parte da doutrina desconsidera esse alerta, e alguns chegam ao ponto de estabelecer um "quadro comparativo" entre os dois pretensos sistemas ideais, que pode ser assim ilustrado:

---

58   DEZZA, Ettore. Accusa e Inquisizione nell'Esperienza Italiana Contemporanea. *Diritti Individuali e Processo Penale nell'Italia Repubblicana. Per la storia del pensiero giuridico moderno*, 93, Milano: Giuffré Editore, 2011, p.101-116. Tradução nossa.

59   COSTA, Pietro. *Il Modelo Accusatorio in Italia: fra "attuazione della costituzione" e mutamenti di paradigma, cit.*, p. 152-153. Tradução nossa.

INQUISITÓRIO	ACUSATÓRIO
Juiz acusa e julga (ou) acusação pública – Ministério Público	Juiz apenas julga (ou) acusação privada – vítima
O juiz é o gestor da prova	As partes são as gestoras da prova
Busca da verdade real	Busca da verdade possível
Sem contraditório	Com contraditório
Sem ampla defesa	Com ampla defesa
Presunção de culpa	Presunção de inocência
Réu visto como objeto	Réu visto como sujeito
Escrito	Oral
Sigiloso	Público
Prova tarifada	Livre apreciação da prova
Com tortura	Sem tortura
Com medidas cautelares (prisão preventiva)	Sem medidas cautelares

Nesse aspecto, para bem ilustrar o que se está querendo destacar, vale referir, por todos os demais autores que se conduzem nessa linha (brasileiros ou não), a análise dos sistemas processuais penais apresentada na consagrada obra do professor português José Antonio Barreiros, que, como ele mesmo introduz, "para maior clareza da exposição", chega mesmo ao ponto de elaborar um quadro comparativo sobre o tema, muito próximo daquele apresentado anteriormente:

> Vejamos pois cada um dos sistemas, não porém sem que apresentemos, para maior clareza da exposição, as características de cada um dos dois sistemas processuais típicos – o acusatório e o inquisitório – que agruparemos no quadro seguinte:

	ACUSATÓRIO	INQUISITÓRIO
Julgador	Assembleia ou jurados populares	Magistrados ou juízes permanentes
Relação entre os sujeitos	Igualdade das partes; o juiz é árbitro, sem iniciação de investigação	Juiz investiga, dirige, acusa e julga, numa posição de superioridade face ao arguido
Acusação	I) Delitos públicos: acção popular; II) Delitos privados: compete ao prejudicado ou ofendido	Acusação "ex-officio", admitindo-se denúncia secreta
Processo	Oral Público Contraditório	Escrito Secreto Não contraditório
Prova	Livre convicção	Prova legalmente tarifada
Sentença	Faz caso julgado	Não faz caso julgado
Medidas cautelares	Regra: liberdade do arguido	Prisão preventiva[60]

Esses quadros comparativos, em grande medida, são seguidos pela maioria da doutrina nos dias de hoje. No entanto, repita-se, eles estão baseados em modelos ideais selecionados e construídos discursivamente apenas pela vontade dessa parcela da doutrina e, como já alertaram Pifferi e Dezza, não são historicamente identificados na pretendida pureza, como se verá. Só essa divisão arbitrária, aliada a uma disparidade conceitual entre os doutrinadores, já deveria servir de alerta para o legislador brasileiro na redação do novel artigo 3º-A do Código de Processo Penal e na discussão do projeto de lei suprarreferido, notadamente quanto à opção que ele espelha ao se filiar de forma expressa e radical a um dos dois sistemas. Mas o problema é muito mais complexo, como se procurará explicar.

Considerando que os modelos "ideais" de sistemas processuais penais são essencialmente construções doutrinárias arbitrárias, o que se tem percebido, atualmente, é uma disputa entre esses mesmos doutrinadores para procurar demonstrar qual seria o critério distintivo desses dois sistemas considerados como antagônicos. É aí que a Babel dos sistemas se apresenta em toda a sua potencialidade.

---

60 BARREIROS, José Antonio. *Processo Penal*. Coimbra: Livraria Almedina, 1981, p. 12.

Curiosamente, boa parte da atual doutrina brasileira – e estrangeira – que se ocupa do tema, ao traçar diferenciação entre os denominados sistemas acusatório e inquisitório, olha de forma irrefletida ou para o critério da junção/separação das funções de acusar e julgar, ou para o critério da gestão da prova, como se esses fossem critérios únicos e capazes, por si sós, de identificar e separar os "sistemas" à luz de toda a complexidade que envolve o processo penal.

A confusão conceitual é tão grande na doutrina que Ada Pellegrini Grinover[61], acompanhada de uma parcela da doutrina estrangeira[62] e nacional[63], sugere até uma nova classificação dos sistemas processuais penais, estabelecendo uma separação entre o que se denomina "sistema inquisitório" e "sistema acusatório" (critérios de junção ou separação das funções de acusar e julgar) do que ela considera ser diferente: "*inquisitorial system*" e "*adversarial system*" (critérios relacionados à gestão da prova pelo juiz ou pelas partes)[64]. Ademais, boa parte da doutrina contemporânea no Brasil[65] não admite ter o juiz qualquer atividade probatória no sistema acusatório, inclusive em favor do acusado, vindo a conflitar diametralmente com a parte final do texto do referido artigo 3º-A introduzido pelo Pacote Anticrime, e por regra similar mantida no projeto de novo Código de Processo Penal.

---

61 GRINOVER, Ada Pellegrini. A Iniciativa Instrutória do Juiz no Processo Penal Acusatório. *cit.*, p. 71-79.

62 Na doutrina estrangeira também há quem sustente essa divisão, a exemplo de VOGLER, Richard. El Sistema Acusatorio en los Procesos Penales en Inglaterra y en Europa Continental. In: WINTER, Lorena Bachmaier (Coord.). *Proceso penal y sistemas acusatórios.* Madrid. Barcelona, Buenos Aires: Marcial Pons, 2008, p. 177-194, p. 181. *Vide* também ARMENTA DEU, Teresa. *Estudios de Justicia Penal.* Madrid. Barcelona, Buenos Aires. São Paulo: Marcial Pons, 2014, p. 400.

63 *V.g.* PEREIRA, Frederico Valdez. *Iniciativa Probatória de Ofício e o Direito ao Juiz Imparcial no Processo Penal, cit.*, p. 51-52; e BASTOS, Marcelo Lessa. Processo Penal e Gestão da Prova: Os novos arts. 155 e 156 do Código reformado (Lei n. 11.690/08). *Jus Navigandi.* Disponível em: http://jus.com.br/artigos/11593/processo-penal-e-gestao-da-prova. Acesso em: 22 maio 2015.

64 A respeito da terminologia inglesa ser considerada nos mesmos moldes da portuguesa, sem a pretendida diferenciação classificatória apresentada pela Professora Ada Pellegrini Grinover, *vide*, dentre outros: KOPPEN, Peter J. Van e PENROD, Steven D. *Adversarial or Inquisitorial: Comparing Systems. In Adversarial versus inquisitorial Justice. Psychological Perspectives on Criminal Justice System.* New York, Boston, Dordrecht, London, Moscow: Plenum Publishers, 2003, p. 1-19. *Vide*, ainda: CROMBAG, Hans F.M. Adversarial or Inquisitorial. Do we have a choice? *Adversarial versus inquisitorial Justice. Psychological Perspectives on Criminal Justice System.* New York, Boston, Dordrecht, London, Moscow: Plenum Publishers, 2003, p. 21-25. *Vide*, também: DAMASKA, Mirjan R. *The Faces of Justice and State Authority. A Comparative Approach to the Legal Process.* New Haven, London: Yale University Press, 1986.

65 Alguns são radicais e não admitem sequer a atuação em forma complementar no curso da produção da prova introduzida no processo pelas partes, conforme já elencado anteriormente. Outros, no entanto, tratam apenas da impossibilidade do o juiz ter iniciativas de introduzir prova nova no processo. Neste último sentido, *v.g.*, *vide*: LOPES JR., Aury. *Direito Processual Penal.* 10. ed. São Paulo: Saraiva, 2013; RANGEL, Paulo. *Direito Processual Penal, cit.*, p. 510; ROSA, Alexandre Morais da. *Guia Compacto do Processo Penal Conforme a Teoria dos Jogos.* Rio de Janeiro: Lumen Juris, 2013, p. 55; THUMS, Gilberto. *Sistemas Processuais Penais. Tempo, Tecnologia, Dromologia e Garantismo.* Rio de Janeiro: Lumen Juris, 2006, p. 126.

Processo Penal | Fundamentos dos fundamentos

Thibaut e Walker[66], por sua vez, trabalham com a expressão "*Anglo-american adversary system*" em contraponto a "*European inquisitorial system*", influenciando uma série de outros autores seguidores do mesmo discurso[67]. Curiosamente e "*contrario sensu*" ao que Thibaut e Walker expõem, ao tratar do modelo italiano, Ennio Amodio arrisca a expressão "*acusatório à la europeia*"[68]. Aliás, o mesmo Ennio Amodio também adotou a curiosa expressão "garantismo inquisitório" para se referir ao processo penal italiano no período compreendido entre 1955 e 1969, no qual "presunção de inocência e igualdade das armas participam de uma estrutura que é aquela originária do Código de 1930"[69].

Outros doutrinadores apresentam a divisão do sistema acusatório em "acusatório privado" e "acusatório público"[70], ou, ainda, nessa mesma linha de compreensão, denominados de "acusatório formal" e "acusatório material"[71]. Há, porém, quem divida os sistemas em "acusatório de oralidade plena" e "modelo misto ou acusatório formal", a exemplo do que faz Eric Lorenzo Pérez Sarmiento[72], valendo-se dessa referência em sentido diverso daquele empregado na dualidade entre acusatório formal e material. Aliás, no próprio texto da Exposição de Motivos do então anteprojeto de novo Código de Processo Penal brasileiro apresentado ao Senado Federal, encontra-se referência à ideia de ser o sistema "acusatório público", em clara tentativa de legitimar a presença do Ministério Público como titular da ação penal pública, num modelo dito "acusatório". Eis o texto:

---

66 THIBAUT, John. WALKER, Laurens. *Procedural Justice: A Psychological Analisys*. New York: John Wiley & Sons Inc., 1976.

67 No mesmo sentido, por exemplo: LIND, E. Allan. TYLER, Tom R. *The Social Psychology of Procedural Justice*. New York: Plenum Press, 1988. Disponível em: www.books.google.com.br. Acesso em: 10 fev. 2011.

68 AMODIO, Ennio. *Processo Penale, Diritto Europeo e Common Law: dal rito inquisitório al giusto processo*, *cit.*, p. 26. Tradução nossa.

69 *Ibid.*, p. 116.

70 A exemplo de AMBOS, Kai. El principio acusatório y el proceso acusatório: un intento de comprender su significado actual desde la perspectiva histórica. In: WINTER, Lorena Bachmaier (Coord.). *Proceso penal y sistemas acusatórios*. Madrid. Barcelona, Buenos Aires: Marcial Pons, 2008, p. 49-72.

71 CASTEX, Francisco. *Sistema Acustório Material. Uma investigación sobre los fundamentos del querelante autónomo*. Buenos Aires: Del Puerto, 2013, p. 01 e s., *in verbis*: "Un modelo procesal se define como acusatorio formal cuando las funciones requerientes y decisorias se reparten entre órganos diferentes (Ministerio Público y juez de Garantías o Tribunal de Juicio). En cambio, en el modelo procesal acusatorio material no sólo existe esa división sino que las funciones requerientes están a cargo de un individuo particular y no de un órgano del Estado". No mesmo sentido: FALCONE, Roberto A. *El Juicio Oral. El valor de los actos instructorios en el debate. El particular damnificado y el ejercicio de la acción penal. Correlación entre acusación y fallo. Hecho diverso*. Buenos Aires: Ad-Hoc, 2014, p. 51 e s. *Vide*, ainda: ANDRADE, Mauro Fonseca. *Sistemas Processuais Penais e seus Princípios Reitores*. 2. ed. rev. e ampl. Curitiba: Juruá, 2013, p. 266 e s.

72 PEREZ SARMIENTO, Eric Lorenzo. *Fundamentos del Sistema Acusatorio de Enjuiciamiento Penal*. Bogotá, Temis, 2005, p. 03, *in verbis*: "Estos modelos del sistema acusatorio son basicamente dos: los modelos de oralidad plena, vigentes fundamentalmente en los países del llamado 'common law', (Gran Bretaña y Estados Unidos, fundamentalmente), en Alemania y los países escandinavos, y el llamado modelo mixto o acusatorio formal, establecido en países como Francia, Italia, España, Japón, Rusia, los países de Europa Oriental y en los países de América Latina que poseen el proceso acusatorio y el juicio oral, tales como México, Cuba, Perú, Uruguay y Brasil".

Em um sistema acusatório público, a titularidade da ação penal é atribuída a um órgão que represente os interesses de igual natureza, tal como ocorre na previsão do art. 129, I, da Constituição, que assegura ao Ministério Público a promoção, privativa, da ação penal pública, nos termos da lei[73].

Aumentando a confusão terminológica e estrutural, alguns doutrinadores contemporâneos ainda se referem a um "processo acusatório com princípio de investigação", a exemplo de Claus Roxin[74], na Alemanha; Figueiredo Dias[75] e Nuno Brandão[76], em Portugal; e Gómez Orbaneja e Herce Quemada, na Espanha[77].

Também já se falou em "princípio acusatório formal" ou "princípio de investigação oficial mediante acusação formal", como fazia Ernst Beling no início do século XX (1928)[78].

Há quem se refira a uma pluralidade de "sistemas acusatórios", como o faz Aurélien Létocart, dizendo que há um "processo acusatório à la americana", outro "à lá britânica" e, ainda o "processo acusatório italiano" e aquele "alemão"[79]. Paulo Busato, por sua vez, refere-se a um sistema "predominantemente acusatório" ou "predominantemente inquisitivo"[80].

Por fim, trabalhando mais no plano do processo civil, Fredie Didier Jr. e outros autores civilistas[81] consideram que "não há sistema totalmente dispositivo ou inquisitivo", dizendo que "os procedimentos são construídos a partir de várias combinações

---

73   BRASIL. Senado Federal. *Comissão de Juristas responsável pela elaboração de anteprojeto de reforma do Código de Processo Penal, cit.*, p. 17.

74   ROXIN, Claus. *Derecho Procesal Penal.* Tradução para o espanhol de Gabriela E. Cordoba e Daniel R. Pastor. Buenos Aires: Editores del Puerto, 2000, p. 86.

75   FIGUEIREDO DIAS, Jorge de, *cit.*, p. 148 e s.

76   BRANDÃO, Nuno; CARVALHO, L. G. Grandinetti Castanho de. Sistemas Processuais Penais do Brasil e de Portugal – Estudo Comparado. In: CARVALHO, L.G. Grandinetti Castanho de (Org.). *Processo Penal do Brasil e de Portugal. Estudo comparado: as reformas portuguesa e brasileira.* Coimbra: Almedina, 2009, p. 11-69.

77   GÓMEZ ORBANEJA, Emílio; HERCE QUEMADA, Vicente. *Derecho Procesal. Vol II. Derecho procesal penal.* Madrid: EGESA, 1997, p. 111-112.

78   BELING, Ernst. *Derecho Procesal Penal.* Tradução para o espanhol de Miguel Fenech. Buenos Aires: DIN Editora, 2000, p. 24.

79   LÉTOCART, Aurélien. Les Procedures Accusatoires et le Role du Juge d'Instruction. In: *Les Procédures Accusatoires.* Sour la direction de Mikäel Benilouche. Rennes: Ceprisca, 2012, p. 69-81.

80   BUSATO, Paulo Cesar. De Magistrados, Inquisidores, Promotores de Justiça e Samambaias. Um estudo sobre os sujeitos no processo em um sistema acusatório. *Revista Justiça e Sistema Criminal. Modernas Tendências do Sistema Criminal,* Curitiba: FAE Centro Universitário, v. 2, n. 1. p. 103-126, jan.-jun. 2010, p. 104-105.

81   *Vide*, por exemplo: MITIDIERO, Daniel. Colaboração no Processo Civil. Pressupostos Sociais, Lógicos e Éticos. *Revista dos Tribunais.* São Paulo, 2009, p. 102; e BARREIROS, Lorena Miranda Santos. Reflexões Sobre o Garantismo Processual: será o modelo adversarial a única medida certa para essa doutrina? *Ativismo Judicial e Garantismo Processual.* Coordenadores: Fredie Didier Jr., José Renato Nalini, Glauco Gumerato Ramos e Wilson Levy. Salvador: Juspodivm, 2013, p. 429-441; GODINHO, Robson Renault. A Autonomia das Partes e os Poderes do Juiz: entre o privatismo e o publicismo do processo civil brasileiro. *Ativismo Judicial e Garantismo Processual.* Coordenadores: Fredie Didier Jr., José Renato Nalini, Glauco Gumerato Ramos e Wilson Levy. Salvador: Juspodivm, 2013, p. 567-606.

de elementos 'adversariais' e 'inquisitoriais'"[82]; assim, dividem os sistemas com as nomenclaturas de "inquisitivo", "dispositivo" e "cooperativo". Por "cooperativo" o autor entende que seria o sistema no qual se tem a "inclusão do órgão jurisdicional no rol dos sujeitos do diálogo processual, e não mais como um mero espectador do duelo das partes"[83].

Como se viu anteriormente, foram identificadas pelo menos quatorze formas diferentes de tentar distinguir um sistema do outro.

Noutra perspectiva, a divergência doutrinária está localizada em razão dos diferentes princípios unificadores de um sistema em comparação com o outro. Nesse prisma, encontram-se doutrinadores a sustentar ser a separação das funções de acusar e julgar o critério definidor do sistema acusatório, enquanto, havendo junção das funções de acusar e julgar, ter-se-ia o sistema inquisitório. Para esse grupo de doutrinadores, portanto, o princípio unificador e, via de consequência, o critério identificador dos "sistemas" estão relacionados à junção ou separação das funções de acusar e julgar.

Já outro grupo de doutrinadores[84] sustenta não ser válido esse critério, pois em diversas passagens da história das Inquisições da Igreja Católica, por exemplo, é possível localizar modelos processuais autoritários, porém com separação das funções de acusar e julgar. Dizem, ainda, que, no auge do absolutismo monárquico francês, em que se adotava um modelo processual autoritário, como foram as *Ordonnance Criminelle*", de 1670, havia separação das funções de acusar e julgar, mas, ainda assim, o processo era considerado abusivo. Buscam, então, outro critério para apresentar como princípio unificador dos "sistemas": a presença, ou não, do princípio dispositivo e a orientação respectiva da gestão da prova. Para esses autores, o "sistema" seria "inquisitório" quando o "princípio for inquisitivo", isto é, quando a gestão da prova ficar nas mãos do juiz, e seria acusatório quando o "princípio for dispositivo", isto é, a gestão da prova ficar ao encargo das partes que podem dela "dispor". Esse critério tem sido o mais usado pela doutrina moderna de processo penal.

---

82 DIDIER JR., Fredie. Os Três Modelos de Direito Processual: Inquisitivo, Dispositivo e Cooperativo. *Ativismo Judicial e Garantismo Processual*. Coordenadores: Fredie Didier Jr., José Renato Nalini, Glauco Gumerato Ramos e Wilson Levy. Salvador: Juspodivm, 2013, p. 207-217.

83 DIDIER JR., Fredie. Os Três Modelos de Direito Processual: Inquisitivo, Dispositivo e Cooperativo, *cit.*, p. 211-212.

84 *V.g.* CORDERO, Franco. *Guida alla Procedura Penale, cit.*, p. 47; COUTINHO, Jacinto Nelson de Miranda. Introdução aos Princípios Gerais do Processo Penal Brasileiro. *Revista da Faculdade de Direito da UFPR*, n. 30, Curitiba: UFPR, 1998, p. 163-198; COUTINHO, Jacinto Nelson de Miranda. *O Papel do Novo Juiz no Processo Penal, cit.*, p. 23-24. *Vide*, ainda, os diversos artigos produzidos na mesma linha interpretativa em: *O Novo Processo Penal à Luz da Constituição (Análise Crítica do Projeto de Lei n. 156/2009, do Senado Federal)*. COUTINHO, Jacinto Nelson de; CARVALHO, Luis Gustavo Grandinetti Castanho de (Org.). Rio de Janeiro: Lumen Juris, 2010. *Vide* também LOPES JR, Aury. *Fundamentos do Processo Penal. Introdução Crítica*. São Paulo: Saraiva, 2015, p. 155 e s.

No entanto, analisando os diversos modelos de processo apresentados ao longo da história, é possível dizer que esses dois pretensos princípios unificadores também não se estabelecem de maneira uniforme.

Seguindo trilha similar ao critério da gestão da prova, Lenio Luiz Streck e Rafael Tomaz de Oliveira indicam, a partir dos paradigmas filosóficos do conhecimento, que o chamado "sistema inquisitório" seria orientado pela Filosofia da Consciência, sendo o juiz o *senhor dos sentidos* que assujeita as coisas. Ou seja, assujeita as provas e o "andar do processo", premiando uma compreensão inautêntica comunicada pelo discurso do "livre convencimento" e da "livre apreciação da prova". Já o denomina-do "sistema acusatório" seria orientado pela Filosofia da Linguagem, decorrente do giro ontológico-linguístico, no qual não se teria um "dono da prova", sendo que "os sentidos não mais se dão pela consciência do sujeito, e, sim, pela intersubjetividade, que ocorre na linguagem"[85]. Assim como a compreensão a partir da gestão da prova, essa análise também se aproxima do que aqui se procurará explorar mais adiante, em termos de compreensão do papel dos atores processuais, pecando apenas pela vinculação à ideia de inércia absoluta do juiz. Como se verá mais à frente – e por paradoxal que possa parecer num primeiro momento –, é justamente a possibilidade de o juiz intervir de alguma forma na produção probatória que permitirá diminuir a sua discricionariedade e interferir para minimizar a possibilidade de ele triunfar ao final do processo como "senhor dos sentidos".

Como se vê, não há consenso na localização dos princípios unificadores dos pretensos sistemas processuais acusatório e inquisitório. Enfim, se não faltam sugestões para localizar um princípio unificador para a construção dos pretensos sistemas, por outro lado, qualquer delas não resistiria ao confronto histórico dos diversos e, por vezes, concomitantes e, seguramente, mesclados modelos processuais utilizados na Europa ao longo dos séculos.

Assim, apenas pelo fato de ainda se encontrar inacabada a disputa doutrinária para eleger um princípio unificador dos "sistemas", os diversos critérios anteriormente elencados devem ser vistos com cuidado, procurando evitar que, ao se falar em sistema "inquisitório", se presuma, necessariamente, algo abominável e não merecedor de aplicação; ao passo que, ao se falar em sistema "acusatório", se presuma algo positivo e merecedor de ser sempre adotado[86]. "Inquisitório" e "acusatório", pois, passaram a ser dois antagônicos significantes que, lidos como duas "verdades absolutas", res-pectivamente, conspurcam e enobrecem tudo aquilo a que se vinculam. Toda essa

---

85 STRECK, Lenio Luiz; OLIVEIRA, Rafael Tomaz de. *O que é Isto – as Garantias Processuais Penais?* Coleção O que é Isto? Porto Alegre: Livraria do Advogado, 2012, v. 2, p. 44 e s.

86 Em sentido aproximado: AMBOS, Kai, *cit.*, p. 49.

352 ■ Processo Penal | Fundamentos dos fundamentos

questão, inclusive, acaba sendo conduzida, invariavelmente, à luz de tal radicalismo discursivo da maioria, que, por paradoxal que seja, "inquisitorialmente", costuma não tolerar questionamentos nesse tema.

É importante, então, provocar reflexões que possam contribuir para a desconstrução dessa premissa exegética com pretensão de pureza, na qual se tem baseado de forma irrefletida a maioria da doutrina. Essa mesma preocupação, aliás, também foi pontuada por outros autores, dos quais se destacam, na doutrina nacional, Alexandre Morais da Rosa[87], Aury Lopes Junior[88], Rubens Casara, Antonio Pedro Melchior[89], Mauro Fonseca Andrade[90], Clara Maria Roman Borges[91] e Gustavo Noronha de Ávila[92]; e, na doutrina estrangeira, dentre outros, Rui Cunha Martins[93], Teresa Armenta Deu[94], Juan Montero Aroca[95], Juan Luis Goméz Colomer[96], Pietro Costa[97], Giulio Ubertis[98], John D. Jackson[99], Mirjan Damaska[100], Cándido Conde-Pumpido Tourón[101] e Lorena Bachmaier Winter[102]. Esta última assim alude à questão:

---

87 ROSA, Alexandre Morais da. *Guia Compacto do Processo Penal Conforme a Teoria dos Jogos, cit.*, p. 57.

88 LOPES JR. Aury. (Re) Pensando os Sistemas Processuais em Democracia: a estafa do tradicional problema inquisitório x acusatório. *Boletim Informativo do Instituto Brasileiro de Direito Processual Penal – IBRASP*. Ano 03, n. 05, 2013/02, p. 34-36.

89 CASARA, Rubens R.R.; MELCHIOR, Antonio Pedro. *Teoria do Processo Penal Brasileiro. Dogmática e Crítica: conceitos fundamentais.* Rio de Janeiro: Lumen Juris, 2013, v. I, p. 101-103.

90 ANDRADE, Mauro Fonseca. *Sistemas Processuais Penais e seus Princípios Reitores, cit.*, p. 53 e s. e p. 454 e s.

91 BORGES, Clara Maria Roman. Um Olhar para Além dos Sistemas Processuais Penais. *Revista Brasileira de Ciências Criminais*, São Paulo: RT, ano 21, n. 104, set.-out. 2013, p. 147-171.

92 ÁVILA, Gustavo Noronha de. *Falsas Memórias e Sistema Penal: a prova testemunhal em xeque.* Rio de Janeiro: Lumen Juris, 2013, p. 23 e s.

93 CUNHA MARTINS, Rui. *O Ponto Cego do Direito. The Brazilian Lessons, cit.*, p. 92 e s.

94 ARMENTA DEU, Teresa. *Estudios de Justicia Penal, cit.*, p. 29-30 e p. 71 e s.

95 MONTERO AROCA, Juan. Principio acusatório y prueba en el proceso penal. La inutilidade jurídica de un eslogan político. *Prueba y Proceso Penal. Analises especial de la prueba proibida en el sistema español y en el derecho comparado, cit.*, p. 17 e s.

96 GÓMEZ COLOMER, Juan Luis. Prólogo. *Prueba y Proceso Penal. Analises especial de la prueba proibida en el sistema español y en el derecho comparado.* Valencia: Tirant lo Blanch, 2008, p. 10.

97 COSTA, Pietro. *Il Modello Accusatorio in Italia: fra "Attuazione della Costituzione" e mutamenti di paradigma, cit.*

98 UBERTIS, Giulio. *Principi di Procedura Penale Europea: le regole del giusto processo.* 2. ed. Milano: Raffaello Cortina, 2009, p. 7 e UBERTIS, Giulio. *Sistema di Procedura Penale I. Principi Generali.* 3. ed. Torino: UTET, 2013, p. 13-14 e p. 18-19 e s.

99 JACKSON, John D. *cit.*, p. 737-764.

100 DAMASKA, Mirjan. R. *cit.*, p. 5.

101 CONDE-PUMPIDO TOURÓN, Cándido. La Reforma del Proceso Penal, Nuevas Fórmulas para la Ley de Enjuiciamiento Criminal. *Iuris: actualidad y práctica del derecho*, n. 56, Madrid: La Ley, dez. 2001, p. 23-33, p. 25. Disponível em: http://revistas.laley.es/content/Revista. Acesso em: 16 jan. 2014.

102 WINTER, Lorena Bachmaier. Acusatorio *versus* Inquisitivo. Reflexiones acerca del proceso penal. In: WINTER, Lorena Bachmaier (Coord.). *Proceso penal y sistemas acusatórios.* Madrid, Barcelona, Buenos Aires: Marcial Pons, 2008, p. 11-48.

Num momento em que os convênios internacionais, os textos constitucionais e a doutrina dos tribunais, tanto nacionais quanto internacionais, lograram uma ampla compreensão do significado das garantias processuais e especificamente das garantias que devem ser respeitadas no processo penal, tem pouco interesse recorrer ao termo "acusatório" como ícone de todos os avanços. Concordo nisto com Montero, que qualifica o termo acusatório como *"slogam político"* e com Gómez Colomer, quando põe em relevo como uma concepção comum das garantias faz com que os modelos processuais não diferenciem substancialmente. Quem sabe tenha chegado o momento de desmitificar o conceito de acusatório como paradigma de *"fairness"* e de igualdade[103].

Mesmo assim, até se pode admitir que, para os padrões brasileiros de dificuldade de implementação de um processo penal orientado constitucionalmente, ainda seja importante se manter filiado à ideia do sistema acusatório. De qualquer sorte, é imprescindível que se defina em que parâmetros de compreensão ele deve se orientar.

Desse modo, considerando remeter a construção dos discursos doutrinários, invariavelmente, a uma retrospectiva histórica da "evolução" (*sic*)[104] do processo penal ao longo dos tempos, é importante demonstrar como essa opção é reducionista e não merece ser radicalizada. Aliás, nem sequer é recomendável que ela seja incorporada de forma direta na legislação processual penal brasileira sem dados adicionais que a delimitem. Para tanto, passa-se a revisitar como os diversos modelos de processo penal conviveram, como se sobrepuseram e como oscilaram ao longo da história. Será evidenciado como isso se deu tanto no curso das fontes de pesquisa histórica que os positivistas do século XIX detinham quanto para além delas, já que novas fontes de compreensão da história foram descobertas desde então. Será feita uma análise dos regramentos, interpretações e práticas de época, com o cuidado, repita-se, para não se deixar influenciar pela falha clássica da abordagem histórica, ou seja, a de procurar um fio condutor único e crescente,

---

103 WINTER, Lorena Bachmaier, *cit.*, p. 46. Tradução nossa.

104 É evidente que não existe uma "evolução" natural dos processos, como alguns autores dão a entender. Não é possível pautar o discurso numa construção histórica no estilo do "continuísmo crescente", não levando em conta o alerta que hoje pontua Paolo Grossi (GROSSI, Paolo. *O Direito entre Poder e Ordenamento*. Tradução do italiano de Arno Dal Ri Junior. Belo Horizonte: Del Rey, 2010, p. 43), no sentido de que, ao não estar atento à constante "continuidade/descontinuidade", incorre-se no problema mais grave da investigação histórica. Vale aqui também a crítica deste estilo de "construção" de um discurso, destacada, dentre outros, por HESPANHA, António Manuel. *Cultura Jurídica Europeia*. Florianópolis: Fundação Boiteux, 2005, p. 54: "Para aqueles que tinham contacto com a historiografia geral mais moderna, nomeadamente com o movimento dos Annales, a falta de distanciamento histórico era naturalmente chocante. Mas tornava-se ainda mais, quando se analisava a política implícita nesta historiografia 'da continuidade'. Com efeito, a ideia de uma continuidade, de uma genealogia, entre o direito histórico e o direito do presente era tudo menos inocente, do ponto de vista das suas consequências no plano da política do saber (jurídico)".

da antiguidade aos dias de hoje. Mesmo assim, é inevitável dizer, trata-se de um percurso que, em certa medida, confunde-se com a própria história da humanidade ocidental.

3.3 A seleção arbitrária e anacrônica dos critérios construtores do discurso de sistemas processuais no século XIX

Analisando inúmeras obras doutrinárias que procuram enfrentar a questão de definir quais são os sistemas processuais penais, constata-se ser esse tema, como regra, tratado pela doutrina de forma absurdamente superficial, e, assim, não pode ser considerado como o verdadeiro "estudo dos sistemas". Em alguns casos, as abordagens parecem, para dizer o mínimo, meras cópias do que algum doutrinador ousou definir no passado.

Um exercício interessante é observar o proceder de muitos doutrinadores brasileiros, particularmente autores de manuais ou de códigos comentados[105], os quais, inclusive, de alguns anos para cá, vêm sendo muito utilizados como referências doutrinárias em diversos acórdãos de tribunais no Brasil – e mesmo de alguns estrangeiros – sem nem sequer mencionar suas fontes de pesquisa em notas de rodapé, dando a impressão de que desenvolveram o assunto como se fossem autodidatas e tivessem sido os criadores do pensamento ali anotado. Muitas vezes fica claro que estão apenas repetindo fórmulas alheias de maneira irrefletida e, pior, como dito, sem citar as fontes.

Essa falta de cuidado passa a provocar na doutrina em geral certa amarração dicotômica, vindo a deixar pouca margem para o intérprete. Isto é, na exegese das regras, o discurso fica, em grande medida, centralizado na síntese: ou o sistema é acusatório ou é inquisitório, como se fossem seres "dados", para usar a expressão de Heidegger[106]. Também é verdade optarem alguns por uma terceira via, referindo-se ao "sistema misto" (também chamado de "reformado", ou "napoleônico"[107]), no qual uma "parte" do processo seria inquisitória e "outra parte" seria acusatória. Com isso, admitem a possibilidade de um "sistema" ser "misto", vindo a fugir, em consequência,

---

105 A exemplo do que se lê em NUCCI, Guilherme de Souza. *Manual de Processo Penal e Execução Penal*. 4. ed. São Paulo: RT, 2008, p. 109. Nucci "explica" o sistema inquisitório em **cinco linhas (!)**, sem citar qualquer fonte de pesquisa, dizendo, literalmente: "Sistema inquisitivo. É caracterizado pela concentração de poder nas mãos do julgador, que exerce, também, a função de acusador; a confissão do réu é considerada a rainha das provas; não há debates orais, predominando procedimentos exclusivamente escritos; os julgadores não estão sujeitos à recusa; o procedimento é sigiloso; há ausência de contraditório e a defesa é meramente decorativa". Em seguida, **em seis linhas (!)**, ainda sem citar qualquer fonte, assim refere ao sistema acusatório: "Sistema acusatório. Possui nítida separação entre o órgão acusador e o julgador; há liberdade de acusação, reconhecido o direito ao ofendido e a qualquer cidadão; predomina a liberdade de defesa e a isonomia entre as partes no processo; vigora a publicidade do procedimento; o contraditório está presente; existe a possibilidade de recusa do julgador; há livre sistema de produção de provas; predomina maior participação popular na justiça penal e a liberdade do réu é a regra".

106 HEIDEGGER, Martin. *Ser e Tempo*, cit, p. 481.

107 Porque seria fruto do *Code d' Instruction Criminelle* de Napoleão, de 1808.

do conceito kantiano predominante da ideia de "sistema"[108]. A ideia passa a representar uma *"contradictio in terminis"*, já que, se é sistema, não pode ser misto, dado que faltaria o princípio que unificasse as partes diferentes do mesmo processo. Sucede que mesmo esses poucos defensores de um "sistema misto" continuam laborando a partir da dicotomia: acusatório *versus* inquisitório, argumentando que a primeira fase do rito seria inquisitória, e a segunda, acusatória.

Analisando as fontes de pesquisa dos doutrinadores historicamente mais recentes (do século XIX até hoje[109]), percebe-se que eles costumam se valer, essencialmente, das obras italianas de Giovanni Carmignani (1832)[110], Enrico Pessina (1868 e 1912)[111] e Francesco Carrara (1902)[112], e, com menor frequência, também de alguns autores franceses, a exemplo de Faustin Hélie (1845)[113] e Adhemar Eismein (1882)[114], bem como de doutrinadores alemães do mesmo período, a exemplo de Paul Johann Anselm Ritter Von Feurbach (1801[115] e 1846[116]) e Carl Joseph Anton Mittermaier (1834)[117], como referências doutrinárias de processo penal, cronologicamente posteriores a Kant, a tratar dos processos acusatório e inquisitório.

A maioria dos doutrinadores alemães e franceses suprarreferidos não trabalhava ainda com uma ideia de "sistemas" no processo penal, não obstante o discurso dos sistemas e da compreensão histórica do direito tenha sido praticamente introduzido

---

108 *Vide*, sobre o tema: COUTINHO, Jacinto Nelson de Miranda. *O Papel do Novo Juiz no Processo Penal, cit.*, p. 16-17. *Vide*, também: GUIMARÃES, Rodrigo Régnier Chemim. Ensaio em busca dos sistemas processuais penais. *Revista Ibero-Americana de Ciências Penais*, ano 10, n. 18. Porto Alegre: Fundação Escola Superior do Ministério Público do Rio Grande do Sul, 2010, p. 235-271.

109 Desde, por exemplo, MANZINI, Vincenzo. *Tratado de Derecho Procesal Penal*. Tomo I. Tradução para o espanhol de Santiago Sentis Melendo e Marino Ayerra Redín. Buenos Aires: Libreria "El Foro", 1996, p. 17; e por LEONE, Giovanni, *cit.*, p. 22 e s., até os mais contemporâneos como CORDERO, Franco. *Procedimiento Penal*. Tomo I. Tradução para o espanhol de Jorge Guerrero. Santa Fé de Bogotá: Temis, 2000, p. 21 e tantos outros, inclusive praticamente todos os brasileiros.

110 CARMIGNANI, Giovanni. *Teoria delle leggi della sicuritezza sociale*. Tomo IV. Pisa: Fratelli Nistri, 1832. Obra digitalizada e publicada na íntegra na página www.books.google.com. Acesso em: 30 abr. 2009.

111 PESSINA, Enrico. *Storia delle leggi sul procedimento penale*. Napoli: Dott. Pirro Pirrone, Editore, 1912.

112 CARRARA, Francesco. *Programma del Corso di Diritto Criminale, Parte Generale*. V. II. 9. ed. Firenze: Casa Editrice Libraria "Fratelli Cammelli", 1902.

113 HÉLIE, Faustin. *Traité de l'instruction criminelle ou Théorie du Code d'Instruction Criminelle. Premiére partie. Histoire et théorie de la procédure criminelle*. Paris: Charles Hingray Libraire-Editeur, 1845. Versão integral digitalizada e disponibilizada na página www.archiev.org. Acesso em: 7 fev. 2010.

114 EISMEIN, Adhemar. *Histoire de la procédure criminelle en France: et speciélment de la procédure inquisitoire depuis le XIII siecle jusqu'a nos jours*. Paris: L. Larose et Forcel Libraires-Editeurs, 1882. Versão digitalizada e disponibilizada na página www.books.google.com. Acesso em: 7 fev. 2011.

115 FEURBACH, Paul Johann Anselm Ritter Von. *Tratado de Derecho Penal común vigente en Alemania*. Tradução para o espanhol da 14. ed. Alemã (Giesen, 1847), de Eugenio Raúl Zaffaroni e Irma Hagemeier. Buenos Aires: Hammurabi, 1989, p. 326 e s.

116 FEURBACH, Paul Johann Anselm Ritter Von. *Narratives of Remarkable Criminal Trials*. Traduzido do alemão para o inglês por Lady Duff Gordon. New York: Harper & Brothers, Publishers, 1846. Texto integral digitalizado e disponibilizado na página www.books.google.com. Acesso em em: 14 fev. 2011.

117 MITTERMAIER, Carl Joseph Anton. *Tratado da Prova em Matéria Criminal, cit.*, p. 33.

no início do século XIX, num primeiro momento, pela *Metodologia Jurídica*, de Savigny (1802)[118], e, num segundo momento, pela *Jurisprudência dos conceitos*, de Puchta (1832), apresentando o tema como "formas de procedimento judicial"[119]. A exceção, em termos e na doutrina alemã, é Mittermayer, que chega a referir-se a "duas formas fundamentais de processo"[120] e esclarece que, "como o processo criminal se desenvolve segundo um sistema lógico e coordenado em todas as suas partes, segue-se que os princípios, que presidem a produção e apreciação das provas, variam entre si na razão da forma dos processos"[121]. Mittermayer, no entanto, usa como referência expressa de suas afirmações a esse respeito a obra de Giovanni Carmignani, *Teoria delle leggi della sicuritezza sociale*, publicada em 1832[122], por ele considerada a melhor nesse ponto:

> De todos os autores modernos, o que desenvolveu mais profundamente os princípios da teoria legal da prova foi Carmignani, que ocupou-se, em seu livro, com a comparação dos dois caminhos opostos que conduzem à verdade: um, puramente instintivo, que o homem segue, partindo do senso íntimo e inato; o outro traçado pela ciência e baseado sobre a observação experimental, e que também decide, estabelecida a referida comparação, que existe na economia da prova, bem regulada pela lei, as melhores garantias para a equidade dos julgamentos[123].

Com efeito, das três referências italianas clássicas e das demais obras de referência europeias da época, a mais antiga e mais profunda análise dos denominados sistemas processuais penais é encontrada justamente na referida obra de Giovanni Carmignani. Ele é o primeiro autor de processo penal a falar da ideia de sistemas[124]. Fortemente influenciado pelo discurso positivista (com citações que vão de Montesquieu a

---

118 SAVIGNY, Friedrich Karl Von. *Metodologia Jurídica*. Tradução de Heloísa da Graça Buratti. São Paulo: Rideel, 2005. Sobre o tema, *vide* também LARENZ, Karl. *Metodologia da Ciência do Direito, cit.*, p. 10.

119 FEURBACH, Paul Johann Anselm Ritter Von. *Tratado de Derecho Penal común vigente en Alemania*. Tradução para o espanhol da 14. ed. Alemã (Giesen, 1847), de Eugenio Raúl Zaffaroni e Irma Hagemeier. Buenos Aires: Hammurabi, 1989, p. 326 e s.

120 MITTERMAIER, Carl Joseph Anton. *Tratado da Prova em Matéria Criminal, cit.*, p. 33.

121 *Ibid.*, p. 34.

122 *Ibid.*, p. 33, nota 131; p. 34, nota 134; p. 35, nota 137; p. 36, nota 142, p. 37, nota 144.

123 MITTERMAIER, Carl Joseph Anton. *Tratado da Prova em Matéria Criminal, cit.*, p. 33.

124 Ainda que alguns autores do início do século XIX tenham feito referências ao "processo inquisitório", a exemplo de BIENER, Friedrich August. *Beiträge zu der Geschichte des "inquisitio" nsprozesses und der Geschworenengerichte*. Leipzig, 1827, *passim*, o primeiro a fazer isso, com pretensões de organização científica e invocando a ideia de sistemas processuais, foi CARMIGNANI, Giovanni. *Teoria delle leggi della sicuritezza sociale*. Tomo IV. Pisa: Fratelli Nistri, 1832, p. 31-32.

Gianbatista Vico – *Principi di Scienza Nuova*[125]), Carmignani parece ser um dos primeiros doutrinadores a estabelecer uma análise mais aprofundada do discurso de dúplice visão de processos (acusatório e inquisitório), traçando aspectos distintivos históricos entre os dois e criticando a ideia de um processo misto[126]. Dentre os diversos trechos em que Carmignani abordou a distinção dos dois "sistemas", pautado fortemente pela análise histórica e pelo discurso positivista naturalista do século XIX, destaca-se, pela síntese, o seguinte:

> Dois métodos entre os diversos para a pesquisa e demonstração do verdadeiro se apresentam ao espírito humano: o sintético, e o analítico. O primeiro é assertivo, e cabe admiravelmente à acusação, à qual o princípio político é sempre pronto; o segundo é indagativo, e cabe admiravelmente à pesquisa que o princípio de justiça deseja. Um demonstra aquilo que acredita ser a verdade, o que o princípio político promotor do juízo penal sempre supõe, tem interesse de acreditar sempre e, quanto mais forte seja, mais facilmente converte o interesse em direito. O outro rastreia, examina, separa as aparências da realidade, o errado do verdadeiro, e não o assinala senão ao final de uma lenta e cansativa viagem, o que o princípio de justiça já se manifestou ser o próprio voto. Um é um método de composição adaptado a quem se encarrega de apresentar um libelo de acusação. O outro é um método de invenção que poderia desejar-se para descobrir um tesouro escondido adaptado à situação de quem, com uma sentença, deve estabelecer uma verdade de fato e de direito.
>
> É, então, na índole do espírito humano, e é coerente à diversidade dos métodos de pesquisar ou de demonstrar uma verdade, a distinção do processo "*accusatorio*", assim chamado porque o acusador é quem o move e adere, e o processo "*quesitorio*" ou "*investigatorio*", assim chamado porque o juiz, com base em fundamentos prováveis, institui de ofício a pesquisa da verdade, ou do falso nas notícias que conhece, e que lhe chegam a partir de uma ofensa à segurança social. E também é, ao menos à primeira vista, inegável que isso proporcione, como critério de verdade, maiores garantias jurídicas do que aquele[127].

---

125 CARMIGNANI, Giovanni, *cit.*, p. 16.

126 Ainda que alguns autores do início do século XIX tenham feito referências ao "processo inquisitório", a exemplo de BIENER, Friedrich August. *Beiträge zu der Geschichte des "inquisitio" nsprozesses und der Geschworenengerichte.* Leipzig, 1827, *passim,* o primeiro a fazer isso, com pretensões de organização científica e invocando a ideia de sistemas processuais, foi Giovanni Carmignani.

127 CARMIGNANI, Giovanni, *cit.*, p. 31 e 32, tradução nossa.

Vê-se, de início, que Carmignani considera o método do juiz inquisidor melhor que o método acusatório para se chegar a uma "verdade". De fato, baseia sua ideia na crença da possibilidade de se chegar mesmo a uma verdade das coisas, dizendo que o método inquisitório proporciona, "como critério de verdade, maiores garantias jurídicas" do que o acusatório. Seja como for, o que é mais relevante em sua análise é que, mais adiante, partindo dessas premissas e depois de analisar o valor que se possa atribuir à confissão e às testemunhas como meios de prova, Carmignani sustentou ser possível identificar um "sistema" a partir da seleção de trechos das práticas judiciárias antigas do século XIII[128]:

> Estas observações parecem confirmar que as probabilidades judiciárias formam um corpo de ciência; que nos livros dos práticos estão contidos os dados necessários a dar-lhes um sistema, e que não falta nada quando se queira diretamente decidir a sorte dos acusados, senão um trabalho, o qual coordenando regras esparsas, que nos livros dos práticos encontram-se jogadas as bases deste sistema científico, o qual não pode surgir todo de uma vez, mas pode, recolhendo progressivamente os casos decididos pelos seus verdadeiros caracteres, chegar um dia à sua maior perfeição[129].

Esse trecho é bastante interessante, pois revela como se deu a construção doutrinária de Carmignani a respeito dos "sistemas". A preocupação de Carmignani, muito própria de seu tempo, de dar um ar de cientificidade ao discurso do processo penal à luz dos sistemas, é patente. Vale destacar que, como ele mesmo explica, somente com a "coordenação de regras esparsas" é que ele foi capaz de identificar um "sistema", ainda que tenha admitido que este "não pode surgir todo de uma vez, mas pode, recolhendo progressivamente os casos decididos pelos seus verdadeiros caracteres, chegar um dia à sua maior perfeição". Essa passagem é sintomática da seleção arbitrária de dados que Carmignani considerou como necessários para, uma vez conjugados, formar o que ele acreditava ser um "sistema", e revela todo o anacronismo de sua construção. Mas, frise-se, não há como evidenciar que, na época dos documentos consultados por Carmignani, os sistemas tenham sido, de fato, pensados "*a priori*", com base em ideias fundantes e unificados por princípios. Não foi assim que as coisas se deram ao longo dos tempos e muito menos entre os práticos do século XIII[130].

---

128 Sobre o tema das "*Practicae*" do século XIII, *vide*: GARLATI, Loredana. Per um storia del processo penale: le pratiche criminali. *Rivista italiana di storia del diritto*, v. LXXXIX, 2016, p. 71-109.

129 CARMIGNANI, Giovanni, *cit.*, p. 175, tradução nossa.

130 As *Practicae* que são mais referidas pelos doutrinadores do século XIX são os textos de Alberto Da Gandino (GANDINUS, Albertus. *Strafrecht der Scholastik*. Von KANTOROWICZ, Hermann U., Berl J. Guttentag, 1907)

Mesmo com essa pretensão de encontrar um "sistema" nas práticas judiciárias de então, Carmignani admitiu a existência de fortes distinções entre o que ele denominou serem os processos acusatórios "antigo e moderno":

> O processo acusatório da Roma antiga não se parece com aquele da moderna Inglaterra, a não ser nas partes, sem as quais nem um, nem outro processo teria podido ser acusatório. O caráter distintivo deste processo é que a sociedade não tome parte alguma, e que tendo o seu primeiro impulso no povo, tenha no povo o seu último respiro. (...)
>
> Tanto no processo inglês como no romano não existe acusador público: característica sem a qual o processo não existe. Mas as diferenças entre os dois processos começam a aparecer nos seus princípios. O acusado em Roma, ao menos pelo direito ordinário, não ficava nunca em condições inferiores ao seu acusador; na Inglaterra o acusador tem uma força enorme sobre o acusado, o qual, ainda que não citado, somente em razão de sua afirmação, perde a sua liberdade, expediente este que tem sua causa e sua origem no interesse que o Rei toma à punição do delito tão logo tenha sido apresentada a acusação, e na exclusão de qualquer dispositivo ou estabelecimento de polícia, de modo que não é lícito aos agentes da força pública prender alguém, exceto no caso de flagrante delito. (...)
>
> Os Romanos, mais próximos da infância da sociedade que os Ingleses, não somente avistaram no processo penal uma guerra entre o acusador e o réu, mas pouco a pouco a converteram numa ação dramática, na qual o réu, não obstante pudesse amolecer e comover o juiz, não tinha a menor parte: a mais esplêndida parte tinham os oradores, do que advêm que o Foro de Roma, por conta do ceticismo da nova academia, foi um campo de batalha no qual a força da palavra e os estratagemas retóricos muitas vezes decidiram a vitória.
>
> O processo inglês oferece a cada ato a austeridade da linguagem da religião, e da "consciência", e o objetivo, não que o consiga, de alcançar tocar a "verdade absoluta"[131].

E complementou essa análise crítica com referência ao uso da linguagem, que pode ser compreendida até mesmo como "inquisitória", fazendo-o em nota de rodapé que merece destaque:

---

e de Philippe de Beaumanoir, publicada em 1280 (BEAUMANOIR, Philippe de. *Les Costumes de Beauvoisis. Nouvelle edición, publié d'aprés le manuscrits de la bibiotheque royale.* Paris: Jules Renouard, 1842).

131 CARMIGNANI, Giovanni, *cit.*, p. 237 e s., tradução nossa.

> Chama-se *"Veredictum"* a sentença do Jury segundo a antiga fórmula (...). O depoimento da testemunha é chamado com frase legal de "evidência" (...). A fórmula que a lei dirige aos jurados é que eles devem julgar segundo a sua "consciência" e a "verdade" (...) O grande Jury declara "verdadeira" a acusação (...) Tudo se exprime com o tom assertivo e dogmático da acusação[132].

Como se vê, portanto, o próprio Carmignani indicou uma diferença entre dois "modelos" de processos acusatórios, o romano antigo e o inglês "moderno". Apontou, inclusive, características consideradas pela doutrina hoje como "inquisitórias" ao modelo inglês de júri, pois ele busca um *"veredictum"* (do latim: "dizer a verdade"). "Ensinava", como visto, que os jurados deveriam julgar de acordo com sua "consciência" e "verdade". Nada mais positivista e solipsista e, nessa medida, nada mais "inquisitório", pela preferência dada aos pré-conceitos e pré-juízos, aos achismos e, assim, ao decisionismo que costuma caminhar para o arbítrio.

Na sequência de sua obra, Carmignani fez o mesmo discurso crítico do processo inquisitório, indicando alterações promovidas pelo legislador Toscano no século XVIII na construção do que chamou de "moderno processo inquisitório", finalizando tecendo uma comparação preferencial que, aos doutrinadores atuais, soaria no mínimo estranha, pois considerou o processo inquisitório menos repressivo – e, portanto, melhor (!?) – que o processo acusatório (quando hoje o que se prega é exatamente o inverso...):

> Caso se reflita que o processo acusatório moderno agiu até aqui sob o reino da pena de morte e que o moderno processo inquisitório agiu longamente na Toscana sob o reino das penas reparatórias, não será difícil estabelecer qual dos dois métodos, chamados a dar conta do que fizeram ao tribunal da humanidade e da justiça, sairá com maior glória, e com a consciência mais tranquila daquela censura[133].

Mesmo com essas importantes advertências de Carmignani, e de suas críticas à ideia de se poder ter um "sistema misto", a doutrina construiu os pretensos modelos ideais, apresentando-os como absolutamente antagônicos entre si, irrefletidamente enaltecendo um e criticando outro, como se continua a expor. Favorecia essa leitura o fato de que as descobertas da lei e das codificações passaram a atuar como instrumentos ordenadores nos oitocentos. Ademais, a afirmação do indivíduo e a simplificação da demanda por Justiça promoveram,

---

132 *Ibid.*, p. 243, tradução nossa.
133 *Ibid.*, p. 280. Tradução nossa.

nessa época, um afastamento da concorrência de jurisdições nas quais havia se desenvolvido a "simbiose dualística entre *accusatio* e *inquisitio*, a ponto de a análise se "cristalizar em dois tipos ideais de processos distintos e contrapostos", como recorda Massimo Meccarelli[134].

O certo é que, depois de Carmignani, a fonte doutrinária de pesquisa daqueles autores de manuais de processo penal e outros escritos correlatos, nos séculos XIX em diante, foi Enrico Pessina (1868), seguidamente citado como referência. No texto de Pessina também se percebe, pela segunda vez (a primeira, como visto, foi em Carmignani), a adoção da palavra "sistema" para designar os "modelos" antigos de iniciativa procedimental (inquisitório e acusatório). Das obras de Pessina, mais precisamente na análise que faz do Código da Ilha de Malta, de 1847, extrai-se a seguinte passagem reveladora da ideia de que, para ele, o sistema seria "misto":

> Mas aquilo que dá uma grande importância a este código e faz dele um dos melhores monumentos legislativos é o procedimento judiciário, fundado sob o sistema inglês, com modificações que o aproximam do sistema escocês de juízo definitivo, e às regras dos códigos italianos sobre a instrução das provas. O procedimento não é puramente acusatório, mas misto, estabelecendo o instituto do Ministério Público e a instrução nos crimes graves. Mas o processo acusatório é de todo separado do instrutório, porque nos atos de instrução o advogado da Coroa não tem qualquer espécie de ingerência. O exercício do seu poder começa quando os atos lhe são transmitidos pelo poder instrutório[135].

Noutro texto – *Storia delle leggi sul procedimento penale* –, Enrico Pessina apontou a identificação dos três "sistemas". Entende-se relevante trazer aqui a transcrição literal dessa passagem, pois a organização apresentada por Enrico Pessina acabou representando a base dos discursos doutrinários posteriores, inclusive os atuais:

> A História do Direito nos apresenta três sistemas fundamentais do processo penal. Um é o **sistema acusatório**, o outro é o **inquisitório**, e o último é

---

134 MECCARELLI, Massimo. El proceso penal como lugar de determinación de la justicia. Algunas aproximaciones teóricas en la época del ius commune. GALAN LORDA, Mercedes (Dir.). *Gobernar y administrar justicia: Navarra ante la incorporación a Castilla*. Navarra: Tompsom Reuters, Aranzadi, 2012, p. 307-323, p. 322-323.

135 PESSINA, Enrico. *Dei Progressi Del Diritto Penale in Italia nel Secolo XIX*. Firenze: Stabilimento Civelli, 1868, p. 84 e 85, tradução nossa.

aquele que, partindo dos princípios de um de do outro, é dito **sistema misto** ou **processo dúplice**.

I.   O sistema acusatório, na sua essência, responde à índole de todos os juízos, isto é, ser uma disputa entre duas partes opostas, resolvida pelo juiz (...)

As normas por ele consagradas são as seguintes:

a)   A acusação é livre a qualquer pessoa; mas não existe juízo sem acusação. Assim, faltando esta, o Estado não pode proceder.

b)   O juiz deve ser livremente aceito pelos jurisdicionados ("nemo judex nisi qui inter adversários convenisset").

c)   O juiz não pode indagar por si, mas deve limitar-se a examinar as provas produzidas, para então decidir "juxta alligata et probata".

Este exame do juiz tem três condições essenciais:

1º   contraditório das partes, das quais, portanto, torna-se essencial a presença em juízo;

2º   exame imediato dos documentos e das testemunhas por parte do juiz que deve pronunciar;

3º   publicidade dos debates.

II.   O **sistema inquisitório** é fundado sob as normas abaixo:

a)   O Estado, em nome do direito social, procede *"ex officio"* às perguntas, ao acertamento, à punição do delito.

b)   O **juiz** é instituído pela Soberania do Estado para procurar a **verdade de fato** e a **verdade de direito**.

c)   O juiz não é limitado às provas indicadas pelas partes, mas pode e deve por si indagar e examinar a verdade.

d)   O fundamento do pronunciamento é o exame da prova sob a dúplice norma da **escritura** e do **segredo**.

Como freios ao arbítrio do juiz existem três instituições:

1º   a **prova**, regulada pela lei na sua fonte;

2º   o **duplo grau de jurisdição**, diante do apelo da sentença de um juiz inferior ao pronunciamento de um juiz superior;

3º   a **ineficácia jurídica**, ou **nulidade** dos atos, onde ocorra ilegalidade na constituição do juiz, ou **inobservância** das formas substanciais do rito, ou **violação da lei** penal a ser aplicada aos fatos acertados.

III. O **sistema misto** funde num organismo complexo os elementos do sistema acusatório e aqueles do sistema inquisitório (...) (grifos do original)[136].

Interessante observar que a base do discurso de Enrico Pessina para construir seu modelo de sistema inquisitório é composta, dentre outras, essencialmente pelo conjunto de regras compiladas por Alfonso X, no século XIII, denominado *Siete Partidas*, e pelas obras de Alberto da Gandino e Angelo Aretino, conforme se constata do próprio texto de Pessina:

> O código das "Partidas", na Espanha, aceitou como Direito comum a observância do processo inquisitório.
>
> ALBERTO GANDINO, no seu *Tratado*, reconhece como plenamente recebido na prática dos juízes penais o procedimento inquisitório segundo o sistema canônico. Os juízes foram levados a instituir nas suas províncias as inquisições gerais, provocando todos a denunciar os delitos que fossem de seu conhecimento.
>
> E BARTOLO e ANGELO ARETINO e IPPOLITO MARSIGLI consideraram como obrigados, sob responsabilidade penal, a denunciar os delitos que tivessem ouvido e garantir a verdade das suas denúncias (...)[137].

Confrontada essa análise de Pessina com os textos originais das fontes por ele citadas, o resultado e as conclusões por ele extraídos não são exatamente fiéis às fontes, como se poderá ver mais adiante.

Depois de Pessina, outro autor seguidamente mencionado como base da doutrina moderna de processo penal é Francesco Carrara, com seu famoso *Programma del Corso di Diritto Criminale*, também escrito na Itália, em 1875[138]. Ao que consta, ao lado de Carmignani e de Pessina, Carrara também foi o grande responsável pela divisão em modelos ideais (ele é o primeiro a usar a expressão "processo acusatório puro"[139], com apresentações que hoje são sintetizadas naquele quadro comparativo de Barreiros, como antes destacado, não obstante também tenha tratado do processo

---

136 PESSINA, Enrico. *Storia delle leggi sul procedimento penale*. Napoli: Dott. Pirro Pirrone, Editore, 1912, p. 6-8. Tradução nossa.

137 *Ibid.*, p. 77 e 78. Tradução nossa.

138 CARRARA, Francesco. *Programma del Corso di Diritto Criminale, Parte Generale*. V. II. 9. ed. Firenze: Casa Editrice Libraria "Fratelli Cammelli", 1902. Não é demais registrar que Carrara também se vale, dentre outros, das obras de Christian Thomasius (de 1711) e de Mittermaier (1848) como fonte de pesquisa para a construção do sistema inquisitório.

139 CARRARA, Francesco, *cit.*, p. 319. Tradução nossa.

Processo Penal | Fundamentos dos fundamentos

misto). De fato, no Volume II da Parte Geral do Programa, Carrara estabeleceu os critérios definidores do "sistema acusatório", ao afirmar:

> As características especiais desta forma são:
>
> 1ª) A plena **publicidade** de todo o procedimento.
>
> 2ª) A **liberdade** pessoal do acusado, até a condenação definitiva.
>
> 3ª) A **igualdade** absoluta de direitos e de poderes entre o acusador e o acusado.
>
> 4ª) A **passividade** do juiz ao recolher provas, sejam para incriminar ou para absolver ("*carico*" ou "*discarico*").
>
> 5ª) A **continuidade** dos atos.
>
> 6ª) A **síntese** em todo o procedimento[140].

O mesmo Carrara, ao tratar do "sistema inquisitório", assim se manifestou:

> As características do processo inquisitório são:
>
> 1ª) Concurso de **denunciantes** secretos, que informem o magistrado investigador a respeito dos delitos e dos delinquentes por eles descobertos.
>
> **2ª) Direção das provas** ao pleno arbítrio do juiz.
>
> 3ª) Instrução **escrita**, desde o princípio até o fim, e também **defesa** escrita.
>
> 4ª) Procedimento constantemente **secreto**, não somente com respeito aos cidadãos, senão também com respeito ao processado, em cuja presença nada se faz, fora, excepcionalmente, da "confrontatio", e a quem não se comunica o processo enquanto não esteja terminado e em estado de ser transmitido.
>
> **5ª) Encarceramento preventivo** do processado, e sua absoluta **segregação** de todo contato com outras pessoas, até o momento da defesa.
>
> **6ª) Interrupção** de atos, como também formulação da sentença à exclusiva vontade do juiz.
>
> 7ª) Ordem **analítica** até que ocorra a transmissão da inquisição especial[141].

Carrara ao menos admitiu ter tido dificuldades de pesquisa histórica. Talvez até por falta de tempo, como assumiu de forma surpreendente na seguinte passagem:

---

140 *Ibid.*, p. 299 e s. Tradução nossa.

141 *Ibid.*, p. 305 e s. Tradução nossa.

Não vejo como determinar, por documentos seguros, que o processo inquisitório tenha desaparecido completamente de toda a Europa no período precedente ao século treze, ou não permanecesse aqui ou ali alguns traços, especialmente para os delitos menores. Nem mesmo é possível precisar o momento em que este adquiriu dominação universal nas únicas províncias da Itália, nem onde isso acontecesse por lei e onde por costume. Encontro que no ano de 1288, já em Bologna, foi constituído um *"Podestà"*, o qual inquisitorialmente procedia em qualquer delito, e torturava e infligia as penas também com arbítrio de vida. Para esclarecer este ponto nebuloso seriam necessários olhos e tempo para remexer nos arquivos. Mas eu me permito duvidar que a forma inquisitória não tenha nunca cessado inteiramente e tenha se mantido para as acusações contra a baixa plebe e os mais triviais delitos, e a forma solene dos inquéritos fosse reservada às acusações contra os magnatas e aos processos de maior importância. Não encontro nenhum documento histórico que me assegure que um vilão acusado de furto fosse admitido de fato nas províncias da Itália a purgar-se de uma acusação de furto mediante campeão e duelo. Procurei esclarecer-me sobre isso também falando com amigos e colegas muito eruditos, mas sem sucesso[142].

Como visto, faltaram a Carrara "olhos e tempo necessários para remexer nos arquivos", por isso ele "se permitiu duvidar...", indo "esclarecer-se (...) com amigos e colegas muito eruditos, mas sem sucesso". Ou seja: do texto do próprio Carrara percebe-se que a falta de tempo para a pesquisa não o impediu de duvidar de algumas questões e tirar dúvidas com "amigos eruditos", porém "sem sucesso". Suas conclusões, portanto, estão longe de simbolizar seriedade acadêmica. Parecem mais pautadas por um achismo autorreferente.

Seja como for, essa espontânea confissão de superficialidade de sua pesquisa facilita a compreensão de alguns equívocos e lacunas identificadas em seu texto ou mesmo a opção por repetir discursos dados por outrem e considerados por ele como certos. Por exemplo: na passagem anteriormente transcrita, não obstante Carrara não tenha revelado a fonte dessa sua referência ao *"Podestà"* (juiz) de Bologna do ano de 1288, muito provavelmente estava se referindo a Alberto da Gandino, pois a data, o local e a atividade profissional coincidem, conforme o biógrafo de Gandino revela[143]. A atuação de Alberto da Gandino como

---

142 *Ibid.*, p. 302 e 303. Tradução nossa.

143 GANDINI, Luigi Alberto. *Alberto Da Gandino. Giureconsulto Del Secolo XIII*. Modena: Società Tipográfica, 1885, republicada em forma de *fac-simile* por Kessinger Publishing's, 2010, p. 36 e 37: "(...) depois de ter sido Decurião em Cremona no ano de 1287, dois anos depois Alberto era Juiz dos 'Maleficcii' em Bologna".

"*Podestà*" será tratada mais adiante, ocasião em que se poderão confrontar algumas premissas equivocadas na obra de Carrara.

Repetindo e reforçando esse discurso dicotômico entre os pretensos "sistemas" também se destacam como importantes fontes de referência, na França, a obra de Faustin Hélie, denominada *Traité de l'instruction criminelle ou Théorie du Code d'Instruction Criminelle. Premiére partie. Histoire et théorie de la procédure criminelle*[144], publicada em 1842, e aquela de Adhemar Esmein, publicada em 1882, sob o título *Histoire de la procédure criminelle en France: et speciélment de la procédure inquisitoire depuis le XIII siecle jusqu'a nos jours*[145]. As duas são baseadas, em grande parte (notadamente ao tratar do século XIII em diante), na obra do jurista Philippe de Beaumanoir[146] (publicada em 1280). Jean-Marie Carbasse[147] também se refere à obra de Philippe de Beaumanoir, o qual, ao relatar os costumes da região de Clermont-en-Beauvoisis, na França, deu especial destaque ao modelo processual "híbrido", em que o juiz somente poderia iniciar um processo no caso de tê-lo presenciado (flagrante delito)[148]. Nos demais casos, dependia da acusação formal externa. Portanto, segundo Philippe de Beaumanoir, o processo penal no século XIII apresentava iniciativas processuais variadas à luz de um eventual flagrante, mas não um "sistema inquisitório" como indicado pelos referidos doutrinadores dos oitocentos.

Seja como for, o que se pode extrair de concreto da doutrina de processo penal contemporânea (ao menos daqueles doutrinadores que revelam suas fontes) é ser ela costumeiramente pautada em visões históricas do passado e com base de pesquisa particularmente nas obras de Carmignani, Pessina e Carrara. Assim, com forte apoio nesses autores, a doutrina passa, de forma mais incisiva, a se referir aos dois[149] pretensos sistemas processuais penais puros, focando sempre em

---

Tradução nossa. E, também: De um documento do Arquivo de Bologna veremos como Alberto ainda vivia no ano de 1295. Tradução nossa.

144 HÉLIE, Faustin. *Traité de l'instruction criminelle ou Théorie du Code d'Instruction Criminelle. Premiére partie. Histoire et théorie de la procédure criminelle*. Paris: Charles Hingray Libraire-Editeur, 1845. Versão integral digitalizada e disponibilizada na página www.archiev.org. Acesso em: 7 fev. 2011.

145 EISMEIN, Adhemar. *Histoire de la procédure criminelle en France: et speciélment de la procédure inquisitoire depuis le XIII siecle jusqu'a nos jours*. Paris: L. Larose et Forcel Libraires-Editeurs, 1882. Versão digitalizada e disponibilizada na página www.books.google.com. Acesso em: 7 fev. 2011.

146 BEAUMANOIR, Philippe de. *Les Costumes de Beauvoisis. Nouvelle editión, publié d'aprés le manuscrits de la bibiotheque royale*. Paris: Jules Renouard, 1842. Obra integralmente digitalizada e disponibilizada na página www.books.google.com. Acesso em em: 7 fev. 2011.

147 CARBASSE, Jean-Marie. *Histoire du droit penal et de la justice criminelle*. 2ª editión refondue. Paris: Presses Universitaires de France, 2009, p. 184.

148 BEAUMANOIR, Philippe de, *cit.*, p. 417.

149 E, por vezes, três, considerando o denominado "sistema misto".

modelos ideais de sistema, olvidando, historicamente, nunca terem eles existido na pretendida forma pura.

3.4 Referências primitivas à ideia de sistemas processuais penais

A maioria da doutrina que trabalha com os sistemas processuais penais faz esforço para informar a existência da dupla visão desde os primeiros registros históricos da humanidade. Repetindo a "fórmula" apresentada por Carmignani, sintetizam a questão ao dizer que o "sistema acusatório" teria surgido na Grécia Antiga[150], enquanto o "sistema inquisitório" seria fruto do direito romano antigo[151]. Ainda que se possam encontrar características, aqui ou ali, deste ou daquele modelo, não há como evidenciar a construção de "sistemas" de processo penal em legislações tão primitivas. Não há como, a não ser por ilações ou interpretações forçadas, identificar a ideia fundante e, muito menos, o princípio unificador, como exige o conceito kantiano de sistema.

Seja como for, para indicar o que seria aproveitável dessa visão e, ao mesmo tempo, revelar ser ela, também aqui, forçada aos propósitos doutrinários e positivistas do século XIX – inseridos, como se sabe, na tentativa de universalizar discursos, de dar ares de cientificidade em todo campo do saber, inclusive no processo penal –, da construção de modelos ideais, abre-se este espaço para tratar do que havia de regramento processual penal antes do século XIII, deixando pontuados alguns equívocos de percepção da doutrina dominante.

Já de entrada, parte-se da constatação de que, em qualquer agrupamento de pessoas em início de formação de uma sociedade e que, portanto, procura sair da anomia, evidencia-se a presença de regras de convivência social e, também, de respostas retributivas às suas violações (costuma-se, modernamente, chamá-las de "direito penal") como uma das primeiras manifestações de reação aos conflitos do dia a dia[152].

---

150 Na doutrina estrangeira *vide*, por todos, FERRAJOLI, Luigi. *Direito e Razão. Teoria do Garantismo Penal, cit.*, p. 111. Na doutrina nacional, *vide*: KHALED JR., Salah H., *cit.*, p. 18.

151 Na doutrina estrangeira *vide*, por exemplo: PRADEL, Jean. *Droit Pénal Général.* 12. ed. Paris: Cujas, 12. ed. 2006, p. 81. Na doutrina nacional *vide*: KHALED JR, Salah H., *cit.*, p. 12.

152 A propósito, *vide*, dentre outros, FREUD, Sigmund. Totem e Tabu. *Edição Standard Brasileira das Obras Psicológicas Completas de Sigmund Freud, V. 13. Totem e Tabu e outros trabalhos (1913-1914)*. Tradução sob a direção de Jayme Salomão. Rio de Janeiro: Imago, 1996; DOTTI, René Ariel. *Bases e alternativas para o sistema de penas.* 2. ed. São Paulo: Revista dos Tribunais, 1998. É certo que há quem sustente que a adesão espontânea às regras sociais teria surgido primitivamente e não a punição. Mas mesmo quem assim sustenta não desconsidera a punição como algo inerente. Nesse sentido, movido pela não disfarçada pretensão de reforçar um marxismo etnográfico, *vide* MALINOWSKI, Bronislaw. *Crime e costume na sociedade selvagem.* Brasília. São Paulo: Ed. UnB, Imprensa Oficial do Estado de São Paulo, 2003, p. 17 e 18, *verbis*: "O fato é que nenhuma sociedade pode funcionar eficientemente se as leis não forem obedecidas de modo 'voluntário e espontâneo'. A ameaça de coerção e o medo da punição não afetam o homem comum, seja ele selvagem ou civilizado, enquanto, por outro lado, são indispensáveis em qualquer sociedade em relação a certos elementos turbulentos ou criminosos".

368 ■ Processo Penal | Fundamentos dos fundamentos

A questão vem bem traduzida pela "insociável sociabilidade" de que fala Kant[153]. Ou seja, o homem é um ser sociável, necessita viver em sociedade, mas, em claro antagonismo, tende a agir de forma repulsiva em relação a ela, pensando primeiro em si, e não na coletividade. Soma-se aí a natural agressividade do ser humano, que, como explica Freud em *O Futuro de uma Ilusão*[154], só pode ser contida, na civilização, mediante o controle de uma minoria: "É tão impossível passar sem o controle da massa por uma minoria quanto dispensar a coerção no trabalho da civilização..."[155]. O ser humano tem, portanto, uma constituição tanatológica, como diz Roberto Esposito[156]. Ou seja, a convivência em sociedade, que se reputa necessária, aliada ao individualismo egoístico do ser humano, leva-o, naturalmente, ao conflito[157].

Vem, assim, o "direito penal" a ser chamado como solução inaugural para os problemas, não obstante, nesse patamar primitivo, sua aplicação praticamente prescindisse de um regramento procedimental, sendo aplicado de forma imediata[158], visto mesmo como necessário ao mínimo de condição para convivência mais harmônica possível.

No início dessa convivência em sociedade, portanto, o processo nem sequer se fazia identificar ou, quando muito, se apresentava como um ritual focado em crenças religiosas[159] e desprovido de sistematização, de identificação do que acima precisamos ser um princípio unificador, de que é exemplo o Código de Ur-Nammu, redigido por volta de 2040 a.C.[160]

---

153 KANT, Immanuel. *Ideia de uma história universal de um ponto de vista cosmopolita*. Org. Ricardo R. Terra. Tradução de Rodrigo Naves e Ricardo R. Terra. São Paulo: Martins Fontes, 2004, p. 8.

154 FREUD, Sigmund. *Edição Standard Brasileira das Obras Psicológicas Completas de Sigmund Freud, V. 21. O Futuro de uma Ilusão, O Mal Estar na Civilização e outros trabalhos (1927-1931)*. Rio de Janeiro: Imago, 1996, p. 117, *verbis*: "A existência da inclinação para a agressão, que podemos detectar em nós mesmos e supor com justiça que ela está presente nos outros, constitui o fator que perturba nossos relacionamentos com o nosso próximo e força a civilização a um tão elevado dispêndio [de energia]. Em consequência dessa mútua hostilidade primária dos seres humanos, a sociedade civilizada se vê permanentemente ameaçada de desintegração. O interesse pelo trabalho em comum não a manteria unida; as paixões instintivas são mais fortes que os interesses razoáveis. A civilização tem de utilizar esforços supremos a fim de estabelecer limites para os instintos agressivos do homem e manter suas manifestações sob controle por formações psíquicas reativas".

155 FREUD, Sigmund, *cit.*, p. 17.

156 ESPOSITO, Roberto. *"bíos". Biopolítica e Filosofia*. Tradução de M. Freitas da Costa. Lisboa: Edições 70, 2010, p. 64-65.

157 Sobre o tema, *vide* também: BAUDRILLARD, Jean. *A Transparência do Mal. Ensaios Sobre os Fenômenos Extremos*. 9. ed. Tradução de Estela dos Santos Abreu. Campinas: Papirus, 1990; DADOUN, Roger. *A Violência. Ensaio Acerca do "Homo Violens"*. Tradução de Pilar Ferreira de Carvalho e Carmen de Carvalho Ferreira. Rio de Janeiro: Difel, 1998; STORR, Anthony. *A Agressividade Humana*. Tradução de Cleci Leão. São Paulo: Benvirá, 2012; e NEIMAN, Susan. *O Mal no Pensamento Moderno. Uma história alternativa da filosofia*. Tradução de Fernanda Abreu. Rio de Janeiro: Difel, 2003.

158 Várias são as formas primitivas de punição identificadas pelos historiadores, a exemplo da perda da vida, perda da paz, da vingança propriamente dita. A esse respeito, *vide*, dentre outros, BRUNO, Aníbal. *Direito Penal, Parte Geral* – Tomo I. 5. ed. Rio de Janeiro: Forense, 2003, p. 31 e s. e LISZT, Franz Von. *Tratado de Direito Penal Alemão*. Tomo I. Traduzido por José Higino Duarte Pereira. Campinas: Russell Editores, 2003, p. 75 e s.

159 A esse respeito, *vide* GILISSEN, John. *Introdução Histórica ao Direito*. 4. ed. Tradução de A.M. Hespanha e L.M. Macaísta Malheiros. Lisboa: Fundação Calouste Gulbenkian, 2003, p. 35.

160 O texto original pode ser consultado em GILISSEN, John, *cit.*, p. 64.

Em tempos que se seguiram, pode-se localizar a presença de modelos de processo, até embriões de características marcantes do que a doutrina selecionou para compor o chamado "sistema acusatório", mas ainda não um "sistema" propriamente dito. Ou seja, identificam-se regras esparsas sem que se possa visualizar o fio condutor e unificador. Importante anotar que a análise desses tempos mais remotos merece tratamento bastante relativizado, dado o fato de que poucos registros históricos foram até hoje identificados. A própria escrita tem origem algo em torno de três a quatro mil anos antes de Cristo, e se faz mais presente em particular entre os sumérios, os egípcios, os acadianos, os hititas e os assírios. Depois deles, encontram-se os hebreus, que documentaram seu modo de vida e de leis na Bíblia[161].

Essa dificuldade de acesso a fontes primitivas de registro da vida cotidiana faz com que, por exemplo, Jorge de Figueiredo Dias, ao abordar o que considera ser a origem do "sistema acusatório", faça lacunosa referência às "antigas legislações orientais", sem explicar ou aludir a qualquer outra referência mais precisa[162]. Dentre essas, seguramente, deveria estar se referindo ao Código de Hammurabi, pois, dos registros antigos, mesmo considerando a escassez das fontes históricas[163], o exemplo mais marcante é justamente esse grupo de regras insculpidas numa pedra[164], denominado modernamente de *Código* de Hammurabi, elaborado na Babilônia (região onde hoje fica o Iraque, no Oriente Médio) por volta de 1780 a.C.[165]. Nele, a par de alusões a crimes e suas penas, na linha da famosa parêmia "olho por olho, dente por dente", encontram-se poucas regras procedimentais não uniformes. A regra 2[166] do *Código*, por exemplo, claramente se orienta para o misticismo, ao apontar que a morte por afogamento do acusado que "se jogue no rio" representa a demonstração de sua culpa. Apostava-se, portanto, numa salvação divina do inocente. Ao lado da

---

161 Segundo, dentre outros, WELLS, Herbert George. *História Universal*. 7. ed. Tradução de Anísio Teixeira. São Paulo: Companhia Editora Nacional, 1968, v. I, p. 307 e s., e GILISSEN, John, *cit.*, p. 51 e 52.

162 FIGUEIREDO DIAS, Jorge de, *cit.*, p. 66.

163 A esse respeito, *vide* BÁEZ, Fernando. *História Universal da Destruição dos Livros. Das Tábuas Sumérias à Guerra do Iraque*. Tradução de Leo Schlafman. Rio de Janeiro: Ediouro, 2006.

164 Conforme esclarece Sérgio Marcos Roque, na apresentação que faz da tradução do O Código de Hammurabi, traduzido para o inglês por Leonard William King e para o português por Julia Vidili. São Paulo: Madras, 2005, p. 8, o "Código" de Hammurabi era gravado em caracteres cuneiformes, com aproximadamente 3.500 linhas, em um enorme bloco cilíndrico de pedra negra (2,25 m de altura por 2 m. de circunferência), encontrada em 1901, pelo arqueólogo Jacques Morgan, em escavações na cidade de Susa (Pérsia), para lá levada como despojo de guerra, provavelmente em 1175 a.C., conservada até hoje no museu do Louvre.

165 Conforme O Código de Hammurabi, *cit.* A data precisa do Código oscila entre os historiadores, que ora também afirmam ter sido escrito em 2084 a.C., ora, ainda, por volta do ano 1694 a.C., como o faz GILISSEN, John, *cit.*, p. 61.

166 "Regra 2. Se alguém fizer uma acusação a outrém e o acusado pular no rio e afundar, seu acusador deverá tomar posse da casa do culpado, e se o acusado escapar sem ferimentos, ele não será culpado, e então aquele que fez a acusação deverá ser condenado à morte, enquanto que aquele que pulou no rio deve tomar posse da casa que pertencia a seu acusador". Texto extraído de *O Código de Hammurabi, cit.*

370 ■ Processo Penal | Fundamentos dos fundamentos

referida regra mística, também existem outras que indicam o caminho da produção de provas pelas partes (regras 3, 9, 10 e 11[167]) e podem ser consideradas embriões do discurso que elaborou o quadro sinótico do "sistema acusatório".

Depois do *Código*, os registros remotos mais marcantes se encontram na Grécia antiga[168], onde, não obstante nem todos os habitantes fossem considerados "cidadãos"[169], aos que gozavam dessa condição eram asseguradas algumas garantias. Assim, o julgamento popular e até mesmo um início de construção da ideia de presunção de inocência aparecem no modo de justiça grego antigo, como revelam as tragédias gregas, em particular a *Oresteia*, de Ésquilo[170], escrita dois anos antes de sua morte e encenada no ano de 458 a.C.[171] A peça relata uma sequência de crimes: Orestes matou sua mãe, Clitemnestra, para vingar o fato de que ela havia matado seu marido, Agamenon, pai de Orestes; Agamenon, por sua vez, foi morto por sua esposa, Clitemnestra, para vingar o sacrifício que ele havia feito da filha do casal, Ifigênia. Nessa peça, Ésquilo relata que a deusa Palas Atena, que era a deusa da sabedoria, mas também julgava, não teria se sentido confortável para julgar o caso. E, assim, teria instituído o *Areópago*[172], quando do julgamento do matricídio praticado

---

167 "Regra 3. Se alguém trouxer uma acusação de um crime frente aos anciões, e este alguém não trouxer provas, e se a acusação pudesse resultar em pena capital, este alguém deverá ser condenado à morte.
(...)
Regra 9. Se alguém perder algo e encontrar este objeto na posse de outro, se a pessoa em cuja posse estiver o objeto disser 'um mercador vendeu isto para mim, eu paguei por este objeto na frente de testemunhas' e se o proprietário disser 'eu trarei testemunhas que conhecem minha propriedade', então o comprador deverá trazer o mercador de quem comprou o objeto e as testemunhas que o viram fazer isto, e o proprietário deverá trazer testemunhas que possam identificar sua propriedade. O juiz deve examinar as testemunhas dos dois lados, inclusive o das testemunhas. Se o mercador for considerado pelas provas ser um ladrão, ele deverá ser condenado à morte. O dono do artigo perdido recebe então sua propriedade e aquele que a comprou recebe o dinheiro pago por ela das posses do mercador.
Regra 10. Se o comprador não trouxer o mercador e testemunhas ante a quem ele comprou o artigo, mas seu proprietário trouxer testemunhas para identificar o objeto, então o comprador é o ladrão e deve ser condenado à morte, sendo que o proprietário recebe a propriedade perdida.
Regra 11. Se o proprietário não trouxer testemunhas para identificar o artigo perdido, então ele está mal-intencionado, e deve ser condenado à morte".
Texto extraído de *O Código de Hammurabi, cit.*

168 A época mais remota corresponderia a algo em torno de 1200 anos a.C., quando da guerra de Troia, não obstante a documentação de tal período tenha ocorrido, primeiro em torno de 850 a.C., pela Ilíada e pela Odisseia de Homero e depois, por volta do ano 500 a.C., através das famosas tragédias gregas, de que foram destaques Esquilo e Sófocles.

169 Mulheres, escravos e "metecos" (ou seja: estrangeiros) não eram equiparados aos cidadãos do sexo masculino. Conforme, dentre outros, MIGLINO, Arnaldo. *A Cor da Democracia*. Tradução de Fauzi Hassan Choukr. Coleção Jacinto Nelson de Miranda Coutinho. Florianópolis: Conceito, 2010, v. 3, p. 125.

170 ÉSQUILO. *Orestéia III*. Eumênides. Estudo e tradução de Jaa Torrano. São Paulo: Iluminuras/Fapesp, 2004, p. 105 e s.

171 CASTRO NEVES, José Roberto de. *A Invenção do Direito. As Lições de Ésquilo, Sófocles, Eurípides e Aristófanes*. Rio de Janeiro: Edições de Janeiro, 2015, p. 131.

172 A palavra grega "*Areópago*" vem da junção de *Ares* (ou Marte, para os romanos, que era o deus grego da guerra, em sentido negativo, filho de Zeus e Hera e, portanto, meio-irmão da deusa Atena, também ela deusa da guerra, mas em sentido positivo, pois usava a guerra de forma ordenada, para defesa da comunidade, conforme DAVIS, Kenneth C. *Tudo o que precisamos saber, mas nunca aprendemos, sobre Mitologia*. Tradução de

por Orestes. Da criação do *Areópago* se extrai a passagem marcante da convocação popular feita pela deusa Atena:

> Se a um mortal parece esta causa grave
> demais para julgar, nem me é lícito
> dar sentença de massacre motivo de ira.
> (...)
> Tal é a situação: é difícil para mim
> acolher ou despedir sem mover cólera.
> Já que a coisa atingiu este ponto
> escolho no país juízes de homicídio
> irrepreensíveis reverentes ao instituto
> juramentado que instruo para sempre.
> Vós, convocai testemunhas e indícios,
> instrumentos auxiliares da justiça.
> Selectos os melhores de meus cidadãos
> terei a decisão verdadeira desta causa,
> sem que injustos violem juramento[173].

O processo foi iniciado pela acusação a cargo do Coro de Eumênides[174], que interroga diretamente Orestes. O texto da tragédia grega é muito enxuto, fruto do estilo teatral, entrecortado, porém, do que se pode extrair da passagem supratranscrita, é possível dizer estarem os juízes da causa autorizados a "convocar testemunhas e indícios, instrumentos auxiliares da justiça", e, assim, pelo que se compreende do texto, os juízes também seriam capazes de determinar a produção de prova de ofício, interferindo, portanto, na produção da prova.

Maíra Blur. Rio de Janeiro: Difel, 2015, p. 282); e *"penedo"* (grande formação rochosa). Assim: *"Pedra de Ares"* (*Areópago*). Esse monte de pedra realmente existe e está localizado próximo à Acrópole, na cidade de Atenas, na Grécia. Ésquilo detalha esse lugar na passagem usada para instituir definitivamente o Areópago: "Escutai o que instituo, povo da Ática, quando primeiro julgais sangue vertido. O povo de Egeu terá no porvir doravante e ainda sempre este conselho de juízes. Assenta-se neste penedo, base e campo de amazonas, quando por ódio a Teseu guerrearam e ergueram nova cidade de altos muros contra nossa cidade, e sacrificavam a Ares, donde o nome pedra e penedo de Ares" (ÉSQUILO. *Orestéia III. Eumênides, cit.*, p. 123).

173 ÉSQUILO. *Orestéia III. Eumênides, cit.*, p. 109.

174 Como explica José Roberto de Castro Neves, "as Eríneas, também chamadas Fúrias ou 'aquelas com raiva', são deusas, cuja missão consiste em perseguir aqueles que cometeram algum mal. A palavra grega para vingança, *'diképhoros'*, é a tradução literal para 'aquele que traz justiça'. Assim, a vingança, inicialmente, estava intimamente relacionada à justiça. Eumênides são 'as sagradas' ou 'as boas', ou, ainda, 'as boas deusas'. A peça culmina na transformação das Eríneas, forças da natureza, em mantenedoras de uma ordem ditada pela razão humana. Ao final da trama, a deusa Atenas dá as Eríneas uma nova alcunha, Eumênides, exatamente pelo papel na sociedade que elas passam a exercer". CASTRO NEVES, José Roberto de. *A Invenção do Direito. As Lições de Ésquilo, Sófocles, Eurípides e Aristófanes*. Rio de Janeiro: Edições de Janeiro, 2015, p. 143.

Prosseguindo na análise da *Oresteia*, verifica-se, no curso do interrogatório comandado pelo Coro de Eumênides, a convocação feita por Orestes para sua testemunha depor. Trata-se do próprio deus Apolo, que passa a ser inquirido pelo Coro de Eumênides. O trecho da obra de Ésquilo que retrata esse episódio, não obstante um tanto longo, pela importância histórica do registro, merece igual transcrição:

> Atena. Vossa é a palavra. Inicio o processo.
> O acusador primeiro desde o princípio
> Poderia instruir de verdade a questão.
> Coro de Eumênides. Somos muitas, mas falaremos curto
> responde fala por fala por tua vez.
> Diz primeiro se és matador da mãe.
> Orestes. Matei. Não é possível negar isso.
> Coro de Eumênides. Eis já ganho um dos três assaltos.
> Orestes. Vanglorias quando ainda não caí.
> Coro de Eumênides. Deves dizer todavia como mataste.
> Orestes. Com espada na mão cortei o pescoço.
> Coro de Eumênides. Quem persuadiu? Quem aconselhou?
> Orestes. Os oráculos deste. Ele me testemunha.
> Coro de Eumênides. O adivinho te explicou que mate a mãe?
> Orestes. E até aqui não lamento a sorte.
> Coro de Eumênides. Se o voto te pegar, dirás diferente.
> Orestes. Confio. E da tumba o pai auxiliará.
> Coro de Eumênides. Confia nos mortos, matador da mãe!
> Orestes. Ela era tocada de dupla poluição.
> Coro de Eumênides. Como assim? Explica-o aos juízes.
> Orestes. Matando o marido matou meu pai.
> Coro de Eumênides. Que? Tu vives, ela pagou com a morte.
> Orestes. Por que não a perseguiste em vida?
> Coro de Eumênides. Não era consanguínea de quem matou
> Orestes. E eu sou do sangue de minha mãe?
> Coro de Eumênides. Como te nutriu no ventre, ó cruento?
> Repeles o sangue materno querido?
> Orestes. Dá testemunho já e explica-me,
> Apolo, se com justiça a matei.
> Não negamos que fiz tal como é,
> Mas se te parece com justiça ou não,

Julga esta morte para eu lhes dizer.
Apolo. Ante vós, grande tribunal de Atena,
digo-o justo. Adivinho, não mentirei.
No trono divinatório, nunca disse
de homem, de mulher ou de cidade
senão ordem de Zeus Pai dos Olímpios.
Sabei quão forte é esta justiça; digo-vos
que sigais junto o conselho do Pai,
Pois juramento não pode mais que Zeus.
Coro de Eumênides. Zeus, como dizes, deu este oráculo
prescrevendo a Orestes vingar o pai
sem ter em conta a honra à mãe?
Apolo. Não é o mesmo: o varão nobre ser morto,
honrado com cetro outorgado por Zeus,
e morto por mulher, não com furioso
arco longemitente como de Amazona,
mas como ouvirás, Palas, e vós ao lado
que no voto decidireis esta questão.
Na guerra o mais das vezes prosperou
e na volta ela o recebeu com benévolas
palavras, ofereceu banhos quentes
em banheira de prata, e ao terminar
recobriu-o com manto e no intérmino
árduo manto prende e golpeia o varão.
Esta morte vos é contada do varão
venerado por todos, chefe da armada.
Tal foi minha fala para que morda
os varões dispostos a dar sentença.
Coro de Eumênides. Dizes que Zeus honra o lote do pai,
Mas ele prendeu o velho pai Crono.
Como isto não contradiz o que falas?
Invoco vosso testemunho do que ouvis.
Apolo. Feras odiosas a todos, horror dos Deuses,
cadeias se soltariam, isso tem remédio
e muitos são os meios da libertação.
Mas quando o pó bebe sangue de homem,
uma vez morto, não há ressurreição.

Para isso meu pai não fez encantações
tudo o mais para cima e para baixo
ele revira, e sem ofegar faz como quer.
Coro de Eumênides. Vê como defendes que o deixem solto:
verteu no chão o sangue mesmo da mãe
e em Argos possuirá o palácio paterno?
Que altares públicos poderá usar?
Que água lustral receberá da fratria?
Apolo. Isso direi e sabe que direi verdade.
Não é denominada mãe quem gera
o filho, nutriz de recém-semeado feto.
Gera-o quem cobre. Ela hospeda conserva
o gérmen hóspede, se Deus não impede.
Eu te darei uma prova desta palavra:
o pai poderia gerar sem mãe, eis
por testemunha a filha de Zeus Olímpio,
não nutrida nas trevas do ventre,
gérmen que nenhuma Deusa geraria.
Palas, eu, quanto ao mais, como sei,
farei grande tua cidade e teu povo.
Enviei este suplicante a teu palácio
para que fosse fiel por todo o tempo,
e tivesses por aliado a ele e seus pósteros,
ó Deusa, e isto valesse para sempre,
contentes com o pacto os semeados destes.
Atena. Ordeno-lhes que com justa sentença
deem o voto, bastando o já debatido?
Apolo. Por nós, toda flecha já está disparada.
Espero ouvir que decisão a causa terá.
Atena. Então, que fazer sem que vós reproveis?
Coro de Eumênides. Ouvistes o que ouvistes; em vosso coração
respeitai juramento e votai, hóspedes meus (...)[175].

Do resultado da votação se colheu o empate. Assim, a deusa Palas Atena, considerando justamente o empate na votação, concluiu pela absolvição de Orestes, registrando o nascimento mitológico da ideia de "presunção de inocência", de que

---

175 ÉSQUILO. *Orestéia III. Eumênides, cit.*, p. 117 a 123.

decorre hoje a síntese do *"in dubio pro reo"*. É o que se extrai do diálogo entre os deuses Apolo e Atena, na tragédia grega *Eumênides*, de Ésquilo:

> Apolo. Contai os votos tombados, ó estrangeiros,
> bem a não errar, cuidadosos no escrutínio.
> Ausente juízo, a calamidade é grande;
> lançado, um só voto levanta a casa.
> Atena. Este homem está livre da acusação
> de homicídio, deu empate nos votos[176].

O que a *Oresteia* revela, de forma marcante, são algumas características hoje indicadas como "acusatórias", a exemplo da oralidade, do contraditório, da autodefesa, da separação das funções de acusar e julgar, do *"in dubio pro reo"* e da gestão das provas – em parte – pelas partes. Porém, o mesmo registro histórico igualmente revela outras características posteriormente rotuladas de "inquisitórias", a exemplo da acusação pública, do interrogatório como busca da confissão, da proibição do silêncio ("deves dizer..."), da ausência de defesa técnica e, para alguns, até mesmo da possibilidade de os julgadores interferirem na produção da prova, suprindo dúvidas ao final, pois, como visto do texto anteriormente reproduzido, ao final do interrogatório de Orestes a deusa Atena indaga se o *Areópago* já está suficientemente instruído, como a permitir, em caso contrário, questionamentos complementares por parte dos julgadores. A respeito do *Conselho do Areópago*, Aristóteles referiu que ele "tinha como função oficial a proteção das leis, mas na realidade administrava o maior número de negócios do Estado e os mais importantes deles, infligindo sumariamente punições e multas aos que transgrediam a ordem pública"[177]. Ou seja, se o Areópago também infligia punições e multas "sumariamente", é porque não fazia um processo propriamente dito.

Aristóteles também referiu ao período de Péricles (431 a.C.), quando foi instituída a remuneração dos magistrados nos tribunais, o que, segundo alguns críticos, teria resultado "na deterioração das cortes de justiça, porque eram sempre os indivíduos ordinários, de preferência aos ilustres, que se apresentavam para o sorteio da seleção dos jurados"[178]. Aristóteles pontuou que nesse período se oficializou o suborno aos jurados, "tendo sido Anito o primeiro a introduzi-lo, após seu comando em Pilos. Foi acusado por certos indivíduos e levado a julgamento por haver perdido Pilos. Subornou

---

176 *Ibid.*, p. 127.
177 ARISTÓTELES. *Constituição de Atenas*. Tradução e notas Edson Bini. São Paulo: Edipro, 2012, p. 44.
178 *Ibid.*, p. 75-76.

o júri e escapou"[179]. O júri, portanto, que hoje é considerado por muitos como um símbolo do pretendido "sistema acusatório", na Grécia antiga não foi necessariamente um modelo de garantia.

Outro importante documento histórico do processo penal grego antigo que se apresenta na mesma linha da *Oresteia* é aquele relacionado ao julgamento de Sócrates, relatado por Platão (ano 399 a.C.)[180]. Como se lê no texto de Platão, a acusação contra Sócrates foi particular, feita por Meleto, Anito e Licon. Vê-se, também, que o julgamento é centrado não na produção probatória, mas, sim, exclusivamente no debate oral e no uso da retórica, tendo, ao final, uma sentença proferida pelo colegiado de quinhentas pessoas. Vencia aquele que era capaz de convencer melhor os jurados. Difícil é imaginar que Sócrates possa não ter sido superior aos seus acusadores no uso da maiêutica, como instrumento que usava para desconstruir a retórica de seus interlocutores sofistas, desvelando as falácias de suas premissas ou conclusões (aliás, o discurso documentado por Platão torna visível mesmo a superioridade de Sócrates), e, assim, sua condenação também pode revelar um viés "inquisitório", considerando que sobre Sócrates pesou uma "presunção de culpa", na medida em que era visto por muitos como uma ameaça.

Outras fontes históricas da mesma época permitem melhor exemplificar o procedimento ateniense. Não obstante a doutrina contemporânea julgue que se tratava do embrião do "sistema acusatório", é possível identificar diversas características que ganhariam, hoje, a alcunha de "inquisitórias". Exsurge como exemplo a lei sobre "*hýbris*" (ação que venha a se caracterizar em desonra ou vergonha[181]) ateniense, vigente por volta do século IV a.C.:

> Se alguém cometer "*hýbris*" contra alguma pessoa, seja uma criança ou uma mulher ou um homem, livre ou escravo, ou cometer qualquer ato ilícito contra qualquer dessas pessoas, qualquer ateniense elegível que deseje pode acusá-lo aos "*thesmothétai*"; e os "*thesmothétai*" devem apresentar o caso dentro de trinta dias a partir do momento em que a acusação for submetida ao tribunal *("Heliaía"),* se nenhum assunto público o impedir, mas se houver qualquer outro assunto público, devem fazê-lo o mais cedo possível. Qualquer que seja a pessoa considerada culpada, o tribunal *("Heliaía") d*eve de-

---

179 *Ibid.*, p. 76.

180 PLATÃO. Apologia de Sócrates. AVRELLA, Sérgio. *A Defesa de Sócrates – diretamente do grego*. 8. ed. Curitiba: Base Editorial, 2010, p. 27 e s.

181 Ela também pode ser compreendida como "a soberba que antecede a queda"; "a soberba, o orgulho desmedido" que "leva a pessoa ao julgamento equivocado, ao erro (áte), que determina a decadência e a queda" (CASTRO NEVES, José Roberto de. *A Invenção do Direito. As Lições de Ésquilo, Sófocles, Eurípides e Aristófanes*. Rio de Janeiro: Edições de Janeiro, 2015, p. 114-115).

cidir imediatamente a pena que ela merece sofrer ou pagar. Se aqueles que apresentarem uma acusação, de acordo com a lei, não agirem para obter um quinto dos votos, deverão pagar mil dracmas ao tesouro público. Aquele que, tendo cometido *"hýbris"* contra uma pessoa livre, for multado, deve ficar preso até que a multa seja paga[182].

Como se vê do regramento transcrito, em alguns casos, para ter início o processo, dependia-se do referido *"thesmothétai* grego", que apresentava o caso ao tribunal popular. Assim, não obstante se possa identificar um Estado-Juiz inerte (areópago/efetas/heliastas/júri[183]), o que é lido hoje como típico do sistema acusatório, também se identifica um Estado-acusador público, o que se insere, para parcela da doutrina moderna, num discurso "inquisitório".

Vê-se, ainda, a adoção da prisão cautelar como mecanismo processual. Aliás, quanto à prisão cautelar ser a regra no procedimento grego antigo, também se destaca outro texto da época, no qual a privação da liberdade ocorria de forma preventiva, notadamente no caso daquele que viesse a lesar os próprios pais:

> E se alguém for detido por maus-tratos infligidos aos pais, ou por falsidade, ou por entrar em lugares proibidos, de acordo com a lei, os Onze devem prendê-lo e levá-lo aos tribunais. Qualquer pessoa elegível pode acusá-lo. Se for considerado culpado, o tribunal deverá avaliar a pena que ele deverá sofrer ou pagar. Se tiver de pagar uma multa, deverá ficar detido até que faça o pagamento desta[184].

Esse é outro exemplo de regra grega que hoje seria considerada "inquisitória". Nesse enfoque se tem a relevância, novamente, do princípio unificador como característica marcante do sistema, o que não é identificado nos casos específicos.

Aristóteles (384-322 a.C.) também relatou aspectos do modelo processual grego de Atenas, esclarecendo haver na cidade o supracitado *Conselho dos Onze*, que, dentre outras tarefas, cuidava:

> dos prisioneiros no cárcere. Ladrões em geral, sequestradores e ladrões de vestimentas que são conduzidos a eles e, que, confessam seus crimes, são

---

182 Conforme ARNAOUTOGLOU, Ilias. *Leis da Grécia Antiga*. Tradução de Ordep Trindade Serra e Rosiléa Pizarro Carnelós. São Paulo: Odisseus, 2003, p. 78.

183 Sobre as variações terminológicas, *vide*, dentre outros, MARICONDE, Alfredo Velez. *Derecho Procesal Penal*. Tomo I. 3. ed. 2. reimpr. Cordoba, Argentina: Marcos Lerner Editora, 1986, p. 25 e s.

184 Conforme ARNAOUTOGLOU, Ilias, *cit.*, t. I, p. 115.

> punidos com a morte. Se, entretanto, negam os crimes de que são acusados, cabe aos Onze conduzi-los ao tribunal...[185]

Ressalta-se, do trecho anterior, a confissão como primeira hipótese para a solução do caso penal. Somente se negassem os crimes seriam conduzidos ao tribunal. O que se percebe, então, é que o processo penal grego antigo, não obstante até contasse em alguns casos com acusação privada, primasse pela oralidade, pelo julgamento público, pela divisão das funções de acusar e julgar e tenha registrado, no resultado de empate referido por Ésquilo em sua *Oresteia*, uma absolvição, informando, assim, o "*in dubio pro reo*" (o que pode ser lido como características típicas de um "sistema acusatório"), por outro lado também trabalhava com acusação pública em alguns casos, permitia aos juízes iniciativas probatórias, estava pautado essencialmente pela retórica em detrimento da análise das provas, por vezes buscava confissões, na prática de determinados casos revelava presunção de culpa, e também trabalhava com prisão cautelar (hoje características atribuídas ao "sistema inquisitório").

Vale abrir um parêntese para dizer que, séculos mais tarde (século VII e anteriores[186]), o direito germânico antigo também funcionou nos moldes de adesão popular, com julgamento em assembleia e participação de toda a comunidade[187], porém, também mantinha soluções probatórias que se faziam passar pela força ou sorte: ordálias ou juízos de Deus[188]. É interessante notar o alerta de Franco Cordero[189] quando assinala o sistema acusatório como uma "luta", um "combate aberto", como a justificar as ordálias e os juízos de Deus. Acontece que esses modelos de solução de casos penais, ao contrário, lembram mais o rótulo construído do "inquisitorialismo".

Retomando a análise histórica, o modelo de democracia ateniense, de certa forma, acabou incorporado pelos romanos antigos[190], os quais, num primeiro momento

---

185 ARISTÓTELES, *cit.*, p. 105.

186 A respeito do modelo processual penal germânico antigo, *vide*, dentre outros, SCHILD, Wolfgang. History of Criminal Law and Procedure. *Criminal Justice Through the Ages*. Tradução do alemão para o inglês de John Fosberry. Rothenburg ob der Tauber: Mediaeval Crime Museum, 1993, p. 46 e s.

187 Conforme, dentre outros, ROXIN, Claus. *Derecho Procesal Penal*. Tradução do alemão para o espanhol de Gabriela E. Córdoba e Daniel R. Pastor. Buenos Aires: Editores del Puerto, 2000, p. 557.

188 Conforme MAIER, Julio B. J. *Derecho Procesal Penal*. Tomo I – Fundamentos. 2. ed. 3. reimpr. Buenos Aires: Editores del Puerto, 2004, p. 264 e s. e LISZT, Franz Von. *Tratado de Direito Penal Alemão. Tomo I*. Traduzido por José Higino Duarte Pereira. Campinas: Russell Editores, 2003, p. 85 e s.

189 CORDERO, Franco. *Procedimiento Penal – Tomo I*. Tradução para o espanhol de Jorge Guerrero. Santa Fé de Bogotá, Colômbia: Editorial Temis, 2000, p. 86.

190 Sobre a influência helênica em Roma, *vide* MEIRA, Silvio. *Curso de Direito Romano: história e fontes*. Ed. fac-sim. São Paulo: LTr, 1996, p. 70 e s.

(em particular na fase republicana[191], na qual assimilaram a ideia de ter "*civitas*"[192]), também vieram a estabelecer um processo penal com iniciativa da parte: "*iudicium publicum*", "*quaestio*" ou "*accusatio*"[193]. Aliás, pode-se dizer que daí advém a denominação doutrinária moderna: "sistema acusatório", que, perigosa e anacronicamente, se apropria de categorias do passado para construir discursos no presente. De todo modo, os modelos atenienses também influenciaram os romanos antigos[194], como se poderá ver a seguir.

Os historiadores[195] indicam que Roma vivenciou diferentes sistemas de Justiça criminal nos períodos da Monarquia[196], da República e do Império[197].

O modelo de processo penal mais vetusto até hoje identificado na Roma Antiga é o da "*cognitio*", documentado a partir do início do período monárquico (já por volta do ano 672 a.C.), segundo Mário Curtis Giordani[198]. Jean-Marie Carbasse[199] informa que esse modelo também prosseguiu no início da República, esclarecendo terem sido dois os modelos então conviventes: um para os cidadãos romanos, e outro para os não cidadãos. No primeiro caso, o magistrado citava o acusado e fixava um dia para o seu comparecimento. O acusado, então, tinha duas opções: ir preso preventivamente ou apresentar uma caução ao juiz. A questão era submetida a um tribuno da plebe. Nesse processo, o conhecimento era espontâneo, fundado na "*anquisitio*" ou "*inquisitio*" (instrução pública), ou seja, no interrogatório do acusado que era convocado a depor pelo magistrado. Importa destacar que se vê, já aqui, a adoção da palavra "*inquisitio*" como referência de interrogatório, hoje com seu sentido ampliado e transformado pela doutrina em "sistema inquisitório".

---

191 Período republicano – 510 a.C. a 49 a.C.

192 Ou seja, ter "cidadania". Sobre o tema, *vide* HOLLAND, Tom. *Rubicão. O Triunfo e a Tragédia da República Romana*. Tradução de Maria Alice Máximo. Rio de Janeiro: Record, 2006, p. 35.

193 Conforme MAIER, Julio B. J. *Derecho Procesal Penal*. Tomo I – Fundamentos, *cit.*, p. 273 e s. *Vide* também MEIRA, Silvio. Curso de Direito Romano..., *cit.*, p. 54 e s.

194 Sobre a influência helênica em Roma, *vide* MEIRA, Silvio, *cit.* p. 70 e s.

195 Valem, por todas, as excelentes monografias de MOMMSEN, Theodor. *The History of Rome*. V. I, Tradução para o inglês de Willian P. Dickson. New York: Charles Scribner & Company, 1869, obra consultada na íntegra em www.books.google.com; BAUMAN, Richard A. *Crime and Punishment in Ancient Rome*. New York: Routledge, 1996, p. 7 e CARBASSE, Jean-Marie. *Histoire du droit penal et de la justice criminelle*. 2. ed. Paris: Presses Universitaires de France, 2009.

196 Considera-se o ano de 753 a.C. como o marco inaugural do início da história de Roma, sendo que Monarquia prossegue até o ano 508 a.C., quando foi fundada a República. Tudo segundo MONTANELLI, Indro. *História de Roma. Da fundação à Queda do Império*. Tradução de Margarida Periquito. 2. ed. Lisboa: Edições 70, 2006, p. 11 e 44.

197 O processo de transformação da república em império tem início com a ascensão de Caio Augusto Cesar, em 44 a.C., e se estende praticamente até sua ruína, no século V d.C. A respeito do início desse período, *vide* HOLLAND, Tom. Rubicão. O Triunfo e a Tragédia da República Romana, *cit.*

198 GIORDANI, Mario Curtis. *Direito Penal Romano*. 2. ed. Rio de Janeiro: Forense, 1987, p. 96 e s.

199 CARBASSE, Jean-Marie. Histoire du droit penal..., *cit.*, p. 37 e s.

380 ■ Processo Penal | Fundamentos dos fundamentos

Ainda segundo Mário Curtis Giordani, esse modelo de *"cognitio/"inquisitio"* teria convivido com a *"provocatio ad populum"*, no século VII antes de Cristo, quando, para escapar do rigor dos magistrados, o acusado condenado à morte poderia apelar para o julgamento popular.

Silvio Meira[200] assinala que no curso da República, no período das *XII Tábuas* (por volta de 450 a.C.), o início do processo era popular, mas permitia a prisão cautelar, nos termos estabelecidos nas regras 1 e 2 da *Tábua Primeira*[201], *verbis*: "Tábua Primeira. 1. Se alguém é chamado a Juízo, compareça; 2. Se não comparece, aquele que o citou tome testemunhas e o prenda".

E quem decidia sobre a acusação era o povo, em moldes similares aos dos atenienses, por meio dos "comícios por centúrias", segundo a regra 4 da Tábua Nona[202], *verbis*: "Tábua Nona. (...) 4. Que os comícios por centúrias sejam os únicos a decidir sobre o estado de um cidadão (vida, liberdade, cidadania, família)".

Já por volta de 149 a.C., por meio da *Lex Calpurnia*, foi criado o primeiro júri permanente, denominado *"quaestiones perpetuas"*, especialmente para julgar os chamados "delitos públicos" (ex.: contra a segurança do Estado, ou homicídio de homem livre)[203], sem que isso representasse o abandono do modelo de *"cognitio"*, o qual acabará sobressaindo já no período imperial[204].

Segundo Bauman[205], ainda durante a República teriam prevalecido outros dois modelos processuais penais: o primeiro, chamado *"iudicium Populi"*, em que um magistrado conduzia uma investigação preliminar para depois formular uma acusação perante uma assembleia popular (teria existido até a metade do século II a.C., ou seja, no período da República); e o segundo, chamado *"iudicium publicum"*, nos moldes do *"trial by jury"*, que teria substituído o anterior, no qual o caso era submetido a um magistrado e um corpo de cinquenta jurados, permanecendo vigente também no Império.

No Império, além do *"iudicium publicum"* anteriormente referido, ainda se encontra o modelo de *"cognitio extraordinaria"* ou *"cognitio extra ordinem"*, a partir do imperador Augustus, inicialmente de forma concorrente com o modelo de *"iudicium publicum"*

---

200 MEIRA, Silvio. Curso de Direito Romano... *cit.*, p. 55.

201 Texto referido a partir de fragmentos das tábuas reconstituídos por J. Godefroy, MEIRA, Silvio, *cit.*, p. 83 e s.

202 *Ibid.*, p. 83 e s.

203 Conforme MOREIRA ALVES, José Carlos. *Direito Romano*. 6. ed. Rio de Janeiro: Forense, 2003, v. II, p. 223.

204 Segundo GIORDANI, Mario Curtis. Direito Penal Romano, *cit.*, p. 109.

205 BAUMAN, Richard A., *cit.*, p. 7.

e, depois, de forma dominante. Esse último modelo podia ser conduzido pelo próprio Senado, pelo imperador, pessoalmente, ou por alguém de sua confiança, por delegação[206].

Boa parte da doutrina nacional[207] e estrangeira[208] aponta, a partir de determinado período (já no curso da fase imperial), uma possível alteração de paradigma, sustentando que a adoção do modelo de *"cognitio extra ordinem"* teria levado à transformação do modelo "acusatório" naquele de cunho "inquisitório". Mário Curtis Giordani, por exemplo, sustenta que, no processo extraordinário, "o mesmo funcionário imperial que, mediante a *inquisitio,* colhia as provas, prolatava a sentença com ampla liberdade, limitada apenas por instruções imperiais ou por jurisprudência firmada pelo tribunal imperial". E em seguida sintetiza: "O princípio da *inquisitio* substitui o princípio da *accusatio* pública"[209]. Como visto, o raciocínio dessa doutrina para além do exagerado reducionismo parte do pressuposto de que a diferença entre os dois sistemas estaria na junção das funções de acusar e julgar (inquisitório) *versus* a separação dessas funções (acusatório).

Esses autores sustentam que o antigo "sistema acusatório" culminou incutindo uma crescente sensação de impunidade[210] na população (o que – abstraindo a ideia de que isso seja um "sistema" – é possível se admitir como verdadeiro, já que as figuras de acusadores públicos passam a surgir como reforço substitutivo do papel acusador das vítimas). No entanto, mesmo com a adoção da acusação pública, já no Baixo Império Romano[211] isso não implicou na substituição do chamado "sistema acusatório" por modelo absolutamente contrário: o denominado "sistema inquisitório".

Trata-se de um equívoco de análise de como, efetivamente, operava o processo penal romano antigo, ao emprestar regramentos que hoje podem ser vistos ora como "acusatórios", ora como "inquisitórios". A confusão alcança até mesmo o que se considera a respeito da *"cognitio extra ordinem",* pois, diferentemente do pregado pela doutrina

---

206 Ainda segundo BAUMAN, Richard A. Crime and Punishment in Ancient Rome..., *cit.*, p. 7.

207 Desde AZEVEDO, Vicente de Paulo Vicente de. *Curso de Direito Judiciário Penal.* São Paulo: Saraiva, 1958, v. 1, p. 39. No mesmo sentido, GIORDANI, Mario Curtis. Direito Penal Romano, *cit.*, p. 96 e s.; e, ainda, dentre outros, LOPES JR., Aury. *Fundamentos do Processo Penal. Introdução Crítica, cit.*, p. 139.

208 De que serve de exemplo LEONE, Giovanni. *Tratado de Derecho Procesal Penal* – Tomo I – Doctrinas Generales. Tradução para o espanhol de Santiago Santís Melendo. Buenos Aires: Ediciones Juridicas Europa-America, 1989, p. 24 e 25, quando afirma que o conhecimento ordinário – comum – era o alusivo ao sistema acusatório, já o extraordinário – incomum, pela ausência de acusação formal – tinha início de ofício, cunhado na vertente inquisitorial. A respeito das primeiras manifestações de inquisitorialismo *vide* referência de Salvioli feita às páginas 22 e 23 e FIGUEIREDO DIAS, Jorge de, *cit.*, p. 62 e s. No mesmo sentido, na doutrina da América Latina, *vide* MAIER, Julio B. J. *Derecho Procesal Penal* – Tomo I – Fundamentos, *cit.*, p. 272 e s.

209 GIORDANI, Mario Curtis. *Direito Penal Romano, cit.*, p. 108.

210 Conforme LEVACK, Brian P. *A Caça às Bruxas na Europa Moderna.* 2. ed. Rio de Janeiro: Campus, 1988, p. 66 e s.

211 Período conhecido como do ano 235 d.C. ao ano 476 d.C.

majoritária (que diz ser esse um modelo "inquisitório"[212]), também aqui a presença do magistrado continuava pautada pela inércia, ou seja, aos olhos de hoje: "acusatório".

Em verdade, o que provoca a confusão doutrinária e que, assim, remete a conclusões tortas, dentre outros aspectos, é justamente a utilização de outro órgão estatal para atuar como acusador público quando a vítima assim o desejasse, e mesmo o emprego da tortura, admitida em alguns casos. Também conduz a equívocos o fato de que havia um processo diferenciado que era admitido apenas contra os cristãos, em que a confissão era suficiente para a condenação, não por um escalonamento probatório em si, mas por conta da crença de que os cristãos jamais confessariam em vão.

Outro aspecto que remonta ao caos conceitual – e que, portanto, não permite enxergar um "sistema" – decorre, em alguns momentos ao longo da fase imperial, particularmente durante o reinado de Cláudio (41 a 54 d.C.), da absoluta concentração do poder de acusar e julgar, conforme aponta Tacitus na seguinte passagem reveladora do processo conduzido diretamente pelo imperador: "Concentrando todas as funções das leis e dos magistrados em suas mãos, ele abriu as portas ao excesso do acusador profissional"[213]. Nessa mesma época, Cláudio também admitia o emprego da tortura durante o interrogatório, conforme relato de Suetônio[214]. Sucede que os excessos praticados estavam relacionados não propriamente com a lei ou com a forma ritual do processo, mas, sim, com os abusos decorrentes da interpretação forçada das normas, privilegiando sempre a vontade do imperador[215].

Seja como for, o dado mais marcante do equívoco da análise doutrinária reside, como já destacado, na presença de um acusador público como figura marcante de um modelo processual. O que sucede é que esse, por assim dizer, arremedo de Ministério Público era pautado nas figuras dos *"curiosi", "stationarii"* e *"irenarchae"*, os quais, como bem destaca Giorgia Zanon[216], não se confundiam com a figura do juiz, que ainda mantinha sua inércia. Serviram apenas para diminuir a referida sensação de impunidade (mais uma vez uma mescla de "inquisitorialismo" e "acusatorialismo"). Ou seja, a existência de órgão oficial na promoção da ação penal não é capaz de conduzir à alteração de paradigma sistemático nos moldes hoje

---

212 *Vide*, por todos, KHALED JR., Salah H., *cit.*, p. 30 e s.

213 Conforme BAUMAN, Richard A., *cit.*, p. 70.

214 Em trecho destacado por BAUMAN, Richard A., *cit.*, p. 71.

215 Como bem destaca DUCOS, Michèle. *Roma e o Direito*. Tradução de Silvia Sarzana. São Paulo: Madras, 2007, p. 130.

216 ZANON, Giorgia. *Le strutture accusatorie della cognitio extra ordinem nel principato*. Padova: Cedam, 1998, p. 106 e s.

adotados, seja em relação à parcela da doutrina que considera ser a concentração de poderes o critério identificador do denominado "sistema inquisitório", seja em relação àqueles doutrinadores que optam pela gestão da prova pelo juiz como norte de identificação do mesmo "sistema".

Não bastasse, ainda é de se considerar os abusos de alguns imperadores que tomavam para si determinados casos e os julgavam de forma totalitária. Enfim, uma mistura de "sistemas", ou, melhor seria: sistema algum. Não há consenso nem mesmo quanto à *"cognitio extra ordinem"*, considerada como símbolo do "inquisitorialismo" pela maioria da doutrina, como já exposto anteriormente. Após a análise de diversos textos originais da época do Império Romano, Giorgia Zanon desmitifica esse modelo processual romano ao afirmar permanecer, como regra, o ônus da prova com as partes, notadamente com o órgão de acusação, fosse ele privado ou público[217]. E, ao final, a autora conclui afastando o mito inquisitório da *"cognitio extra ordinem"*:

> Em última análise, resta revelado que a introdução do novo processo *"extra ordinem"* não resulta ter substancialmente alterado aquilo que representava o aspecto peculiar do ordenamento processual da época republicana, ou seja, a inderrogabilidade do impulso de um sujeito distinto do órgão julgador para provocar a atividade punitiva do Estado.
>
> A posição de terceiro do juiz fica mantida, de outra parte, no curso da fase dos debates, e isto também nas hipóteses de exercício da ação penal por parte dos órgãos públicos. Se a estes últimos era reconhecido um certo poder "inquisitório", isto era, de qualquer forma, destinado a exaurir-se em uma fase anterior ao juízo em sentido próprio, resultando funcional à redação do ato oficial de acusação, isto quando não se limitasse, de fora de formas determinadas de processo, a atividades meramente preventivas ou repressivas de polícia. Dentro destes limites se pode, portanto, afirmar que "as estruturas acusatórias" do procedimento ordinário permaneceram a dar conotação à *"cognitio extra ordinem"*, ao menos na idade do principado[218].

---

217 ZANON, Giorgia, *cit.*, p. 103 e 104. Tradução nossa: "A iniciativa da persecução criminal por um sujeito público, ao invés do privado, não pode, nem ao menos neste caso, ser confundida com o poder do juiz de ativar-se de ofício. Da constituição em análise emerge somente a explícita contraposição entre duas diversas modalidades de promoção da ação penal, restando, ainda assim, firme a distinção entre órgão de acusação e órgão julgador, o qual, em posição absolutamente imparcial, deverá proceder, tanto num quanto noutro caso, ao 'acertamento' da culpabilidade ou da inocência do imputado".

218 *Ibid.*, p. 144. Tradução nossa..

384 ■ Processo Penal | Fundamentos dos fundamentos

Na mesma linha de pesquisa, Alessandra Ronco[219] defende uma simbiose entre os dois modelos de *"accusatio"* e *"inquisitio"*, indicando mesmo uma convivência entre os dois, ao menos a partir do ano 320 d.C., decorrência da análise de uma epístola de Constantino:

> CTh. 9.3.1pr. = C.I. 9.4.1pr.-3: (Imp. Constantinus A. ad Florentium rationalem). *In quacumque causa reo exhibito, sive accusator exsistat sive eum publicae sollicitudinis cura perduxerit, statim debet quaestio fieri, ut noxius puniatur, innocens absolvatur. Quod si accusator aberit ad tempus aut sociorum praesentia necessaria videatur, id quidem debet quam celerrime procurari.*

Analisando esse texto, Alessandra Ronco assevera:

> Trata-se de uma epístola de Constantino entregue a Serdica e endereçada a *"rationalis Florentius"*.
>
> Essa disposição é extremamente significativa, pois parece consagrar dois importantíssimos princípios de direito: a necessidade de uma repressão dos crimes através de intervenções tanto públicas quanto privadas; a exigência de que o processo se desenvolva em tempos rápidos visando garantir o mais celeremente possível (*"celerrime procurari"*) a absolvição do inocente (*"innocens absolvatur"*).
>
> Remetendo o exame desse último aspecto à especial sede desse último estudo dedicado aos tempos processuais, o que agora interessa sublinhar é como essa constituição faça ao mesmo tempo referência ao processo acusatório (*"sive accusator exsistat"*) e àquele inquisitório (*"sive eum publicae sollecitudinis cura perduxerit"*)[220].

E, em seguida, traz à tona outro texto, agora de Costâncio II, datado de 357 d.C.:

> CTh. 9.17.4 = C.I. 9.19.4: (Imp. Constantius A. ad populum). *Qui aedificia manium violant, domus ut ita dixerim defunctorum, geminum videntur facinus perpetrare, nam et sepultos spoliant destruendo et vivos polluunt fabricando. Si quis igitur de sepulchro abstulerit saxa vel marmora vel columnas aliamve quamcumque materiam fabricae gratia sive id fecerit venditurus, decem pondo auri cogatur*

---

219 RONCO., Alessandra. *Il processo penale nella legislazione tardo imperiale*. Tese de doutorado defendida em 2008 na Universidade de Padova. Texto integral na internet: www.paduaresearch.cab.unipd.it/349. Acesso em: 12 set. 2010, p. 4.

220 *Ibid.* Tradução nossa.

inferre fisco: sive quis propria sepulchra defendens hanc in iudicium "querella"m detulerit sive quicumque alius accusaverit vel officium nuntiaverit. Quae poena priscae severitati accedit, nihil enim derogatum est illi supplicio, quod sepulchra violantibus videtur impositum. Huic autem poenae subiacebunt et qui corpora sepulta aut reliquias contrectaverint.

Vem, então, a autora confrontar o que a doutrina costuma relatar desses textos, para, ao final, sintetizar o que se passava de fato:

> Alguns autores sugeriram que a leitura entre essas constituições fosse feita em chave restritiva, no sentido de levar em conta que esta possibilidade de recurso tanto à *"accusatio"* quanto à *"inquisitio"* fosse compreendida como sintoma de uma difusão geral da *"accusatio"* adotada somente para alguns tipos criminosos, pela obrigação de inquirir por parte dos funcionários imperiais.
>
> Outros autores, ao contrário, sustentam uma generalização da obrigação de inquirir e a indicam como concausa, ao lado da áspera legislação em matéria de *"calumnia"*, do papel hoje marginal da *"accusa privatas"*.
>
> Pessoalmente entendo que para ser compreendida a fundo a temática da iniciativa processual é preciso contextualizá-la na perspectiva histórica de um império que já é absoluto e burocratizado em cujo fenômeno de inobservância da lei, isto é, essencialmente das constituições emanadas do Imperador, constitui uma ameaça intolerável ao correto desenvolvimento da vida coletiva e como tal vem reprimido de modo tempestivo e eficaz.
>
> *É próprio de uma máquina administrativa um tanto centralizada, mas ao mesmo tempo capilar, que os mecanismos de controle sejam muito eficazes e difusos pelo que aparece muito mais provável uma iniciativa de tipo oficial do que privada.*
>
> *A meu aviso, portanto, o único valor efetivamente perseguido, parece aquele da repressão do crime "a qualquer custo" e, assim, individuar ou assegurar os culpados à justiça é o fim último a ser perseguido, e para consegui-lo se serve tanto da acusação pública, então generalizada, quanto daquela privada*[221].

Portanto, diversamente do que aponta a doutrina moderna, não há como identificar uma origem do "sistema inquisitório" no processo penal romano antigo, pois, não obstante se verifique o uso da tortura pelos romanos antigos, também é possível identificar a mistura dos dois modelos, hoje, à luz das iniciativas processuais. Enfim, o pretendido sistema

---

221 *Ibid.* Tradução nossa.

386 ■ Processo Penal | Fundamentos dos fundamentos

inquisitório orientado pela concentração das funções de acusar e julgar nas mãos do juiz não é uma regra absoluta decorrente da adoção do modelo de *"cognitio extra ordinem"*.

Daqui em diante, como se sabe, o Império Romano foi sendo paulatinamente seduzido pela religião católica[222], terminando por adotá-la como oficial por meio, inicialmente, de Constantino (312 d.C.[223]) e, de forma definitiva, com Teodósio (380 d.C.[224]), o que veio a determinar significativamente o seu fortalecimento, com redundância na consolidação da união entre Igreja e Estado e na expansão de sua aceitação por outros povos[225]. O *Decreto contra os Hereges*, de Teodósio, datado justamente do ano de 380 d.C., bem dá a dimensão do que representou essa fusão da Igreja com o Estado:

> É nossa vontade que todos os povos regidos pela administração de Nossa Clemência pratiquem a religião que o divino Pedro, o apóstolo, transmitiu aos romanos, uma vez que a religião por ele introduzida permanece clara nos dias de hoje. É evidente que é essa a religião seguida pelo Pontífice Damásio e por Pedro, Bispo de Alexandria, homem de santidade apostólica; ou seja, de acordo com a disciplina apostólica e a doutrina evangélica, devemos acreditar na Divindade única do Pai, do Filho e do Espírito Santo, sob o conceito de igual majestade e da Santíssima Trindade.
>
> 1. Ordenamos que as pessoas que obedecem a essa ordem adotem o nome de cristãos católicos. Os demais, entretanto, a quem julgamos dementes e insanos, devem sustentar a infâmia de dogmas heréticos, seus locais de reunião não devem receber o nome de igrejas, e devem ser castigados primeiro pela Vingança Divina e, em seguida, pela retribuição de nossa

---

222 Segundo GIBBON, Edward. *Declínio e Queda do Império Romano*. Tradução de José Paulo Paes. São Paulo: Companhia das Letras, 2005, p. 236 e s. *Vide* também MEIRA, Silvio. *Curso de Direito Romano: história e fontes*. Ed. fac-sim. São Paulo: LTr, 1996, p. 149 e s.; e HILLGARTH, J. N. *Cristianismo e Paganismo, 350-750, A Conversão da Europa Ocidental*. Tradução de Fábio Assunção Lombardi Rezende. São Paulo: Madras, 2004.

223 Segundo LEME FILHO, Trajano. *Os 50 Maiores Erros da Humanidade*. Rio de Janeiro: Axcel Books do Brasil, 2004, p. 46, foi neste ano de 312 d.C. que Constantino declarou o domingo como feriado, como forma de demonstrar suas convicções cristãs. Outros autores apontam o Édito de Milão, também promovido por Constantino, em 313 d.C. Nesse sentido, dentre outros, DEL ROIO, José Luiz. *Igreja Medieval: a cristandade latina*. São Paulo: Ática, 1997, p. 17.

224 Foi com Teodósio que se oficializou a religião católica, segundo, dentre outros, DEL ROIO, José Luiz. *Igreja Medieval...*, *cit.*, p. 17.

225 Sobre o tema, *vide*: HILLGARTH, J.N. Cristianismo e Paganismo..., *cit.*, p. 59 e s.; VAN LOON, Hendrik Willen. *A História da Humanidade*. Tradução de Marcelo Brandão Cipolla. São Paulo: Martins Fontes, 2004, p. 134 e s. *Vide*, também, LE GOFF, Jacques. *A Civilização do Ocidente Medieval*. Tradução de José Rivair de Macedo. Bauru: Edusc, 2005, p. 20 e 21.

própria iniciativa, a qual assumimos estar de acordo com o Julgamento Divino[226].

Essa hegemonia do Império Romano, no entanto, sofreu um revés que séculos mais tarde (com momento culminante no século XIII) veio a representar, para a forma discursiva da doutrina majoritária de processo penal, o dado histórico relevante para a implantação do chamado "sistema inquisitorial", com plena força na Europa continental. Trata-se do contínuo processo de invasão (ou de descontentamento dos que já faziam parte integrante do império) dos "*bárbaros*"[227] às terras dominadas por Roma, que adquire intensidade a partir de 409 d.C. e tem como ponto alto a própria tomada da cidade de Roma no ano seguinte[228]. Inúmeros povos estrangeiros em relação a Roma, provindos de diversas regiões da própria Europa e da Ásia, a exemplo dos hunos, dos godos, dos visigodos, dos vândalos, dos borguinhões, dos ostrogodos, dos alamanos e dos francos[229], vão, paulatinamente, insurgindo-se contra a crescente cobrança de impostos romanos e contra sua subordinação, e não hesitam em patrocinar diversas investidas contra o império. A cidade de Roma é seguidamente saqueada, culminando naquilo que se denominou ser a "queda" do Império Romano (o marco final desse processo é representado pelo ano 476 d.C.[230]).

Os relatos históricos dão conta de que os denominados "bárbaros" trouxeram a reboque toda a sua cultura e suas multifacetadas religiões, voltadas em geral para adoração da natureza, o que veio a minar todo o estilo de vida romano. Nessa época, com a miscigenação dos povos e das culturas bárbaras com as de origem romana, sucedeu que a própria ideia de que seria possível manter ou estabelecer um sistema de processo

---

226 HILLGARTH, J. N. Cristianismo e Paganismo..., *cit.*, p. 60 e 61.

227 Assim considerados pejorativamente pelos romanos, por habitarem fora de seus domínios e/ou não falarem latim. Enfim, a palavra hoje pode ser identificada sob três prismas, mas, para o plano da época, equivale a todos os povos estrangeiros ao Império Romano, para usar a explicação de WOLFF, Francis. Quem é Bárbaro? *Civilização e Barbárie*. Organização de Adauto Novaes. São Paulo: Companhia das Letras, 2004, p. 22. *Vide*, também, a análise crítica de COUTINHO, Jacinto Nelson de Miranda. *O Papel do Novo Juiz no Processo Penal*, *cit.*, p. 19-20, *verbis*: "Verificar o sentido pejorativo da expressão, até porque entendida a partir dos romanos, embora a origem da palavra fosse grega e usada, na Grécia, para os estrangeiros ('barbáros'), ou seja, balbuciantes, no sentido de incapacidade para se fazer entender. Bárbaros, assim, eram os outros, desconsiderando-se, aqui, tudo o que de formidável à humanidade veio deles. Veja-se a alquimia, a psicologia, entre outras matérias, já então conhecidas dos árabes, por exemplo. A assertiva serve para demonstrar como o nosso pensar é totalitário, tendo a Europa como seu centro". Sobre o assunto, v. DUSSEL, Enrique. *Filosofia da libertação* (trad. de Luiz João Gaio) São Paulo: Loyola, s/d, p. 58. Mais recentemente, v., do mesmo autor, *La introducción de la 'transformación de la filosofia' de K.O. Apel y la filosofia de la liberación (reflexiones desde una perspectiva latinoamerica), Fundamentación de la ética y filosofia de la liberación*. México: Siglo Veintiuno Editores, 1992, p. 45 e s.

228 Segundo HILLGARTH. J. N. Cristianismo e Paganismo..., *cit.*, p. 79.

229 Segundo LE GOFF, Jacques. *As Raízes Medievais da Europa*. Tradução de Jaime A. Clasen. Petrópolis: Vozes, 2007, p. 37 e s.; e VAN LOON, Hendrik Willen. *A História da Humanidade*, *cit.*, p. 127.

230 Sobre a data e a paulatina ruína do império romano, *vide*, dentre outros, VAN LOON, Hendrik Willen. *A História da Humanidade*, *cit.*, p. 124 e s.; e GIBBON, Edward. Declínio e Queda do Império Romano, *cit.*, p. 236 e s.

penal uniforme se perdeu (como de resto a ideia de civilização romana também se perdeu), naquilo que René David denomina de "declínio da ideia de direito"[231].

É preciso também compreender que, após a morte do imperador Teodósio, em 395 d.C., os líderes militares do Império Romano ocidental já eram representados pelos próprios bárbaros ou deles dependentes, como afirma Hillgarth[232].

Nesse campo, é marcante o fato de que, nas *Institutas* de Justiniano (em especial no *Codex Justinianus repetitae praelectionis*, datado de 16 de novembro de 534), estavam disciplinadas regras de processo penal, e elas foram sendo paulatinamente alteradas pelos sucessores de Justiniano no poder, mescladas, em grande parte, com as constituições dos imperadores bizantinos[233].

Sucede que, como destacado anteriormente, naquela época, a Igreja Católica, como instituição, já estava presente e dominante na população europeia, atuando ao lado – e mesmo acima – do poder laico. Mesmo com a queda do Império Romano, a Igreja conseguiu se manter hegemônica como doutrina religiosa. Favoreceu-se do fato de que o período de anomia (que costuma ser breve: "Rei morto, Rei posto: e viva o Rei!"[234]), provocado pela queda do Império, representou o campo fértil para consolidar o crescente domínio da Igreja sobre a população. É possível mesmo identificar uma "substituição" de um formal império laico por um "império" sacro, partindo-se da ideia de que a "queda" do Império Romano possa nunca ter ocorrido de fato. Nesse sentido, é possível se entender o império como ainda existente naquela época, apenas com nova roupagem: católica-cristã. Interessantes aspectos da estrutura da Igreja Católica apontam para tal conclusão. Basta, como referência geral, verificar que a hierarquia da Igreja segue o mesmo padrão da hierarquia administrativa do Império[235]. O poder central é focado numa única pessoa, o papa, que ainda hoje é chamado de "*Pontifex Maximus*" ("Máximo [ou Sumo] Pontífice") –, isto é, "*Máximo Construtor de Pontes*". Esse era justamente o título que se dava aos imperadores romanos. O papa tem cargo vitalício, em moldes equivalentes ao que se dava com os imperadores romanos. Ademais, a Igreja Católica mantém sua sede maior em Roma[236](!!!), e não em Jerusalém, Belém ou outro local mais significativo

---

231 DAVID, René. *Os Grandes Sistemas do Direito Contemporâneo*. Tradução de Hermínio A. Carvalho. São Paulo: Martins Fontes, 2002, p. 37 e s.

232 HILLGARTH, J. N. Cristianismo e Paganismo... *cit.*, p. 79.

233 Segundo informa MEIRA, Silvio, *cit.*, p. 177 e s.

234 COUTINHO, Jacinto Nelson de Miranda. Ensino do Direito na UFPR: Voto à Esperança! *Revista da Faculdade de Direito da UFPR*, n. 36, Curitiba: UFPR, 2001, p. 143.

235 Esse também é o pensamento de LE GOFF. As Raízes Medievais da Europa, Jacques, *cit.*, p. 41.

236 Como bem relata SUFFERT, Georges. *Tu és Pedro: santos, papas, profetas, mártires, guerreiros, bandidos. A história dos primeiros 20 séculos da Igreja fundada por Jesus Cristo*. Tradução de Adalgisa Campos da Silva. Rio de Janeiro: Objetiva, 2001, p. 51, a perseguição de Nero, em 64 d.C., aos cristãos, faz com que a cidade de

sob o prisma religioso. Afinal, o centro do poder estava em Roma. E, por fim, a Igreja, assim como se dava com o Império Romano, operava, e ainda opera, a partir de uma descentralização administrativa, com divisão territorial de competências[237]. Ou seja, o Império Romano não deixou de existir: sofreu apenas uma adaptação para ser incorporado pela Igreja Católica, a qual, na época, passou a ser herdeira do poder que se expandia ao longo, pelo menos, de boa parte da Europa ocidental.

A demonstrar a ampliação do poder da Igreja perante a população, encontram-se inúmeros decretos que foram alterando o Código Teodosiano. O decreto de 388, por exemplo, proibiu os debates públicos a respeito da religião e proibiu o casamento entre judeus e cristãos; o de 392 proibiu todos os cultos pagãos; o de 412 isentou de impostos as terras da Igreja; e o de 435 estabeleceu penas mais severas (morte) para pagãos, não obstante já se encontrasse a Igreja no auge do processo representativo da "queda" do Império romano[238].

Os próprios "bárbaros", que passaram a exercer o poder laico, terminaram, em grande parte, por se converter ao catolicismo, tamanha a influência da Igreja. O processo inaugural dessa ampla conversão é identificado na conversão de Clóvis, rei dos francos, em 496/497 d.C. Ao vencer uma batalha que permitiu unificar seu território, cumpriu uma promessa feita à sua esposa (cristã) e se converteu ao cristianismo. Se o rei dos francos estava convertido, todo o seu povo também estava. E os demais reis bárbaros, que souberam da façanha de Clóvis e foram informados de que ele lutara e vencera em nome de um "novo deus", resolveram aderir, em cascata,

---

Roma se torne uma "cidade maldita" para os cristãos da época. Por outro lado, SUFFERT (*cit.*, p. 49) justifica a escolha de Roma como centro preferencial da Igreja por conta de lá terem sido mortos e enterrados São Pedro e São Paulo.

237 Já naquele tempo a estrutura hierarquizada da Igreja seguiu padrões da estrutura do Império Romano, ou seja, era – e ainda é – exageradamente complexa, com domínio absoluto de um senhor e com descentralização territorial do exercício do poder religioso. A respeito da estrutura e da hierarquia da Igreja no Século III, SUFFERT (*cit.*, p. 49-50) cita uma carta do Papa Cornélio (251 d.C.) na qual ele descreve que a comunidade cristã de Roma dispunha de 46 padres, 7 diáconos, 7 subdiáconos e 100 assistentes diversos, de exorcistas a porteiros. Nos dias atuais, conforme se extrai do *Código de Direito Canônico*. 10. ed. São Paulo: Edições Loyola, 2009, p. 108 e s., a hierarquia da Igreja pode ser sintetizada no seguinte: o Papa acima de tudo e de todos, com domínio territorial e espiritual absolutos, chefiando o Colégio de Bispos; abaixo vem: o Sínodo dos Bispos e o Sacro Colégio dos Cardeais da Santa Igreja Romana; em seguida encontram-se as Conferências dos Bispos de uma nação ou território, seguidas das Províncias e Regiões Eclesiásticas, chefiadas pelo Metropolitas. Essas Províncias delimitam seus respectivos territórios e são compostas por Igrejas Particulares próximas entre si (estas com igual divisão territorial interna em Dioceses, Paróquias e Quase-Paróquias, e estruturadas de forma hierarquizada, sendo chefiadas pelo Bispo Diocesano com auxílio do Sínodo Diocesano que é uma assembleia de sacerdotes (Bispos, Vigários, Cônegos, dentre outros)). Cada Diocese, por sua vez, é composta do Conselho Presbiteral e do Colégio de Consultores. Abaixo ainda se encontra o Cabido de Cônegos, que é um Colégio de Sacerdotes. Em cada Diocese ainda se verifica o Conselho Pastoral composto de fiéis. Já a Paróquia é composta pelos fiéis sob o comando do Pároco e os Sacerdotes vistos como Reitores de Igrejas. Por último encontram-se os Capelães.

238 Conforme textos originais transcritos por HILLGARTH, J. N., *cit.*, p. 60 a 66.

390 ■ Processo Penal | Fundamentos dos fundamentos

à nova religião[239]. Consolida-se, então, o processo de mudança cultural que será considerado o início da Idade Média.

Nos séculos seguintes, no plano interno europeu, ganha destaque a invasão da Europa, pelos muçulmanos, por volta do ano 711 d.C., trazendo novas formas de justiça (igualmente de cunho religioso, mas centrada na obediência às regras da "*châr'ia*"[240]). O seu domínio em território francês teve duração curta (até 732 d.C.), mas sua permanência, em boa parte da Península Ibérica, seguiu por toda a Idade Média[241]. O certo é que a Igreja focou suas preocupações contra os muçulmanos, seja no plano interno, em uma "guerra de liberação, muito longa e muito dura"[242], seja no plano externo, contra os mesmos muçulmanos, só que na Palestina – Cruzadas externas iniciadas em 1095[243]. Ou seja, à parte essa preocupação com os muçulmanos, a Igreja Católica ainda mantinha o domínio religioso e, portanto, não estava integralmente focada no ressurgimento do "paganismo bárbaro"[244]. Com essa relativa "despreocupação", nos territórios dominados pela Igreja, boa parte dos padres católicos já se comportava de forma significativamente corrupta. Em sua grande maioria, estava apenas interessada em confiscar bens de terceiros e enriquecer pessoalmente[245]. Os relatos históricos[246] revelam que muitos padres haviam deixado de pregar a religião católica com a frequência necessária à manutenção de sua crença, o que contribuiu para a proliferação de diferentes seitas religiosas, algumas delas dissidentes da própria Igreja Católica.

Essa crescente proliferação das seitas e dissidências é que vai provocar uma reviravolta na paulatina adoção de regras que hoje são consideradas inerentes ao "sistema inquisitório" na Europa continental, como se verá a seguir.

---

239 Conforme se extrai de GALLO, Max. *Os Cristãos: O Batismo do Rei*. V. II. Tradução de Eloá Jacobina. Rio de Janeiro: Bertrand Brasil, 2007; LE GOFF, Jacques, *cit.*, p. 38; e HILLGARTH, J. N., *cit.*, p. 86 e s.

240 DAVID, René. *Os Grandes Sistemas do Direito Contemporâneo*. Tradução de Hermínio A. Carvalho. São Paulo: Martins Fontes, 2002, p. 511 e s.; e GILISSEN, John. *Introdução Histórica ao Direito*. Tradução de A.M. Hespanha e L.M. Macaísta Malheiros. 4. ed. Lisboa: Calouste Gulbekian, 2003, p. 119.

241 Sobre o tema *vide*, dentre outros, GALÁN, Juan Eslava. *Historia de España contada para Escépticos*. 4. ed. Barcelona: Editorial Planeta, 2004.

242 BENASSAR, Bartolomé. *Storia dell'Inquisizione Spagnola*. Tradução para o italiano de Nanda Torcellan. Milano: Rizzoli editore, 1980, p. 149.

243 A preocupação maior estava voltada para os mesmos muçulmanos, só que na Palestina – cruzadas externas iniciadas em 1095. Sobre a invenção do inimigo externo (cruzadas) *vide*, dentre outros: DEL ROIO, José Luiz. *Igreja Medieval: a cristandade latina*. São Paulo: Ática, 1997, p. 51 e s.

244 Especificamente sobre o renascimento de seitas ditas "pagãs" nesta época, *vide* BARROS, Maria Nazareth Alvim de. *Deus Reconhecerá os Seus. A História Secreta dos Cátaros*. Rio de Janeiro: Rocco, 2007.

245 Segundo relatam os historiadores BAIGENT, Michael e LEIGHT, Richard. *A Inquisição*. Tradução de Marcos Santarrita. Rio de Janeiro: Imago, 2001, p. 26 e READ, Piers Paul. *Os Templários*. Tradução de Marcos José da Cunha. Rio de Janeiro: Imago, 2001, p. 206 e s. Ainda nos mesmos termos: RIBEIRO JR., João. *Pequena História das Heresias*. Campinas, SP.: Papirus, 1989, p. 70.

246 BAIGENT, Michael e LEIGHT, Richard. A Inquisição, *cit.*, p. 26, e READ, Piers Paul, *cit.*, p. 206 e s. Ainda nos mesmos termos: RIBEIRO JR., João, *cit.*, p. 70.

3.5 A construção dos discursos dicotômicos a partir do século XIII: desvelando a pretensão "de pureza inquisitória"

Os doutrinadores que aprofundam um pouco que seja o estudo dos sistemas processuais penais[247] costumam apontar para a Baixa Idade Média (século XIII em diante), em particular para o papel desempenhado pela Igreja Católica, quando da criação dos Tribunais da Inquisição, como momento de retomada e aperfeiçoamento do denominado "sistema inquisitório". Sustentam, essencialmente, que os processos penais dos "Santos Ofícios da Inquisição"[248], patrocinados pela Igreja Católica Apostólica Romana, seriam orientados pelo critério inquisitório, seja em razão da reunião das funções de acusar e julgar na pessoa do juiz-inquisidor, seja, alternativamente, em razão da gestão da prova feita pelo juiz – e, por conta dessa premissa, pretendem neles enxergar um "sistema". De qualquer sorte, ao lado dos princípios reitores referidos, boa parte da doutrina insiste na classificação dicotômica ideal, apresentando as características antagônicas entre os dois modelos de processo penal, nos mesmos moldes das apresentações comparativas elaboradas por Pessina, Carrara, Barreiros e tantos outros reprodutores dessa "classificação".

Os exemplos, todavia, não servem para a definição de um "sistema processual penal inquisitório" com a pretensão de pureza dada por essa doutrina. Não obstante alguns critérios, hoje catalogados como "inquisitórios", até tenham se evidenciado em determinados momentos, diversamente do que afirmam esses doutrinadores, caso eles sejam tomados como princípios unificadores, revelam-se equivocados. Já de início é importante destacar que essa leitura dicotômica desconsidera a pluralidade de modelos de justiça operantes na Idade Média, como destaca Paolo Prodi, ao afirmar que "a ordem jurídico medieval parece caracterizada por um pluralismo inelimínável da dimensão jurídica, pela presença simultânea de sistemas diferentes em concorrência e em dialética entre si"[249].

Mesmo se o olhar se voltar para as Inquisições da Igreja Católica, a pluralidade também é evidenciada. É importante anotar que os Tribunais da Inquisição ocorreram em épocas, lugares e circunstâncias distintas. A primeira manifestação desses Tribunais

---

247 *V.g.* LOPES JR., Aury. *Fundamentos do Processo Penal. Introdução Crítica*, cit., p. 142 e s.

248 BETHENCOURT, Francisco. *História das Inquisições: Portugal, Espanha e Itália – Séculos XV-XIX*. São Paulo: Companhia das Letras, 2000, p. 10, ensina que, normalmente, os historiadores se referem à Inquisição no singular, mas mais adequado seria identificar diferenças de obediência em relação à cúria romana, entre a inquisição do século XIII, daquelas criadas em Veneza, Modena e Nápoles – dos séculos XVI a XVIII – ou mesmo na Espanha (1478) e em Portugal (1536). De qualquer sorte, o próprio Bethencourt admite uma fonte comum de legitimidade que é a delegação de poderes pelo papa e sua relação com a perseguição de heresias.

249 PRODI, Paolo. *Uma História da Justiça*. Tradução de Karina Jannini. São Paulo: Martins Fontes, 2005, p. 113.

392 ▪ Processo Penal | Fundamentos dos fundamentos

é do século XIII, essencialmente nos domínios do Sacro Império Romano-Germânico (Itália e Alemanha) e na França (por conta dos cátaros[250]). Mais tarde, já no século XVI, além da "reorganização" da Inquisição em Roma (1542), foram instalados Tribunais na Espanha (1478), em Portugal (1532) e respectivas colônias[251]. Só por essa disparidade já não há como identificar neles uma unidade sistemática. É como alerta o historiador português Francisco Bethencourt:

> Os ritos organizados na fase inicial de funcionamento dos tribunais hispânicos também não eram inteiramente novos: resultavam da adaptação das antigas cerimônias da Inquisição. Esses ritos, contudo, exprimiam as novas condições institucionais, caracterizadas pela proteção ativa da Coroa e pelo apoio dos outros poderes, imposto pela intervenção do rei[252].

E, mais adiante, depois de analisar as sucessivas instruções espanholas, elaboradas por Tomás de Torquemada em Sevilha (1484), Valladolid (1488), Ávila (1498), Diego de Souza (1500) e Fernando de Valdés (1561), Bethencourt complementa: "De qualquer forma, o processo penal renova-se, tal como a estrutura dos tribunais e, sobretudo, as regras de conduta dos funcionários, cujo quadro de ação e cuja esfera de responsabilidade são substancialmente alargados"[253].

Assim, se é possível considerar como correto o fato de que, em determinadas épocas, existiram regramentos que conduziam à ideia de fusão das funções de acusar e julgar na mesma pessoa do inquisidor, também é dado histórico irrefutável que, mesmo nesses e em diversos outros períodos da mesma Inquisição Católica, as funções de acusar e julgar eram por vezes separadas. O mesmo se diga a respeito de a gestão da prova estar apenas nas mãos do juiz ou contar com a possibilidade de as partes também interferirem. Nesse sentido, por exemplo, o alerta feito por Jean-Marie Carbasse:

---

250 Sobre o tema, *vide*, dentre outras, as seguintes obras: O'SHEA, Stephen. *A Heresia Perfeita. A Vida e a Morte Revolucionária dos Cátaros na Idade Média*. Tradução para o português de André Luiz Barros. Rio de Janeiro: Record, 2005; BURL, Audrey. Hereges *de Deus. A Cruzada dos Cátaros e Albigenses*. Tradução para o português de Ana Carolina Trevisan Camilo. São Paulo: Madras, 2003; BARROS, Maria Nazareth Alvim de. *Deus Reconhecerá os Seus. A História Secreta dos Cátaros*. Rio de Janeiro: Rocco, 2007.

251 Sobre o tema, *vide*, dentre outros: HOMZA, Lu Ann. *The Spanish "inquisitio" n. 1478-1614. An Anthology of Sources*. Indianapolis e Cambridge: Hackett Publising Company, Inc., 2006; ROTH, Cecil. *The Spanish Inquisition*. New York, London: W.W. Norton & Company, 1996; RIO, Alfredo Gil del. *La Santa Inquisición. Sus principals procesos contra la brujeria en España*. Madrid: Edimat Libros, 1999; KAMEN, Henry. *The Spanish Inquisition. A Historical Revision*. New Haven, London: Yale University Press, 1997; RESTON, JR. James. *Dogs of God. Columbus, the Inquisition, and the Defeat of the Moors*. New York, London, Toronto, Sydney, Auckland: Doubleday, 2005; EDWARDS, John. *La Inquisición*. Tradução para o espanhol de Teófilo de Lozoya. Barcelona: Crítica, 2005. TOMAS Y VALIENTE, Francisco. *La Tortura Judicial en España*. Barcelona: Crítica, 2000.

252 BETHENCOURT, Francisco. História das Inquisições.., *cit.* p. 32.

253 *Ibid.*, p. 43.

Mas a prática da transação durou ainda muito tempo, às cegas das autoridades judiciárias, pois encontramos nos registros notários da metade do século XVII (em plena Paris!) e mesmo no século XVIII (em certas províncias) acordos realizados sobre os delitos normalmente passíveis de penas públicas. Quer dizer que os dois modelos, o conciliador/indenizatório e o repressivo, não foram necessariamente sucessivos, como se diz com frequência. Na prática eles coexistiram durante longos períodos[254].

Dessa forma, por óbvio, não obstante se possam considerar alguns critérios, hoje classificados como "inquisitórios", como importantes características, por vezes predominantes em algum determinado lugar e momento histórico, eles não podem ser considerados como definidores de sistemas plenos e "puros".

O fato é que, como já explicitado, buscando as referidas referências bibliográficas usadas pela doutrina "moderna" e, assim, identificando-se as fontes doutrinárias mais antigas consultadas para legitimação dos discursos construtivos da dúplice ideia de "sistemas processuais penais" (acusatório e inquisitório), chega-se a Carmignani. E deste se chega a uma das fontes primárias – repita-se: no âmbito da doutrina – da maioria dos discursos da atualidade: Alberto da Gandino, em *Tractatus de maleficiis*[255], escrito ainda no século XIII (1286). Gandino é a fonte de época mais importante[256] no patrocínio doutrinário dos modelos processuais e é "modernamente" (século XIX até hoje) citado, dentre outros, por Enrico Pessina[257], Vincenzo Manzini[258], Francesco Carrara[259] e Franco Cordero[260] como fonte de suas pesquisas e base da construção de seus discursos.

Antes de Gandino, ainda no século XIII, a obra mais referida era *Ordo Iudiciorum*, de Guido da Suzzara, a qual nem sequer considerava a *"inquisitio"* como uma forma processual[261]. A *"inquisitio"*, como se verá, apareceu – ao lado de outros modelos de

---

254 CARBASSE, Jean-Marie, *cit.*, p. 19. Tradução nossa.

255 *O Tractatus de maleficiis* de Alberto da Gandino pode ser encontrado digitalizado, na íntegra, e no original em latim, no site www.books.google.com, numa compilação de obras de diversos autores, publicada no século XVI (1560), denominada *Tractatus Diversi Super Maleficii*. O *Tractatus* foi traduzido para o alemão por KANTOROWICZ, Hermann U. A tradução para o italiano de diversos trechos importantes da obra de Alberto da Gandino pode ser encontrada em MAFFEI, Elena. *Dal reato alla sentenza: il processo criminale in età comunale*. Roma: Edizioni di Storia e Letteratura, 2005. Sobre a vida de Alberto da Gandino, recomenda-se o detalhado estudo realizado por GANDINI, Luigi Alberto. Alberto Da Gandino. *Giureconsulto Del Secolo XIII*. Modena: Società Tipográfica, 1885, republicada em forma de fac-símile por Kessinger Publishing's, 2010.

256 Outras também se destacam, a exemplo da já referida obra de BEAUMANOIR, Philippe de, e de DURAND, Guillaume (*Speculum iudiciale*, 1271), dentre outros.

257 PESSINA, Enrico. *Storia...*, *cit.*, p. 77 e 78.

258 MANZINI, Vincenzo. *Tratado de Derecho Procesal Penal*, Tomo I, *cit.*, p. 17.

259 Ainda que de forma implícita, como visto anteriormente.

260 CORDERO, Franco. *Criminalia. Nascita dei sistemi penali*. Roma-Bari: Editori Laterza, 1986, p. 182 e s.

261 VALLERANI, Massimo. *La Giustizia Pubblica Medievale*. Bologna: Il Mulino, 2005, p. 39.

iniciativa processual – no IV Concílio de Latrão, com Inocêncio III, e, entre 1215 e 1220, nos textos dos comentadores canonistas, a exemplo de Vincenzo Ispano, Giovanni Teutonico, Damaso[262], e, mais detalhadamente, na *Summula de Criminibus*, de Tancredi di Bologna[263]. O interessante é que o processo de conotação canônica estava mais preocupado com a repercussão negativa de como o fato era percebido pela paróquia do que propriamente com o que era alegado pelas partes. Ou seja: o processo era conduzido visando evitar o "dano que a fama negativa dos comportamentos" poderia acarretar à autoridade da Igreja, como destaca Massimo Vallerani, que também afirma que os papas Inocêncio III, Honório III e Gregório IX igualmente "detestavam os júris populares e as intromissões diretas dos fiéis nas coisas da Igreja"[264]. Sucede que, nos moldes referidos por Massimo Vallerani, "visto no seu ambiente, cada processo assume uma configuração diferente, seja pela flexibilidade do instrumento inquisitório, que consignava à fama e à valoração arbitrária por parte do juiz um poder muito amplo, seja pelas peculiares relações dos juízes vinculados à sociedade política local a qual nem sempre concordava com o mesmo iter procedimental ou com um êxito predeterminado"[265]. Ou seja, o rito não era único ou mesmo padronizado e sofria fortes influências externas que poderiam alterar seu rumo. Seja como for, os variados procedimentos foram sendo adotados, em parte, também pelo poder secular, e, alguns anos mais tarde (1286), Alberto da Gandino[266] igualmente os explorou, inclusive as formas da *"accusatio"* e da *"inquisitio"*, esta iniciada em decorrência da má-fama. Gandino, como já destacado, era um prático e acabou sendo a grande fonte de referência da doutrina do século XIX.

Segundo informa Franco Cordero[267], Gandino propunha a seguinte indagação: "O que é a acusação e quando o acusador é necessário?"; em seguida, expunha "a forma como se julgam os delitos por inquisição"[268]. Por outro lado, Cordero também apresenta críticas a Alberto da Gandino, dizendo que ele copiou quase *"ipsis litteris"* a obra anônima *Tractatus de tormentis*, não obstante acredite que o tenha feito sem

---

262 VALLERANI, Massimo. *Procedura e giustizia nelle città italiane del basso medioevo (XII-XIV secolo)*, cit.

263 FRAHER, Richard M. Tancred's Summula de Criminibus: a new text and a key to the Ordo Iudiciarius. *9 Bulletin of Medieval Canon Law*, 1979, p. 23-35.

264 VALLERANI, Massimo. *Procedura e giustizia nelle città italiane del basso medioevo (XII-XIV secolo)*, cit. No mesmo sentido o artigo de ASCHERI, Mario. Le fonti e la flessibilità del diritto commune: il paradosso del consilium sapientes. Abstract. In: ASCHERI, Mario; BAUMGARTNER, Ingrid e KIRSHNER, Julius (Org.). *Legal Consulting in the Civil Law Tradicion. Studies in Comparative Legal History.* Berkeley: Robbins Collection Publications, 1999, p. 393.

265 VALLERANI, Massimo. *Procedura e giustizia nelle città italiane del basso medioevo (XII-XIV secolo)*, cit. Tradução nossa.

266 GANDINUS, Albertus. *Strafrecht der Scholastik*. Von KANTOROWICZ, Hermann U., Berl J. Guttentag, 1907, p. 203 e s.

267 CORDERO, Franco. *Procedimiento Penal*. Tomo I. Tradução para o espanhol de Jorge Guerrero. Santa Fé de Bogotá: Temis, 2000, p. 21.

268 Segundo CORDERO, Franco, *cit.*, p. 21.

intenção de plagiar, e que ele foi um "aficionado pelo dado técnico, e fora daí sabe muito pouco ou nada", culminando por rotulá-lo de "ignorante, iletrado, habilíssimo nas citações"[269], no sentido de que seu texto se aproximava do plágio de outros autores.

Não é demais repisar que, à época em que Alberto da Gandino escreveu (1286), ainda se não tinha uma visão sistemática do processo, e sua obra decorreu do que a Igreja Católica havia então regulamentado sobre o processo penal e, ainda, da prática por ele vivenciada na Itália (Gandino atuou como juiz de Apelação e/ou jurisconsulto nas cidades de Siena, Bolonha, Perúgia, Florença, Lucca, Parma e Modena[270]), naquele distante século XIII. Com efeito, segundo refere Massimo Vallerani, Gandino escreveu sua obra "dentro de um quadro empírico de diferentes referências jurídicas e políticas: o direito Lombardo, os decretos, as práticas correntes, o conselho de Frederico II, as opiniões dos professores ilustres"[271]. E, prossegue Vallerani, "não surpreende que, no momento de definir uma sucessão de atos segundo critérios técnicos coerentes", Alberto da Gandino "tenha se apoiado nos textos de Inocêncio contidos no *Liber Extra*, os quais constituem, como veremos, a trama linguística e ideológica dos capítulos procedimentais"[272]. Na mesma linha também esclarece Luis Luisi:

> A primeira obra especificamente penal que chegou até nós foi a de Alberto Gandino, *Tractatus de Maleficiis*. Seu autor era um prático, sem atividade docente. Foi Juiz em Florença, Bolonha, e outras cidades italianas, no primeiro quartel do século XIV[273]. Foi chamado por numerosos autores de *"magnus praticus"*. O grande mérito de seu tratado foi dar um tratamento distinto às normas penais, como um conjunto, ou seja, como um ramo específico do direito. Na elaboração de seu livro, teve presente, não só a legislação romana e canônica, mas os "Estatutos" de diversas cidades italianas de seu tempo, os ensinamentos dos glosadores, e a legislação longobarda. Mas, sobretudo valeu-se de sua vivência prática do direito, da sua longa experiência de Juiz. O seu tratado destinou-se aos operadores do quotidiano forense, não se lhe podendo atribuir propósitos científicos[274].

---

269 CORDERO, Franco. *Criminalia. Nascita dei sistemi penali*. Roma-Bari: Editori Laterza, 1986, p. 184 e s. Tradução nossa.

270 Segundo GANDINI, Luigi Alberto, *cit.*, p. 46.

271 VALLERANI, Massimo. *Procedura e giustizia nelle città italiane del basso medioevo (XII-XIV secolo)*, *cit.*, Tradução nossa.

272 *Ibid*. Tradução nossa.

273 A data está errada, pois, como demonstra detalhadamente GANDINI, Luigi Alberto, *cit.*, p. 37, Alberto da Gandino viveu, muito provavelmente, pelos registros históricos primários, entre os anos de 1230 e 1295, ou seja, durante o século XIII e não durante o século XIV, e sua obra maior – *Tractatus de Maleficiis* – foi escrita nos anos 1286 a março de 1287.

274 LUISI, Luis. Tibério Deciani e o Sistema Penal. *Revista Direito e Democracia*. Canoas: Ulbra, 2000, p. 189 a 208.

396 ■ Processo Penal | Fundamentos dos fundamentos

Por isso, o que se deve considerar é que Alberto da Gandino é fruto de seu tempo e escreveu à luz de uma visão prática, pautado pelas orientações sedimentadas tanto por outros práticos de seu tempo[275] quanto pela Igreja Católica, que já vinha adotando um modelo de *"inquisitio"* na indagação dos pecados, nos séculos X, XI e XII, iniciado, sobretudo, em decorrência da má fama do sujeito. Segundo Jean-Marie Carbasse, Gandino registrou que "a ação pública justificada pelo interesse geral não será paralisada por um acordo privado. Este acordo tem valor apenas entre as partes, e não vale *'erga omnes'*"[276].

Aliás, é interessante repisar que o texto produzido por Alberto da Gandino, no plano do processo penal, é baseado na interpretação e no emprego prático, acrescido de comentários, do que ficou legislado 51 anos antes sob o patrocínio de Lotario di Segni, o Papa Inocêncio III[277], no texto final do IV Concilio de Latrão, em 1215, considerado o marco inaugural que permitiu a implantação da Inquisição pela Igreja Católica[278].

Mas, na essência, o que se percebe é uma ampla variação de dados no texto de Alberto da Gandino, fruto de sua tentativa de orientar os demais juízes e conflitante com o que ele mesmo realizava na prática, conforme anota, com precisão, Massimo Vallerani:

> Gandino era um juiz profissional de elevados gostos culturais: o aparato de citações de seu tratado comprova isso. Mas a essa pretensão de ser juiz e jurista (ainda que de segunda mão) deve-se muito das contradições ambíguas de seu panfleto. Por um lado, é claro que Gandino procura elaborar os critérios básicos de julgamento, no intuito de ajudar os juízes a tomar uma decisão sob a forma de sentença. Em apoio a este esforço coloca uma ideologia da pena na qual o juiz torna-se o intérprete e o defensor dos interesses da *"res publica"*: cada delito cometido implica um dano para a *"res publica"*, que exige sempre a sua reparação. Por outro lado, seu panfleto alimenta-se principalmente das *"questiones de facto"* resolvidas de diferentes maneiras e em diferentes momentos pelos principais juristas do século XIII, muitas vezes em contradição com os outros colegas e com ele mesmo. As *"questiones"* constituem, assim, um material perigoso, fun-

---

275 Franco Cordero apresenta uma "compilação" das fontes referidas por Gandino, indicando, inclusive, a quantidade de vezes que os autores são citados: Accursio (166 vezes), Dino del Mugello (69), Odofredo (59), Guido da Suzzara (58), Azzone (51), Guglielmo Durante (32), Iacopo d'Arena (27), Martino da Fano (23), Bernardo da Parma (21), Uberto da Bobbio (18), Ricardo Malombra (03) Pascipauper (01) e Iohannes de Angusellis (01). CORDERO, Franco. *Criminalia, cit.* p. 186.

276 CARBASSE, Jean-Marie, *cit.*, p. 186. Tradução nossa.

277 A respeito da vida e da influência de Inocêncio III neste crucial momento da história, *vide*, dentre outros, o excelente romance biográfico de LAVEAGA, Gerardo. *O Sonho de Inocência*. Tradução para o português de Sandra Martha Dalinecy. São Paulo: Planeta, 2007.

278 *Vide*, dentre outros: COUTINHO, Jacinto Nelson de Miranda. Sistema Acusatório: cada parte no lugar constitucionalmente demarcado. *O Novo Processo Penal à Luz da Constituição (Análise Crítica do Projeto de Lei n. 156/2009, do Senado Federal), cit.*, p. 2.

dado na dúvida e num esquema dialético estruturalmente incapaz de estabelecer um sistema. Gandino faz uma série de escolhas conscientes, selecionando as opiniões que reforçam o seu sentido de "estado", mas esta seleção é confrontada com a natureza fragmentária e episódica de um *"corpus"* de opiniões baseadas em *"casus"*[279].

Como se vê, ao escrever o *Tractatus*, o próprio Alberto da Gandino fez suas seleções de práticas e opiniões alheias que lhe serviam para estabelecer critérios amoldados à sua ideia de atuação do Estado, mas não é possível delas extrair um "sistema". Massimo Vallerani ainda sintetiza sua compreensão da obra de Gandino, dizendo que, "em suma, o *De maleficiis* é um trabalho complexo, que revela um estado de tensão aguda entre o direito do juiz e o direito dos doutores e uma difícil construção de uma ciência empírica do processo que muda as fontes e os métodos de acordo com os temas tratados e os diferentes modelos processuais examinados"[280].

Cabe, aqui, um importante parêntese. Ao se insistir na inexistência de um "sistema inquisitório", assim rotulado, com as características plenas como fez a doutrina do século XIX em diante, não se quer afirmar que a Igreja não tenha pensado em ampliar a repressão contra seitas dissidentes, inclusive valendo-se do processo penal canônico para tanto. No mesmo sentido, também não se quer dizer que não possa ter havido modelos diferentes de busca de solução de casos penais e que o método inquisitivo de buscar a "verdade" não seja absolutamente diverso do primitivo modelo de duelo ou de ordálias e mesmo não tenha sido empregado com maior frequência a partir do século XIII. Não se quer, em suma, dizer que não havia inúmeros casos nos quais o processo tinha início de ofício – seguindo o *Liber Extra*[281] de Gregório IX (1234), que orientava a Igreja a não deixar de perquirir de ofício[282]. O que se afirma, outrossim, é que esse método não revela, por si só, um pretenso "sistema" inquisitório, com todas as características e estruturas plenas apresentadas pela doutrina a partir do século XIX. E, também, que, ao lado dele, e mesmo mesclado a ele, na mesma época e em distintos locais na Europa, foram adotados diversos modelos processuais. E eles não seguiam uma precisão ou pretensão científica, razão pela qual até mesmo a *"inquisitio"* não ganhava os

---

279 VALLERANI, Massimo. *Procedura e giustizia nelle città italiane del basso medioevo (XII-XIV secolo)*, *cit*. Tradução nossa.

280 *Ibid*. Tradução nossa.

281 Abreviação de *Liber Decretalium extra Decretum Gratiani vagantium* ou *Decretalium compilatio*.

282 GREGORIO IX. *Decretalium compilatio*. Disponível em: http://www.intratext.com/IXT/LAT0833/. Acesso em: 21 nov. 2014: *Liber Primus. Titulus XXXI. De officio iudicis ordinarii. Cap. I. Episcopi in suis dioecesibus possunt crimina inquirire et punire, et, quum opus fuerit, invocare brachium seculare*.

Processo Penal | Fundamentos dos fundamentos

pretendidos contornos de pureza sistemática. Nesse sentido, Mario Sbriccoli, analisando a obra de Alberto da Gandino e trabalhando com casos da época, precisamente alerta:

> Dizendo "publicização", procuro referir ao ingresso (ativo) do sujeito público na dinâmica substancial "privatista" que caracterizava naquela fase – e teria continuado a condicionar ainda por muito tempo – as práticas da justiça penal dentro das cidades. A ação penal e o processo que se segue, assumidos aqui como espiões da "natureza" do ordenamento jurídico punitivo, assistem à aparição de um ator posterior em relação aos dois tradicionais (a vítima, ou o seu *entourage* de um lado/o autor, com o seu, do outro), o qual assume uma parte que aparecerá sempre mais relevante. Uma parte, sublinho, de ator importante, mas não único: um protagonista de peso, mas nem sempre preponderante, que deve ganhar o seu papel. Acrescento que este processo de publicização somente tem limitadamente a ver com aquele que possamos indicar, por convenção, como "o advento (progressivo) do inquisitório". Em todo caso, trata-se de um componente que encontra o modo de tornar-se compatível com a estrutura acusatória da ação; e mesmo lá onde impõe a possibilidade (ou o dever – de *"officium"* – para o juiz) de proceder para um crime prescindindo da vontade ou do assentimento da vítima, não sai, senão potencialmente, ou somente em parte, da lógica da *"accusatio"*.
>
> De resto, antecipando uma classificação "possível", sobre a qual retornarei, me parece ser necessário dizer que aqueles que nós percebemos, ou tendemos a "ver", como dois modelos processuais distintos – o acusatório, o inquisitório – não aparecem, todavia, como *"modus procedendi"* perfeitamente distintos. Trata-se de maneiras processuais diversificadas sob três distintos perfis, os quais, todavia, podem ser interligados entre eles no efetivo desenvolvimento do processo[283].

Para compreensão da dinâmica daquele tempo, vale uma breve imersão na problemática enfrentada pela Igreja Católica no século XIII e nas diferentes soluções que esta buscou, com especial enfoque no processo penal.

Como já destacado, a crescente proliferação das seitas e dissidências da religião católica é que vai provocar uma reação da Igreja Católica. E ela lança mão, ao longo dos séculos XIII a XVIII, de quatro diferentes expedientes para eliminar inicialmente os

---

283 SBRICOLI, Mario. "Vidi Communiter Observari". L'emerzione di un ordine penale pubblico nelle città italiane del secolo XIII. *Quaderni Fiorentini, XXVII*. Centro studi per la storia del pensiero giuridico moderno. Firenze: Università degli Studi di Firenze, 1998, p. 231-268. Tradução nossa.

cátaros e, posteriormente, todos os demais "hereges"[284]: a força bruta, a preferência por um modelo de processo penal denominado *"inquisitio"*, a concentração do saber dentro de seus limites com a adoção de rol de livros proibidos[285] e a expropriação das culturas.

A primeira providência tem início em 4 de novembro de 1184, com a edição da bula *Ad Bolendam*, pelo papa Lucio III, proclamando a perseguição às heresias dos "Cátaros, Patarinos, aqueles que são designados pelo falso nome de Humilhados ou Pobres de Lyon, Passaginos, Josefinos e Arnaldistas"[286]. Alguns anos depois, em 25 de março de 1199, o papa Inocêncio III editou outra bula (*Vergentis in senium*) dirigida aos magistrados de Viterbo[287]. Nela, equiparou a heresia ao crime de lesa-majestade[288]. Inocêncio III também enviou o monge Dominic de Guzmán (depois reconhecido, pela Igreja, como São Domingos), juntamente com outros dois missionários – Diogo de Osma e Raul de Fontfroid[289] –, à região de Albi, no sul da França[290], com a missão de frear o crescimento cátaro. Os enviados, no entanto, não conseguiram seu intento, em grande parte porque os cátaros eram excelentes pregadores de sua fé e, assim, convenciam facilmente quem lhes cruzasse o caminho. Essa situação provocou uma crescente preocupação em Dominic, que a transmitiu diretamente ao papa Inocêncio III. Este, no intuito, literalmente, de exterminar os cátaros do sul da França, promoveu alianças com os nobres franceses. Para arregimentar os exércitos, o papa lhes permitiu a pilhagem e o apossamento de propriedades dos vencidos, estando eles agindo sob

---

284 Em EYMERICH, Nicolau. *Directorium Inquisitorum – Manual dos Inquisidores*, escrito em 1376, traduzido por Maria José Lopes da Silva. Rio de Janeiro: Rosa dos Tempos, 1993, p. 36, encontra-se a seguinte síntese a respeito de quem devia ser considerado "herege": "Aplicar-se-á, do ponto de vista jurídico, o adjetivo herético em oito situações bem definidas. São heréticos: a) os excomungados; b) os simoníacos; c) quem se opuser à Igreja de Roma e contestar a autoridade que ela recebeu de Deus; d) quem cometer erros na interpretação das Sagradas Escrituras; e) quem criar uma nova seita ou aderir a uma seita já existente; f) quem não aceitar a doutrina romana no que se refere aos sacramentos; g) quem tiver opinião diferente da Igreja de Roma sobre um ou vários artigos de fé; h) quem duvidar da fé cristã".

285 Em Portugal, por exemplo, o primeiro "rol de livros defesos" data de 1541, com a fiscalização da importação de livros, conforme: PAYAN MARTINS, Maria Teresa Esteves. *A Censura Literária em Portugal nos Séculos XVII e XVIII*. Lisboa: Fundação Calouste Gulbenkian, 2005, p. 708.

286 Bula *Ad Bolendam*. Constituição Apostólica de Lúcio III. Verona, 04 de novembro de 1184. RUST, Leandro Duarte. Bulas Inquisitoriais: Ad Bolendam (1184) e Vergentis in Senium (1199). *Revista de História*. São Paulo, n. 166, p. 129-161, jan.-jun. 2012. Disponível em: http://www.revistas.usp.br/revhistoria/article/viewFile/48532/52451. Acesso em: 26 maio 2015, p. 150 e s.

287 Bula *Vergentis in Seniun*. Cartas Decretais de Inocêncio III. Roma, 25 de março de 1199. RUST, Leandro Duarte. Bulas Inquisitoriais: *Ad Bolendam* (1184) e *Vergentis in Senium* (1199). *Revista de História*. São Paulo, n. 166, p. 129-161, jan.-jun. 2012. Disponível em: http://www.revistas.usp.br/revhistoria/article/viewFile/48532/52451. Acesso em: 26 maio 2015, p. 156 e s.

288 COUTINHO, Jacinto Nelson de Miranda. Sistema Acusatório: cada parte no lugar constitucionalmente demarcado. *O Novo Processo Penal à Luz da Constituição (Análise Crítica do Projeto de Lei n. 156/2009, do Senado Federal)*, cit., p. 2.

289 Conforme detalha BARROS, Maria Nazareth Alvim de. *Deus Reconhecerá os Seus. A História Secreta dos Cátaros*. Rio de Janeiro: Rocco, 2007, p. 32 e s.

290 A esse respeito, dentre outros, *vide*: FALBEL, Nachman. *Heresias Medievais*. 1. ed. reimpressão. São Paulo: Perspectiva, 1999, p. 44.

o seu manto protetor. Promoveu-se, então, uma Cruzada interna (conhecida como *Cruzada Albigense*[291]), iniciada em 1209. A sanha passou a ser tamanha que, diante de um questionamento feito por um general francês a respeito de como identificar quem era cátaro e como não o confundir com um católico, o núncio papal, Arnold Amaury, terminou por dizer: "Matem todos, Deus saberá quem são os seus"[292]. Com isso, deu-se o massacre inicial de mais de quinze mil homens, mulheres e crianças, situação que, após longas outras batalhas, somente foi encerrada em 1255, com o fim da resistência cátara[293].

Inocêncio III era um estrategista, muito inteligente, e, ao lado do uso da força, buscou reforçar a posição da Igreja Católica com a realização do Quarto Concílio de Latrão, em 1215, em Roma. Na ocasião, Inocêncio III acabou autorizando o próprio Dominic a fundar uma nova ordem cristã (que posteriormente ganhou o seu nome: *Ordem dos Dominicanos*), com o objetivo de servir de instrumento imediato à implantação do antigo sistema de processo penal dos romanos, o que vai ser o embrião das famosas Inquisições da Igreja Católica[294].

Assim, no início, passou-se a contar com a contribuição da *Ordem dos Dominicanos*, sempre a manter como norte de atuação a limitação do saber e da cultura aos domínios da Igreja. Por conta dessa necessidade de manter o povo ignorante e reservar o conhecimento para a Igreja, impedindo que novas seitas se sobressaíssem no plano teológico, é que os livros considerados "proibidos" passaram a ser enumerados, e, quando não eram queimados em praça pública, ficavam enclausurados em bibliotecas secretas nos mosteiros europeus continentais[295]. Para que se tenha noção do grau de

---

291 Os cátaros também eram chamados de albigenses, porque mantinham como centro de suas atividades a cidade francesa de Albi. Segundo FALBEL, Nachman. Heresias Medievais, *cit.*, p. 37, os "albigenses" eram considerados todos os heréticos da região a exemplo dos próprios cátaros e dos valdenses.

292 Segundo O'SHEA, Stephen. *A Heresia Perfeita: a vida e a morte revolucionária dos Cátaros na Idade Média*. Tradução de André Luiz Barros. Rio de Janeiro: Editora Record, 2005, p. 19. No mesmo sentido também BURL, Aubrey. *Hereges de Deus: a cruzada dos Cátaros e Albigenses*. Tradução de Ana Carolina Trevisan Camilo. São Paulo: Madras, 2003, p.

293 Segundo narram BAIGENT, Michael e LEIGHT, Richard. *A Inquisição*. Tradução de Marcos Santarrita. Rio de Janeiro: Imago, 2001, p. 28 e s. e HAUGHT, James A. *Perseguições Religiosas*. Tradução de Bete Torii. Rio de Janeiro: Ediouro, 2003, p. 55.

294 Conforme BAIGENT, Michael e LEIGHT, Richard. *A Inquisição, cit.*, 2001, p. 32 e s. A respeito da importância de Dominic de Guzmán como símbolo da Inquisição pode ser vista em BETHENCOURT, Francisco. *História das Inquisições: Portugal, Espanha e Itália – Séculos XV-XIX*. São Paulo: Companhia das Letras, 2000, p. 191.

295 Sobre este aspecto, é magistral o romance de ECO, Umberto. *O Nome da Rosa*. Tradução de Aurora Fornoni Bernardini e Homero Freitas de Andrade. 42ª impressão. Rio de Janeiro: Nova Fronteira, 2004, onde a biblioteca localizada numa Abadia no interior da Itália é precedida de um labirinto que visa impedir seu amplo acesso. Da obra de Umberto Eco destaca-se, nesse aspecto, a seguinte passagem, página 217: "Eis, eu me disse, as razões do silêncio e da escuridão que circundam a biblioteca, ela é reserva de saber, mas pode manter esse saber intacto somente se impedir que chegue a qualquer um, até aos próprios monges".

paranoia dos comandantes da Igreja Católica, seu índice de livros proibidos somente foi abolido em 1966[296].

Outro dado relevante nesse aprisionamento cultural é que, ao não conseguir aplacar costumes e festas pagãs dos bárbaros, a Igreja simplesmente os incorporou ao calendário católico, substituindo as crenças ou "transformando" os deuses pagãos em santos cristãos. Nesse sentido, é interessante o relato de Manchester:

> Assim, as igrejas cristãs foram construídas sobre as bases dos templos pagãos, e nomes de santos bíblicos foram atribuídos a bosques considerados sagrados séculos antes do nascimento de Jesus. As festas pagãs ainda eram muito populares; a Igreja, portanto, as expropriou. Pentecostes suplantou a Florália, o Dia de Todos os Santos substituiu um festival para os mortos, a festa da purificação de Ísis e a Lupercália romana foram transformadas na festa da Natividade. A Saturnália, quando até os escravos desfrutavam grande liberdade, tornou-se o Natal; a ressurreição de Átis, a Páscoa[297].

Nem mesmo as deusas pagãs "escaparam", valendo identificar, por todas, Santa Brígida, considerada a deusa *Brigit* dos celtas[298].

Dentro desse caldo cultural, o modelo processual preferencial de *"inquisitio"* foi sendo construído, em grande medida, a partir da ideia de uma busca da verdade divina, muito pregada por Inocêncio III (aliás, quando este se referia a *"inquisitio",* referia-se à *"inquisitio veritas"*, isto é, à "busca da verdade"[299]), por meio do aproveitamento da confissão como tradição judaico-cristã e da elevação da confissão a cânone que deveria ser rigorosamente seguido pelos cristãos.

De fato, segundo se observa do Antigo Testamento (ou Torá, para os judeus), a confissão sempre foi uma forma de expiação dos pecados nessas duas religiões irmanadas, e vem revelada, em particular, nas seguintes passagens, respectivamente, de Levítico, 5:5; Levítico, 25:40; Números, 35:5; e, também, no salmo Confissão e Perdão, de Davi:

---

296 BAIGENT, Michael e LEIGHT, Richard. *A Inquisição, cit.*, p. 152.

297 MANCHESTER, Willian. *Fogo sobre a Terra: a mentalidade medieval e o Renascimento.* Tradução de Fernanda Abreu. Rio de Janeiro: Ediouro, 2004, p. 35.

298 Sobre o tema, *vide,* dentre outros: SAINERO, Ramón. *Sagas Celtas Primitivas.* Madrid: Ediciones Akal, 1993, p. 72; e BLANC, Claudio. *Guia da Mitologia Celta: a magia da mitologia Celta.* On Line Editora. Disponível em: https://books.google.com.br/books?id=-HUPCAAAQBAJ&pg=PT46&dq=santa+br%C3%ADgida+brigit+celta&hl=pt-BR&sa=X&ei=-d1hVZHcNIWlNo-rgbAF&ved=0CCkQ6AEwAA#v=onepage&q=santa%20br%C3%ADgida%20brigit%20celta&f=false. Acesso em: 24 maio 2015, p. 48.

299 VALLERANI, Massimo. Modeli di Verità. Le Prove nei Processi Inquisitori. In: GAUVARD, Claude (Org.). *L'enquête au Moyen Âge. Etudes.* Roma: *Collection de l'Ecole Française de Rome,* 2008, p. 123-142, p. 124.

Em qualquer desses casos[300], a pessoa é considerada culpada tão logo ela descobre o que fez. Quando ela é culpada em qualquer desses casos, deve confessar o pecado que cometeu[301].

(...)

Eles então confessarão seus pecados e os pecados de seus pais por serem falsos e permanecerem indiferentes a Mim[302].

(...)

D'us falou a Moisés, dizendo-lhe para falar (como segue) aos israelitas:

Se um homem ou mulher peca contra seu semelhante, assim sendo falso a D'us, e tornando-se culpado de um crime, ele deve confessar o pecado que cometeu[303].

(...)

Bem-aventurados aqueles cujas iniquidades são perdoadas, e cujos pecados são cobertos.

Bem-aventurado o homem a quem o Senhor não imputou pecado, e cujo espírito é isento de dolo.

Porque calei, e envelheceram os meus ossos, enquanto clamava todo o dia.

Porque a tua mão se fez pesada sobre mim de dia e de noite; eu me converti na minha miséria, enquanto se crava a espinha.

Eu te manifestei o meu pecado, e não ocultei a minha injustiça. Eu disse: Confessarei ao Senhor contra mim a minha injustiça; e tu me perdoaste a impiedade do meu pecado[304].

No entanto, o que é importante considerar, segundo relata Michel Foucault[305], é ser a confissão, particularmente no cristianismo primitivo, vista como voluntária, espontânea, feita de forma coletiva seguindo a tradição judaica[306] e prestada publicamente perante a Igreja, bastando, por todos os pecados, uma única confissão na vida.

---

300 Os casos a que se refere a Bíblia são alusivos ao falso testemunho e à violação de objetos e animais considerados impuros para os judeus.

301 BÍBLIA. A.T. Pentateuco. *A Tora Viva – Os cinco livros de Moisés e as Haftarot: uma nova tradução baseada em fontes judaicas tradicionais, com comentários, introdução, mapas, tabelas, gravuras, bibliografia e índice remissivo.* Por Aryeh Kaplan. Tradução por Adolpho Wasserman. São Paulo: Maayanot, 2000, p. 516.

302 *Ibid.*, p. 644.

303 *Ibid.*, p. 682.

304 BÍBLIA SAGRADA READER'S DIGEST. Rio de Janeiro: Reader's Digest do Brasil, 2001, p. 458.

305 FOUCAULT, Michel. *Os Anormais*. Tradução de Eduardo Brandão. São Paulo: Martins Fontes, 2002, p. 211 e s.

306 Conforme SUFFERT, Georges. *Tu és Pedro: santos, papas, profetas, mártires, guerreiros, bandidos. A história dos primeiros 20 séculos da Igreja fundada por Jesus Cristo*. Tradução de Adalgisa Campos da Silva. Rio de Janeiro: Objetiva, 2001, p. 39.

Em termos de registros históricos desse início do cristianismo, o exemplo mais marcante da confissão, quase como uma necessidade de vida, é revelado na obra *Confissões*, de Santo Agostinho, estruturada, justamente, como um *"mea culpa"* pelo "furto das peras", na adolescência[307]; pelas inúmeras incursões de ordem sexual, vistas, já então, com caráter herético; e, nas próprias palavras de Agostinho, pelo fato de ele ter sido "seduzido e sedutor, enganado e enganador"[308].

Com o passar dos tempos, por volta do século VI, a confissão foi se transformando, paulatinamente, em obrigação individualizada. Ao mesmo tempo, foi-se perdendo a referência necessária da Igreja, ou seja, os seguidores da religião católica deixaram de condicionar a validade de sua confissão à presença da Igreja. Admitiam que a confissão seria igualmente válida caso fosse feita a qualquer pessoa leiga, já que a humilhação da revelação bastava como penitência. Isso provocou uma natural perda de poder da Igreja como instituição.

Na tentativa de reverter esse cenário, a busca da confissão passou a interessar não apenas como instrumento de identificação e expiação dos pecados, mas também, e principalmente, como instrumento de controle social. A confissão foi, então, institucionalizada pela própria Igreja (pelo papa Inocêncio III, no referido IV Concílio de Latrão, em 1215), e acabou transformada em sacramento exigido de todos os homens acima de quatorze anos e todas as mulheres acima dos doze[309]. Diz o texto papal:

> Todo fiel, de ambos os sexos, após ter atingido a idade da discrição, deve confessar fielmente e em particular os seus pecados, ao menos uma vez por ano, ao próprio sacerdote, fazendo o possível para cumprir, com todas as suas forças, a penitência por ele infligida e recebendo, ao menos na Páscoa, o sacramento da eucaristia. Se alguém, por uma justa causa, quiser confessar os seus pecados a um sacerdote estranho, deve antes pedir e obter a licença do próprio sacerdote, sem a qual o sacerdote estranho não o pode nem desatar, nem ligar[310].

Essa estratégia de direito penitencial passou a ser incorporada pelos Santos Ofícios da Inquisição também quando, em caravanas, vinham a percorrer a Europa e a controlar

---

307 AGOSTINHO, Santo. *Confissões*. Tradução de Alex Martins. São Paulo: Martin Claret, 2007, p. 55 e s.

308 *Ibid.*, p. 79.

309 O'SHEA, Stephen. *A Heresia Perfeita: a vida e a morte revolucionária dos Cátaros na Idade Média*. Tradução de André Luiz Barros. Rio de Janeiro: Editora Record, 2005, p. 228 e s.

310 Texto citado por PRODI, Paolo. *Uma História da Justiça*. Tradução de Karina Jannini. São Paulo: Martins Fontes, 2005, p. 79.

404 ■ Processo Penal | Fundamentos dos fundamentos

a população justamente a partir da confissão dos pecados (delitos[311]). Se fosse para identificar um "sistema" nesse modelo, pode-se dizer que seu princípio unificador era a "busca da confissão" a qualquer custo, e não necessariamente a separação das funções ou mesmo a gestão da prova, as quais vinham em segundo e terceiro planos.

Importa anotar, inclusive, que a confissão, para ser aceita, deveria vir acompanhada da delação de pecados praticados por terceiros[312]. Esse embrião daquilo que hoje se denomina "delação premiada" no direito brasileiro passou a provocar uma insanidade coletiva na população medieval, pois, com o temor de ser denunciado antes por qualquer inimigo pessoal, o povo acorria à Igreja em curtos períodos de prova por ela estabelecidos e confessava espontaneamente pequenas práticas heréticas, além de inventar estórias que pudessem livrá-los de acusações falsas e mesmo eliminar concorrência ou punir seus inimigos pessoais antes que estes também o fizessem[313].

O resultado desse temor generalizado veio a ser o forçado incremento do poder da Igreja[314], que dele passou a se aproveitar para institucionalizar seus instrumentos de manutenção da hegemonia do pensamento, criando, dentre outras, a figura do "purgatório", para permitir, após a morte, a remissão dos pecados antes de possível ingresso no paraíso[315].

O modelo processual de busca da confissão também contava com o instrumento que facilitava a solução do caso: a tortura. Levou-se em conta que nem todas as pessoas estavam dispostas a "colaborar" na solução do caso, confessando seus pecados. Para os "recalcitrantes", a tortura passou a ser a solução, vindo a ser empregada em diversas situações, todas regradas por manuais das Inquisições da Igreja Católica[316], que disciplinaram sobre métodos, momentos e fórmulas a serem seguidos para melhor êxito.

O uso legal da tortura foi sendo implantado aos poucos. Antes foi preparado o terreno com o sobrinho e sucessor[317] de Inocêncio III, o papa Gregório IX, que

---

311 Até formalmente, no *Corpus Iuris canonici*, a ideia de pecado é tida como similar ao crime: *crimen est grave peccatum accusatione et damnatione dignissimum*. Tudo conforme PRODI, Paolo, *cit.*, p. 28. Sobre o tema, também vale consultar RIBEIRO JR., João. *Pequena História das Heresias*. Campinas, SP.: Papirus, 1989, p. 14.

312 BAIGENT, Michael e LEIGHT, Richard. *A Inquisição*, *cit.*, p. 48.

313 O'SHEA, Stephen. *A Heresia Perfeita: a vida e a morte revolucionária dos Cátaros na Idade Média*. Tradução de André Luiz Barros. Rio de Janeiro: Editora Record, 2005, p. 228 e s. No mesmo sentido, dentre outros, *vide* GALÁN, Juan Eslava. *Historia de España contada para Escépticos*. 4. ed. Barcelona: Editorial Planeta, 2004, p. 196 e 197.

314 Sobre o tema, *vide* DELUMEAU, Jean. *O Pecado e o Medo: a Culpabilização no Ocidente*, v. I. Tradução de Álvaro Lorencini. Bauru, SP: Edusc, 2003, p. 399 e s.

315 Nesse sentido a lição de PRODI, Paolo. *Uma História da Justiça*, *cit.*, p. 75.

316 EYMERICH, Nicolau. *Directorium Inquisitorum – Manual dos Inquisidores*, escrito em 1376, traduzido por Maria José Lopes da Silva. Rio de Janeiro: Rosa dos Tempos, 1993; e o segundo escrito em 1484 pelos inquisidores alemães KRAMER, Heinrich e SPRENGER, James. *Malleus Maleficarum – O Martelo das Feiticeiras*. 16. ed. Tradução de Paulo Fróes. Rio de Janeiro: Rosa dos Tempos, 2002.

317 Depois, é claro, de Honório III.

regulamentou a perseguição aos "hereges", dirigida pelos Dominicanos na bula *Licet ad capiendos*, editada em 1233:

> Onde quer que os ocorra pregar estais facultados, se os pecadores persistem em defender a heresia apesar das advertências, a privá-los para sempre de seus benefícios espirituais e proceder contra eles e todos os outros, sem apelação, solicitando, se necessário a ajuda das autoridades seculares e vencendo suas oposições, se isso for necessário, por meio de censura eclesiástica inapelável[318].

Três anos depois, complementando o quadro legislativo de perseguição, também foi editada a bula *Excommunicamus*, em 1236, da qual se extrai o seguinte texto:

> Nós excomungamos e praguejamos todos os hereges, Cátaros, Paterinos, Pobres Homens de Lyons, Passagini, Josepini, Arnaldistae, Speronistae, e outros, por quaisquer outros nomes porventura sejam conhecidos, tendo, de fato, diferentes faces, mas sendo unidos pelas suas caudas e se encontrando nos mesmos lugares através de suas vaidades[319].

Dezesseis anos mais tarde, ou seja, em 1252, o novo papa, Inocêncio IV, editou o documento que obrigou o poder secular nas regiões da Lombardia, Riviera di Romagnola e Marchia Tervisina a seguir os ditames da Igreja Católica. Ainda se aproveitando das ordens dos Dominicanos e Franciscanos[320], o mesmo Inocêncio IV oficializou e constituiu um tribunal, além de legitimar o uso da tortura como mecanismo de busca da confissão no processo penal canônico. Isso se materializou com a edição da bula *Ad Extirpanda*, que fundou, na prática, aquilo que é considerado a primeira manifestação oficial da Inquisição na Igreja Católica, na qual se lê[321]:

> Lei 1.
> Nós decretamos que o chefe de estado, qualquer que seja o seu posto ou título, em cada domínio, esteja ele situado no presente ou no futuro, na

---

318 Bula *Licet ad capiendos*, 1233. SIDAOUI, Rogério. *Curiosidades Históricas*. São Paulo: Ibrasa, 2004, p. 111.

319 Bula *Excommunicamus*, 1236, MAITLAND, S.R. *Facts and Documents Illustrative of the History, Doctrine, and Rites of the Ancient Albigenses & Waldenses*. Londres, 1832, livro digitalizado na íntegra em www.books.google.com. Acesso em: 5 out. 2010. Tradução nossa.

320 Interessante apontar que essas ordens dos Dominicanos e dos Franciscanos pregavam a pobreza e o desapego material nos mesmos moldes, por exemplo, dos Cátaros, dos Valdenses e dos Pobres de Lyon, porém, diferentemente destes, obedeciam aos ditames da Igreja e, assim, convenientemente não eram vistas como heréticas.

321 O texto integral da Bula *Ad Extirpanda* pode ser localizado em tradução para o inglês na página www.userwww.sfsu.edu/~draker/history/Ad_Extirpanda.html. Acesso em: 3 out. 2010.

Lombardia, Riviera di Romagnola, ou Marchia Tervisina, deve, inequivocamente e sem hesitar, jurar que ele vai preservar inviolável, e durante seu inteiro mandato providenciar que todos, tanto na sua diocese quanto no domínio administrativo e nas terras sujeitas ao seu poder, devem observar, seja o que está escrito neste documento, quanto em outros regulamentos e leis, sejam elas eclesiásticas ou civis, os quais foram publicadas contra perversidades heréticas (...)[322].

(...)

Lei 3.

O chefe de estado ou o governante, no terceiro dia do seu mandato, deve apontar doze homens honrados e Católicos, e dois notários e dois servidores, ou tantos quantos sejam necessários, selecionados pelo Bispo Diocesano, caso exista e ele queira tomar parte; e dois Dominicanos e dois Franciscanos selecionados para este trabalho pelos seus priores, caso a região tenha casas religiosas destas Ordens[323].

(...)

Lei 21.

Acima de tudo, o chefe de estado ou o governante deve deter cada herege, homem e mulher, os quais devem ser presos a partir desta data, sob a custódia de homens Católicos indicados pelo Diocesano caso exista, e pelas supramencionadas ordens monásticas, numa prisão segura estabelecida para eles, na qual somente eles serão presos, longe dos ladrões e violadores da lei criminal secular, até que seus casos sejam julgados, expensas a serem pagas pelo estado ou pelo distrito administrativo[324].

(...)

Lei 25.

O chefe de estado ou o governante devem forçar todos os hereges que eles tenham sob custódia, com o cuidado de que façam isso sem matá-los e sem quebrar-lhes os braços e pernas, como atuais ladrões e assassinos de almas e ladrões dos sacramentos de Deus e da fé Cristã, a confessar seus erros e acusar outros hereges que eles conheçam e especificar os seus motivos, e aqueles que eles tenham seduzido, e aqueles que os alojaram e os defenderam, como ladrões

---

322 *Ad extirpanda, Bula.* Tradução nossa.
323 *Ibid.* Tradução nossa.
324 *Ibid.* Tradução nossa.

de bens materiais devem acusar os seus cúmplices e confessar os crimes que tenham cometido[325].

Como se vê, o uso de uma "tortura regrada" passou a ser admitido pela Igreja Católica. No entanto, nessa bula papal não constavam regras processuais mais específicas, como as que são encontradas no texto que serve de base a estas construções, isto é, naquele resultante do IV Concílio de Latrão. Assim, notadamente quando se analisa o que ficou registrado pela doutrina e pelos demais documentos da época, a bula *Ad Extirpanda* parece ser apenas um "complemento" legislativo do que foi consignado no texto aprovado no Concílio, permitindo o uso da tortura "desde que o acusado não morra ou desde que não lhes sejam fraturados braços e pernas", visando dele extrair a confissão.

A tortura, portanto, passou a ser a tônica do processo canônico, e, para que se tenha sintética noção do que ela representou, transcreve-se trecho da recomendação formulada pelo inquisidor Francisco de La Peña, em 1578, atualizando a obra de outro inquisidor, Nicolau Eymerich, escrita em 1376:

> Na nossa perspectiva, existem cinco tipos de torturas, constituindo-se em cinco graus diferentes. Não vou descrevê-los, porque são conhecidos por todo mundo (*"cuique sunt obvii et patentes"*) e porque toda a descrição minuciosa se encontra nas obras de Paul Grilland (*Traité la torture*, q. 4, n. 11), Jules Clair (*Pratique criminelle, sub. fin.,* q. 64) e ainda outros. A lei não diz que tipo de tortura deve-se aplicar. Portanto, a escolha é deixada ao arbítrio do juiz, que escolherá umas ou outras, de acordo com a posição social do réu, o tipo de indícios, e outras coisas mais. Porém, o inquisidor não deve empenhar-se em descobrir novas torturas. Restringe-se àquelas que, na sua sabedoria, os juízes sempre admitiram, como explica de uma maneira bonita e clara (*"pulchre et clare"*) Antonio Gómez: em sua obra, lê-se, por exemplo, que, atualmente, a tortura através de cordas é aplicada, com muita frequência, em toda parte (*"hodie ubique frequens"*), não sendo preciso abandoná-la.
>
> Não faltaram, no entanto, juízes que se puseram a imaginar vários tipos de torturas. Marsílio fala de quatorze suplícios e afirma que encontrou ainda outros, o que leva Paul Grilland a elogiá-lo. Quanto a mim, se quiserem a minha opinião, direi que esse tipo de erudição me parece depender bastante do trabalho de carrascos mais do que de juristas e teólogos que somos. Então, não vou falar disso. Isto posto, louvo o hábito de torturar os acusados, principalmente

---

325 *Ibid.* Tradução nossa.

nos dias atuais, em que os infiéis se mostram mais cínicos que nunca. Muitos são tão audaciosos, que cometem propositadamente todo o tipo de delito com a esperança de vencer as torturas, e vencem-nas, efetivamente à base de sortilégios – como dizia Eymerich – sem falar naqueles que estão totalmente enfeitiçados. Porém, sou contra também esses juízes sanguinários que, na busca de uma glória vá – e que glória, meu Deus! – impõem torturas diferentes, violando, assim, o Direito, a decência, e os réus mais desprovidos (*"misellis reis"*), a tal ponto, que morrem durante a tortura, ou saem de lá com os membros fraturados, doentes para sempre. O inquisidor deve ter sempre em mente esta frase do legislador: o acusado deve ser torturado de tal forma que saia saudável para ser libertado ou para ser executado[326].

O quadro geral ainda pode ser mais bem visualizado pela narrativa do historiador suíço Walter Nigg:

> Dos números instrumentos horríveis e disponíveis, o parafuso era geralmente o primeiro a ser aplicado: os dedos eram colocados em torniquetes e os parafusos eram apertados até que o sangue jorrasse e os ossos fossem esmagados. O réu também podia ser colocado na cadeira de tortura de ferro, cujo assento consistia em afiados pregos de ferro que podiam ser aquecidos com brasa embaixo. Havia as chamadas "botas", que eram utilizadas para esmagar as tíbias. Outra tortura favorita era o deslocamento dos membros no cavalete ou na roda, onde o herege, amarrado pelas mãos e pelos pés, era puxado para cima e para baixo enquanto o corpo era sobrecarregado com pedras. Para que os torturadores não fossem incomodados com os gritos das vítimas, sua boca era preenchida com panos. Assim, um herege era torturado durante horas, até que seu corpo resultasse uma polpa esfolada, esmagada, quebrada e sangrenta. De vez em quando a vítima era indagada novamente se estava pronta para confessar.
>
> (...)
>
> Se a visão dessas ferramentas horríveis não o levou a confessar, a tortura teve início, lentamente e por etapas. Teoricamente, um herege poderia ser condenado à tortura apenas uma vez. Mas repetir a aplicação ou a tortura era chamada simplesmente de continuação da única tortura. Três – ou quatro –

---

326 EYMERICH, Nicolau. *Directorium Inquisitorum – Manual dos Inquisidores*, escrito em 1376, traduzido por Maria José Lopes da Silva. Rio de Janeiro: Rosa dos Tempos, 1993, p. 210 e 211.

horas de sessões de tortura não eram incomuns. Durante o procedimento os instrumentos eram frequentemente aspergidos com água benta[327].

Enfim, com a admissão da tortura como instrumento legal de busca da confissão, não sobrava margem de esperança absolutória àquele que viesse a ser submetido a um processo criminal pautado por esse modelo. Mas frise-se: não é a separação das funções de acusar e julgar ou mesmo a gestão da prova o cerne do processo. Este, pelo que se extrai, era a busca da confissão a qualquer custo, inclusive com o uso da tortura, com o acusado constrangido a "virar" réu (coisa) e, simultaneamente, acusador de si mesmo. É mesmo de assustar o que a criatividade perversa do ser humano foi capaz de desenvolver, nesse período da história, em termos de instrumentos de tortura, muitos deles feitos de encomenda para burlar tentativas da própria Igreja de frear os abusos das práticas[328].

Como se vê, não obstante na mesma época se admitissem outros modelos de processo, como a *"accusatio"*, a Igreja deu preferencial destaque ao modelo processual de *"inquisitio"*, e isso acabou permitindo fazer com que a dominação que a Igreja conquistara pela força contra os cátaros fosse mantida agora pela lei processual penal – leia-se: pelo uso da tortura.

De qualquer modo, é importante reforçar que as regras do documento considerado o norte do pretendido "sistema inquisitório" (ou seja: o documento resultante do IV Concílio de Latrão) não o apresentavam com as características plenas de um "sistema inquisitório", como pregou a doutrina a partir do século XIX.

De fato, quanto à iniciativa processual, por exemplo, constou do documento resultante daquele Concílio:

> VIII. Das investigações.
>
> (...)
>
> Lê-se, de fato, no Evangelho, que aquele fator que foi acusado junto ao seu senhor de ter dissipado os seus bens, dele ouviu: "O que ouço dizerem de você? Dê-me conta da tua gestão, pois de fato não podes ter este ofício". E no Genesis o Senhor diz: "Descerei e verei se em verdade agiram conforme o grito que chegou até mim".

---

327 NIGG, Walter. *The Heretics*. New York: Alfred A. Knopf, 1962, p. 218-219. Tradução nossa. No mesmo sentido: HAUGHT, James A. *Perseguições Religiosas, cit.*, p. 59 e 60.

328 Como exemplo, cita-se a "Virgem de Nuremberg", uma espécie de sarcófago recheado de pontas de lança, muito usado na Alemanha medieval. Durante um determinado período da inquisição, a Igreja proibiu o direto derramamento de sangue nas seções de tortura e mesmo que ele fosse visto pelo inquisidor. Assim, com a engenhoca referida, o sangue do torturado não era derramado "diretamente" pelo inquisidor e permanecia do lado de dentro do sarcófago. Sobre o tema, *vide*: BAIGENT, Michael e LEIGHT, Richard. *A Inquisição, cit.*, Tradução de Marcos Santarrita. Rio de Janeiro: Imago, 2001, p. 45 e s.

Estas autoridades demonstram claramente que não somente quando falta um súdito, mas também quando erra um superior, se as vozes e os lamentos chegam às orelhas do superior, não por parte de maldosos ou maledicentes, mas por pessoas prudentes e honestas, e não apenas uma vez (como sublinham os lamentos e as vozes), incumbe ao superior levar o caso à frente dos anciãos da Igreja para procurar com maior diligência a verdade. E se o caso o requer, a pena canônica puna o erro do culpado, de modo que o superior não seja ao mesmo tempo acusador e juiz, mas faça o seu dever, movido pelos lamentos ou pelas vozes que denunciam[329].

Como se vê do texto anterior, o IV Concílio de Latrão fazia expressa referência ao cuidado que se devia ter para que o "superior não seja ao mesmo tempo acusador e juiz", o que é considerado hoje, por muitos autores, como inerente ao modelo "acusatório".

Nesse mesmo tópico, o texto aprovado no IV Concílio de Latrão ainda previu a publicidade interna (para o acusado) e o direito de defesa do acusado, características que hoje também são entendidas como "acusatórias":

Deve estar sempre presente aquele contra quem se faz o inquérito, salvo que não esteja em contumácia. Deve ser-lhe exposto os pontos de acusação sobre os quais recai o inquérito, para que possa se defender. Deve ser-lhe dado a conhecer as acusações levadas contra ele, e, também, os nomes das testemunhas, para que saiba do que é acusado e por quem. São permitidas também as exceções e as réplicas legítimas, tudo para que, ao silenciar os nomes, não se favoreça a audácia de difamar e com exclusão das exceções, aquela de depor em falso.

O prelado deve corrigir diligentemente as culpas dos súditos, ao invés de deixar culpavelmente impunes os seus erros. Contra estes – para silenciar de culpas notórias – pode-se proceder em três modos: acusação, denúncia e inquérito. Porém, se deve agir de modo que se use sempre uma diligente cautela, e não ocorra que, por um ganho insignificante, se obtenha uma grave perda. A acusação deve ser precedida de uma legítima inscrição, assim também a denúncia deve ser precedida de uma caridosa reprimenda, e o inquérito judiciário da

---

329 *IV Concilio Lateranense*. Texto na íntegra extraído da internet, do *site* www.intratext.com. Acesso em: 24 ago. 2006. Tradução nossa.

apresentação da acusação. Também a forma da sentença deve respeitar as regras do procedimento judiciário (...)[330].

As referências à publicidade e às possibilidades defensivas do acusado parecem indicar um documento "acusatório", mas, como se sabe e já foi destacado, o texto ora em análise é visto como a base da Inquisição.

Assim, no século XIII, prevalecia a classificação de três tipos processuais distintos no IV Concílio de Latrão, produzida em 1215, acrescidos das regras da bula *Ad Extirpanda*, de 1252. Essa construção legislativa foi reproduzida na principal obra de Alberto da Gandino[331], *O Tractatus de maleficiis*, publicada em 1286, ou seja, cerca de 71 anos depois do Concílio. Portanto, como já destacado anteriormente, partindo do texto lateranense, das bulas papais subsequentes, e valendo-se de sua experiência como *Podestà*, Gandino referiu-se a pelo menos cinco modelos diferentes de processo. Eram eles apontados pelas diferentes formas de iniciá-los, conforme destaca Elena Maffei, ao analisar o texto original de Alberto da Gandino:

> Desde a primeira página do tratado, o procedimento judiciário medieval nos aparece com toda a sua complexidade. Existiam, de fato, cinco tipologias típicas, que eram caracterizadas essencialmente em respeito às modalidades através das quais o fato criminoso torna-se público, isto é, trazido a conhecimento da autoridade preposta ao exercício do poder judiciário. Isto poderia acontecer *"per accusationem", per denuntiationem, "per inquisitionem" et exceptionem, et quando crimen est notorium"*. Como se verá, cada um destes processos tem reflexos na verbalização, assim como evidentemente também tinha na condução do processo[332].

Conforme explicita Elena Maffei, a diferença que Alberto da Gandino apontava entre o processo *"per accusationem"* e o *"per denuntiationem"* dizia respeito à forma, ou seja, à existência ou não de um "libelo", de uma peça acusatória formalizada. Consta do texto original de Gandino, ao se referir ao modelo *"per accusationem"*[333]:

---

330 *IV Concilio Lateranense, cit.* Tradução nossa.

331 Tradução feita por MAFFEI, Elena. *Dal reato alla sentenza: il processo criminale in età comunale*. Roma: Edizioni di Storia e Letteratura, 2005.

332 MAFFEI, Elena. *Dal reato alla sentenza: il processo criminale in età comunale, cit.*, p. 72. Tradução nossa.

333 As traduções dos textos, como já destacado, foram extraídas de KANTOROWICZ, Hermann U., v. II, p. 27 e obtidos na obra de MAFFEI, Elena, já referida. As traduções para o português são nossas.

412 ■ Processo Penal | Fundamentos dos fundamentos

"Então acusar não é outra coisa senão declarar alguém, num libelo, culpado de um crime"[334].

Nesse modelo de processo, Gandino ainda sugeria a seguinte fórmula acusatória a compor o libelo:

> Eu, Lucio Tício, perante o Senhor Giovanni, *"podestà"*[335] ou juiz, acuso Caio Seio de ter cometido adultério com Berta, mulher de Giácomo, em tal cidade, ou burgo, ou vila, em tal casa, no primeiro quarto daquela casa, sob o reinado de tal imperador, em tal ano, no mês de março, e então peço que seja punido com a pena capital. Eu Lúcio declaro e subscrevo de ter consignado este libelo no ano do Senhor 1280, no dia 2 de março, e me empenho em sustentar esta acusação de modo legítimo e se a apresentei caluniosamente me obrigo à pena de talião ou ao crime de calúnia[336].

E constava, também, do texto de Gandino, ao se referir ao processo *per denuntiationem*: "Então denunciar não é outra coisa senão declarar alguém culpado de um crime"[337].

Como se nota, aqui a acusação também era formulada por um órgão oficial público. Num primeiro momento, somente quando ocorria de faltar um acusador o processo se dava *'per inquisitio nem'*, isto é, de ofício. Segundo a análise do texto de Gandino, feita por Elena Maffei, "neste tipo de processo assume particular relevo o crime cometido, haja vista que somente em alguns casos particulares o juiz, cujo escopo neste caso é indagar a 'veritas criminis', age de ofício"[338]. A lista de casos é apresentada pelo próprio Alberto da Gandino:

> Quando o chefe de família for morto/ quando o acusador corrupto pedir absolvição/ quando se inquirir contra homens maus/ nos crimes de lenocínio/ nos crimes nos quais o suspeito seja tutor/ nos crimes de sacrilégio/ no falso testemunho/ na falsidade documental/ nos crimes de calúnia/ quando alguém tenha subtraído algum bem de um inventário/ quando alguém provocar um naufrágio/ quando um criminoso entregar seus companheiros ou

---

334 GANDINO, Alberti de *et allii. Tractatus Diversi. Super Maleficiis*. Veneza, 1560, p. 4. Tradução nossa. Texto integral e original digitalizado e encontrado na internet, na página www.books.google.com. Acesso em: 22 out. 2010.

335 *"Podestà"* era um importante cargo civil de cada cidade naquele tempo e equivalia ao "Juiz".

336 GANDINUS, Albertus. *Strafrecht der Scholastik*. Von KANTOROWICZ, Hermann U., *cit.*, V. II, p. 27. Tradução nossa.

337 GANDINO, Alberti de *et allii. Tractatus Diversi. Super Maleficiis, cit.*, p. 26. Tradução nossa. Texto integral digitalizado e encontrado na página www.books.google.com. Acesso em 22.10.2010.

338 MAFFEI, Elena, *cit.*, p. 73. Tradução nossa.

declarar contra eles/ nos crimes de lesa majestade/ nos crimes notórios/ nos crimes de aposta/ nos crimes de heresia/ quando alguém se apropriar de coisa achada/ em todos os falsos/ quando alguém não conseguir provar[339].

Em *Tractatus de Maleficiis*, Gandino ainda esclareceu que *"de iure civili in maleficiis regulariter necessaria est accusatio"* ("nos casos de danos civis regulares é necessária a acusação") e que *"de iure canonico regulariter non proceditur per inquisitio nem"* ("nos casos canônicos regulares não se procede por inquisição")[340]. No entanto, Ettore Dezza considera que essas regras não se aplicavam, na prática, com a frequência indicada no texto de Gandino:

> Então, Alberto da Gandino atesta que ao seu tempo a inquisição poderia ser ordinariamente empregada *"de quolibet maleficio"* e, depois de haver tentado construir uma justificação *"de iure civile"* recorrendo para tanto a algumas regras da compilação justinianeia, acabou por admitir que se verificava o recurso à inquisição, considerado como normal, não obstante contrariasse aos ditames do *"ius civile"*, como atestam outros juristas e como ele mesmo pôde experimentar pessoalmente, com base nos costumes[341].

Ainda assim, o próprio Ettore Dezza se apressa em considerar que isso não significava dizer que não houvesse, concomitantemente, um "equilíbrio entre os dois modelos":

> Parece excessivo afirmar, com base no que anteriormente se reportou, que ao final do século XIII os esquemas acusatórios pertencessem ao passado. Não se pode ao certo negar que as palavras do jurista de Crema indiquem ao menos a existência de uma situação de precário equilíbrio entre os dois modelos, destinado logo a romper-se em favor do método baseado sobre a iniciativa *"ex officio"* do juiz[342].

Outro modelo processual bastante empregado, segundo Gandino, era aquele também referido no texto do IV Concílio de Latrão, supratranscrito, pautado na notoriedade do delito: *"crimen notorium"*, no qual o que prevalecia era a *"communis opinio"* (opinião comum) e a *"pubblica vox"* (voz pública). Consta do texto original:

---

339 GANDINO, Alberti de et allii. *Tractatus Diversi. Super Maleficiis. Quomodo de maleficiis cognoscetur "per inquisitio nem", cit.*, p. 38. Tradução nossa.

340 *Ibid.*, p. 28 e s. Tradução nossa.

341 DEZZA, Ettore. *Accusa e inquisizione. Dal diritto comune ai codici moderni, cit.*, p. 20. Tradução nossa.

342 *Ibid.*, p. 20. Tradução nossa.

Conforme dito anteriormente, o modo de conhecer dos crimes se dá por acusação, por denunciação, por inquisição e por exceção, sem falar do modo de conhecimento quando o crime é notório, seja pela fama, infâmia, presunções, e indícios sem precedente...[343]

Nesse caso, a testemunha era chamada para depor não sobre o fato em si, mas sobre sua notoriedade[344]. Para ilustrar como havia uma mescla de modelos, os processos analisados por Arnaud Fossier, na localidade de Pistoia, Itália, realizados entre os anos de 1287 e 1301, indicam como nítidas tanto a iniciativa de um "*Promoteur*" quanto a gestão da prova pelas partes, pois eram elas, inclusive o acusado, que traziam as testemunhas para depor, ainda que elas não depusessem sobre a "inocência" ou "culpa" do acusado, mas a respeito de sua fama na localidade[345].

Por fim, como já destacado, ainda existia o processo "*per exceptionem*", originado pelo testemunho de um acusado que invertia o polo passivo (algo como a "exceção da verdade" admitida nos crimes contra a honra, no processo penal brasileiro), em que o juiz também agia de ofício[346].

Enfim, tendo como base o mesmo texto de Alberto da Gandino e analisando casos concretos julgados cerca de trinta anos antes da escrita de Alberto da Gandino, Mario Sbriccoli vai além e considera que:

> "*accusatio*" e "*inquisitio*" não são de fato duas maneiras alternativas de impulsionar o processo, de tal forma a dar conotação de separar duas formas processuais opostas (o acusatório e o inquisitório, segundo uma fraseologia forçada, e hoje enganadora), mas parecem corresponder a estados do procedimento, ou a suas fases, que diversamente se combinam em adesão à dinâmica própria de qualquer caso processual[347].

---

343 GANDINO, Alberti de *et allii*. *Tractatus Diversi. Super Maleficiis, cit.*, p. 37. Tradução nossa.

344 Conforme análise do texto original de Alberto da Gandino feito por MAFFEI, Elena. *Dal reato alla sentenza: il processo criminale in età comunale, cit.*, p. 71 a 74.

345 FOSSIER, Arnaud. Les Registres Judiciaires de l'Eveque de Pistoia (1287-1301). Esquisse d'une enquete sur les procedures ecclesiastiques dans l'Italie du due et du trecento. *La Justice Dans Les Cités Épiscopales du Moyen Âge à La Fin de L'Ancien Regime*. FOURNIEL, Béatrice (organizadora). Toulouse: Presses de L'Université Toulouse 1 Capitóle. Études d'Histoire du Droit et Des Idées Politiques, n. 19, 2014, p. 57-68.

346 Ainda segundo a análise do texto original de Alberto da Gandino feito por MAFFEI, Elena. Ob. cit, p. 71 a 74. E no próprio texto original: GANDINO, Alberti de *et allii, cit.*, p. 35, no qual consta, no original, em latim: *Quomodo cognoscitur de maleficio vel crimine "per exceptionem"*. Texto integral digitalizado encontrado na página www.books.google.com. Acesso em: 22 out. 2010.

347 SBRICCOLI, Mario, *cit.*, p. 246. Tradução nossa.

Diante do assinalado, e diferentemente do que afirmam Carmignani, Pessina, Carrara e tantos outros, Alberto da Gandino, que representava o poder secular, mas seguia os cânones da Igreja, não trabalhou com um único modelo de processo. Aliás, os modelos também variaram dependendo de onde ele atuou como *Podestá*. O modelo processual de Perugia, por exemplo, era diferente do de outras cidades[348]. Além disso, ao se considerar que o mesmo Alberto da Gandino era obrigado a seguir os ditames do IV Concílio de Latrão, é possível pressupor que tenha dado a publicidade interna do processo ao acusado, garantindo-lhe também a defesa.

Concomitantemente ao que se passava na Itália nesse mesmo século XIII, entre os anos de 1263 e 1265[349], por obra do Rei Alfonso X[350], da então recém-criada Coroa de Castela-Leão (embrião do Reino de Castela e da futura Espanha), foi concluída uma consolidação da legislação, inclusive penal e processual penal, no documento denominado *Siete Partidas*. Esse documento, como visto, é uma das principais fontes usadas por Enrico Pessina, no século XIX, para construir a ideia de "sistema inquisitório", talvez pensando na Inquisição espanhola instituída dois séculos depois, a qual, diferentemente de suas congêneres, trabalhava sob as rédeas do poder laico[351]. Analisando-o, no entanto, pode-se chegar a conclusões diferentes.

Não obstante seja evidente, do texto original das *Siete Partidas*[352], que existia uma preocupação com a obediência aos ditames católico-cristãos[353], tanto na primeira quanto na sétima *"partida"*, encontramos inúmeras regras aplicáveis ao

---

348 Conforme deixa claro SBRICCOLI, Mario, *cit.*

349 Não obstante exista uma discussão entre os historiadores espanhóis a respeito da data precisa e da autoria do documento, a maioria admite essa informação como a mais precisa. Sobre o tema *vide* a excelente obra de SABADELL, Ana Lucia. *Tormenta Iuris Permissione. Tortura e Processo Penal na Península Ibérica (séculos XVI-XVIII)*. Rio de Janeiro: Revan, 2006, p. 137 e s.

350 Segundo relata RESTON JR., James. *Os Cães do Senhor. Colombo, a Inquisição e a Derrota dos Mouros*. Tradução de Marcelo Ferroni. Rio de Janeiro: Record, 2008, p. 23, Alfonso X era conhecido como "o Sábio" e foi responsável pelo progresso cultural da época, traduzindo o Corão e o Talmude. Também contribuiu para que mais de oito mil termos árabes fossem incorporados ao espanhol, a exemplo das traduções de obras árabes de astronomia (nomes das estrelas: Altar, Rigel, Veja), química (álcool, cânfora, elixir, xarope, talco e tártaro), matemática (zero, seno, raiz, álgebra, zênite) e botânica (gengibre, lilás, jasmim, mirra, açafrão, sésamo, limão, ruibarbo e café).

351 O poder laico, de uma forma ou de outra, também participava do processo penal canônico, notadamente nas sessões de tortura, nas quais a Igreja costuma não ser a protagonista, pautada pelo discurso religioso de *"ecclesia abhorret sanguine"* (a Igreja abomina o sangue).

352 ALFONSO EL SABIO, Rey. *Las Siete Partidas*. Madrid: Imprenta Real, 1807. Disponível em: www.archive. org/details/lassietepartidas01castuoft. Acesso em: 2 out. 2010.

353 *Ibid.*, p. 71 e 73. O texto inicia dizendo: "En el nombre de Dios Padre e Fijo e Spiritu Santo, que son tres personas e un Dios" e, em seguida, estabelece: "Estas leyes son posturas e establecimientos e fueros como los omes sepan traer e guardar la de nuestro Señor Iesu Christo conplidamente asi como Ella es e otrosi que vivan unos con otros en derecho e en justicia". No título II, também estabelece: "La primera cosa que mandamos e queremos que sea tenuda e guardada sobre todas las otras cosas es esta que todo Christiano se esfuerce de conoscer a Dios, ca pues quel conosciere estoncel sabra amar e temer...". E assim vai ao longo de todo o texto introdutório da Primeira Partida. Por conseguinte, as *Siete Partidas* trazem uma fiel referência ao quanto patrocinado pela Igreja no campo legislativo em geral.

processo penal secular, as quais são muito mais detalhadas que o IV Concílio de Latrão e muito mais focadas no que hoje poderiam ser consideradas características "acusatórias".

Ainda na primeira das sete *"partidas"*, é possível identificar um amplo regramento a respeito das testemunhas, estabelecendo quem podia e quem não podia testemunhar; o que fazer em caso de conflito de depoimentos; a necessidade de prévio juramento de dizer a verdade; a forma de testemunhar; as perguntas dirigidas às testemunhas; o número de testemunhas exigido para provar um fato; os prazos para a coleta do depoimento, dentre outros regramentos (Título VII – *De los testigos*[354]). Encontra-se, também, um vasto regramento a respeito dos procuradores da parte (chamados de *"personeros"*[355]), admitidos, para alguns casos, de forma expressa também no plano criminal e inclusive para defender o acusado[356]. O documento ainda regulamenta a atividade dos *"pesquiridores"* (pesquisadores ou "investigadores")[357], excluindo a possibilidade de pessoas do clero servirem no âmbito da Justiça secular. A "pesquisa" (investigação) em si poderia ser feita de três modos. O primeiro se subdividia em outros três: por *"querella"* nas cidades ou vilas, ou por "má fama" que tivesse perante o rei, ou por iniciativa do rei. O segundo modo se repartia em outros três: notícia de fatos de que alguns eram mal-afamados ou sobre fatos assinalados cuja autoria não se soubesse, ou por outros de autoria conhecida. O terceiro modo ocorria quando as duas partes pediam ao rei que mandasse "fazer pesquisa"[358].

---

354 *Ibid.*, p. 191 e s.

355 *Ibid.*, p. 220 e s. "Personero dezimos, que es aquel que recibe pleito ageno para demandar o para defender a otri, por mandado daquel que es señor del pleito, asi como señor".

356 *Ibid.*, p. 229: "En acusamiento, nin outro pleito que sea de justicia, non pueden dar personero, asi como dixiemos en la ley ante desta. Pero algunas cosas y a en que lo puede fazer, asi como quando alguno aforró su siervo, o fijo, o nieto de aquel que franquó, o outro de los que pueden demandar con derecho, quisiere acusar a aquel que fue siervo, dizendo que a fecho cosa porque deva tornar a servidumbre, asi como dize en el titulo que fabla de las fraquezas e de los aforramientos. Dezimos que aquel que esto demandare, bien puede demandar por personero en tal demandanza como esta, e el demandado otrosi para defenderse. Otrosi dezimos, que si alguno que aya huerfano con sus bienes en guarda, fuere llamado a pleito, por razon que aya sospecha contra El, que echa lo de aquel huerfano a mal, o la malmete, maguer que por este fecho deva seer dado por de mala fama, si provadol fuere, bien se puede tal como este defender por personero. Eso mismo dezimos, que si alguno pleito dubdoso de cel al Rey, que mande fazer pesquisa sobre algun pleito dubdoso de fecho malo que alguno oviese fecho, bien puede dar personero que siga el pleito de aquella pesquisa, fasta que sea fecha e judgada".

357 *Ibid.*, p. 240: "aquellos que son puestos para escodrinar la verdat de las cosas fechas encobiertamente, asi como de muerte de ome que matasen en yermo o de noche, o en qual logar quier que fuese muerto, e non sopiesen quien lo matara, o de eglesia quebrantada o robada de noche, o de mugier forzada que non fuese fecha la fuerza en poblado, o de casa que quemasen o quebrantasen forandola o entrandola por fuerza o de otra manera, o de mieses que quemasen, o de viñas o de arboles que cortasen, o de camino quebrantado en que fuesen omes robados, o feridos, o presos, o muertos".

358 *Ibid.*, p. 242.

Sob pena de desobrigar o acusado, a formulação da acusação deveria observar uma série de regras (pressupostos de validade): deveria ser feita de forma escrita, para que fosse certa e não pudesse ser alterada depois de iniciado o processo; deveria direcionar a petição ao julgador e conter o nome de quem se acusava, o lugar do fato, o ano e o mês do fato; deveria, por fim, conter dia, mês e ano em que a petição fora feita, requerendo, ao final, fosse aplicada a pena devida, acrescentando que, em caso de não demonstração da culpa, suportaria o próprio acusador a pena respectiva[359]. Essas exigências estão mais próximas de garantias processuais vistas como "acusatórias" do que "inquisitórias".

A sétima *"partida"*, por sua vez, centrava-se mais diretamente nas questões criminais. Estabelecia a iniciativa privada da ação penal (como regra, qualquer homem), o que hoje também é chamado de "acusatório". Nela ainda se repetiam os mesmos pressupostos de validade da acusação referidos, além de estabelecer que o juiz deveria ter o cuidado de verificar que "as provas que receber a respeito do pleito sejam leais e verdadeiras e sem nenhuma suspeita, e que as palavras, ao afirmar alguma coisa sejam certas e claras como a luz, de maneira que não se possa ter nenhuma dúvida"[360]. Na dúvida, havia dois modos de proceder, dependendo da credibilidade social do acusado. Se o acusado fosse "homem de boa fama", o juiz deveria soltá-lo, prevalecendo a presunção de inocência (logo, aos olhos de hoje: "acusatório"). Se, ao contrário, fosse homem "de má fama", deveria aplicar-lhe a tortura, prevalecendo uma presunção de culpa (logo, aos olhos de hoje: "inquisitório")[361].

Do quanto acima anotado a respeito das *Siete Partidas*, o que se percebe é uma clara mescla de características do que a doutrina hoje chama de "sistemas", mas não um "sistema" propriamente dito.

Já no ano de 1376, outro "manual de processo penal" repetiu os registros históricos do IV Concílio de Latrão, do *Tractatus de maleficiis,* de Alberto da Gandino, e as *Siete Partidas,* de Alfonso X, a respeito de como se iniciava o processo criminal no seio da Igreja. Trata-se do famoso *Directorium Inquisitorium* (*Manual dos Inquisidores*), escrito naquele ano por Nicolau Eymerich (e revisto e ampliado para a Inquisição espanhola por Francisco de La Peña, em 1578), no qual ele esclarece como se dão as três formas de iniciar o processo (por acusação, por denúncia e por investigação). A respeito do processo iniciado por acusação, consta do documento da época:

---

359 *Ibid.*, p. 339.

360 *Ibid.* Tradução nossa.

361 *Ibid.*

Processo Penal | Fundamentos dos fundamentos

O processo pode começar pela acusação. Neste caso, a acusação deve ser precedida por um registro.

Pode começar pela denúncia. Neste caso, a própria denúncia deve ser precedida de uma caridosa exortação.

Finalmente, pode começar pela investigação, que deve preceder informações precisas.

(...)

Existe processo por acusação se, na frente do inquisidor, alguém acusar outra pessoa de heresia, manifestar sua vontade de provar sua acusação e declarar que aceita a lei de talião, segundo a qual o acusador aceita, se perder, pagar a pena que o acusado pagaria, se ficasse provada a culpa deste último.

Este não é o melhor método na prática da Inquisição; é arriscado e bastante discutível. Mas, se o acusador insiste, o inquisidor aceita e registra a acusação.

(...)

Atualmente, o papel do acusador é atribuído a um fascínio chamado de "Fiscal": é ele quem assume a acusação. Depois da investigação, ele formula as acusações em termos precisos e claros, como por exemplo:

"Eu, Agostinho, fiscal da Santa Inquisição, acuso, diante do senhor Reverendo Inquisidor, o citado Martinho Lutero, de ter abandonado a fé católica e aderido à horrível heresia maniqueísta e a outras heresias, sendo batizado no catolicismo e considerado por todos como católico. Acuso-o de pregar, escrever, criar e afirmar vários dogmas heréticos, falsos, escandalosos e bastante suspeitos de serem compatíveis com as heresias anteriormente citadas."

Este é o estilo dos termos da acusação utilizados, normalmente, nos dias atuais. Os autos de acusação serão suficientemente explícitos de modo que o acusado saiba de que exatamente é acusado para que possa defender-se[362].

Como se vê, as regras iniciais são praticamente idênticas àquelas registradas no IV Concílio de Latrão. Ademais, o *Directorium Inquisitorium* chegava a falar que a acusação era patrocinada por um "*Fiscal*", ou seja, por um órgão oficial do Estado, um arremedo do atual Ministério Público. Previa, inclusive, na mesma linha da Justiça secular das *Siete Partidas*, que a fórmula da acusação fosse suficientemente clara para que o acusado, compreendendo-a, pudesse se defender (característica

---

362 EYMERICH, Nicolau. *Directorium Inquisitorium (Manual dos Inquisidores)*. Escrito por Nicolau Eymerich em 1376. Revisto e ampliado por Francisco de La Peña em 1578. Tradução de Maria José Lopes da Silva. Rio de Janeiro: Rosa dos Tempos, 1993, p. 105, 106 e 107.

hoje, repita-se, considerada "acusatória"). Por outro lado, também fica evidenciado que ainda se regrava a possibilidade de iniciar o processo pela investigação patrocinada pelo próprio inquisidor (unificando, aqui, as funções de acusar e julgar), o que é rotulado como "inquisitório".

A mesma orientação tripartite (acusação, denúncia e investigação) de início do processo também foi reafirmada e explicada pelos inquisidores alemães Heinrich Kramer e James Sprenger, no conhecido *Malleus Maleficarum* (*O Martelo das Feiticeiras*), escrito em 1484:

> A primeira questão, pois, consiste em saber qual o método correto para a instauração de um processo contra o crime de bruxaria, em nome da fé. Para respondê-la, é mister entender que, segundo o texto canônico, três são os métodos permitidos.
>
> No primeiro tem-se a acusação de uma pessoa por outra perante o Juiz, seja do crime de heresia, seja do de dar proteção a algum outro herege, sendo que o acusador se oferece para prová-lo e se submete à lei de talião caso não o consiga.
>
> No segundo tem-se a denúncia de uma pessoa por outra que não se propõe, contudo, a prová-lo e se recusa a envolver-se diretamente na acusação; mas alega que presta informação para o zelo da fé, ou em virtude de uma séntença de excomunhão prescrita pelo Ordinário ou pelo Vigário; ou em virtude do castigo temporal requerido pelo Juiz secular para aqueles que deixam de prestar tal informação.
>
> No terceiro tem-se a inquisição propriamente, ou seja, não se tem a presença de um acusador ou de um informante – apenas uma denúncia geral de que há bruxas em determinado lugar ou em determinada cidade. O Juiz, portanto, deverá proceder não por solicitação de qualquer das partes, mas apenas pela obrigação que lhe é imposta pelo seu ofício[363].

Como visto, tanto o *Directorium Inquisitorium* quanto o *Malleus Maleficarum* apontavam os três tipos de processo anteriormente destacados. E é no último deles, particularmente focado nos casos de bruxaria, que se pode localizar o maior número de características marcantes daquele pretenso modelo ideal de um sistema inquisitório, supra.

De fato, no *Directorium Inquisitorium* a sugestão de Nicolau Eymerich é mais severa:

---

363 KRAMER, Heinrich e SPRENGER, James. *Malleus Maleficarum – O Martelo das Feiticeiras.* 16. ed. Tradução de Paulo Fróes. Rio de Janeiro: Rosa dos Tempos, 2002, p. 396.

Vamos esclarecer logo que, nas questões de fé, o procedimento deve ser sumário, simples, sem complicações e tumultos, nem ostentação de advogados e juízes. Não se pode mostrar os autos de acusação ao acusado nem os discutir. Não se admitem pedidos de adiamento, nem coisas do gênero[364].

Também no *Malleus*, seus autores indicaram a preferência pelo terceiro modelo: "O terceiro método para dar início ao processo é o mais comum e o mais usual, por ser secreto, e nenhum acusador ou informante precisa aparecer"[365]. Chegaram a adotar a mesma sugestão, já encontrada no *Directorium Inquisitorium*, de que o juiz "deverá dar prosseguimento ao julgamento da forma mais sumária possível, desautorizando quaisquer exceções, apelos ou obstruções, quaisquer contenções impertinentes de defensores ou advogados, e discussões entre as testemunhas"[366]. Também admitiram o uso da tortura como método de obtenção da confissão. Esse modelo ainda é apresentado, nos dois documentos analisados, à luz da forma escrita com previsão de prisão cautelar.

Portanto, "nas questões de fé", percebe-se uma orientação mais radical e "inquisitória". Mesmo assim, mais adiante, tanto no *Directorium Inquisitorium* quanto no *Malleus*, encontrava-se a ponderação a respeito do direito de defesa do acusado. No *Directorium Inquisitorium*, a questão foi tratada assim:

O fato de dar o direito de defesa ao réu também é motivo de lentidão no processo e de atraso na proclamação da sentença. Essa concessão algumas vezes é necessária, outras não.

Quando o réu confessa o crime – sendo ou não reconhecido por testemunhas – para quem o denunciou e a confissão corresponde às denúncias, não vale a pena oferecer-lhe um defensor para atuar contra as testemunhas. Na verdade, a confissão tem mais credibilidade do que o depoimento das testemunhas.

Quando nega o crime; quando há testemunhas a seu favor; ou quando pede para ser defendido, ainda que se ache que seja inocente ou teimoso, pecador inveterado ou cheio de maldade, ele pode se defender; ser-lhe-á concedida uma defesa jurídica.

---

364 EYMERICH, Nicolau. *Directorium Inquisitorium... cit.*, p. 110.
365 KRAMER, Heinrich e SPRENGER, James. *Malleus Maleficarum..., cit.*, p. 399.
366 *Ibid.*, p. 406.

Será designado um advogado honesto, com experiência em Direito Civil e Canônico, e bastante fervoroso. Será nomeado, também, um procurador (...)[367].

Vê-se, então, que nesse mesmo procedimento "a bruxa" (assim no feminino, pois geralmente o caso envolvia uma mulher) tinha direito a um "advogado de defesa honesto, com experiência em Direito Civil e Canônico, e bastante fervoroso" em determinados casos, com acesso ao conteúdo dos autos, adotando regramentos que chegavam até a falar em presunção de inocência, a exemplo das seguintes passagens do *Malleus*:

> Há duas questões a serem consideradas depois da captura, embora caiba ao Juiz decidir qual deverá ser conduzida em primeira instância: quais sejam, a questão de permitir-se à acusada ser defendida e se deve ser examinada na câmara de tortura, embora não necessariamente para que seja torturada. Só se permite a defesa quando é feita solicitação direta (...).
>
> Se a acusada alegar inocência e acusação falsa, e se desejar ver e ouvir os acusadores, é então sinal de que está solicitando defesa[368].
>
> (...)
>
> Se, portanto, a acusada solicitar defesa, como se poderá assim proceder quando os nomes das testemunhas são mantidos em completo sigilo? Cabe declarar que três considerações devem ser observadas ao admitir-se a defesa. Primeiro, que se indique um Advogado para a acusada. Segundo, que os nomes das testemunhas não venham a ser conhecidos pelo Advogado, mesmo sob juramento de sigilo, mas que este saiba de tudo o que se acha contido nos depoimentos. Terceiro, a acusada há de receber, na medida do possível, o benefício da dúvida, desde que isso não envolva um escândalo à fé, ou seja prejudicial à justiça, conforme se mostrará. E de forma semelhante o procurador judicial do prisioneiro terá pleno acesso a todo o processo, só sendo suprimidos os nomes das testemunhas e dos depoentes[369].

Ou seja, nos documentos históricos que mais se aproximam da ideia de sistema inquisitório, também se evidenciam passagens mais próximas ao modelo inverso (acusatório), ambas convivendo.

---

367 EYMERICH, Nicolau. *Directorium Inquisitorium..., cit.*, p. 137.
368 KRAMER, Heinrich e SPRENGER. *Malleus Maleficarum... cit.*, p. 416.
369 *Ibid.*, p. 419.

422 ■ Processo Penal | Fundamentos dos fundamentos

Em 1532, Johann Freiherr Von Schwartzenberg organizou para o Rei Carlos V a famosa *Constitutio Criminalis Carolina*, documento encontrado na íntegra, em tradução para o inglês, na obra de John H. Langbein[370]. Nesse conjunto de regras também se vê uma mistura de elementos "inquisitórios" e "acusatórios". Nos casos de notoriedade do delito ou de flagrante, o juiz agia de ofício na busca de provas, e a tortura era admitida como mecanismo de forçar confissões ("inquisitório"). Porém, assegurava-se ao acusado apresentar provas de sua inocência, e tinha ele direito a fiança, arbitrada por um júri (*"shöeffen"*[371]) de quatro pessoas, e direito a defesa ("acusatório").

Luis Luisi ainda se refere à obra *Tractatus Criminalis*, de Tiberio Deciani (que viveu no mesmo século XVI, de 1509 a 1582), que também seria um prático, mas teria abordado diversos aspectos do processo penal[372], não revelando uma necessária preocupação com definições de sistemas de processo penal, porém defendendo uma série de práticas que permitiriam vê-lo como alguém preocupado com a implantação do hoje denominado "sistema acusatório":

> Deciani, em seu *"Tractatus"*, analisa os aspectos fundamentais do processo penal. No livro III, expõe as diferentes formas de proposição da ação penal. Dedica um longo estudo aos atos iniciais do processo, examinando minuciosamente as condições de sua admissibilidade. E, em 20 capítulos, trata das causas que inviabilizam o início do processo. No livro IV, expõe as normas gerais relativas à jurisdição e à competência (territorial, por conexão, por prevenção, e por delegação). Indica as soluções para os possíveis conflitos de competência entre os tribunais eclesiásticos e os tribunais civis. Embora acentue a necessidade de os delitos não ficarem sem a necessária punição, Deciani acentua a indispensabilidade do pleno respeito aos direitos do acusado, e a necessidade de imparcialidade e ponderação dos juízes na condução do processo. Enfatiza, também, o Mestre de Padova, que

---

370 LANGBEIN, John H. *Prosecuting Crime in the Renaissance: England, Germany, France*. Clark, New Jersey: The Lawbook Exchange. Ltd., 2005, p. 259 e s., obra digitalizada e localizada na página www.books.google. com. Acesso em: 15 fev. 2011.

371 Segundo ALMEIDA, Cybele Crossetti de. *Poder e Sociedade: as relações entre a Universidade e o Conselho da Cidade de Colônia em fins da Idade Média e começo da idade moderna*. Artigo digitalizado e encontrado em: http://www.hottopos.com/notand18/poder.pdf. Acesso em: 13 mar. 2013. Diz a autora: "Também chamados de échevin em francês, vide verbete Schöffe, -ngericht, -nbank no Lexikon des Mittelalter, v. VII, p. 1516. Diferentemente dos conselheiros, que eram eleitos pela comunidade para um mandato de um ano, os Schöffen eram escolhidos pelo Arcebispo de Colônia para este cargo, em geral vitalício. Os Schöffen eram encarregados de julgar e administrar a justiça em nome do Arcebispo, o senhor legal da cidade. O conjunto dos Schöffen era designado Schöffenkollegium, traduzido aqui por colégio de magistrados".

372 Como destacado no Capítulo I, Tiberio Deciani promoveu a separação dogmática entre direito penal e direito processual penal, segundo informa PIFFERI, Michele, *cit.*, p. 109 e s.

ninguém pode ser considerado culpado – principalmente nos delitos mais graves – sem prova segura, e não extorquida, como acentua no capítulo 36, do livro IV, do *"Tractatus"*, *"Metu tormentum"*. E se tais provas faltarem, ou sejam insuficientes, os indícios devem ser interpretados, como escrito no capítulo 31, do livro V, do *"Tractatus"*, em *"mitiore partem"*, ou seja, no sentido mais favorável ao Réu[373].

Outro autor importante desse período[374] é Angeli Aretini (também conhecido como Angelo Gambiglioni), que publicou obra com o título *De Maleficiis Tractatus*, em 1438[375]. Gambiglioni, no entanto, já na capa introdutória do seu livro[376], fez expressa referência a Alberto da Gandino como base de seu discurso. Seja como for, da obra de Angeli Aretini (ou Gambiglioni) se extrai uma distinção entre os modelos de *"inquisitio"* e *"accusatio"*, quando ele sintetiza o tema, proclamando: *"inquisitio fit ex mero iudicis officio, accusatio ad partis petitionem, denunciatio vero ad relationem, & denunciam officialis"* ("na *'inquisitio'* o juiz age de ofício, na *'accusatio'* as partes peticionam..."), para, em seguida, concluir: *"inquisitio est magis favorabilis ad reprimendum delicta quam "accusatio"* ("a *'inquisitio'* é mais favorável para reprimir delitos do que a *'accusatio'*"). Na prática, portanto, é bem provável que fosse a *"inquisitio"* a prevalecer, como também anota Ettore Dezza:

> O uso frequente da *"ratio"* do *"publica utilitas"* em matéria penal (mais uma vez *"ne maleficia remaneant impunita"*), está intimamente relacionado com o crescente papel desempenhado pelos juízes e funcionários no momento em que o regime absolutista vinha assumindo contornos precisos. A centralização do poder nas mãos do soberano e o desenvolvimento dos aparatos burocráticos tendem, no campo processual penal, a corroer os espaços deixados à iniciativa do indivíduo, a impedir o recurso aos esquemas de inspiração civilista, para bloquear formas populares de julgamento, e, portanto, a deixar de lado decididamente a *"accusatio"*[377].

Seja como for, o critério distintivo referido por Gambiglioni – "no inquisitório, o juiz age de ofício, e no acusatório, as partes peticionam" – muito influenciou a

---

373 LUISI, Luis. Tibério Deciani e o Sistema Penal. *Revista Direito e Democracia*. Canoas: Ulbra, 2000, p. 189 a 208.

374 A exemplo de LEONE, Giovanni, *cit.*, p. 24.

375 DEZZA, Ettore. *Accusa e Inquisizione. Dal Diritto Comune Ai Codici Moderni*, *cit.*, p. 28.

376 A versão original em latim do livro de Aretinus, pode ser hoje encontrada digitalizada na internet na página www.books.google.com.br. Acesso em: 30 ago. 2010.

377 *Ibid.*, p. 32. Tradução nossa.

doutrina de hoje no critério de separação dos pretensos "sistemas puros". No entanto, também não é possível considerá-lo um critério definitivo, ou mesmo existente de forma isolada naquele ou em qualquer outro período histórico, ou, ainda, como critério único para a pretendida divisão.

Na mesma Itália, já no século XVI, também teve importante papel doutrinário o livro de Pietro Follerio, intitulado *Practica criminalis (...) dialogice contexta (...)*, publicado em 1554. Segundo informa Michele Pifferi, o texto de Follerio era "estruturado em forma de diálogo entre um acusador representante do *'fiscus'* que agia em nome do interesse público, um inquirido que se defendia e um juiz que resolvia as dúvidas"[378], ou seja, já aparecia uma acusação pública e um exercício de defesa.

Nessa mesma época, ainda na Itália, Giulio Claro, considerado por Franco Cordero como o "autêntico cabeça forte do velho teatro penalístico"[379], publicou, em 1568, *Sententiarum Receptarum, Liber Quintus*[380]. Franco Cordero considera que ele desenvolveu um "sistema"[381], o que se admite apenas se essa análise for muito mais pela organização dos temas, enfileirados em ordem alfabética num detalhado índice, do que propriamente num conceito de "sistema" processual penal, nos termos kantianos. A obra era composta de sete livros e abrangia diversos temas: pessoas, sucessões, contratos, direito e processo penal, processo civil, entre outros. O livro quinto tratava especificamente da matéria penal. É nele que Ettore Dezza encontra a passagem das práticas processuais penais utilizadas no século XVI na Itália com o esclarecimento de que "as várias formas procedimentais que grande parte da doutrina continua a descrever, frequentemente de modo muito confuso (*accusatio, inquisitio, 'denunciatio', 'exceptio, crimen notorium, 'deprehensio in flagrante crimine'*, etc.), devem ser reduzidas a somente duas, a forma *'ad instantiam partis'* e aquela *'ex officio'*"[382]. Mas há passagens no texto de Giulio Claro que revelam o inverso desta última observação, notadamente quando se refere ao crime de adultério, dizendo que "*multis modis in iudicium deduci potest*"[383]. De resto, Giulio Claro pontuou que houve uma paulatina substituição do modelo de "*accusatio*" pelo de "*querela*", a qual pode ser lida como equivalente ao que hoje

---

378 PIFFERI, Michele. *Criminalistica in antico regime. Il Contributo italiano alla storia del Pensiero – Diritto.* Disponível em: http://www.treccani.it/enciclopedia/criminalistica-in-antico-regime_(Il_Contributo_italiano_alla_storia_del_Pensiero:_Diritto)/. Acesso em: 16 set. 2014. Tradução nossa.

379 CORDERO, Franco. *Criminalia. Nascita dei Sistemi Penali, cit.*, p. 307.

380 CLARO, Giulio. *Sententiarum Receptarum, Liber Quintus.* Disponível em: http://books.google.com.br/books?id=FGjE98QNToMC&printsec=frontcover&hl=pt-BR#v=onepage&q&f=false. Acesso em: 15 set. 2014.

381 CORDERO, Franco. *Criminalia. Nascita dei Sistemi Penali, cit.*, p. 307 e 310.

382 DEZZA, Ettore. *Accusa e Inquisizione. Dal Diritto Comune Ai Codici Moderni, cit.*, p. 35. Tradução nossa.

383 CORDERO, Franco. *Criminalia. Nascita dei Sistemi Penali, cit.*, p. 310.

se considera a *"notitia criminis"*, sem os formalismos do libelo da *"accusatio"*, permitindo desencadear até mesmo a *"inquisitio"* pelo juiz[384]. Segundo Ettore Dezza, essa prevalência da *"querela"* provoca uma "fratura entre a teoria a práxis", gerando efeitos que ampliam a prática das notícias anônimas, notadamente entre o século XVII e a primeira metade do século XVIII[385].

Outro autor muito citado do final do século XVI e início do século XVII é Prospero Farinaccio. Sua obra – *Praxis et Theorica Criminalis*[386] (escrita entre 1588 e 1616[387]) – é considerada praticamente uma cópia do texto de Giulio Claro, além de Farinaccio ser considerado muito "confuso" pela historiografia moderna[388]. Na *Partis Primae, Tomus Primus* de sua obra, já aparece, de saída, a apresentação de dois modelos processuais: *De inquisitione* e *De accusatione,* os quais são por ele considerados como presentes praticamente na mesma intensidade[389]. Mas a referida "confusão", a que aludem os historiadores, parece ser debitada ao fato de que Farinaccio não apresentou o modelo inquisitório como ordinário, dizendo, ao contrário, que ele é exceção à regra e que, portanto, o juiz não pode inquirir de ofício sempre, como se vê da seguinte passagem de seu texto:

> A inquirição é necessária quando intervenha o acusador em algum julgamento, e assim o juiz do cargo não pode regularmente inquirir, pois este não é um remédio ordinário, mas sim extraordinário[390].

Ainda nesse mesmo período, Giovanni Battista De Luca apresentou um livro em "língua vulgar", isto é, em italiano, em vez de latim, intitulado justamente *Il Dottor Volgare*, publicado em 1673[391]. Nele, De Luca esclarece os casos nos quais

---

384 Conforme DEZZA, Ettore. *Accusa e Inquisizione. Dal Diritto Comune Ai Codici Moderni, cit.*, p. 42 e s.

385 *Ibid., cit.*, p. 56.

386 FARINACCI, Prosperi. *Praxis et Theorica Criminalis. Partis Primae. Tomus Primus.* Sumptibus Horatij Cardon, 1613. Disponível em: http://books.google.com.br/books?id=l9DOCSqU1VoC&printsec=frontcover&d-q=Praxis+Et+Theoricae+Criminalis+primus&hl=pt-BR&sa=X&ei=Mj8YVJLoCKj9sASB9oLQAw&ved=0C-CAQ6AEwAA#v=onepage&q=Praxis%20Et%20Theoricae%20Criminalis%20primus&f=false. Acesso em: 16 set. 2014.

387 Conforme CORDERO, Franco. *Criminalia. Nascita dei Sistemi Penali, cit.*, p. 340.

388 Como refere DEZZA, Ettore. *Accusa e Inquisizione. Dal Diritto Comune Ai Codici Moderni, cit.*, p. 59.

389 Como anota DEZZA, Ettore. *Accusa e Inquisizione. Dal Diritto Comune Ai Codici Moderni, cit.*, p. 62, *verbis*: "ambos os remédios são, então, considerados ordinários, mesmo se a '*inquisitio*' '*magis in uso videtur*'. Tradução nossa.

390 FARINACCI, Prosperi. *Praxis et Theorica Criminalis. Partis Primae. Tomus Primus, cit.*, p. 3. Tradução nossa.

391 BATISTA DE LUCA, Gio. *Il Dottor Volgare. Overo il compendio di tutta la legge Civile, Canonina, Feudale, e Municipale, nelle cose più ricevute in pratica; Moralizzato in Lingua Italiana. Tomo Sesto. Libro Decimoquinto. Parte Seconda. Delle Giudizj Criminali, e della loro Practica nella Curia Romana.* Colonia: Modesto Fenzo, 1740. Disponível em: http://books.google.com.br/books?id=MWaAc0Zz8NwC&pg=PA365&dq=dottor+volgare+X-V&hl=pt-BR&sa=X&ei=5E0YVN66A5HisASjzYDYBw&ved=0CB4Q6AEwAA#v=onepage&q=dottor%20

426 ■ Processo Penal | Fundamentos dos fundamentos

"se possa, ou não, proceder por inquisição, a pedido do procurador do fisco, sem o acusador", e "quando é necessária a acusação, ou, pelo menos, a *querela* da parte ofendida"[392]. De Luca também criticou seus colegas juristas dizendo que alguns preferiam referir-se ao modelo inquisitório como originário da "lei canônica", mas "não refletem que, em muitos locais ou principados, por alguma razão não se pratica sobre matérias profanas"[393].

Pelo que se vê, portanto, as "Inquisições" não foram um modelo único, padronizado, com as características hoje pretendidas pela doutrina. As regras oscilaram, e muito, adaptando-se aos diversos momentos e lugares onde foi empregada pela Igreja Católica.

De fato, ao se observar o que sucedeu na Espanha do século XVI, considerado o período mais sangrento da Inquisição, o regramento processual penal também admitia acusação dissociada da figura do julgador. Nesse sentido, aliás, eram as Instruções de Valdés (no ano de 1561):

> 2. Satisfeitos os Inquisidores que a matéria é de fé pelo parecer dos teólogos, ou cerimônia conhecida de judeus ou mouros, heresia ou realização manifesta e de que não se pode duvidar, o Fiscal faça sua denunciação contra a tal pessoa ou pessoas, pedindo sejam presos, apresentando a dita imputação e qualificação.
>
> (...)
>
> 18. O Fiscal terá cuidado de pôr as acusações aos presos no termo que a instrução manda, acusando-os geralmente de hereges, e particularmente de tudo o que estão indiciados assim pelos depoimentos das testemunhas como pelos delitos que confessaram. E ainda que os inquisidores não possam conhecer de delitos que não se refiram à manifesta heresia, sendo imputado o réu de delitos de outra qualidade deve o Fiscal acusar-lhe deles: não para que os inquisidores lhe castiguem por eles senão para agravação dos delitos de heresia que lhe acusou, e para que conste de sua má cristandade ou maneira de viver, e de ali se tome indício no tocante às coisas da fé de que se trata[394].

---

volgare%20XV&f=false. Acesso em: 16 set. 2014.

392 Como refere DEZZA, Ettore. *Accusa e Inquisizione. Dal Diritto Comune Ai Codici Moderni, cit.*, p. 64-65. Tradução nossa.

393 *Ibid.*, p. 66. Tradução nossa.

394 ANDRADE, Mauro Fonseca. *Inquisição Espanhola e seu Processo Criminal. As Instruções de Torquemada e Valdés.* Curitiba: Juruá, 2006, p. 101 e s.

Esse amplo regramento de como o Fiscal deveria agir a partir das Instruções de Valdés não pode ser simplesmente desconsiderado na compreensão do modelo processual da época. Ainda que, na prática, os juízes não levassem muito em conta o regramento escrito, não há como se evidenciar a elaboração de um pretendido "sistema inquisitório", nos moldes como a doutrina prega, isto é, com pretensão de pureza e pensado *"a priori"*.

Com efeito, mesmo em termos práticos, não se tem um sistema nos moldes de possível pureza inquisitória, como se vê com o que acontecia, no mesmo período, na Alemanha. Por ocasião da virada do século XVI para o século XVII, Friedrich Spee Von Langenfeld (1591-1635) escreveu a famosa *Cautio Criminalis*, publicada anonimamente em 1631, comentando a respeito das práticas processuais penais de então. Spee explicou detalhadamente como se dava, por exemplo, a questão da defesa técnica no processo penal europeu continental de então:

> Quando o crime não é plena e claramente estabelecido, deve ser permi- tida uma defesa ao preso, garantindo-lhe um advogado, de acordo com a opinião comum; veja-se, por exemplo, Julio Claro, § *"haeresis"*, número 19, e Farinacci, questão 39, números 109 & 166. Isso também deve ser adotado em crimes de exceção, como os autores citados por Delrio e, depois dele, por Tanner, disputa 4: "Na Justiça", questão 5, dúvida 3, número 76, acho que com razão, ou seja, os professores da Universidade de Ingolstadt, Friburgo, Pádua, Bolonha, e os autores do *"Malleus Ma- leficarum"*, Eimericus, Penna, Humbertus, Simancha, Bossius, Rolandus, etc. Mas por que eu deveria adicionar autores ou invocar a opinião co- mum, como se a questão fosse resolvida por autoridade? Para clareza, de acordo com a lei natural (como ninguém agindo racionalmente gostaria de negar), você pode se defender se a sua culpa ainda não foi comprovada. Então, se uma prisioneira não quer dar desculpas para o crime sobre o qual ela está sendo questionada, a ela deve ser concedida uma defesa com- pletamente sem preconceitos e o melhor advogado que pode ser obtido. Na verdade, não são em todos os casos de exceção que devem ser negados a ela, mas justamente por ser um crime de exceção é que deve ser conce- dido ainda mais rapidamente – na verdade eles deveriam justamente ser obrigatórios nesses casos[395].

---

395 SPEE VON LANGENFELD, Friedrich. *Cautio criminalis, or a Book on Witch Trials, cit.*, p. 59-60. Tradução nossa.

428 ■ Processo Penal | Fundamentos dos fundamentos

Spee ainda detalhou, de forma comparativa, como a defesa técnica era observada na prática de então:

> É assim que acontece:
>
> I. Alguém me acusa de cometer um roubo. Esta é uma grande mancha na minha reputação. Portanto, esses homens experientes e bons, então permitem que eu me defenda e lave essa mancha. Se eu não sou capaz de fazê-lo corretamente por mim mesmo, então eu posso escolher um advogado que irá me representar.
>
> II. Um segundo me acusa de adultério. Esta é uma mancha maior, pois eles me permitem lavar esse estigma também.
>
> III. Um terceiro me acusa de bruxaria. Esta é a maior e mais vil mancha. Por isso, eles imediatamente me proíbem de me defender e remover a mancha. Eles argumentam que esta é a mancha mais vil, o crime mais atroz e triste, por isso, não pode ser lavado[396].

Como se vê, na Alemanha do início do século XVII, a defesa técnica era uma regra para os crimes comuns, a exemplo do roubo e do adultério. Só havia negativa de defesa técnica para casos de flagrante de "bruxaria". Aliás, nesses casos catalogados como de "bruxaria", como relatou Spee, a tortura e a presunção de culpa também imperavam, no que ele criticava o modelo incisivamente, mencionando a obviedade de que não havia como escapar ileso de sessões de tortura. Curioso será avaliar, no próximo capítulo, o que acontecia, nessa mesma época, na Inglaterra na questão da defesa técnica.

Também admitindo uma acusação separada do julgador, encontram-se, na França, as chamadas *Ordonnance Criminelle* de 1670, usadas no auge da Inquisição francesa. Nelas se vê, no artigo 6 do Título III, a presença do acusador na figura do *Procureur du Roi*:

> Artigo 6. Nossos procuradores e seus senhores terão um registro para receber e fazer escrever as denúncias que serão circunstanciadas e assinadas pelos denunciantes, caso eles saibam assinar, senão elas serão escritas nas suas presenças pelo escrivão que as receber[397].

---

396 *Ibid.*, p. 61-62. Tradução nossa.

397 *Ordonnance Criminelle du móis d'août 1670*. Disponível em: www.ledroitcriminel.free.fr. Acesso em: 24 jun. 2006. Tradução nossa.

E, a respeito desse artigo, segue o comentário lavrado quando das conferências preparatórias à sua aprovação pelo Parlamento de Paris, em 1670: "Senhor Pussort disse que os Procuradores do Rei são as verdadeiras partes em matéria criminal, e que não lhe parece razoável começar um processo sem a sua participação"[398].

Enfim, repita-se, a visão equivocada que boa parte da doutrina adota é significativamente reducionista, podendo ser assim resumida: se o juiz acumular as funções de acusar e julgar, o "sistema" será inquisitório; caso contrário – se houver separação dessas funções entre um órgão de acusação e outro órgão incumbido do julgamento –, o "sistema" será acusatório.

E, de outra sorte, como referido, outra parcela da doutrina moderna prefere o critério igualmente único da gestão da prova. Ou a prova é gerida pelo juiz e, então, o sistema é inquisitório; ou a prova é gerida pelas partes e, então, o sistema é acusatório.

Enfim, em que pese esses modelos de iniciativa processual e, de outro lado, também de produção e gestão probatória de fato tenham existido/coexistido por alguns períodos, eles não são capazes de caracterizar, por si sós, o sistema inquisitório, sem o acréscimo das diversas características secundárias que "complementariam" os dois pretendidos "sistemas", a exemplo do que a doutrina do século XIX em diante procurou transmitir. Ambos os critérios, portanto, na construção do chamado "sistema inquisitório", ainda que possam ser identificados em determinados momentos históricos, não estavam dissociados de outros critérios de classificação complementar. O mesmo se dá na linha de estrutura do chamado "sistema acusatório", como se passa a expor.

3.6 Segue: desvelando a pretensão "de pureza acusatória"

Segundo o entendimento de Jorge de Figueiredo Dias, enquanto na Europa continental prevalecia o "sistema inquisitório", nessa mesma época medieval ganhou dimensão, na Inglaterra, a adoção de "sistema" oposto, hoje denominado de "acusatório". Ainda segundo o autor, o "acusatório" teria base histórica na democracia grega, aliada à experiência do antigo processo penal germânico, e nas antigas legislações orientais[399]. Na doutrina brasileira, Salah H. Khaled Jr. segue a mestra trilha e afirma que "o processo inglês em sua forma clássica é um procedimento de partes no qual o juiz dirige o juízo como uma espécie de condutor imparcial: trata-se de um processo acusatório puro, porque somente os fatos alegados pela

---

398 *Ibid.* Tradução nossa.
399 FIGUEIREDO DIAS, Jorge de, *cit.*, p. 66.

430 ■ Processo Penal | Fundamentos dos fundamentos

acusação podem conduzir a uma condenação"[400]. Vários outros autores seguem o mesmo discurso reducionista[401].

Para adequada compreensão do que as afirmações anteriormente destacadas contêm de imprecisão, é relevante entender os contextos históricos em que os fatos se deram na Inglaterra.

Nessa análise do processo histórico inglês daquela época, importa considerar que, depois de sofrer intensa influência das denominadas "leis bárbaras", com predomínio da adoção das ordálias[402] e dos juízos de Deus[403], em decorrência das invasões dos anglos, dos saxões e dos dinamarqueses[404], a Inglaterra passou por amplo período de estabilidade com o rei Eduardo, o Confessor (reinou de 1043 a 1066). Ele era considerado um monarca adorado pelo povo, que inclusive o considerava taumaturgo. Aliás, foi o primeiro dos reis taumaturgos, reverenciado "santo", como anota Marc Bloch[405]. Segundo a crença da época, o povo acreditava que o rei era capaz de curar doenças pelo simples toque das mãos, o que lhe dava amplo poder para impor reformas e governar. Com a morte de Eduardo, houve uma disputa pela sucessão do trono, entre Haroldo, que se antecipou e se autoproclamou rei, e Guilherme, o Conquistador, que se julgava herdeiro[406], mas era francês. Guilherme provocou a invasão normanda da

---

400 KHALED JR., Salah H., *cit.*, p. 107.

401 A exemplo de MARICONDE, Alfredo Velez, *cit.*, p. 21.; de MAIER, Julio B. J. *Derecho Procesal Penal – Tomo I – Fundamentos, cit.*, p. 264 e s.; MIRABETE, Julio Fabbrini, *cit.*, p. 43-44, dentre inúmeros outros.

402 Sistema de julgamento que apostava na intervenção divina para dizer quanto a culpa ou inocência. Richard Hudson elenca quatro modalidades de ordálias empregadas nessa época, nos termos da legislação anglo-saxã: ordália do ferro quente (o acusado deveria "provar sua inocência" caminhando nove passos com uma barra de ferro quente em suas mãos e aguardar três dias para ver se a mão ficaria infeccionada), ordália da água quente (deveria mergulhar sua mão e braço na água quente e aguentar um tempo; caso, depois, a mão ficasse queimada, era considerado culpado), e ordália da água fria (era jogado no rio e, curiosamente, caso afundasse era inocente e, caso boiasse, era culpado; isso se devia ao fato de que o elemento "puro" da água não receberia culpados) e ordália do "morcel" (deveria "provar sua inocência" não se engasgando com um pedaço de pão ou queijo) (HUDSON, Richard. The Judicial Reforms of The Reign of Henry II. *Michigan Law Review*, v. 9, n. 5, março de 1911, p. 385-395, p. 387). No mesmo sentido: MOSCHZISKER, Roberto von. The Historic Origin of Trial by Jury. II. *University of Pennsylvania Law Review and American Law Register*, v. 70, n. 2, janeiro de 1922, p. 73-86, p. 83.

403 Sobre a legislação primitiva na Inglaterra, *vide*, dentre outros: BLACKSTONE, Willian. *Commentaries on the Laws of England*. V. II, Livros III e IV. New York: Collins and Hannay, 1832, p. 276 e s., obra digitalizada e disponibilizada na internet em www.books.google.com. Acesso em: 5 mar. 2012; MARSH, A. H. *History of the Court of Chancery and the Rise and Development of the Doctrines of "equity"*. Toronto: Carswell & Co., Publishers, 1890; MAITLAND, Frederic Willian. MONTAGUE, Francis C. *A Sketch of English Legal History*. Clark, New Jersey: The Lawbook Exchange, 1998. Publicado originalmente em New York, London: G.P. Putnam's Sons, 1915.

404 Conforme HUDSON, Richard. The Judicial Reforms of The Reign of Henry II, *cit.*, p. 386; DAVID, René. *Os Grandes Sistemas do Direito Contemporâneo*. 4. ed. Tradução de Hermínio A. Carvalho. São Paulo: Martins Fontes, 2002, p. 356 e 357; GILISSEN, John. *Introdução Histórica ao Direito*. 4. ed. Tradução de A.M. Hespanha e L.M. Macaísta Malheiros. Lisboa: Fundação Calouste Gulbenkian, 2003, p. 178 e 209 e CASTRO, Flávia Lages de. *História do Direito Geral e Brasil*. Rio de Janeiro, Lumen Juris, 2003, p. 183.

405 BLOCH, Marc. *Os Reis Taumaturgos*. Tradução de Julia Mainardi. São Paulo: Companhia das Letras, 1993, p. 62 a 67. No mesmo sentido, MARSH, A. H., *cit.*, p. 103.

406 REX, Peter. *Willian the Conqueror. The Bastard of Normandy*. Gloucestershire: Amberley Publishing, 2012, p. 97 a 105.

Inglaterra[407], lutou contra o rei Haroldo pelo trono e concretizou a conquista ainda no ano de 1066, na Batalha de Hastings[408]. Guilherme jurou seguir as leis de Eduardo, o Confessor, dando início à tradição de se manter as leis da terra (*"per legem terrae"*), o que depois se converteria na ideia do devido processo legal[409]. Guilherme teve sua guerra patrocinada em grande parte pelos barões (senhores feudais normandos), que acabaram sendo agraciados com diversos domínios feudais na terra conquistada[410]. Assim, valendo-se do apoio dos nobres normandos, ele mesclou o sistema judicial inglês, pautando-o tanto na tradição herdada de Eduardo, o Confessor, quanto, em grande parte, na vontade dos senhores feudais, que, dentro de seus limites de terra, exerciam "o poder de punir, taxar e julgar"[411]. Nesses setores, portanto, ocorreram naturais embates entre os barões e o rei.

Esse modelo de justiça ainda permaneceu nos reinados de seus filhos, Guilherme II (morto com uma flechada na cabeça, durante uma caçada no ano 1100[412]) e Henrique I (morto envenenado em 1135). Cessou, no entanto, quando os sucessores hereditários da coroa (Stephen, sobrinho de Henrique I, e Matilda, filha de Henrique I) disputaram o trono, tendo Stephen se antecipado e reinado por dezenove anos[413]. No curso desse reinado, considerado uma traição ao rei Henrique I e à sua filha, Matilda[414], os barões ingleses provocaram uma guerra civil. Isso provocou a ausência de justiça local, restando apenas o domínio da força em detrimento do povo. Sobre essa época e sobre a forma de exercício do poder, vale transcrever a descrição então feita por um monge da cidade inglesa de Peterborough:

---

407 Conforme, dentre outros, CHURCHILL, Winston S. *História dos Povos de Língua Inglesa – Berço da Inglaterra.* Tradução de Aydano Arruda. São Paulo: Ibrasa, 2005, v. 1, p. 164 e s.

408 A maioria dos historiadores aponta o ano de 1066, a exemplo de CASTRO, Flávia Lages de. *História do Direito Geral e Brasil.* Rio de Janeiro: Lumen Juris, 2003, p. 183; DAVID, René. *Os Grandes Sistemas do Direito Contemporâneo.* 4. ed. Tradução de Hermínio A. Carvalho. São Paulo: Martins Fontes, 2002, p. 357; e LOON, Hendrik Willem Van. *A História da Humanidade.* Tradução de Marcelo Brandão Cipolla. São Paulo: Martins Fontes, 2004, p. 282. Já para CHURCHILL, Winston S., *cit.*, p. 164 e s., o ano que concretiza a conquista é o de 1070.

409 MAITLAND, Frederic Willian. MONTAGUE, Francis C., *cit.*, p. 27 e 28. No mesmo sentido: REX, Peter, *cit.*, p. 165. E, também: LANGBEIN, John H.; LERNER, Renée L.; e SMITH, Bruce P. *History of the Common Law. The Development of Anglo-American Legal Institutions.* Austin Aspen Publishers, 2009, p. 9. E, ainda: HOGUE, Arthur R. *Origins of The Common Law.* Indianapolis: Liberty Fund, 1966, p. 147. Na doutrina nacional, *vide*: RAMOS, João Gualberto Garcez. *Curso de Processo Penal norte-americano.* São Paulo: RT, 2006, p. 40.

410 *Vide*, dentre outros, RAMOS, João Gualberto Garcez, *cit.*, p. 40 e 41.

411 Conforme HUDSON, Richard. The Judicial Reforms of The Reign of Henry II, *cit.*, p. 386; e PAIXÃO, Cristiano e BIGLIAZZI, Renato. *História Constitucional Inglesa e Norte-americana: do Surgimento à Estabilização da Forma Constitucional.* Brasília: Editora Universidade de Brasília: Finatec, 1ª reimpressão, 2011, p. 27.

412 Conforme, dentre outros, LEWIS, Brenda Ralph. *A Dark History: The Kings & Queens of England. 1066 to the presente day.* New York: Metro Books, 2005, p. 9 e 10.

413 As informações dos historiadores não são precisas quanto à duração do reinado de Stephen, ora afirmando serem 16 anos, ora aludindo a 19 anos. É mais provável que tenha sido por 19 anos, dado que coincide com a idade de Henrique II, quando casou com Eleanor de Aquitânia.

414 Conforme, dentre outros, LEWIS, Brenda Ralph, *cit.*, p. 16 e 17.

Todos os homens poderosos fizeram seus castelos e sustentaram-nos contra o rei.. e, quando os castelos estavam feitos, eles os encheram de demônios e homens maus. Em seguida, capturaram aqueles homens que eles supunham ter posses, tanto de dia como de noite, homens e mulheres, e os lançaram à prisão para ficar com seu ouro e sua prata, e os torturaram com torturas indescritíveis. a muitos milhares eles mataram pela fome. Não devo nem posso contar todos os horrores e todas as torturas que impuseram aos infelizes homens desta terra. E isso durou os dezenove invernos em que Stephen foi rei; e era cada vez pior (...)[415].

Nesse interregno, a filha de Henrique I, Matilda, foi expulsa da Inglaterra e assumiu suas posses na Normandia. Lá deu à luz Henrique II, e este, com apenas dezenove anos de idade, casou-se com Eleanor da Aquitânia (que conseguiu, do papa, a anulação de seu casamento com o rei francês Luís VII). Tornou-se, por conseguinte, senhor feudal de mais da metade do território francês[416]. Visando resgatar o trono inglês, em 1153 Henrique II se dirigiu à então caótica Inglaterra, onde reforçou a guerra civil ao lado de sua mãe, Matilda, que vinha lutando pelo trono desde 1139[417]. Após sucessivas batalhas sangrentas, mãe e filho selaram um acordo com Stephen, que aceitou Henrique II como filho adotivo sucessor, vindo a falecer um ano depois, provocando, assim, a ascensão de Henrique II como novo rei também da Inglaterra, querido e amado pelo povo[418].

Esse processo histórico é importante para compreender o que veio a se passar com a justiça inglesa da época, embrião da estruturação da *"common law"* inglesa em contraposição ao direito romano continental. Não obstante a coroa inglesa estivesse sob a aparente contradição tutelar de um francês, Henrique II visava reunificar o reino dilacerado e desordenado pelas batalhas. Para tanto, viu-se quase que compelido a criar três tribunais: *Court of Common Pleas* (Tribunal das Causas Comuns, Civis e Penais); *Court of Exchequer* (Tribunal do Tesouro) e *King's Bench* (Tribunal do Banco do Rei). Com este último, Henrique II adotou uma Justiça itinerante, com ele viajando por suas terras e "distribuindo justiça" nos casos criminais que lhe eram apresentados pelo caminho[419].

---

415 Citado por CHURCHILL, Winston S, *cit.*, p. 188 e 189.

416 Conforme, dentre outros, TEIXEIRA, Sebastião Meirelles, *Joana D'Arc: processo de condenação.* Tradução, comentários e notas Sebastião Meirelles Teixeira. São Paulo: Riddel, 1996, p. 14.

417 Conforme, dentre outros, LEWIS, Brenda Ralph, *cit.*, p. 18 e 19.

418 Ainda conforme CHURCHILL, Winston S., *cit.*, p. 190 a 192.

419 Conforme PAIXÃO, Cristiano e BIGLIAZZI, Renato, *cit.*, p. 29. No mesmo sentido MARSH, A. H., *cit.*, p. 2.

Em 1164, Henrique II editou o ato denominado *Assize Utrum*[420], constituindo um colegiado de doze pessoas que deveriam decidir "uma questão preliminar" (*"utrum"*), isto é, se o local a ser tributado era pertencente à Igreja (*"alms fee"*) ou à Coroa (*"lay fee"*)[421]. E, dois anos depois, em 1166, com a implantação da *Assize of Clarendon*[422], instituiu uma *inquest*, ou seja, uma "investigação" a ser conduzida por "doze homens mais instruídos nas leis, dentre os cem homens de cada distrito, (...) sob juramento de falar a verdade"[423]. Os *"jurors"* ("jurados"), isto é, "aqueles que juraram", formavam, então, uma espécie de júri de acusação, substituindo o modelo de acusação privada da vítima[424]. Para apuração dos delitos, o rei também contava com os *"sheriffs"*, que investigavam pessoalmente ou por meio de júris de acusação formados para tanto (*"jury of presentment"*, modernamente conhecidos como *"grand jury"* ou júri de acusação). Caso esses júris decidissem formalizar a acusação pública, denominada *"indictment"*, os acusados se submetiam às ordálias. Ainda não havia, nessa época, o *"petty jury"*, ou júri de julgamento, e a tortura era admitida como forma de obter a confissão[425]. Henrique II procurou afastar aos poucos a justiça mediante ordálias[426] e resgatar o modelo de justiça de seu bisavô Guilherme I, melhorando-o com a participação popular na iniciativa e coleta de provas. O texto do primeiro parágrafo da *Assize of Clarendon* era assim redigido, *verbis*:

---

420 Conforme explicam John Langbein, Renné Lerner e Bruce Smith, *"Assize"* é um termo com múltiplos significados. A palavra provém do francês *"s'asseoir"*, que significa "sentar". Seu significado principal era equivalente a promover uma "sessão" ou um "encontro" de caráter deliberativo. Em seguida, o termo passou a ser usado para se referir ao resultado da reunião, expresso num decreto ou numa resolução. Nesse sentido, então, *"assize"* passou a equivaler a um "decreto" ou um "estatuto". Mais tarde, ainda na Idade Média, o termo passou a ser usado para se referir às sessões da Justiça real que se davam em Londres, duas vezes ao ano (LANGBEIN, John H.; LERNER, Renée L.; e SMITH, Bruce P., *cit.*, p. 37-38).

421 THORNE, Samuel E. The Assize "Utrum" and Cannon Law in England. *Columbia Law Review*, v. 33, n. 3, mar. 1933, p. 428-436, p. 430.

422 *Assize of Clarendon, 1166*. Lilllian Goldman Law Library. The Avalon Project. Documents in Law, History and Diplomacy. Disponível em: www.avalon.law.yale.edu/medieval/assizecl.asp. Acesso em: 4 mar. 2013 Não é demais registrar que também foi implantada outro tipo de *Assize*, chamada de *Assize of Novel Disseisin*, que, no entanto, servia apenas para reclamar a posse ou propriedade de uma terra. Nela havia um julgamento por jurados. Sobre esta outra *Assize, vide*: SUTHERLAND, Donald W. *The Assize of Novel Disseisin*. Clarendon Press, Oxford University Press, 1973.

423 *Assize of Clarendon, 1166, cit.*

424 LANGBEIN, John H.; LERNER, Renée L.; e SMITH, Bruce P., *cit.*, p. 38.

425 HUDSON, Richard. The Judicial Reforms of The Reign of Henry II, *cit.*, p. 389; LANGBEIN, John H.; LERNER, Renée L.; e SMITH, Bruce P., *cit.*, p. 18 e 19; e CHURCHILL, Winston S., *cit.*, p. 172.

426 LANGBEIN, John H.; LERNER, Renée L.; e SMITH, Bruce P, *cit.*, p. 29, explicam que as ordálias eram usadas nos casos de crimes graves, com a solução do caso dada, em grande parte, por duelos no modelo de processo chamado *Appeal of Felony. Vide* também: PATETA, Federico. *Le Ordalie: studio di storia del diritto e scienza del diritto comparato.* Torino: Fratelli Bocca Editori, 1890, p. 164 e s., obra digitalizada e publicada em www.books.google. com. Acesso em: 11 nov. 2011. *Vide*, ainda, dentre outros: GILISSEN, John. *Introdução Histórica ao Direito.* 4. ed. Tradução de A.M. Hespanha e L.M. Macaísta Malheiros. Lisboa: Fundação Calouste Gulbenkian, 2003, p. 214. A abolição das ordálias somente vai começar a se concretizar com o IV Concílio de Latrão, em 1215.

Em primeiro lugar o referido rei Henrique, pelo conselho de todos os seus barões, para a preservação da paz e para a observação da justiça, decretou que uma investigação seja feita nos condados separados, e ao longo das centenas separadas, através de doze homens dos mais instruídos nas leis, dentre os cem homens de cada distrito, e através de quatro dos mais instruídos nas leis de cada município, sob juramento de que eles irão falar a verdade: nos casos nos quais em cada uma dessas centenas ou desses municípios tiver qualquer homem que, desde que o rei é rei, tenha sido acusado ou tornado público que tenha sido um assaltante ou um assassino ou ladrão; ou mesmo qualquer um que tenha dado hospedagem a assaltantes ou assassinos ou ladrões. E os Juízes procederão a esta investigação por si mesmos, e os xerifes por si mesmos[427].

Essa ideia de que havia um órgão de acusação é considerada, pela doutrina mais moderna, como uma referência ao "sistema acusatório". No entanto, não é demais anotar que, no mesmo documento, ainda se mantinha a solução de casos penais pelo modelo de ordálias, e a tortura para busca da confissão era empregada. Aliás, curiosamente, a tortura para confessar era preferível pelo acusado, pois, nesse caso, mesmo condenado, não teria a punição se alastrado ao seu patrimônio e sua prole[428]. Não é preciso muito esforço para perceber que isso não encaixa no rótulo de acusatório. A respeito das ordálias, dizia o texto da *Assize of Clarendon*, no segundo parágrafo:

> E aquele de quem se souber pelo juramento das referidas pessoas, ter sido considerado ou se tornado público como sendo um assaltante, ou assassino, ou ladrão, ou um receptador deles, desde que o rei é rei, deve ser capturado e levado para as ordálias da água, e deve jurar que ele não era um assaltante ou assassino ou ladrão ou receptador deles desde que o rei é rei, na medida de cinco xelins, tanto quanto ele saiba[429].

O julgamento pelo júri não era o procedimento mais usado, e era mais considerado uma opção defensiva em relação ao julgamento pelas ordálias ou duelos[430]. De qualquer sorte, a prisão cautelar era a regra, a ponto de Henrique II determinar

---

427 *Assize of Clarendon*, 1166, *cit*. Tradução nossa.

428 HUDSON, Richard. The Judicial Reforms of The Reign of Henry II, *cit*., p. 389.

429 *Assize of Clarendon*, 1166, *cit*. Tradução nossa.

430 LANGBEIN, John H.; LERNER, Renée L.; e SMITH, Bruce P. *cit*., p. 48.

que fossem construídas cadeias nos locais onde elas ainda não existiam, conforme parágrafo sétimo da *Assize of Claredon*:

> E, nos diferentes condados nos quais ainda não há cadeias, estas devem ser feitas nos burgos ou em algum castelo pelo rei através do dinheiro do rei e com as suas madeiras que esteja ao redor, ou por outras madeiras da vizinhança, sob a vista dos servos do rei; com isso, os *"sheriffs"* podem manter nelas aqueles que devem ser levados pelos servidores que estejam acostumados a fazer isso, e pelos seus serventes[431].

No parágrafo dezenove, há também uma determinação de prisão dos acusados pelos *"sheriffs"* até que a corte itinerante passasse pelo lugar. As investigações dos *"sheriffs"* seguiam o modelo muito próximo àquele denominado "inquisitório" continental, pois exigiam das pessoas que delatassem todo delito que porventura tivesse ocorrido em cada região por eles visitada[432]. Nos casos de flagrante – *"hue and cry"*[433] –, a pessoa era julgada sumariamente, muitas vezes sem direito nem sequer a se autodefender, e era executada imediatamente[434].

Não bastasse, a *Assize of Claredon* ainda previa que mesmo aqueles que foram absolvidos no julgamento, caso pesasse contra eles uma má fama, deveriam ser expulsos definitivamente das terras do rei, conforme se vê do parágrafo quatorze:

> O senhor rei deseja também que aqueles que forem julgados e forem absolvidos pela lei, se se der dele muito mau testemunho e forem publicamente e vergonhosamente difamados pelo testemunho de muitos homens públi-

---

431   *Assize of Clarendon*, 1166, *cit.* Tradução nossa.

432   MAITLAND, Frederic Willian; MONTAGUE, Francis C. *cit.*, p. 58.

433   Literalmente, a expressão *"hue and cry"* poderia ser traduzida por "corar e chorar", porém, é mais bem traduzida como "gritaria", "clamor público" ou "protesto em voz alta". Como explica Joseph Chitty: "'Hue and cry' é o antigo modo da *Common Law* perseguir 'com chifre e voz', pessoas suspeitas de crime, ou que infligiram uma ferida da qual a morte provavelmente resultaria. Essa prática parece ter surgido nos primeiros tempos e foi distintamente reconhecida na instituição das centenas, por Alfred. Foi estabelecido por Lord Coke que, onde um crime ou um ferimento perigoso foi cometido, a parte enlutada pode recorrer ao policial, informá-lo da circunstância, descrever o ofensor, apontar para onde ele foi e exigir que seja feito 'hue and cry'. Com isso, torna-se o dever do oficial promover 'hue and cry' dentro de seu distrito. E se o infrator não for preso, ele deve notificar imediatamente o próximo policial, e ele ao próximo, até que o delinquente seja preso." Tradução nossa. (CHITTY, Joseph. *A Practical Treatise on the Criminal Law; compraising the practice, pleadings and* evidence, *which occur in the course of criminal prosecutions, whether by indictment or information: with a copious collection of precedents.* V. 1. Philadelphia: Willian Brown, Printer, 1819, p. 18).

434   LANGBEIN, John H.; LERNER, Renée L.; e SMITH, Bruce P., *cit.*, p. 21 e s. E também: POLLOCK, Frederick; MAITLAND, Frederic Willian. *The History of English Law Before the Time of Eduard I*. V. I, Indianapolis: Liberty Fund, p. 588 e s., obra digitalizada e publicada na internet na página https://oll.libertyfund.org/title/maitland-the-history-of-english-law-before-the-time-of-edward-i-2-vols. Acesso em: 3 mar. 2013; LYTTELTON, George Lord. *The History of The Life of King Henry The Second, and The Age in Which He Lived*. 2. ed. V. V, London: 1777, p. 287.

cos, eles devem renunciar as terras do rei, e no prazo de oito dias devem atravessar o mar, a menos que o vento os detenha; e, com o primeiro vento que vier depois, eles devem atravessar o mar; e eles não devem mais voltar mais para a Inglaterra a não ser em caso de misericórdia do senhor rei: e lá, se voltarem, devem ser banidos, considerados fora da lei; e se eles voltarem e estas devem ser tidos como bandidos[435].

Outro detalhe "inquisitório" residia no fato de que os júris eram compostos por pessoas que já conheciam o caso, vizinhos do autor do delito ou da vítima. Para compor o júri, o *"sheriff"* organizava, entre os residentes no local, a seleção de doze pessoas. Porém, caso elas fossem convocadas e dissessem que não sabiam nada do caso, eram dispensadas e outras doze eram selecionadas, até que se formasse um júri com pessoas capazes de julgar apenas com o seu conhecimento pessoal do caso[436]. As pessoas que iriam compor o júri eram chamadas a "dar testemunho" (*"ad testimonium"*)[437]. Assim, não se "ouviam testemunhas" como uma prova a ser produzida e apresentada ao julgador, já que elas eram os próprios jurados[438]. Ou seja, os jurados se confundiam com as testemunhas do caso, razão pela qual nem de longe representavam garantia de imparcialidade e igualdade[439]. Esses jurados, inclusive, muitas vezes estavam de olho no patrimônio do condenado, que seria confiscado após a execução de sua sentença de morte, circunstância que reforçava o medo da população de ser julgada pelo júri[440]. Mesmo assim, foi considerado um modelo de justiça melhor do que o anterior, que se dava pelo duelo[441]. A respeito desse modelo de processo, Churchill apresentou o seguinte relato:

> O primeiro princípio de sua política precisava ser o de atrair causas para seus tribunais e não de obrigá-las a chegar lá. Era necessária uma isca para atrair os litigantes aos tribunais reais; o rei devia oferecer-lhes justiça melhor do que aquela que obtinham das mãos de seus lordes. Por esse motivo, Henrique

---

435 *Assize of Clarendon*, 1166, *cit.* Tradução nossa.

436 LYTTELTON, George Lord. *The History of The Life of King Henry The Second, and The Age in Which He Lived.* 2. ed. V. V, London: 1777, p. 304.

437 *Ibid.*, p. 308.

438 HUDSON, Richard. *The Judicial Reforms of The Reign of Henry II, cit.*, p. 391.

439 LANGBEIN, John H. The Origins of Public Prosecution at Common Law. *Yale Law School Legal Scholarship Repository. Faculty Scholarship Series.* Paper 539, 1973, p. 313-335, artigo digitalizado e publicado na internet na página http://digitalcommons.law.yale.edu/fss_papers/539. Acesso em: 20 fev. 2013. No mesmo sentido, dentre outros, *vide*: MAITLAND, Frederic Willian; MONTAGUE, Francis C. *cit.*, p. 56.

440 MAITLAND, Frederic Willian; MONTAGUE, Francis C. *cit.*, p. 61.

441 LYTTELTON, George Lord. *The History of The Life of King Henry The Second, cit.*, p. 305.

pôs à disposição dos litigantes nos tribunais reais um processo que para eles era novo – julgamento por Júri. *"Regale quoddam beneficium"*, chamou-o um contemporâneo – uma dádiva real. E a expressão esclarece tanto a origem do júri como o papel por ele desempenhado no triunfo do Direito Comum. Henrique não inventou o júri; deu-lhe uma nova finalidade.

(...)

O processo é obscuro. Um júri convocado de regiões distantes para reunir-se em Westminster poderia relutar em comparecer. A viagem era longa, as estradas inseguras, e talvez três ou quatro chegassem. O tribunal não podia esperar. Um adiamento seria dispendioso. A fim de evitar demora e despesa, as partes podiam concordar em confiar num júri de "circumstantibus", um júri de circunstantes. Os poucos jurados que conheciam a verdade da questão contariam sua história aos circunstantes e, em seguida, todo o corpo proferirira seu veredicto[442].

Também é interessante anotar que, no período de Henrique II, para solução de alguns casos, o rei expedia ordens denominadas *"writs"*, muitas vezes apenas reforçando as tradições do povo, já que ele era um estrangeiro (nem sequer falava inglês[443]). Essas ordens transferiam o julgamento que estivesse submetido a algum barão ao próprio rei. Mais tarde, a partir do século XIII, os *"writs"* passaram a servir de precedentes, documentados nos chamados *Year Books*[444], dando início ao modo de criação do direito na *"common law"*. Dessa análise, é possível extrair outro dado concreto que se estabeleceu no direito inglês: a preferência às regras de processo, consagrada na parêmia *"remedies precede rights"*[445]. O que, no entanto, não se pode negar, diante do que essas regras deixam transparecer, é que esse modelo de julgamento de Henrique II não pode ser considerado como o nascedouro de um pretenso "sistema acusatório puro"[446].

---

442 CHURCHILL, Winston S., *cit.*, p. 210, 211 e 214.

443 Segundo ARRUDA, José Jobson de A. *História Antiga e Medieval*. 3. ed. São Paulo: Ática, 1979, p. 454 e DAVID, René. *Os Grandes Sistemas do Direito Contemporâneo*. 4. ed. Tradução de Hermínio A. Carvalho. São Paulo: Martins Fontes, 2002, p. 358.

444 LANGBEIN, John H.; LERNER, Renée L.; e SMITH, Bruce P., *cit.*, p. 179 e s. No mesmo sentido: PAIXÃO, Cristiano e BIGLIAZZI, Renato, *cit.*, p. 30.

445 DAVID, René. *Os Grandes Sistemas do Direito Contemporâneo*. 4. ed. Tradução de Hermínio A. Carvalho. São Paulo: Martins Fontes, 2002, p. 363 e 364.

446 Alguns autores, no entanto, consideram-no como sendo o momento de criação e de demonstração de "pureza" do sistema acusatório, a exemplo de COUTINHO, Jacinto Nelson de Miranda. Sistema Acusatório: cada parte no lugar constitucionalmente demarcado. *O Novo Processo Penal à Luz da Constituição (Análise Crítica do Projeto de Lei n. 156/2009, do Senado Federal)*, *cit.*, p. 6.

438 ■ Processo Penal | Fundamentos dos fundamentos

Com a morte de Henrique II, em 3 de setembro de 1189[447], seus filhos ingratos[448] assumem o poder, a começar pelo famoso rei Ricardo I, apelidado "Coração de Leão". Recebeu esse apelido em decorrência da conduta sanguinária demonstrada numa das Cruzadas a Jerusalém, mas era reconhecido – assim como seu pai – como um bom rei para seus súditos. No curso de suas aventuras em Jerusalém, Ricardo passou longo período fora do país, seja lutando nas Cruzadas, seja prisioneiro na Alemanha, e foi sucedido por seu irmão caçula, o rei João, apelidado "Sem Terra"[449]. Este, não obstante tenha traído e litigado com o próprio irmão, conseguiu, ao final da vida de Ricardo, ser por ele perdoado e estabelecer um discurso afinado com o reinado de Ricardo Coração de Leão[450].

No entanto, após ser coroado, João Sem Terra voltou a deixar prevalecer sua personalidade de tirano, tendo rompido relações com o clero. Ele chegou a expulsar todos os padres da Inglaterra e confiscou todas as suas propriedades, bem como as rendas eclesiásticas. Isso provocou uma reação da Igreja, e João foi excomungado pelo papa Inocêncio III, no ano de 1209. Como resposta, impôs elevados tributos aos súditos, extorquindo o dinheiro dos judeus ingleses, prendendo-os e torturando-os, tudo visando recompor seus exércitos[451]. Toda essa insurgência provocou a reação dos barões ingleses e do próprio clero, que acenaram com a possibilidade de depô-lo do reinado. Essa insatisfação encontrou momento crucial no dia 24 de maio de 1215, quando os barões ingleses, reunidos em exército, marcharam sobre Londres, conseguindo grande adesão popular. Dias depois, em 15 de junho do mesmo ano, o rei João Sem Terra, após relutar por algumas vezes, cedeu aos interesses dos barões e consentiu em assinar o documento que ficou denominado *Articles of the Barons*, que serviu de base para a redação da *Magna Charta Libertatum*[452].

A Magna Carta foi um documento elaborado pelos barões ingleses, escrito originariamente em latim, o que vinha a dificultar sua compreensão pelo povo, e procurava preservar primordialmente os interesses dos próprios barões. Como

---

447 Conforme HINDLEY, Geoffrey. *A Brief History of The Magna Charta: the story of the origins of liberty*. Philadelphia: Running Press Book Publishers, 2008, p. 3.

448 Os historiadores relatam inúmeros comportamentos indignos dos filhos de Henrique II para com ele, chegando mesmo a tramar por mais de uma vez a tomada do trono inglês. *Vide*, por exemplo, o relato detalhado de LEWIS, Brenda Ralph, *cit.*, p. 30 a 33.

449 O apelido é decorrência de não ter recebido propriedades em herança, em razão de ser o irmão caçula e do que disciplinava o direito sucessório inglês da época.

450 Conforme TWISS, Miranda. *Os Mais Perversos da História*. Tradução de Dinah de Abreu Azevedo. São Paulo: Planeta do Brasil, 2004, p. 66 e s.

451 TWISS, Miranda, *cit.*, p. 74 e s.

452 Segundo informa LIMA, Maria Rosynete Oliveira. *Devido Processo Legal*. Porto Alegre: Sérgio Antonio Fabris Editor, 1999, p. 22-26; CHURCHILL, Winston S, *cit.*, p. 240; e, também, TWISS, Miranda, *cit.*, p. 72 e s.

sintetiza Brenda Ralph Lewis: "Esta não era uma declaração de liberdades democráticas, como por vezes é referida, mas um tratado dos direitos e privilégios dos Barões"[453]. No mesmo sentido é a percepção de Geoffrey Hindley[454], para quem a Magna Carta seria muito mais uma questão de dinheiro do que a ideia de liberdade que anos mais tarde lhe foi atribuída. Essa preocupação dos barões de impor limite ao poder do rei veio delineada ao final da Magna Carta, no artigo 61, quando se estabeleceu um conselho de 25 barões para controlar o rei e fazê-lo obedecer e cumprir com o estabelecido no referido documento. O texto é o seguinte:

> CONSIDERANDO QUE GARANTIMOS TODAS ESSAS COISAS por Deus, para o bem do reino e para amenizar a discórdia que havia entre nós e os nossos Barões, e considerando que desejamos que possam gozar de tudo o que referimos, de forma duradoura e para sempre, concedemos e aceitamos aos Barões as seguintes garantias:
>
> Os Barões podem eleger vinte e cinco de seus pares para manter e mandar observar, a paz e as liberdades a eles garantidas e confirmadas por esta Carta;
>
> Se nós, nosso Chefe de Justiça, nossos Oficiais, ou qualquer outro servidor, em qualquer circunstância deixarmos de respeitar qualquer homem, ou transgredirmos esses artigos de paz e de garantias, e da ofensa for dado conhecimento a quatro dos vinte e cinco Barões, eles peticionarão para nós ou, se estivermos ausentes do reino, para o Chefe de Justiça, para informar sobre a reclamação e exigir imediata solução. Se nós, ou em nossa ausência o Chefe de Justiça, não dermos solução para o caso em quarenta dias, contados do dia em que a ofensa foi comunicada a nós ou a ele, os quatro Barões devem apresentar o problema ao restante dos vinte e cinco Barões, os quais poderão nos embargar e nos incomodar de qualquer forma possível, com o apoio da comunidade da terra, apoderando-se de nossos castelos, terras e propriedades, ou qualquer outra coisa, preservando apenas a nossa pessoa, nossa Rainha e os nossos filhos, até que satisfaçam sua pretensão. Tão logo tenha havido a reparação, eles deverão retornar a nos obedecer normalmente.
>
> Qualquer homem que deseje poderá jurar obedecer às ordens dos vinte e cinco Barões com a mesma finalidade; e unir-se a eles para nos atacar como demonstração de seu poder. Nós damos pública e plena permissão para quem deseje prestar tal juramento e, em nenhum momento proibiremos alguém de

---

453 LEWIS, Brenda Ralph, *cit.*, p. 43 e 44. Tradução nossa.
454 HINDLEY, Geoffrey, *cit.*, p. 55.

440 ■ Processo Penal | Fundamentos dos fundamentos

assim agir. Aliás, nós compeliremos todos que nos sejam sujeitos a também jurar da mesma forma, ao nosso comando[455].

Vê-se aqui o marco inaugural de um embrião do Parlamento inglês. E identifica-se, também, um arremedo de duplo grau de jurisdição, haja vista a possibilidade de quatro dos 25 barões formularem acusações perante o rei ou, na sua falta, ao chefe de Justiça, com a possibilidade de haver um grau recursal aos demais barões. No mesmo sentido também foi assegurado o direito de qualquer cidadão inglês se insurgir contra arbítrios do rei ou contra a violação de seus direitos por qualquer outra pessoa, peticionando nesse sentido ao próprio rei, ao chefe de Justiça ou mesmo ao referido conselho.

A Carta era originalmente composta de 63 artigos, muitos dos quais tratando de aspectos da vida medieval de então, regulando a cobrança de impostos, direitos sucessórios relacionados a dívidas com judeus, proibição de pesca, padronização de pesos e medidas, direitos de viúvas de não se casar novamente, entre outros[456].

No que concerne aos aspectos processuais penais, além de assegurar o direito de ir e vir (artigos 41 e 42) e o acesso à Justiça a todos (artigo 40), bem como estabelecer o princípio da proporcionalidade entre crime e sanção (artigos 20 e 21) e indicar como condição da ação aquilo que, hoje, Afrânio Silva Jardim sintetizou como "justa causa"[457], ou seja, exigir elementos probatórios preliminares à acusação (artigo 38), e também proibir que alguém fosse preso pela prática de homicídio quando acusado por mulher (exceto quando o morto fosse seu marido), revelando que por outros motivos era possível a prisão cautelar (artigo 54), destaca-se o artigo 39, que regrou o julgamento popular e pode ser considerado o embrião da ideia do devido processo legal, cujo texto vem assim produzido:

> Nenhum homem livre será detido ou preso ou tirado de seus direitos ou sua terra, ou posto fora da lei ou exilado, ou de qualquer modo destruído, nem lhe será imposta força ou enviado outros para fazê-lo, exceto pelo julgamento legal de seus pares ou pela lei da terra[458].

---

455 Texto original da Magna Carta extraído do *site "The British Library"*. Disponível em: htpp://www.bl.uk/collections/treasures/magnatranslation.html. Acesso em: 28 jan. 2004. Tradução nossa.

456 Conforme texto original referido por COMPARATO, Fábio Konder. *A Afirmação Histórica dos Direitos Humanos*. 3. ed. São Paulo: Saraiva, 2003, p. 81 e s.

457 JARDIM, Afrânio Silva. *Direito Processual Penal*. 9. ed. Rio de Janeiro: Forense, 2000, p. 166 e 167.

458 Texto original da Magna Carta extraído do *site "The British Library"*. Disponível em: htpp://www.bl.uk/collections/treasures/magnatranslation.html. Acesso em: 28 jan. 2004.

O detalhe é que essa regra foi colocada pelos barões para evitar que eles fossem julgados por juízes treinados e submissos ao rei. Os barões queriam ser julgados por "seus pares", ou seja, por outros barões, e não pela justiça do rei[459].

O rei João nunca cumpriu efetivamente o contido na Magna Carta, rebelando-se e iniciando nova guerra civil logo em seguida[460]. Com a sua morte, em 19 de outubro de 1216, assumiu o trono seu filho, Henrique III[461].

Importante anotar que as ordálias deixaram de ser usadas como modelo de solução dos crimes, como resultado do que a Igreja Católica deliberou no IV Concílio de Latrão, no mesmo ano de edição da *Magna Charta*, em 1215. Isso é interessante porque esse documento do IV Concílio de Latrão é considerado, por parcela importante da doutrina de processo penal, como já visto, como aquele que reinaugura o "sistema inquisitório" na Europa continental.

Aboliram as ordálias, e o júri foi mantido nos moldes suprarreferidos, pelo *Decree of 1219*, do rei Henrique III:

> O rei a seus amados e fiéis. juízes itinerantes. saudação: Porque estava em dúvida e não definitivamente resolvido antes do início de sua jornada, com que julgamento serão julgados aqueles que são acusados de roubo, homicídio, incêndio criminoso e crimes semelhantes, uma vez que o julgamento por fogo e água foi proibido pela Igreja Romana, foi determinado por nosso Conselho que, neste momento, neste nosso circuito, deve ser feito assim [:] aqueles que são acusados dos referidos crimes maiores, e de quem se suspeita que sejam culpados daquilo de que são acusados, dos quais também, caso lhes fosse permitido abjurar o reino, ainda haveria a suspeita de que depois fariam mal, eles serão mantidos em nossa prisão e protegidos, de forma tal que não incorram em perigo de vida ou de lesão por nossa causa. Mas aqueles que são acusados de crimes médios, e a quem seria atribuída a prova do fogo ou da água se não tivesse sido proibida, e de quem, se abjurassem do reino, não haveria suspeita de fazer o mal depois, eles podem abjurar nosso reino. Mas aqueles que são acusados de crimes menores, e de quem não haveria suspeita de maldade, que encontrem garantias seguras e certas de fidelidade e de manter nossa paz, e então eles podem ser soltos em

---

459 HUDSON, Richard. *The Judicial Reforms of The Reign of Henry II, cit.*, p. 394.
460 HINDLEY, Geoffrey, *cit.*, p. 245 e s.
461 *Ibid.*, p. 249.

nossa terra... deixo a seu critério a observância desta ordem supracitada... de acordo com sua própria discrição e consciência[462].

Vale destacar e repetir um trecho: "Serão mantidos na prisão e protegidos, de forma tal que não incorram em perigo de vida ou de lesão por nossa causa". Não é exatamente uma regra que a doutrina contemporânea de processo penal classificaria como "acusatória".

O certo é que, a partir dessa época, começou a se desenvolver, para além do júri de acusação ("*grand jury*"), também a figura do júri de julgamento, ou "*petty jury*"[463].

Em 1225, a Magna Carta passou por revisão, editando-se um novo texto, com a redução dos artigos de 63 para 37. Manteve-se o julgamento "pelos pares e pelas leis da terra" (artigo 29)[464]. A expressão "pelas leis da terra" depois foi modificada para "*due process of law*", ou seja, "devido processo legal", no ano de 1354, pelo rei Eduardo III[465]. Como sintetizou Churchill: "nos cem anos seguintes, foi revigorada trinta e oito vezes, a princípio com algumas alterações substanciais, mas conservando suas características originais"[466].

O que sucedeu, então, foi que o modelo de julgamento pelo júri foi o único que sobrou, já que as ordálias e os duelos não eram mais permitidos. No percurso que se travou desse momento em diante, algumas estratégias para forçar a realização do júri foram sendo implantadas. Isso foi necessário porque a tradição do julgamento pelo júri era compreendê-lo como uma opção defensiva. O réu poderia recusar ir a júri[467]. Como fazer, então, já que não se permitiam mais as alternativas das ordálias e do duelo? A solução teve início com uma prática de manter o sujeito preso até que ele mudasse de ideia e aceitasse o julgamento pelo júri[468]. Em 1275, essa prática foi formalmente institucionalizada, no *Statute of Westminster, The First,* escrito em francês arcaico. O rei Eduardo I regulou a

---

462 Texto reproduzido em LANGBEIN, John H.; LERNER, Renée L.; e SMITH, Bruce P. *cit.*, p. 59. Tradução nossa.

463 WELLS, Charles L. The Origin of the Petty Jury. *Law Quarterly Review*, v. 27, 1911. p. 347.

464 "No free man shall in future be arrested or imprisoned or disseised of his freehold, liberties or free customs, or outlawed or exiled or victimised in any other way, neither will we attack him or send anyone to attack him, except by the lawful judgment of his peers or by the law of the land. To no one will we sell, to no one will we refuse or delay right or justice" (texto extraído da versão de 1225 da Magna Charta. Disponível em: https://www.nationalarchives. gov.uk/education/resources/magna-carta/magna-carta-1225-westminster/. Acesso em: 7 fev. 2022).

465 GOMES CANOTILHO, J.J., *cit.*, p. 492.

466 CHURCHILL, Winston S, *cit.*, p. 240. No mesmo sentido, LIMA, Maria Rosynete Oliveira. *Devido Processo Legal.* Porto Alegre: Sérgio Antonio Fabris Editor, 1999, p. 36.

467 LANGBEIN, John H.; LERNER, Renée L.; e SMITH, Bruce P. *cit.*, p. 60.

468 BUTLER, Sara M. *Pain, Penance, and Protest. Peine Forte e Dure in Medieval England.* Cambridge: Cambridge University Press, 2022, p. 33.

possibilidade de uma prisão compulsória, referida como *"prison forte et dure"*, para casos de "criminosos notórios":

> Também se prevê que para os criminosos notórios, e que abertamente são de má fama, e que não se submetam às investigações de crimes, que os homens os acusarão perante os juízes no processo do rei, e eles [terão] prisão forte e dura (*"le prison forte e dure"*), como aqueles que se recusam a cumprir a lei comum da terra: Mas isso não compreende os casos de prisioneiros que são levados [por] leve suspeita[469].

Ainda que o texto indique que a prisão seria apenas para casos mais graves, em pouco tempo o modelo foi adotado para todos os casos[470]. E ainda foi considerado o precursor de outro, mais severo. Quem recusava o julgamento pelo júri, fazendo-o pela vigésima primeira vez (somente era admitido realizar vinte recusas à composição do júri[471]), era compelido a sofrer o que se usou denominar, como uma variação terminológica da *"prison forte e dure"*, de *"peine forte et dure"*[472]. Não apenas a "prisão" deveria ser "forte e dura", mas também a "pena", a "punição" pela recusa de ir a "júri". Assim, a variação terminológica gerou uma variação da solução. Por *"peine forte et dure"* se passou a entender que a pessoa acusada, estando presa preventivamente, seria obrigada a se deitar nua no chão da masmorra, com pedras pesadas sobre o peito, até mudar de ideia. Era o equivalente inglês à tortura europeia continental. A diferença é que, na Europa continental, a tortura era destinada a extrair a confissão, e, na Inglaterra, ora era destinada à confissão, como já visto, ora era destinada a realizar o julgamento, como se vê agora. Seja como for, como a mecânica de tortura inglesa conduziria à morte, caso não cessasse pela aceitação do acusado de ir a júri, não havia como, na prática, evitar o julgamento dos jurados/testemunhas[473]. Era ir a júri ou morrer. É interessante, no entanto, anotar que, caso o acusado morresse quando estava submetido à *"peine forte et dure"*, ele não poderia ser considerado "culpado", pois não havia sido julgado. O Estado poderia matá-lo, mas não considerá-lo culpado. Caso morresse, seus bens eram destinados aos naturais herdeiros. Isso provocou uma situação inusitada: pessoas que tinham

---

469 *Ibid.*, p. 31. Tradução nossa.

470 *Ibid.*, p. 32.

471 BLACKSTONE, William, *cit.*, p. 285.

472 BUTLER, Sara M. *Pain, Penance, and Protest, cit.*, p. 34; e LANGBEIN, John H.; LERNER, Renée L.; e SMITH, Bruce P. *cit.*, p. 61.

473 MAITLAND, Frederic Willian; MONTAGUE, Francis C., *cit.*, p. 60. No mesmo sentido, dentre outros: LANGBEIN, John H. *Torture and the Law of Proof: Europe and England in the Ancient Régime*. Chicago: University of Chicago Press, 1977, p. 74 e s.

444 ■ Processo Penal | Fundamentos dos fundamentos

posses e eram acusadas de um crime preferiam morrer sob a *"peine forte et dure"* do que ir a júri. Uma condenação pelo júri faria com que seu patrimônio fosse perdido para o Estado[474].

Esse método de se valer da *"peine forte et dure"* somente foi abolido da Inglaterra em 1772, sendo, porém, substituído por uma lei tão "inquisitorial" quanto o sofrimento por ela imposto. De fato, naquele ano, o *Statute 12*, de George III, estabeleceu que, em substituição ao modelo de *"peine forte et dure"*, se o acusado de um crime fosse silenciar e não desejasse se submeter ao júri, seria desde logo considerado culpado[475]. Dizia o texto desse Estatuto:

> 12 George III, c. 20 – Um ato para o mais eficaz procedimento contra pessoas que silenciam diante da acusação que lhe fazem de ter cometido crime ou pirataria.
>
> Para o mais eficaz procedimento contra pessoas que silenciam diante da acusação que lhe fazem de ter cometido crime ou pirataria, é promulgado pela sua mais excelente Majestade do Rei, por e com o conselho e consentimento dos Lordes Espirituais e Temporais, e pelos Comuns, nesta atual Assembleia do Parlamento, e também pela mesma autoridade, Que se alguma pessoa, antes e depois do presente ato, for indiciada ou acusada de algum crime, ou indiciada por pirataria, e resolva, diante desta acusação, permanecer em silêncio, ou não responder diretamente pelo crime, ou pirataria, esta pessoa, assim permanecendo em silêncio, como anteriormente mencionado, deve ser condenada pelo crime ou pirataria de que foi acusada; e a Corte perante a qual ela foi antes acusada, deve, logo em seguida, sentenciar e executar esta pessoa, da mesma forma que se esta pessoa tivesse sido condenada por um veredicto ou pela confissão do crime ou da pirataria pelo qual foi acusada; e esta sentença deve ter as mesmas consequências em todos os aspectos como se esta pessoa tivesse sido condenada por um veredicto ou pela confissão deste crime ou desta pirataria, e o julgamento, logo após a sentença tenha sido proferida.
>
> II. E tão logo seja promulgada, que as provisões deste Ato sejam estendidas para as colônias e plantações de Sua Majestade na América[476].

---

474 LANGBEIN, John H.; LERNER, Renée L.; e SMITH, Bruce P, *cit.*, p. 61.

475 EVANS, Willian David. *A collection of statutes connected with the general administration of the Law*, V. 6, London: Thomas Blenkarnp, 1836, p. 273, obra digitalizada e encontrada na internet na página www.books. google.com. Acesso em: 4 mar. 2013

476 *Statute* 12, George III. EVANS, Willian David. *A collection of statutes connected with the general administration of the Law*, V. 6, *cit.* Tradução nossa.

Finalmente, em 1827, por meio do chamado *Peel's Criminal Law Act*, os ingleses passaram a admitir uma declaração de não culpado também para quem se recusasse a se submeter ao júri. Porém, nesse caso, ele seria julgado pelo júri de qualquer forma. É o equivalente moderno do direito ao silêncio[477].

Ou seja, muito diferentemente do que pensam alguns autores de processo penal que empregam uma visão reducionista dessa época, o direito inglês não teve curso linear e perene, estando presentes diversos períodos nos quais os modelos processuais estavam muito mais próximos daquilo que se chamou de "inquisitório".

Mesmo nos séculos XIII e XIV (com maior frequência até 1294 e de forma mais esporádica até 1330), o júri foi vinculado aos julgamentos pelas *Eyres Courts*, isto é, as cortes itinerantes do rei. Uma vez ao ano, as *Eyres Courts* percorriam as localidades inquirindo, tomando conhecimento dos casos criminais mais graves e proferindo decisões, como, aliás, também já ocorria desde a *Assize of Clarendon* anteriormente detalhada. O júri servia mais como um júri de acusação, já que, como dito, os jurados eram os vizinhos do caso e acusavam o suspeito. Os jurados instruíam a corte e serviam de acusadores e testemunhas do caso. Muito parecido com as devassas inquisitórias da Igreja Católica na Europa continental, diga-se, ainda que a decisão pudesse estar dissociada da acusação. Esse modelo também era ladeado, nos delitos menos graves, por julgamentos semestrais realizados pelas *"sheriffs tourn"*, nas quais o *"sheriff"* presidia e decidia. Os *"sheriffs"* também prendiam preventivamente aqueles suspeitos de crimes mais graves até a chegada das *Eyres Courts,* que realizavam a chamada *"jail-delivery"*, isto é, retiravam todas as pessoas da cadeia e realizavam seus julgamentos[478]. A partir de 1294, as *Eyres Courts* começaram a não mais atuar, e, no plano criminal, foi mantido o modelo de *"jail-delivery"* sem a participação delas[479]. Evidenciou-se, no entanto, uma diferença na facilidade de compor os júris, entre o julgamento pelas *Eyres Courts* e o modelo de *"jail-delivery"* que se seguiu. Para as *Eyres Courts*, a formação do júri era mais facilitada, seja porque elas ocorriam apenas uma vez ao ano, seja porque também julgavam casos civis, obrigando muita gente a participar. Já o modelo de *"jail-delivery"* se dava de forma muito mais frequente, o que exigia a participação dos jurados no mesmo ritmo, não obstante isso diminuísse o número de casos a

---

477 BENTLEY, David. *English Criminal Justice in the Nineteenth Century.* London: The Hambledon Press, 1998, p. 138. No mesmo sentido, dentre outros, *vide* também LANGBEIN, John H.; LERNER, Renée L.; e SMITH, Bruce P. *cit.*, p. 62.

478 Conforme, dentre outros, LANGBEIN, John H.; LERNER, Renée L.; e SMITH, Bruce P, *cit.*, p. 210 e s.

479 *Ibid.*, p. 211e 212.

446 ■ Processo Penal | Fundamentos dos fundamentos

serem julgados a cada sessão. Isso tudo somado fazia com que o serviço de jurado representasse um fardo ao povo[480].

A Peste Negra (*Black Death*), que infestou a Inglaterra nos anos 1348 e 1349 e provocou a morte de boa parte da população, acabou tendo papel decisivo para a não solidificação do modelo de júri, haja vista que, com a falta de pessoas capazes, dispostas e em número suficiente para servirem como jurados, a realização dos júris ficou bastante prejudicada[481]. Nessa época também havia muitas acusações feitas por motivos pessoais, vinganças mesmo. A situação exigiu do rei Eduardo III a edição de diplomas legais que, num primeiro momento, tentaram restabelecer a necessidade de somente se admitir a acusação quando formulada por um júri de vizinhos do caso (*Statute of 1352*)[482]. Porém, com a referida dificuldade de formação dos júris, o rei acabou criando a figura dos juízes de paz (*Justices of the Peace*), num modelo que hoje poderia ser também rotulado de "inquisitório", já que o juiz de paz realizava tudo sozinho, como se vê do texto do *Justices of the Peace Act 1361*:

> Primeiro, que em cada Condado da Inglaterra a manutenção da Paz deve ser atribuída a um Lorde, e com ele três ou quatro dos mais dignos do Condado, com alguns que conheçam o Direito, e eles devem ter o Poder para reprimir os Criminosos, os Desordeiros, e todos os Caluniadores, e também para buscá-los, prendê-los, levá-los, e castigá-los em razão de suas Transgressões ou Ofensas; e para fazer com que sejam aprisionados e devidamente punidos de acordo com a Lei e os Costumes do Reino, e de acordo com o que lhes parecer melhor fazer por sua discricionariedade e bom aconselhamento; e para levar e prender todos aqueles que eles possam encontrar por indiciamento ou suspeita e colocá-los na prisão; e tomar de todos os que não sejam de boa fama, onde quer que se encontrem, garantia e fiança suficiente de seu bom comportamento perante o Rei e seu Povo; e a outros punir devidamente; com a intenção de que nem o povo, nem os comerciantes, nem as estradas do reino sejam incomodadas ou prejudicadas por esses desordeiros ou rebeldes, . nem a paz seja maculada ou colocada em perigo por tais infratores[483].

---

480 *Ibid.*, p. 213.

481 *Vide*, por exemplo, PALMER, Robert C. *English Law in The Age of Black Death: 1348-1381. A Transformation of Governance and Law*. Chapel Hill: University of North Carolina Press, 2001, p. 12 e s. No mesmo sentido: LANGBEIN, John H. *The Origins of the Adversary Criminal Trial, cit.*, p. 64. E também: LANGBEIN, John H.; LERNER, Renée L.; e SMITH, Bruce P, *cit.*, p. 224 e s.

482 LANGBEIN, John H.; LERNER, Renée L.; e SMITH, Bruce P. *cit.*, p. 217 e s.

483 *Justices of the Peace Act 1361*. Texto original digitalizado e Disponível em: www.legislation.gov.uk. Acesso em: 6 mar. 2012. Tradução nossa.

A Peste Negra, portanto, exigiu atitudes mais coercitivas por parte do rei, o qual visou com isso manter o *"status quo ante"* diante do caos provocado pela praga. E provocou, também, uma nova forma de compor os júris. Ao longo dos séculos XIV e XV, o *"sheriff"* passou a estruturar um grupo de jurados para todo o condado. O número de jurados convocados para promover a acusação variou ao longo dos anos, mas acabou se convencionando em 24. Para diferenciar do modelo de júri das *Eyres Courts*, esse conjunto maior de jurados passou a ser denominado, em francês, de *"Grand Jury"*, servindo de júri de acusação e se diferenciando do júri de julgamento, com doze jurados, que passou a ser chamado de *"Petty Jury"*, do francês *"petit"*, ou seja, pequeno[484].

Como os jurados convocados para esse *"Grand Jury"* não eram mais, necessariamente, aquelas testemunhas do crime, eles passaram a se deparar com o problema de julgar sem conhecer o caso. Criou-se, então, uma estrutura de autoridades locais: legistas, oficiais de justiça e policiais, que conheciam o caso, já que estavam próximos dele, e passaram a ser convocados como jurados[485]. Em paralelo e aos poucos, evidenciou-se um paulatino incremento da produção de provas testemunhais. É importante reforçar que a admissão de testemunhos de terceiros ocorreu de forma absolutamente lenta, não planejada, conforme relatam Maitland e Montague, e somente por volta do século XV é possível dizer que essa prática de certa forma estava consolidada[486].

A utilização desse modelo, no entanto, não aconteceu de forma pura e plena, e durou pouco tempo. A ascensão da dinastia dos Tudors, decorrência da "Guerra das Rosas" (1455 a 1485)[487], colaborou para o paulatino abandono do modelo de júri, culminando com a adoção de outro modelo de processo, muito mais próximo do denominado "inquisitório".

Assim, a partir de 1529, com Henrique VIII como rei, o modelo processual passou a ser denominado *"equity"*, e era pautado na "jurisdição do chanceler", aproximando-se ainda mais do modelo inquisitorial da Igreja Católica, como destaca René David[488]. Esclarecendo precisamente a mecânica processual, Maitlant[489] des-

---

484 LANGBEIN, John H.; LERNER, Renée L.; e SMITH, Bruce P. *cit.*, p. 214.

485 *Ibid.*, p. 215.

486 MAITLAND, Frederic Willian; MONTAGUE, Francis C., *cit.*, p. 57. No mesmo sentido: LANGBEIN, John H.; LERNER, Renée L.; e SMITH, Bruce P. *cit.*, p. 210 e s.

487 A "Guerra das Rosas" é decorrência da disputa de duas famílias sucessoras do Rei Eduardo III, a Família de York (que tinha como símbolo uma rosa branca) e a família de Lancaster (que tinha como símbolo uma rosa vermelha). Após sucessivas batalhas por longos trinta anos, nenhuma das duas famílias saiu definitivamente vitoriosa, tendo cedido o trono da Inglaterra a Henrique Tudor (depois Henrique VII), dando início à dinastia dos Tudors. Sobre a Guerra das Rosas, *vide* CHURCHILL, Winston S. *cit.*, p. 397 e s.

488 DAVID, René. *Os Grandes Sistemas do Direito Contemporâneo*. 4. ed. Tradução de Hermínio A. Carvalho. São Paulo: Martins Fontes, 2002, p. 372. A esse respeito, também refere LOON, Hendrik Willem Van. *A História da Humanidade*. Tradução de Marcelo Brandão Cipolla. São Paulo: Martins Fontes, 2004, p. 283 e s.

489 MAITLAND, Frederick William. *"Equity": a course of lectures*. 2. ed. New York: Cambridge University Press, 1936, reimpresso em 1969 e 2011, p. 5.

448 ■ Processo Penal | Fundamentos dos fundamentos

creve que o chanceler do rei era quem inquiria as partes e decidia o caso que lhe era trazido. Ou seja: ao concentrar as funções de gestor da prova e julgador, o modelo processual inglês daquele tempo se revela aos olhos de hoje como "inquisitório". Helmholz também anota que, nesse modelo processual penal, os Tudors adotaram a exigência de o acusado se submeter ao juramento de falar a verdade ("*ex officio oath de veritate dicenda*"), o que, por evidente, facilitava sua condenação[490]. O julgamento ainda era "vexatório, brutal e essencialmente breve", nas palavras de J. S. Cockburn, que se refere ao fato de que, em apenas um dia, no ano de 1620, um único juiz foi capaz de julgar cinquenta casos[491]. Mesmo a tortura para extrair confissões por vezes acontecia[492] e era mesmo regrada, como se vê dos *State papers of Henry VIII*[493]. Para uma visão global do modelo processual de então, Stephan Landsman descreve as características do julgamento nos seguintes termos:

> O advogado raramente participava; se é que havia alguma, eram poucas as regras probatórias numa investigação limitada; juízes rotineiramente examinando testemunhas e acusados, de maneira muito vigorosa e, por vezes, implacável; somente as testemunhas de acusação eram autorizadas a falar sob juramento e, assim, aumentar a credibilidade de seus depoimentos; os jurados eram livres para usar o conhecimento privado adquirido fora dos limites da Corte; juízes frequentemente introduziam suas visões políticas nos procedimentos e não havia recurso de apelação[494].

Como se vê, havia um "inquisitorialismo" marcante, inclusive sob a ótica da gestão da prova.

---

490 HELMHOLZ, R. H. The privilegie and the Ius Commune: the middle ages to the seventeenth century. *The Privilege Against Self-Incrimination. Its Origins and Development*. Chicago: The University of Chicago Press, 1997, p. 18. E, também, HELMHOLZ, R. H. *The Spirit of Classical Canon Law*. Athens, Georgia: University of Georgia Press, 2010, p. 155 e s. No mesmo sentido: MARSH, A. H., *cit.*, p. 50. No mesmo sentido: MAITLAND, Frederic Willian; MONTAGUE, Francis C., *cit.*, p. 118 e 125.

491 COCKBURN, J. S. *A History of the English Assizes – 1558-1714*. London: Cambridge University Press, 1972, p. 109.

492 MAITLAND, Frederic Willian; MONTAGUE, Francis C., *cit.*, p. 118. No mesmo sentido: MCWILAIN, John. *Dungeons & Torture*. London: Pitkin Publications, 1998, p. 12 e s. E também LANGBEIN, John H.; LERNER, Renée L.; e SMITH, Bruce P., *cit.*, p. 74 e 76.

493 HEATH, James. *Torture and English Law: an administrative and legal history from plantagenets to the stuarts*. London: Greenwood Press, 1982, p. 59 e s. No mesmo sentido: LANGBEIN, John H. *Torture and the Law of Proof: Europe and England in the Ancient Régime*. Chicago: University of Chicago Press, 1977, p. 74 e s. E, ainda: PRIMOT, Ludovic. *Le Concept d'Inquisitoire en Procédure Pénale. Représentations, Fondements et Définition*. Bibliothèque des Sciences Criminelles. Tome 47. Paris: LGDJ, 2010, p. 109.

494 LANDSMAN, Stephan. The Rise of the Contentious Spirit: Adversary Procedure in Eighteenth Century England. *Cornell Law Review*, 75, 1989-1990, p. 497-609. Tradução nossa. (LANDSMAN, Stephan, *cit.*, p. 498 e 499).

De qualquer forma, mais tarde, outros documentos vão sendo representativos da visão processual chamada de "acusatória", valendo destacar a *Petition of Rights*, em 1628, elaborada pelo Parlamento inglês para, literalmente, "lembrar" o rei Carlos I, da Casa dos Stuarts, dos direitos dos cidadãos estabelecidos desde a Magna Carta de João Sem Terra. Como consequência, o Parlamento foi fechado por onze anos, e a Inglaterra passou por curto período republicano, sob o governo de Oliver Cromwell[495]. Em seguida, retomado o modelo monárquico e em decorrência de inúmeras prisões arbitrárias que vinham se sucedendo, já sob o reinado de Carlos II, em 1679, foi editado o *Habeas Corpus Act*. O documento visava tanto reforçar o direito de ir e vir, que já vinha documentado desde a Magna Carta de 1215[496], quanto preservar o direito hierárquico do rei, evitando que prisões determinadas por subalternos ou por outras Cortes o desagradassem[497]:

> Um ato para a melhor garantia da liberdade do sujeito e para a prevenção de encarceramentos além-mar.
>
> CONSIDERANDO que grandes atrasos têm sido usados por xerifes, carcereiros e outros oficiais, a cuja custódia, qualquer um dos súditos do rei foi cometido por questões criminais ou supostamente criminais, na devolução de mandados de *"habeas corpus"* dirigidos a eles, destacando-se um ou outro e vários *"habeas corpus"*, e às vezes mais, e por outros turnos para evitar sua obediência a tais mandados, contrariando seu dever e as leis conhecidas do país, pelo que muitos dos súditos do rei foram e daqui em diante podem ser detidos por muito tempo na prisão, em tais casos em que por lei eles são fuzilados, para suas grandes cargas e vexame.
>
> II. Para a prevenção disso, e o alívio mais rápido de todas as pessoas presas por qualquer um desses crimes ou supostas questões criminais; seja ele promulgado pela mais excelente majestade do rei, por e com o conselho e consentimento dos senhores espirituais e temporais, e comuns, neste presente parlamento reunido, e pela autoridade deste. Sempre que qualquer pessoa ou pessoas portar qualquer *"habeas corpus"* dirigido a qualquer xerife ou xerifes, carcereiro, ministro ou outra pessoa qualquer, para

---

495 CASTRO, Flávia Lages de. *História do Direito Geral e Brasil*. Rio de Janeiro: Lumen Juris, 2003, p. 188 e s. e HELMHOLZ, R. H. The privilegie and the Ius Commune: the middle ages to the seventeenth century. In: *The Privilege Against Self-Incrimination. Its Origins and Development*. Chicago: The University of Chicago Press, 1997, p. 19.

496 E, também, em outros tempos, por institutos similares, a exemplo da ordem de *mainprize*, do *writ de odio et atia* e do *writ de homine replegiando*, como detalha MIRANDA, Pontes de. *História e prática do "habeas corpus". Tomo I*. Atualizado por Vilson Rodrigues Alves. Campinas: Bookseller, 1999, p. 76 e s.

497 Conforme CASTRO, Flávia Lages de, *cit.*, p. 193.

qualquer pessoa sob sua custódia, o referido mandado deve ser entregue ao referido oficial, ou deixado na prisão com qualquer um dos suboficiais, auxiliares ou substituto dos referidos oficiais ou encarregados, e o referido oficial ou oficiais, seus ou seus auxiliares, auxiliares ou deputados, deverão, no prazo de três dias após a entrega do mesmo, conforme mencionado (a menos que o compromisso anteriormente mencionado fosse por traição ou crime, clara e especialmente expressos no mandado de compromisso) mediante o pagamento ou apresentação das acusações de trazer o referido prisioneiro, a serem verificados pelo juiz ou tribunal que concedeu o mesmo, e endossado no referido mandado, não superior a doze centavos por milha, e mediante garantia dada por sua própria fiança para pagar as acusações de levar de volta o prisioneiro, se ele for detido pelo tribunal ou juiz a quem deve ser trazido de acordo com a verdadeira intenção deste ato presente, e que ele não fará qualquer fuga pelo caminho, fará o retorno de tal mandado; e trazer ou fazer com que seja trazido o corpo da parte assim comprometida ou restringida, até ou perante o senhor chanceler, ou senhor detentor do grande selo da Inglaterra por enquanto, ou os juízes ou barões do referido tribunal de onde o referido mandado será emitido, ou para e perante essa outra pessoa ou pessoas perante as quais o referido mandado é devolvido, de acordo com o seu comando; e deverá então certificar as verdadeiras causas de sua detenção ou prisão, a menos que o compromisso da referida parte seja em qualquer lugar além da distância de vinte milhas do lugar ou lugares onde tal tribunal ou pessoa está ou deverá residir; e se além da distância de vinte milhas, e não acima de cem milhas, então dentro do espaço de dez dias, e se além da distância de cem milhas, então dentro do espaço de vinte dias, após a entrega acima mencionada, e não mais[498].

O detalhe importante nessa longa história da Inglaterra é que o Parlamento inglês, cuja Câmara dos Lordes, como dito, teve origem embrionária com a Magna Carta, acabou sobrevivendo às trocas de governo, mesmo travando constantes embates com os governantes. O Parlamento, inclusive, desencadeou novo processo sucessório forçado (a famosa *Glorious Revolution*, como ficou conhecida), tramando a destituição do rei Jaime II, irmão de Carlos II, e entregando o trono ao rei Guilherme de Orange, com o propósito de a Inglaterra vir, finalmente, a ser

---

498 Habeas Corpus Act of 1679. Disponível em: https://www.bl.uk/learning/timeline/item104236.html. Acesso em: 7 fev. 2022. Tradução nossa.

governada de fato pelo Parlamento[499], sintetizado no discurso de que "o rei reina, mas não governa", concretizado com a edição de novo documento, intitulado *Bill of Rights*, em 1689[500].

Mesmo nesse período o direito processual penal era fortemente baseado em regras que se mesclam e, por vezes, lembram muito mais o que se modelou como "inquisitório" do que propriamente um processo dito "acusatório". Interessante notar que durante muito tempo os próprios ingleses acreditaram ser o seu protótipo de processo penal construído particularmente a partir do século XVII, em visão evolutiva linear de um universo de garantias processuais plenas. Essa análise somente se revelou falsa a partir da década de 1970, quando novas fontes de pesquisa vieram à tona, como precisamente demonstrou John Langbein[501].

De fato, os historiadores ingleses do século XIX e da primeira metade do século XX – a exemplo de J. F. Stephen (*A History of the Criminal Law of England*, 1883, 3 volumes); J. H. Wigmore (*A Treasure on the Anglo-American System of* Evidence *in Trials at Common Law*, 3. ed. de 1940, 10 volumes); e W.S. Holdsworth (*A History of English Law*, 1922-1966, 16 volumes)[502] –, que construíram essa ideia de um processo de garantias no imaginário comum inglês, pautaram suas análises com forte embasamento nos chamados *State Trials*. Estes eram documentos que registravam os principais julgamentos da Corte inglesa e cuja primeira edição publicada é do século XVII, e eram circunscritos quase exclusivamente aos crimes políticos, de traição contra a Coroa. Em razão de os acusados, em geral, pertencerem à nobreza (*v.g.*, Thomas More e Walter Raleigh), algumas garantias foram formalmente concedidas. Mesmo nos registros dos *States Trials*, algumas garantias somente apareceram de forma tardia. Foi assim com o direito a advogado de defesa para os acusados de traição, concretizada em 1696, com o *Trials for Treason Act*[503]. E foi assim com a independência da magistratura, a qual se estabeleceu, em parte e numa forma apenas "aparente"[504], disciplinada no *Act of Settlement* de 1701. Essas

---

499 LOON, Hendrik Willem Van. *A História da Humanidade*. Tradução de Marcelo Brandão Cipolla. São Paulo: Martins Fontes, 2004, p. 292 e s.

500 CASTRO, Flávia Lages de. *História do Direito Geral e Brasil, cit.*, p. 194 e s.; e LOON, Hendrik Willem Van. *A História da Humanidade, cit.*, p. 294.

501 LANGBEIN, John H. The Criminal Trial before the Lawyers. *The University of Chicago Law Review*, v. 45, n. 2, winter 1978, p. 263-316.

502 Conforme refere LANGBEIN, John. *The Criminal Trial before the Lawyers, cit.*, p. 264-265. Tradução nossa: "Stephen e Wigmore, cujos pioneirismos na educação ainda residem na fundação do moderno modo de pensar sobre a história dos julgamentos criminais, baseiam seu trabalho esmagadoramente sobre os State Trials, assim como fez Holdsworth, que os seguiu em sua história influente".

503 Trials for Treason Act, 1696. *English Historical Documents*. London: Routledge, 1996, p. 89 e s. Texto original digitalizado na internet em www.books.google.com. Acesso em: 7 fev. 2013

504 Os juízes continuaram com mandatos correspondentes aos dos monarcas (morto o monarca, encerrava-se o mandato do magistrado) e estes com poderes de recusar a nomeação de magistrados contrários aos seus

452 ■ Processo Penal | Fundamentos dos fundamentos

garantias somente foram documentadas em decorrência das reclamações dos nobres quando da condenação de pessoas por eles consideradas inocentes, nos sucessivos casos de traição conhecidos por *Popish Plot*[505] (1678), *Rye House Plot*[506] (1683) e *Monmouth's Rebellion*[507] (1685)[508].

No entanto, como se dizia, os historiadores ingleses dos oitocentos e primeira metade dos novecentos deixaram de analisar como se dava a justiça criminal cotidiana, até porque não dispunham de outras fontes de pesquisa que lhes permitissem ter segurança nessa análise. Construíram, portanto, um discurso que generalizou o modelo de justiça criminal encontrado nos *State Trials*, como se ele fosse a regra. Descobriu-se, depois, que o cenário predominante na justiça criminal inglesa era bem diferente dos casos revelados nos *State Trials* pós-*Trials for Treason Act*. Com a descoberta dos *Old Bailey Session Papers*, ou seja, os livretos que tornavam públicos os julgamentos da Corte de Old Bailey, sediada em Londres (e que julgava também os casos do vizinho Condado de Middlesex), foi possível reescrever o funcionamento da justiça inglesa dos séculos XVII e XVIII, revelando um quadro muito mais próximo do rótulo de inquisitorial do que se pudesse até então imaginar[509].

Realmente, o direito a ter advogado de defesa, por exemplo, somente apareceu no cotidiano do processo penal inglês por volta do ano 1730, e mesmo assim de

---

interesses. O *Lord Chief Justice of the King's Bench* ainda permaneceu como um ministro integrante da Côrte até o final do século XVIII, atuando, portanto, sob forte influência política. Conforme: LANGBEIN, John H. *The origins of adversarial criminal trial*. New York: Oxford University Press Inc., 2005, p. 81-82 e p. 99.

505 Traduzindo literalmente seria algo como um "Complô Papista". Papista era o termo pejorativo usado pelos protestantes ingleses para se referir aos católicos. O caso teria sido uma fraude criada em 1678, por Titus Oates, para incriminar os católicos por uma suposta trama para matar o Rei Carlos II, tendo resultado em processo movido contra centenas de pessoas, tendo vinte e quatro católicos sido condenados e executados. Conforme POLLOCK, John. *The Popish Plot: A Study in the History of Reign of Charles II*. London: Duckworth & Company, 1903. Disponível em: https://archive.org/details/popishplotstudyi00polluoft. Acesso em: 21 abr. 2014. No mesmo sentido: KENYON, John. *The Popish Plot*. London: Phoenix Press, 2000.

506 Também um complô que visava matar o Rei Carlos II. Ganha o nome de "Rye House Plot" devido ao nome que era dado à residência de um dos integrantes desse "complô". Conforme a narrativa confessional de Ford Lord Grey, participante dos dois sucessivos complôs (*Rye House Plot* e *Monmouth's Rebellion*), escrita quando ele estava preso na Torre de Londres e publicada *post mortem* em: GREY, Ford Lord. *The Secret History of the Rye-House Plot: and of Monmouth's Rebellion*. London: Andrew Millar, 1754. Disponível em: http://books.google.com.br/books?id=FQ9cAAAAQAAJ&printsec=frontcover&dq=Rye+House+Plot&hl=pt-BR&sa=X-&ei=PIVVU-WJHqbJsQT5sILoAg&ved=0CEEQ6AEwAg#v=onepage&q=Rye%20House%20Plot&f=false. Acesso em: 21 abr. 2014.

507 Outra conspiração, agora para matar o Rei James II, que havia assumido o trono no lugar de seu irmão Carlos II, patrocinada pelo filho bastardo de Carlos II, James Scott, Duque de Monmouth. Conforme GREY, Ford Lord, cit.

508 LANGBEIN, John H. *The origins of adversarial criminal trial*, cit., p. 69.

509 Conforme LANGBEIN, John H. The Criminal Trial before the Lawyers. *The University of Chicago Law Review*, v. 45, n. 2, inverno 1978, p. 265. No mesmo sentido, dentre inúmeros outros autores, destaca-se também a obra de DURSTON, Gregory. *Crime and Justice in Early Modern England 1500-1750*. Chicester: Barry Rose Law Publishers Ltd., 2004, p. 474 e s.

forma bastante tímida. De acordo com a pesquisa realizada por Beattie[510], em 1740, apenas 0,5% dos casos, e em 1750 apenas 1,1% dos casos, contavam com advogado de defesa. Esses números pouco se alteraram nos anos seguintes, oscilando entre 6% (1755) e 2,1% (entre 1770 e 1775). Em 1795 houve um incremento em casos com a presença de advogados de defesa, chegando a 36,6%, e em 1800 a 27,9%. De qualquer modo, a regra, mesmo no início do século XIX, continuava a ser a ausência de defesa técnica (cerca de 70% dos casos).

Não bastasse, os registros feitos nos *Old Bailey Session Papers* também permitem afirmar que os julgamentos pelo júri eram feitos em lotes, isto é, um mesmo corpo de jurados julgava diversos casos num único dia. Para ilustrar, Langbein indica que, numa sessão de dezembro de 1678, foram instalados dois júris na Corte de Old Bailey, um para os casos de Londres e outro para os casos de Middlesex, e "entre eles os dois júris deram veredictos em trinta e dois casos envolvendo trinta e seis acusados em dois dias"[511].

Os julgamentos também eram conduzidos pelo juiz togado, que, além de atuar como gestor da prova inquirindo diretamente as testemunhas e o acusado[512], determinava aos jurados que decisão eles deveriam tomar, inclusive sob pena de multa em caso de desobediência[513]. Fechando o cerco à liberdade dos jurados, os panfletos do *Old Bailey* ainda revelam que, se os jurados julgassem em desacordo com a orientação do juiz, este poderia determinar que se reunissem novamente e considerassem novos argumentos que ele lançava, ou, persistindo a divergência, o juiz recorria ao rei e mudava a decisão dos jurados[514]. Ademais, os casos em que a prova se mostrasse frágil, em vez de gerar

---

510 BEATTIE, J. M. Scales of Justice: Defense Counsel and the English Criminal Trial in the Eighteenth and Nineteenth Centuries. *Law and History Review,* v. 9, n. 2, American Society for Legal History, The Board of Trustees of the University of Illinois, Autumn, 1991, p. 221-267. Texto digitalizado na integral em www.jstor. org. Acesso em: 7 fev. 2013.

511 LANGBEIN, John H. *cit.*, p. 275, tradução nossa. Os casos julgados podem ser consultados nos originais do Old Bailey Session Papers, digitalizados na íntegra, na internet: www.oldbaileyonline.org. Acesso em: 7 fev. 2013 Reference Number: 16781211.

512 *Ibid.*, p. 285, tradução nossa: "Nos anos que estamos estudando, o juiz dominava o julgamento pelo júri. Nós já mencionamos como, no lugar do advogado, o juiz muitas vezes agia como examinador-chefe, tanto das testemunhas, quanto do acusado. Tanto nessa função de examinador, quanto especialmente quando estava instruindo o júri, o juiz tinha amplo e irrestrito poder de comentar os méritos do caso. Certamente o juiz não tinha a obrigação de tecer comentários sobre as provas, e em muitos casos e ele parecia não se incomodar. Ademais, a maioria dos relatórios do OBSP omitiram muito do que os juízes estavam dizendo aos jurados. Este trabalho interno harmonioso dos julgamentos da corte não interessava ao leitor do OBSP. Não obstante, ao longo dos anos exemplos suficientes foram transcritos sugerindo a gama de comentários judiciais. As observações dos juízes mostram que eles não consideravam o júri como um julgador autônomo. O júri dava sozinho seu veredicto, mas o juiz não hesitava em dizer ao júri como decidir. Nós encontramos o júri rotineiramente seguindo o exemplo do juiz nestes casos".

513 A doutrina inglesa do início do século XIX também percebeu essa influência, destacando inclusive a dificuldade de o juiz mudar seu comportamento no júri. Sobre o tema, *vide*, dentre outros: PHILLIPS, Richard. *On The Power and Duties of Juries and on The Criminal Laws of England.* 2. ed. London: Sherwood, Neely and Jones, Paternoster-Row, 1813, p. 133. Obra digitalizada e localizada em www.books.google.com. Acesso em: 5 jan. 2012.

514 LANGBEIN, John H. *cit.*, p. 296.

454 ■ Processo Penal | Fundamentos dos fundamentos

absolvição, eram suspensos até que se conseguissem novas provas[515]. Vale dizer, os jurados, que são vistos como símbolo da ideia de democracia e de sistema acusatório, apareciam muito mais como fantoches nas mãos dos magistrados togados. Estes tinham amplo poder na gestão da prova e na condução do caso penal. Hoje tanto a doutrina do "senso comum teórico" – para continuar com Warat[516] – quanto a doutrina mais moderna, ao ser apresentada a esse quadro, diriam, sem duvidar: inquisitório!

Portanto, é somente a partir do século XIX que os advogados de defesa vão aparecer, paulatinamente, atuando na inquirição das testemunhas. Com o *Prisoner's Counsel Act*, de 1836, o direito ao advogado de defesa passou a ser garantido no processo penal inglês[517], primeiro para quem pudesse pagar[518] e, depois, já no século XX, como decorrência do *Poor Prisoner's Defence Act*, de 1903[519], também para os acusados pobres. E é pela presença cada vez mais constante dos advogados de defesa que se consolidou a ideia da presunção de inocência e do ônus da prova da acusação, referidos por Richard Phillips em *Golden Rules for Jurymen*, de 1813, como algo a ser observado pelos jurados: "Todo homem é presumido inocente até ele ter sido claramente considerado culpado; o ônus da prova de culpa é da acusação e nenhum homem é obrigado, exigido ou esperado a provar sua inocência"[520].

Mesmo com a presença de advogados, os julgamentos da maioria dos delitos nos séculos XVIII e XIX continuavam a ser sumários, principalmente depois da aprovação dos *Juvenile Offenders Acts*, de 1847 e de 1850, e dos *Criminal Justice Acts*, de 1855 e de 1879, a ponto de serem realizados por Cortes de Justiça que passaram a ser conhecidas popularmente como *"police courts"* ("cortes policiais")[521].

Isso revela a dificuldade de implantação prática dos hoje consagrados direitos e garantias dos acusados. Nesse mesmo período, muitos dos casos também eram resolvidos por acordos de indenização entre a vítima (ou o *Prosecutor* que a representasse) e o agressor, inclusive feitos antes de o caso chegar à Corte, ainda que os acordos fossem submetidos a posterior aceitação judicial.

Outro aspecto interessante dessa época, conforme relata Clive Emsley[522], é que os *Prosecutors* ingleses tinham discricionariedade na definição do delito a ser imputado,

---

515 *Ibid.*, p. 287 e 288.

516 WARAT, Luís Alberto. Saber Crítico e Senso Comum Teórico dos Juristas, *cit.*, p. 51.

517 CAIRNS, David J. A. *Advocacy and Making of the Adversarial Criminal Trial – 1800-1865*. London: Clarendom Press, 1999, p. 2 e s.

518 BEATTIE, J. M. *cit.*, p. 250 e s.

519 EMSLEY, Clive. *Crime and Society in England: 1750 – 1900*. 4. ed. Harlow: Pearson Education Limited, 2010, p. 206.

520 PHILIPPS, Richard, *cit.*, p. 385. Tradução nossa.

521 Conforme destalha EMSLEY, Clive, *cit.*, p. 14 e s.

522 *Ibid.*, p. 191 e s.

inclusive agindo para evitar que o acusado fosse julgado por um delito que lhe aplicasse a pena capital, tornando visível, de certa forma, a origem do modelo de *"plea bargain"*, posteriormente desenvolvido de forma ampla nos Estados Unidos.

No entanto, quanto ao exercício dessa discricionariedade por parte dos *Prosecutors* ingleses, é também relevante considerar que, quando ele atuava, o fazia em nome da Coroa, como *"longa manus"* do rei, o qual tinha toda a discricionariedade e disponibilidade processual, externada na ideia do *"nolle prosequi"*[523], ou seja, do "não processar". O rei, assim, poderia determinar que não se processasse alguém ou poderia desistir dos casos que já estivessem em curso, encerrando o processo pela sua livre discricionariedade.

Aliás, justamente pelo fato de os ingleses temerem que a Coroa pudesse não agir em determinados casos em que a vítima entendesse importante a ação, retirando-lhe o direito ao acesso à Justiça, é que a adoção/manutenção do modelo de acusador público (*Public Prosecutor*) foi discutida na Inglaterra do século XIX e acabou não sendo efetivamente adotada[524]. Esse abandono do *Public Prosecutor* permitiu que a polícia inglesa passasse, lentamente, a ocupar esse espaço, já que muitas vítimas não queriam agir sozinhas ou não tinham condições financeiras de contratar um *Prosecutor* privado. Por vezes, o próprio *Prosecutor* não tinha condições econômicas para suportar o custo do processo[525]. Foi somente a partir de 1985, com o *Prosecution of Offenses Act*, que o "Ministério Público" inglês (*Crown Prosecution Service*) passou a ser mais bem organizado em nível institucional. Antes dessa data, existiam somente as figuras do procurador-geral (*Attorney General*) e do *Director of Public Prosecutions*, que atuavam em alguns poucos casos. Com a ausência de um Ministério Público estruturado, a polícia tinha exagerado poder de investigação e persecução penal, o que implicava em constantes desmandos, os quais nem sempre vinham à tona.

A situação culminou com o caso de três rapazes acusados de terem assassinado um homossexual nos anos 1980. Nesse caso, a polícia inglesa obteve, mediante tortura, a confissão dos três, mas, anos depois, apurou-se que os acusados não tinham qualquer relação com o caso e eram inocentes. Esse caso acabou se revelando o divisor de águas na história recente da Justiça criminal inglesa, sendo que, a partir de então, visando frear o abuso de poder da polícia, o Parlamento editou um estatuto disciplinando como a polícia deveria proceder em sua investigação, desde a inquirição de testemunhas até

---

523 KRAUSS, Rebecca. The Theory of Prosecutorial Discretion in Federal Law: Origins and Developments. *Seton Hall Circuit Review*, South Orange, v. 6, n. 1, p. 1-28, 2012, p. 16-17. Disponível em: http://scholarship.shu.edu/cgi/viewcontent.cgi?article=1027&context=circuit_review. Acesso em: 11 abr. 2014.

524 À exceção dos casos de traição nos State Trials, como pontua LANGBEIN, John H. The Origins of Public Prosecution at Common Law. *Yale Law School Legal Scholarship Repository. Faculty Scholarship Series*. Paper 539, 1973, p. 313-335, artigo digitalizado e publicado na internet na página http://digitalcommons.law.yale.edu/fss_papers/539. Acesso em: 20 fev. 2013. Também chegaram a criar um cargo de *Director of Public Prosecutions*, em 1879, que durou trinta anos, mas muito pouco agiu efetivamente (conforme EMSLEY, Clive, *cit.*, p. 200).

525 EMSLEY, Clive, *cit.*, p. 201.

a busca e apreensão e abordagem de pessoas, chamado *Police and Criminal* Evidence *Act 1984* (PACE). Segundo informa Steve Uglow[526], mesmo após a promulgação do PACE, em quase nada mudou o comportamento da polícia, que continuou a agir de forma abusiva, "inquisitória". No ano seguinte (1985), ainda visando abrandar os abusos policiais, como dito, estruturou-se nacionalmente o *Crown Prosecution Service*[527].

Nos Estados Unidos, o quadro de paulatina implantação de garantias do acusado no processo penal não divergiu muito. Para além da influência inglesa na estrutura originária do processo penal, algumas particularidades também implicam dizer que nem de longe um pretendido "sistema acusatório", na forma "pura" como é considerada por parte da doutrina, estruturou-se naquele país.

Como se sabe, a Constituição norte-americana, de 1787[528], em seus sete artigos e respectivas seções originárias, em termos de garantias processuais, referia-se apenas ao *"habeas corpus"* (art. 1º, seção 9ª, cláusula 2ª), ao júri (art. 3º, seção 2ª, cláusula 3ª[529]) e à proibição do testemunho indireto (art. 3º, seção 3ª, cláusula 3ª). Curiosamente, no art. 3º, seção 3ª, cláusula 1ª, há uma regra de prova tarifada: "ninguém será condenado por traição, senão pelo depoimento de duas testemunhas do mesmo ato, ou pela confissão pública na Corte"[530]. Inquisitória, portanto, para os padrões doutrinários dicotômicos "puros".

Os demais direitos e garantias processuais somente foram a ela incorporadas com as dez posteriores emendas de 1789, conhecidas em seu conjunto como *Bill of Rights*[531]. Nessas emendas se encontram dispositivos de natureza processual penal, notadamente na quarta emenda (que regulamenta a busca e apreensão[532]); na quinta emenda (que regulamenta as hipóteses de prisão, a coisa julgada e o direito a não autoincriminação[533]); na sexta emenda (que regulamenta a celeridade processual, a

---

526 UGLOW, Steve. *Criminal Justice.* London: Sweet & Maxwell, 1995, p. 74 e s.

527 Conforme GUARNIERI, Carlo. *Pubblico Ministero e Sistema Politico.* Padova: Cedam – Casa Editrice Dott. Antonio Milani, 1984, p. 47 e s. e, também, ASHWORTH, Andrew. *The Criminal Process – an evaluative study.* 2. ed. New York: Oxford University Press Inc., 1998, p. 20 e s.

528 Texto integral em: http://www.archives.gov/exhibits/charters/constitution.html. Acesso em 20.02.2013.

529 *The Trial of all Crimes, except in Cases of Impeachment, shall be by Jury; and such Trial shall be held in the State where the said Crimes shall have been committed; but when not committed within any State, the Trial shall be at such Place or Places as the Congress may by Law have directed.*

530 Tradução nossa.

531 Conforme, dentre outros, RAMOS, João Gualberto Garcez, *cit.*, p. 108.

532 "Amendment IV. The right of the people to be secure in their persons, houses, papers, and effects, against unreasonable searches and seizures, shall not be violated, and no Warrants shall issue, but upon probable cause, supported by Oath or affirmation, and particularly describing the place to be searched, and the persons or things to be seized."

533 "Amendment V. No person shall be held to answer for a capital, or otherwise infamous crime, unless on a presentment or indictment of a Grand Jury, except in cases arising in the land or naval forces, or in the Militia, when in actual service in time of War or public danger; nor shall any person be subject for the same offence to be twice put in jeopardy of life or limb; nor shall any person be compelled in any criminal case to be a witness against

publicidade, a imparcialidade, o juiz natural, o contraditório e a ampla defesa[534]); na sétima emenda (que regulamenta o direito de ser julgado pelo júri[535]); e na oitava emenda (que regulamenta a fiança[536]). Nesse mesmo ano, por meio do *Judiciary Act*, criou-se a figura do *Attorney General* e dos *District Attorneys*, ou seja, a versão norte-americana do Ministério Público, com a diferença essencial, em comparação ao atual modelo brasileiro, de que não se tratou de uma instituição autônoma, mas de funções vinculadas hierarquicamente ao Poder Executivo, figuras representativas da vontade do presidente e dos governadores daquele país[537].

Aliás, cumpre anotar que o discurso pregado por importante parcela da doutrina atual de processo penal no sentido de que o princípio dispositivo seria uma grande contribuição do chamado "sistema acusatório" não pode deixar de ser compreendido, em certa medida, também em sentido inverso, isto é, como instrumento de exercício e manutenção de poder, facilitador de barganhas corruptivas. Para tanto, deve-se considerar que, se o *"nolle prosequi"* inglês ficava nas mãos da Coroa, nos Estados Unidos ele foi mantido como poder em mãos do presidente norte-americano. Nessa medida, a disponibilidade processual, que pode apressadamente até parecer uma garantia, pois o juiz preservaria sua plena inércia, julgando apenas o que outrem decidisse lhe encaminhar, em verdade, nos Estados Unidos, foi adotada como reforço de poder estatal, para que os amigos do poder não sofressem consequências penais, as quais acabam sendo destinadas apenas aos "não amigos".

De fato, com o *Prosecutor* americano subordinado à vontade do presidente, manipulavam-se as coisas, e isso ficou evidente já nos primeiros anos após a criação do *Attorney General*[538]. Em 1799, no caso Thomas Nash – um marinheiro britânico

---

himself, nor be deprived of life, liberty, or property, without due process of law; nor shall private property be taken for public use, without just compensation."

534 "Amendment VI. In all criminal prosecutions, the accused shall enjoy the right to a speedy and public trial, by an impartial jury of the State and district wherein the crime shall have been committed, which district shall have been previously ascertained by law, and to be informed of the nature and cause of the "accusatio"n; to be confronted with the witnesses against him; to have compulsory process for obtaining witnesses in his favor, and to have the Assistance of Counsel for his defence."

535 " Amendment VII. In Suits at 'common law', where the value in controversy shall exceed twenty dollars, the right of trial by jury shall be preserved, and no fact tried by a jury, shall be otherwise re-examined in any Court of the United States, than according to the rules of the "common law".

536 "Amendment VIII. Excessive bail shall not be required, nor excessive fines imposed, nor cruel and unusual punishments inflicted."

537 PRAKASH, Saikrishna B. The Chief Prosecutor. *George Washington Law Review*, Washington D.C., n. 6, p. 1701-1787, abr. 2005, p. 1736 e s.

538 Em sentido crítico à possibilidade de escolha do *Attorney General* pelo Presidente norte-americano *vide*, dentre outros: DERSHOWITZ, Alan M. Foreword. SILVERGLATE, Harvey A. *Three Felonies a Day: how the Feds target the innocent*. New York: Encounter Books, 2009, p. XXIV, *verbis*: "Porque nosso Procurador-geral – ao contrário de qualquer funcionário em outros governos – desempenha esse duplo papel de conselheiro político e promotor-chefe, ninguém que esteja desempenhando aquele trabalho pode ser confiável para investigar e, se necessário, processar o Presidente ou outros membros do alto escalão de sua administração ou da administração do próprio Procurador-geral. Ele estaria em um claro conflito de interesses, e a percepção de injustiça

acusado de homicídio –, o então *Prosecutor* do caso, John Adams, foi literalmente coagido pelo presidente a determinar a extradição do acusado para ser julgado na Inglaterra, onde ele foi condenado e executado. Já no caso Trenton, o presidente interferiu na atividade do *Prosecutor* para determinar o fim do processo[539]. Não é demais recordar que o *Chief Justice* da Suprema Corte norte-americana, John Marshall, já no século XIX, considerava que esse poder de *"nolle prosequi"* (ou seja, de disponibilidade processual) concentrado nas mãos do presidente norte-americano era legítimo, pois o presidente representava a "vontade da nação", *verbis*, ao se referir especificamente ao *"nolle prosequi"*:

> Cavalheiros têm considerado que evitar a possibilidade de uma sentença a quem praticou um delito e já tenha contra si um processo iniciado é uma ofensa contra a autoridade judicial, e uma violação de direitos. Eles têm tratado a matéria como se fosse um privilégio das Cortes condenar miseráveis culpados à morte, e que interromper o julgamento significaria violar esse privilégio. Nada poderia ser mais incorreto que essa visão do caso. Não se trata de um privilégio, mas o triste dever das Cortes de administrar o julgamento criminal. É um encargo a ser exercido diante da demanda da nação, e o qual a nação tem o direito de dispensar. Se a imposição da pena de morte deve ser pronunciada, ela deve ser realizada sob uma acusação feita pela nação, e a nação poderá, conforme sua vontade, interromper a persecução. A esse respeito, o presidente expressa, constitucionalmente, a vontade da nação; e poderá certamente, assim como foi feito no caso de Trenton, ingressar com um *"nolle prosequi"*, ou determinar que o acusado não continue a ser processado. Isso não é uma interferência em relação às decisões judiciais, tampouco qualquer invasão de competência da corte. É apenas o exercício de um inquestionável poder constitucional[540].

Enfim, a construção dessa tese de plena disponibilidade processual como inerente ao exercício do poder pelo presidente dos Estados Unidos se consolidou pela exegese realizada pela Suprema Corte daquele país, em 1922, no

---

ofuscaria qualquer decisão. O mesmo é verdadeiro, ainda que em menor grau, em qualquer processo de alto escalão, especialmente aqueles que tenham implicações políticas ou partidárias. Isso também é verdade, em certa medida, em relação a todos os processos, pois vencer ou perder casos criminais reflete na administração". Tradução nossa.

539 Conforme MARSHALL, John. Case of Jonathan Robbins. *History of Congress: 10 annals of Congress*, Philadelphia, v. 6, n. 1, p. 541-621, mar. 1800, p. 615. No mesmo sentido: PRAKASH, Saikrishna B., *cit.*, p. 1730.

540 MARSHALL, John, *cit.*, p. 615. Tradução nossa.

caso *Ponzi versus Fessenden*[541]. Nesse caso, o artigo II, seção 3, da Constituição norte-americana, conhecido como *Take Care Clause*[542], foi interpretado como equivalendo a uma efetiva "cláusula de cautela" inerente à execução das leis e ao correspondente exercício do poder presidencial, permitindo ao presidente norte-americano praticamente escolher como, quando e contra quem a lei será aplicada. Em reforço, a independência dos *Prosecutors* em relação à não interferência jurisdicional em suas decisões de não processar restou afirmada no caso *Milliken versus Stone*, em 1925[543].

Ou seja, mesmo que esse poder possa ser considerado como "transmitido" do presidente ao *Prosecutor*, ele continuava não sendo passível de ser submetido ao crivo de controle jurisdicional, ampliando os poderes dos *Prosecutors* norte-americanos, chegando ao ponto de praticamente anular o Poder Judiciário daquele país. Michel Finkelstein apresenta quadro estatístico de solução de casos via *"plea bargaining"* dizendo que em 1908 era em torno de 50% dos casos, chegando a 72% em 1916 e a 90% em 1925[544]. Essa situação se consolidou depois que o sistema norte-americano passou a usar critérios norteadores para a fixação das penas. Como já referido por ocasião do capítulo sobre "Lei e Ordem", a *Sentencing Reform Act*, de 1984, instituiu a *United States Sentencing Comission*, que, em 1987, elaborou, pela primeira vez, critérios norteadores de fixação das penas, chamados de *Federal Sentencing Guidelines*[545], os quais foram incorporados pelos *Prosecutors* como critérios também para o *"plea bargain"*. Na prática, afastou-se o controle jurisdicional sobre fatos em tese delituosos, e, para os padrões da doutrina de origem europeia continental, tem-se uma violação ao princípio da necessidade da

---

541 KRAUSS, Rebecca, *cit.*, 22 e s.

542 A Constituição dos Estados Unidos prevê, em seu Artigo II, Seção 3, que o Presidente *"shall take Care that the Laws be faithfully executed."*, ou seja, teve ter a cautela de que as leis sejam "fielmente executadas". Sobre o tema, *vide*, dentre outros: KRAUSS, Rebecca, *cit.*, p. 22 e 23.

543 KRAUSS, Rebecca, *cit.*, p. 24.

544 FINKELSTEIN, Michel. A Statistical Analysis of Guilty Plea Practices in the Federal Courts. *Harvard Law Review*, Harvard Law Review Association, v. 89, n. 2, 1975, p. 293-315.

545 Sobre o tema, *vide*, dentre outros: SECUNDA, Paul M. Cleaning up the Chicken Coop of Sentencing Uniformity: Guiding the Discretion of Federal Prosecutors Through the Use of the Model Rules of Professional Conduct. *American Criminal Law Review*, Georgetown, v. 34, n. 3, p. 1267-1292, 1997. Disponível em: https://papers.ssrn.com/sol3/papers.cfm?abstract_id=855508. Acesso em: 13 abr. 2014; ROBINSON JR., David. The Decline and Potential Collapse of Federal Guideline Sentencing. *Washington University Law Review*, St. Louis, v. 74, n. 4, p. 881-912, 1996. Disponível em: http://digitalcommons.law.wustl.edu/cgi/viewcontent.cgi?article=1627&context=lawreview. Acesso em: 13 abr. 2014; LYNCH, Gerard. Panel Discussion: The expanding prosecutorial role from trial counsel to investigator and administrator. *Fordham Urban Law Journal*, New York, v. 66, n. 3, p. 679-704, 1998. Disponível em: http://ir.lawnet.fordham.edu/cgi/viewcontent.cgi?article=1744&context=ulj. Acesso em: 13 abr. 2014; LYNCH, Gerard E. Our Administrative System of Criminal Justice. *Fordham Law Review*, New York, v. 66, n. 6, p. 2117-2151, 1998. Disponível em: http://ir.lawnet.fordham.edu/cgi/viewcontent.cgi?article=3485&context=flr. Acesso em: 13 abr. 2014; e GALIN, Ross. *Above The Law:* The Prosecutor's Duty to Seek Justice and The Performance of Substantial Assistance Agreements. *Fordham Law Review*, New York, v. 68, n. 4, p. 1245-1284, 2000. Disponível em: http://ir.lawnet.fordham.edu/cgi/viewcontent.cgi?article=3627&context=flr. Acesso em: 13 abr. 2014.

460 ◼ Processo Penal | Fundamentos dos fundamentos

jurisdição penal. A concentração de poder nas mãos do chefe do Executivo foi tão exageradamente ampla que, mesmo havendo recomendações para evitar o *"plea bargaining"*, como se deu com o *Thornburgh Memorandum*, de 1989[546], a partir dos anos 2000, em 95% dos casos o *Prosecutor* norte-americano afasta a discussão judicial por acordos com os suspeitos[547]. E, como destaca Richard Vogler, nos países de *"common law"*, *"o guilty plea é o método principal na gestão e disposição de um caso"*[548]. Ou seja: o modelo de *"plea bargaining"* norte-americano, que se pode considerar, pela disponibilidade do processo, como inerente ao denominado sistema acusatório[549], acaba, paradoxalmente, ajustando-se muito mais ao rótulo de inquisitório, notadamente quando se leva em conta o critério de junção das funções de acusar e julgar numa única pessoa, a tal ponto de Pietro Costa considerá-lo como equivalente a um *"new medievalism processual penal"*[550].

---

546 O *Thornburgh Memorandum* de 1989 foi uma iniciativa do então *Attorney General* Richard Thornburgh, de fazer com que os *Prosecutors* somente se valessem do *"plea bargaining"* como *ulima ratio*. Sobre o tema *vide*, dentre outros: VINEGRAD, Alan. Justice Department's New Charging, *"plea bargaining"* and Sentencing Policy. *New York Law Journal*, v. 243, n. 110, jun. 2010. Disponível em: http://www.cov.com/files/Publication/9989edae-7ef1-42a5-a57a-fb3019d76b4b/Presentation/PublicationAttachment/4f97a03d-65a8-4e4a-8c91-a94bb3f8a3e0/Justice%20Department's%20New%20Charging,%20Plea%20Bargaining%20and%20Sentencing%20Policy.pdf. Acesso em: 14 abr. 2014.

547 WATSON, Duncan. The Attorney General's Guidelines on *"plea bargaining"* in Serious Fraud: Obtaining Guilty Pleas Fairly? *The Journal of Criminal Law*, v. 74, edição 1, p. 77-90, fevereiro de 2010, p. 78. *Vide*, também, a crítica de BARKOW, Rachel E. Separation of Powers and the Criminal Law. *Stanford Law Review*, Stanford, v. 58, n. 4, p. 989-1054, fev. 2006, p. 1033. Disponível em: http://papers.ssrn.com/sol3/papers.cfm?abstract_id=805984. Acesso em: 12 abr. 2014. Também é relevante a análise estatística progressiva apresentada por STITH, Kate. The Arc of Pendulum: Judges, Prosecutors, and the Exercise of Discretion. *Yale Law School Legal Scholarship Repository*, New Haven, n. 117, p. 1420-1497, 2008, p. 1453-1454. Disponível em: http://digitalcommons.law.yale.edu/cgi/viewcontent.cgi?article=2264&context=fss_papers. Acesso em: 12 abr. 2014, *verbis*: "As '*Guidelines*'e a concomitantemente imposição de sentenças mínimas, teve outros efeitos significantes. Um dos mais notados foi a redução na frequência dos julgamentos federais. Antes das '*Guidelines*', mais de 12% dos acusados por crimes federais eram condenados mediante julgamento; até 1996, esta percentagem chegou a 8%; e desde 2000 tem sido inferior a 5%. De fato, durante o período 'compulsório' das '*Guidelines*', declarações de culpa acabaram substituindo os julgamentos no sistema federal. Aqueles que estudaram esse fenômeno com razão dizem que isso decorre da 'adoção de novas leis a respeito de sentenças, que acabaram aumentando a influência do '*plea bargaining*', em proveito dos '*prosecutors*'". Tradução nossa.

548 VOGLER, Richard. Justiça Consensual e Processo Penal. In: CHOUKR, Fauzi Hassan; AMBOS, Kai (Coord.). *Processo Penal e Estado de Direito*. Tradução de Fauzi Hassan Choukr. Campinas: Edicamp, 2002, p. 283.

549 Nesse sentido, de forma expressa, dentre outros: LYNCH, Gerard, *cit.*, p. 2121, *verbis*: "Nesse sentido o '*plea bargaining*' decorre da noção adversarial, em que as partes se encontram como litigantes iguais e autônomos perante a Côrte, (...). Assim como as partes durante o julgamento controlam a maneira como as provas são apresentadas, cada um informando somente fatos que julgam relevantes para o caso, seja antes do julgamento, seja fora da presença da Côrte, as partes são livres para se comprometerem ou resolver suas controvérsias, da melhor maneira que entenderem. Mas se o '*plea bargaining*' emana de uma ideologia adversarial, a sua prática extremamente difundida resultou no desenvolvimento de um sistema de justiça que em verdade aparenta, para a maioria dos acusados, muito mais com aquilo que os Advogados americanos chamariam de sistema inquisitório do que aquele modelo de justiça adversarial idealizada nos livros de doutrina". Tradução nossa.

550 COSTA, Pietro. *Il Modello Accusatorio in Italia: fra 'attuazione della costituzione' e mutamenti di paradigma, cit.*, p. 159. Em sentido similar, traçando paralelos entre o "sistema judicial de tortura" da Europa medieval e o *"plea bargaining"*, *vide* LANGBEIN, John H. Torture and *"plea bargaining"*. *The University of Chicago Law Review*, v. 46, n. 1, 1978, p. 3-22. Disponível em: http://www.judicialstudies.unr.edu/JS_Summer09/JSP_Week_4/JS710Wk4.LangbeinTorandPleaBargtxt.pdf. Acesso em: 21 abr. 2014.

De resto, também é relevante tomar em conta que, na estrutura norte-americana de poder, construída ao longo do século XIX e em particular a partir dos *Confiscation Cases*[551], nos quais se discutiu o poder dos *Prosecutors*, estes foram colocados numa posição de subordinação hierárquica com o *District Attorney;* este, com o *Attorney General;* e, este, por fim, com o presidente da República. Ou seja: agiam sem qualquer independência, pautados inclusive por motivações político-eleitorais. Vê-se, portanto, que o princípio da disponibilidade plena do processo, de origem norte-americana – lido hoje até mesmo como princípio unificador do "sistema acusatório"[552] –, não é necessariamente uma garantia do cidadão, leia-se, inclusive, do cidadão-vítima, podendo se revelar, numa síntese, em modelo processual no qual amigos do poder são protegidos e os inimigos do poder são processados. Não bastasse isso, ainda contribui para o incremento de barganhas pautadas pela corrupção de agentes do Estado. Para o processo ser democrático, algum controle externo deveria existir aí. Assim, a atuação discriminatória não é algo que possa ser lido unilateralmente como grande vantagem de um sistema processual penal democrático. Vale, igualmente, o registro de que a interferência política na atuação dos *Prosecutors* chegou a levar o Parlamento dos Estados Unidos a editar, em 1978, o *Ethics in Government Act*[553], criando a figura do *Independente Counsel* (ou seja: o promotor independente)[554]. Mesmo com a criação do "promotor independente", a Suprema Corte dos Estados Unidos ainda insistiu em considerá-lo subordinado ao *Attorney General*, o que, em certa medida, representou amplo esvaziamento da ideia. Quando da promulgação da referida lei, o próprio Congresso Nacional dos Estados Unidos já previu que ela deveria ser revista de tempos em tempos. Isso efetivamente acabou acontecendo e sempre suscitando acalorados debates entre os norte-americanos a respeito do amplo poder destinado a um único promotor de Justiça, mas sempre prevalecendo a interpretação favorável à necessidade de sua existência.

Esse pensamento, no entanto, acabou sendo revisto em 30 de junho de 1999, quando se deixou de promover a renovação da vigência da lei em tela. Essas renovações já haviam sofrido severas críticas em 1994, em razão da atuação de um

---

551 Conforme KRAUSS, Rebecca, *cit.*, p. 21 e s.

552 *V.g.* COUTINHO, Jacinto Nelson de Miranda. Sistema Acusatório: cada parte no lugar constitucionalmente demarcado. *O Novo Processo Penal à Luz da Constituição (Análise Crítica do Projeto de Lei n. 156/2009, do Senado Federal), cit.*, p. 8, *verbis*: "O problema é que o fim do sistema – como referido – que resignifica o princípio unificador e ele, como é elementar, ganha um colorido diferente nos dois sistemas conhecidos: o princípio unificador será inquisitivo se o sistema for inquisitório; e será dispositivo se o sistema for acusatório".

553 UNITED STATES OF AMERICA. *House of Representatives. Ethics in Government Act.* Disponível em: http://www.house.gov/legcoun/Comps/Ethics%20In%20Government%20Act%20Of%201978.pdf. Acesso em: 11 abr. 2014.

554 Sobre o tema, *vide*, dentre outros: CHAMPAGNE, Richard A. The Separation of Powers, Institutional Responsibility, and the Problem of Representation. *Marquette Law Review*, Milwaukee, v. 75, n. 4, 1992, p. 839-861, p. 850.

promotor independente chamado Lawrence E. Walsh. Ele investigou a participação, dentre outros, do então presidente americano Ronald Reagan no caso denominado *Irã-Contra*[555]. O golpe final da lei, no entanto, ocorreu em razão da atuação sensacionalista de outro promotor independente – Kenneth Starr –, nomeado em 1994, inicialmente para investigar outro escândalo político-financeiro: o caso *Whitewater*[556]. Como se tornou notório, Starr não se contentou em apurar o caso em si e, na ânsia de provar que o presidente americano Bill Clinton teria mentido em juízo, enveredou por investigar sua vida privada, transformando o caso *Whitewater* no famoso escândalo amoroso da estagiária Monica Lewinski com o presidente Bill Clinton. Como resultado, promoveu a acusação de perjúrio ao presidente americano. A repercussão mundial negativa do episódio, somada às críticas do Justice Scalia no caso *Morrison versus Olson*[557], e em razão da existência de forte corrente doutrinária contrária à independência dos *Prosecutors*[558], construiu o caldo necessário para a não renovação da lei dos promotores independentes[559].

Hoje, em casos que demandam maior dedicação, fica a critério do *Attorney General* a nomeação de promotores especiais. Não obstante, a intervenção política ainda perdura, fazendo com que o modelo de Ministério Público norte-americano não seja uma referência positiva de um pretenso sistema acusatório no que concerne à independência de atuação de seus membros. De fato, o maior problema na atuação do Ministério Público americano está centrado na forma de escolha de seus membros, pois não existe uma carreira apropriada, e a seleção deles é feita com forte enfoque político, em detrimento da atuação ética e da preparação profissional.

Não bastasse isso, retomando o curso histórico do desenvolvimento do direito processual norte-americano, vê-se que foi somente a partir da Décima Quarta Emenda, em 1866 (ratificada pelos estados-membros em 1868) que se começou a debater

---

555 Como se sabe, o caso "Irã-Contra" refere-se a dois episódios ocorridos no governo de Ronald Reagan, nos Estados Unidos da América, em 1986, concernentes à política de venda clandestina (contra a vontade do Parlamento norte-americano) de armas ao Irã e aos contra-militares na Nicarágua.

556 O caso *Whitewater* ocorreu quando Bill Clinton ainda era Governador do Estado americano do Arkansas. Bill Clinton e sua esposa Hillary eram sócios de uma imobiliária chamada "*Whitewater*", a qual, após desenvolver um projeto imobiliário de urbanização, pediu falência. Ambos foram acusados de promover uma falência fraudulenta. Depois, como dito, o caso acabou sendo relegado a segundo plano, derivando as investigações para o escândalo envolvendo o então Presidente dos Estados Unidos da América, Bill Clinton, que teria cometido perjúrio ao mentir sobre suas relações com a estagiária da Casa Branca, Monica Lewinski.

557 UNITED STATES OF AMERICA. *United States Supreme Court*. Morrison v. Olson. N. 87-1279, 487 U.S. 654, Washington D.C., 1988. Disponível em: http://openjurist.org/487/us/654/morrison-v-b-olson-c-e. Acesso em: 12 abr. 2014.

558 *Vide*, dentre outros: CHAMPAGNE, Richard A. *cit.*, p. 851-852; e PRAKASH, Saikrishna B. *cit.*, p. 1721; 1759.

559 Segundo HARRIGER, Katy J. *The Special Prosecutor in American Politics*, Kansas: University Press of Kansas, 2000. A respeito *vide* matéria publicada no jornal *Gazeta do Povo*, Internacional, de 1 jul. 1999, p. 32, sob o título: "Termina a fase dos promotores independentes".

a necessidade de os estados-membros daquele país seguirem compulsoriamente o consignado na *Bill of Rights*, e por conta dela fazer expressa referência à necessidade de os estados-membros não poderem abolir privilégios ou imunidades, nem privá-los da vida, liberdade ou propriedade sem o "devido processo legal"[560]. Três correntes de interpretação surgiram no âmbito da Suprema Corte norte-americana, como destaca Akhil Reed Amar:

> E ainda, apesar da importância do tópico e de toda a atenção devotada a ele, ainda carecemos de uma avaliação plenamente satisfatória entre as dez primeiras emendas e a décima quarta. Pequenas variações à parte, três grandes abordagens dominaram o debate no século XX. A primeira, representada pelo juiz Frankfurter, insiste que, rigorosamente falando, a décima quarta emenda nunca incorporou nenhuma das disposições da *Bill of Rights*. A décima quarta somente exigia que os estados honrassem os princípios básicos fundamentais de justiça e da almejada liberdade – princípios que, de fato, devem ter constado para sobrepor, totalmente ou em parte, algumas das regras da *Bill of Rights*, mas que não têm qualquer relação lógica com aquelas regras. A segunda abordagem, capitaneada pelo juiz Black, insiste na "total incorporação" da *Bill of Rights*. A décima quarta emenda, afirmou Black, tornou aplicável contra os estados cada uma das disposições da *Bill*, definitivamente – ao menos se definirmos que a *Bill* incluiu somente as oito primeiras emendas. Confrontando diametralmente com esses pontos de vista, o juiz Brennan tentou conduzir a um meio-termo de "incorporação seletiva". Sob essa abordagem, as análises da Corte poderiam ser feitas cláusula por cláusula e direito por direito, incorporando totalmente cada dispositivo da *Bill* considerado fundamental, sem decidir por antecipação se cada um e se todos os direitos necessariamente passariam pelo teste[561].

Assim, a efetiva aplicação dessa emenda em âmbito nacional nos Estados Unidos – e, por via de consequência, da própria *Bill of Rights* nos estados-membros – foi lenta, por partes, somente se concretizando depois de diversas intervenções adotadas pela Suprema Corte. Isso retardou a efetividade de um pretendido processo penal de garantias naquele país. Para exemplificar como os direitos e garantias demoraram a

---

560 "Amendment XIV. Section 1. All persons born or naturalized in the United States, and subject to the jurisdiction thereof, are citizens of the United States and of the State wherein they reside. No State shall make or enforce any law which shall abridge the privileges or immunities of citizens of the United States; nor shall any State deprive any person of life, liberty, or property, without due process of law; nor deny to any person within its jurisdiction the equal protection of the laws".

561 AMAR, Akhil Reed. *The Bill of Rights: Creation and Reconstruction*. Harrisonburg, Virginia: Yale University Press, 1998, p. 139. Tradução nossa.

464 ■ Processo Penal | Fundamentos dos fundamentos

se consolidar plenamente no processo penal norte-americano como um todo, basta compreender que somente em 1963, por ocasião do julgamento do caso *Gideon v. Wainright*, 372 US, 335, a Suprema Corte decidiu que os estados-membros deveriam ser obrigados a fornecer advogado ao acusado de crimes comuns (*"felonies"*), e não apenas para os delitos com pena de morte (*"capital crimes"*)[562]!

Agora, talvez o mais sintomático registro legal da confusão em torno da dicotomia sistêmica com pretensões de pureza, podendo-se chegar a afirmar que não há, de fato, um pretenso "sistema acusatório" nem mesmo nos Estados Unidos, é a possibilidade de se identificar a iniciativa instrutória do juiz nas *Federal Rules of* Evidence (*Regras Federais sobre Provas*), vigentes desde 1975, conforme se vê do artigo 614:

> Regra 614. Convocação ou Exame de Testemunha pelo Juízo.
>
> (a) CONVOCANDO. O Juízo pode convocar uma testemunha de ofício ou em razão de um pedido da parte. Cada parte pode examinar em cruz a testemunha.
>
> (b) EXAMINANDO. O Juízo pode examinar uma testemunha não importa quem a tenha convocado.
>
> (c) OBJEÇÕES. Uma parte pode opor-se à convocação ou ao exame de uma testemunha pelo Juízo no mesmo momento ou na próxima oportunidade quando o júri não esteja presente[563].

Aliás, a respeito do processo penal empregado nos Estados Unidos, é oportuno destacar que este hoje se insere numa nova realidade que tem como destacado marco inaugural[564] os atentados terroristas às torres gêmeas do *World Trade Center*, em Nova York, e ao Pentágono, em Washington, ocorridos em 11 de setembro de 2001. Depois desses episódios, uma nova e forte tendência processual penal se estruturou nos moldes do que, à luz da dicotomia, pode ser denominado de "inquisitória".

A notícia que se extrai da nova realidade processual penal norte-americana é que o Parlamento daquele país, a pedido do então presidente George W. Bush, em 24 de

---

562 Conforme RAMOS, João Gualberto Garcez, *cit.*, p. 169. No mesmo sentido DAMMER, Harry R.; ALBANESE, Jay S. *Comparative Criminal Justice Systems*. 4. ed. Belmont, CA, EUA: Wadsworth Cencage Learning, 2011, p. 124, que indicam a consolidação deste entendimento com o julgamento dos casos de *Escobedo v. Illinois* (1964) e *Miranda v. Arizona* (1966).

563 UNITED STATES OF AMERICA. *Federal Rules of Evidence*. Washington, DC: Governement Printing Office, 2013. Disponível em: http://judiciary.house.gov/_cache/files/5334e54f-12cc-44b1-a0bc-697e8e29bd15/evidence2013.pdf. Acesso em: 6 set. 2014. Tradução nossa.

564 Zaffaroni considera que a política equivocada norte-americana teria, pelo menos, três décadas de existência, fruto das administrações republicanas e da utilização da propaganda como justificativa para "sobredimensionar o aparelho repressivo". ZAFFARONI, Eugenio Raul. Los desafios del poder judicial. In: SCHMIDT, Andrei Zenkner (Coord.). *Novos Rumos do Direito Penal Contemporâneo: Livro em Homenagem ao Prof. Dr. Cezar Roberto Bitencourt*. Rio de Janeiro: Lumen Juris, 2006, p. 49.

outubro de 2001, aprovou duas leis mais rigorosas: a primeira delas denominada, sintomaticamente, de *Patriot Act*[565] – Ato Patriota –, e a segunda, de *Homeland Security Act*[566] – *Lei de Segurança Interna*. Essas leis autorizavam a polícia a efetivar prisões "para averiguação" de meros suspeitos de participar de atividades criminosas, sem que advogados pudessem entrar em contato com seus clientes presos, em determinado prazo, acabando, na prática, com a possibilidade de utilização do *"habeas corpus"*[567]. As mesmas leis também autorizavam a polícia a adotar outras medidas restritivas de direitos, a exemplo de escutas telefônicas e quebras de sigilo bancário, mesmo sem autorização judicial.

Como se não bastasse, em 3 de agosto de 2007, o Parlamento norte-americano aprovou nova lei intitulada *Protect America Act*[568], que mais uma vez caminha na contramão da construção de garantias do cidadão. Trata-se de uma lei temporária e, como o nome indica, serve para "proteger a América", autorizando os centros de inteligência norte-americanos a buscar provas no exterior, inclusive legitimando, no plano processual penal, provas coletadas sem autorização de um juiz americano, particularmente no que concerne à vigilância eletrônica de pessoas no mundo todo.

Inclusive a Inglaterra já deu mostras de querer seguir o modelo de processo penal diferenciado contra os inimigos terroristas. É o que revela a lei intitulada *Anti-Terrorism, Crime and Security Bill*[569], editada no mesmo ano de 2001, após o atentado às Torres Gêmeas norte-americanas, e ampliada no seu alcance em 2005, por meio

---

565 UNITED STATES OF AMERICA. *Federal Law 107-56 (Uniting and Strengthening América by Providing Appropriated Tools Required to Intercept and Obstruct Terrorism Act)*. Disponível em: http://www.gpo.gov/fdsys/pkg/PLAW-107publ56/html/PLAW-107publ56.htm. Acesso em: 27 maio 2014. Esta lei foi sendo reautorizada ano após ano, até o dia 31 de maio de 2015, quando o Congresso Americano decidiu por não renová-la mais, principalmente em decorrência do quanto foi divulgado pelo ex-administrador de sistemas da CIA e ex-funcionário da NSA – *National Security Agency*, Edward Snowden, a respeito do acesso indiscriminado pela NSA a dados sigilosos de cidadãos americanos e mesmo de Presidentes de outros países, no escândalo global que foi divulgado através da página na internet da organização não governamental conhecida por Wikileaks, que se presta a divulgar dados sigilosos de governos ou empresas que estejam relacionados a questões de relevância global. A respeito da não renovação do *Patriot Act* e da incerteza gerada nos Estados Unidos a respeito da prevenção e repressão ao terrorismo *vide*, por exemplo: DIAMOND, Jeremy. Patriot Act provisions have expired: What happens now? *CNN*, 1 jun. 2015. Disponível em: http://edition.cnn.com/2015/05/30/politics/what-happens-if-the-patriot-act-provisions-expire/. Acesso em: 2 jun. 2015. No mesmo ano de 2015, outra lei, chamada *USA Freedom Act)* foi aprovada no lugar do *Patriot Act*. Em certa medida, vai na mesma linha de repressão, mas com algumas ressalvas em comparação à primeira. Ela proibiu que o governo promova a coleta em massa de dados de registros telefônicos e metadados da Internet dos americanos.

566 UNITED STATES OF AMERICA. *Homeland Security Act of 2002*. Disponível em: http://www.dhs.gov/homeland-security-act-2002. Acesso em: 27 maio 2014.

567 É importante considerar que a Suprema Corte Norte Americana, por 6 votos contra 3, acabou mitigando a negativa de Cortes Estaduais do mesmo país, quanto à utilização (o que não implica, necessariamente, sua concessão) da ação de *"habeas corpus"* por estrangeiros, conforme refere MUÑOZ CONDE, Francisco. De Nuevo sobre el "Derecho Penal del Enemigo". In: SCHMIDT, Andrei Zenkner (Coord.). *Novos Rumos do Direito Penal Contemporâneo: Livro em Homenagem ao Prof. Dr. Cezar Roberto Bitencourt*. Rio de Janeiro: Lumen Juris, 2006, p. 71.

568 UNITED STATES OF AMERICA. *Protect America Act of 2007. S 1927*. Disponível em: https://www.govtrack.us/congress/bills/110/s1927/text. Acesso em: 27 maio 2015.

569 UNITED KINGDOM. *United Kingdom Parliament. Anti-Terrorism, Crime and Security Bill*. Disponível em: www..publications.parliament.uk. Acesso em: 15 out. 2007.

do *Prevention of Terrorism Act*[570]. As duas leis tiveram como nítida inspiração o já referido *Patriot Act* norte-americano, considerando que também preveem a possibilidade de detenção para averiguação de suspeitos (ingleses ou não) que representem perigo para a segurança nacional, além de inúmeras outras medidas restritivas de direitos individuais do cidadão.

Enfim, não é preciso muito esforço de raciocínio para concluir que essas posturas representam significativo e perigoso retrocesso na democracia e na ideia de um pretenso processo penal cunhado de "acusatório". Nem mesmo a prevenção ao terrorismo – ou ao demônio, como se fazia no discurso do século XVIII – deve exigir tanto, nos moldes já alertados por Beccaria[571].

Vale dizer, o modelo hoje consagrado na Inglaterra e nos Estados Unidos, de *cross examination*, com afastamento do juiz da gestão probatória, de presunção de inocência, de ampla defesa e do ônus da prova a cargo da acusação, é relativamente recente e já vem sofrendo forte revés pelos atos legislativos anteriormente pontuados. Nesse sentido, para além das já referidas análises detalhadas de Langbein e de Amar e, também, do reporte de Charles Cottu, na famosa obra *De la administration de la justice criminelle en Angleterre*[572], destaca-se a percepção de Stephan Landsman:

> Ninguém se pôs a construir o sistema adversarial. Nem mesmo foi parte de um grande projeto do governo ou de um engenhoso filósofo do direito. Os juízes, os advogados e os litigantes do século XVIII da Inglaterra foram aos seus trabalhos inconscientes de que eram os instrumentos de um "propósito" histórico ou o que o produto de seus trabalhos seria um novo sistema de julgamento[573].

Portanto, o quadro histórico encontrado na Inglaterra a partir dos documentos do *Old Bailey Session Papers* e a dificuldade de efetivação da *Bill of Rights* identificada nos Estados Unidos, para além de traduzirem o equívoco das análises dos historiadores do século XIX, também permitem afirmar que as sínteses pretensamente sistemáticas dos doutrinadores europeus do mesmo século são embasadas em premissas equivocadas. Ademais, a incerteza sistemática, como visto, é ampliada pelas reformas processuais recentes dos dois países.

---

570 UNITED KINGDOM. *Prevention of Terrorism Act 2005*. Disponível em: http://www.legislation.gov.uk/ukpga/2005/2/contents. Acesso em: 15 out. 2007.

571 BECCARIA, Cesare Bonesana, Marchesi di. *Dei delitti e delle pene. A cura di Franco Venturi*. Torino, Italia: Giulio Einaudi editore, 1973.

572 COTTU, Charles. *De la administration de la justice criminelle en Angleterre et l'esprit du governement anglais*. 2. ed. Paris: Librarie de Charles Gosselin, 1822, obra digitalizada e encontrada na íntegra na internet. www.archive.org. Acesso em: 6 fev. 2013.

573 LANDSMAN, Stephan, *cit.*, p. 502. Tradução nossa.

Assim, diante de tudo que se ponderou a respeito da ausência de pretensos sistemas puros, dos equívocos que a doutrina processual penal e os historiadores do século XIX legaram à compreensão do tema, resta saber se é conveniente manter-se vinculado a essa dicotomia dos sistemas ainda hoje. A preocupação é bastante atual, dado que a reforma legislativa brasileira de 2019 introduziu o artigo 3º-A no Código de Processo Penal, fazendo expressa menção a uma "estrutura acusatória".

3.7 O processo legislativo de inserção da expressão "estrutura acusatória" no Código de Processo Penal brasileiro

Já se traçou, no Capítulo 3, o percurso de reformas do Código de Processo Penal brasileiro nos últimos sessenta anos. E já se disse como se chegou à última proposta de reforma global em trâmite: o Projeto de Lei do Senado 156/2009[574], depois transformado no Projeto de Lei 8.045, de 2010, em tramitação na Câmara dos Deputados. Como também já referido, ele tem a pretensão de adotar o chamado "princípio acusatório" no processo penal, permitindo atividade probatória do juiz apenas "em favor" do acusado. Sobre esse ponto, vale reprisar o texto da exposição de motivos do anteprojeto apresentado pela Comissão de Notáveis, em 2008:

> Na linha, então, das determinações constitucionais pertinentes, o anteprojeto deixa antever, já à saída, as suas opções estruturais, declinadas como seus princípios fundamentais. A relevância da abertura do texto pela enumeração dos princípios fundamentais do Código não pode ser subestimada. Não só por questões associadas à ideia de sistematização do processo penal, mas, sobretudo, pela especificação dos balizamentos teóricos escolhidos, inteiramente incorporados nas tematizações levadas a cabo na Constituição da República de 1988. Com efeito, a explicitação do princípio acusatório não seria suficiente sem o esclarecimento de seus contornos mínimos, e, mais que isso, de sua pertinência e adequação às peculiaridades da realidade nacional (...)[575].

E, mais adiante, ainda refere que, "em um sistema acusatório público, a titularidade da ação penal é atribuída a um órgão...". É também essa a ideia que se extrai das discussões já travadas na Comissão de Constituição e Justiça do Senado, por ocasião da

---

574 BRASIL. Senado Federal. *Projeto de Lei n. 156/2009*. Disponível em: https://www25.senado.leg.br/web/atividade/materias/-/materia/90645. Acesso em: 19 fev. 2018.

575 BRASIL. Senado Federal. *Comissão de Juristas responsável pela elaboração de anteprojeto de reforma do Código de Processo Penal*. Coordenador: ministro Hamilton Carvalhido. Relator: Dr. Eugênio Pacelli de Oliveira, 2009, p. 14.

discussão do projeto naquela Casa de leis[576]. Com essa pretensão, o projeto adotou, na proposta de um novo art. 4º, a referência à seguinte redação:

> Art. 4º O processo penal terá estrutura acusatória, nos limites definidos neste Código, vedada a iniciativa do juiz na fase de investigação e a substituição da atuação probatória do órgão de acusação.

Nesse ponto específico da referência à "estrutura acusatória" no texto do anteprojeto de reforma do novo Código de Processo Penal brasileiro, Jacinto Nelson de Miranda Coutinho esclarece como se deram as discussões na Comissão de Reforma:

> Restaria dizer sobre a situação do juiz, no processo, diante da dúvida: quando produzida a prova (sempre por iniciativa das partes) e permanecer uma indefinição (razoável) sobre ponto capital do caso penal, optou a Comissão (contra minha posição e a do ilustre presidente, ministro Hamilton Carvalhido) que o juiz poderia ter a iniciativa probatória se fosse em favor do réu. A posição é de duvidosa constitucionalidade (e lotada de boas intenções), à evidência porque se não pode dizer por completo e ex ante se a iniciativa é mesmo para sanar dúvida em favor do réu e, assim, faz-se uma exortação à ética dos magistrados, dificultando-lhes a vida dado se estar diante de questão que pode demandar gasto desnecessário de energia psíquica e sofrimento. Não parece de bom alvitre a proposta se se precisa de um juiz bem resolvido e o mais equilibrado possível. Em processo penal se terminada a instrução e restar dúvida (razoável), o réu deve ser absolvido. É o princípio do in dubio pro reo. Não foi assim que entendeu a comissão e a quem não concordou coube se conformar. Isto mostra, porém, quão democráticos têm sido os trabalhos nela desenvolvidos; e quão importante será a opinião de todos que venham em paz e possam e queiram ajudar. Uma lei de tal porte é para todos e o mínimo a se ter é humildade para reconhecer que se não é dono da verdade, cabendo construir um código onde se erre o menos possível. Este é o espírito que preside a comissão e não só se recolhem sugestões desde o início de seu funcionamento, através do site

---

576 BRASIL. Senado Federal. *Parecer da Comissão de Constituição e Justiça*. 9 de dezembro de 2009. Disponível em: http://www.senado.gov.br/atividade/materia/detalhes.asp?p_cod_mate=90645. Acesso em: 22 jul. 2013.

> do Senado Federal como, concluídos provisoriamente os trabalhos, passar-se-á a fazer audiências públicas, abrindo-se os debates[577].

Como se vê, não havia consenso na Comissão de Notáveis em torno do texto e, de fato, é possível dizer que há muito mais nuances e aspectos relevantes nessa discussão do papel do juiz na produção da prova que nem sequer foram tangenciados na discussão dessa comissão, como se verá na sequência deste livro.

Apresentado o projeto no Senado, seguiram-se as alterações encampadas na Comissão Temporária de Estudo da Reforma do Código de Processo Penal do Senado, e o projeto foi aprovado no Senado com redação final apresentada em 7 de dezembro de 2010, pelo Parecer 1.636/2010. Dali o texto seguiu, no início de 2011, para discussão na Câmara dos Deputados, onde tramita sob o número 8.045/2010.

Durante muito tempo, o projeto ficou praticamente parado na Câmara, tendo retomado seu curso de debates a partir de uma decisão do então presidente da Câmara Eduardo Cunha, no auge da polêmica envolvendo o processo de "*impeachment*" da presidente Dilma Rousseff, em 2016, quando se formou uma nova comissão na Câmara para discuti-lo.

Em abril de 2018, foi apresentado um substitutivo ao projeto, pelo relator-geral da Comissão Especial Destinada a Proferir Parecer ao PL 8.045, de 2010, o deputado João Campos, do PRB de Goiás. Em setembro de 2019, foi encerrado o prazo para emendas ao projeto, tendo sido apresentadas 95, das quais 26 foram retiradas em seguida. Em 13 de abril de 2021, o deputado João Campos apresentou novo relatório e novo substitutivo. Em 2 de junho de 2021, o presidente da Câmara Arthur Lira resolveu dissolver a Comissão Especial e, no dia 30 do mesmo mês, criou um *Grupo de Trabalho*, com quinze parlamentares, para "apresentar outro relatório em 45 dias". No entanto, até maio de 2022, não houve novo relatório apresentado, e o projeto ainda tramita, sem definição de quando será colocado para debate em plenário.

Em paralelo, em 10 de outubro de 2017, foi instituída, pela Presidência da Câmara dos Deputados, uma comissão de juristas com a atribuição de elaborar proposta legislativa de "combate à criminalidade organizada, em especial relacionada ao combate ao tráfico de drogas e armas", a qual foi presidida pelo Ministro Alexandre de Moraes, do Supremo Tribunal Federal. Como resultado dos trabalhos dessa comissão, em 6 de junho de 2018, foi apresentado o Projeto de Lei 10.372/2018, pretendendo promover diversas mudanças na legislação penal e processual penal.

---

577 COUTINHO, Jacinto Nelson de Miranda. Mudar a Mentalidade. *Jornal Gazeta do Povo*, Curitiba, 30 mar. 2009. Disponível em: http://www.gazetadopovo.com.br/opiniao/artigos/mudar-a-mentalidade-bi5nm9xpxm-j3j11solok1jbri. Acesso em: 16 maio 2015.

470 ■ Processo Penal | Fundamentos dos fundamentos

Dentre as mudanças propostas, destacavam-se a introdução do acordo de não persecução penal, a regulamentação da cadeia de custódia da prova, a definição de o prazo máximo de pena ser de 40 anos, o detalhamento da infiltração de agentes policiais em organização criminosa, o *"whistleblower"*, o confisco alargado, a criação de varas colegiadas, a elevação de crimes patrimoniais à categoria de crimes hediondos, mudanças no Estatuto do Desarmamento e na Lei de Execuções Penais, entre outros pontos.

Esse projeto foi arquivado em 31 de janeiro de 2019 e desarquivado em 19 de fevereiro de 2019. Nesse mesmo dia, o então presidente da República Jair Bolsonaro encaminhou à Câmara dos Deputados novo projeto de lei (que ganhou o número 882/2019), elaborado pelo então Ministro da Justiça Sergio Moro, denominado *Pacote Anticrime*, que reprisava muito do que já havia sido proposto no Projeto 10.372/2018.

A partir de 13 de março de 2019, os dois projetos passaram a tramitar em conjunto. No dia seguinte, 14 de março de 2019, o presidente da Câmara Rodrigo Maia criou um *Grupo de Trabalho* na Câmara dos Deputados com a missão de harmonizar e unificar o projeto original apresentado pelo ministro da Justiça e o projeto que havia sido anteriormente apresentado pelo Ministro Alexandre de Morais, do Supremo Tribunal Federal[578].

Nas propostas originais dos dois projetos não havia nada relacionado ao que acabou sendo afinal aprovado como redação do novo art. 3º-A do Código de Processo Penal, pela Lei 13.964/2019. O que se fez, então, foi antecipar a aprovação de texto similar que tramitava na Câmara em torno do novo Código de Processo Penal, no sentido de que "o processo penal terá estrutura acusatória, vedadas a iniciativa do juiz na fase de investigação e a substituição da atuação probatória do órgão de acusação".

O interessante é verificar como essas mudanças foram feitas na Câmara dos Deputados. Nas discussões desse grupo, o tema da "estrutura acusatória" apareceu, pela primeira vez, englobado ao tema do juiz das garantias e introduzido em reunião do dia 19 de setembro de 2019, ou seja, a dois dias do esgotamento do prazo de apresentação do relatório final pelo grupo. Segundo consta do registro em vídeo dessa reunião[579], essa novidade foi sugerida pela deputada Margareth Coelho e pelo deputado Paulo Teixeira, que teriam enviado a proposta aos integrantes do grupo pelo aplicativo de mensagens WhatsApp, no dia 11 de setembro de 2019. Essa informação até causou certa surpresa entre alguns deputados no dia da reunião, com o argumento de que não tinham percebido

---

578 BRASIL. Câmara dos Deputados. Grupo de Trabalho destinado a analisar e debater as mudanças promovidas na legislação penal e processual penal pelos Projetos de Lei n. 10.372, de 2018, n. 10.373, de 2018, e n. 882, de 2019. *Relatório*. Relator deputado Capitão Augusto. Disponível em: https://www2.camara.leg.br/atividade-legislativa/comissoes/grupos-de-trabalho/56a-legislatura/legislacao-penal-e-processual-penal/conheca-a-comissao/membros-da-comissao. Acesso em: 13 ago. 2020.

579 BRASIL. Câmara dos Deputados. Grupo de Trabalho destinado a analisar e debater as mudanças promovidas na legislação penal e processual penal pelos Projetos de Lei n. 10.372, de 2018, n. 10.373, de 2018, e n. 882, de 2019. *Reunião do dia 19 de setembro de 2019*. Disponível em: https://www.camara.leg.br/evento-legislativo/57558.

a mensagem no aplicativo. Na ocasião, o relator, deputado Capitão Augusto, se insurgiu contra a proposta de emenda, dizendo que o tema do juiz das garantias estava sendo introduzido "na prorrogação do segundo tempo", como um "jabuti", isto é, um tema estranho, sem ter sido objeto de audiência pública e sem discussão com os interessados e sem debate no grupo nos cem dias em que ele já havia se reunido. Argumentou que o tema deveria ser tratado no âmbito da reforma global do Código de Processo Penal, e não ali. A deputada Margareth Coelho reagiu à crítica do "jabuti" e defendeu a introdução do juiz das garantias no relatório do grupo. Especificamente a respeito da referência à "estrutura acusatória" do processo penal, nada foi dito. Mesmo assim, a emenda que tratava também desse tema foi aprovada nessa reunião do grupo.

No Plenário da Câmara dos Deputados, um substitutivo aos dois projetos (10.372/2018 e 882/2019), acrescido das mudanças introduzidas pelo Grupo de Trabalho, foi apresentado, "discutido" e aprovado no dia 4 de dezembro de 2019, em "sessão deliberativa extraordinária", de "discussão em turno único" e "extrapauta", iniciada às 19h. Tudo foi muito rápido e tumultuado, inflado pela disputa política entre governo e oposição. Enquanto o presidente da Câmara, deputado Rodrigo Maia, lia a sugestão de impor regime de urgência à tramitação do projeto do *Pacote Anticrime*, um grupo de deputados cantava, em coro, "Parabéns a você", seguido de gritos de "cadê o Queiroz", em alusão ao servidor comissionado do então deputado estadual do Rio de Janeiro Flávio Bolsonaro, causando desconforto no presidente, que pediu ordem. Nesse clima, após 25 minutos, o regime de urgência foi aprovado por votos de liderança dos partidos. Ato contínuo, foi criada, em plenário, uma Comissão Especial e designado relator o deputado Lafayette de Andrada (REPUBLIC-MG). Segundo anotado, de punho, por ele, no próprio documento, às 19h44, o relator apresentou seu parecer e o substitutivo, em plenário, fruto da discussão do referido Grupo de Trabalho[580].

Nessa apresentação o substitutivo não foi lido, apenas comentado, em seis minutos, pelo deputado Lafayette. Em seguida, foram apresentadas seis emendas em plenário, dentre elas uma que pretendia retirar o juiz das garantias do projeto. O relator, Lafayette, foi designado a apresentar parecer, fazendo-o no mesmo dia, em forma manuscrita, dizendo, sem explicar os motivos, que era contra as emendas. As emendas, então, foram defendidas e criticadas em rápidos discursos de púlpito, e acabaram sendo rejeitadas no mesmo momento em que o substitutivo foi aprovado. A sessão encerrou-se às 21h52. O único ponto que gerou certo debate, como dito,

---

580 BRASIL. Câmara dos Deputados. Grupo de Trabalho destinado a analisar e debater as mudanças promovidas na legislação penal e processual penal pelos Projetos de Lei n. 10.372, de 2018, n. 10.373, de 2018, e n. 882, de 2019. *Relatório*. Relator deputado Capitão Augusto. Disponível em: https://www2.camara.leg.br/atividade-legislativa/comissoes/grupos-de-trabalho/56a-legislatura/legislacao-penal-e-processual-penal/conheca-a-comissao/membros-da-comissao. Acesso em: 13 ago. 2020.

foi a inserção do juiz das garantias. Sobre o tema do art. 3º-A (estrutura acusatória do processo penal), mais uma vez, nada se debateu.

O projeto foi, então, ao Senado, onde ganhou o número 6.341/2019. A evidente pressa em aprová-lo fez com que tudo fosse feito em apenas dois dias. O projeto chegou ao Senado no dia 10 de dezembro de 2019. No mesmo dia foi encaminhado para a Comissão de Constituição e Justiça; foi designado como relator o senador Marcos do Val; foi encaminhado ao relator, e este apresentou seu relatório com voto favorável e com apresentação de duas emendas. No relatório não há menção alguma ao artigo 3º-A. Não há uma linha sequer que trate do assunto. Faz-se apenas rápida menção ao juiz das garantias, dizendo que ele "se harmoniza com um modelo acusatório puro de processo penal" (*sic*)[581], mas não se avança para dizer algo a respeito da "estrutura acusatória" referida no texto aprovado. Tudo, frise-se, no mesmo dia. No dia seguinte foi requerido, publicado e aprovado regime de urgência; foi concluída a instrução da matéria; ficou aberto o prazo de cinco dias úteis para recebimento de emendas perante a Mesa (depois cancelado); e foi aprovado o projeto, nos termos do parecer, com envio para sanção presidencial.

Como se vê, portanto, não houve debate algum na tramitação dos referidos projetos no Parlamento brasileiro a respeito da redação do art. 3º-A do Código de Processo Penal. Mesmo assim, foi aprovado e sancionado pelo presidente da República. Impressiona a ausência de debate nesse tema, ainda mais se for levado em conta que a expressão que passou a constar da lei é "estrutura acusatória", e não "sistema acusatório".

Uma coisa é certa: ainda que não tenha sido objeto de debate por ocasião do trâmite do *Pacote Anticrime*, a inspiração da Comissão de Notáveis instituída pelo Senado em 2008, e que elaborou aquele primitivo anteprojeto de novo Código de Processo Penal, para a adoção da expressão "*estrutura acusatória*", é evidente: a Constituição portuguesa de 1976, como anotaram Rodrigo Brandalise e Mauro Fonseca Andrade:

> quando dos debates realizados pela comissão de juristas encarregada de apresentar o anteprojeto de novo CPP, coube ao, então, Senador Renato Casagrande fazer menção, por vez primeira, à necessidade de uma "estrutura típica do modelo acusatório" (BRASIL, 2009, p. 7), designação que se tornou, dali em diante, unanimidade entre todos os seus membros. E, mais uma vez, a experiência portuguesa foi mencionada diversas vezes durante os debates realizados pela comissão de juristas encarregada de apresentar um anteprojeto de nova codificação processual penal brasileira[582].

---

581 BRASIL. Senado Federal. Projeto de Lei n. 6341/2019. *Relatório*. Senador Marcos do Val. 10 de dezembro de 2019, p. 5. Disponível em: https://legis.senado.leg.br/sdleg-getter/documento?dm=8053117&t-s=1596576176544&disposition=inline. Acesso em: 14 ago. 2020.

582 BRANDALISE, Rodrigo da Silva; ANDRADE, Mauro Fonseca. A Estrutura Acusatória Como Garantia no

Passa-se, então, a analisar como essa expressão "estrutura acusatória" foi incorporada à Constituição em Portugal, como ela apareceu no novo Código de Processo Penal português e como vem sendo interpretada naquele país.

3.8 A Constituição portuguesa de 1976 e a referência à "estrutura acusatória" do processo penal: dificuldades de significação

A Constituição da República Portuguesa de 2 de abril de 1976 é fruto da "*Revolução dos Cravos*", ocorrida em 25 de abril de 1974, e do que se sucedeu até sua consolidação, em 25 de novembro de 1975[583]. Esse processo revolucionário permitiu ao país sair de um longo regime ditatorial, que vigia desde 1933, para se reorganizar em bases de cunho eminentemente democrático. Consolidar o novo Estado Democrático de Direito e fundar direitos e garantias aos cidadãos, portanto, estava na ordem do dia. Com esse espírito, a nova Constituição portuguesa cunhou o artigo 32 sob o título "garantias de processo criminal". E, no número 5, esse artigo 32 da Constituição estabeleceu uma delas nos seguintes termos: "O processo criminal tem estrutura acusatória, estando a audiência de julgamento e os atos instrutórios que a lei determinar subordinados ao princípio do contraditório". Porém, no número 4 desse mesmo artigo, fez-se referência à competência da instrução probatória pelo juiz: "Toda a instrução é da competência de um juiz, o qual pode, nos termos da lei, delegar noutras entidades a prática dos atos instrutórios que se não prendam diretamente com os direitos fundamentais"[584].

Já de início, a conjugação desses dois dispositivos revela incômodo a um observador atento e que defenda a ideia da pureza dicotômica "acusatório *versus* inquisitório". Ele diria que há uma contradição entre eles, afinal, no que se considera como "sistema acusatório" o juiz não poderia ter função de instrução[585]. E esse é um ponto interessante para se considerar na interpretação do novo artigo 3º-A do Código de Processo Penal brasileiro, já que ele usa a mesma expressão "estrutura acusatória". O que, afinal, a Constituição portuguesa quis dizer com "estrutura acusatória" e com "toda a instrução é da competência de um juiz"?

Direito Processual Penal Português. *Revista do Ministério Público do RS*, Porto Alegre, n. 88, jul.-dez. 2020, p. 283-305, p. 287.

583 PEREIRA GONÇALVES, Leandro; MENEZES PAREDES, Marçal de. *Depois dos Cravos. Liberdades e Independências*. Porto Alegre: EdiPucRS, 2017, p. 7.

584 PORTUGAL. *Constituição da República Portuguesa, de 1976*. Disponível em: https://www.parlamento.pt/ Legislacao/Paginas/ConstituicaoRepublicaPortuguesa.aspx. Acesso em: 8 fev. 2022.

585 Essa é a posição dominante na doutrina. Há, no entanto, quem defenda em sentido diametralmente oposto, dizendo que a instrução (leia-se investigação) nas mãos do Ministério Público, por exemplo, seria inquisitória, ao passo que sua condução por um juiz de instrução seria acusatória. Nesse sentido, por exemplo: BELEZA, Teresa Pizarro, ISASCA, Frederico, GOMES, Rui Sá. *Apontamentos de Direito Processual Penal. Aulas teóricas dadas no 5º Ano, turma de dia, 1991/1992, 1º semestre*. Lisboa: AAFDL, 1992, p. 79.

A inspiração doutrinária para o uso dessa expressão – "estrutura acusatória" – apareceu, em diferentes momentos, na doutrina portuguesa mais relevante à época da elaboração da Constituição. Era assim que o mais destacado processualista penal português, Jorge de Figueiredo Dias, em seu clássico manual de processo penal, publicado em 1974, dois anos antes da Constituição de Portugal, tratava do tema. Ele desenvolveu sua compreensão em torno da "estrutura processual" ao abrir um capítulo intitulado, justamente, "*A estrutura fundamental do processo penal português*", com o subtítulo "*A discussão sobre o processo de partes e os modelos estruturais do processo penal*". Nele, tratou dos sujeitos processuais e de seus papéis, reprisando o discurso de boa parte da doutrina e explicitando como compreende que são consideradas as "estruturas" do que chamou de "puros processos" inquisitório e acusatório, ou, ainda, do que considerou serem os "dois modelos estruturais extremos" do processo penal:

> A estrutura íntima de um processo penal (resultante, como dissemos, da coatuação dos sujeitos processuais) situar-se-á e definir-se-á mais exatamente com referência a dois modelos estruturais extremos, cuja configuração essencial conhecemos já: a) o que se encontra em um puro processo inquisitório, tal como vimos ter tido consagração na generalidade das legislações europeias continentais dos sécs. XVII e XVIII; b) aquele com que se depara em um puro processo acusatório, tal qual corresponde à forma clássica do processo penal inglês.
>
> a) No primeiro caso temos, indubitavelmente, o exemplo-padrão de um processo sem partes, já que a investigação da verdade e, em suma, a consecução do fim do processo se depositam exclusivamente nas mãos do juiz; até ao ponto de, em uma estrutura processual desse tipo, nem lógica nem naturalmente se impor sequer a existência de um órgão oficial encarregado da acusação, pois o juiz toma (ou pode tomar) para si todas as funções que àquele caberiam. (...)
>
> b) No direito processual penal inglês clássico deparamos, pelo contrário, com o exemplo-padrão de um puro processo penal de partes. (...) Daqui a célebre impassividade (e passividade) do julgador britânico: a este não pertence sequer colher, durante o julgamento, o material probatório – também isto é função das partes, que elas desempenham sobretudo através do interrogatório e do contra-interrogatório ("*examination-in-chief*" e "*cross-examination*") das testemunhas, dos peritos e até do próprio arguido; cabe-lhe apenas dirigir a audiência, velando sobretudo por que nos interrogatórios as partes

se não afastem do formalismo juridicamente prescrito, e (em regra com a colaboração dos jurados na chamada questão-de-fato ou, mais exatamente, "questão-de-culpa") proferir a decisão final na base das provas carreadas pela acusação e pela defesa.

Compreende-se que um processo penal assim estruturado tenha na sua base, ainda mais fortemente que a intenção de lograr a verdade material, o desejo de assegurar ao arguido a máxima garantia da sua liberdade e dos seus direitos individuais. Deste ponto de vista se compreende também a existência de uma larga disponibilidade do objeto pelas partes, podendo tanto o acusador retirar a acusação como a defesa confessar a culpa, e inclusivamente a legitimidade – chocante, por mais limitada que ela seja, para o sentimento jurídico europeu continental – de negócios extraprocessuais entre as partes sobre a culpa e a responsabilidade o arguido[586].

Para além dos equívocos históricos que essa passagem apresenta, pois deposita uma crença teórica na ideia de que sistemas "puros" tenham existido de fato, o interessante é que a referência a "estrutura acusatória" é muito relacionada à ideia de um processo de partes e ao contraditório. E mais interessante ainda é que, em seguida, Figueiredo Dias discutiu a necessidade de uma reforma global do processo penal português da época, mas não apostou suas fichas num modelo de estrutura "pura":

uma reforma global do nosso direito processual penal na direção de um puro processo de partes, nos moldes do sistema anglo-americano, nos parece não só impossível como indesejável; e isto, fundamentalmente, porque tal importaria sempre mutilar (quando não eliminar) a função integrante que deve competir o princípio da investigação, a favor de uma larga vassalagem a prestar aos princípios da discussão e do dispositivo[587].

E, então, apresentou a argumentação que serviu de ponto de partida para a inserção, na Constituição de Portugal, tanto da expressão "estrutura acusatória" quanto da referência à atividade instrutória do juiz:

Mas uma coisa seria preconizar a evolução do nosso direito processual penal em direção ao modelo de um puro processo de partes, outra diferente advogar

---

586 FIGUEIREDO DIAS, Jorge de. *Direito Processual Penal. Primeiro Volume.* Coimbra: Coimbra Editora, 1974, p. 239 e s.

587 *Ibid.*, p. 268.

a estruturação de um processo autenticamente acusatório, onde desaparecem os vestígios (ainda hoje palpáveis entre nós) da luta histórica entre os tipos de processo acusatório e inquisitório, bem como algumas notas que só este segundo tipo pode explicar e outras que patenteiam inevitáveis soluções de compromisso, ditadas pelo vacilar na firmeza das próprias convicções; e onde, por conseguinte, sem prejuízo da manutenção da eficácia (supletiva) do princípio da investigação e do integral respeito pelo princípio da indisponibilidade do objeto do processual por um lado, e sem pôr em causa o dever de objetividade do MP (máxime nos atos processuais que decorram fora do controle direto e imediato do juiz) por outro, se dê ao MP e ao arguido posições jurídico-processuais tanto quanto possível paritárias[588].

Como se vê, não obstante Figueiredo Dias tenha invocado a ideia de uma "estrutura acusatória" para o processo penal português, ele aludiu à necessidade de se manter a "eficácia (supletiva) do princípio da investigação" e o integral respeito pelo princípio da indisponibilidade do processo. Essas seriam, no entanto, aos olhos de uma parcela significativa da doutrina mais moderna, características típicas de um sistema inquisitório. A questão é que Figueiredo Dias propôs raciocinar fora das duas caixas dicotômicas com pretensão de pureza, pensando um modelo de processo penal que seria melhor para o país.

De qualquer sorte, é possível dizer, acompanhando a avaliação de Brandalise e Fonseca[589], que Figueiredo Dias se refere à "estrutura acusatória" como equivalente ao "sistema acusatório", ainda que com as nuances indicadas. O foco mesmo parece ser um processo no qual haja paridade de armas processuais e se exerça o contraditório de forma ampla, sem abrir mão de uma atividade probatória complementar pelo juiz. Em alguma medida foi o que se documentou na Constituição portuguesa de 1976, como visto anteriormente. E é importante considerar isso, dado que Figueiredo Dias, desde 1983, atuou como presidente da Comissão de Reforma da legislação penal e processual penal portuguesa, ou seja, foi um dos "autores materais"[590] do novo Código de Processo Penal português, de 1987.

Para as discussões brasileiras, é importante também observar que, após a Constituição de Portugal ter adotado a expressão "estrutura acusatória" e ter estabelecido que "toda a instrução será da competência de um juiz", houve ampla dificuldade teórica na

---

588 *Ibid.*, p. 268.

589 BRANDALISE, Rodrigo da Silva; ANDRADE, Mauro Fonseca. A Estrutura Acusatória Como Garantia no Direito Processual Penal Português. *Revista do Ministério Público do RS*, Porto Alegre, n. 88, julho a dezembro de 2020, p. 283-305, p. 287.

590 A expressão é de BELEZA, Teresa Pizarro; ISASCA, Frederico; GOMES, Rui Sá. *Apontamentos de Direito Processual Penal. Aulas teóricas dadas ao 5º Ano, turma de dia, 1991/1992, 1º semestre*. Lisboa: AAFDL, 1992, p. 79.

doutrina portuguesa de delimitar o que essas duas referências significam. Alertando para essa obscuridade do dispositivo constitucional, ainda no mesmo ano de 1976, Rui Pinheiro e Artur Maurício debateram a questão:

> Quanto à competência para a instrução é hoje expresso o n. 4 do art. 32º da Constituição: "Toda a instrução será da competência de um juiz (...)".
>
> Mas de que juiz se trata?
>
> Temos par nós que se trata de um juiz de instrução criminal, e não do juiz da causa, o juiz julgador.
>
> Porém, como o problema não é líquido e deu já lugar a muita polêmica e duas leis, vamos analisá-lo mais detalhadamente[591].

Os autores, então, historicizaram o que se deu com a condução da instrução preparatória no processo penal português. Detalharam que, em 1945, o Decreto-Lei 35.007 retirou o juiz dessa função e passou o domínio da instrução preparatória ao Ministério Público. E chegaram à Constituição de 1976, conjugando a condução da instrução à referência da "estrutura acusatória", prevista no mesmo artigo:

> Veio então a Constituição de 1976 consagrar no n. 4 do art. 32º que toda a instrução será da competência de um juiz. Dado que o n. 5 imediato impõe uma estrutura acusatória para o processo penal, conjugando ambos os articulados e esperando que a experiência de um processo inquisitório fora bem aprendida, que as noções fundamentais dos princípios jurídicos não são alheias ao legislador, que a existência de alguns juízos de instrução criminal era uma realidade, e sobretudo as garantias de defesa do arguido eram princípio constitucional (n. 1, do art. 32º) a impor-se até às consciências que lhe fossem menos sensíveis, nunca se imaginou que a lei lhes fosse indiferente e, muito menos, hostil.
>
> Porém, assim não aconteceu.
>
> Em 4 de Maio de 1976 veio à luz o Decreto-Lei n. 321/76.
>
> Este decreto é fruto da combinação de dois princípios – o do art. 32º citado e o n. 3 do art. 301º, disposição constitucional transitória, que reza:
>
> "Nas comarcas onde não houver juízos de instrução criminal, e enquanto estes não forem criados, em cumprimento do n. 4 do artigo 32º, a instrução criminal incumbirá ao Ministério Público, sob a direção de um juiz"[592].

---

591 PINHEIRO, Rui; MAURÍCIO, Artur. *A Constituição e o Processo Penal*. Coimbra: Coimbra Editora. 1ª edição de 1976, reimpressão, 2007, p. 64.

592 *Ibid.*, p. 65-66.

Em seguida, os autores esclareceram que o Decreto-Lei 321/76 acabou colocando o juiz na função de "direção da instrução preparatória". Criticaram essa regulamentação e reforçaram que "não há dúvidas que o juiz que o n. 4º do art. 32º refere é o juiz de instrução criminal", pois, "na estrutura acusatória, o juiz instrutor será diferente do juiz julgador"[593].

Por seu turno, o doutrinador português José Antonio Barreiros, em seu manual de Processo Penal, escrito em 1981, acabou mesclando as ideias de "estrutura" e "sistema", tratando-as como equivalentes e intitulando um capítulo do livro como "*Tipos Estruturais de Sistemas Processuais Penais*"[594].

Veio, então, a Lei 43/86, por meio da qual a Assembleia da República portuguesa autorizou o governo a aprovar um novo Código de Processo Penal. Essa lei estabeleceu 81 diretrizes para o novo Código. A quarta diretriz, importa destacar, afirmou ser necessário observar o "estabelecimento da máxima acusatoriedade do processo penal, temperada com o princípio da investigação judicial"[595]. Foi, então, convocada uma comissão de juristas para elaborar o novo regramento, a qual, como já destacado, foi presidida por Jorge de Figueiredo Dias[596]. E o Decreto-Lei 78, de 17 de fevereiro de 1987, aprovou o novo Código de Processo Penal português, que entrou em vigor no dia 1º de janeiro de 1988. Na exposição de motivos do novo código, ficou acentuada a observância à referida diretriz:

> o Código perspectivou um processo de estrutura basicamente acusatória. Contudo – e sem a mínima transigência no que às autênticas exigências do acusatório respeita –, procurou temperar o empenho na maximização da acusatoriedade com um princípio de investigação oficial, válido tanto para efeito de acusação como de julgamento; o que representa, além do mais, uma sintonia com a nossa tradição jurídico-processual penal[597].

E a materialização dessa orientação é identificada na redação do artigo 340, que destacou os "princípios gerais da produção da prova":

---

593 *Ibid.*, p. 70.

594 BARREIROS, José Antonio. *Processo Penal*. Coimbra: Almedina, 1981, p. 11.

595 PORTUGAL. Assembleia da República. *Lei 43/86*. Disponível em: https://dre.tretas.org/dre/35008/lei-43-86-de-26-de-setembro. Acesso em: 9 fev. 2022.

596 CARVALHO, L. G. Grandinetti Castanho de; BRANDÃO, Nuno. Sistemas Processuais Penais do Brasil e de Portugal – Estudo Comparado. In: CARVALHO, L. G. Grandinetti Castanho de; MARQUES DA SILVA, Germano; PRADO, Geraldo; e BRANDÃO, Nuno. *Processo Penal do Brasil e de Portugal*. Estudo Comparado: as reformas portuguesa e brasileira. Coimbra: Almedina, 2009, p. 11-69, p. 18.

597 PORTUGAL. *Código de Processo Penal. Decreto-lei n. 78/87*. Disponível em: https://www.pgdlisboa.pt/leis/lei_mostra_articulado.php?nid=199&tabela=leis&so_miolo=. Acesso em: 8 fev. 2022.

1. O tribunal ordena, oficiosamente ou a requerimento, a produção de todos os meios de prova cujo conhecimento se lhe afigure necessário à descoberta da verdade e à boa decisão da causa.

2. Se o tribunal considerar necessária a produção de meios de prova não constantes da acusação, da pronúncia ou da contestação, dá disso conhecimento, com a antecedência possível, aos sujeitos processuais e fá-lo constar da acta.

Como se vê, a "estrutura acusatória" passou a conviver com a autorização para a produção de provas de ofício pelo juiz, o que, para boa parcela da doutrina, não se encaixa na ideia de acusatório. Vale uma crítica ao norte hermenêutico do novo código português, pois ele parece ainda apostar na equivocada ideia de "busca da verdade material" pelo juiz. Isso ficou estampado, também, no artigo 53, I, quando trata da "posição e atribuições do Ministério Público no processo", dizendo que "compete ao Ministério Público, no processo penal, colaborar com o tribunal na descoberta da verdade".

Em artigo escrito em 1988, ano em que o novo código entrou em vigor, Antonio Barreiros ainda criticou a falta de clareza do texto constitucional, dizendo, a respeito da expressão "estrutura acusatória", que "não encontraremos na letra dessa Lei fundamental qualquer noção ou critério de intepretação que permitam construir o conceito respectivo"[598]. Mesmo assim, acabou arriscando definições em torno do seu significado:

Numa sua concepção restrita tal enunciado tem um valor puramente delimitado, e endo-processual, significando, no plano material, a distinção entre instrução, acusação e julgamento e, no plano subjetivo ou orgânico, a diferença entre juiz de instrução e de julgamento e entre ambos e o órgão acusador.

Parece, no entanto possível ir-se mais longe e visualizar o conceito em questão como dotado de uma virtualidade mais intensa, mais adequado a definir todo o modo de funcionamento do sistema processual penal do que, circunscritamente, apenas uma separação intraprocessual de poderes entre alguns dos sujeitos intervenientes.

Mas mais: é que, de todas as garantias do processo criminal tipificadas no artigo 32º da Constituição uma única assume intrínseca natureza estrutural,

---

598 BARREIROS, José Antonio. A Nova Constituição Processual Penal. *Revista da Ordem dos Advogados*, Lisboa, a. 48, 1988, p. 425-448, p. 429. Disponível em: https://portal.oa.pt/upl/%7Bfb2bda40-2883-4766-a66d--a671b126eb50%7D.pdf.

sendo como tal qualificada pela letra do preceito – a garantia do acusatório, a qual reveste a natureza de elemento estruturante do processo criminal.

Na arquitetura processual penal a garantia do acusatório significa, assim, um grau a uma hierarquia largamente prevalente a todas as outras garantias respeitantes ao mesmo tipo de processo...

Trave fundante do processo criminal, a garantia do acusatório não é, por outro lado, na sistemática da Constituição, apenas um dos princípios conformadores do sistema processual penal tal como classicamente se delineiam – ao lado da oralidade, do contraditório, da investigação, da verdade material[599], etc. – mas, bem inversamente, a única que a Constituição entendeu dever conferir o caráter de matriz construtiva e estruturante do sistema de processo criminal.

Só que a estrutura acusatória não corresponde a um modo unívoco de entender a organização do processo penal, porquanto sob tal designação são várias as correntes configurações admissíveis do sistema processual penal.

O termo corresponde a um modo empírico de designar o processo penal anglo-americano e, no contexto da Europa Continental tem, para além disso, uma significação particular, ainda por antítese ao sistema processual inquisitório, que aqui vigorou desde a decadência do Império Romano até a Revolução Francesa.

Encarada sob este prisma, a Constituição processual penal de estrutura acusatória poderá configurar-se, aliás, como correspondente a distintos modos de expressão do sistema processual penal, ou vale a recíproca, poderão aceitar-se como essencialmente correspondentes ao mesmo tipo de Constituição processual penal variadas estruturas processuais penais, desde que todas mereçam o qualificativo de acusatórias[600].

Ou seja, Barreiros criticou a falta de clareza do constituinte, depois se esforçou para traçar parâmetros, e voltou a criticar a facilidade de manipulação conceitual. Em outras palavras, o que sintetizou é que, ao colar o rótulo de acusatório em qualquer instituto de processo penal, ele passa a ser aceito como constitucionalmente válido. É, em parte, o que se tem verificado hoje em dia em algumas discussões que começam pelo fim, isto é, na avaliação da conveniência ou não de determinado instituto de processo penal, primeiro se força a adesão ao rótulo de "acusatório" ou

---

599 Aqui, ao se referir a princípios de "investigação" e da "verdade material", como sendo características "acusatórias", destoa da doutrina, em geral, que os cataloga como princípios "inquisitórios".

600 *Ibid.*, p. 432 a 434.

"inquisitório" e, somente depois, conclui-se que, se "é" acusatório, deve ser adotado, ou, ao contrário, se "é" inquisitório, deve ser rechaçado.

Outro esforço teórico para tentar definir o alcance da expressão "estrutura acusatória" foi apresentado pela professora Teresa Pizarro Beleza, com a colaboração de Frederico Isasca e de Rui Sá Gomes, no registro de suas aulas em 1991 e 1992. Nessas lições, ela começou ponderando que "estrutura acusatória" e "estrutura inquisitória" são "dois modelos que não existem em sua forma pura, embora haja versões mitigadas de ambos os sistemas"[601]. Depois detalhou o que, a seu ver, a Constituição portuguesa teria explicitado com a adoção da expressão "estrutura acusatória", dizendo que "é uma ideia de que o Processo Penal é um processo de partes, ou seja, uma parte quer a condenação, outra parte quer a absolvição. Fundamentalmente o juiz preside ao processo, é uma entidade suprapartes"[602]. E asseverou que a "estrutura acusatória", ao considerar o processo de partes, "aproxima o processo penal do processo civil". Em seguida, no entanto, considerou que o modelo português tem fases que são "estruturalmente inquisitórias", a exemplo do inquérito e da orientação da instrução probatória, também por um "princípio de investigação". E sintetizou o que reputa serem as "duas características essenciais do modelo acusatório" evidenciadas no processo penal português: a separação das funções de acusar e julgar, e o que chamou de "princípio da vinculação temática do tribunal", ou seja, o fato de que "tudo que o juiz vai decidir está estabelecido no momento da acusação" (o que também se costuma denominar de "princípio da correlação da jurisdição")[603].

O Código de Processo Penal português passou por reforma com a Lei 59, de 25 de agosto de 1998, mas ela não mexeu nessa discussão da atividade probatória do juiz. Seja como for, com o propósito de analisar as mudanças trazidas e reforçar seu entendimento a respeito de como a legislação processual penal daquele país merece ser interpretada, Jorge de Figueiredo Dias publicou importante artigo intitulado *Os Princípios Estruturantes do Processo e a Revisão de 1998 do Código de Processo Penal*. Como se vê, para além da "estrutura acusatória", o autor agora refere-se a "princípios estruturantes". E deu um conceito:

> Princípios estruturantes são aqueles que traduzem o modelo processual penal
> em que o Código se baseia e que venho, desde há muito, a exprimir através

---

601 BELEZA, Teresa Pizarro; ISASCA, Frederico; GOMES, Rui Sá. *Apontamentos de Direito Processual Penal...* cit., p. 68.

602 *Ibid.*, p. 69.

603 *Ibid.*, p. 77 e 78.

da fórmula: "estrutura basicamente acusatória, integrada por um princípio de investigação"[604].

Desenvolvendo sua compreensão do processo penal, Figueiredo Dias pontuou a respeito da importância do processo penal para a consolidação de uma política criminal "humana e secularizada", "tipicamente decorrente das máximas do Estado de Direito", dizendo que o processo e o direito penal material compõem uma "unidade funcional" que instrumentaliza a "concordância prática entre uma lógica da justiça e uma lógica da produtividade ou da eficiência social e a maximização de cada uma delas"[605]. De forma complementar, ainda recordou o que devem ser as "finalidades primárias a cuja realização o processo penal se dirige": de um lado, a "realização da justiça e a descoberta da verdade, como formas necessárias de conferir efetividade à pretensão punitiva do Estado"; e, de outro, "a proteção face ao Estado dos direitos fundamentais das pessoas, nomeadamente do arguido". Abriu, ainda, uma terceira frente, falando da importância de se promover "o restabelecimento da paz jurídica comunitária posta em causa pelo crime e a consequente reafirmação da validade da norma violada". Com a clareza que lhe é peculiar, Figueiredo Dias ainda fez questão de anotar uma ressalva: "reconhecer estas finalidades implica porém – não me canso de insistir nesse ponto – aceitar a impossibilidade da sua integral harmonização". E considerou que a mesma dificuldade é encontrada na "estrutura fundamental do próprio processo", pois "erigir qualquer uma das finalidades conflituantes em finalidade única ou mesmo absolutamente determinante da estruturação do processo coloca-o em conflito irremível com os mandamentos do Estado de Direito". Figueiredo Dias, então, considerou ser esse o fundamento decisivo para que ele se sinta "completamente confortado, hoje como há trinta anos atrás, na inabalável convicção de que a estrutura processual penal básica que melhor dá cumprimento ao critério acima defendido de lograr a harmonização das finalidades em conflito é uma estrutura acusatória integrada por um princípio de investigação tão lato quanto seja possível"[606]. E reforçou considerar que:

> com a integração deste princípio numa estrutura basicamente acusatória, logra-
> -se acentuar convenientemente o caráter indisponível do objeto e do conteúdo
> do processo penal, a sua intenção dirigida à verdade material, as limitações in-

---

604 FIGUEIREDO DIAS, Jorge de. Os Princípios Estruturantes do Processo e a Revisão de 1998 do Código de Processo Penal. *Revista Portuguesa de Ciência Criminal*, ano 8, fasc. 2, Coimbra: Coimbra Editora, abr.-jun. 1998, p. 199-250, p. 199.

605 *Ibid.*, p. 201.

606 *Ibid.*, p. 202.

dispensáveis à liberdade do arguido que não ponham em causa a sua dignidade nem o seu direito de defesa, sem que tal tenha que obter-se em detrimento do total aproveitamento da atividade probatória das partes, da ideia-mestra da sua fundamental igualdade, da exigência salutar de que a verdade material seja também processualmente válida, da concessão à acusação e à defesa do mais dilatado âmbito de atuação no processo[607].

Referindo-se especificamente ao "poder-dever que ao tribunal pertence de esclarecer e instruir autonomamente – isto é, independentemente das contribuições da acusação e da defesa", sustentou que isso permite reconhecer que o juiz tem uma "participação constitutiva na declaração do direito do caso, no seio de uma estrutura processual que garante a indispensável cisão entre a entidade investigadora (acusadora) e a julgadora"[608].

E seguiu, Figueiredo Dias, na crítica a alguns operadores do direito[609], "seduzidos por um certo imperialismo cultural norte-americano", que "clamam por um processo penal de partes, de teor dispositivo", para dizer que eles "não podem – porque constituiria teoricamente um erro deplorável – é considerar um tal sistema como o único sistema 'acusatório' legítimo, tomando de uma forma inadmissível a parte pelo todo". Criticou, também, e de outra sorte, aqueles que chamou de "saudosistas da autoridade estatal", que costumam "invocar as necessidades de defesa do Estado e dos seus poderes, ou mesmo a nobreza do propósito de alcançar sempre que possível a famosa 'verdade material', ou ainda (com certo ressaibo hegeliano) a eminente superioridade ética do Estado, para clamar por um processo penal inquisitório"[610].

E, com essa dupla crítica, voltou a defender que a legitimidade do processo no Estado de Direito se dá por "um modelo processual acusatório, integrado, nos termos acima expostos, por um princípio de investigação judicial"[611]. Deixou claro, ainda, que entende que esse *princípio de investigação judicial* tem um "caráter subsidiário", ou seja, que ele deve se orientar por uma atuação subsidiária do juiz em relação à atividade probatória das partes, o que se evidencia no modelo de audiência regrado pelo Código português:

---

607 *Ibid.*, p. 203.

608 *Ibid.*, p. 203.

609 E detalhou quem são: "na sua grande maioria advogados inebriados pelo protagonismo e pelo poder processual que julgam ter os seus colegas estadunidenses na teia do tribunal; e em pequeno número agentes do Ministério Público, rendidos às – indiscutíveis – oportunidades de carreiras políticas fulgurantes que um tal sistema abre às escâncaras" (*Ibid.*, p. 203).

610 *Ibid.*, p. 204.

611 *Ibid.*, p. 204.

Assim, a testemunha é inquirida por quem a indicou, estando assegurado o contrainterrogatório e a possibilidade de os juízes formularem, a qualquer momento, as perguntas que entenderem necessárias para esclarecimento do depoimento prestado e para boa decisão da causa (artigo 348º, nºs 4 e 5)[612].

Em conclusão, Figueiredo Dias alertou para o problema central a ser igualmente enfrentado quando se admite essa intervenção do juiz: "a irredutível subjetividade do juiz". "Alertar", disse ele, "para este perigo e para as formas de o evitar é de resto, do meu ponto de vista, o primeiro e indeclinável dever de qualquer escola de formação democrática processual penal de magistrados"[613].

Enfim, essas passagens revelam o esforço do mais influente processualista penal português na compreensão de como se deve tratar a referência à "estrutura acusatória" do processo. Muito importante o reforço de equilíbrio que Figueiredo Dias procurou transmitir como premissa, não obstante se possam criticar algumas referências a discursos de busca da verdade material, de indisponibilidade do objeto do processo e de ampla instrução autônoma por parte do juiz. E é fundamental seu alerta quanto à necessidade de se pensar em mecanismos de diminuição e controle da subjetividade do julgador. Esse é o ponto mais relevante e que se desenvolverá mais à frente. Seja como for, os nortes exegéticos de Figueiredo Dias correspondem ao entendimento que se consolidou primeiro na doutrina e, depois, na jurisprudência em Portugal.

Em trilha similar e em trabalho de comparação entre a nova legislação portuguesa e a realidade brasileira, Nuno Brandão e Grandinetti de Carvalho bem anotaram o espírito do regramento português, citando a adoção de um "sistema aberto" e compatibilizando a ideia de acusatório com o "princípio de investigação do juiz"[614]:

> Nesse contexto de transição e de tendências contraditórias, o Código pretende ter a natureza compromissória e a de um sistema aberto. E, desse modo, foi concebido sobre dois eixos fundamentais: primeiro, o reconhecimento da distinção entre a grave e a pequena criminalidade, no que acolheu, para esta última, os princípios da oportunidade, da informalidade, do consenso e da celeridade; segundo, o reconhecimento, para a grave criminalidade, da existência do conflito com a inafastável busca da igualdade de armas e a previsão, de modo reforçado, do papel do assistente. Esses dois eixos se conectam ao

---

612 *Ibid.*, p. 212.

613 *Ibid.*, p. 213.

614 Em sentido similar, *vide*, também: MOREIRA DOS SANTOS, Gil. *O Direito Processual Penal*. Porto: Edições Asa, 2002, p. 12.

princípio constitucional acusatório, que sobrepaira o Código, mas temperado por um princípio da investigação, entendido no sentido de que o juiz tem liberdade para, dentro dos limites do objeto do processo, heteronomamente definidos, determinar oficiosamente as diligências probatórias que reputar convenientes ou necessárias para a descoberta da verdade material ou da boa decisão da causa (art. 340)[615].

O certo é que, diante do esforço doutrinário e das diferentes posições adotadas, o Supremo Tribunal de Justiça português acabou enfrentando, circunstancialmente, o tema. Em caso no qual se discutiu a possibilidade de o juiz promover a "*emendatio libelli*" (ou seja, a alteração, de ofício, da classificação jurídica do crime após o recebimento da denúncia), o Supremo Tribunal entendeu que a discussão está vinculada "a uma concepção acusatória" do processo penal português. Assim, acabou abrindo um capítulo no acórdão, intitulado *A estrutura acusatória do processo e o princípio do contraditório*, ingressando na maneira de interpretar a expressão "estrutura acusatória". E o fez invocando a doutrina de Canotilho, Vital Moreira, Teresa Pizarro Beleza e Figueiredo Dias. No Acórdão 11/2013, proferido no dia 19 de julho de 2013, disse o Tribunal Pleno das Secções Criminais do Supremo Tribunal de Justiça português:

> C – A estrutura acusatória do processo e o princípio do contraditório.
>
> 1 – O desiderato garantístico exposto tem natureza e consagração constitucionais, pois que como se sabe, nos termos do artigo 32.º da Constituição Política da República Portuguesa:
>
> 1 – O processo criminal assegura todas as garantias de defesa, incluindo o recurso. (…)
>
> 5 – O processo criminal tem estrutura acusatória, estando a audiência de julgamento e os actos instrutórios que a lei determinar subordinados ao princípio do contraditório. (...)
>
> 2 – Como J. J. Gomes Canotilho/Vital Moreira elucidam:
>
> "O princípio acusatório (n.º 5, 1.ª parte) é um dos princípios estruturantes da constituição processual penal. Essencialmente, ele significa que só se pode ser julgado por um crime precedendo acusação por esse crime por parte de um órgão distinto do julgador, sendo a acusação condição e limite do julgamento. Trata-se de uma garantia essencial do julgamento independente e imparcial.

---

615 CARVALHO, L. G. Grandinetti Castanho de; BRANDÃO, Nuno. Sistemas Processuais Penais do Brasil e de Portugal – Estudo Comparado. In: CARVALHO, L. G. Grandinetti Castanho de; MARQUES DA SILVA, Germano; PRADO, Geraldo, e BRANDÃO, Nuno. *Processo Penal do Brasil e de Portugal*. Estudo Comparado: as reformas portuguesa e brasileira. Coimbra: Almedina, 2009, p. 11-69, p. 19.

Cabe ao tribunal julgar os factos constantes da acusação e não conduzir oficiosamente a investigação da responsabilidade penal do arguido (princípio do inquisitório).

A 'densificação' semântica da estrutura acusatória faz-se através da articulação de uma dimensão material (fases do processo) com uma dimensão orgânico-subjectiva (entidades competentes). Estrutura acusatória significa, no plano material, a distinção entre instrução, acusação e julgamento; no plano subjectivo, significa a diferenciação entre juiz de instrução (órgão de instrução) e juiz julgador (órgão julgador) e entre ambos e órgão acusador.

O princípio da acusação não dispensa, antes exige, o controlo judicial da acusação de modo a evitar acusações gratuitas, manifestamente inconsistentes, visto que a sujeição a julgamento penal é, já de si, um incómodo muitas vezes oneroso e não raras vezes um vexame.

Logicamente, o princípio acusatório impõe a separação entre o juiz que controla a acusação e o juiz de julgamento (cf. Acs TC n.ºs 219/89 e 124/90)."

3 – Teresa Pizarro Beleza, com a colaboração de Frederico Isasca e Rui Sá Gomes ([15]), refere: "O Código de Processo Penal estabelece que quem dirige a investigação é o Ministério Público, e é ele que acusa. Pode haver uma segunda fase de investigação que é a fase de instrução em que já há um juiz a presidir; mas o juiz do julgamento será sempre uma pessoa diferente destas. O juiz do julgamento é necessariamente um juiz (não só em termos institucionais mas a própria pessoa tem de ser) diferente do juiz que presidiu à instrução. Neste sentido, a estrutura do Processo Penal Português têm claramente uma estrutura acusatória. Mas não é suficiente uma diferença de identidade entre quem acusa e quem julga para se poder dizer que um processo tem uma estrutura acusatória. Independentemente do sentido histórico que a estrutura acusatória assume há pelo menos um outro aspecto que deriva aliás, do primeiro, em relação ao qual podemos dizer que, a estrutura acusatória do processo é ou não evidente. Se deve haver uma entidade diferente a investigar e a acusar da entidade que julga, se a entidade que julga pudesse à vontade investigar e procurar factos novos para decidir determinada causa, poderia dizer-se que a estrutura acusatória era puramente formal e que de facto o juiz acabava por ter poderes para se pronunciar sobre os factos que entendesse. Isto não pode acontecer no Direito Português isto é, a estrutura acusatória do processo implica também aquilo que normalmente se define em termos restritos como o Princípio da Acusação ou Princípio da Vinculação temática. O Juiz que julga está temati-

camente vinculado aos factos que lhe são trazidos pela entidade que acusa. É por isso que é muito importante verificar quando, em que momento, e como é que no processo português se fixa o objecto do processo. Quando o Ministério Público deduz acusação ou, em alternativa, quando é requerida a abertura da instrução pelo assistente, nesse momento fixam-se os factos dos quais o juiz do julgamento vai poder conhecer. Isto é, a estrutura acusatória do processo implica também, além da diferença de identidade entre acusador e julgador, que o julgador está vinculado ao tema do processo que lhe é trazido pelo acusador. O juiz do julgamento só pode pronunciar-se sobre os factos que lhe são trazidos, em princípio pelo Ministério Público. É nesse sentido que se diz que a estrutura acusatória do processo implica também o princípio da acusação ou o princípio da vinculação – temática."

4 – Quanto ao princípio do contraditório, refere Figueiredo Dias:

"O princípio do contraditório opõe-se, decerto, a uma estrutura puramente inquisitória do processo penal, em que o juiz pudesse proferir a decisão sem previamente ter confrontado o arguido com as provas que contra ele houvesse recolhido – e não faltaram exemplos históricos de processos penais assim estruturados – ou sem lhe ter dado, em geral, qualquer possibilidade de contestação da acusação contra ele formulada. Excepção feita, porém, a casos de estrutura mais asperamente inquisitória, o princípio, encabeçado sobretudo na pessoa do arguido, mereceu sempre geral aceitação – nos direitos antigos (tanto no grego como no romano) como nos medievais (após a recepção do direito romano, logo em seguida obscurecida, como se sabe, pelo processo inquisitório) e, de forma inquestionável, nos processos penais 'reformados' consequentes à Revolução Francesa.

Esta persistência e geral aceitação explica-se, ao que cremos, pela circunstância de o princípio do contraditório, com os fundamentos apontados, surgir dotado de uma natureza acentuadamente formal e quase privado de conteúdo e sentido autónomos"[616].

Como se vê, portanto, o Supremo Tribunal de Justiça de Portugal fixou seu entendimento a respeito do alcance da expressão "estrutura acusatória" incorporando, em sua fundamentação, a doutrina referida. Assim, para a jurisprudência portuguesa, observar a "estrutura acusatória" do processo penal significa, em síntese, que: a)

---

616 PORTUGAL. Supremo Tribunal de Justiça. Acórdão n. 11/2013, Proc. n.º 788/10.0gebrg.g1-A.S1- 3.ª. *Diário da República, 1ª Série, n. 138, de 19 de julho de 2013*, p. 4220-4238, p. 4232. Disponível em: https://files.dre.pt/1s/2013/07/13800/0422004238.pdf. Acesso em: 9 fev. 2022.

deve haver um órgão de acusação distinto do julgador; b) o juiz não pode conduzir oficiosamente a investigação da responsabilidade penal do arguido, estando vinculado aos fatos que lhe são trazidos pelo órgão de acusação; c) deve haver separação entre o juiz que participa da chamada "fase de instrução"[617] e o que participa da fase de julgamento do processo; d) deve haver controle judicial da acusação para evitar acusações infundadas; e) deve ser observado o contraditório.

Não é demais considerar que há inúmeras outras questões que ficaram de lado nessa discussão (*v.g.*, ampla defesa, presunção de inocência, publicidade, oralidade, etc.), mas, pelo que constou da decisão mencionada, desde que não se modifique a imputação fática, não há vedação à participação ativa do juiz na inquirição de testemunhas. Essa, aliás, é a posição do mesmo Supremo Tribunal de Justiça de Portugal quando confirmou, ainda que circunstancialmente, a validade do artigo 340 do Código de Processo Penal português. É o que se vê de um acórdão de 2018, discutindo o contexto do cumprimento de um Mandado de Detenção Europeu (MDE), expedido por juiz espanhol contra cidadã portuguesa. No acórdão consta como a Corte portuguesa interpretou válido o chamado "princípio da investigação". Para tanto, a Corte, mais uma vez, invocou a doutrina de Jorge de Figueiredo Dias:

> Com efeito, no processo para execução de MDE não se encontra presente o essencial das razões que no processo penal justificam a persistência do princípio da investigação, com o qual, nas palavras de F. Dias, "...pretende-se traduzir o poder-dever que ao tribunal pertence de esclarecer e instruir autonomamente" – isto é independentemente das contribuições da acusação e da defesa – o 'facto' sujeito a julgamento, criando ele próprio as bases necessárias à sua decisão. – Cfr. Os princípios estruturantes do processo penal e a revisão de 1998 do CPP, in *RPCC*, Ano 8 (1998) p. 203[618].

---

617 Nos termos do artigo 287 do Código de Processo Penal português, é possível, mediante requerimento do arguido ou do assistente, no prazo de 20 dias a contar da notificação da acusação ou do arquivamento da investigação, que se abra uma fase intermediária entre o oferecimento da denúncia (ou arquivamento da investigação pelo MP) e a fase de julgamento. Essa fase serve para discutir eventuais excessos de acusação ou arquivamento equivocado. Nos termos do n. 2, do art. 287, do Código de Processo Penal português, "o requerimento não está sujeito a formalidades especiais, mas deve conter, em súmula, as razões de facto e de direito de discordância relativamente à acusação ou não acusação, bem como, sempre que disso for caso, a indicação dos actos de instrução que o requerente pretende que o juiz leve a cabo, dos meios de prova que não tenham sido considerados no inquérito e dos factos que, através de uns e de outros, se espera provar, sendo ainda aplicável ao requerimento do assistente o disposto nas alíneas b) e c) do n.º 3 do artigo 283.º Não podem ser indicadas mais de 20 testemunhas". Ao final dela, há uma decisão de pronúncia, pelo juiz de instrução, que remete o caso à fase de julgamento.

618 PORTUGAL. Supremo Tribunal de Justiça. 3ª Seção. *Acórdão no Proc. 39/18.0YREVR.S1*, julgado em 24 de abril de 2018. Disponível em: http://www.dgsi.pt/jstj.nsf/954f0ce6ad9dd8b980256b5f003fa814/221eb1a-4a05a23208025827b0031d7e6?OpenDocument. Acesso em: 9 fev.2022.

E, em julgamento sucessivo, nos mesmos autos, o Tribunal português complementou sua interpretação do artigo 340 do Código de Processo Penal:

> Por aplicação dos artigos 339.º, n.º 4, e 340.º do CPP, que dão expressão ao princípio da investigação ou da oficialidade, invocado o motivo de não execução a que se refere a alínea b) do n.º 1 do artigo 12.º da Lei n.º 65/2003, deve o tribunal ordenar, a requerimento ou oficiosamente, as diligências necessárias em ordem a apurar os factos que a configuram, formando autonomamente as bases da decisão[619].

Esse também foi o entendimento do Supremo Tribunal de Justiça português por ocasião de outro julgamento, em 2018, quando, partindo do princípio da presunção de inocência, afirmou, na mesma linha:

> Este princípio, que só vale em relação à prova da questão de facto, assume também uma dimensão que poderá conformar uma questão de direito, da competência do STJ – devendo o tribunal, por força do princípio da investigação, ordenar, por iniciativa dos sujeitos processuais ou oficiosamente, todos os meios de prova necessários à decisão da matéria de facto, na perspectiva de todas as soluções de direito pertinentes (arts. 339.º, n.º 4, e 340.º, do CPP) (...)[620].

Pontuada a questão sob a ótica do direito português, é preciso agora avaliar o que se pode dela aproveitar para o direito brasileiro. Num primeiro momento, é possível incorporar a síntese do que se fixou anteriormente no Acórdão 11/2013. Não há muita discussão em considerar importante, para um processo penal preocupado com a diminuição de discricionariedade e arbitrariedade de quem exerce poder, assegurar a separação das funções de acusar e julgar, não autorizar o juiz a conduzir investigação ou a ampliar a imputação fática de ofício, ter juízes diferentes para fases diferentes, evitar acusações infundadas e observar o contraditório. O ponto polêmico, porém, recai na adoção do chamado "princípio da investigação" do juiz na instrução probatória. Nesse tema é preciso avaliar se seria algo desejável também ao direito brasileiro.

---

619 PORTUGAL. Supremo Tribunal de Justiça. 3ª Seção. *Acórdão no Proc. 39/18.0YREVR.S2*, julgado em 31 de julho de 2018. Disponível em: https://www.stj.pt/wp-content/uploads/2019/06/criminal_sumarios_2018.pdf. Acesso em: 9 fev. 2022.

620 PORTUGAL. Supremo Tribunal de Justiça. 3ª Seção. *Acórdão no Proc. n.º 144/09.3JABRG.G1.S1*, julgado em 10 de outubro de 2018. Disponível em: https://www.stj.pt/wp-content/uploads/2019/06/criminal_sumarios_2018.pdf. Acesso em: 9 fev. 2022.

490 ■ Processo Penal | Fundamentos dos fundamentos

Do que se apresentou, à luz da exegese portuguesa, a questão central que parece ser necessário discutir na compreensão de a "estrutura acusatória" não afastar a possibilidade de o juiz, sem alterar a imputação fática, complementar a instrução é como melhorar o seu processo decisório sem que isso promova a quebra da imparcialidade ou a violação às garantias do acusado. Esse parece ser um ponto de importância central para o desenvolvimento de um processo penal que diminua a possibilidade de decisionismos e arbitrariedades. Juízes decidindo de forma não vinculada ou não controlada pelas partes é tudo que não se quer em qualquer sistema processual penal democrático, não importa o nome que se dê à "estrutura" ou ao "sistema" do processo. E é interessante avaliar, à luz da Filosofia da Linguagem, como a intersubjetividade que a norteia deve, igualmente, nortear a participação das partes e do juiz na produção da prova testemunhal.

Assim, para se compreender como é relevante essa mudança paradigmática filosófica nas discussões de "estrutura" ou do "sistema" processual penal, é preciso enfrentar a complexidade que move o processo penal e a natureza humana do juiz diante da prova, em particular aquela testemunhal, e do mecanismo decisório que lhe ocorre.

Trilha-se, então, o caminho de indicar outras soluções de compreensão para essa problemática relacionada ao papel do juiz no novo processo penal brasileiro, seja à luz da Hermenêutica Filosófica (que parte de Heidegger e se consolida em Gadamer), seja no plano da psicanálise (de Freud e Lacan) e da psicologia cognitiva (de Daniel Kahnemann), sem descurar que a questão também está umbilicalmente vinculada com a necessidade de se dar maior efetividade tanto às garantias do contraditório e da ampla defesa quanto à Filosofia da Linguagem no processo. Nessa mesma linha, também se visa diminuir o problema que a má recepção do princípio do livre convencimento por parte de significativa parcela da jurisprudência brasileira judicial vem ocasionando, pois é errônea a leitura que vários juízes e tribunais fazem desse princípio, notadamente quando o consideram como se equivalesse a uma espécie de autorização à discricionariedade na valoração probatória, dizendo não ser necessário valorar todas as provas, justificar todas as opções de preferência probatória ou mesmo analisar todas as teses das partes.

Para tanto, é preciso demonstrar os equívocos de interpretação que hoje têm norteado a discussão da possibilidade de o juiz participar da produção probatória no processo penal em modo complementar, seja no contexto da visão tradicional (que é favorável com base na ideia de busca da verdade real[621]), seja no ângulo de análise de parte da visão moderna (que é contrária por considerá-la "inquisitória" em razão

---

621 Nessa linha de raciocínio, vale citar, por todos, o quanto anota NUCCI, Guilherme de Souza, *cit.*, p. 98, *in verbis*: "...falar em verdade real implica provocar no espírito do juiz um sentimento de busca, de inconformidade com o que lhe é apresentado pelas partes, enfim, um impulso contrário à passividade. Afinal, estando em jogo direitos fundamentais do homem, tais como liberdade, vida, integridade física e psicológica e até mesmo honra, que podem ser afetados seriamente por uma condenação criminal, deve o juiz sair em busca da verdade material, aquela que mais se aproxima do que realmente aconteceu".

da ideia de que o juiz não é neutro e elabora "quadros mentais paranoicos" – para usar a expressão de Franco Cordero – a partir dos quais poderia dar prevalência às suas hipóteses mentais em detrimento do próprio fato).

Assim, é preciso centrar esforços em compreender, à luz tanto da Hermenêutica Filosófica quanto da natureza humana, nos moldes revelados pela psicologia cognitiva e pela psicanálise, como é possível promover uma interseção dos pontos relevantes entre esses campos do conhecimento. Com isso, será possível considerar que os princípios do contraditório e da ampla defesa expandem sua importância garantidora no contexto da instrução probatória se o juiz tiver a possibilidade de participar ativamente, ainda que o faça de forma complementar, no momento da produção da prova trazida pelas partes.

Para compatibilizar a questão da ausência de neutralidade judicial com a busca de uma "verdade" processual menos manipulada e orientada por sentimentos pessoais, visando alcançar algo próximo de uma "resposta correta"[622] – ou adequada[623] – também na interpretação da prova, busca-se demonstrar como é importante autorizar ao juiz a possibilidade de interferir na produção probatória, ainda que isso se recomende apenas de forma complementar (para evitar transformá-lo em protagonista da prova, o que não é psicanaliticamente conveniente).

Assim, essa discussão precisa ser desapegada da ideia de "busca da verdade real", e devem ser repensados os parâmetros de compreensão da "estrutura" ou do "sistema" acusatório. Se ele deve ser fundado na gestão da prova pelas partes, essa deve ser calcada em base paradigmática orientada pela linguagem e pela intersubjetividade, o que implica em não desconsiderar a igual participação do juiz. De resto, não se pode olvidar que o norte exegético deve observar os princípios funcionais de proibição de excesso e de proibição de proteção insuficiente. Ou seja: não faz sentido dizer que o juiz participará apenas quando for "em favor do réu". Soma-se a tudo isso o monopólio da jurisdição penal e as garantias do contraditório e da ampla defesa. Além disso, é importante evitar o solipsismo que se consolida pela má compreensão do princípio do "livre convencimento", ainda visto por ampla parcela da magistratura como "liberdade para ser discricionário". Portanto, focado na busca da ampliação da efetividade das referidas garantias e da "melhor verdade", que seja alcançada pela diminuição da complexidade do processo decisório e que seja orientada pela "interpretação correta" das provas, a opção mais adequada passa pela imunizante possibilidade

---

622 DWORKIN, Ronald. *Levando os Direitos a Sério*. Tradução de Nelson Boeira. São Paulo: Martins Fontes, 2011, p. 127 e s.

623 Como prefere Lenio Streck nos moldes de sua obra *Verdade e Consenso: constituição, hermenêutica e teorias discursivas*. 4. ed. São Paulo: Saraiva, 2011.

492 ■ Processo Penal | Fundamentos dos fundamentos

de o juiz interferir na produção da prova, ainda que de forma complementar. É isso que se espera do novo processo penal brasileiro e que se passa a desenvolver.

3.9 Identificando a principal preocupação de um sistema de processo democrático: a busca por mecanismos de controle das decisões do juiz

De tudo que já se disse a respeito da Filosofia da Linguagem, é importante reforçar a ideia de que a pretensão de "busca da verdade real" não pode servir de norte a legitimar a atividade probatória do juiz. Se a linguagem é a condição de possibilidade para compreender o mundo e se ela é limitada, não há como descrever "o todo do mundo". Como já se disse, ele é demais para o ser humano[624], limitado que é em sua compreensão mundana pela linguagem. Assim, se faltam palavras para descrever todo, o ser humano se socorre de novas palavras, não raras vezes de metáforas e metonímias, e, nesse caso, já não é mais o que se procurou descrever, mas algo diverso. Isso não significa dizer que não exista uma verdade, ou não exista o real, mas apenas que seu alcance pleno não pode ser o fundamento de um processo que é incapaz de entregar esse resultado.

Em compensação, também é possível situar que não é a discussão em torno da busca da verdade "formal"[625], "possível"[626], "judicial"[627], "consensual"[628] ou, ainda, "analógica"[629] o tema mais relevante que deve nortear as discussões no processo penal.

---

624 CARNELUTTI, Francesco. Verità, Dubbio, Certeza, *cit.*, p. 5.

625 São inúmeros os autores que sustentam nessa linha. No âmbito da doutrina estrangeira, vale citar exemplificativamente: LEONE, Giovanni. *Tratado de Derecho Procesal Penal. Tomo II.* Buenos Aires: EJEA, 1963, p. 155; MITTERMAIER, Carl Joseph Anton. *Tratado da Prova em Matéria Criminal.* Tradução para o francês da 3. edição (1848), de C.A. Alexandre e para o português de Herbert Wüntzel Heinrich. Campinas: Bookseller, 1997, p. 173; TARUFFO, Michele. *La Prova dei Fatti Giuridici.* Milano: Giuffrè, 1992, p. 04 e s.; No Brasil, dentre vários outros, refere-se, a título ilustrativo: ALMEIDA, Joaquim Canuto Mendes de. *Princípios Fundamentais do Processo Penal.* São Paulo: Revista dos Tribunais, 1973, p. 106; TORNAGHI, Hélio. *Instituições de Processo Penal. V. IV.* Rio de Janeiro: Forense, 1959, p. 159; MAGALHÃES NORONHA, Edgard. *Curso de Direito Processual Penal.* 28. ed. atualizada por Adalberto José Q. T. de Camargo Aranha. São Paulo: Saraiva, 2002, p. 117; FREDERICO MARQUES, José. *Elementos de Direito Processual Penal. V. II, cit.*, p. 351; MIRABETE, Julio Fabbrini. *Processo Penal.* 16. ed. São Paulo: Atlas, 2004, p. 47; CAPEZ, Fernando. *Curso de Processo Penal, cit.*, p. 22; QUEIJO, Maria Elizabeth. *O Direito de Não Produzir Provas Contra Si Mesmo (o princípio "nemo tenetur se detegere" e suas decorrências no processo penal).* São Paulo: Saraiva, 2003, p. 31 e s.

626 *V.g.*: TUCCI, Rogério Lauria. *Do Corpo de Delito no Direito Processual Penal Brasileiro.* São Paulo: Saraiva, 1978, p. 93.

627 Vários autores fazem esta referência. Na doutrina estrangeira, *vide,* por exemplo, FIGUEIREDO DIAS, Jorge. *Direito Processual Penal,* Primeiro Volume. Coimbra: Coimbra, 1974, p. 193-194. Na doutrina nacional, por todas, *vide:* GRINOVER, Ada Pellegrini. A Iniciativa Instrutória do Juiz no Processo Penal Acusatório. *Revista Brasileira de Ciências Criminais,* ano 7, n. 27, jul.-set. 1999, p. 71-79.

628 Construída, muitas vezes, com base em HABERMAS, Jürgen. *Conhecimento e Interesse.* Tradução de José N. Heck. Rio de Janeiro: Zahar, 1982, p. 297.

629 KHALED JR., Salah H. *A busca da verdade no processo penal: para além da ambição inquisitorial.* São Paulo: Atlas, 2013, p. 8.

Considerando que não há como abandonar o processo como instrumento de solução de casos penais (ainda não se inventou técnica melhor), segue-se usando um modo de reconstrução e discussão de caso pretérito a ser julgado por um terceiro. Alguma "verdade", então, se produzirá nesse mecanismo de recognição do fato pretérito.

A questão central para tornar o processo penal mais democrático, portanto, não é saber se a "verdade probatória" que nele se produz seria "absoluta", "relativa" ou acrescida de qualquer outro adjetivo que se possa usar. O ponto relevante deve ser a preocupação em estabelecer como se dará a possibilidade de as partes promoverem, como referem Goldschmidt e Franco Cordero, a "captura psíquica do magistrado"[630]. É certo que, ao final do processo, o juiz deve decidir, deve dizer algo sobre a sua compreensão do que sucedeu no passado. Mas como ele fará isso? Sozinho, ou com um diálogo com as partes? Caso se opte pela primeira hipótese, o que se terá é que essa "captura psíquica do juiz" se dará sem diálogo com o juiz, e, assim, as partes deverão se comportar no plano da adivinhação do que aquele específico julgador considera relevante a ser perguntado às testemunhas para tomar uma decisão. Caso se opte pela segunda hipótese, a captura psíquica do juiz muda de patamar e passa a ser muito mais potente, pois o juiz terá externalizado as suas preocupações, dialogando com as partes e as testemunhas. Sabendo o que se passa na cabeça do juiz, é possível potencializar o contraditório e a ampla defesa.

Nessa questão, então, passa a ser ponto-chave discutir critérios que permitam diminuir tanto a discricionariedade quanto a possibilidade de erros de avaliação por parte do magistrado, visando convencê-lo a acolher uma tese sustentada por uma das partes e a "decidir", isto é, a não simplesmente "*escolher livremente*"[631]. No sentido aqui empregado, "decidir" é diferente de "escolher". A decisão é juridicamente condicionada, já a escolha é livre. Um juiz pode escolher tomar café ou não, mas, ao julgar um processo, não pode escolher, política e solipsisticamente, que não vai condenar o réu porque ele entende, por exemplo, que tráfico de drogas não deveria ser crime. É necessário, então, livrar o processo penal do paradigma filosófico da consciência (quando o que mais vale é a opinião pessoal do juiz) e, paradoxalmente, também da metafísica clássica de busca de uma essência, que aposta na possibilidade de alcançar uma verdade material. Caminha-se, então, para estruturar o processo penal pelo paradigma filosófico da linguagem e da intersubjetividade, nos moldes do giro linguístico ôntico-ontológico proposto por Heidegger e Gadamer, igualmente defendido por Lenio Streck, no Brasil.

A discussão também não precisa ficar vinculada a discursos reducionistas e a "*slogans*" emotivos, como se vê quando tudo se pretende reduzir à falsa dicotomia acusatório

---

630 CORDERO, Franco. *Guida alla Procedura Penale, cit.*, p. 194.
631 STRECK, Lenio Luiz. *O Que é Isto? Decido Conforme a Minha Consciência, cit.*, p. 106.

versus inquisitório. Essa dualidade é moldada, como já visto, pelas tradições inautênticas dos sistemas processuais penais "puros". Sabe-se hoje que a construção dicotômica dos sistemas processuais "puros" em acusatório ou inquisitório, além de se inserir numa pretensão de pureza científica própria do positivismo do século XIX, não guarda correspondência histórica segura e tem servido mais de "*slogan*" discursivo com sobrecarga epistêmica. Mesmo assim, considerando que esse discurso da dicotomia sistêmica ainda desempenha papel relevante no direito brasileiro pós-Constituição de 1988, na medida em que é visto por parcela importante da doutrina moderna de processo penal como mecanismo capaz de dar efetividade aos dispositivos constitucionais, até se poderia seguir vinculado a ele, desde que se promovam os ajustes de compreensão propostos para o atual Estado Democrático e Social de Direito. Seja como for, ao se revolver o chão linguístico do discurso dos sistemas acusatório *versus* inquisitório em suas pretensões de "pureza", criam-se as condições de possibilidade de igual desvinculação do preconceito de enxergar a questão do papel do juiz no momento da produção da prova sob o rótulo pejorativo de "inquisitório".

Isso tudo considerado, a discussão fica mais bem centrada na compreensão de que o sistema processual penal acusatório brasileiro deve levar em conta se é conveniente, ou não, o juiz interferir na produção probatória, e, em caso positivo, em qual grau e de que forma.

Muito mais importante do que uma disputa de rótulos (acusatório ou inquisitório) é minimizar e evitar os espaços de discricionariedade e equívoco judicial. E isso deve ser feito, particularmente, no momento decisório, que não raras vezes ocorre no presente da audiência de instrução. É preciso pensar numa ampliação da efetividade do contraditório e ampla defesa nesse importante momento processual. Isso é possível com o afastamento do paradigma filosófico da consciência e a adoção do paradigma da intersubjetividade no sistema já democraticamente incorporado na Constituição da República brasileira. Só assim é possível enxergar a complexidade do processo e do papel do juiz no que se pretende de sistema processual penal orientado pelo Estado Democrático e Social de Direito. Isso permite compreender o processo penal sob outro ângulo, provocando uma "visão em paralaxe", para emprestar o "método" de Slavoj Zizek[632]. Promove-se o deslocamento do ponto de observação em relação ao discurso dicotômico dos sistemas acusatório *versus* inquisitório, e se permite, agora, uma nova linha de visão na qual se consegue enxergar aspectos relevantes nessa questão que até então estavam escondidos pelo preconceito do rótulo de "inquisitório".

---

632 ZIZEK, Slavoj. *A Visão em Paralaxe*. Tradução de Maria Beatriz de Medina. São Paulo: Boitempo, 2008, p. 32, *in verbis*: "A definição padrão de paralaxe é: o deslocamento aparente de um objeto (mudança de sua posição em relação ao fundo) causado pela mudança do ponto de observação que permite nova linha de visão".

Somente ao se admitir essa mudança de foco é que se vê como é possível avançar para um sistema processual penal que seja ajustado às duas balizas interpretativas do processo penal democrático (proibição de excesso e proibição de proteção insuficiente), inclusive quanto ao que muitos consideram central nessa questão: o papel do juiz e das partes na gestão da prova.

Nessa medida, o que resta de relevante e saber como evitar que o protagonismo judicial possa continuar a dar as cartas no processo penal, seja o juiz inerte ou ativo na inquirição das testemunhas. Para tanto, é fundamental pensar na ampliação da efetividade das garantias processuais de contraditório e da ampla defesa, vistas como instrumentos de constrangimento do excesso epistemológico da evidência. Devem ser capazes de diminuir os pontos cegos[633] na produção da prova e minimizar a discricionariedade judicial e um possível equívoco na valoração da prova. Esse deve ser o cerne das preocupações que devem nortear a elaboração de um melhor sistema de processo.

Seguindo a linha primordial de proibição de excesso no exercício do poder estatal, o sistema de processo penal brasileiro deve guardar preocupação com a possibilidade de o juiz agir abusivamente na tomada de decisão a respeito do caso penal, seja na interpretação do direito, seja na produção e valoração da prova.

Minimizar/eliminar os campos de discricionariedade judicial tem sido a preocupação da doutrina desde o positivismo exegético até os dias de hoje, e, como se sabe, inúmeras propostas de solução já foram aventadas, mas a maioria delas não consegue escapar da brecha solipsista.

Quem propõe importante modelo hermenêutico de cunho não relativista na interpretação da lei é Lenio Luiz Streck, com a *Crítica Hermenêutica do Direito*, na qual promove uma fusão de horizontes entre a filosofia de Heidegger e Gadamer com as ideias de coerência, integridade e responsabilidade política do juiz desenvolvidas por Ronald Dworkin.

Nessa quadra, Lenio prega a necessidade de o juiz, na interpretação da lei, levar em conta que suas pré-compreensões de mundo são estruturantes, compartilhadas intersubjetivamente, e que ele deve deixar de lado seus pré-conceitos (estes, lidos em seu sentido negativo), agindo com integridade e coerência com o que já se produziu

---

633 A questão do "ponto cego" é trabalhada por vários pensadores, como WITTGENSTEIN, Ludwig. *Tractatus Logico-Philosophicus*. Tradução de Luiz Henrique Lopes dos Santos. 3. ed. 2. reimpr. São Paulo: Editora da Universidade de São Paulo, 2010, p. 247; LACAN, Jacques. Do Olhar Como Objeto a Minúsculo. *O Seminário. Livro 11. Os Quatro Conceitos Fundamentais da Psicanálise*. Tradução de M. D. Magno. Rio de Janeiro: Zahar, 2008, p. 69 e s.; MERLEAU-PONTY, Maurice. *O Visível e o Invisível*. Tradução de José Artur Gianotti e Armando Mora d'Oliveira. São Paulo: Perspectiva, 2009; ZIZEK, Slavoj. *A Visão em Paralaxe, cit.*, p. 32; FOUCAULT, Michel. *As Palavras e as Coisas*. 9. ed. Tradução de Salma Tannus Muchail. São Paulo: Martins Fontes, 2007, p. 68 e s.; LUHMANN, Niklas. *La Sociedad de la Sociedad*. Tradução do alemão para o espanhol de Javier Torres Nafarrete. Cidade do México: Herder, Universidad Iberoamericana, 2006, p. 889; e CUNHA MARTINS, Rui. *O Ponto Cego do Direito. The Brazilian Lessons*. 2. ed. Rio de Janeiro: Lumen Juris, 2011, p. 1 e s.

de sentidos antes, sem descurar do que o resultado da interpretação possa gerar de consequências futuras. O juiz deve ter responsabilidade política na interpretação, deixando seus valores pessoais e sua moral "*a latere*" da intepretação da lei. A questão é saber em qual medida isso é alcançado e se, de fato, é possível desconsiderar questões trazidas pela psicanálise e pela psicologia cognitiva nessa análise.

A discussão que se propõe começa, portanto, deixando clara a diferença entre "pré-compreensão" e "pré-conceito", até porque alguns autores insistem em tratar essas expressões como se fossem sinônimas. Depois, se ingressará na discussão a respeito da possibilidade de se empregar apenas a Hermenêutica Filosófica também no momento da produção e valoração da prova pelo juiz. Nesse caminho se discutirá como pode operar o processo decisório do juiz ser-no-mundo, visando explicitar algumas tradições inautênticas no mecanismo de pré-compreensão processual penal, procurando demonstrar até que ponto é arriscado desconsiderar o inconsciente e a possibilidade de o juiz manter seus pré-conceitos, mesmo sendo "treinado" para suspendê-los, notadamente no momento da produção e valoração da prova em audiência, propondo solução inédita para o papel do juiz no processo penal brasileiro.

3.10 Diferenciação hermenêutica entre pré-compreensão e pré-conceito e a importância das perguntas no processo de compreensão

Das questões que merecem ser bem compreendidas na discussão do processo hermenêutico do juiz e, assim, de seu modo de decidir, a que se destaca é a diferença entre "pré-compreensão" e "pré-conceito".

Em termos hermenêuticos, "pré-compreensão" é algo estruturante, como a linguagem, que é compartilhada por todos, e, como tal, estabelece-se como condição de possibilidade de compreensão do mundo. Para acessar o mundo, precisamos da linguagem. Sem linguagem não é possível nem sequer pensar a respeito do que se fará amanhã, por exemplo. Procure pensar a esse respeito. O que você fará amanhã? Pensou? Pois, para tanto, você precisou da linguagem, construindo frases em sua mente. Algo como "amanhã tenho planejado tal coisa". Sem linguagem não foi possível pensar a esse respeito. Sucede que essa linguagem não pode ser exclusiva sua, pois, do contrário, ninguém o compreenderia caso quisesse expor o que você pretende fazer amanhã. Essa comunhão de sentidos linguísticos é a "pré-compreensão" que todos que compartilham a mesma língua devem ter a seu respeito.

Assim, a "pré-compreensão" opera numa relação sujeito-sujeito, já que é dada antes mesmo de as pessoas nascerem, e, para haver comunicação e compreensão do mundo, as pessoas precisam se entender quanto ao significado das palavras. A língua portuguesa já era falada no Brasil quando você que está lendo este texto por aqui nasceu. Ao aprender essa língua, você agregou as condições de compreensão do mundo e de comunicação com as demais pessoas que falam a mesma língua. Os sentidos das palavras vieram antes mesmo de seu nascimento e já eram compartilhados pelas pessoas que vieram antes. Ao compreendê-los, você passou a ter condições de relação com o mundo e com o outro. Não é possível empregar um sentido próprio, único, às palavras, sob pena de não ser compreendido pelo outro. A isso se dá o nome de "pré-compreensão".

Já o "pré-conceito" é algo individual, resultante das experiências de vida de cada um e das construções mentais a respeito da realidade, e diverge de pessoa para pessoa. Portanto, não se pode confundir uma expressão com a outra, sob pena de não se ter presente a importância da primeira no processo hermenêutico. O problema é que muitas vezes se percebem autores tratando as duas expressões como se fossem sinônimas, e isso precisa ser desvelado[634].

Considerando que isso é fundamental para compreender a complexidade do processo hermenêutico e decisório do juiz, avança-se um pouco na explicação dessa diferença à luz da filosofia heideggeriana. Conforme explica Lenio Streck, Heidegger "desloca a questão da hermenêutica em direção a uma nova ontologia, de uma ontologia fundamental, no interior da qual o 'ser' é pensado não da perspectiva de um ente absoluto e eterno, mas, sim, nas estruturas precárias e finitas da própria condição humana (a faticidade do Dasein, seu modo-de-ser-no-mundo)"[635]. Assim, prossegue Lenio, "há estruturas que se situam antes de qualquer aporte metodológico que já

---

634 SARMENTO, Daniel. Interpretação Constitucional, Pré-compreensão e Capacidades Institucionais do Intérprete. SOUZA NETO, Claudio Pereira de; SARMENTO, Daniel; BINENBOJM, Gustavo (Org.). *Vinte Anos da Constituição Federal de 1988*. Rio de Janeiro: Lumen Juris, 2009, p. 311 e s. Do texto do autor, para ilustrar a mescla conceitual, destacam-se os seguintes trechos: "A doutrina contemporânea tem enfatizado, com inteira razão, o papel central que a pré-compreensão assume na interpretação da Constituição. Até aqui, nenhum problema. Contudo, quando se passa da descrição para a prescrição, a aposta na pré-compreensão como limite para o decisionismo judicial parece um grave equívoco, sobretudo diante do fato de que, no quadro de uma sociedade plural e fragmentada como a nossa, coexistem múltiplas visões de mundo disputando espaço. Além disso, o estigma e a desigualdade têm raízes profundas na cultura e nas práticas sociais brasileiras – logo, nas pré-compreensões dos nossos intérpretes. (...) Em primeiro lugar, há o fato de que vivemos num mundo plural, complexo e 'desencantado', em que não há mais uma única pré-compreensão em cada sociedade, mas múltiplas cosmovisões que coabitam no mesmo espaço-tempo, algumas delas absolutamente conflitantes. Neste cenário de fragmentação axiológica, torna-se muitas vezes difícil fundar a legitimidade das decisões estatais – sobretudo as judiciais – em um 'ethos' comum, na medida em que as pessoas não compartilham necessariamente as mesmas crenças e visões de mundo. (...) E aí entra o segundo ponto: se não há uma única pré-compreensão socialmente aceita, o que acaba restando são as diferentes pré-compreensões individuais de cada intérprete, pautadas pelos seus valores e psiquismo. Nesse contexto, prescrever a fidelidade à pré-compreensão na hermenêutica jurídica significa liberar o arbítrio individual de quaisquer amarras. (...) Se o poder e a opressão estão instalados nas entranhas da pré-compreensão, onde têm a sua morada, por exemplo, a hierarquização social, a estigmatização do diferente, o racismo, o sexismo e a homofobia, dentre outras tantas patologias, tomar a pré-compreensão como norte na hermenêutica jurídica, sem submetê-la ao crivo de uma razão crítica e desconfiada é chancelar o '*status quo*' cultural e legitimar a injustiça, em nome do Direito e da Constituição".

635 STRECK, Lenio Luiz. *Verdade e Consenso, cit.*, p. 465.

constituem conhecimento. E mais! São estas estruturas que determinam os espaços intersubjetivos de formação de mundo"[636]. Portanto, a Hermenêutica Filosófica considera que, não obstante o ser humano seja "ser-no-mundo" e esteja inserido em sua faticidade própria, o ato de interpretar independe de regionalismos ou de múltiplas visões de mundo, tendo um caráter de universalização que evita discricionariedades e decisionismos[637].

A Hermenêutica Filosófica, como o nome indica e Lenio explica, é "filosofia", e não "argumentação", e opera num "nível de racionalidade I, que é estruturante" (o "como" hermenêutico), ao passo que as teorias da argumentação "atuam a partir de um vetor de racionalidade de segundo nível, ficando no plano lógico e não filosófico" (o "como" apofântico)[638]. Heidegger explica que "o 'como' constitui a estrutura do expressamente compreendido; ele constitui a interpretação. O modo de lidar da circunvisão e interpretação com o manual intramundano, que o 'vê' 'como' mesa, porta, carro, ponte, não precisa necessariamente expor o que foi interpretado na circunvisão num 'enunciado' determinante"[639]. Ao olhar para as coisas, já se tem, de antemão, um dado preliminar sobre elas, compartilhado na linguagem, pois a "interpretação de algo como algo funda-se, essencialmente, numa posição prévia, visão prévia e concepção prévia", e, assim, "a interpretação nunca é apreensão de um dado preliminar, isenta de pressuposições"[640]. É a partir daqui que "algo se torna compreensível como algo", no qual o que é compreendido não é o sentido, mas o ente e o ser[641]. Como esclarece Ernildo Stein, "quando dizemos que o acesso aos objetos se faz pela clivagem do significado, pela via do significado, dizemos que o nosso acesso aos objetos é sempre um acesso indireto. Nós chegamos a algo, 'mas enquanto algo'"[642]. Chega-se ao objeto como um objeto que simboliza algo. Stein dá um exemplo de Heidegger: "Não conhecemos uma cadeira em sua plenitude como objeto na nossa frente, enquanto ela está aí, mas enquanto um objeto no qual podemos sentar, a cadeira enquanto cadeira"[643]. E o mesmo Stein retoma esse exemplo noutro texto, esclarecendo que a cadeira

---

636 *Ibid.*, p. 465.

637 STRECK, Lenio Luiz. *Jurisdição Constitucional e Decisão Jurídica*. 3. ed. São Paulo: RT, 2013, p. 231.

638 *Ibid.*, p. 232.

639 HEIDEGGER, Martin. *Ser e Tempo*. 2. ed. Tradução de Márcia Sá Cavalcante Schuback. Petrópolis: Vozes, 2007, p. 210.

640 *Ibid.*, p. 211.

641 *Ibid.*, p. 212 e 213.

642 STEIN, Ernildo. *Aproximações Sobre Hermenêutica*. 2. ed. Porto Alegre: EDIPUCRS, 2004, p. 20.

643 *Ibid.*, p. 21.

tem quatro pernas, parafusos, é feita de tal material, etc., contudo sobre ela nos sentamos. Quer dizer, percebemos esse caráter ôntico, restrito à descrição empírica da cadeira, mas há, ao mesmo tempo, uma compreensão do ser da cadeira e de nós mesmos, há uma relação que se estabelece entre ambos, que não se restringe à descrição empírica[644].

Heidegger, então, explica que ele chama de "'como' hermenêutico-existencial o 'como' originário da interpretação que compreende numa circunvisão, em contraste ao 'como' apofântico do enunciado"[645]. Stein mais uma vez esclarece o pensamento heideggeriano dizendo que "existem dois modos de compreender: o compreender de uma proposição e o compreender anterior que é já sempre saber como se está no mundo". Pondera, então, que "o compreender é uma qualidade do ser humano, mas não é uma qualidade natural", e que "podemos imaginar que existe um logos que se bifurca: o logos da compreensão da linguagem, que comunica" (que Heidegger chama de "*logos*" apofântico), "e o *'logos'* no qual se dá o sentido que sustenta a linguagem" (que Heidegger chama de "*logos*" hermenêutico).

Ernildo Stein ainda esclarece que não apenas a proposição, mas "o mundo também tem uma estrutura de algo enquanto algo", e, assim, "nossa compreensão do mesmo modo tem a estrutura de algo como algo". Dessa forma, explica Stein, sempre temos que interpretar de alguma maneira, e por essa via

> sempre chegamos a algo como algo, isto é, a linguagem traz em si um duplo elemento, um elemento lógico-formal que manifesta as coisas na linguagem, e o elemento prático de nossa experiência de mundo anterior à linguagem, mas que não se expressa senão via linguagem, e este é o "como" e o "logos hermenêutico". O como hermenêutico é o como do mundo, e o outro, o como apofântico é o como do discurso[646].

Em outras palavras, agora com Lenio, a hermenêutica "atua no âmbito da intersubjetividade (S-S), enquanto as teorias procedurais (como a teoria da argumentação jurídica) não superariam o esquema sujeito-objeto (S-O)"[647]. Com isso, Lenio quer dizer que apenas no contexto da Filosofia da Linguagem foi possível superar os dois paradigmas filosóficos anteriores: da metafísica clássica aristotélica (verdade por correspondência,

---

644 STEIN, Ernildo. *Analítica Existencial e Psicanálise. Freud – Binswanger – Lacan – Boss. Conferências*. Ijuí: Editora Unisul, 2012, p. 108.

645 HEIDEGGER, Martin. *Ser e Tempo*, cit., p. 220.

646 STEIN, Ernildo. *Analítica Existencial e Psicanálise*, cit., p. 21.

647 STRECK, Lenio Luiz. *Jurisdição Constitucional e Decisão Jurídica*, cit., p. 232.

numa relação sujeito-objeto, em que a verdade está no objeto e o sujeito se assujeita a ele) e da Filosofia da Consciência cartesiana (verdade solipsista, também numa relação sujeito-objeto, porém, em visão oposta à de Aristóteles, premiando o sujeito, e não o objeto). Com a Filosofia da Linguagem abandona-se o esquema sujeito-objeto, para promover uma relação sujeito-sujeito na compreensão do mundo, pois isso se dá pela linguagem, compartilhada e pré-compreendida em seu significado historicamente consolidado. Eu e você compreendemos o mundo no limite da nossa capacidade linguística e por meio dela. Falamos das coisas sem a necessidade de mostrá-las, mas apenas falando delas. Este texto, lido agora, é assim compreendido porque as palavras são de domínio tanto de quem escreve quanto de quem as lê.

Seguindo essa trilha heideggeriana, Gadamer considera que "toda compreensão pressupõe uma relação vital do intérprete com o texto, uma relação prévia com o tema mediado pelo texto", esclarecendo que o teólogo Rudolf Bultmann[648] deu o nome de "pré-compreensão" a essa pressuposição hermenêutica, "porque evidentemente não é produto do procedimento compreensivo, mas é anterior a ele"[649].

Nessa quadra, quando o hermeneuta vai interpretar algo, ele não parte de um "grau zero de sentidos"; ao contrário, vale-se das pré-compreensões compartilhadas para se permitir compreender o que vê.

Então, pré-compreensão é algo estruturante, que se tem antes e que permite entender o mundo. Como refere Heidegger, quando o homem nasce, esse "ser-no-mundo" é lançado ("jogado") num mundo pré-dado, preconcebido, numa linguagem própria e prévia; enfim, numa cultura preexistente[650]. A linguagem, portanto, é condição de possibilidade de compreensão do mundo. A pré-compreensão se refere a essa capacidade de se ter previamente introjetados dados linguísticos que são condições de possibilidade de comunicação e entendimento. E aqui vem a chave: não se interpreta para compreender, mas, ao contrário, se compreende para interpretar[651]. A interpretação é a explicitação do compreendido[652], que se dá como resultado do círculo hermenêutico, como afirma Heidegger[653]. Lenio Streck dá o exemplo heideggeriano para esclarecer como opera a pré-compreensão hermenêutica: "Quando olho para um lugar e vejo um fuzil, é porque antes disso eu já sei o que é uma arma"[654].

---

648 BULTMANN, Rudolf. O Problema da Hermenêutica. BULTMANN, Rudolf. *Crer e Compreender: ensaios selecionados*. Tradução de Walter Schlupp, Walter Altmann e Nélio Schneider. São Leopoldo: Sinodal, 2001, p. 287 e s.

649 GADAMER, Hans-Georg. *Verdade e Método I. Traços fundamentais de uma hermenêutica filosófica, cit.*

650 HEIDEGGER, Martin. *Ser e Tempo, cit.*, p. 206 e s. e p. 209 e s.

651 *Ibid.*, p. 209 e p. 213; e STRECK, Lenio Luiz. *Verdade e Consenso, cit.*, p. 468.

652 GADAMER, Hans-Georg. *Verdade e Método I. Traços fundamentais de uma hermenêutica filosófica, cit.*, p. 503.

653 HEIDEGGER, Martin. *Ser e Tempo, cit.*, p. 209 e s.

654 STRECK, Lenio Luiz. *Jurisdição Constitucional e Decisão Jurídica, cit.*, p. 217.

Enfim, compreende-se o mundo a partir da pré-compreensão linguística. Interpreta-se o mundo, portanto, inserido nessa finitude que é própria de cada um, em cada momento histórico, levando em conta a pré-compreensão que limita a possibilidade de interpretação.

Lenio Streck explica que "a linguagem sempre nos precede; ela nos é anterior. Estamos sempre e desde sempre nela"[655]. Assim, prossegue Lenio, a

> centralidade da linguagem, isto é, sua importância de ser condição de possibilidade, reside justamente no fato de que o mundo somente será mundo, como mundo, se o nomearmos, é dizer se lhe dermos sentido como mundo. Não há mundo em si. O mundo e as coisas somente serão (mundo, coisas) se forem interpretados (como tais)[656].

Por isso é que não há "grau zero de sentido" na compreensão. Para compreender algo, deve-se ter uma "pré-compreensão" linguística, que, repita-se, é estruturante do ser-no-mundo, que se constitui de um horizonte partilhado de sentidos e sem o qual não se compreende.

No campo jurídico, essas pré-compreensões atuam apresentando-se, para além da linguagem em si, também por meio de "*standards* significativos destinados ao consumo da comunidade jurídica"[657].

Já quando se fala em "pré-conceitos", a colocação é dada noutro sentido, isto é, no sentido negativo de que trata, por exemplo, Norberto Bobbio ao dizer que os pré-conceitos seriam "uma opinião ou um conjunto de opiniões, às vezes até mesmo uma doutrina completa, que é acolhida acrítica e passivamente pela tradição, pelo costume ou por uma autoridade de quem aceitamos as ordens sem discussão"[658]. E complementa, dizendo que a aceitamos:

> "acriticamente" e "passivamente", na medida em que a aceitamos sem verificá-la, por inércia, respeito ou temor, e a aceitamos com tanta força que resiste a qualquer refutação racional, vale dizer, a qualquer refutação feita com base em argumentos racionais. Por isso se diz corretamente que o preconceito pertence

---

655 *Id. Hermenêutica jurídica e(m) crise: uma exploração hermenêutica da construção do Direito, cit.*, p. 203.

656 *Ibid.*, p. 203-204.

657 *Ibid.*, p. 240.

658 BOBBIO, Norberto. A Natureza do Preconceito. *Elogia da Serenidade e Outros Escritos Morais*. Tradução de Marco Aurélio Nogueira. São Paulo: Editora Unesp, 2002, p. 103-118, p. 103.

à esfera do não racional, ao conjunto de crenças que não nascem do raciocínio e escapam de qualquer refutação fundada num raciocínio[659].

Gadamer igualmente esclareceu esse ponto, dizendo que, "em si mesmo, 'preconceito' *('Vorurteil')* quer dizer um juízo *('Urteil')* que se forma antes do exame definitivo de todos os momentos determinantes segundo a coisa em questão"[660]. E prosseguiu dizendo que no procedimento da jurisprudência um preconceito é uma pré-decisão jurídica, antes de ser baixada uma sentença definitiva. Para aquele que participa da disputa judicial, um preconceito desse tipo representa evidentemente uma redução de suas chances. Por isso, *"prejudice"*, em francês, tal como *"praeiudicium"*, significa também simplesmente prejuízo, desvantagem, dano[661].

Portanto, a questão dos pré-conceitos como conjuntos de valores morais, de opiniões e ideologias não "testadas", não guarda relação com as pré-compreensões estruturantes, ainda que ambas tenham determinados graus de importância na discussão de como opera o processo hermenêutico e decisório do magistrado.

De fato, o próprio Gadamer acenou para o problema de que "a compreensão só alcança sua verdadeira possibilidade quando as opiniões prévias com as quais se inicia não forem arbitrárias"[662]. E prosseguiu dizendo que, "por isso, faz sentido que o intérprete não se dirija diretamente aos textos a partir da opinião prévia que lhe é própria, mas examine expressamente essas opiniões quanto à sua legitimação, ou seja, quanto à sua origem e validez"[663]. Enfim, é preciso "escapar ao circuito fechado das próprias opiniões prévias"[664], e, para tanto, o caminho é "a abertura para a opinião do outro ou para a opinião do texto"[665], o que se concretiza por meio das perguntas. Este ponto é muito relevante: as perguntas devem vir antes das respostas. Sigamos com Gadamer em trecho que merece destaque:

> Aquele que quer compreender não pode se entregar de antemão ao arbítrio de suas próprias opiniões prévias, ignorando a opinião do texto da maneira mais obstinada e consequente possível – até que este acabe por não poder ser ignorado e derrube a suposta compreensão. Em princípio, quem quer compreender um texto deve estar disposto a deixar que este lhe diga alguma coisa. Por isso,

---

659 BOBBIO, Norberto. A Natureza do Preconceito, *cit.*, p. 103.

660 GADAMER, Hans-Georg. *Verdade e Método I. Traços fundamentais de uma hermenêutica filosófica, cit.*, p. 360.

661 *Ibid.*, p. 360.

662 *Ibid.*, p. 356.

663 *Ibid.*, p. 356.

664 *Ibid.*, p. 357.

665 *Ibid.*, p. 358.

uma consciência formada hermeneuticamente deve, desde o princípio, mostrar-se receptiva à alteridade do texto. Mas essa receptividade não pressupõe nem uma "neutralidade" com relação à coisa nem tampouco um anulamento de si mesma; implica antes uma destacada apropriação das opiniões prévias e preconceitos pessoais. O que importa é dar-se conta dos próprios pressupostos, a fim de que o próprio texto possa apresentar-se em sua alteridade, podendo assim confrontar sua verdade com as opiniões prévias pessoais[666].

E nessa linha de suspensão dos pré-conceitos negativos, inautênticos, e da dependência da pré-compreensão estruturante, Gadamer também ressaltou a importância do questionar para compreender. "A pergunta toma a dianteira", disse Gadamer, e "uma conversa que queira chegar a explicar alguma coisa precisa romper essa coisa através de uma pergunta"[667], a qual "pressupõe abertura, mas também, delimitação"[668]. E depois complementou, dizendo que "a essência do saber não consiste somente em julgar corretamente, mas em excluir o incorreto ao mesmo tempo e pela mesma razão"[669], sendo necessário, para tanto, que se dissolvam as instâncias contrárias e se desmascare a incorreção dos argumentos[670]. Dessa necessidade é que decorre "a primazia da pergunta sobre a resposta"[671], pois o saber é fundamentalmente dialético, somente detendo saber aquele que tem perguntas[672].

Então, como restou esclarecido, no plano da Hermenêutica Filosófica, suspender os pré-conceitos e formular as perguntas certas é importante caminho para a compreensão. Só por essa avaliação já é possível destacar a importância de o juiz formular perguntas à testemunha. Resta saber se ele deve ser, nessa vertente, o principal protagonista ou se, ao contrário, deve atuar no plano supletivo em relação ao papel desempenhado pelas partes. Outro aspecto é saber se, no âmbito do processo penal, o juiz será capaz de suspender, sozinho, seus pré-conceitos. E, caso não seja, qual mecanismo seria passível de provocá-lo a perceber que suas visões porventura sejam deturpadas antes de ele decidir. Não é demais recordar que Gadamer também levantou esse problema:

---

666 *Ibid.*, p. 358.
667 *Ibid.*, p. 474.
668 *Ibid.*, p. 475.
669 *Ibid.*, p. 476.
670 *Ibid.*, p. 476.
671 *Ibid.*, p. 476.
672 *Ibid.*, p. 477.

Muitas vezes essa distância temporal nos dá condições de resolver a verdadeira questão crítica da hermenêutica, ou seja, distinguir os "verdadeiros" preconceitos, sob os quais "compreendemos", dos "falsos" preconceitos que produzem os "mal--entendidos". Nesse sentido, uma consciência formada hermeneuticamente terá de incluir também a consciência histórica. Ela tomará consciência dos próprios preconceitos que guiam a compreensão para que a tradição se destaque e ganhe validade como uma opinião distinta. É claro que destacar um preconceito nos determina, não o conhecemos nem o pensamos como um juízo. Como poderia então ser colocado em evidência? Enquanto está em jogo, é impossível fazer com que um preconceito salte aos olhos; para isso é preciso de certo modo provocá-lo. Isso que pode provocá-lo é precisamente o encontro com a tradição, pois o que incita a compreender deve ter-se feito valer já, de algum modo, em sua própria alteridade. Já vimos que a compreensão começa onde algo nos interpela. Esta é a condição hermenêutica suprema. Sabemos agora o que isso exige: suspender por completo os próprios preconceitos. Mas, do ponto de vista lógico, a suspensão de todo juízo, e a fortiori de todo preconceito, tem a estrutura da "pergunta"[673].

Se Gadamer admitiu que os pré-conceitos, no sentido negativo aqui distinguido, são inerentes ao juízo, e se é preciso separá-los da pré-compreensão, "colocando-os em evidência", sugerindo que isso se dê no "encontro com a tradição" e por meio das perguntas, na questão da valoração da prova é preciso também confrontar as ideias do juiz. Isso lhe permitirá – e também às partes – identificar quais são os seus pré-conceitos em relação ao caso penal. Como fazer isso senão por meio de alguma intervenção do juiz? Repita-se o alerta de Gadamer anteriormente destacado: "Enquanto está em jogo, é impossível fazer com que um preconceito salte aos olhos; para isso é preciso de certo modo provocá-lo"[674].

Vale aqui abrir um parêntese: o que se percebe da Hermenêutica Filosófica é que há uma aposta forte na razão, o que é próprio da filosofia. Gadamer acreditou ser possível ao "ser-no-mundo", inserido em sua faticidade própria, identificar seus pré-conceitos negativos e suspendê-los autonomamente. Desconsiderou, portanto, toda a questão psicanalítica do inconsciente, que, como tal, é incontrolável, mas está junto com o "ser-no-mundo" e, mais do que isso, também o constitui, como mais adiante se procurará pontuar[675].

---

673 *Ibid.*, p. 395.

674 *Ibid.*, p. 395.

675 Sobre o tema, *vide*: COUTINHO, Jacinto Nelson de Miranda. Sistema Acusatório: cada parte no lugar constitucionalmente demarcado. *O Novo Processo Penal à Luz da Constituição (Análise Crítica do Projeto de Lei n. 156/2009, do Senado Federal)*, *cit.*, p. 13, *in verbis*: "A única esperança, diante de tal quadro, é o juiz desconfiar,

Seja como for, fechando o parêntese e retomando a linha de compreensão de Gadamer, se é por meio da pergunta que os pré-conceitos negativos se revelam e, uma vez identificados, podem ser suspensos no processo de compreensão, as perguntas complementares do juiz têm também essa condição de nele provocar reflexões que lhe permitam identificar seus pré-conceitos, separá-los da pré-compreensão que é estruturante e autoirritar-se a ponto de suspender as tradições inautênticas que traz consigo.

Surge, por outro lado, a possibilidade de o juiz não estar suficientemente comprometido com esse propósito de suspender seus pré-conceitos, talvez até porque não consiga identificá-los com clareza. Aliás, como já destacado, o mais provável é que o juiz nem sequer saiba que tem esses pré-conceitos e, como já referiu Jacinto Coutinho, nem sequer queira saber que os tem. Assim, o papel das partes na dialética do contraditório aflora e ganha contornos fundamentais no processo de compreensão da prova pelo juiz. Com esses propósitos, então, passa-se a avaliar justamente o quanto esses pré-conceitos conduzem a se admitir a ausência de neutralidade judicial capaz de contribuir, até mesmo, para a formação dos possíveis "quadros mentais paranoicos", de que fala Franco Cordero, na avaliação da prova. Nessa linha, é preciso discutir como opera o processo decisório do juiz em torno do que a doutrina moderna de processo penal tem considerado como relevante, isto é, justamente à luz desses pré-conceitos, da psicanálise, da psicologia cognitiva e dos caminhos capazes de gerar a iluminação necessária[676] para que o juiz afaste seus pré-conceitos negativos e possa compreender o caso penal sem essas amarras.

3.11 A falácia da neutralidade judicial

Como já destacado em meu livro *Mãos Limpas e Lava Jato: a corrupção se olha no espelho*[677], Tércio Sampaio Ferraz Junior[678] pontua que o magistrado procura se apresentar, em seu processo comunicativo com as partes, como alguém que não está ali para impor sua personalidade. Para tanto, ele se vale de "*topoi*" materiais, isto é, apresenta-se de um lugar de fala orientado por discursos de "neutralidade", "serenidade", "imparcialidade",

---

sempre e sempre, das suas próprias aparências/imagens e, de consequência, das suas decisões, colocando-as à prova até quando não mais for possível, em face do rito e o momento determinado para a sentença porque, teoricamente, nela, poderia encerrar sua atividade judicante no caso concreto. Estar-se-ia, por elementar, no plano oposto da lógica deformada e, por certo, seria o ideal. Trata-se, como se pode perceber, de tarefa impossível; ou quase. Seria como que pedir ao humano que deixasse de pensar ou, por outro lado, que resistisse sempre às pulsões inconscientes. Em realidade, não é possível nem uma, nem outra e, se assim é, a solução – no plano da normalidade – está em outro lugar".

676 Se é que o são; e, sendo, em que medida possam ser...

677 CHEMIM, Rodrigo. *Mãos Limpas e Lava Jato: a corrupção se olha no espelho*. Porto Alegre: Citadel, 2017, p. 212 e s.

678 FERRAZ JR. Tércio Sampaio. *Direito, Retórica e Comunicação: subsídios para uma pragmática do discurso jurídico*. São Paulo: Saraiva, 1973, p. 89.

"respeitabilidade", "dignidade", "imunidade à crítica", que procuram convencer de sua boa-fé, de sua impessoalidade no caso em que atua. Tudo isso serve para criar uma ideia de que a decisão será – ou deveria ser – fruto apenas e tão somente do que o magistrado encontrar de prova a respeito do fato e de seu "ajuste" à regra vigente. O mesmo ocorre com as partes: o Ministério Público se vale dos *topoi* de "representante da sociedade", de "defensor do interesse público", de "imparcialidade", e a defesa usa os *topoi* materiais de "responsável pelo exercício do direito de defesa", de "defensor do mais débil", de "protetor do acusado injustamente", de "guardião do devido processo legal", entre outros similares.

Na prática, no entanto, as partes, ao se assumirem como tais, estão pessoalmente interessadas na decisão que será adotada pelo magistrado, atuando sob a forma de reação partidária e gerando um "conflito intermitente" no processo, isto é, "as normas terminam conflitos no sentido de que elas os institucionalizam". "Terminam" os conflitos, mas não necessariamente eles são "solucionados". Ao terminar o "conflito", como expõe Tércio Sampaio (ou, melhor, o "caso penal", na precisa lição de Jacinto Coutinho), não significa que se tenha necessariamente um consenso[679]. E por mais que o juiz se esforce para atuar de forma imparcial, isto é, não tendenciosa para um dos lados, agindo com equidistância e dando iguais oportunidades às partes, não significa que ele queira dizer que é neutro em relação ao caso penal que lhe é submetido. Vale recordar uma passagem de Piero Calamadrei, que, em sua seleção de casos do famoso livro *Eles, os juízes, vistos por um advogado*, bem ilustrou o problema:

> O juiz, como o mago da fábula, tem o sobre-humano poder de efetuar no mundo do direito as mais monstruosas metamorfoses e dar às sombras aparência eterna de verdade; e, já que em seu mundo sentença e verdade devem acabar coincidindo, ele pode, se a sentença não se ajusta à verdade, reduzir a verdade à medida da sua sentença[680].

Para melhor compreender como essa ideia de "juiz neutro" foi capaz de se introduzir no senso comum de boa parte dos juristas, é preciso buscar as origens do discurso.

Como se sabe, o mito da neutralidade judicial foi consolidado ao longo do século XIX basicamente em razão do positivismo exegético fortemente aceito naquele tempo. Sua origem, no entanto, pode ser identificada na filosofia da ilustração, quando a

---

679 *Ibid.*, p. 69-70.

680 CALAMANDREI, Piero. *Eles, os Juízes, vistos por um Advogado*. Tradução de Eduardo Brandão. São Paulo: Martins Fontes, 2000, p. 10.

ideia da neutralidade, do "juiz-boca-da-lei", já era pregada, como se vê claramente em Montesquieu:

> Porém, se os tribunais não devem ser fixos, os julgamentos devem sê-lo a tal ponto, que nunca sejam mais do que um texto exato da lei. Se fossem uma opinião particular do juiz, viver-se-ia na sociedade sem saber precisamente os compromissos que nela são assumidos[681].
>
> (...)
>
> Porém, os juízes de uma nação não são, como dissemos, mais que a boca que pronuncia as sentenças da lei, seres inanimados que não podem moderar nem sua força nem seu rigor[682].

Essa também era a compreensão de Beccaria ao afirmar que "onde as leis são claras e precisas o ofício de um juiz não vai além do acertamento do fato"[683].

Com a Revolução Francesa, pautada por um discurso racionalista, particularmente por conta da necessidade que se tinha de desvincular a imagem dos juízes da vontade do rei, a ideia se consolidou, como precisamente anota Nilo Bairros de Brum:

> A Revolução Francesa havia afastado do poder o rei, seus ministros e sua máquina administrativa, mas, nos tribunais, foram mantidos os juízes aristocratas. Os juristas da revolução sabiam que de nada adiantariam as novas leis se aos juízes se permitisse reimplantar os valores da aristocracia através da interpretação judicial. O Código de Napoleão surge, pois, como um sistema jurídico completo, claro, preciso e fechado. Tal codificação, à semelhança da geometria euclidiana, não era para ser interpretada, mas aplicada mecanicamente. Para isto, a Escola Francesa de Exegese haveria de reafirmar o antigo mito da neutralidade judicial, pois, se os juízes possuíam de modo geral uma ideologia antagônica à da nova legislação, era necessário dobrá-los à vontade dos legisladores, era preciso anular sua liberdade de interpretação. Essa neutralidade foi buscada (e até certo ponto obtida) graças à concepção de que a sentença constitui um silogismo pelo qual o juiz aplica o direito (vontade do legislador) ao caso concreto. A lei como premissa maior, o fato como premissa menor e o juiz como

---

681 MONTESQUIEU, Charles-Louis de Secondat, Barão de La Bréde e de. *Do Espírito das Leis.* Os Pensadores. São Paulo: Abril Cultural, 1973, p. 158.

682 *Ibid.*, p. 160.

683 BECCARIA, Cesare Bonesana, Marchesi di. *Dei delitti e delle pene.* A cura di Franco Venturi, Torino, Italia: Giulio Einaudi Editore, 1973, p. 35. Tradução nossa.

elemento neutro, haveriam de constituir os ingredientes da conclusão desejada pelos legisladores[684].

Na mesma linha de compreensão, porém apresentando outras nuances da questão, também é relevante citar a lição de Jacinto Nelson de Miranda Coutinho:

> A busca desta neutralidade do sujeito tinha alguns motivos determinantes: 1º, a crença em uma razão que tivesse validade universal, servindo de paradigma para todos (crença esta que, de certa forma, seguiu todo o pensamento da história moderna no Ocidente, desde o discurso da Igreja – por influências platônicas –, passando pelo pensamento de Descartes, Bacon, Kant, até chegar em Augusto Comte); 2º, a necessidade de legitimar o discurso do Estado moderno nascente, que vinha falar em nome de toda a nação, uma vez que os sujeitos da história passaram a ser "iguais" e não era mais possível sustentar os privilégios do clero e da nobreza: o Estado agora é de todos e, finalmente; 3º, a urgência em ocultar que os interesses do Estado, ao contrário do que se acreditava, eram de classes; e não do povo como um todo[685].

Como se vê, acabara o período monárquico absolutista, e, assim, era imprescindível que a "vontade da lei", e não a "vontade do soberano", fosse observada. O dado relevante é que essa "vontade da lei", que foi "vendida" como sendo o produto da "vontade geral", "do povo"[686], no entanto, acabou sendo a mesma "vontade do soberano". Vale recordar Ortega y Gasset, que bem afirmou ter sido "inconsequente guilhotinar ao príncipe e substituí-lo pelo princípio", pois, sob a égide de ambos, se fez prevalecer o absolutismo[687]. O exemplo mais visível se deu com a codificação de Napoleão (*v.g.*, *Code Civil*, de 1804; *Code d'Instruction Criminelle*, de 1808)[688]. A ideia era que o juiz não pudesse ir além do texto, desconsiderando "a sua vontade" na aplicação da lei.

---

684 Sobre o tema, *vide*, dentre outros, BRUM, Nilo Bairros de. *Requisitos Retóricos da Sentença Penal*. São Paulo: Revista dos Tribunais, 1980, p. 17.

685 COUTINHO, Jacinto Nelson de Miranda. *O Papel do Novo Juiz no Processo Penal, cit.*, p. 42-43.

686 ZIZEK, Slavoj. *Robespierre. Virtude e Terror*. Tradução de José Maurício Gradel. Rio de Janeiro: Zahar, 2008, p. 52.

687 ORTEGA Y GASSET, José. El Tema de Nuestro Tiempo. *Obras Completas, Tomo III*. Madrid: Alianza Editorial, 1994, p. 163. Tradução nossa.

688 ENGLUND, Steven. *Napoleão. Uma Biografia Política*. Tradução de Maria Luiza X. de A. Borges. Rio de Janeiro: Zahar, 2005, p. 213; GALLO, Max. *Revolução Francesa. V. 2. Às armas, cidadãos (1793-1799)*. Tradução de Julia da Rosa Simões. Porto Alegre: L&PM, 2009, p. 335.

Na doutrina francesa de processo penal do século XIX, vê-se, por exemplo, que Guichard e Dubochet chegavam a afirmar, expressamente, que o juiz na França ficaria "neutro, absolutamente neutro entre o Ministério Público e o acusado"[689]. Carnot, na obra *De L'Instruction Criminelle*, de 1812, também trabalhou com a ideia de neutralidade judicial[690].

Desenvolveu-se, então, ao lado da codificação napoleônica, a metodologia da escola histórico-positivista-legalista de Savigny (1779-1861), que em 1802[691] já apresentava, em forma de curso na Universidade de Marburgo, na Alemanha, sua *Metodologia Jurídica*, crítica à ideia de uma única e definitiva codificação, apostando que o direito deveria ser baseado na tradição e na história, sem abandonar a vertente positivista:

> A ciência legislativa é uma ciência histórica. A necessidade do próprio Estado radica em que deve existir algo entre os indivíduos que limite o domínio da arbitrariedade de uns contra os outros. O Estado faz isso por si mesmo, por ser um fenômeno entre os indivíduos, porém, isso é feito diretamente pela função legislativa. O grau de limitação do indivíduo deveria ser independente da arbitrariedade do outro, e um terceiro deveria decidir até onde poderia chegar a limitação. Porém, desde que haja um grande espaço para a arbitrariedade do terceiro, melhor seria que existisse algo totalmente objetivo, algo totalmente independente e afastado de toda convicção individual: a lei. Ela deveria, então, ser completamente objetiva conforme sua finalidade original, ou seja, tão perfeita que quem a aplicasse não teria que adicionar nada de si próprio[692].
>
> (...)
>
> Então, quem interpretar uma lei deve analisar o pensamento contido na lei, deve pesquisar o conteúdo da lei. Primeiro é a interpretação: reconstrução do conteúdo da lei. O intérprete deve se localizar no ponto de vista do legislador e, assim, produzir artificialmente seu pensamento[693].

---

689 GUICHARD, Victor e DUBOCHET, J.J. *Manuel du Juré ou Exposition des Principes de La Législation Criminelle dans ses Rapports Avec les Fonctions de Juré*. Paris: A. Sautelet et Compagnie, Libraires, 1827, p. 318. Tradução livre.

690 CARNOT, M. *De L'Instruction Criminelle*. Paris: Chez Nève, Libraire de la Cour de Cassation, 1812, p. 159, obra digitalizada. Disponível em: www.books.google.com. Acesso em: 10 dez. 2011.

691 Conforme LARENZ, Karl. *Metodologia da Ciência do Direito, cit.* p. 9: "Possuímos duas exposições da metodologia jurídica de SAVIGNY: O Curso de Inverno de 1802-1803, apontamentos tirados por JAKOB GRIMM e publicados em 1951 por WESENBERG – os 'primeiros escritos' – e a versão mais elaborada incluída no v. 1º do *System des heutigen Römischen Rechts* (Sistema do Direito Romano actual) de 1840".

692 SAVIGNY, Friedrich Karl Von. *Metodologia Jurídica*. Tradução de Heloísa da Graça Buratti. São Paulo: Rideel, 2005, p. 20.

693 *Ibid.*, p. 25.

Vale o registro de que a Escola Histórica de Savigny enfrentava o problema de seu tempo, isto é, o resultado advindo da codificação napoleônica, como bem destaca Luiz Fernando Coelho, ao dizer que, "para Savigny, a codificação poria em risco esse processo natural de desenvolvimento do direito, artificializando-o e não o fazendo corresponder às aspirações da nação"[694].

Ainda em paralelo com o positivismo exegético da escola francesa, surge também a "jurisprudência dos conceitos" dos oitocentos (1837), a partir da contribuição do pandectista alemão Georg Friedrich Puchta (1798-1846)[695], discípulo de Savigny, que visava dar ar científico e sistemático ao que a escola histórica de Savigny havia desenvolvido, como explica Karl Larenz:

> Foi PUCHTA quem, com inequívoca determinação, conclamou a ciência jurídica do seu tempo a tomar o caminho de um sistema lógico no estilo de uma "pirâmide de conceitos", decidindo assim a sua evolução no sentido de uma "Jurisprudência dos conceitos" formal. Sem dúvida que seguiu SAVIGNY quanto à teoria das fontes do Direito e utilizou como ele uma linguagem que corresponde ao pensamento "organológico" de SCHELLING e dos românticos. Mas no fundo, foi o método do pensamento conceptualista formal que verdadeiramente ensinou[696].
>
> (...)
>
> PUCHTA entende que possui o "conhecimento sistemático" reclamado por ele, quem "consegue seguir, tanto no sentido ascendente como no descendente, a proveniência de cada conceito através de todos os termos médios que participam na sua formação". Como exemplo dessa "escala conceptual" apresenta ele o conceito de servidão de passagem, que, num primeiro plano, será um direito subjectivo e, "por conseguinte, um poder sobre um objeto"; num segundo plano, um direito "sobre uma coisa" ou, como nós diríamos um direito real; depois "um direito sobre coisa alheia, e, por conseguinte, uma sujeição parcial desta última"; noutro plano ainda, como a particular espécie desta sujeição da coisa é o do uso, dir-se-á a servidão de passagem pertence "ao gênero dos direitos de uso sobre coisas", e assim sucessivamente[697].

---

694 COELHO, Luiz Fernando. *Teoria da Ciência do Direito*. São Paulo: Saraiva, 1974, p. 56-57.

695 LOSANO, Mario G. *Sistema e Estrutura no Direito. V. 1. Das Origens à Escola Histórica*. Tradução de Carlo Alberto Dastoli. São Paulo: Martins Fontes, 2008, p. 231.

696 LARENZ, Karl. *Metodologia da Ciência do Direito*. 3. ed. Tradução de José Lamego. Lisboa: Fundação Calouste Gulbekian, 1997, p. 23.

697 *Ibid.*, p. 24 e 25.

Nessa mesma trilha pandectista alemã (equivalente, em certa medida[698], ao positivismo exegético francês), complementa esse quadro o pensamento de Jhering (1818-1892), em sua primeira fase, sustentando que o direito romano poderia servir de norte[699], enxergando o direito como ciência, como se vê tanto na famosa obra *É o direito uma ciência?* (1868)[700] quanto na não menos famosa *A Luta pelo Direito* (1872)[701]. Ao método gramatical (da Escola da Exegese) e aos métodos lógico, histórico e sistemático (da Escola Histórica), Jhering acrescentou o método teleológico.

Foi, portanto, com esse espírito que se fomentou a ideia – de todo falaciosa, como se sabe depois da compreensão de como opera o inconsciente com Freud e Lacan – de que o juiz pudesse ser um sujeito neutro, alheio a tudo que acontece ao seu redor, e que isso seria uma garantia.

Interessante observar, como revela Ovídio Baptista da Silva[702], que essa ideia de neutralidade era tão presente e tão exigida naqueles tempos que, na época do Brasil Colônia, a Coroa portuguesa chegou a orientar os juízes a se isolar da sociedade em que viviam. Para tanto, pretendia-se que os desembargadores fossem morar em residências próximas umas das outras, limitando seu contato social[703]. Tratando desse tema, Stuart B. Schwartz esclarece que a Coroa portuguesa:

> percebeu que pressões sociais e econômicas poderiam ser exercidas sobre a magistratura profissional e que a formação de vínculos entre os magistrados e a sociedade poderia criar metas alternativas além daquelas sancionadas pelas normas burocráticas. Em grande medida, a legislação relativa à magistratura profissional foi projetada para organizar todos os comportamentos magistráticos de acordo com padrões que servissem às finalidades administrativas reais. A

---

698 A diferença é que a Escola Histórica do Direito de Savigny introduziu a importância dos costumes como fonte do direito (não só a lei, mas também os costumes) e, assim, permitiu o crescimento da doutrina pelos métodos de interpretação: para além do método gramatical da Escola da Exegese francesa, Savigny acrescentou os métodos lógico, histórico e sistemático. Sobre o tema, *vide*, dentre outros: CASTANHEIRA NEVES, A. *Digesta: escritos acerca do direito, do pensamento jurídico, da sua metodologia e outros*. V. 2. Reimpressão. Coimbra: Wolters Kluwer sob a marca Coimbra Editora, 2010, p. 203 e s. SIMIONI, Rafael Lazzarotto. *Curso de Hermenêutica Jurídica Contemporânea: do positivismo clássico ao pós-positivismo jurídico, cit.*, p. 51 e s.

699 JHERING, Rudolph Von. *El Espíritú del Derecho Romano en las Diversas Fases de su Desarollo*. Tradução para o espanhol de Enrique Príncipe y Satorres. Granada: Editorial Comares, 2011.

700 *Id. É o Direito uma Ciência?* Tradução de Hiltomar Martins Oliveira. São Paulo: Rideel, 2005.

701 *Id. A Luta pelo Direito*. Tradução de João de Vasconcelos. Rio de Janeiro: Forense, 1972.

702 SILVA, Ovídio A. Baptista da. *Processo e Ideologia: o Paradigma Racionalista*. Rio de Janeiro: Forense, 2004, p. 45.

703 SCHWARTZ, Stuart B. *Burocracia e Sociedade no Brasil Colonial. O Tribunal Superior da Bahia e seus desembargadores, 1609-1751*. Tradução de Berilo Vargas. São Paulo: Companhia das Letras, 2011, p. 149, *in verbis*: "Enquanto tentava assegurar o 'status' dos magistrados, a Coroa também buscava isolá-los da sociedade em que viviam. Esperava-se que os magistrados morassem perto uns dos outros e limitassem suas permutas sociais com o resto da sociedade".

Processo Penal | Fundamentos dos fundamentos

justiça real e a burocracia real baseavam-se na honestidade e na imparcialidade da magistratura e, ao mesmo tempo, em sua obediência e lealdade ao rei[704].

Os portugueses supunham "que o magistrado pudesse funcionar num vácuo social, isento de pressões familiares, de amigos e interesses"[705]. Registre-se, porém, como o próprio Schwartz completa, que se tratava de uma "ideia utópica" e que não se concretizou nos moldes pretendidos por Portugal, pois "isolar os desembargadores da sociedade era impossível. Os magistrados não eram nem piores nem melhores que a sociedade em que viviam e com frequência eles tentavam usar o cargo para obter benefícios pessoais"[706]. Ao final, conclui Schwartz, "os esforços reais para elevar os desembargadores acima da sociedade e separá-los dela tiveram efeito exatamente oposto", pois "a riqueza, o poder, o status e a posição dos desembargadores tornavam o contato com eles tanto mais desejável para importantes grupos socioeconômicos ou grandes famílias"[707].

Mesmo assim, a preocupação era tanta que levou o rei português a baixar o Alvará de 22 de novembro de 1610, proibindo os desembargadores da Relação do Brasil de se casarem com moças brasileiras[708].

Nos dias de hoje, como é evidente, o juiz não mais está instado a ficar confinado em espaços exclusivos, e, assim, o que se não pode perder de vista é que o juiz é um ser humano e, como tal, está sujeito a toda sorte de influências externas e experiências de vida. É como destaca Francisco Muñoz Conde:

> Porém a imagem do juiz preso numa urna de cristal, isolado do mundo exterior, para preservá-lo de toda contaminação ou ideologia partidária, há muito tempo que desapareceu. Como também se superou, quase que desde o princípio, a tese de Montesquieu de que os juízes não são mais do que a boca que pronuncia as palavras da lei.
>
> Os juízes, como qualquer outro mortal, são sujeitos de carne e osso, com suas paixões e sentimentos, seus defeitos e suas virtudes, e também com suas crenças e ideologias, por vezes contrárias às das leis que devem aplicar aos demais cidadãos. E, por isso, é claro que eles, cada vez que podem, e podem muito, procuram aproximar o carvão à sua sardinha, quer dizer, procuram adaptar a lei às suas crenças pessoais ou ao seu modo de

---

704 *Ibid.*, p. 148.

705 *Ibid.*, p. 149.

706 *Ibid.*, p. 149.

707 *Ibid.*, p. 151.

708 ANDRADE E SILVA, José Justino. *Collecção Chronologica da Legislação Portugueza – 1603-1612*. Lisboa: Imprensa de J. J. A. Silva, 1854, p. 295.

ver as coisas. Tudo isso dentro, por óbvio, do mais escrupuloso respeito ao princípio da legalidade; de uma legalidade que, por sua própria ambiguidade e imperfeição, deixa ao juiz, paradoxalmente, uma grande margem para sua discrição e arbítrio, para suas paixões e crenças[709].

O incrível é que parcela significativa da doutrina brasileira ainda acredita na neutralidade do juiz, conforme se vê, por exemplo, no *Curso de Direito Processual Penal* de Nestor Távora e Rosmar Alencar:

> A imparcialidade é entendida como característica necessária do juiz consistente em não poder ter vínculos subjetivos com o processo de modo a lhe tirar a neutralidade necessária para conduzi-lo com isenção.
>
> O juiz interessado deve ser afastado, e os permissivos legais para tanto encontram-se no artigo 254 do CPP (hipóteses de suspeição) e no art. 252 (hipóteses de impedimento)[710].

Em sentido similar, também se evidencia equiparação entre imparcialidade e neutralidade, em passagem do *Manual de Processo Penal e Execução Penal* de Guilherme de Souza Nucci:

> Por isso, se o objetivo maior é garantir a imparcialidade do magistrado, conforme preceito constitucional, é de ser aceita a possibilidade de arguição de exceção de suspeição, em caso de amizade íntima ou inimizade capital, entre juiz e promotor, bem como entre juiz e advogado. É o que resta sobejamente concretizado nas relações processuais existentes, não sendo possível ignorar o fato do magistrado ser falível como todos, não conseguindo manter sua neutralidade se estima por demasia o promotor ou o odeia com todas as suas forças[711].

Enfim, diversamente do que acredita a doutrina referida, não se pode olvidar que, antes de ser juiz, o magistrado foi criança, foi adolescente, e viveu – e continua a viver – como qualquer ser humano. Teve, tem e continuará tendo experiências de vida boas e ruins. Viveu – e traz sempre consigo – seus traumas, suas angústias, suas

---

709 MUÑOZ CONDE, Francisco. *La Búsqueda de la Verdad en el Proceso Penal*. 2. ed. Buenos Aires: Hammurabi, 2003, p. 27 e 28. Tradução nossa.

710 TÁVORA, Nestor; ALENCAR, Rosmar A.R.C. de. *Curso de Direito Processual Penal*. 2. ed. Salvador: Juspodivm, 2009, p. 50.

711 NUCCI, Guilherme de Souza, *cit.*, p. 525.

frustrações e seus recalques. Construiu e traz consigo seus preconceitos (no sentido negativo supracitado), seus "pré-juízos" (juízos antecipados), como toda e qualquer pessoa os tem. E, como acontece com todas as pessoas, o juiz também tem que conviver com tudo isso.

Nesse ponto é que a doutrina moderna de processo penal procurou conceber a inércia probatória do julgador como um mecanismo que o impeça (que impeça o "ser-no-mundo" não neutro e investido da função de julgar) de deixar que, por ocasião da colheita da prova, ele seja conduzido – inconscientemente até – pelos seus preconceitos, seus pré-juízos de valor a respeito dos fatos, das pessoas, dos crimes. A inércia, então, é utilizada pela doutrina moderna como freio para que o juiz saia, até mesmo inconscientemente, repita-se, em busca da prova que possa justificar um "prévio acerto mental", pois, se ele alcança elementos que lhe permitem confirmar o "prévio acerto mental", ele "goza", no sentido psicanalítico.

O problema da falta de neutralidade pode ser exemplificado com a postura que possa ter o juiz (repita-se: o juiz "ser-no-mundo") que vivenciou a experiência de ter alguém em sua família vítima de estupro. A tendência natural nesse caso é ser mais rigoroso com quem é acusado de estupro, buscando provas que possam servir de base para a futura sentença. Ou ainda com o fato de o juiz que teve seu automóvel furtado pela manhã ter, naturalmente, uma tendência maior de condenar quem seja acusado de furto de veículos, e, assim, caso tenha que colher a prova de outro crime de furto à tarde do mesmo dia, é normal – mas não aceitável – que se comporte de forma mais rigorosa. É da natureza humana esse proceder, decorrência da projeção que pode fazer no outro, como recorda Jacinto Coutinho[712]. Calamandrei também anotou sua percepção da ausência de neutralidade judicial:

> De que insuspeitas e remotas vicissitudes pessoais ou familiares derivam com frequência as opiniões dos juízes e a sorte dos réus!
>
> Certa vez, no Tribunal de Cassação, eu defendia uma causa relativa a um pretenso vício redibitório de um cavalo mordedor. O comprador sustentava ter percebido que o cavalo por ele comprado tinha o vício de morder, e pedia, por isso, a resolução da venda; mas o tribunal de apelação não admitira o fato de que o cavalo fosse mordedor e, portanto, rejeitara a ação. O comprador derrotado recorrera em cassação. Eu defendia o vendedor, mas tinha tanta certeza de que o recurso seria rejeitado (precisamente porque em cassação não se pode rediscutir o fato), que, ao chegar minha vez de falar, renunciei à palavra.

---

712 COUTINHO, Jacinto Nelson de Miranda. *A Lide e o Conteúdo do Processo Penal*. Curitiba: Juruá, 1989, p. 140.

Levantou-se então o procurador-geral, o qual, contrariamente à minha expectativa, declarou que o recurso era fundadíssimo e que devia ser acolhido.

Meu estupor foi tal que, terminado o julgamento, não pude me impedir de me aproximar de seu assento para lhe dizer:

– Excelência, como é difícil para os advogados fazer previsões sobre o resultado dos recursos! Nessa causa, eu teria jurado que mesmo o senhor teria concluído pela rejeição.

Ele me respondeu:

– Caro advogado, contra os cavalos mordedores nunca se é bastante severo. Muitos anos atrás, eu ia a pé pela cidade, com meu filho pela mão; e aconteceu-nos passar perto de uma carroça, parada junto da calçada. O senhor não irá acreditar: aquele cavalão de ar inocente virou-se de repente e deu uma dentada no braço do meu menino. Fez-lhe uma ferida profunda assim, que para sarar foi preciso mais de um mês de tratamentos. Desde então, quando ouço falar de cavalos mordedores, sou inexorável[713].

Há até uma experiência com juízes israelenses decidindo sobre benefícios da execução penal cujo resultado conclui que pequenas pausas para saciar a fome do magistrado podem influenciar no julgamento[714]. É o que, na psicologia cognitiva, tem-se denominado de "ruídos", operantes, muitas vezes em soma, com os vieses psicológicos de confirmação[715]. "O ruído de ocasião", explicam Kahneman, Sibony e Sunstein, "corresponde à variabilidade nos julgamentos de um mesmo caso por uma mesma pessoa ou um mesmo grupo em diferentes ocasiões"[716]. E o "ruído de sistema", que atinge organizações (a exemplo do Judiciário), é uma "variabilidade indesejada em julgamentos que deveriam, em termos ideais, ser idênticos"[717]. Assim,

---

713 CALAMANDREI, Piero. *Eles, os Juízes, vistos por um Advogado, cit.*, p. 20-21.

714 DANZIGER, Shai; LEVAVB, Jonathan; AVNAIM-PESSOA, Liora. *Extraneous Factors in Judicial Decisions.* Princeton, NJ: Princeton University, aprovado para publicação em 25 de fev. 2011 (recebido para análise em 8 de dez. 2010). Disponível em: http://www.pnas.org/content/108/17/6889.full. Acesso em: 17 ago. 2014: "Testamos o ditado popular do realismo que 'a justiça é o que o juiz comeu no café da manhã' em decisões de liberdade condicional sequenciais feitas por juízes experientes. Nós promovemos duas pausas para alimentação diárias dos juízes, o que resultou em segmentar as deliberações do dia em três distintas 'sessões de decisão'. O que encontramos como resultado é que o percentual de sentenças favoráveis cai gradualmente de ≈65% para quase zero ao longo de cada sessão de decisão e retorna abruptamente para ≈65% depois de uma pausa. Nossos resultados sugerem que as decisões judiciais podem ser influenciadas por variáveis externas que não deveriam ter influência sobre as decisões judiciais". Tradução nossa.

715 KAHNEMAN, Daniel; SIBONY, Olivier; SUNSTEIN, Cass R. *Ruído. Uma falha no julgamento humano.* Tradução de Cássio de Arantes Leite. Rio de Janeiro: Objetiva, 2021, p. 17.

716 *Ibid.*, p. 14.

717 *Ibid.*, p. 26.

Processo Penal | Fundamentos dos fundamentos

se duas pessoas sem antecedentes criminais realizaram condutas similares, nas mesmas circunstâncias, sendo ambas tipificadas como o mesmo crime, o que se espera é que suas penas, em caso de condenação, sejam iguais ou, no mínimo, próximas entre si. Interessante analisar o problema identificado na história recente dos Estados Unidos na questão da fixação das penas. Como já abordado no capítulo que trata do modelo de "Lei e Ordem", no sistema judiciário norte-americano, antes da adoção das chamadas "*Sentencing guidelines*", a imposição de pena era praticamente livre. Estudos realizados naquele país em 1981 identificaram uma disparidade importante nas penas impostas a réus que praticaram condutas similares. E apontaram para quatro grupo de fatores que foram identificados como capazes de explicar essa variação:

O primeiro conjunto inclui a orientação do objetivo geral do juiz (em oposição a objetivos específicos do caso discutidos anteriormente) *[aumento de pena em torno de 7,3%]* e a percepção do juiz de quão satisfatoriamente o sistema de justiça criminal federal alcança essas metas *[aumento de pena em torno de 4,9%]*. Analisamos as seguintes orientações: dissuasão geral *[aumento de pena em torno de 2,4%]*, dissuasão social, reabilitação *[aumento de pena em torno de 4,9%]*, incapacitação *[aumento de pena em torno de 5,6%]*, retribuição/merecimento, e restituição *[aumento de pena em torno de 2,8%]*. O segundo conjunto inclui a avaliação do juiz sobre a qualidade geral do processo de condenação federal e sua percepção do grau em que a disparidade de sentenças constitui um problema para do sistema de justiça criminal federal. O terceiro conjunto engloba características fundamentais do juiz: ideologia política (autoidentificação como liberal ou conservador) *[aumento de pena em torno de 3,5%]*; variáveis de carreira, como o número de anos atuou como juiz federal e anos na profissão de advogado; o tipo de comunidade em que o juiz foi criado (urbana/suburbana/rural); e a raça do juiz. O quarto fator é a região do país em que a jurisdição do juiz está localizada – com juízes separados em quatro grandes segmentos do país *[todas essas últimas variáveis combinadas geraram aumento de pena em torno de – 8,2%]*. Essas variáveis foram inseridas como independentes variáveis em uma regressão múltipla passo a passo na qual a variável foi o tempo médio de prisão dado em todos os dezesseis casos[718].

---

718 CLANCY, Kevin; BARTOLOMEO, John; RICHARDSON, David; WELLFORD, Charles. Sentence Decisionmaking: The Logic of Sentence Decisions and the Extent and Sources of Sentence Disparity. *Journal of Criminal Law and Criminology*, v. 72, n. 2, verão 1981, p. 524-554, p. 551. Tradução nossa. Os percentuais referidos na tradução foram extraídos da Tabela 21, à p. 552.

A solução que o governo norte-americano deu ao problema foi a elaboração das "*Sentencing guidelines*", que trouxe diretrizes a serem observadas por todos os juízes, minimizando o impacto dos "*ruídos*". No modelo brasileiro de fixação da pena, de matriz europeia-continental, os juízes já são dirigidos pelos critérios legais do Código Penal que compõem as três fases. Há, no entanto, também aqui, certo grau de subjetividade, principalmente na valoração das oito circunstâncias judiciais do artigo 59 do Código Penal na fixação da pena-base. É onde pode operar o "ruído" com maior visibilidade. Seja como for, a pesquisa referida dá suporte empírico à ideia de que o "ruído" é capaz de influenciar no processo decisório. E essa "variabilidade indesejada" pode ser identificada em decorrência de inúmeros "fatores aparentemente irrelevantes", a exemplo de "quem fala primeiro"[719], do dia da semana em que o julgamento é proferido, do horário do dia, do clima, do fato de que "seu time do coração fora derrotado no fim de semana", ou da fome mesmo[720]. No caso dos juízes israelenses, não se trata apenas do "ruído", mas até mesmo de uma questão biológica, na qual o organismo sem alimentação adequada acaba intuitivamente economizando energia, valendo a lei biológica do menor esforço, o que é incontrolável e inconsciente para o juiz. Vale anotar que um pouco de "ruído" deve ser tolerável, pois, do contrário, seria melhor optar por julgamentos por máquinas de inteligência artificial, o que desumanizaria a Justiça, gerando o efeito inverso da injustiça pela rigidez excessiva das regras.

Também não se olvida a crítica incisiva de Lenio Streck à pesquisa dos juízes israelenses no sentido de que, se a fome influencia o processo decisório dos juízes, deve-se providenciar, urgentemente, um restaurante de qualidade no Supremo Tribunal Federal. Na mesma linha, diz Lenio, o direito lido pela pesquisa dos juízes israelenses seria reduzido a nada, pois o importante seria manter os juízes bem alimentados[721].

A crítica, por óbvio, tem procedência, pois não se pode ficar à mercê de um juiz que decida a partir da fome ou de escolhas pessoais. Porém, ao mesmo tempo e de forma paradoxal, não há como desconsiderar que o ser humano age, psicologicamente, orientado pelos vieses de confirmação e pelos "ruídos" e age, biologicamente, numa linha de opção pelo menor esforço. Isso é visível até mesmo na linguagem, conforme se infere de várias situações de simplificação fonética nas quais o ser humano, por economia de esforço, provocou o encurtamento de palavras. Serve de exemplo o que se deu com a expressão "Vossa Misericórdia Senhor", a qual, com o passar do tempo,

---

719 KAHNEMAN, Daniel; SIBONY, Olivier; SUNSTEIN, Cass R. *Ruído. Uma falha no julgamento humano*, cit., p. 14.

720 *Ibid.*, p. 22-23.

721 STRECK, Lenio Luiz. Juiz com Fome ou que Almoçou Mal Deve Julgar Nossas Causas? *Consultor Jurídico – Conjur.* 5 jun. 2014. Disponível em: http://www.conjur.com.br/2014-jun-05/juiz-fome-ou-almocou-mal--julgar-nossas-causas. Acesso em: 13 abr. 2014.

passou a ser "Vossa Mercê", e depois passou a ser "Vosmecê"; e, depois, "você"; e já está caminhando para ser apenas "ocê"; e até mesmo "cê".

Seja como for, repita-se, Lenio tem razão quando diz que não é possível que se fique à mercê da fome do juiz para que a causa seja decidida desta ou daquela forma. Daí por que é necessário criar critérios que evitem a paradoxal situação de que, com fome ou mediante algum outro "ruído", ele pode julgar mal, mas, tenha fome ou não, deve julgar politicamente condicionado. É preciso, enfim, criar critérios que controlem o magistrado, esteja ele com fome ou não, e que permitam constranger o juiz de tal forma que ele compreenda que deve decidir – e não escolher – com responsabilidade política, independentemente de sua fome, de suas ideologias pessoais ou de outros possíveis "ruídos".

O problema, fazendo um contraponto, é que, por mais que o juiz possa dizer que sabe "separar" as coisas, trata-se de mero esforço pessoal que é incapaz de "apagar" a heurística biológica e também os registros mentais inconscientes de suas experiências de vida. Eles continuam lá, prontos para aflorar a qualquer momento, dependendo tão só do momento propício. Isso tudo sem falar das ideologias, das opções políticas, das preferências, simpatias, antipatias e quaisquer outras questões psicológicas que todas as pessoas – inclusive os juízes – trazem consigo.

Assim, como não existe um mecanismo que crie um juiz neutro – trata-se, como visto, de uma falácia discursiva –, a doutrina mais moderna prega que o melhor sistema de processo penal, aquele mais garantista sob o prisma do cidadão acusado da prática de um ilícito penal, aquele que minimiza a possibilidade de quebra da imparcialidade (por conta da ausência de neutralidade), é o "sistema acusatório", lido aqui como aquele sistema que transfere a produção e gestão da prova para as partes. Nesse caso, o juiz julga com o que lhe for trazido pelas partes, evitando, com isso, que ele possa primeiro "decidir mentalmente" (pré-juízo, pré-conceito) a respeito do fato imputado ao réu e possa "sair em busca", mesmo inconscientemente, da prova que lhe sirva para justificar um prévio "acerto mental" do caso. Já no denominado "sistema inquisitório", o juiz ficaria livre para "encontrar" a prova que lhe sirva para "confortar a alma". Ele busca essa prova porque é o gestor e senhor absoluto dela. Assim, diz a doutrina moderna de processo penal, no "sistema inquisitório" as partes são meramente formais, existem, mas não atuam de fato. E finaliza dizendo que o juiz, quando atua na produção probatória, muitas vezes acaba fazendo o papel que deve ser reservado ao Ministério Público.

Mas o problema maior não é esse, e sim considerar que, seja ativo, seja passivo na produção da prova, o juiz não pode julgar livremente. Como já destacado, o juiz não pode "escolher" (o que se dá no plano da razão prática, a partir de seus valores pessoais), mas deve "decidir" (agir no plano da razão política)[722].

Assim, a discricionariedade que hoje ainda existe até mesmo por autorização legislativa no Código de Processo Penal, como ocorre na má recepção da ideia de livre convencimento e livre apreciação da prova, e mesmo que, dogmaticamente, esses princípios tenham outra compreensão histórica, sob o manto de comunicar uma "liberdade" valorativa e de convicção plena, não pode nortear a decisão desse juiz; não pode criar uma espécie de álibi retórico ao qual o juiz se apegue toda vez que quiser fazer valer seu modo de enxergar o mundo.

Compreendendo-se, pois, que "a neutralidade dos juristas é quase arqueologia jurídica e sua imparcialidade só é imaginável com muito discurso que lhe dê conta", como diz Jacinto Coutinho[723], e, dando-se o nome que se queira dar ao sistema processual, de uma questão não se afasta: há de se concordar que, num modelo de processo penal que se insira no Estado Democrático de Direito e que, assim, tenha como uma das balizas de orientação a proibição de excesso, o juiz deve ser controlado e não deve ser o protagonista principal da produção probatória, não deve ser o gestor da produção da prova, como se costumou definir, e as partes não podem ficar alijadas desse processo. Assim, não se nega a importância do papel das partes como principais atores[724] da produção probatória. Porém, todas essas certezas não significam que o juiz não deva – de forma subsidiária em relação às partes – também atuar no plano da complementação da prova introduzida pelas partes. Aqui, o que pode parecer, num primeiro momento, um contrassenso, é, na verdade, o mecanismo imunitário necessário para evitar o solipsismo que o "livre convencimento" comunica a boa parte da magistratura e para dar amplitude à efetividade das demais garantias do contraditório e da ampla defesa, como se procurará expor mais adiante. Antes, porém, é preciso enfrentar as implicações psicanalíticas dessa ausência de neutralidade do juiz.

---

722 *Id. O Que é Isto? Decido Conforme a Minha Consciência*, *cit.*, p. 106, *in verbis*: "Ora, se a decisão se dá, não a partir de uma escolha, mas, sim, a partir do comprometimento com algo que se antecipa. No caso da decisão jurídica, esse algo que se antecipa é a compreensão daquilo que a comunidade política constrói como direito (ressalte-se, por relevante, que essa construção não é a soma de diversas partes, mas, sim, um todo que se apresenta como a melhor interpretação – mais adequada – do direito)".

723 COUTINHO, Jacinto Nelson de Miranda. Glosas ao Verdade, Dúvida e Certeza, de Francesco Carnelutti, para os operadores do Direito. *Revista de Estudos Criminais*, ano 4, n. 14, Porto Alegre: PUC/ITEC, 2004, p. 77-94, p. 79.

724 Para usar a referência de CALAMANDREI, Piero. *Direito Processual Civil*. Campinas: Bookseller, 1999, v. 3, p. 223.

3.12 "Quadros mentais paranoicos" e falsos silogismos no processo decisório

Na obra *Guida alla Procedura Penale*, ao tratar do que chamou de "método inquisitório"[725], numa síntese do que se teria verificado entre os séculos XIII e XVIII, Franco Cordero promoveu uma análise conglobante dos diferentes modos de conduzir os processos nesse período, e resumiu o que seria o padrão do comportamento dos juízes que trabalhavam sem jamais serem expostos ao contraditório e com a possibilidade de utilizar a tortura para obter confissões:

> *2.7.* Lógica deformada. A solidão com que os inquisidores trabalham, nunca expostos ao contraditório, fora das grades dialéticas, talvez seja propícia ao trabalho policialesco, mas desenvolve quadros mentais paranoicos. Vamos chamá-los "primado das hipóteses sobre os fatos"; quem pergunta segue uma delas, às vezes de olhos fechados; nada garante ser a mais fundada em relação às alternativas possíveis, nem mesmo que esse trabalho estimule uma cautelosa autocrítica; assim, como as cartas do jogo estão em suas mãos, é ele quem as põe na mesa; centra-se na "sua" hipótese. Sabemos com quais meios persuasivos ele conta (alguns irresistíveis: por exemplo, a tortura do sono, calorosamente recomendada pelo piedoso advogado criminalista Ippolito Marsili); usando-os ele orienta o resultado para onde quer. Nos casos milaneses de peste provocada intencionalmente, junho-julho de 1630, vemos como juízes nada desonestos, na verdade inclinados a um inusitado garantismo, fabricaram delitos e delinquentes: o investigado responde com docilidade; o inquisidor encontra em sua cabeça os fantasmas que ali projetou. Mas também vêm à baila algumas contra-projeções: se o resultado depende de suas palavras, o confessor não fica tão desamparado; jogando bem com elas, sai ileso ou, pelo menos, lucra alguns descontos; quando você supera o antagonista em sagacidade (como Stefano Baruello em Milão), ele dita os movimentos. À economia verbal típica do formalismo agonístico acusatório a inquisição coloca as palavras como um dilúvio: algum efeito hipnótico-vertiginoso-alucinatório é inevitável; fatos, tempos, conexões, desaparecem no caleidoscópio falado; nenhum processo

---

725 CORDERO, Franco. *Guida alla Procedura Penale*. Torino: UTET, 1986, p. 43.

terminaria se quem o comanda, em determinado ponto, não cortasse o fio;
e ele faz isso quando quer, porque age livremente[726].

Duas expressões encontradas nessa passagem de Franco Cordero ("quadros mentais paranoicos" e "primado das hipóteses sobre os fatos") passaram a servir de norte para a doutrina moderna de processo penal pensar a problemática psicológica da atividade do magistrado em relação à produção da prova[727]. No entanto, é preciso ter algum cuidado ao explorá-las e bem compreender o que elas significam. Não é possível fazer um transporte dessa síntese, de um juiz medieval que operava à luz de uma solidão laboral e com a possibilidade de usar a tortura para extrair a confissão do acusado, para o modelo de processo de hoje em dia, no qual a tortura é abominada, o direito ao silêncio é observado e o rito probatório é protagonizado pelas partes (art. 212 do Código de Processo Penal), com contraditório, ampla defesa e forte inércia judicial.

Mesmo assim, sem muita preocupação de ajuste, esse parece ter sido o caminho escolhido por parte da doutrina mais moderna de processo penal. Simplesmente promovem um transporte do que disse Franco Cordero e realizam um salto no tempo para dizer que, se o juiz, hoje, fizer alguma pergunta à testemunha, isso implicaria em identificar a presença de "quadros mentais paranoicos". Com efeito, parte da doutrina moderna acabou difundindo as expressões de Franco Cordero, que hoje são por ela tomadas como "lemas" que, acoplados ao rótulo de "inquisitório", justificam, por si sós, a proibição de o juiz participar de alguma forma ativa da produção da prova no processo penal.

Em parte é compreensível que assim tenha ocorrido, pois, levando em conta o que se sabe hoje a partir da psicologia cognitiva e da psicanálise, é possível dizer que, quando se acredita muito numa hipótese, o ser humano tende a buscar, no mundo, dados que possam confirmá-la. É o que a psicologia cognitiva chamou de "vieses de confirmação"[728]. Assim, a partir de uma notícia de delito, o correspondente atuar investigativo exige a construção de hipóteses mentais, que deverão ser testadas para tentar compreender e determinar se elas procedem ou não. Portanto, qualquer um que se coloque a investigar uma notícia de fato corre o risco de tentar confirmar sua hipótese por meio de um atalho heurístico que possa promover um encurtamento do raciocínio, que, por sua vez, possa conduzir a um erro de conclusão. E, a depender do grau de crença na hipótese, pode até mesmo promover aquilo que Franco Cordero

---

726 *Ibid.*, p. 51. Tradução nossa.

727 *Vide*, dentre outros: COUTINHO, Jacinto Nelson de Miranda. Introdução aos Princípios Gerais do Processo Penal Brasileiro. *Revista da Faculdade de Direito da UFPR*, n. 30, Curitiba: UFPR, 1998, p. 163-198, p. 178; e LOPES JR., Aury. *Fundamentos do Processo Penal. Introdução Crítica*. São Paulo: Saraiva, 2015, p. 164.

728 STERNBERG, Robert J. *Psicologia Cognitiva, cit.*, p. 459.

chamou de um "quadro mental paranoico". Isso pode ocorrer com qualquer ser humano que se proponha a investigar alguma coisa, inclusive no plano científico. Mas não é, necessariamente, a regra. É uma possibilidade.

Por isso, é problemático um modelo de processo que concentre toda a carga probatória no juiz e que impeça o contraditório. Não havendo contraditório, não há quem faça contrapontos às hipóteses mentais do juiz, e como estas podem, circunstancialmente, corresponder a "quadros mentais paranoicos", podem igualmente, nesses casos, prevalecer sobre o fato ao final do processo decisório. Carnelutti também já acenava para a problemática da contaminação psicológica que envolve a investigação:

> Observe-se que a busca implica um movimento, como resulta da palavra mesma, indagar, investigar; e assim um trabalho, psíquico e amiúde físico, o qual pode alterar o juízo no sentido de que o que busca pode ser levado a uma supervalorização dos resultados da busca; é inevitável e até indispensável que aquele que busca se apaixone durante a procura, desenhando-se nele um interesse em seu êxito; mas uma tal disposição de ânimo, se favorece a busca, prejudica a valoração; melhor que os de nossa própria se avaliam os resultados da busca alheia[729].

Sucede que as referidas análises de Cordero e Carnelutti são hoje levadas em conta toda vez que se refere à possibilidade de o juiz interferir na produção probatória, mesmo que seja num processo no qual ele não investigou previamente – outra pessoa o fez –, no qual ele não é o acusador – outra pessoa acusou –, e mesmo independentemente da presença ou não de um contraditório e da ampla defesa ao longo da produção da prova. Para parte da doutrina moderna de processo penal, basta que o juiz tenha alguma postura ativa no âmbito probatório, mínima que seja, para que automaticamente essa mesma doutrina sentencie dizendo que essa possibilidade "é inquisitória e é paranoica". Esse paralelismo automático de parte da doutrina moderna, numa primeira análise, informa certo exagero conclusivo, pois não se pode olvidar que Cordero tenha avaliado que a situação se dava diante da ausência de um contraditório, da ausência de ampla defesa e da ausência da dialética e com possibilidade de uso da tortura: *"la solitudine in cui gli inquisitori lavorino, mai esposti al contraddittorio, fuori da griglie dialettiche"*.. No modelo inquisitorial de Cordero, fica fácil vislumbrar o problema psicológico que envolve o processo investigativo. Mesmo assim, levando em conta a psicologia cognitiva e a psicanálise, também é possível se admitir alguma probabilidade de o juiz construir,

---

729 CARNELUTTI, Francesco. *Lições Sobre o Processo Penal*. Tradução de Francisco José Galvão Bruno. Campinas: Bookseller, 2004, v. 1, p. 212.

eventualmente, um "quadro mental paranoico" e, então, atuar ao longo do processo em busca de dar prevalência às suas hipóteses mentais em relação aos fatos. Isso, na linha apresentada por Franco Cordero, pode acontecer com qualquer pessoa, ainda que com menor intensidade e frequência em comparação ao juiz inquisidor medieval. As razões dessa diferença de abordagem já foram expostas, mas merecem ser reforçadas: no processo de hoje garantem-se às partes o contraditório e a ampla defesa, e o juiz não é mais o investigador preliminar da notícia-crime, tampouco se autoprovoca no início do processo, não podendo torturar ninguém.

Então, guardadas as proporções do que se dava em relação ao juiz inquisitorial da Idade Média, apresentado por Franco Cordero, mesmo o juiz do atual modelo processual, pelo simples fato de ser humano, pode apresentar os tais "quadros mentais paranoicos" e elaborar hipóteses mentais que guardem primazia sobre os fatos.

No entanto, ainda é preciso ter cuidado para não deturpar de vez o que Franco Cordero quis pontuar ao se referir à formação dos "quadros mentais paranoicos". Uma situação é admitir que as pessoas – no caso, os juízes – possam construir, momentânea e circunstancialmente, "quadros", isto é, recortes de representações mentais que se aproximem da ideia da paranoia no sentido de imaginar hipóteses diversas do contexto que se apresenta na realidade do caso penal. Outra, bem diferente, é rotular os juízes de paranoicos. Esse exagero do rótulo é identificado até mesmo em autores importantes da doutrina moderna de processo penal, que compreendem a dinâmica da psicanálise, mas que chegam a indicar que os juízes seriam, de fato, paranoicos. Não que não possa existir algum magistrado que apresente tal doença, mas, seguramente, seria absoluta exceção. Enfim, não se pode ignorar o que de grave se insere nessa afirmação, pois a paranoia é doença séria, conforme se vê em Freud e em sua análise do *Caso Schreber*[730], coincidentemente também ele um magistrado e ex-presidente da Corte de Apelação da Saxônia, que escreveu *Memórias de um doente dos nervos*, publicadas em 1903, revelando ao mundo os delírios que teve em dois graves surtos paranoicos. Freud considerou, por exemplo, que "os paranoicos não podem ser impelidos a vencer suas resistências internas e, de toda forma, dizem apenas o que querem dizer"[731]. E os paranoicos são movidos por delírios de perseguição, de erotomania, de ciúmes ou de grandeza, apresentando fases (fixação, repressão e irrupção ou retorno do reprimido) que formam os sintomas, como anotou Freud[732].

---

730 FREUD, Sigmund. Observações Psicanalíticas Sobre um Caso de Paranoia (*Dementia Paranoides*) Relatado em Autobiografia ("O Caso Schreber", 1911), *cit.*, p. 13 e s.

731 *Ibid.*, p. 14.

732 *Ibid.*, p. 84 e s.

O paranoico, então, segundo Freud, destrói e reconstrói o mundo mediante seu delírio, ainda que não o faça sempre, nem o tempo todo[733].

Então não é possível confundir a expressão de Cordero, de um "quadro mental paranoico", com a doença em si. São situações bem distintas, e isso precisa ficar claro. Para Cordero, como se vê da passagem supratranscrita, os "quadros mentais" significam apenas que o magistrado pode, eventualmente, no caso concreto em que está atuando, criar recortes mentais que considerem como "reais" determinadas imagens que ele construiu na cabeça, como explica Jacinto Coutinho[734]. Aliás, Jacinto Coutinho deixa bem clara a ideia de Cordero na seguinte passagem de outro texto:

> Ora, navegando com o pensamento para o futuro e para o passado, tende-se a acreditar nas imagens produzidas pela razão. É certo, não obstante, que tal crença não é definitiva e, assim, poder-se-ia dizer que admite prova em contrário, ou seja, pode-se voltar atrás da posição anteriormente tomada, mesmo porque, se assim não fosse, a imagem assumida se converteria em real e se estaria diante de uma psicose típica, a paranoia. Sem poder descartar tal hipótese, a regra é que assim não seja e, por isso, Cordero, como se vê, fala em "quadros mentais paranoicos"[735].

O juiz, então, pode tomar como "verdadeiro" o mero imaginário, e, assim, podem prevalecer determinadas hipóteses sobre o que pode ter acontecido no passado que não corresponda ao fato ("o primado das hipóteses sobre os fatos", como diz Cordero). O curioso é que, dessa afirmação de Cordero, pode-se extrair que ele trabalha com uma visão de verdade como correspondência, criticando os inquisidores, que, em vez de considerarem o "fato real", acabam fixando essa análise em hipóteses que teriam primazia sobre ele. Para deixar claro: ainda que exista o real e ainda que no processo penal se produzam provas com a pretensão de compreender o que possa ter realmente acontecido no passado, esse fato não é capaz de ser apreendido em seu todo. Ele não é reproduzível, discursivamente, de forma absoluta no processo.

---

733 *Ibid.*, p. 94.

734 COUTINHO, Jacinto Nelson de Miranda. *Glosas ao Verdade, Dúvida e Certeza, de Francesco Carnelutti, Para os Operadores do Direito*, cit., p. 86, *in verbis*: "Neste ponto, o processo penal acerta as contas com o obscuro: a escolha inquisitorial é determinada pela imagem – quiçá a primeira –, tomada como possível, como real, como verdade: eis o quadro mental paranoico. Decide-se antes (o que é normal, no humano, repita-se); e depois raciocina-se sobre a prova para testar a escolha".

735 COUTINHO, Jacinto Nelson de Miranda. Sistema Acusatório: cada parte no lugar constitucionalmente demarcado. *O Novo Processo Penal à Luz da Constituição (Análise Crítica do Projeto de Lei n. 156/2009, do Senado Federal)*, cit., p. 12.

Ao que parece, então, uma questão de maior relevância se coloca na discussão de um melhor sistema de processo penal. Não se trata de levar em conta que seja possível atingir a verdade dos fatos, de forma absoluta, como já explorado anteriormente, mas de considerar que o ser humano, como "ser-no-mundo" inserido em sua faticidade e considerando sua finitude, com poder, pode estar orientado pela hipótese mental que ele tenha construído do caso penal a partir de seus pré-conceitos e siga apenas esse caminho, desconsiderando outras possibilidades.

Assim, não obstante o processo penal esteja delimitado por um fato específico narrado na denúncia oferecida pelo Ministério Público e imputado ao acusado (o qual baliza a discussão, a produção de provas e limita o exercício do poder jurisdicional – princípio da correlação), o que se constrói, tanto na denúncia quanto ao final do processo, é, quando muito[736], uma das possíveis narrativas do que pode ter realmente acontecido no passado. Não é demais fazer um parêntese aqui para dizer que com isso não se quer afirmar que "só existem narrativas, não existem fatos", como dizia Nietzsche e como os relativistas pregam com entusiasmo, mas considerar, na linha referida por Carnelutti, que o todo do fato é demais para o ser humano, e as limitações do processo não permitem que ele seja alcançado em sua plenitude.

Nesse percurso, um dos problemas mais graves remonta ao fato de que boa parte dos magistrados – e mesmo dos seres humanos em geral – continua enxergando e compreendendo o mundo por meio do método silogístico aristotélico, que pode ser orientado a partir de entimemas, isto é, de premissas dadas como certas sem reflexão[737]. Os juízes, em várias ocasiões, são "máquinas de fazer silogismos", na expressão de Calamandrei[738].

---

736 Por vezes nem mesmo isso ele consegue, haja vista a dúvida que pode permanecer na cabeça do magistrado, que seja de tal ordem que ele considere insuperável e, portanto, conducente a uma decisão absolutória no estilo *non liquet*.

737 No mesmo sentido: COUTINHO, Jacinto Nelson de Miranda. *Glosas ao Verdade, Dúvida e Certeza, de Francesco Carnelutti, Para os Operadores do Direito, cit.*, p. 82, *verbis*: "Pense-se, nesta esteira, por exemplo, em como estuda-se – e ensina-se – a sentença e o ato de sentenciar; o requerimento-petição e o ato de requerer, e assim por diante. Tudo, enfim, resume-se a silogismos, muitas vezes sem qualquer sentido; ou, o que é muito pior, que dão, categoricamente, 'o' sentido". E também, do mesmo autor: COUTINHHO, Jacinto Nelson de Miranda. O Devido Processo Legal (Penal) e o Poder Judiciário. *Diálogos Constitucionais: Brasil/Portugal.* AVELÁS NUNES, Antonio José; COUTINHO, Jacinto Nelson de Miranda (Org.). Rio de Janeiro. São Paulo, Recife: Renovar, 2004, p. 291-300, p. 296 e s., *in verbis*: "De premissas falsas – forjadas pelo imaginário – chega-se, sem grande esforço, a conclusões falsas. É assim que sempre se fabricou – e segue-se fabricando – delitos e delinquentes, em nome da crença nas imagens, hoje disseminadas (as imagens) como nunca a partir dos meios de comunicação". E, em nota de rodapé, cita caso concreto da "crônica policial", publicado no jornal *Gazeta do Povo* do dia 27 de dezembro de 2003, que ilustra o problema do entimema: "'Dois homens e um adolescente presos por engano há nove dias'. Dois homens e um adolescente estão presos há nove dias em uma cadeia de Curitiba por engano. O borracheiro Anderson Lopes, de 28 anos, o catador de papel Marcelo Godim, de 25, e um menor foram confundidos com assaltantes que mataram o comerciante Éderson Maciel no bairro Sítio Cercado, no dia 17. Na sexta feira, a polícia conseguiu prender um homem que confessou fazer parte da quadrilha que matou o comerciante. O trio preso por engano continua na cadeia, pois ainda falta a assinatura do juiz para que eles possam ser libertados. (...) seu carro foi confundido pela polícia com o do assaltante da padaria". Poucos dias depois de sair da cadeia, Anderson cometeu suicídio.

738 CALAMANDREI, Piero. *Proceso Y Democracia*. Tradução para o espanhol de Héctor Fix-Zamudio. Lima: Ara Editores, 2006, p. 64.

E aí reside um dos problemas centrais desse método. Ao se colocar o silogismo no contexto do modo de pensar e decidir do magistrado, pode-se evidenciar seu raciocínio partindo de um entimema ou de uma crença na decisão por ele tomada no processo penal. Jacinto Coutinho dá um exemplo que vivenciou junto com seu amigo Paulo Moacir Wilhelm Rocha, quando ambos ainda eram estagiários na assistência judiciária e indagaram ao juiz Antoninho Domingues qual seria o caso a ser julgado naquela tarde. Obtiveram como resposta "Artigo 155, doutor!", sendo que essa frase foi proferida no exato momento em que a Polícia Militar entrou na sala de audiência arrastando pelas algemas um réu, que vinha vestido da forma clássica daquela época (final dos anos 70): o tênis era Kichute (sem meia), a calça era de tergal, o cinto era uma corda de sisal, pequena o suficiente para apenas segurar a calça, já que se retiram os cintos dos cidadãos nos presídios, a camiseta era das de posto de gasolina (toda suja, com alguns furos, que parecia ser já muito usada) e, para completar, trazia um invariável gorro vermelho e preto na cabeça[739]. E prossegue Jacinto: "Era impossível uma reação diferente de todos, inclusive do Dr. Antoninho, que não aquela, de um riso desenfreado", considerando que se estava "diante da fotografia do 'ladrão modelo', da figura do 'larápio lombrosionamente nato'", para então concluir: "Claro, não ríamos dele, mas da conjugação de uma lógica dedutiva (premissa maior, premissa menor e conclusão: crime de furto, figura do réu e cadeia)"[740].

A situação se agrava quando o magistrado mescla o método silogístico aristotélico com uma forma solipsista e cartesiana de olhar o mundo. Nesse caso ele se amarra na construção "da sua verdade" a partir do método silogístico aristotélico e pode acabar partindo de falsos entimemas, isto é, de premissas que não são demonstradas, mas que ele acredita que sejam "verdadeiras", para construir seus silogismos conclusivos. E esses entimemas, porque são falsos, também podem decorrer daquela série de pré-conceitos, por vezes impulsionados pelo inconsciente, como, depois de Freud, consegue-se compreender. O resultado acaba sendo uma decisão pautada em premissas falsas e embasada em falsos silogismos que constroem hipóteses que acabam prevalecendo como "verdades". O próprio Calamandrei, que acenou para o juiz como uma "máquina de silogismos", não descuidou de observar a realidade diversa que opera na prática, atestando que "aquele que imagina a sentença como um silogismo não vê a sentença viva, mas apenas seu cadáver, seu esqueleto, sua múmia"[741]. O

---

739 COUTINHO, Jacinto Nelson de Miranda. O Estrangeiro do Juiz ou o Juiz é o Estrangeiro? In: COUTINHO, Jacinto Nelson de Miranda (Coord.). *Direito e Psicanálise. Interseções a Partir de "O Estrangeiro" de Albert Camus.* Rio de Janeiro: Lumen Juris, 2006, p. 69-83, p. 75-76.

740 *Ibid.,* p. 76.

741 CALAMANDREI, Piero. *Proceso Y Democracia, cit.,* p. 65.

método analítico, portanto, depois da compreensão de como opera o inconsciente freudiano, não merece servir de norte isolado para a decisão processual penal.

Com efeito, o que por vezes acontece na prática é que o juiz acaba invertendo a lógica do silogismo. Assim, primeiro ele elege a versão que o conforta, orientado pela ideia de que possa julgar pelo seu "livre convencimento", e, depois, busca os argumentos necessários para justificar sua escolha. Carnelutti[742] e Calamandrei[743] já alertavam para essa inversão lógica, e, na doutrina brasileira, pode-se citar, além de Nilo Bairros de Brum[744], a importante contribuição de Jacinto Nelson de Miranda Coutinho[745]. O psicólogo David Kahneman apresenta um exercício que bem ilustra como a maioria das pessoas se comporta diante e a partir de seus pré-conceitos, de suas crenças, em falsos silogismos que aparentam ser verdadeiros e de fácil aceitação:

Agora vou mostrar um argumento lógico – duas premissas e uma conclusão. Tente determinar, o mais rapidamente que conseguir, se o argumento é logicamente válido. A conclusão parte das premissas?

Todas as rosas são flores.

Algumas flores murcham rápido.

Logo, algumas rosas murcham rápido.

A grande maioria dos estudantes universitários endossa esse silogismo como válido. Na verdade, o argumento é falho, pois é possível que as rosas não estejam entre as flores que murcham rápido. Assim como no problema do bastão e bola, uma resposta plausível vem imediatamente à cabeça. Superá-la exige trabalho duro – a ideia insistente de que "é verdade, é verdade!" torna difícil verificar a lógica, e a maioria das pessoas não se dá ao trabalho de pensar sobre o problema[746].

E Kahneman ainda conclui – a partir do exemplo experimentado – que, "quando as pessoas acreditam que uma conclusão é verdadeira, também ficam muito propensas a acreditar nos argumentos que parecem sustentá-la, mesmo que esses argumentos não sejam confiáveis"[747].

---

742 CARNELUTTI, Francesco. Verità, Dubbio, Certezza. *Rivista di Diritto Processuale*, v. XX (II Serie), Padova: Cedam, 1965, p. 04-09., p. 06.

743 CALAMANDREI, Piero. *Eles, os Juízes, Vistos por um Advogado, cit.*, p. 176 e s.

744 BRUM, Nilo Bairros de. *Requisitos Retóricos da Sentença Penal, cit.*, p. 72.

745 COUTINHO, Jacinto Nelson de Miranda. *Glosas ao Verdade, Dúvida e Certeza, de Francesco Carnelutti, Para os Operadores do Direito, cit.*, p. 86.

746 KAHNEMAN, Daniel. *Rápido e Devagar: duas formas de pensar*. Tradução de Cássio de Arantes Leite. Rio de Janeiro: Objetiva, 2012, p. 60.

747 *Ibid.*, p. 60.

Sucede que não apenas o senso comum das pessoas trabalha nesse plano silogístico sem levar em conta o risco das crenças, dos entimemas que prevalecem nas premissas, como também parcela significativa da doutrina processual penal ainda labora nesse prisma. No direito brasileiro, serve de exemplo o discurso de alguns doutrinadores muito utilizados ainda hoje como referência pela jurisprudência a respeito do trabalho do juiz na sentença. Esses autores também apresentam o método silogístico, sem considerar os riscos, quando informam a respeito da sentença penal, considerando apenas que o juiz deve aplicar a lei (premissa maior) ao fato (premissa menor), e daí extrair sua decisão (síntese). Nesse sentido, a título ilustrativo, Fernando da Costa Tourinho Filho, com o agravante de esse autor ainda referir a visão positivista exegética da neutralidade judicial ("vontade da lei"):

> (...) o juiz faz atuar a vontade da lei naquele caso concreto. O juiz transfunde na sentença a imperatividade que se contém na norma. (...) A função da sentença é declarar o direito. Quando o juiz procede à subsunção do fato à norma, aplicando o direito à espécie concreta, ele nada mais faz do que declarar o direito preexistente[748].

De forma bastante enxuta e direta, em *Curso de Direito Processual Penal*, Ana Flávia Messa assim coloca a questão:

> A doutrina entende a sentença como um silogismo: a) premissa maior (lei); b) premissa menor (fato); c) conclusão (subsunção do fato à lei)[749].

E depois ainda complementa, dizendo que a "sentença é um ato de vontade do julgador, resultado de uma atividade mental, em que há a aplicação da lei ao caso concreto, baseada no livre convencimento motivado". Como se vê, a autora mescla o silogismo aristotélico com uma linha solipsista-positivista-normativista kelseniana, na qual o juiz decide à luz de sua "Vontade", vinculando essa liberdade ao "princípio do livre convencimento motivado".

José Carlos G. Xavier de Aquino, ao tratar de como o juiz deve avaliar a prova, diz:

> Disso tudo depreende-se que o magistrado, ao receber o fato jurídico a ser por ele apreciado, deve proceder a um exame acurado da prova testemunhal recolhida, analisando-a sob quatro prismas diferentes:

---

748 TOURINHO FILHO, Fernando da Costa. *Manual de Processo Penal*. 5. ed. São Paulo: Saraiva, 2003, p. 690.

749 MESSA, Ana Flávia. *Curso de Direito Processual Penal*. 2. ed. São Paulo: Saraiva, 2014, p. 699.

a) a forma de expressão da testemunha;

b) a sua condição pessoal;

c) o grau de confiabilidade;

d) o teor do depoimento.

Só assim, examinando com acuidade todas as causas que circundam o testemunho, o julgador poderá aferir sua veracidade[750].

Nessa passagem, o autor estabeleceu quatro premissas maiores às quais o depoimento (premissa menor) deve se ajustar para que dele o juiz extraia a sua "veracidade" (síntese).

Nos dois trechos supratranscritos, esquecem-se os autores, no entanto, do alerta aristotélico: a premissa maior deve ser sempre verdadeira. No caso, não há como garantir que a "forma de expressão da testemunha", a "condição pessoal" da testemunha, o "grau de confiabilidade" da testemunha e, por fim, o "teor do depoimento" não possam ter sido moldados, seja na testemunha, seja no magistrado, de forma falsa, traumática, inconsciente, construindo os chamados pré-conceitos, os pré-juízos de valor, ou as falsas memórias. O mesmo se diga da análise que o juiz faça. Assim, ainda que as pré-compreensões estruturantes, referidas pela Hermenêutica Filosófica, sirvam de condição de possibilidade para a compreensão da fala da testemunha, caminham ao lado delas as possíveis outras premissas subjetivas, e aí pesa o inconsciente e também pesam os pré-conceitos e pré-juízos de valor. Pesa, enfim, a ausência de neutralidade do ser humano, do "ser-no-mundo" juiz. E tudo isso é capaz de, circunstancialmente, gerar os "quadros mentais paranoicos" nos quais "as hipóteses prevalecem sobre os fatos", de que fala Cordero.

Nessa linha, o juiz com poderes probatórios plenos poderia ser impulsionado a, inconscientemente, selecionar apenas as provas que permitissem "confirmar" suas prévias hipóteses mentais, descartando e/ou minimizando a importância de tudo que possa contrariá-las. Do mesmo modo como ocorre no modelo de juiz inquisidor pintado por Cordero, como as partes não poderiam interferir de forma alguma no curso da instrução probatória, é apenas a hipótese mental do magistrado que norteia a coleta da prova. Assim, o resultado que se obtém pode ser deturpado, sem que as partes possam provocar mudanças nesse processo mental que costuma conduzir a uma decisão torta, haja vista que o magistrado é o senhor absoluto da gestão probatória.

No Brasil já se teve modelo aproximado (de contraditório e de ampla defesa praticamente ausentes nesse momento da coleta da prova), vigente até, pelo menos, a reforma

---

750 AQUINO, José Carlos G. Xavier de; NALINI, José Renato. *Manual de Processo Penal*. São Paulo: Saraiva, 1997, p. 68-69.

do art. 212 do Código de Processo Penal, em 2008. Na redação primitiva do Código de Processo Penal brasileiro, de 1941, a audiência de inquirição de testemunhas e do interrogatório era orientada pelo chamado "sistema presidencialista", no qual o juiz era o único a interagir com as testemunhas e o acusado. As perguntas das partes somente poderiam surgir ao final do ato, depois de o juiz ter esgotado toda a sua curiosidade inquisitiva. E apareciam apenas como "sugestões" de perguntas direcionadas ao magistrado, o qual, quando as aceitava, tomava-as para si, reformulando-as, para só então perguntar – sempre ele e com suas palavras – para a testemunha. A resposta desta, por sua vez, era igualmente processada na mente do julgador, que ditava um resumo, mais uma vez com suas palavras, para o escrivão anotar em ata. Ainda não havia gravação em áudio e vídeo do depoimento, como ocorre hoje. O que se documentava em termos de prova no processo era, desde então, uma fala filtrada pela vontade do julgador. Interessante é ver como a doutrina brasileira tradicional regrediu nessa compreensão, pois, já na época do Império, o primeiro processualista penal nascido e formado no Brasil, Pimenta Bueno[751], tinha percebido e alertado que os juízes "profissionais" acabavam se tornando insensíveis ao drama do processo com o passar do tempo, criando até mesmo estereótipos e preconceitos de classe. Nas palavras de Pimenta Bueno, ao indicar as vantagens do modelo de júri em relação ao juiz togado:

> A segunda vantagem é a que provém da diversidade de caracter, habitos e numero do julgador, a quem assim se entrega a apreciação do facto. O jury é um juiz casual sem ódio, sem suspeita para o accusado, tirado pela sorte do seio dos cidadãos, não conhecido de antemão ou depurado pelas recusações, não prevenido pelo habito de julgar frequentemente os crimes, e de suppôl-os no accusado. O juiz permanente ou singular, pelo contrario, é de antemão conhecido e porventura antiphatico ao réo, homem que adquire habitos inflexiveis, e que pende quasi sempre para a punição. De mais, é um só; si erra, seu erro não tem correctivo, não é como o jury composto de doze intelligencias e doze votos que discutem, se corrigem e em regra preferem a determinação mais justa[752].

---

751 Sua importância reside não apenas na questão cronológica, pois, se comparada com outros textos de autores de renome do processo penal do Império, a exemplo de Joaquim Ignácio de Ramalho, lente da Faculdade de Direito de São Paulo e que, um ano antes da 2ª edição do texto de Pimenta Bueno, em 1856, publicou *Elementos do Processo Criminal para uso das Faculdades de Direito do Império*, e também de Manoel Mendes da Cunha e Azevedo, lente da Faculdade de Direito do Recife e que, três anos depois da 1ª edição de Pimenta Bueno, em 1852, publicou *Observações Sobre Vários Artigos no Código do Processo Criminal*, pode-se afirmar que a riqueza da pesquisa, da organização dos temas, da didática, dos comentários, das críticas e das observações de direito comparado feitas por Pimenta Bueno superam, e muito, os precários textos que o seguiram.

752 BUENO, José Antonio Pimenta. *Apontamentos sobre o Processo Criminal Brasileiro*. 2ª ed. Correcta e augmentada. Rio de Janeiro: Empreza Nacional do Diário, 1857, p. 38.

A questão também pode ser lida na forma de autoengano fruto de uma "dose elevada de verossimilhança" e de convicções pessoais, como afirma o filósofo Fernando Gil:

> quando julgamos possuir uma dose elevada de verossimilhança aceitamos algo em termos de convicção. Mas fazemo-lo depressa demais, ou seja, com uma margem de engano de nós próprios, ao qual consentimos por uma *self-deception*" mais ou menos voluntária a que fechamos os olhos, ou por uma vontade fraca, uma forma de akrasia[753].

Fechar os olhos e se deixar levar por essa "vontade fraca" de aceitar um autoengano que libere o predomínio dos "quadros mentais paranoicos", portanto, é algo que não se pode ignorar quando se discute a questão da produção probatória e do poder de decidir nas mãos do magistrado.

O mesmo se diga de outro ponto que parte da doutrina mais moderna de processo penal costuma invocar como argumento para apostar num juiz absolutamente inerte. Afirmam que, se o juiz saiu da inércia e resolveu perguntar à testemunha, é porque ele teria aceitado que fracassou no que antecipou mentalmente, isto é, porque lhe faltariam elementos probatórios para se convencer das hipóteses que construiu mentalmente. Assim, dizem esses autores, o juiz não seria "empurrado" para buscar aquilo que "já sabe", ou seja, aquilo que já está provado. Ao indagar à testemunha, então, ele iria à cata daquilo que lhe falta, até porque precisa se convencer para decidir.

Não se discorda que esse possa ser o motivo que force o juiz a sair da inércia. Porém, essa não é a única explicação para a formulação de uma pergunta. Isso é uma leitura muito reducionista da complexidade do processo decisório e da intersubjetividade que deve nortear a audiência de testemunhas. É preciso, por exemplo, considerar que, até que o juiz venha a optar por uma hipótese a respeito do fato, ele pode estar considerando todas as possíveis hipóteses, até porque ele não conhece o caso. É o que se faz quando se investiga, como já destacado anteriormente. Diante da notícia de um possível delito, o investigador constrói tantas hipóteses mentais sobre o caso quantas sejam verossímeis a partir das circunstâncias conhecidas. E vai perguntar às testemunhas o que elas sabem para ir confirmando ou descartando as hipóteses aventadas. É o que a psicologia cognitiva chama de "eliminação por aspectos". Essa pode ser a estratégia mental que o juiz utiliza quando se defronta com um número maior de alternativas que ele julgue poder considerar durante a fala da testemunha[754].

---

753 GIL, Fernando. Reflexões Sobre a Prova, Verdade e Tempo. CUNHA MARTINS, Rui. *O Ponto Cego do Direito. The Brazilian Lessons, cit.*, p. 174.

754 TVERSKY, Amos. Choice by Elimination. *Journal of Mathematical Psychology*, v. 9, n. 4, nov. 1972, p. 341-367.

Nesse caso, é possível que o juiz, a cada etapa do processo, ou a cada testemunha ouvida, ou a cada afirmação de determinada testemunha, selecione um aspecto e dê probabilidade proporcional ao seu peso, eliminando as demais alternativas que não incluem o aspecto selecionado. E é possível que ele siga fazendo isso até que todas as alternativas, exceto uma, sejam eliminadas, para somente então decidir[755].

Ademais, o juiz pode querer perguntar para compreender o que a testemunha está dizendo. Não é necessariamente em razão de uma falta de prova do que imagina do caso que ele irá perguntar, mas pode ser uma tentativa de saber até mesmo se essa prova, preexistente e que ele acredita inclusive ser suficiente para a condenação, é correta. Quem sabe, a depender da resposta da testemunha, o juiz perceba que sua crença é falsa. É o que o mesmo Franco Cordero revelou ser possível no texto anteriormente reproduzido e do qual agora se extrai a passagem relevante:

> Mas também vem à baila algumas contraprojeções: se o resultado depende de suas palavras, o confessor não fica tão desamparado; jogando bem com elas, sai ileso ou, pelo menos, lucra alguns descontos; quando você supera o antagonista em sagacidade (como Stefano Baruello em Milão), ele dita os movimentos.

As "contraprojeções" podem, então, provocar no juiz uma mudança na forma de compreender o caso. Portanto, nem sempre a pergunta visa suprir uma falta coligada a uma hipótese mental sobre o que aconteceu. Muito menos dizer que essa hipótese seja sempre equivalente a um "quadro mental paranoico". A pergunta, então, pode ser voltada a esclarecer a fala da testemunha, a minimizar contradições, afastar afasias, evitar erros de percepção ou de avaliação, eliminar hipóteses ou aspectos, enfim, para se iluminar a respeito do caso penal. Afinal, é o juiz quem deve decidir. E aqui entra em cena a imprescindibilidade de conectar a esse tema da construção de possíveis "quadros mentais paranoicos" a compreensão de como operam os diferentes processos decisórios do ser humano.

3.13 O duplo sistema decisório na psicologia cognitiva de Daniel Kahneman

Produzindo resultado similar ao que Franco Cordero identificou no plano psicanalítico e também ao que Fernando Gil percebeu no âmbito filosófico em relação à forma de se constituir o processo decisório na mente do sujeito, Daniel Kahneman

---

755 *Id.* Elimination by aspects: A theory of choice. *Psychological Review,* v. 79, n. 4, 1972, p. 281-299.

explicita, no campo da psicologia cognitiva, a identificação do duplo sistema da forma de pensar e tomar decisões do ser humano. Ele chama de "Sistema 1" o modelo decisório que "opera automática e rapidamente, com pouco ou nenhum esforço e nenhuma percepção de controle voluntário", e chama de "Sistema 2" aquele que "aloca atenção às atividades mentais laboriosas que o requisitam, incluindo cálculos complexos"[756]. Esses dois sistemas representam, respectivamente, o pensamento rápido e o pensamento lento, sendo que o Sistema 1 funciona o tempo todo, intuitiva e automaticamente, ao passo que o Sistema 2 "está normalmente em um confortável modo de pouco esforço"[757], ou seja, é preguiçoso.

Porém, convém não apostar que o Sistema 2 seja melhor que o 1 apenas por ser mais elaborado, refletido. É que Kahneman demonstra que o Sistema 2 acaba sendo moldado a partir do Sistema 1, o que gera sugestões, impressões, intuições e sentimentos para o Sistema 2. Estes, se endossados, tornam-se crenças[758]. Então, tem-se o efeito de "influência mútua" entre os dois sistemas[759].

Acontece que, ainda que a maior parte daquilo que o Sistema 2 "pensa e faz" se origine do Sistema 1, é o Sistema 2 quem "assume o controle quando as coisas ficam difíceis, e normalmente ele tem a última palavra"[760]. Porém, como o Sistema 2 é mais preguiçoso, ele costuma dar-se por satisfeito com as sugestões do Sistema 1. Assim, diz Kahneman, é preciso provocar uma tensão que altere o conforto cognitivo, permitindo que as pessoas superem "alguns dos fatores superficiais que produzem ilusões de veracidade quando fortemente motivadas a assim fazer"[761]. A tensão cognitiva, diz Kahneman, "tende a mobilizar o Sistema 2, mudando a abordagem que as pessoas fazem dos problemas de um modo intuitivo casual para um modo mais empenhado e analítico"[762].

Transportando essa análise para o que sucede em audiência no processo penal, é possível dizer que o juiz pode tomar decisões rápidas, irrefletidas, a respeito do caso penal a partir de suas "impressões", "intuições" e "sentimentos" em relação, por exemplo, à fala de uma testemunha, e tende a ficar com elas como se fossem verdadeiras, pois o Sistema 2 é indolente, e, como referiu Daniel T. Gilbert, inspirado em Baruch Spinoza, "a aceitação de uma ideia é parte de uma automática compreensão desta ideia", sendo que "as pessoas são criaturas crédulas que acham muito fácil acreditar

---

756 KAHNEMAN, Daniel. *Rápido e Devagar*, cit., p. 29.

757 *Ibid.*, p. 33.

758 *Ibid.*, p. 33.

759 *Ibid.*, p. 22.

760 *Ibid.*, p. 34.

761 *Ibid.*, p. 85.

762 *Ibid.*, p. 85.

e muito difícil duvidar"[763]. Como diz também Kahneman, "a pessoa deve primeiro saber o que a ideia iria significar se fosse verdadeira"[764].

Assim, para fazer prevalecer, no processo decisório final, o Sistema 2, mais elaborado e refletido, e evitar que ele seja conduzido também pelas pré-impressões equivocadas, é necessário criar uma tensão cognitiva capaz de modificar as ilusões de veracidade confortavelmente aceitas pelo Sistema 2. E isso se faz com novos estímulos externos que provoquem no Sistema 1 uma tal influência que este realmente o Sistema 2. Ou seja, para operar transformações no processo decisório, é necessário "ativar" o Sistema 2 mediante uma tensão cognitiva.

Por vezes as intervenções do Ministério Público e da defesa acabam provocando parcialmente essa tensão cognitiva no magistrado, quando, dialogicamente, atuam na produção da prova. Mas não raras vezes suas intervenções são insuficientes para provocar a tensão necessária para gerar uma mudança de abordagem do Sistema 1 para o Sistema 2, pois não apresentam nada de novo que possa exigir esforço cognitivo do juiz, e, então, a decisão embasada apenas no Sistema 1 prevalece. Nesse caso, "quando a informação é escassa, o que é uma ocorrência comum, o Sistema 1 opera como uma máquina tirando conclusões precipitadas"[765]. E se o juiz decide apenas com essas "informações escassas", ele "corta fora" o elo comunicacional com as partes e com a testemunha e permanece apenas com suas "conclusões precipitadas". De fato, até mesmo etimologicamente a palavra "decisão" é formada com o prefixo "de" (fora) e "cisão" (que vem do latim *caedere*, corte, cortar[766]), significando dizer que, quando o juiz "decide", ele "corta fora" a comunicação que estava mantendo com as partes.

Num modelo processual de absoluta inércia, se o juiz sabe que não pode aprofundar nada do que lhe vai à mente, tende a ficar com apenas o Sistema 1 ativo, ou seja, tende a dar preferência às impressões iniciais. Se estas costumam ser falsas impressões e o juiz é inerte, não há como as partes resgatarem o elo comunicativo com o Sistema 2 do juiz, devendo-se conformar com o que vier externado por ocasião da sentença. E, se o juiz não considera uma resposta da testemunha – a uma pergunta formulada por uma das partes no processo – como satisfatória, não podendo esclarecê-la, tenderá a fazer com que o Sistema 1 encontre outra resposta relacionada que seja mais fácil e que responda àquela necessidade de satisfação. Kahneman chama essa forma de operar da mente humana

---

763 GILBERT, Daniel T. How Mental Systems Believe. *American Psychologist*, v. 46, n. 2, University of Texas Austin, fev. 1991, p. 107-119. Disponível em: http://www.wjh.harvard.edu/~dtg/Gillbert%20(How%20Mental%20Systems%20Believe).PDF. Acesso em: 17 ago. 2014. Tradução nossa.

764 KAHNEMAN, Daniel. *Rápido e Devagar, cit.*, p. 105.

765 *Ibid.*, p. 111.

766 IRTI, Natalino. *Diritto Senza Verità*. Roma-Bari: Laterza, 2011, p. 71.

mente humana de "operação de responder a uma pergunta em lugar de outra, de subs-tituição"[767]. O juiz passa por um processo de *heurística*, isto é, adota um "procedimento simples que ajuda a encontrar respostas adequadas, ainda que geralmente imperfeitas, para perguntas difíceis. A palavra vem da mesma raiz que heureca"[768]. A heurística representa, assim, uma espécie de "atalho do pensamento" que atua como "princípio geral que auxilia a pessoa na tomada de decisões", como escreve Jordi Nieva Fenoll[769].

De outra sorte, se o juiz sabe que, ao passar por um processo de tensão por conta da falta de explicação adequada da prova produzida em audiência, poderá buscar es-clarecimentos, o Sistema 2 permanece ativo, e o processo de substituição do Sistema 1 tende a não ocorrer. Assim, quando algo é obscuro, não facilmente compreendido pelo juiz, o Sistema 2 se ativa e rejeita a resposta intuitiva do Sistema 1[770]. Uma mudança poderá ocorrer, agora a partir do Sistema 2, fazendo ver ao Sistema 1 do juiz como ele estava equivocado inicialmente.

A partir do que foi anteriormente considerado, notadamente por conta da possibilidade de serem construídos os "quadros mentais paranoicos" de que fala Cordero e de o Sistema 1 prevalecer, para usar também a linguagem de Kahneman, parece hoje inquestionável que autorizar o juiz a ser o senhor absoluto da produção da prova não é desejável num processo penal que prime por evitar decisões erradas nas quais prevaleçam as hipóteses. Esse modelo de juiz como único gestor da prova e, assim, com exclusão da efetiva participação das partes nesse processo é nocivo e conduz a decisões tortas. Ademais, praticamente reduz o contraditório e a ampla defesa a "*tábula rasa*" na audiência de instrução, justamente no momento em que essas garantias seriam de fundamental importância. De fato, produzir provas sem efetivo contraditório e ampla defesa simultâneos significa alijar a possibilidade das partes de se aproveitarem desse momento para demonstrar e defender suas teses e também provocar o efeito de "captura psíquica do julgador". De resto, sem a atuação primordial das partes na gestão da prova, ausentes o contraditório e a ampla defesa, deixa-se em segundo plano a possibilidade de elas atuarem efetivamente em seu papel de constrangedores das evidências probatórias.

Preferível, portanto, que as partes sejam as principais gestoras da prova e que o juiz se mantenha afastado do protagonismo processual absoluto. Isso, no entanto, não significa dizer que a inércia plena do magistrado seja uma saída para evitar os "quadros mentais paranoicos" e as consequentes prevalências das "hipóteses sobre os

---

767 KAHNEMAN, Daniel. *Rápido e Devagar, cit.*, p. 126-127.

768 *Ibid.*, p. 127.

769 NIEVA FENOLL, Jordi. *La Duda en el Proceso Penal.* Madrid. Barcelona, Buenos Aires. São Paulo: Marcial Pons, 2013, p. 54.

770 KAHNEMAN, Daniel. *Rápido e Devagar, cit.*, p. 86.

fatos", como afirma Cordero e como tem pregado a doutrina moderna de processo penal, fortemente influenciada pelo rótulo de considerar qualquer atividade do juiz como "inquisitória" e, portanto, abominável.

Para compreender o quão problemática é a inércia absoluta (isto é, inclusive para obter esclarecimentos da prova introduzida pelas partes), exige-se aqui a retirada do Véu de Maia e o prévio abandono dos pré-conceitos inautênticos do que se pode denominar de "senso comum teórico-crítico dos juristas" nessa análise, como já mencionado. Só assim será permitido enxergar outros aspectos igualmente relevantes nessa discussão e que vêm sendo desconsiderados em razão da crença ilusória da dicotomia sistêmica "pura". Enfim, é com o abandono da vinculação discursiva da pretensão de pureza na dualidade "acusatório-inquisitório" e dos sentidos rotulados de "elogioso" ou "pejorativo", como um e outro, respectivamente, vêm sendo representados pela doutrina moderna, que se poderá compreender que o juiz inerte e afastado da produção da prova por completo (sem possibilidade de esclarecer aspectos da prova introduzida pelas partes) é tão perigoso para ampliação da efetividade do contraditório e da ampla defesa quanto o juiz senhor absoluto da gestão probatória.

Compreendida, assim, toda essa problemática que envolve a diferenciação hermenêutica entre a pré-compreensão e os pré-conceitos, passando pela ausência de neutralidade do "ser-no-mundo", pela possibilidade de formação dos referidos "quadros mentais paranoicos" e pelo duplo sistema decisório da psicologia cognitiva, a questão central que surge é: como controlar esse juiz no curso de seu processo hermenêutico e decisório? Ao longo dos últimos três séculos, foram inúmeras as tentativas da doutrina e da filosofia nesse sentido, sendo relevante destacar aquelas mais recentes, de Kelsen até os dias de hoje, como se abordará a seguir.

3.14 As soluções de controle do juiz na interpretação do texto legal

Em diversas ocasiões recentes, os tribunais brasileiros têm se pautado por interpretações que desconsideram a coerência e a integridade hermenêutica nos termos pregados por Ronald Dworkin, dando preferência ao decisionismo de viés kelseniano-positivista e/ou fazendo prevalecer a discricionariedade na vertente proposta por H. L. A. Hart ou, ainda, naquela da argumentação jurídica de Robert Alexy.

Assim, julgados nos quais se veem argumentações na linha do "decido conforme minha consciência"[771], ou "interpretar é um ato de vontade"[772], ou "quem diz o que é a Constituição é o Supremo"[773], seguem presentes, principalmente naquilo que Hart, Dworkin e Alexy denominam "casos difíceis", nos quais o ativismo se apresenta de forma mais evidente. É a Filosofia da Consciência falando alto em plena era da Filosofia da Linguagem, conduzindo ao temido subjetivismo arbitrário.

Seja como for, o problema desse "ativismo" se agrava quando, nessa pretensão de regular as eventuais lacunas legislativas, o Judiciário acaba atuando como uma espécie de "jurisdição opinativa", como refere José Rodrigo Rodriguez[774], valendo-se de discursos de vontade pessoal na linha defendida por Kelsen e Hart, em vez de, ao menos, guardar coerência histórica, integrativa e constitucional, orientando-se por princípios, como propõe Dworkin. Não raras vezes, portanto, o Poder Judiciário tem agido política

---

771 Para ilustrar, segue voto do Ministro do Superior Tribunal de Justiça Humberto Gomes de Barros: "Não me importa o que pensam os doutrinadores. Enquanto for Ministro do Superior Tribunal de Justiça, assumo a autoridade da minha jurisdição. O pensamento daqueles que não são Ministros deste Tribunal importa como orientação. A eles, porém, não me submeto. Interessa conhecer a doutrina de Barbosa Moreira ou Athos Carneiro. Decido, porém, conforme minha consciência. Precisamos estabelecer nossa autonomia intelectual, para que este Tribunal seja respeitado. É preciso consolidar o entendimento de que os Srs. Ministros Francisco Peçanha Martins e Humberto Gomes de Barros decidem assim, porque pensam assim. E o STJ decide assim, porque a maioria de seus integrantes pensa como esses Ministros. Esse é o pensamento do Superior Tribunal de Justiça, e a doutrina que se amolde a ele. É fundamental expressarmos o que somos. Ninguém nos dá lições. Não somos aprendizes de ninguém. Quando viemos para este Tribunal, corajosamente assumimos a declaração de que temos notável saber jurídico – uma imposição da Constituição Federal. Pode não ser verdade. Em relação a mim, certamente, não é, mas, para efeitos constitucionais, minha investidura obriga-me a pensar que assim seja" (BRASIL. Superior Tribunal de Justiça. *Agravo Regimental nos Embargos de Divergência em Recurso Especial n. 279.889/AL (2001/0154059-3)*. Relator para o Acórdão, ministro Humberto Gomes de Barros, julgado em 07 de abril de 2003).

772 Para ilustrar, segue trecho de voto do Ministro Marco Aurélio, do Supremo Tribunal Federal, proferido no Agravo de Instrumento n. 218668, em 14 de dezembro de 1998: "toda e qualquer interpretação consubstancia ato de vontade, devendo o intérprete considerar o objetivo da norma" (BRASIL. Supremo Tribunal Federal. Segunda Turma. *Agravo de Instrumento n. 218668*. Relator Min. Marco Aurélio, julgado em 14 de dezembro de 1998 Disponível em: http://redir.stf.jus.br/paginadorpub/paginador.jsp?docTP=AC&docID=286818. Acesso em: 23 nov. 2013). No mesmo sentido foi a fala do mesmo ministro Marco Aurélio, do Supremo Tribunal Federal, em entrevista concedida à *Revista Dinheiro Rural,* em 01 de novembro de 2009: "É claro que haverá sempre dúvidas porque a lei é morta. Quem vivifica a lei é o intérprete e o ato de interpretar é, acima de tudo, um ato de vontade que pode acontecer de formas diferentes" (MELLO, Marco Aurélio. Entrevista. NETTO, Ibiapaba. O MST não está acima da Lei. *Revista Dinheiro Rural,* edição do dia 01 de novembro de 2009. Disponível em: https://www.dinheirorural.com.br/o-mst-nao-esta-acima-da-lei/. Acesso em: 17 fev. 2022).

773 Para ilustrar, segue voto do Ministro Teori Zavascki, quando ainda era ministro do Superior Tribunal de Justiça: "Sendo assim e considerando que a atividade de interpretar os enunciados normativos, produzidos pelo legislador, está cometida constitucionalmente ao Poder Judiciário, seu intérprete oficial, podemos afirmar, parafraseando a doutrina, que o conteúdo da norma não é, necessariamente, aquele sugerido pela doutrina, ou pelos juristas ou advogados, e nem mesmo o que foi imaginado ou querido em seu processo de formação pelo legislador; o conteúdo da norma é aquele, e tão somente aquele, que o Poder Judiciário diz que é. Mais especificamente, podemos dizer, como se diz dos enunciados constitucionais (= a Constituição é aquilo que o STF, seu intérprete e guardião, diz que é), que as leis federais são aquilo que o STJ, seu guardião e intérprete constitucional, diz que são" (BRASIL. Superior Tribunal de Justiça. *Embargos de Divergência em Resp n. 437.760/DF (20050035112-9)*. Disponível em: https://ww2.stj.jus.br/revistaeletronica/Abre_Documento.asp?sSeq=874750&sReg=200500351129&sData=20090511&formato=PDF. Acesso em: 23 nov. 2013).

774 RODRIGUEZ, José Rodrigo. *Sobre a Qualidade da Jurisdição: Fundamentação das Decisões, Justiça Opinativa e Luta pela Justificação no Direito Brasileiro Contemporâneo*. Artigo Cebrap e Direito FGV. Não publicado, 2012.

Processo Penal | Fundamentos dos fundamentos

ou moralmente, em vez de fazê-lo juridicamente vinculado. Essa forma de interpretar está fortemente relacionada ao discurso positivista normativista que ainda influencia boa parte dos magistrados brasileiros.

É preciso, portanto, compreender como esse discurso opera na interpretação da norma, a partir de Kelsen[775] e com o complemento dado por Hart, para, identificando sua falha estrutural, encontrar uma melhor saída com Dworkin e, notadamente, com a Crítica Hermenêutica do Direito, de Lenio Streck.

Com efeito, como já destacado anteriormente, a linha proposta por Lenio Streck, de uma fusão de horizontes entre o que Heidegger e Gadamer permitiram compreender com a Hermenêutica Filosófica deste último, em relação à teoria dworkiniana, é a que melhor soluciona o problema da discricionariedade do juiz na interpretação do texto legal. A questão é saber se ela também é suficiente para a interpretação da prova e para controlar o processo decisório. Antes, no entanto, pretende-se explicitar o problema da interpretação da norma, como se passa a expor.

3.15 A Teoria Pura do Direito de Kelsen

O conflito que possa haver entre uma opção política e outra jurídica na interpretação das regras vem identificado desde 1934, na famosa obra de Hans Kelsen, *Teoria Pura do Direito*. Desde o início do livro, Kelsen acenou para o problema da lacuna jurídica e apresentou a possibilidade de o juiz preenchê-la a partir de sua vontade pessoal. Essa argumentação ganhou maior destaque no capítulo VIII, intitulado justamente *A Interpretação*. Nesse tópico, Kelsen chegou a externar a dificuldade de impor neutralidade em tudo o que ele mesmo pretendia com sua Teoria pura da ciência do direito. Assim, ao abordar a temática da interpretação, de forma um tanto contraditória às suas ideias de fonte produtora exclusivamente parlamentar, Kelsen apresentou uma fresta à sua pretensão purista, e permitiu dar ensejo às aberturas próprias que conduziram – e conduzem ainda hoje – ao decisionismo e, assim, também ao chamado "ativismo judicial".

Aceitando que a determinação da Constituição à lei, e desta à sentença, nunca é completa, Kelsen admitiu que "sempre fica uma margem, ora maior ora menor, de livre apreciação" e que "mesmo uma ordem o mais pormenorizada possível tem de deixar àquele que a cumpre ou executa uma pluralidade de determinações a fazer"[776].

---

775 KELSEN, Hans. *Teoria Pura do Direito*. 8. ed. 2. tir. Tradução de João Baptista Machado. São Paulo: Martins Fontes, 2011.

776 *Ibid.*, p. 388.

Dessa forma, ainda que ele tenha trabalhado com a necessidade do direito de compor uma moldura jurídica na qual "o resultado de uma interpretação jurídica somente pode ser a fixação da moldura que representa o Direito a interpretar e, consequentemente, o conhecimento das várias possibilidades que dentro desta moldura existem"[777], o problema, disse Kelsen, é que, "de um ponto de vista orientado para o Direito positivo, não há qualquer critério com base no qual uma das possibilidades inscritas na moldura do Direito a aplicar possa ser preferida à outra"[778].

Ou seja: das inúmeras possibilidades e métodos de interpretação – a exemplo daqueles sugeridos pela Escola da Exegese (o gramatical), pela Escola Histórica de Savigny (o lógico, o histórico, o sistemático e o direito comparado) e pela contribuição de Jhering (o teleológico) –, para Kelsen não seria possível estabelecer um critério seguro que possa dizer quando usar um ou outro método. E nisso ele tem razão. O problema é a solução que ele encontrou para o problema. Na visão kelseniana, a questão da interpretação acabou se resumindo a um "ato de conhecimento" ou a um "ato de vontade"[779]. E, segundo o autor, isso não seria "um problema de teoria do Direito, mas um problema de política do Direito"[780], com influência de outras normas ("normas de Moral, normas de Justiça, juízos de valor sociais que costumamos designar por expressões correntes como bem comum, interesse do Estado, progresso, etc."[781]). Isso tudo faz, a seu sentir, com que os juízes – e "especialmente os tribunais de última instância"[782] – também tenham liberdade para ser "criadores do Direito", que também realizem "interpretações autênticas", atuando inclusive "fora da moldura" da norma. Nas palavras de Kelsen:

> A interpretação feita pelo órgão aplicador do Direito é sempre autêntica. Ela cria Direito. Na verdade, só se fala de interpretação autêntica quando esta interpretação assuma a forma de uma lei ou de um tratado de Direito internacional e tem caráter geral, quer dizer, cria Direito não apenas para um caso concreto, mas para todos os casos iguais, ou seja, quando o ato designado como interpretação autêntica represente a produção de uma norma geral[783].

---

777 *Ibid.*, p. 390.

778 *Ibid.*, p. 391.

779 *Ibid.*, p. 392 e s.

780 *Ibid.*, p. 393.

781 *Ibid.*, p. 393.

782 *Ibid.*, p. 393.

783 *Ibid.*, p. 394.

540 ■ Processo Penal | Fundamentos dos fundamentos

Como se vê, desde 1934, Kelsen já "autorizava" o papel decisionista do julgador, "permitindo" que ele atue a partir de um ato de vontade que o transforma num "ativista judicial" voltado a realizar "interpretações autênticas". Com isso, Kelsen criticava a postura da chamada "jurisprudência dos conceitos", que ele reconhecia, mas repudiava, à luz de uma "interpretação científica" dada pela *Teoria Pura do Direito*[784]. Kelsen sintetizava que a interpretação jurídico-científica somente poderia estabelecer as diversas possíveis significações de uma norma jurídica, sem decidir qual delas seria a melhor.

Enfim, Kelsen não acreditava numa "resposta certa", admitindo inúmeras hipóteses de interpretação das regras. Deixava, assim, ampla abertura de possibilidades ao juiz intérprete, que vem, como visto, repercutindo ainda hoje (até porque essa visão ganhou novos contornos de possibilidade, inclusive com a escola italiana do "direito alternativo", como já visto anteriormente, em capítulo próprio). O "ativismo judicial", nessa linha kelseniana, então, amplia o risco do decisionismo ao sabor da vontade do julgador.

A influência dessa forma de interpretar e julgar é tão grande no Brasil que, mesmo tendo havido amplo debate doutrinário, notadamente nos anos 1980, a respeito da má recepção do pensamento de Kelsen, com importante viés crítico, com autores como Luis Alberto Warat[785], Tércio Sampaio Ferraz Jr.[786], Roberto

---

784 *Ibid.*, p. 395.

785 *Vide*, por exemplo, as intervenções de: WARAT, Luis Alberto. *A Pureza do Poder: uma Análise Crítica da Teoria Jurídica*. Florianópolis: Editora da UFSC, 1983; WARAT, Luiz Alberto. *30 Chaves para Entender Kelsen*. Disponível em: http://luisalbertowarat.blogspot.com.br/2013/05/30-chaves-para-entender-kelsen-1era. html. Acesso em: 9 maio 2015; WARAT, Luiz Alberto. *Introdução Geral ao Direito. V. II. A Epistemologia Jurídica da Modernidade*. Porto Alegre: Sergio Antonio Fabris Editor, 1995/Reimpressão, 2002, p. 256-257, *in verbis*: "Quando releio Kelsen – talvez condicionado por todo o conhecimento inconformado dos anos 80 – percebo com bastante nitidez interior, que a purificação política não foi limitada por Kelsen ao terreno das condições de possibilidade de uma ciência jurídica em sentido estrito. O conceito de política proposto para a realização do que ele chamou de Política Jurídica, foi também purificado, deixando sequelas mais graves que a de negar as incidências políticas e os efeitos de poder no discurso das ciências". Para compreender esse movimento crítico no Brasil dos anos 80, *vide* também o texto de STRECK, Lenio Luiz. Em Tempos de Carnavalização, Vale Lembrar o Maior Folião Epistêmico: Warat. *Emporio do Direito*. 13 de fevereiro de 2015. Disponível em: http://emporiododireito.com.br/em-tempos-de-carnavalizacao-vale--lembrar-o-maior-foliao-epistemico-warat/. Acesso em: 9 maio 2015, *in verbis*: "Foi nos anos 80 que Warat começou suas pesquisas sobre carnavalização. Ele já era, então, o crítico mais lúcido do direito brasileiro. Sua leitura de Kelsen e sua formação filosófica foram os ingredientes fundamentais para criar uma Escola Crítica. Ninguém entendeu melhor Kelsen que Luis Alberto Warat".

786 FERRAZ JR., Tércio Sampaio. Hans Kelsen, um divisor de águas 1881-1981. *Revistas CCJ*, ano 2, n. 4, p. 133-138, dez. 1981. Disponível em: http://www.egov.ufsc.br/portal/sites/default/files/anexos/25184-25186-1-PB. pdf. Acesso em: 9 maio 2015; FERRAZ JR., Tércio Sampaio. Por que ler Kelsen, hoje. Prólogo. COELHO, Fábio Ulhoa. *Para Entender Kelsen*. São Paulo: Max Limonad, 1995.

Lyra Filho[787] e Luiz Fernando Coelho[788], dentre outros[789], debatendo os reflexos do Capítulo VIII da *Teoria Pura do Direito*, muito dessa crítica não foi assimilado, pois, até mesmo na atual composição do Supremo Tribunal Federal, a concepção kelseniana é seguida, como se vê, por exemplo, nos fundamentos externados pelo ministro Marco Aurélio de Mello no Agravo de Instrumento 218.668, no qual deixou pontuado que "toda e qualquer interpretação consubstancia ato de vontade, devendo o intérprete considerar o objetivo da norma"[790].

Acontece que essas formas de interpretar representam risco para a democracia, pois, quando magistrados da Suprema Corte conduzem suas interpretações nessa linha, o que prevalece é uma vontade pessoal, e não o que legitimamente havia sido deliberado pelo representante popular.

Essa forma de pensar, que, como visto, ainda está fortemente arraigada no cotidiano das decisões judiciais no Brasil, foi reforçada com a doutrina de Herbert Lionel Adolphus Hart, descurando-se, muitas vezes, das críticas que Ronald Dworkin a ele lançou, como se passa a expor.

3.16 A proposta de Hart e a polêmica com Dworkin

Em comparação a Kelsen, é possível dizer que o inglês Hart, porque operava a partir da *"common law"* e, assim, considerava os costumes e a tradição dos precedentes, avançou apenas por sopesar como importante também a questão da moral na solução

---

787 LYRA FILHO, Roberto. *O Que é Direito*. São Paulo: Brasiliense, 1999, p. 36-37, *in verbis*: "Nem foi à toa que as mais laboriosas pretensões fenomenológicas, na teoria do Direito, acabaram 'casando' com a teoria 'pura' de Hans Kelsen: isto é, a fenomenologia jurídica de Kaufmann ou de Schereier não passa de um caminho complicado para o positivismo legalista de Kelsen. Todas as formas do positivismo, assim, rodam num círculo, porque a partir do legalismo, giram por diversos graus para chegarem ao mesmo ponto de partida, que é a lei do Estado. (...) Afinal de contas, por que se atribui ao Estado o monopólio de produzir Direito, com a legislação? Que razão jurídica legitimaria este privilégio? Nenhum positivista escapa a esta questão: no máximo, ela o transfere para outra sede, isto é, procura oferecer à sua ideologia jurídica o aval de ideologia política – o que não deixa de ser engraçado em quem se afirma 'objetivo', isento e até 'neutro' politicamente. Um caso extremo é o de Kelsen, a que aludiremos brevemente, porque ele nos conduz aos limites do paradoxo, na sua teimosia positivista. (...)".

788 COELHO, Luiz Fernando. *Teoria da Ciência do Direito, cit.*, p. 102 e s.

789 As discussões e os pontos de vista oscilavam. *Vide*, também, o entendimento de AZEVEDO, Plauto Faraco de. *Crítica à Dogmática e Hermenêutica Jurídica*. Porto Alegre: Sérgio Antonio Fabris, 1989, p. 25, *in verbis*: "É em nome da segurança jurídica que se quer assim manietar o juiz e minimizar a função judicial. Sucede que esse juiz-computador, esse aplicador mecânico de normas, cujo sentido não lhe é dado aferir, e cujos resultados na solução dos casos concretos lhe é defeso indagar, este juiz assim minimizado e desumano, não é, de forma nenhuma, capaz de realizar a segurança jurídica. Preso a uma camisa-de-força teorética que o impede de descer à singularidade dos casos concretos e de sentir o pulsar da vida que neles se exprime, esse juiz, servo da legalidade social e ignorante da vida, o mais que poderá fazer é semear a perplexidade social e a descrença na função que deveria encarnar e que, por essa forma, nega. Negando-a, abre caminho para o desassossego social e a insegurança jurídica.

790 BRASIL. Supremo Tribunal Federal. Segunda Turma. *Agravo de Instrumento n. 218668*. Relator Min. Marco Aurélio, julgado em 14 de dezembro de 1998. Disponível em: http://redir.stf.jus.br/paginadorpub/paginador. jsp?docTP=AC&docID=286818. Acesso em: 23 nov. 2013.

de casos[791]. De resto seguiu a linha positivista normativista de Kelsen, sustentando que a norma é a principal fonte do direito[792], minimizando a importância dos princípios na interpretação[793]. Com esse enfoque de reduzir a relevância dos princípios na exegese das normas, Hart promoveu uma abertura ainda maior para a discricionariedade e para o solipsismo judicial.

De fato, Hart considerava que, "na maioria dos casos importantes, há sempre uma escolha. O juiz precisa escolher entre significados alternativos a serem atribuídos às palavras da lei ou entre interpretações conflitantes sobre o que 'significa' um precedente. O que oculta esse fato é tão somente a tradição de que os juízes 'encontram', e não 'criam', o direito"[794].

Seguindo a estrutura do pensamento de Kelsen, Hart, mais adiante, ainda se referiu expressamente à discricionariedade dos magistrados na interpretação das leis, dizendo:

> Todo sistema jurídico deixa em aberto um campo vasto e de grande importância para que os tribunais e outras autoridades possam usar sua discricionariedade no sentido de tornar mais precisos os padrões inicialmente vagos, dirimir as incertezas contidas nas leis ou, ainda, ampliar ou restringir a aplicação de normas transmitidas de modo vago pelos precedentes autorizados[795].

E mesmo no pós-escrito de sua polêmica com Dworkin deixou claro o que compreendia ser o ponto central do conflito:

> O conflito direto mais contundente entre a teoria do direito exposta neste livro e a de Dworkin emana de minha afirmação de que sempre haverá, em qualquer sistema jurídico, casos não regulamentados juridicamente sobre os quais, em certos momentos, o direito não pode fundamentar uma decisão em nenhum sentido, mostrando-se o direito, portanto, parcialmente indeterminado ou incompleto. Para que possa proferir uma decisão em tais casos, o juiz não deverá declarar-se incompetente nem remeter os pontos

---

791 HART, H. L. A. *O Conceito de Direito*. Tradução de Antonio de Oliveira Sette-Câmara. São Paulo: Martins Fontes, 2009, p. 9 e p. 201 e s.

792 *Ibid.*, p. 10 e s.

793 *Ibid.*, p. 161 e s. E também no pós-escrito, notadamente na p. 335, onde Hart inicialmente admitiu ter falado "muito pouco sobre o tópico da decisão judicial concreta e sobre o raciocínio jurídico e, especialmente, sobre os argumentos derivados daquilo que meus críticos denominam princípios jurídicos", fazendo o "*mea culpa*" em seguida: "Admito, agora, como um defeito deste livro, que a questão dos princípios só é abordada de passagem".

794 HART, H. L. A. *The Concept of Law, cit.*, p. 15 e 16.

795 *Id. O Conceito de Direito, cit.*, p. 176.

não regulamentados ao poder legislativo para que este decida, como outrora defendia Bentham, mas terá de exercer sua discricionariedade e criar o direito referente àquele caso, em vez de simplesmente aplicar o direito estabelecido já existente. Assim, nesses casos não regulamentados juridicamente, o juiz ao mesmo tempo cria direito novo e aplica o direito estabelecido, o qual simultaneamente lhe outorga o poder de legislar e restringe esse poder.

Dworkin rejeita essa imagem do direito como parcialmente indeterminado ou incompleto, e aquela do juiz como alguém que preenche as lacunas do direito ao exercer uma discricionariedade legislativa limitada, afirmando ser essa uma descrição enganosa tanto do direito como do raciocínio judicial[796].

Paradoxalmente, ainda que Hart admitisse essa discricionariedade, também acreditava na neutralidade[797] do julgador, que, em seu pensar, agiria "não afetado por preconceitos, interesses ou caprichos"[798], ainda que considerasse que

a decisão judicial, especialmente em assuntos de grande importância constitucional, muitas vezes envolve uma escolha entre valores morais e não a simples aplicação de um único princípio moral importante, pois é loucura acreditar que, onde o significado da lei é duvidoso, a moral tenha sempre uma resposta clara a oferecer[799].

Luís Roberto Barroso, ministro do Supremo Tribunal Federal brasileiro, também já deu mostras de como esse modo de interpretar ainda está presente no cotidiano da Suprema Corte brasileira, ao fundamentar decisão monocrática na Medida Cautelar no Mandado de Segurança 32.326[800], dizendo que "casos difíceis, ao revés, são aqueles para os quais não existe uma solução pré-pronta no ordenamento jurídico. Para resolver o problema, o juiz terá de elaborar argumentativamente a resposta correta, considerando inúmeras variáveis, algumas delas metajurídicas". Ao que parece, o ministro faz uma confusão entre a "resposta correta" de Dworkin e o uso de "variáveis metajurídicas". A conjugação dessas duas expressões, por evidente, revela que o ministro Barroso tenta se aproximar de Dworkin (ao falar em "resposta correta"),

---

796 Id. *The Concept of Law, cit.*, p. 351-352.

797 *Ibid.*, p. 264.

798 *Ibid.*, p. 267

799 *Ibid.*, p. 264.

800 BRASIL. Supremo Tribunal Federal. *Medida Cautelar em Mandado de Segurança n. 32.326.* Disponível em: http://www.stf.jus.br/portal/processo/verProcessoAndamento.asp?incidente=4456613. Acesso em: 23 nov. 2013.

Processo Penal | Fundamentos dos fundamentos

mas não consegue se desvincular do positivismo de Hart e de Alexy, pois acredita na divisão entre "casos fáceis" e "casos difíceis" e acredita, também, em lacunas do direito que poderiam ser solucionadas por "variáveis metajurídicas", ou seja, por outras questões que não a lei ou os princípios constitucionais.

Enfim, Hart ponderava que sempre poderia haver inúmeros princípios, e isso não conduziria a uma única decisão "correta", mas que a decisão seria "aceitável" se fosse o resultado de uma ponderação "equilibrada" no intuito de fazer "justiça"[801].

Hart sofreu críticas contundentes do norte-americano Ronald Dworkin, que dedicou boa parte de sua obra para destacar as falhas estruturais do pensamento positivista de H. L. A. Hart, que ele considerava ser o autor cuja obra "representa o mais claro exemplo da teoria positivista"[802]. Dessas inúmeras críticas ao seu livro, Hart dedicou um pós-escrito a Ronald Dworkin, que acabou sendo publicado "post mortem", trinta e dois anos depois da primeira edição[803]. Dos pontos e contrapontos, passa-se à análise da crítica dworkiniana às teses centrais de H. L. A. Hart.

De início, vale transcrever a síntese dessa divergência, apresentada por Ronald Dworkin: "Hart e eu divergimos, portanto, no que diz respeito a determinar até que ponto e em que sentido os juristas e juízes devem emitir seus próprios 'juízos de valor' a fim de identificar o direito em casos particulares"[804].

Se Kelsen e Hart construíram uma base positivista-normativista que permite aos juízes agir discricionariamente na interpretação das leis, e isso, como visto, influenciou – e ainda influencia – vários atores processuais, com especial destaque para os já referidos julgados da Suprema Corte brasileira, é preciso, no mínimo, considerar o problema que essa autorização positivista provoca e se admitir olhar para melhores alternativas de solução dos casos penais, sem vincular o discurso à ideia de que possam ser separados em "casos fáceis" e "casos difíceis", como propõem Hart e Alexy, e sem permitir que prepondere o "ativismo judicial".

Desse quadro decorre a importância do conjunto da obra de Ronald Dworkin, que avançou para uma análise crítica do discurso de H. L. A. Hart, tratada em diversas obras suas, das quais se destacam *Levando os Direitos a Sério* (1977), *Uma Questão de Princípio* (1985), *O Império do Direito* (1986), *A Justiça de Toga* (2006) e *Justiça para Ouriços* (2011).

---

801 HART, H. L. A. *The Concept of Law, cit.*, p. 265.

802 DWORKIN, Ronald. *Levando os Direitos a Sério*. 3. ed. Tradução de Nelson Boeira. São Paulo: Martins Fontes, 2010, p. 74.

803 HART, H. L. A. *The Concept of Law, cit.*, p. 307 e s.

804 DWORKIN, Ronald. *A Justiça de Toga*. Tradução de Jefferson Luiz Camargo. São Paulo: Martins Fontes, 2010, p. 205.

De forma bastante contundente, na obra *Levando os Direitos a Sério*[805], Dworkin centralizou críticas no discurso positivista desenvolvido principalmente por H. L. A. Hart, indicando as inúmeras falhas de compreensão do direito pelos positivistas e pontuando como é possível solucionar tanto os chamados "casos difíceis" quanto os demais casos ("fáceis") pelos "princípios"[806], sem que os juízes sejam obrigados a enveredar para a construção normativa solipsista e "política"[807]. Dworkin deixou muito clara sua forma de compreender o papel dos juízes diante de aparentes lacunas da lei: eles "não deveriam ser e não são legisladores delegados"[808]. Essa análise será também amplamente reforçada no livro *Uma Questão de Princípio*, no qual, apesar de até admitir que alguns juízes tomem decisões políticas, sintetizou sua ideia de que os juízes devem tomar decisões não pautados por questões políticas[809], mas sim baseados em princípios.

Das diversas críticas formuladas por Dworkin e que H. L. A. Hart teve a oportunidade de rebater em seu já referido pós-escrito, é justamente essa relacionada à solução dos chamados *"casos difíceis"* que merece destaque, já que Hart deixou claro seu modo de pensar, *in verbis*:

> Esses não são simples "casos difíceis", casos polêmicos no sentido de que juristas sensatos e bem-informados podem discordar sobre qual a resposta juridicamente correta; o direito é, nesses casos, fundamentalmente "incompleto": não oferece "nenhuma" resposta aos problemas em pauta. Estes não são regulamentados juridicamente; e, para chegarem a uma decisão em tais casos, os tribunais precisam exercer a função legislativa limitada que denomino "discricionariedade"[810].

Eis aí o ponto central da polêmica entre Dworkin e os positivistas-normativistas: o poder discricionário dos juízes diante das pretensas lacunas legislativas. Enquanto Hart, seguindo a linha de Kelsen, considerou que o direito seria "incompleto" e, assim, os tribunais também teriam que exercer função legislativa, ainda que limitada e por

---

805 DWORKIN, Ronald. *Levando os Direitos a Sério, cit.*, p. 35 e s.

806 Dworkin conceitua "princípio" como "um padrão que deve ser observado, não porque vá promover ou assegurar uma situação econômica, política ou social considerada desejável, mas porque é uma exigência de justiça ou equidade ou alguma outra dimensão da moralidade" (DWORKIN, Ronald. *Levando os Direitos a Sério, cit.*, p. 36).

807 Dworkin conceitua "política" como "aquele tipo de padrão que estabelece um objetivo a ser alcançado, em geral uma melhoria em algum aspecto econômico, político ou social da comunidade" (DWORKIN, Ronald. *Levando os Direitos a Sério, cit.*, p. 36).

808 DWORKIN, Ronald. *Levando os Direitos a Sério, cit.*, p. 129.

809 *Id. Uma Questão de Princípio.* Tradução de Luis Carlos Borges. São Paulo: Martins Fontes, 2000, p. 4.

810 HART, H. L. A. *The Concept of Law, cit.*, p. 326.

546 ■ Processo Penal | Fundamentos dos fundamentos

ele denominada de "discricionariedade judicial" ("*Judicial Discretion*"[811]), Dworkin rechaçou, veementemente, tanto a incompletude do direito quanto a utilização de discricionariedade na solução dos denominados "casos difíceis"[812], não obstante tenha considerado que a moral influencia na interpretação[813], e, assim, é preciso cercá-la de critérios de coerência e integridade[814].

No plano político, Dworkin considerou ser necessário levar em conta dois princípios de integridade política: "Um princípio legislativo, que exige que os legisladores cuidem para que todo o conjunto de leis seja coerente do ponto de vista moral, e um princípio adjudicativo, que ensina que se considere o direito o mais coerentemente possível a partir dessa perspectiva"[815]. E, no que concerne mais especificamente ao direito compreendido como integridade, Dworkin avaliou que ele deve negar que suas manifestações representem apenas convenções do passado ou apenas programas instrumentais pragmáticos para o futuro[816]. Sustentou, igualmente, que as reivindicações legais são juízos interpretativos e, assim, combinam os elementos progressivos e regressivos, interpretando a prática jurídica como uma narrativa em desenvolvimento. E, nesse contexto, sintetizou Dworkin, o direito como integridade rechaça a discussão dicotômica a respeito de os juízes "encontrarem"[817] ou "*inventarem*" a lei[818], sustentando que eles devem interpretar a lei da mesma forma que se estivessem escrevendo um capítulo diferente do mesmo romance com outros autores. Um "romance em cadeia", como disse Dworkin[819]. Ele equiparou a interpretação jurídica à escrita lite-

---

811 *Ibid.*, p. 272.

812 DWORKIN, Ronald. *Levando os Direitos a Sério, cit.*, p. 127 e s. E, também: DWORKIN, Ronald. *A Justiça de Toga, cit.*, p. 255.

813 *Id. A Justiça de Toga, cit.*, p. 205, *in verbis*: "Hart e eu divergimos, portanto, no que diz respeito a determinar até que ponto e em que sentido os juristas e juízes devem emitir seus próprios 'juízos de valor' a fim de identificar o direito em casos particulares. Em minha opinião, o argumento jurídico é um argumento típica e completamente moral".

814 *Id. El Imperio de la Justicia: De la teoria general del derecho, de las decisiones e interpretaciones de los jueces y de la integridade política y legal como nueva clave de la teoría y practica.* Tradução para o espanhol de Claudia Ferrari. Barcelona: Gedisa, 2012, p. 132 e s. E também em: DWORKIN, Ronald. *A Justiça de Toga, cit.*, p. 250, *in verbis*: "Refiro-me à integridade política, que significa igualdade perante o direito não apenas no sentido de que ele seja imposto conforme escrito, mas no sentido mais pertinente de que o Estado deve governar de acordo com um conjunto de princípios em princípio aplicável a todos".

815 *Id. El Imperio de la Justicia, cit.*, p. 132. Tradução livre.

816 *Ibid.*, p. 164.

817 DWORKIN, Ronald. *Uma Questão de Princípio, cit.*, p. 10.

818 *Id. El Imperio de la Justicia, cit.*, p. 164 e p. 166.

819 Para Dworkin, "cada romancista, a não ser o primeiro, tem a dupla responsabilidade de interpretar e criar, pois precisa ler tudo o que foi feito antes para estabelecer, no sentido interpretativista, o que é o romance criado até então. Deve decidir como os personagens são 'realmente', que motivos os orientam, qual é o tema ou o propósito do romance em desenvolvimento, até que ponto algum recurso ou figura literária, consciente ou inconscientemente usado, contribui para estes, e se deve ser ampliado, refinado, aparado ou rejeitado para impelir o romance em uma direção e não em outra. (...) Decidir casos controversos no Direito é mais ou menos como esse estranho exercício literário. A similaridade é mais evidente quando os juízes examinam e decidem casos do Common Law, isto é, quando nenhuma lei ocupa posição central na questão jurídica e o

rária. Imagine um romance no qual cada capítulo será escrito por uma pessoa diversa daquela que escreveu o capítulo antecedente. Trata-se de um romance, portanto, deve ter uma unidade no percurso da estória que está sendo contada. Não é um livro de crônicas, no qual os capítulos são independentes um do outro. No romance escrito a várias mãos, ou seja, no "romance em cadeia" (*"rectius"*: com os capítulos encadeados um no outro), quem escrever o primeiro capítulo terá certa liberdade criativa, afinal, é o primeiro capítulo. O escritor, então, poderá definir o local em que a estória se passa, quem são as personagens e fornecer o fio narrativo que inaugura o romance. A pessoa que for escrever o segundo capítulo não pode iniciar uma estória nova. Deverá levar em conta tudo o que foi desenvolvido no primeiro capítulo e deverá deixar um "gancho" para a pessoa que for escrever o terceiro capítulo. Esta, por sua vez, deve levar em conta o que foi escrito no primeiro e no segundo capítulo, deixando novo "gancho" para quem for escrever o quarto capítulo, e assim sucessivamente. A estória que se conta no romance, enfim, deve ser coerente e íntegra. O trabalho do juiz na interpretação de uma questão jurídica deve ser similar à escrita de um dos capítulos do romance. O juiz deve dar continuidade coerente à interpretação historicamente desenvolvida em torno daquela questão jurídica que lhe foi submetida, levando em conta que os direitos e deveres foram criados por um mesmo autor: a "comunidade personificada"[820]. E se o caso concreto apresentar uma particularidade jamais enfrentada, uma novidade que coloque a tradição hermenêutica como insuficiente? Nesse caso, até se admite que o juiz dê um norte interpretativo diverso, desde que essa nova forma de interpretar possa ser replicada por outros juízes todas as vezes que essa mesma particularidade se repetir no futuro. Do contrário, se o juiz ponderar que, no caso em que está atuando, a solução será diferente da tradição, mas, caso aconteça novamente, ele reavaliará a nova interpretação dada, significa dizer que essa nova solução está errada.

Nesse sentido, o juiz deve respeitar os precedentes e preocupar-se com o porvir, valendo-se de alguns parâmetros. Para tanto, em primeiro lugar, o juiz deve estar atento à "dimensão de concordância", ou seja, não pode adotar qualquer interpretação. Deve adotar argumentos não de política, mas sim de princípio[821]. Sua interpretação

---

argumento gira em torno de quais regras ou princípios de Direito 'subjazem' a decisões de outros juízes, no passado, sobre matéria semelhante. Cada juiz, então, é como um romancista na corrente. Ele deve ler tudo o que outros juízes escreveram no passado, não apenas para descobrir o que disseram, ou seu estado de espírito quando o disseram, mas para chegar a uma opinião sobre o que esses juízes fizeram coletivamente, da maneira como cada um de nossos romancistas formou uma opinião sobre o romance coletivo escrito até então" (...) "Ao decidir o novo caso, cada juiz deve considerar-se como parceiro de um complexo empreendimento em cadeia, do qual essas inúmeras decisões, estruturas, convenções e práticas são a história; é seu trabalho continuar essa história no futuro por meio do que ele faz agora (...) O dever de um juiz é interpretar a história jurídica que encontra, não inventar uma história melhor". DWORKIN, Ronald. *Uma questão de princípio*. Tradução Luís Carlos Borges. São Paulo: Martins Fontes, 2000, p. 236 a 240.

820 *Id. El Imperio de la Justicia, cit.*, p. 164.

821 *Id. Levando os Direitos a Sério, cit.*, p. 129.

deve "fluir através do texto", tendo algum poder explicativo geral, que mantenha a unidade e a coerência do texto[822].

No caso de o texto estar sujeito a mais de uma intepretação e de nenhuma delas se adaptar à sua totalidade, o juiz deve decidir qual das possíveis interpretações é aquela que melhor se adapta ao desenvolvimento, levando em conta o todo, isto é, o que veio antes, o caso concreto e o que virá depois ("romance em cadeia"). Nesse caso também deve se valer de seus "juízos estéticos" a respeito da importância, beleza, realismo ou perspicácia, ou seja, deve se preocupar em adotar a melhor redação em relação à obra em desenvolvimento[823]. Enfim, adotado esse modelo de integridade no direito, os juízes não estão mais autorizados a agir discricionariamente nos chamados "casos difíceis"; devem levar em conta os princípios que nortearam e continuam norteando o direito. Nesses "casos difíceis", disse Dworkin, o juiz continua tendo o dever "de descobrir quais são os direitos das partes, e não de inventar novos direitos retroativamente"[824]. São, portanto, os princípios que norteiam e dão coerência e integridade ao direito, promovendo o "fechamento" da interpretação "em cadeia".

Hart, por sua vez, não levou em conta essa interpretação em cadeia e tentou justificar sua escolha ao argumentar que, em sua visão, os juízes não agiriam de forma "arbitrária", mas, de certa forma, se contradisse ao admitir que eles possam decidir "de acordo com suas próprias convicções e valores"[825], o que é quase o mesmo que dizer "julguem de acordo com 'suas consciências'". Ainda que "julgar de acordo com suas consciências" não seja, necessariamente, algo equivalente ao arbítrio, é um passo para tanto. Pode ser arbitrário, e aí está o problema. De fato, essa permissividade proposta tanto por Kelsen quanto por Hart desconsidera que não é o "consciente", e sim o "inconsciente", que muitas vezes opera silenciosamente no processo decisório, e, assim, o resultado acaba sendo que qualquer um diz "qualquer coisa sobre qualquer assunto", emprestando a procedente inquietação de Lenio Streck[826]. A decisão, enfim, nesse modelo, resume-se a um juízo solipsista, logo, com ampla probabilidade de vir a ser arbitrário.

Dworkin não admitiu o uso dessa discricionariedade e estabeleceu uma distinção entre o que considerou ser o "sentido forte" da expressão "poder discricionário" de

---

822 *Id. El Imperio de la Justicia, cit.*, p. 167.

823 *Ibid.*, p. 168.

824 DWORKIN, Ronald. *Levando os Direitos a Sério, cit.*, p. 127 e s.

825 HART, H. L. A. *The Concept of Law, cit.*, p. 352, *in verbis*: "Mas não deve fazê-lo arbitrariamente: isto é, deve ser sempre capaz de justificar sua decisão mediante algumas razões gerais, e deve atuar como faria um legislador consciencioso, decidindo de acordo com suas próprias convicções e valores. Mas, desde que satisfaça a essas condições, o juiz tem o direito de seguir padrões ou razões que não lhe são impostos pela lei e podem diferir dos utilizados por outros juízes diante de casos difíceis semelhantes".

826 STRECK, Lenio Luiz. *Hermenêutica jurídica e(m) crise: uma exploração hermenêutica da construção do Direito, cit.*, p. 311.

um "sentido fraco", dependendo do contexto em que ela é empregada. Para ele, a expressão é usada em seu "sentido fraco" quando, "por alguma razão, os padrões que uma autoridade pública deve aplicar não podem ser aplicados mecanicamente, mas exigem o uso da capacidade de julgar"[827], ou quando "um funcionário público tem autoridade para tomar uma decisão em última instância", sem que outro possa revê-la ou cancelá-la. Já o referido "sentido forte" da expressão "não é equivalente à licenciosidade e não exclui a crítica", e "o poder discricionário de um funcionário não significa que ele seja livre para decidir sem recorrer a padrões de bom senso e equidade"[828]. É aí que reside o problema, segundo Dworkin, pois os positivistas acreditam nessa discricionariedade dos juízes na solução dos casos difíceis no "sentido fraco"[829], desconsiderando a obrigatoriedade de adoção dos princípios e da diferenciação de importância entre eles[830].

Assim, para compreender essa controvérsia quanto à permissividade criativa dos juízes, outro aspecto relevante da polêmica entre os dois autores se relaciona à distinção entre princípios e regras. Enquanto Dworkin considerou que as regras operam numa forma de "tudo ou nada"[831], isto é, se ela é válida, deve necessariamente ser aplicada (ex.: normas que estabelecem velocidade máxima de 90 km/h numa rodovia[832]), e no conflito com outra regra somente uma delas seria válida e a outra deveria ser considerada inválida, os princípios, para ele, diferem das normas apenas na questão de "peso", isto é, não se anulam e não se excluem, sendo que um prepondera sobre o outro no conflito aparente[833]. Assim, mesmo que um princípio de "menor peso" deixe de ser aplicado num caso concreto por se dar preferência a outro princípio de "maior peso", ele continua sendo válido para outros casos em que possa estar acima de outro princípio de "menor peso" em relação a ele.

H. L. A. Hart afirmou não ver isso como relevante, entendendo que o mesmo critério para solução de conflitos aparentes entre princípios possa também ser empregado para o conflito aparente entre regras. Para ele, a norma "vencida" poderia também sobreviver como um princípio, determinando "o desenlace em outros casos onde for considerada mais importante que outra norma concorrente"[834]. Hart ainda considerou que a visão de Dworkin permitiria que, num conflito entre a regra e o

---

827 DWORKIN, Ronald. *Levando os Direitos a Sério*, *cit.*, p. 51.

828 *Ibid.*, p. 53.

829 *Ibid.*, p. 61.

830 *Ibid.*, p. 60.

831 *Ibid.*, p. 39.

832 *Ibid.*, p. 08.

833 *Ibid.*, p. 42 e s.

834 HART, H. L. A. *The Concept of Law*, *cit.*, p. 338.

princípio, este ora saísse vencedor, ora não, e que esse problema poderia ser resolvido ao se considerar a distinção apenas "uma questão de grau"[835].

Hart também colocou em dúvida a opção filosófica de Dworkin a respeito de que um critério moral possa ser objetivado e, insistindo que a teoria do direito deveria evitar teorias filosóficas que ele considerou "controversas", voltou a referir que, na ausência da demonstração de uma moral objetiva, o que sobraria seria novamente a discricionariedade do juiz[836]. Hart argumentou, ainda, que direito e moral até apresentam interseções, mas que ele não entende que não exista "uma conexão necessária entre seus conteúdos"[837], ao passo que Dworkin enxergou que o direito pode ser "pré-interpretativo" e "interpretativo"[838], admitindo que, na primeira hipótese, haja possibilidade de o direito e a moral estarem em lados opostos (como nos casos dos sistemas perversos, a exemplo do nazista); porém, na segunda hipótese, os direitos somente podem ser considerados a partir de seu entendimento como espécie de direitos morais.

Diante dessa provocação, Dworkin procurou, em seu último trabalho – *Justiça para Ouriços* –, demonstrar como a moral pode ser objetivada por juízos igualmente morais[839], esclarecendo que é preciso partilhar de alguns conceitos para que se possa interpretá-los, dizendo que, "se o leitor e eu queremos dizer algo completamente diferente com 'democracia', então não tem sentido a nossa discussão sobre se a democracia exige que os cidadãos tenham uma parte igual; estamos simplesmente a falar cada um para o seu lado"[840]. Os conceitos, portanto, servirão como "conceitos interpretativos", e estes devem estar integrados com outros conceitos, inclusive para interpretar a Constituição.

Assim, caso haja concepções conflitantes a respeito dos conceitos, é preciso escolher aquela que lhe atribua um melhor sentido segundo a tábua de valores. Não é possível, por exemplo, que um juiz interprete a lei de uma forma tal que conduza alguém à cadeia e admita que outras interpretações seriam tão boas quanto as suas, diz Dworkin[841]. Aqui, no entanto, cabe a ressalva de que essa discussão toda é travada no âmbito da *"common law"*, entre um autor inglês e outro norte-americano. Mesmo que hoje em dia seja possível identificar cada vez mais uma aproximação entre os modelos de *"common law"* e *"civil law"*, a estrutura do pensamento e a cultura divergem sensivelmente. No caso do Brasil, por exemplo, é possível se pretender

---

835 *Ibid.*, p. 339.
836 *Ibid.*, p. 327 e 328.
837 *Ibid.*, p. 346.
838 DWORKIN, Ronald. *El Imperio de la Justicia, cit.*, p. 57 e s.
839 DWORKIN, Ronald. *Justiça para Ouriços*. Tradução de Pedro Elói Duarte. Coimbra: Almedina, 2012.
840 *Ibid.*, p. 18.
841 *Ibid.*, p. 134.

adotar um discurso doutrinário na linha proposta por Dworkin, porém, não há como desconsiderar que, para ficar no exemplo da prisão cautelar referida por Dworkin, o que de fato se vê é que a interpretação da lei segue sendo bastante oscilante. Os recursos – e notadamente os *"habeas corpus"* – estão aí para mostrar que não só é possível se admitir interpretações pela soltura "tão boas" quanto as que decidiram prender, como é assim que seguem fazendo os juízes e tribunais.

Seja como for, o pensamento de Ronald Dworkin foi fundamental para diminuir os espaços de discricionariedade judicial na interpretação da norma, notadamente quando conjugado com a Hermenêutica Filosófica, como operou Lenio Streck. Antes, porém, de analisar como isso se deu, é preciso também entender por que tanto a *Teoria da Argumentação Jurídica* de Robert Alexy quanto a *Teoria da Razão Comunicativa* de Habermas, já tratada em capítulo anterior, não apresentam soluções satisfatórias para o problema.

3.17 A Teoria da Argumentação Jurídica de Robert Alexy

Robert Alexy é um dos mais importantes jusfilósofos da atualidade e, bem-intencionado, desenvolveu uma teoria no intuito de diminuir a discricionariedade judicial, focada na argumentação. O resultado, no entanto, não conseguiu alcançar seu intento, como se verá.

No trabalho intitulado *Teoria da Argumentação Jurídica*, de 1978, Alexy, ciente dos problemas que os inúmeros cânones interpretativos apresentam, desde Savigny[842] até Kelsen e Hart, apostou fortemente na criação de critérios que visavam, ao mesmo tempo, admitir os valores éticos e morais em forma de princípios, em contraponto ao positivismo normativista kelseniano, e amarrar a argumentação judicial exposta nas decisões, procurando dar a elas o máximo de racionalidade possível. Para tanto, explica Simioni, Alexy promove uma distinção entre "decisão" e "argumentação", jogando para o âmbito da decisão "todos os recursos teóricos da interpretação e da metodologia analítica do direito, enquanto no âmbito da argumentação ficam atribuídos todos os valores e princípios substanciais da razão prática para justificação das escolhas operadas no âmbito da decisão"[843]. Alexy, então, explorou a máxima: primeiro decido, depois justifico.

Nesse processo ele também partiu da divisão entre "casos fáceis" e "casos difíceis" discutida tanto por Hart[844] quanto por Dworkin[845], esclarecendo que, nos "casos

---

842 ALEXY, Robert. *Teoria da Argumentação Jurídica. A Teoria do Discurso Racional como Teoria da Fundamentação Jurídica*. 3. ed. Tradução de Zilda Hutchinson Schild Silva. Rio de Janeiro: Forense, 2013, p. 20-21.

843 SIMIONI, Rafael Lazzarotto. *Curso de Hermenêutica Jurídica Contemporânea*. Curitiba: Juruá, 2014, p. 237.

844 HART, H. L. A. *O Conceito de Direito*, cit., p. 161 e s. e p. 326.

845 DWORKIN, Ronald. *Levando os Direitos a Sério*, cit., p. 127 e s.

fáceis" (ou "claros"[846]), a solução interpretativa se dá pela simples subsunção da regra ao caso concreto, ao passo que, nos chamados "casos difíceis", a solução passa pela análise dos princípios[847]. Alexy até procurou estabelecer critérios de distinção entre os chamados casos fáceis e difíceis, dizendo que, no âmbito de uma "justificação interna" do processo decisório, opera-se um silogismo jurídico, que é por ele exemplificado num caso de homicídio (aqui adaptado à lei brasileira): premissa maior (matar alguém é crime e é punido com pena de seis a vinte anos); premissa menor (fulano matou alguém); síntese (logo, fulano deve cumprir a pena respectiva)[848]. No entanto, diz Alexy, em algumas ocasiões, a premissa maior também deve ser "justificada externamente", pois, no caso concreto, podem se apresentar diferentes normas jurídicas, que produziriam diferentes soluções[849]. Esses seriam os casos difíceis.

Assim, nesses chamados "casos difíceis" é que entra a necessidade de buscar, nos valores éticos e morais – fora do direito, portanto –, os argumentos que sejam "capazes de produzir justificações convincentes de que a escolha realizada pela decisão jurídica foi adequada ou correta"[850]. A teoria da argumentação jurídica, então, procura "constituir critérios de justificação prática e racional das decisões jurídicas", buscando, nos "valores ou princípios exteriores ao direito"[851], argumentos capazes de convencer o leitor de que se fez a "melhor escolha".

Sucede que, já no início desse processo, percebe-se que essa divisão dos casos em fáceis e difíceis pressupõe certa discricionariedade, afinal, quem dirá se o caso é fácil ou difícil, em última análise, é o juiz. O problema é que, para alguns juízes, determinado caso poderá ser considerado "fácil", e, então, eles não necessitarão dos princípios para interpretá-lo, aplicando a regra por subsunção; e para outros, no entanto, o mesmo caso poderá ser considerado "difícil", com a consequente invocação dos princípios e com a interpretação podendo conduzir a outro resultado. Assim, essa divisão dos casos em fáceis e difíceis, por si só, já favorece a discricionariedade e o decisionismo. De resto, nos chamados casos fáceis, desconsiderar os princípios pode representar um problema, pois não deixa de ser um retorno ao positivismo exegético, e, de outra sorte, nos casos difíceis, apostar em princípios morais não positivados lidos como "mandamentos de otimização", isto é, como cláusulas de abertura que visam otimizar a aplicação da regra

---

846 ALEXY, Robert. *Teoria dos Direitos Fundamentais, cit.*, p. 127.

847 *Ibid.*, p. 143.

848 ALEXY, Robert. *Teoria da Argumentação Jurídica. A Teoria do Discurso Racional como Teoria da Fundamentação Jurídica, cit.*, p. 221 e s.

849 *Ibid.*, p. 226 e s.

850 SIMIONI, Rafael Lazzarotto. *Curso de Hermenêutica Jurídica Contemporânea, cit.*, p. 237.

851 *Ibid.*, p. 237.

(torná-la mais ótima possível), como opera Alexy, pode ser outro problema, pois abre demais a possibilidade de se dizer qualquer coisa sobre qualquer tema.

Com efeito, Alexy considera que "princípios são mandamentos de otimização"[852] e, com isso, admite que os princípios serviriam para ampliar o campo de interpretação, representando uma perigosa abertura na qual, como dito, é possível encaixar qualquer discurso.

Fechando o ciclo de dificuldade de aceitação de sua teoria, Alexy considera que os princípios morais e éticos "não são facilmente universalizáveis nas sociedades multiculturais"[853], e as "valorações da coletividade não podem ser determinadas com exatidão"[854], o que remete à dúvida de identificar qual valor deve prevalecer no caso concreto. Além disso, nos casos difíceis, pode ocorrer colisão de princípios, o que impulsiona o juiz a "ponderar" esses princípios e escolher qual deve prevalecer. Nesse ponto, diz Alexy: "Deve-se sim exigir um modelo que, por um lado, permita levar em conta as convicções aceitas e os resultados das discussões jurídicas precedentes e, por outro lado, deixe espaço para os critérios do correto"[855]. E conclui que "a teoria a se desenvolver aqui pretende, entre outras coisas, oferecer tal modelo"[856]. Para tentar solucionar essa questão, ele estrutura sua teoria partindo de uma mescla entre os referenciais procedimentalistas da "teoria consensual da verdade de Habermas"[857] e os demais referenciais da "teoria da argumentação de Chaim Perelman"[858], e vai em busca de estabelecer critérios racionais para efetivação dessa ponderação entre os princípios, visando identificar o que deve prevalecer a partir da "máxima da proporcionalidade"[859]. Diz Alexy:

> Afirmar que a natureza dos princípios implica a máxima da proporcionalidade significa que a proporcionalidade, com suas três máximas parciais da adequação, da necessidade (mandamento do meio menos gravoso) e da proporcionalidade em sentido estrito (mandamento de sopesamento propriamente dito), decorre logicamente da natureza dos princípios, ou seja, que a proporcionalidade é deduzível dessa natureza. (...) Princípios são mandamentos de otimização em face das possibilidades jurídicas e fáticas. A máxima da

---

852 ALEXY, Robert. *Teoria dos Direitos Fundamentais, cit.*, p. 90 e s.

853 SIMIONI, Rafael Lazzarotto. *Curso de Hermenêutica Jurídica Contemporânea, cit.*, p. 245.

854 ALEXY, Robert. *Teoria da Argumentação Jurídica. A Teoria do Discurso Racional como Teoria da Fundamentação Jurídica, cit.*, p. 26.

855 *Ibid.*, p. 27.

856 *Ibid.*, p. 27.

857 *Ibid.*, p. 107 e s.

858 *Ibid.*, p. 157 e s.

859 ALEXY, Robert. *Teoria dos Direitos Fundamentais, cit.*, p. 116.

proporcionalidade em sentido estrito, ou seja, exigência de sopesamento, decorre da relativização em face das possibilidades jurídicas. (...) Para se chegar a uma decisão é necessário um sopesamento nos termos da lei de colisão[860].

Como se viu do trecho anteriormente reproduzido, são três as "máximas parciais" trabalhadas por Alexy para aplicação da "máxima da proporcionalidade" na ponderação dos princípios: adequação, necessidade e proporcionalidade em sentido estrito.

Ainda que se possa ter casos nos quais as duas primeiras máximas parciais sejam suficientes para resolver a ponderação e não se necessite ingressar na terceira etapa, não há como desconsiderá-la, e é nela que o problema se encontra. Alexy "joga" a última etapa da máxima da proporcionalidade para a denominada "lei da colisão", e esta, como ele explica, implica dizer, numa colisão de princípios, qual deles está em "relação de precedência condicionada"[861], isto é, em quais condições um princípio precede ao outro. O que se tem, em última análise, nessa avaliação da "proporcionalidade em sentido estrito", é que o juiz "pondera", isto é, coloca os dois princípios "colidentes", respectivamente, em cada um dos pratos da mesma balança e, elaborando um "sopesamento", "decide" qual tem mais peso, qual tem "precedência sobre o outro". Ora, o resultado que se tem é que, para um juiz, pode ser o princípio "A" o mais relevante, e, para outro, pode ser o princípio "B". Ainda que Alexy crie cinco etapas para a ponderação[862], em última análise não há como evitar o solipsismo nesses critérios, a tal ponto que o próprio Alexy admite o problema:

> Os direitos fundamentais não são um objeto passível de ser dividido de uma forma tão refinada que exclua impasses estruturais – ou seja, impasses reais no sopesamento –, de forma a torná-los praticamente sem importância. Nesse caso, então, de fato existe uma discricionariedade para sopesar, uma discricionariedade estrutural tanto do Legislativo quanto do Judiciário[863].

---

860 *Ibid.*, p. 116-117.

861 *Ibid.*, p. 96.

862 Para compreensão, vale a síntese apresentada por SIMIONI, Rafael Lazarotto. *Curso de Hermenêutica Jurídica Contemporânea*, *cit.*, p. 292, *in verbis*: "A ponderação pode ser sistematizada nas seguintes cinco etapas: a) identificação dos princípios em estado de colisão; b) comprovação do grau de não satisfação de um princípio diante da satisfação do outro ou dos outros; c) comprovação da importância da satisfação de todos os princípios em colisão no caso concreto; d) comprovação dos motivos que justificam a consideração de uma maior importância na satisfação do outro ou dos outros – que antes Alexy apresentava como uma necessidade de indicação das condições de precedência de um princípio em relação ao outro; e e) indicação das consequências sobre as condições de precedência, quer dizer, indicação das consequências da dotação de um maior peso para um princípio e não para outro".

863 ALEXY, Robert. *Teoria dos Direitos Fundamentais*, *cit.*, p. 611.

E aí está o "ovo da serpente" da teoria alexyana, como costuma dizer Lenio Streck. Se, em última análise, a discricionariedade prepondera, a teoria não escapa do positivismo normativista de linha kelseniana. Eis por que ela não é solução para evitar decisionismos.

Enfim, ainda que a preocupação de Alexy tenha sido compatibilizar o direito e a moral, sem provocar um retorno ao jusnaturalismo e sem descurar da observação de critérios racionais para que a decisão continue sendo um processo lógico, vê-se que ele não conseguiu seu intento, pois, ao considerar os princípios como normas de abertura e apostar no sopesamento de princípios em casos considerados "difíceis", mesmo diante de regras para saber quando e como isso se dá numa proporcionalidade em sentido estrito, ele acabou favorecendo a ampliação da discricionariedade judicial, e não o contrário.

No Brasil esse problema é ainda mais acentuado por conta da criação de "princípios-que-não-são-princípios", isto é, pela má recepção da teoria alexyana nos tribunais e em parte da doutrina brasileira, acabou-se acreditando que, no sopesamento de princípios, caso não se tenha um princípio para sopesar, é possível "buscar"/"criar" um pseudoprincípio para sopesar. Isso provocou um fenômeno extremamente preocupante, identificado e denunciado por Lenio Streck como "panprincipiologismo"[864]. É algo aproximado da ideia de que, se falta um princípio para sopesar, basta "criar" um "princípio", que, claro, no caso concreto, terá mais peso.

O exemplo mais gritante desse problema foi revelado também por Lenio Streck ao comentar uma questão de concurso público realizado em 2010 para a Defensoria Pública no estado do Rio de Janeiro, na qual uma pessoa hipossuficiente procura a Defensoria dizendo que somente será feliz no dia em que puder se transformar num lagarto (submetendo-se a operação plástica para inserir bolas de silicone sob a pele de seu rosto e tatuando seu corpo todo com desenhos que lembrem escamas de lagarto). Para além da bizarrice do problema num concurso público, o mais assustador foi a resposta considerada correta, publicada com o gabarito, no sentido de que a Defensoria Pública, em nome do "princípio da felicidade", deveria ingressar com ação contra o Estado para que este custeasse a transformação do hipossuficiente num lagarto[865]. Como "felicidade" não é princípio, pois carece de absoluta normatividade, não podendo operar como um "dever ser", revelando-se mais como um estado de espírito momentâneo, circunstancial e variável de pessoa a pessoa, o absurdo fala por si só e serve para ilustrar o drama e a potencialidade que os problemas da teoria

---

864 STRECK. Lenio Luiz. *Verdade e Consenso, cit.*, p. 517 e s.

865 STRECK, Lenio Luiz. O Panprincipiologismo e o sorriso do lagarto ou "não escreva um tratado sobre carneiros: compre um e asse". *Compreender Direito. Desvelando as Obviedades do Discurso Jurídico.* São Paulo: RT, 2013, p. 19-25.

Processo Penal | Fundamentos dos fundamentos

alexyana vêm apresentando em terras brasileiras. Vem daí a importante contribuição de Lenio Luiz Streck, com sua *Crítica Hermenêutica do Direito*, como se passa a expor.

3.18 A solução da Crítica Hermenêutica do Direito de Lenio Luiz Streck

Partindo do que a revolução "ôntico-ontológico-hermenêutica"[866] de Heidegger e Gadamer construiu no âmbito filosófico, seja no plano da pré-compreensão estruturante[867] do "ser-no-mundo" heideggeriano, seja na necessidade de se suspenderem os pré-conceitos inautênticos, seja, ainda, na importância de compreender o mundo pelo círculo hermenêutico[868], seja, enfim, na proposta gadameriana de Hermenêutica Filosófica, mesclada com as lições de Dworkin que exigem coerência e integridade na interpretação, somadas à responsabilidade política do hermeneuta[869], Lenio Luiz Streck desenvolveu sua *Crítica Hermenêutica do Direito*.

Suas ideias foram sendo elaboradas desde, pelo menos, a obra *Hermenêutica Jurídica e(m) Crise* (1999), passando pelos outros dois livros fundamentais e complementares: *Jurisdição Constitucional e Decisão Jurídica* (2002) e *Verdade e Consenso* (2006), os quais já contam com sucessivas e enriquecedoras novas edições e se somam a inúmeros outros textos em grande parte compilados na *Coleção O Que é Isto* (com três volumes: 2010, 2012 e 2013), nos três volumes de *Compreender Direito* (2013, 2014 e 2015), nas *Lições de Crítica Hermenêutica do Direito* (2014) e no *Dicionário de Hermenêutica* (2018).

Perseguindo a trilha de autores com pretensões de evitar o ativismo judicial, preocupado em estabelecer mecanismos que impeçam decisionismos solipsistas na interpretação do direito, sem dúvida Lenio apresenta importante contribuição para que se alcance um modelo de juiz controlado hermeneuticamente. Sua contribuição nesse campo, inclusive, já é reconhecida fora do território brasileiro, notadamente

---

866 Como já explicado, Heidegger promove uma ressignificação do "ser", descolando-o do "ente" (da coisa). Assim, a palavra "ontologia", que sempre foi empregada para dizer a respeito do estudo do "ser", passa a ser acompanhada da palavra "ôntico", para o estudo do "ente". Daí "ôntico-ontológico", isto é, que abrange tanto o estudo do "ser" quanto do "ente". E "ôntico-ontológico-hermenêutico", porque o acesso ao ser e ao ente se dá pela hermenêutica filosófica.

867 Ou seja: basicamente a linguagem cujo significado das palavras é compartilhado por todos que falam a mesma língua. Daí "pré-compreensão", isto é, uma compreensão do significado compartilhado das palavras que vem antes da compreensão propriamente dita. E "estruturante", isto é, que compõe as bases da linguagem e estrutura, assim, o próprio "ser-no-mundo", ou seja, o ser que nasce e é lançado, jogado no mundo com linguagem pré-estabelecida, e diante de uma determinada facticidade que o compõe.

868 Ou seja, uma interpretação que parte do todo e vai às suas partes e destas retorna ao todo, em forma circular, até que algo seja dito pelo mundo ao sujeito que o interpreta. No âmbito da interpretação das leis, pode-se ilustrar com a interpretação que parta do princípio e vá para a regra e desta retorne ao princípio, circularmente, até que se possa ter compreendido o conjunto.

869 STRECK, Lenio Luiz. *Jurisdição Constitucional e Decisão Jurídica, cit.*, p. 320.

pelas aulas ministradas em universidades europeias e de países da América Latina, bem como pela tradução de algumas de suas obras, com destaque para *Verdade e Consenso*, para o idioma de Cervantes.

A base do discurso, como já mencionado, está fortemente vinculada à filosofia de Heidegger e de Gadamer, já explorada no capítulo destinado a diferenciar as *"pré-compreensões"* dos *"pré-conceitos"*. Lenio sustenta a necessidade de que o juiz compreenda que ele não pode interpretar as normas valendo-se de valores morais ou de sentimentos próprios de justiça. Por mais bem-intencionado que o juiz seja, a questão é que seus valores pessoais não podem servir de norte para o processo decisório.

Os únicos valores que podem ser levados em conta são aqueles cooriginariamente selecionados por ocasião da elaboração da Constituição do país. Soma-se, aqui, a contribuição de Habermas no ponto alusivo à cooriginalidade entre o direito e a moral. Para Habermas, quando se vai constituir um Estado, todos os valores morais estão disponíveis. Selecionam-se, então, alguns valores que serão positivados no documento legal resultante desse processo constituinte. Assim, direito e moral (alguns valores morais selecionados) são documentados cooriginariamente no âmbito da Constituição da República. Estes podem ser objeto de valoração pelo juiz. Os que ficaram de fora, não.

Como reforço dessa ideia, Lenio também se vale da famosa metáfora dos "dois corpos do rei", explorada por Ernst Kantorowicz[870], para falar do juiz que deve atuar na mesma linha no processo hermenêutico, isto é, deixando de lado suas idiossincrasias, deve decidir com responsabilidade política de agente de Estado[871]. Nesse ponto, a hermenêutica filosófica que fala da pré-compreensão linguística como condição de possibilidade compartilhada de compreensão do mundo é de suma importância.

Lenio, então, destaca que, numa circularidade hermenêutica, o juiz deve interpretar sempre levando em conta o todo e a parte. Isto é, agindo circularmente, o juiz deve ir do todo (dos princípios) à parte (à regra), e desta deve retornar para o todo. Sempre circularmente[872]. Não há, portanto, para Lenio Streck, a divisão sustentada por Hart e Alexy entre "casos fáceis" e "casos difíceis". Todo caso é caso e todo caso deve ser interpretado nessa circularidade entre os princípios e as regras. Com isso,

---

870 KANTOROWICZ, Ernst H. *Os dois corpos do rei: um estudo sobre teologia política medieval.* Tradução de Cid Knipel Moreira. São Paulo: Companhia das Letras, 1998, p. 193 a 200. Fundado no quanto os juristas da época dos Tudors desenvolveram na Inglaterra, e no quanto era corrente na França desde o século XVI, Ernst Kantorowicz explorou a ideia de que o rei não possuiria somente um corpo. Ele teria o corpo natural de ser humano e outro corpo, místico, que se assemelharia a uma "instituição" ou "divindade". Esse último seria eterno. Daí que, quando o rei morria, se gritava "o rei está morto", em alusão à sua morte física, e se respondia a essa comunicação com a frase "viva o rei", isto é, viva o rei instituição que nunca morre.

871 STRECK, Lenio Luiz. O Passado, o Presente e o Futuro do STF em Três Atos. *Consultor Jurídico – Conjur.* 15 de novembro de 2012. Disponível em: http://www.conjur.com.br/2012-nov-15/senso-incomum-passado-presente-futuro-stf-tres-atos. Acesso em: 23 mar. 2015.

872 *Id. Jurisdição Constitucional e Decisão Jurídica, cit.,* p. 315.

elimina-se o primeiro decisionismo de se permitir ao juiz escolher qual caso seria fácil e qual seria difícil.

Abandonando tanto a postura do positivismo exegético – do juiz boca-da-lei – quanto do positivismo normativista kelseniano – no qual o juiz *"diz qualquer coisa sobre qualquer assunto"* –, Lenio se vale da hermenêutica gadameriana para afastar também a ideia das teorias da argumentação, que premiam a máxima de que o juiz "primeiro decide, depois busca a fundamentação". Na trilha da Hermenêutica Filosófica, o juiz compreende para interpretar, e não o inverso; e, assim, promove uma fusão entre o seu horizonte e o horizonte da norma, como referia Gadamer.

Lenio esclarece essa questão com o que ele denomina ser o "dilema da ponte", explicando que não se pode "atravessar o abismo gnosiológico do conhecimento, chegar lá e depois voltar para construir a ponte pela qual o intérprete já passou"[873]. Seguindo, como dito, a filosofia gadameriana, afasta-se a tríplice concepção hermenêutica clássica de que o intérprete interpreta por partes: "Primeiro conhecendo, depois interpretando para, finalmente, aplicar"[874]. No plano da Hermenêutica Filosófica, explica Lenio, esses três momentos (*subtilitas intelligendi, subtilitas explicandi, subtilitas applicandi*"[875]) ocorrem em um só: a *"applicatio"*. Logo, quando o "intérprete interpreta um texto, estará no entremeio do círculo hermenêutico", e "há um movimento antecipatório da compreensão"[876].

E, para evitar que nessa interpretação o juiz possa também "jogar" ora para um lado, ora para outro, busca-se o fecho do discurso no que Ronald Dworkin construiu em torno da coerência e da integridade que devem nortear a interpretação. Exige-se do juiz, então, que ele atue no modelo metafórico dworkiniano do romance em cadeia. Ou seja: na interpretação da norma, o juiz não pode desconsiderar o que o texto – que é lido como "evento" – lhe diz; deve formular as perguntas certas para, dialogando com o texto, poder extrair dele, à luz da pré-compreensão estruturante e compartilhada de sentidos, o significado que represente o que histórica e tradicionalmente de melhor se produziu a partir daquele texto, sem olvidar que essa decisão deverá servir de princípio orientador para interpretação de semelhantes casos futuros (daí o "romance em cadeia"). Visa-se, assim, evitar o solipsismo decisionista do ativismo judicial, retirando o juiz desse processo mental enganador.

---

873 *Id.* Vivemos entre Anorexia e Bulimia Informacionais: assistam ao vídeo! *Consultor Jurídico – Conjur.* 25 set. 2014. Disponível em: http://www.conjur.com.br/2014-set-25/senso-incomum-vivemos-entre-anorexia-bulimia-informacionais-assistam-video. Acesso em: 13 abr. 2015.

874 *Id. Jurisdição Constitucional e Decisão Jurídica, cit.*, p. 32.

875 *Ibid.*, p. 239.

876 *Ibid.*, p. 32.

A *Crítica Hermenêutica do Direito*, portanto, passa a desvelar o senso comum teórico de algumas máximas dadas como certas pela doutrina, a exemplo do que ocorre com a ideia de "livre apreciação da prova" ou de "livre convencimento"[877], e de se admitir buscar nos "princípios gerais de direito" a solução para possíveis lacunas. Tudo o que possa representar abertura para o decisionismo deve ser combatido e expurgado.

Assim, visando justamente amarrar o juiz ao que já se consolidou na tradição histórica que desemboca na Constituição em termos de princípios, no livro *Jurisdição Constitucional e Decisão Jurídica*, Lenio Streck apresenta os cinco princípios norteadores de sua Teoria da Decisão Jurídica: preservar a autonomia do direito; controlar hermeneuticamente a interpretação constitucional; o efetivo respeito à integridade e à coerência do direito; o dever fundamental de justificar as decisões ou de como motivação não é igual a justificação; e o direito fundamental a uma resposta constitucionalmente adequada[878].

Com a *Crítica Hermenêutica do Direito*, então, Lenio defende a ideia de que "o cidadão tem o direito de obter sempre uma resposta adequada à Constituição (aqui entendida como resposta hermeneuticamente correta)"[879]. E elabora doze pontos que também considera imprescindíveis para a compreensão de sua teoria:

> Primeiro, não se pode confundir hermenêutica com teoria da argumentação jurídica (...);
>
> Segundo, quando se diz que a Constituição e as leis são constituídas de plurivocidades sígnicas (textos "abertos", palavras vagas e ambíguas, etc.), tal afirmativa não pode dar azo a que se diga que sempre há várias interpretações e, portanto, que o direito permite múltiplas respostas (...);
>
> Terceiro, quando, por exemplo, Gadamer confronta o método, com seu Verdade e Método, não significa que a hermenêutica seja relativista e permita intepretações discricionárias/arbitrárias;
>
> Quarto, quando a hermenêutica decreta a morte do método, isto não quer dizer que "agora é possível dizer qualquer coisa sobre qualquer coisa";
>
> Quinto, quando se fala na invasão da filosofia pela linguagem, mais do que a morte do esquema sujeito-objeto, isso quer dizer que não há mais um sujeito que "assujeita" o objeto (subjetivismos/axiologismos que ainda vicejam no campo jurídico) e tampouco objetivismos que "assujeitam" o sujeito;

---

877 *Ibid.*, p. 318 e s.
878 *Ibid.*, p. 330 e s.
879 *Ibid.*, p. 33.

Processo Penal | Fundamentos dos fundamentos

Sexto, quando se popularizou a máxima de que "interpretar é aplicar" e que "interpretar é confrontar o texto com a realidade", não significa que texto e realidade sejam coisas que subsistam por si só ou que sejam "apreensíveis" isoladamente, sendo equivocado pensar, portanto, que interpretar é algo similar a "fazer acoplamentos entre um texto jurídico e os fatos";

Sétimo, de igual maneira, quando se popularizou a assertiva de que texto não é igual à norma e que a norma é o produto da interpretação do texto (Friedrich Müller), nem de longe quer dizer que o texto não vale nada ou que norma e texto seja "coisas à disposição do intérprete", ou, ainda, que o intérprete possui arbitrariedade para a "fixação da norma" (sentido do texto);

Oitavo, a errônea compreensão acerca do sentido da expressão "a norma é sempre o sentido que se atribui ao texto" fez com que surgissem as diversas correntes voluntaristas-axiologistas, prejudicando, destarte, o entendimento acerta do (pós) positivismo;

Nono, se texto e sentido do texto não são a mesma coisa, tal circunstância não implica a afirmação de que estejam separados (cindidos) ou que o texto contenha a própria norma, mas, sim, que apenas há uma diferença (ontológica) entre os mesmos (sic) (...);

Décimo, é um equívoco pregar que o texto jurídico é apenas "a ponta do iceberg", e que a tarefa do intérprete é a de revelar o que está "submerso", porque pensar assim é dar azo à discricionariedade e ao decisionismo, características do positivismo;

Décimo primeiro, é equivocado dizer que "aplicar a letra da lei é uma atitude positivista", isto porque, em tempos de uma efetiva superação dos diversos positivismos, é um avanço nos depararmos com sinonímias entre texto e norma; em outras palavras, trata-se de ter presente, paradigmaticamente, a relevante circunstância de que a discussão da literalidade como "um mal em si" é própria do modelo de positivismo clássico-exegético-legalista; hoje tratamos daquilo que Elías Díaz chama de "legalidade constitucional";

Décimo segundo, é equivocado mixar perspectivas teóricas incompatíveis entre si, como a concepção de princípios de Dworkin e Alexy (...)[880].

Como se vê, portanto, sem dúvida alguma a contribuição de Lenio Streck para impedir o juiz solipsista na interpretação da norma é relevantíssima e, se bem compreendida, funciona tanto para a intepretação do texto da lei ("*lato sensu*") quanto, em boa parte, para a interpretação da prova. Com efeito, é possível continuar trabalhando

---

880   Id. *Lições de Crítica Hermenêutica do Direito*. Porto Alegre: Livraria do Advogado, 2014, p. 144-146.

com a Hermenêutica Filosófica na discussão a respeito da possibilidade de o juiz intervir na produção da prova, pois, como a Hermenêutica Filosófica é fortemente voltada para buscar a compreensão por meio das perguntas, não é preciso muito esforço para entender que esse paradigma filosófico, orientado pela intersubjetividade, conduz à necessidade da intervenção positiva do magistrado na ouvida da testemunha, com o magistrado formulando perguntas, já que é por meio das perguntas que os horizontes de sentido se encontram e se fundem. Juiz inerte, portanto, no plano hermenêutico filosófico, somente premia o solipsismo, pois o afasta da intersubjetividade.

Ademais, a Hermenêutica Filosófica orienta a se levar em conta, no curso da pretendida fusão de horizontes, que o juiz deve ser instado a identificar quais seriam seus pré-conceitos inautênticos, para suspendê-los no processo de compreensão da fala da testemunha. Sucede que, como pondera Lenio Streck, "isso somente ocorre quando a coisa interpela o intérprete, convoca-o a compreendê-la, em face do estranhamento que lhe provoca, o que não acontecerá nos casos em que sequer perguntamos acerca das razões pelas quais a resposta é aquela"[881]. E prossegue dizendo que é essa "hipótese de horizontes distintos, que provocará o 'choque hermenêutico', que ocorre quando algo estranho ao seu horizonte se lhe apresenta, circunstância que faz com que o intérprete ponha em questão seus pré-juízos (obviamente, se ele tiver condições pré-compreensivas para tal)"[882]. Assim, finaliza Lenio: "Esse 'choque hermenêutico' faz o intérprete estranhar o que lhe era familiar e, ao mesmo tempo, interpela-o para que torne familiar o que lhe surge como estranho"[883].

De qualquer sorte, até pela dificuldade de o juiz reconhecer seus pré-conceitos inautênticos justamente porque ele pode não ter as "condições pré-compreensivas" para tanto, como anteriormente pontuado, arrisca-se a dizer que há parcial insuficiência na tentativa da Hermenêutica Filosófica de evitar a possível discricionariedade judicial na valoração da prova produzida em audiência no processo penal. Essa parcial insuficiência é demonstrada com a colaboração da psicologia cognitiva e da psicanálise e parece não ser percebida pela Crítica Hermenêutica do Direito, já que não é levada em conta pela Hermenêutica Filosófica — até porque elas estão fora do campo da filosofia pura. Mesmo assim, se bem compreendidas, a psicologia cognitiva e a psicanálise auxiliam na compreensão da complexidade do processo decisório do juiz, sem abandonar o que a Hermenêutica Filosófica e a Crítica Hermenêutica do Direito trazem de contribuição nesse campo.

---

881 *Ibid.*, p. 83.
882 *Ibid.*, p. 83-84.
883 *Ibid.*, p. 84.

Processo Penal | Fundamentos dos fundamentos

Aliás, para além da colaboração da psicologia cognitiva e da Psicanálise, também é possível emprestar a contribuição desenvolvida por Marco Aurélio Marrafon quando apresentou a compatibilização da Hermenêutica Filosófica com a complexidade do "*ser-no-mundo*", aproveitando-se da construção do filósofo italiano Gianni Vattimo a respeito do que ele define como "*pensiero debole*" (pensamento fraco), ou seja, de uma "racionalidade hermenêutica fraca"[884], *in verbis*:

> A fim de sustentar teoricamente essa tese, propõe-se que todo julgamento deve ser mediado por uma racionalidade hermenêutica fraca nos moldes sugeridos pelo filósofo italiano Gianni VATTIMO, que desenvolve sua tese do "*pensiero debole*" como uma contundente crítica ao iluminismo racionalista e, nesse percurso, acaba ofertando interessantes intersecções para o repensar do método jurídico-decisório.
>
> Com efeito, VATTIMO funda sua reflexão na articulação da tese heideggeriana do destino do "ser" como uma concatenação de aberturas do próprio "ser-no-mundo" aos diferentes sistemas de metáforas que qualificam a experiência humana durante a vida, fazendo com que a hermenêutica não recaia numa experiência meramente estética, mas sim argumente sua própria validez através de uma reconstrução da própria história, isto é, da tradição-destino de que ela provém, sendo ela mesma um momento deste destino.
>
> Como consequência, tem-se que: i) não é admissível que se salte fora do processo em que desde já e sempre se está inserido (o mundo existencial) para buscar um "*arché*", princípio ou estrutura última e, ii) também não se ignora a importância da racionalidade como um fio condutor que atua na justificação argumentativa das diferentes interpretações (ou discursos) sobre o mundo.
>
> Essa leitura, transposta para a seara jurídica, torna possível que o processo decisório se desenvolva através da internalização de diferentes experiências ônticas (texto normativo, elementos factuais e argumentos produzidos), capazes de promover sucessivas projeções, contínuos tensionamentos, correções e deslocamentos de horizontes, até o ponto em que a verdade interpretativa "acon-

---

884 MARRAFON, Marco Aurélio. *O Caráter Complexo da Decisão em Matéria Constitucional: discursos sobre a verdade, radicalização hermenêutica e fundação ética na práxis jurisdicional.* Rio de Janeiro: Lumen Juris, 2010, p. 88 e s., p. 97, *in verbis*: "o filósofo italiano vislumbra que a hermenêutica tem por papel mostrar que a interpretação racional da história não é uma tarefa científica nos termos positivistas, nem tampouco é apenas intuitiva. Essa tese pressupõe uma razão fraca (pensiero debole), como fruto de uma forma de pensar que não necessita de uma fundamentação metafísica, dando ensejo ao enfraquecimento de toda projetualidade forte ou vontade de potência, debilitando, inclusive, o modo ontológico de enxergar a diferença".

tece" para a autoridade judicante. Quando isso ocorre, encerra-se o debate, fazendo cessar as voltas no círculo hermenêutico[885].

Ou seja, segundo Marco Marrafon, para fechar o círculo hermenêutico sem abandonar a compreensão hermenêutica filosófica, leva-se em conta a internalização de "diferentes experiências ônticas" que podem gerar "tensionamentos, correções e deslocamentos de horizontes". Ou, nos dizeres do próprio Gianni Vattimo:

> Na pré-compreensão estão abrangidas não apenas as regras e os métodos, aquilo que se chama o paradigma, mas também todas as expectativas e os pré-juízos que guiam os intérpretes nas várias fases, dos depoimentos testemunhais prestados aos policiais àqueles prestados ao juiz. O contraditório do processo é um modo para liquidar os pré-juízos não compartilhados ou não compartilháveis e, neste sentido, "subjetivos", não, porém, para alcançar a "verdade dos fatos". Mas, para além dos prejuízos puramente subjetivos, que possam e devam ser colocados fora do jogo do contraditório, existem outros que podem ser chamados de "atmosféricos", históricos, "de destino" talvez, que em sua maioria permanecem em segredo e que, no entanto, talvez sejam os mais determinantes para formar o juízo[886].

Assim, é com esse contributo tanto da Crítica Hermenêutica do Direito de Lenio Streck quanto das observações adicionais de Marco Marrafon e Gianni Vattimo, que permitem considerar a Hermenêutica Filosófica não em seu radicalismo absoluto, e sim levando em conta a complexidade do contraditório no processo penal, bem como os pré-juízos no processo decisório, somados às lições da psicologia cognitiva e da psicanálise, que se pretende tratar, no próximo capítulo, da questão da valoração probatória.

---

885 *Id.* O Juiz de Garantias e a Compreensão do Processo à Luz da Constituição: perspectivas desde a virada hermenêutica no direito brasileiro. In: COUTINHO, Jacinto Nelson de Miranda; CARVALHO, Luis Gustavo Grandinetti Castanho de (Org.). *O Novo Processo Penal à Luz da Constituição (Análise Crítica do Projeto de Lei n. 156/2009, do Senado Federal).* Rio de Janeiro: Lumen Juris, 2010, p. 145-157, p. 151-152.

886 VATTIMO, Gianni. Verità e Interpretazione. In: MARINI, Alarico Mariani (Org.). *Processo e Verità.* Pisa: Edizioni Plus – Pisa University Press, 2005, p. 11-16, p. 14. Tradução nossa.

3.19 O aproveitamento parcial das soluções existentes para controlar o juiz também no momento da produção e valoração da prova: o paradigma da intersubjetividade nos marcos constitucionais e as tradições inautênticas

Diante de tudo que foi colocado no capítulo anterior, o curioso – e incoerente – é que muitos juristas que ficariam chocados se ouvissem um juiz afirmar que condenou uma pessoa mesmo admitindo que outras possibilidades de interpretação que conduzissem à sua absolvição seriam também possíveis paradoxalmente concordam com a ideia de que os juízes podem decidir "de acordo com sua consciência", como já referido anteriormente. Essa flexibilidade de valores e a consequente falta de coerência e integridade também acabam permitindo o ativismo judicial.

Assim, resta claro que é necessário criar mecanismos que neutralizem o processo do decisionismo e da discricionariedade judicial não apenas na interpretação do direito, como trabalham Heidegger, Gadamer, Dworkin e Lenio Streck, mas também na interpretação e valoração da prova. Com isso se procura evitar julgamentos em que a prova é considerada suficiente, ou não, ao sabor da vontade do julgador, como se viu, por exemplo, na interpretação da prova do crime de formação de quadrilha, quando do julgamento dos embargos infringentes da Ação Penal 470 (Caso Mensalão), no Supremo Tribunal Federal, por ocasião do voto do ministro Luís Roberto Barroso. Sem ingressar no mérito a respeito de a prova ter sido suficiente ou não, o que chama a atenção é o misto de "livre convencimento" com a carência de fundamentação no voto do ministro Barroso, ao considerar ausente a prova do delito referido, *in verbis*:

> A caracterização do crime de quadrilha pressupõe o dolo específico de constituir uma associação estável, com desígnios próprios, destinada ao cometimento de delitos indeterminados e isso, com todas as vênias dos que pensam diferentemente (...), isso não corresponde à minha compreensão dos autos[887].

E, mais adiante, após interferência da ministra Carmen Lúcia, o ministro Barroso limitou-se a acrescentar: "Eu pensei, ministra Carmen Lúcia, o meu convencimento, é, aqui fiz o meu voto, não participei do julgamento, e, portanto, votei como eu senti juridicamente a questão..."[888].

---

887 Voto proferido por ocasião do julgamento dos embargos infringentes na Ação Penal 470 no Supremo Tribunal Federal. Vídeo disponível na internet em http://www.youtube.com/watch?v=HNoQJ4f1mJY, a partir do 42º minuto. Acesso em: 9 mar. 2014.

888 57 minutos e 20 segundos do vídeo.

Esses trechos do voto do ministro Barroso correspondem a toda a "fundamentação" por ele utilizada na "valoração" da prova e dos fatos dos autos por ocasião do julgamento dos embargos infringentes. Ou seja, ninguém sabe os motivos pelos quais o ministro Barroso "compreendeu" que a prova produzida nos autos seria insuficiente para caracterizar o delito de quadrilha, não obstante ele tenha explicitado ter decidido, à luz de seu "convencimento", conforme "sentiu juridicamente a questão". Enfim, nesse caso o ministro Barroso apenas concluiu não ter compreendido dos autos a presença de prova do crime de quadrilha. Trata-se, evidentemente, de postura solipsista, muito comum nas Cortes brasileiras. No mesmo sentido foi a percepção de Lenio Streck:

> Com efeito, no julgamento da AP 470 isso apareceu muitas e muitas vezes (em vários votos, sob diversos epítetos). Agora, no finalzinho, quando da decisão acerca da existência do crime de quadrilha, o ministro Roberto Barroso falou repetidas vezes que assim julgava porque esse era o seu "sentimento" (já o fizera em outros momentos no STF). Para a maioria das pessoas isso pode ter passado despercebido. Mas a um hermeneuta isso bate fundo. A pergunta é: a Justiça pode depender do sentimento pessoal do julgador? Para o "bem" e para o "mal"? Tenho batido nessa tecla há mais de 20 anos (por isso, ninguém pode se surpreender com esta coluna – minha crítica é feita de forma lhana, acadêmica e respeitosa). Afinal, a Justiça (ou seja lá o nome que se dê a uma decisão conforme o Direito) pode depender de uma delegação à consciência (subjetividade) do(s) julgador(es)? Não. Definitivamente, não!
>
> E posso demonstrar isso facilmente, a partir de duas decisões do mesmo ministro Barroso. No caso Donadon, visivelmente ele errou, ao emitir a liminar no MS 32.326, utilizando argumentos metajurídicos, que indubitavelmente são a confirmação de que o julgador coloca a sua subjetividade acima da estrutura do ordenamento (e não sou apenas eu quem diz que a decisão foi equivocada; veja-se, por exemplo, a crítica a ele feita pelo ministro Gilmar Mendes). Portanto, também ali a decisão, por conter argumentos metajurídicos, pode ser qualificada como subjetiva (ou segundo o seu sentimento). Além disso, no caso Donadon, o ministro Barroso disse que o julgador não deve se contaminar com o que pensa a opinião pública; entretanto, no caso da AP 470, disse que o juiz deve dialogar com a sociedade...Afinal, ele deve ou não deve ouvir a opinião pública?
>
> Sigo. Recentemente, no caso do julgamento da AP 470 (ao apreciar a "questão" da quadrilha), não sei se errou ou acertou. Nem importa na discus-

são. Vamos, *"ad argumentandum tantum"*, dizer que acertou, o que apenas demonstra o acerto de minha tese. Decidir conforme o sentimento, como se sentença viesse de sentire (como isso é ainda repetido por aí) é sempre um jogo perigoso, porque não depende de um *"a priori"* compartilhado ou de uma estrutura discursiva que respeite a tradição hermeneuticamente reconstruída. Depender do "sentir individual" é dar um passo para trás, filosoficamente falando. Trata-se de um *behaviorismo* interpretativo. Decidir conforme o sentir pessoal é ignorar os paradigmas filosóficos e os filósofos responsáveis pelos câmbios e giros paradigmáticos, como Wittgenstein, Heidegger, Gadamer, Habermas, Müller, Dworkin, Luhmann, para citar apenas estes (no Brasil – e como não sofro da síndrome de caramuru – lembro que inúmeros professores trabalham isso: Dierle Nunes, Marcelo Cattoni, Leonel Rocha, Warat, Tércio, entre outros)[889].

Enfim, a decisão deve ser coerente não apenas com o direito, mas também com as provas produzidas no processo e sua adequada compreensão, até para guardar correspondência com elas e, seja para considerá-las suficientes ou não, permitir explicitar as razões pelas quais o juiz as compreendeu suficientes ou não. Do contrário, o juiz nega efetividade aos princípios do contraditório e da ampla defesa e fica a um passo do decisionismo e do arbítrio. Em outras palavras: de pouco adianta assegurar oportunidade de manifestação às partes, assegurar oportunidade de participação na produção das provas às partes, se, ao final, o que prevalece é o "livre convencimento", lido aqui não nos moldes consagrados historicamente na doutrina processual penal (como contraponto à prova tarifada e como desvinculação de uma imposição externa de quem detém poder), mas espelhado, até mesmo, no "sentimento" do magistrado, como se deu no voto do ministro Barroso acima reproduzido. Nesse caso, os princípios de ampla defesa e contraditório são assegurados mais no plano formal que no material. E, como destaca Joaquim Malafaia, "no fundo, para garantir que a decisão sobre a matéria de facto seja correcta, tem de ser entendido e certificado que a mensagem que as testemunhas trazem ao tribunal é correctamente entendida"[890]. E assim deve ser em qualquer caso, seja ele "fácil" ou "difícil" (sic), no plano não apenas jurídico, mas também probatório.

---

889 STRECK, Lenio Luiz. *Sempre ainda a dura face do ativismo in terrae brasilis*. Publicado no site do Conjur, do dia 6 de março de 2014. Disponível em: http://www.conjur.com.br/2014-mar-06/senso-incomum-sempre--ainda-dura-face-ativismo-terrae-brasilis. Acesso em: 9 mar. 2014.

890 MALAFAIA, Joaquim. A Linguagem no Depoimento das Testemunhas e a Livre Apreciação da Prova em Processo Penal. *Revista Portuguesa de Ciência Criminal*, ano 20, n. 4, out.-dez. 2010, p. 555-578, p. 577.

Nesse aspecto não se pode deixar de considerar mais uma vez o alerta de Lenio Streck de que "os sentidos não estão 'nas coisas' e, tampouco, na 'consciência de si do pensamento pensante' (ou das respectivas 'vulgatas paradigmáticas'). Os sentidos se dão intersubjetivamente. Consequentemente, na medida em que essa intersubjetividade ocorre na e pela linguagem, para além do esquema sujeito-objeto, os sentidos arbitrários estão interditados"[891]. Nessa medida, é imperioso que o juiz fale, que externe o que lhe vai à cabeça no momento presente da produção probatória, e não apenas ao final, por ocasião da sentença. Externar pela linguagem o que lhe traz a dúvida permite às partes dialogar e "construir", intersubjetivamente, o sentido das provas.

Ainda que se possa querer argumentar que, nos ditos "casos difíceis", no plano probatório, isto é, nos casos em que a prova não é clara (seja para condenar, seja para absolver) e, portanto, gere dúvida no magistrado por ocasião do momento da produção probatória, os fatos que possam ser considerados favoráveis ao acusado devem ser dados como provados (em observância à presunção de inocência vinculada à máxima do "*in dubio pro reo*"), e, assim, sustente-se que a inércia do juiz deve ser absoluta quanto à prova (inclusive em relação à possibilidade de buscar esclarecimentos adicionais da testemunha), pois, na dúvida, o juiz julgaria a favor do réu, não há como se garantir, efetivamente, que essa dúvida que possa ir à cabeça do juiz seja de fato capaz de conduzi-lo a assim agir. Ou seja, a inércia absoluta do magistrado na produção da prova não é garantia de que, estando em dúvida, ele absolva, como visto anteriormente. Ele pode compreender a prova na linha solipsista, como quem pensa: "A prova é fraca, mas estou convencido da culpa". Em outras palavras, e por mais paradoxal que possa parecer, não raras vezes o juiz se comporta como quem precisa ter "certeza" para absolver "em dúvida". É claro que se espera que ele não aja dessa forma, mas basta se valer, como já destacado, dos "requisitos retóricos da sentença", nos moldes destacados por Nilo Bairros de Brum[892], para que o "efeito de verossimilhança fática" se produza e a sentença condenatória não seja reformada, mesmo estando o juiz em dúvida razoável.

Portanto, para minimizar e até evitar a possibilidade de uma decisão solipsista, camuflada de retórica numa indevida sentença condenatória, é importante considerar que a pretensão de se obter uma "resposta certa", na linha proposta por Dworkin para o direito, ou uma "resposta hermeneuticamente adequada", na linha proposta por Lenio Streck – e levando em conta o "tempero" dado por Gianni Vattimo e seu "*pensiero debole*", como proposto por Marco Marrafon –, também deve valer para a compreensão coerente e íntegra (correta/adequada) da prova. Isso também é fundamental num processo penal que pretenda dar maior efetividade aos princípios do contraditório e

---

891 STRECK, Lenio Luiz. *Jurisdição Constitucional e Decisão Jurídica, cit.*, p. 311.
892 BRUM, Nilo Bairros de. Requisitos Retóricos da Sentença Penal, *cit.*, p. 73 e s.

Processo Penal | Fundamentos dos fundamentos

da ampla defesa. Essa "resposta adequada", por evidente, em inúmeras ocasiões dependerá de complementos/esclarecimentos probatórios de iniciativa do magistrado. Vale desde já o registro de que se trata não de permitir ao juiz propor a prova, mas de atuar, complementarmente, no contexto da produção da prova proposta pelas partes. Não se pode olvidar que é do magistrado o poder de explicitar as razões de sua decisão, mas é das partes o direito de saber se o que procuraram demonstrar em termos probatórios no exercício das garantias do contraditório e da ampla defesa foi de fato compreendido pelo magistrado, de forma coerente e íntegra, e de ver assegurado que ele não esteja julgando, seja para condenar, seja para absolver, apenas baseado num exercício de fé.

3.20 Contributos da Hermenêutica Filosófica na apreciação constitucional da prova: limites normativos pré-compreendidos, tradicionalmente admitidos e parcialmente restritivos da discricionariedade judicial

De tudo que já se disse, não há dúvida de que a Hermenêutica Filosófica apresenta importante contribuição para diminuir decisionismos e arbitrariedades.

Com efeito, como já se anotou anteriormente, essa contribuição passa pelo fato de a Hermenêutica Filosófica sustentar a necessidade da pergunta como condição de possibilidade da compreensão. Gadamer deixa claro que a pergunta é mais importante que a resposta[893]. Para que o juiz tenha a dimensão do que exatamente a testemunha está transmitindo, é fundamental atentar para quais perguntas devem ser formuladas. Ainda que as partes possam inicialmente suprir as perguntas no processo de compreensão da prova, persiste a possibilidade concreta de essas perguntas não conseguirem provocar no juiz a compreensão de que seus pré-conceitos não devem prevalecer no processo decisório. Não se duvida, portanto, da relevância da Hermenêutica Filosófica nesse ponto.

Essa importante contribuição também se revela, em certa medida, no curso da produção da prova e de sua avaliação, particularmente na questão da pré-compreensão estruturante de que se falou anteriormente, no que concerne às tradições dos "standards" de prova admitidos. Gadamer considera que "o que é consagrado pela tradição e pela herança histórica possui uma autoridade que se tornou anônima, e nosso ser histórico e finito está determinado pelo fato de que também a autoridade do que foi transmitido, e não somente o que possui fundamentos evidentes, tem poder sobre nossa ação e nosso comportamento"[894]. E, mais adiante, sintetiza:

---

893 GADAMER, Hans-Georg. *Verdade e Método I. Traços fundamentais de uma hermenêutica filosófica, cit.*, p. 473 e s.
894 *Ibid.*, p. 372.

"Os costumes são adotados livremente, mas não são criados nem fundados em sua validade por um livre discernimento. É isso, precisamente, que denominamos tradição: ter validade sem precisar de fundamentação"[895].

No plano dessa "tradição gadameriana", portanto, e no âmbito do processo penal, pode-se dizer que há diversos princípios que boa parte da doutrina moderna considera serem produtos de uma "herança histórica" e, portanto, consagrados a ponto de serem considerados "válidos sem precisar de fundamentação" (para emprestar a expressão de Gadamer), devendo orientar a interpretação da prova pelo juiz. Servem de exemplo a proibição de valoração de provas obtidas por meios ilícitos; a construção da teoria das provas ilícitas por derivação; o contraditório; a ampla defesa; a proibição de valoração do silêncio do réu; o direito de não ser obrigado a produzir provas contra si; a presunção de inocência; o ônus da prova integral da acusação; o livre convencimento motivado; a livre apreciação da prova; o "*in dubio pro reo* como" solução para as dúvidas do juiz.

Sucede que nem todos eles podem ser considerados "tradições autênticas" no nível hermenêutico, pois camuflam outras questões psicanalíticas e, ao desconsiderá-las, acabam dando a entender que as pré-compreensões de seus significados seriam suficientes para evitar o decisionismo judicial.

Mas não se quer aqui generalizar ou desconsiderar a importância da Hermenêutica Filosófica. Ao contrário, como já se procurou deixar registrado anteriormente, de fato, alguns "*standards*" probatórios suprarreferidos deveriam servir de limite hermenêutico ao juiz. Se a prova é ilícita, o juiz não pode valorá-la. Isso é inquestionável nos dias de hoje. Ao menos é o que se espera dos juízes, isto é, que não sejam capazes de validamente argumentar em sentido inverso, dizendo que aceitam a ilicitude. Do contrário, os tribunais podem reformar sua decisão sem muito esforço hermenêutico. Ao menos deve ser assim, pois faz parte da tradição hermenêutica, construída ao longo dos tempos, não ser mais razoável admitir, por exemplo, a tortura como mecanismo de busca da confissão.

O problema começa quando um juiz, ciente da prova obtida e ciente da ilicitude que a gerou e da impossibilidade de utilizá-la, quiser condenar o réu mesmo assim por ter compreendido sua culpa justamente a partir da prova ilicitamente obtida. Ou, ainda, de uma prova derivada, que é o mais comum. Nesse caso, corre-se o risco de o juiz conduzir o feito para a condenação ainda que não possa valorar a prova considerada ilícita. Ou seja, mesmo não podendo valorá-la, por uma vedação legal tradicionalmente aceita, fará um esforço pessoal para condenar o réu, por ter compreendido sua culpa. Situação similar pode ocorrer com a interpretação

---

895 *Ibid.*, p. 372.

da prova ilícita por derivação; com o direito ao silêncio do réu; e com o princípio da não autoincriminação. Mesmo assim, há que se considerar que o que se espera desses *"standards"* é que todos eles operem restringindo a liberdade de decidir do magistrado, ainda que por vezes isso se dê de forma apenas aparente. Com efeito, os referidos *"standards"* nem sempre conseguem eliminar por completo a discricionariedade e o decisionismo, pois, ainda que se tenha presente a necessidade de os atores processuais serem "constrangidos" hermeneuticamente pela tradição, é certo que eles podem não ter completamente introjetado os cânones hermenêuticos referidos, que até deveriam ser compartilhados por quem opera no processo penal de conotação democrática, mas que nem sempre conseguem ser bem compreendidos por todos. Assim, esses *"standards"* têm a pretensão de atuar como limites hermenêuticos, como emancipações de sentido, como horizontes que restringem a interpretação da prova, a qual deveria ser avaliada dentro dessa finitude. Nesse sentido, tanto a produção quanto a valoração da prova, portanto, não operam a partir de grau zero de sentido.

Porém, se até mesmo com os *"standards"* mais consagrados na tradição hermenêutica há, por vezes, certa disparidade compreensiva por parte dos juízes, não se pode olvidar que existem "princípios" consagrados tradicionalmente que, ao revés de atuarem como mecanismos hermenêuticos de pré-compreensão com sentidos compartilhados com pretensões universais, acabam velada ou indiretamente autorizando decisionismos e solipsismos, como se passa a expor.

3.21 A má recepção que gera uma "tradição inautêntica" da "livre apreciação da prova" e do "livre convencimento do juiz"

A doutrina de processo penal[896] costuma se referir ao que se costumou denominar de "princípio da livre apreciação da prova" e, na mesma linha, também àquele conhecido como "princípio do livre convencimento do juiz", ou suas variações mais garantistas ("livre convencimento motivado"; "persuasão racional"), como sendo avanços dogmáticos capazes de afastar a valoração probatória das ideias dos dois polos antagônicos e extremados da "prova tarifada" (em que o valor da prova é dado previamente pela lei, não deixando margem à interpretação do juiz) e da "convicção íntima" (em que a lei não estabelece valores prévios às provas, e, assim,

---

896 *V.g.*: FREDERICO MARQUES, José. *Elementos de Direito Processual Penal*. V. II, *cit.*, p. 358 e s.; OLIVEIRA, Eugênio Pacelli de. *Curso de Processo Penal*, *cit.*, p. 337 e s.; LOPES JR., Aury. *Direito Processual Penal*, *cit.*, p. 574 e s.; TOURINHO FILHO, Fernando da Costa. *Processo Penal. V. 1*. 33. ed. São Paulo: Saraiva, 2011, p. 67; PACHECO, Denilson Feitoza. *Direito Processual Penal*, *cit.*, p. 840 e s.; RANGEL, Paulo. *Direito Processual Penal*, *cit.*, 521; MIRABETE, Julio Fabbrini. *Processo Penal*, *cit.*, p. 285; NIEVA FENOLL, Jordi. *La Valoración de la Prueba*. Madrid. Barcelona, Buenos Aires: Marcial Pons, 2010, p. 69; LEONE, Giovanni. *Tratado de Derecho Procesal Penal. Tomo II*, *cit.*, p. 155.

o juiz pode "julgar com prova, sem prova e mesmo contra a prova", não sendo necessário externar os motivos de sua decisão[897]).

As distintas expressões também decorrem das terminologias utilizadas nos diferentes diplomas legais: em Portugal e na Alemanha ("livre apreciação da prova" – "*freie Beweiswürdigung*"), na Espanha ("livre apreciação" e "livre valoração" – "*libre apreciación y libre valoración*"), na França ("convicção íntima" – "*intime conviction*") e na Itália ("livre convencimento do juiz" – "*libero convincimento del giudice*"). Nesse sentido, Ennio Amodio esclarece:

> A *"frei Beweiswürdigung"* do sistema alemão e a *"intime conviction"* do processo penal francês são conceitos que exprimem o mesmo significado ínsito na fórmula italiana do livre convencimento. A raiz comum é aquela da refutação a qualquer limitação da liberdade de valoração da prova, isento de qualquer mecanismo de dosagem preventiva de seu poder de persuasão estabelecido *"a priori"* pelo legislador. O valor inspirador do princípio está na liberação do juiz das provas legais do processo medieval, marcados como instrumentos de mortificação da racionalidade do acertamento judicial[898].

Há, porém, uma pequena variação na compreensão do tema em parte da doutrina. Ada Pellegrini Grinover, por exemplo, procura traçar uma diferença entre a ideia de "livre convencimento" e "livre *investigação* da prova", deixando anotado que "a fórmula 'livre convencimento' se tornou uma das mais ambíguas do repertório do processo penal"[899], para então dizer que "não se confundem o princípio do livre

---

897 SARAGOÇA DA MATTA, Paulo. A Livre Apreciação da Prova e o Dever de Fundamentação da Sentença. *Jornadas de Direito Processual Penal e Direitos Fundamentais,* Organizadas pela Faculdade de Direito de Lisboa e pelo Conselho Distrital de Lisboa da Ordem dos Advogados, com a colaboração do Goethe Institut. Coordenação científica de Maria Fernanda Palma), Coimbra: Almedina, 2004, p. 237. Em geral a doutrina trata dessas terminologias como pertencentes a uma mesma ideia, variando a terminologia de país para país. Paulo Saragoça da Matta, por exemplo, explica assim a questão (p. 239): Constitui regra quase intangível do processo penal hodierno a regra segundo a qual a apreciação da prova é "livre". Por outras palavras, que a prova é apreciada "em consciência" pelo Tribunal (processo penal espanhol), ou ainda que a apreciação da prova se faz de acordo com a regra da "íntima convicção" do julgador (processo penal francês) ou do seu "livre convencimento" (processo penal italiano). Sobre o tema *vide* também: COUTINHO, Jacinto Nelson de Miranda. *Introdução aos Princípios Gerais do Processo Penal Brasileiro, cit.,* p. 196, *in verbis*: "Como é primário, há, historicamente, três princípios que orientam a regência da dita apreciação, em que pese não necessariamente em tal ordem cronológica: (i) o valor das provas é dado pelo juiz que, livremente, empresta a ela a sua subjetividade: trata-se do princípio da convicção íntima ou certeza moral; (ii) o valor das provas é atribuído taxativamente pela lei: trata-se do princípio da certeza legal ou tarifamento legal; (iii) o valor das provas é atribuído livremente pelo juiz, a partir de sua convicção pessoal, porque não há como ser diferente, na estrutura atual do processo, mas todas as decisões devem ser fundamentadas: trata-se do princípio do livre convencimento ou da convicção racional".

898 AMODIO, Ennio. *Processo Penale, Diritto Europeo e Common Law: dal rito inquisitório al giusto processo.* Milano: Giuffrè, 2003, p. 121-122. Tradução nossa.

899 GRINOVER, Ada Pellegrini. *Liberdades Públicas e Processo Penal. As Interceptações Telefônicas.* São Paulo: Saraiva, 1976, p. 73.

convencimento e o da livre investigação das provas pelo juiz, mas é frequente a conjugação dos dois princípios, porque é por intermédio da livre investigação das provas, atendendo à averiguação da verdade material, que o juiz acaba por formar seu livre convencimento"[900]. No entanto, é preciso cuidado para não fazer confusão. Ada trata não do que uma parte da doutrina chama de "livre *apreciação* da prova", mas sim do que ela denomina de "livre *investigação* da prova". "Apreciar" é diferente de "investigar". Assim, na forma como o tema é tratado pela autora, não resta dúvida de que se trata de princípios diversos, pois "investigar livremente" pressupõe liberdade para o juiz ir atrás da prova e, portanto, ir em busca de qualquer prova. Já ao se referir à "liberdade de apreciação", o que se quer pontuar é que, das provas que foram produzidas, o juiz não é obrigado a se vincular a uma delas, se outra é por ele considerada "melhor", "mais confiável" ou algo do gênero. Em outras palavras: a livre "apreciação" da prova não autoriza o juiz a sair em busca da prova ou a "investigar", mas apenas indica que ele é livre para, analisando as provas que foram produzidas, atribuir-lhes o peso, o valor que julgar adequado à luz de seu "livre convencimento".

Na doutrina estrangeira, Giovanni Leone aborda esse tema em termos aproximados ao ponderado por Ada Pellegrini Grinover, mesclando os conceitos ao dizer que "vige hoje – e justamente – o princípio da livre convicção do juiz, o qual deve se entender como poder-dever do juiz de conseguir, onde quer que seja, a prova dos fatos e valorá-la sem limite algum"[901]. Como se vê, Leone refere-se tanto à livre convicção quanto a "conseguir, onde quer que seja, a prova dos fatos", que pode ser lido como "livre investigação", para ao final afirmar que, depois de obtida a prova, o juiz pode "valorá-la sem limite algum".

Há também a observação de Franco Cordero, para quem "'prova de valoração livre' não significa que sejam valoráveis também aquelas inadmissíveis ou mal adquiridas, ainda que isso aconteça com frequência; e 'livre convencimento' se torna a fórmula de uma gnose onívora em perfeito estilo inquisitório"[902].

Já para Aury Lopes Jr. e Nereu José Giacomolli[903], por exemplo, o "livre convencimento" também significa "não submissão do juiz a interesses políticos, econômicos ou mesmo à vontade da maioria"[904].

---

900 *Ibid.*, p. 73.

901 LEONE, Giovanni. *Tratado de Derecho Procesal Penal.* Tomo II, *cit.*, p. 156. Tradução nossa.

902 CORDERO, Franco. *Procedura Penale, cit.*, p. 606-607. Tradução nossa.

903 GIACOMOLLI, Nereu José. *O Devido Processo Penal. Abordagem Conforme a Constituição Federal e o Pacto de São José da Costa Rica: cases da Corte Interamericana, do Tribunal Europeu e do STF.* São Paulo: Atlas, 2014, p. 180: "Livre convencimento vincula-se ao poder decidir sem coação, sem afetação da capacidade de entendimento e determinação do órgão decisor, mas não no sentido de afastar a necessidade de justificação e de ultrapassar as limitações do devido processo".

904 LOPES JR., Aury. *Direito Processual Penal, cit.*, p. 562: "Cumpre então analisar mais detidamente o alcance

Porém, a maioria da doutrina – nacional[905] e estrangeira[906] – primeiro, não utiliza a expressão "livre *investigação* da prova" e, segundo, refere-se ao "livre convencimento" e/ou à "livre *apreciação* da prova" como duas faces da mesma moeda. Julio Maier, por exemplo, trata o livre convencimento como "método de valoração da prova":

> Não se pode exigir, no momento de valorar a prova, condições especiais, positivas ou negativas, para alcançar a convicção sobre estes elementos. Livre convicção significa, então, em primeiro lugar, ausência de regras abstratas e gerais de valoração probatória, que transformem a decisão ou a opinião numa operação jurídica consistente em verificar as condições estabelecidas pela lei para afirmar ou negar um fato[907].
>
> (...)
>
> Se se trouxe à colação a livre convicção, como um método de valoração da prova, neste contexto, é porque se pensa que ela favorece a determinação da verdade. Em particular, afirma-se isso em comparação com a apreciação

---

dessa liberdade que o julgador tem para formar sua convicção. Ela se refere à não submissão do juiz a interesses políticos, econômicos ou mesmo à vontade da maioria".

905 *V.g.* BENTO DE FARIA, A. *Código de Processo Penal. V. I, Arts. 1 a 250.* 2. ed. Rio de Janeiro: Record Editora, 1960, p. 254 e s.; FREDERICO MARQUES, José. *Elementos de Direito Processual Penal. V. II, cit.*, p. 358 e s.; MAGALHÃES NORONHA, Edgard. *Curso de Direito Processual Penal, cit.*, p. 118 e s.; TORNAGHI, Hélio. *Instituições de Processo Penal. V. IV, cit.*, p. 216 e s.; TOURINHO FILHO, Fernando da Costa. *Processo Penal.* V. 3. 33. ed. São Paulo: Saraiva, 2011, p. 274-275; RANGEL, Paulo. *Direito Processual Penal, cit.*, p. 521; OLIVEIRA, Eugenio Pacelli. *Curso de Processo Penal*, 19. ed. São Paulo: Atlas, 2015, p. 340-341; LOPES JR., Aury. *Direito Processual Penal.* 11. ed., *cit.*, p. 564 e s.; GOMES FILHO, Antonio Magalhães. *Direito à Prova no Processo Penal.* São Paulo: RT, 1997, p. 161 e s.

906 *V.g.* CONSO, Giovanni; GREVI, Vittorio; BARGIS, Marta; DELLA CASA, Franco; GATTO, Alfredo; ILLUMINATI, Giulio; MARZADURI, Enrico; ORLANDI, Renzo; SCAPARONE, Metello; VOENA, Giovanni Paolo. *Compendio di Procedura Penale.* 2ª edizione. Padova: Cedam, 2003. p. 306; TONINI, Paolo. *Manuale di Procedura Penale, cit.*, p. 210; GAROFOLI, Vincenzo. *Diritto Processuale Penale. Seconta Edizione.* Milano: Giuffrè, 2002, p. 44 e s.; MANZINI, Vincenzo. *Tratado de Derecho Procesal Penal*, Tomo III, Tradução para o espanhol de Santiago Sentis Melendo e Marino Ayerra Redín. Buenos Aires: Libreria "El Foro", 1996, p. 199; FIGUEIREDO DIAS, Jorge de. *Direito Processual Penal. Primeiro Volume, cit.*, p. 198 e s.; MARQUES DA SILVA, Germano. *Curso de Processo Penal.* V. I. 2. ed. Lisboa: Editorial Verbo, 1994, p. 74; ROXIN, Claus. *Derecho Procesal Penal.* Tradução do alemão para o espanhol de Gabriela E. Córdoba e Daniel R. Pastor. Buenos Aires: Editores del Puerto, 2000, p. 102 e s.; GÖSSEL, Karl Heinz. El Derecho Procesal Penal en el Estado de Derecho, Tomo I, *cit.*, p. 272; GAMBOA, Agustín; BERDULLAS, Carlos Romero. *Proceso Constitucional Acusatorio.* Buenos Aires: Ad-Hoc, 2014, p. 220; AROCENA, Gustavo Alberto; BALCARCE, Fabián Ignacio; CESANO, José Daniel. *Prueba en Materia Penal.* Buenos Aires: Astrea, 2009, p. 73; ARMENTA DEU, Teresa. *Estudios de Justicia Penal.* Madrid. Barcelona, Buenos Aires. São Paulo: Marcial Pons, 2014, p. 65-66; DEVIS ECHANDÍA, Hernando. *Teoría General de La Prueba Judicial.* Tomo Primero. 5. ed. Bogotá: Temis, 2002, p. 275; NIEVA FENOLL, Jordi. *La Valoración de la Prueba, cit.*, p. 32 e s.; ANDRÉS IBÁÑEZ, Perfecto. La Convicción del Juez Penal. In: SOTTOMAYOR, Carlos Tieffer (Org.). *Justicia Penal, Política Criminal y Estado Social de Derecho en el Siglo XXI.* Tomo II. Buenos Aires: Ediar, 2015, p. 711-735, p. 714 e s.; MORALES, Rodrigo Rivera. *La Prueba: un análisis racional y práctico.* Madrid. Barcelona, Buenos Aires: Marcial Pons, 2011, p. 247 e s.; NORES, José I. Cafferata; HAIRABEDIÁN, Maximiliano. *La Prueba en el Proceso Penal: con especial referencia a los Códigos Procesales Penales de la Nación y de la Provincia de Córdoba.* 6. ed. Buenos Aires: Lexis Nexis Argentina, 2008, p. 57.

907 MAIER, Julio B. J. *Derecho Procesal Penal – Tomo I – Fundamentos.* 2. ed. 3. reimpr. Buenos Aires: Editores del Puerto, 2004, p. 870. Tradução nossa.

da prova segundo regras jurídicas abstratas e gerais (prova legal), cuja aplicação determina a convicção judicial, pois, argumenta-se, o seu resultado não é satisfatório no caso concreto[908].

Vincenzo Manzini também dizia que, "dado o princípio da livre convicção, qualquer um compreende com quais escrúpulos irá proceder à valoração da prova. O magistrado deve banir de sua mente, com cuidado, tudo o que possa levá-lo ao erro, determinando preconceitos insidiosos"[909].

Em obra coletiva, Giovanni Conso e Vittorio Grevi também deixam registrado que o "princípio do livre convencimento do juiz" é relacionado ao "regime de valoração da prova", dizendo que "se deve pôr em evidência, com efeito, como tal princípio é afirmado com exclusiva referência ao momento da valoração da prova"[910].

Figueiredo Dias também considera "a livre apreciação da prova" segundo a "livre convicção do juiz" como um único princípio[911].

Seja como for, o fato é que, numa análise histórica, até mesmo as ideias de "livre convencimento" ou "livre apreciação da prova" por vezes se confundiam e eram até mesmo coexistentes com o modelo da "prova tarifada". Com efeito, essa vinculação já foi identificada como presente em inúmeras passagens processuais penais antigas, até mesmo, em certa medida, desde o direito romano, passando pelo direito germânico, e também nas *Siete Partidas* e na *Constitutio Criminalis Carolina*, dentre outros diplomas ao longo da Baixa Idade Média[912].

Ainda que possam ter tido essa origem de certa forma comum, é certo que o modelo de "prova tarifada" (ou "prova legal") predominou em determinados momentos da história processual europeia continental, notadamente entre os séculos XIII e XVIII, orientando o processo penal para a busca da confissão do acusado, considerada a *"regina probationum"* (a "rainha das provas"). Assim, se por um lado esse modelo deixava o juiz mais "confortável, porque menos responsabilizador", já que, "como tudo na vida, a exclusão da liberdade cinge a

---

908 *Ibid.*, p. 872. Tradução nossa.

909 MANZINI, Vincenzo. *Tratado de Derecho Procesal Penal*, Tomo III, *cit.*, p. 199. Tradução nossa.

910 CONSO, Giovanni; GREVI, Vittorio; BARGIS, Marta; DELLA CASA, Franco; GATTO, Alfredo; ILLUMINATI, Giulio; MARZADURI, Enrico; ORLANDI, Renzo; SCAPARONE, Metello; VOENA, Giovanni Paolo. *Compendio di Procedura Penale*. 2ª edizione. Padova: Cedam, 2003. p. 306. Tradução nossa.

911 FIGUEIREDO DIAS, Jorge de. *Direito Processual Penal. Primeiro Volume, cit.*, p. 202, *in verbis*: "O que significa porém, exatamente, livre apreciação da prova, valoração esta segundo a livre convicção do juiz? Vimos já que tal significa, negativamente, ausência de critérios legais predeterminantes do valor a atribuir à prova. Mas qual o seu significado positivo? Uma coisa é desde logo certa: o princípio não pode de modo algum querer apontar para uma apreciação imotivável e incontrolável – e portanto arbitrária – da prova produzida".

912 NIEVA FENOLL, Jordi. *La Valoración de la Prueba, cit.*, p. 52 e s.

responsabilidade"[913], por outro, facilitava abusos, a exemplo do uso da tortura para obter confissão, além de limitar o processo cognitivo do juiz à prévia determinação legal. Jacinto Nelson de Miranda Coutinho bem analisa essa passagem:

> Daquilo que serve de base ao pensamento hodierno sobre a matéria e, de conSequência, influencia o nosso, há de se ver que muitas legislações aceitaram a previsão da possibilidade do juiz incorrer em erro, no momento de valoração dos meios de prova utilizados, razão pela qual fixou-se, na lei, uma hierarquia de valores referentes a tais meios. Veja-se, neste sentido, o sistema processual inquisitório medieval, no qual a confissão, no topo da estrutura, era considerada prova plena, a rainha das provas *("regina probationum"),* tudo como fruto do tarifamento previamente estabelecido. Transferia-se o valor do julgador à lei, para evitar-se manipulações; e isso funcionava, retoricamente, como mecanismo de garantia do arguido, que estaria protegido contra os abusos decorrentes da subjetividade. Sem embargo, a história demonstrou, ao revés, como foram os fatos retorcidos, por exemplo, pela adoção irrestrita da tortura. Todavia, após a Revolução Francesa, passou-se a sustentar que o valor e a força dos meios de prova não podem ser aferidos "a priori", com base em critérios legais, mas tão-só a partir da análise do caso concreto. Assim, passou-se a substituir, paulatinamente, o princípio da valoração legal das provas pelo princípio da livre apreciação delas pelo juiz, com a devida fundamentação: teríamos chegado, com o livre convencimento, à fase científica[914].

Foi, então, com o racionalismo iluminista que a "livre apreciação da prova" e o "livre convencimento" retomaram suas forças, ainda que no início fossem entendidos como correlacionados à "convicção íntima"[915].

Na verdade, ao longo da transição operada a partir da Revolução Francesa, o modelo inicial era um misto de "prova tarifada" e "convicção íntima", como explica Franco Cordero:

---

913 SARAGOÇA DA MATTA, Paulo. A Livre Apreciação da Prova e o Dever de Fundamentação da Sentença. *Jornadas de Direito Processual Penal e Direitos Fundamentais, cit.*, p. 258.

914 COUTINHO, Jacinto Nelson de Miranda. *Introdução aos Princípios Gerais do Processo Penal Brasileiro, cit.*, p. 196.

915 Vários são os autores que fazem essa referência. Além dos já citados, destaca-se igualmente ANDRÉS IBÁÑEZ, Perfecto. La Convicción del Juez Penal. In: *Justicia Penal, Política Criminal y Estado Social de Derecho en el Siglo XXI.* Tomo II, *cit.*, p. 714; SARAGOÇA DA MATTA, Paulo. A Livre Apreciação da Prova e o Dever de Fundamentação da Sentença. *Jornadas de Direito Processual Penal e Direitos Fundamentais, cit.*, p. 221-279, p. 234 e s.

No moribundo ou falecido *"ancien régime"* os reformadores discutem os problemas da decisão sobre o tema histórico. Filangieri, em Nápoles (em 1785) e, 14 anos depois, Robespierre na Assembleia Constituinte sustentam fórmulas ecléticas: nenhuma condenação sem *"intime conviction"*; mas não bastam as "certezas morais"; ocorrem provas legalmente definidas (por exemplo, as duas testemunhas de acordo, não recusadas pelo acusado)[916].

Esse modelo permaneceu no *Code d'Instruction Criminelle* de 1808, elaborado por Napoleão, não obstante ele não fosse muito simpático ao júri, premiando, assim, a íntima convicção na deliberação dos jurados que respondiam a quesitos apenas com um "sim" ou um "não"[917], nos mesmos moldes do que sucede com o júri brasileiro ainda hoje. É o que Ennio Amodio chama de "teoria romântica do livre convencimento", pautada por uma "persuasão emotiva", algo como uma "reação instintiva às provas, subtraída de qualquer forma de racionalização"[918]. Assim, a ideia de "livre convencimento" nasce vinculada à ideia de "convicção íntima", e, como explica Cordero, o significado desse "livre convencimento" é muito claro: "As provas contam na medida em que os juízes as considerem confiáveis", sendo que, na prática, "qualquer dado é útil, desde que conhecido", e, nessa medida, "o metabolismo decisório seleciona e assimila tudo, sejam provas proibidas, sejam 'não provas' (por exemplo, notícias, relatórios policiais, os escritos anônimos, o experimento realizado de forma privada nas salas secretas do Conselho)"[919].

Portanto, promover a leitura da liberdade valorativa da prova e do livre convencimento como vinculada à "convicção íntima", que surge como contraponto ao modelo de "prova tarifada", não obstante tenha dado liberdade ao juiz para julgar, provocou o mesmo efeito perverso de premiar abusos, pois, ao dar ampla margem de discricionariedade ao julgador, ele praticamente não era controlado por ninguém e, por vezes, acabava decidindo por vontades pessoais[920]. Vem, então, a ideia de privilegiar os aspectos positivos da liberdade valorativa da prova pelo juiz, isto é, de fazê-lo assumir responsabilidades, evitando que se comporte como uma espécie de "Pilatos da magistratura"[921], além de minimizar a tendência de buscar, a qualquer custo, determinadas provas cujos valores prévios dados pela lei resolveriam o processo,

---

916 CORDERO, Franco. *Procedura Penale*. 8. ed. Milano: Giuffrè Editore, 2006, p. 571. Tradução nossa.

917 *Ibid.*, p. 571.

918 AMODIO, Ennio. *Processo Penale, Diritto Europeo e Common Law: dal rito inquisitório al giusto processo, cit.*, p. 122. Tradução nossa.

919 CORDERO, Franco. *Procedura Penale, cit.*, p. 571. Tradução nossa.

920 Nesse sentido, dentre outros: LEONE, Giovanni, *cit.*, p. 157.

921 BRUM, Nilo Bairros de, *cit.*, p. 82.

e de manter seu convencimento livre de influências externas outras, como destacado por Aury e Nereu anteriormente (notadamente as possíveis influências políticas, econômicas ou hierárquicas), mas também de neutralizar seus aspectos negativos, ou seja, não permitir que decida sem dizer os motivos que o levaram a tanto, condicionando suas valorações probatórias e seu convencimento à necessidade de explicitação racional dos motivos que o levaram a selecionar tal prova em detrimento de outra e de decidir como decidiu. Enfim, estabeleceu-se que deve o magistrado fundamentar suas decisões[922]. É o que se passa a denominar de "livre convencimento motivado", também chamado de "persuasão racional". Assim, o juiz deve persuadir racionalmente, isto é, deve convencer as partes de que fez a melhor valoração possível das provas produzidas nos autos, explicando, racionalmente, os motivos de seu convencimento, sem descurar do alerta evidenciado na síntese de Jacinto Coutinho: "Tal princípio do livre convencimento não deve implicar numa valoração arbitrária da prova por parte do juiz"[923].

No que interessa ao direito brasileiro contemporâneo, tem importância citar a redação primitiva do Código de Processo Penal brasileiro de 1941 (vigente até 2008), que trazia, no artigo 157, a regra do livre convencimento e da livre apreciação da prova vazada, nos seguintes termos: "O juiz formará sua convicção pela livre apreciação da prova". E a necessidade de fundamentação aparecia na regra do art. 381, III, do Código de Processo Penal:

> Art. 381. A sentença conterá:
>
> (...)
>
> III – a indicação dos motivos de fato e de direito em que se fundar a decisão;
>
> A explicação dessa opção era dada na Exposição de Motivos:
>
> (...) O juiz criminal é, assim, restituído à sua própria consciência. Nunca é demais, porém, advertir que livre convencimento não quer dizer puro capricho de opinião ou mero arbítrio na apreciação das provas. O juiz está

---

922 Conforme Leandro Guzmán, foi a partir de meados do século XVIII que a necessidade de motivação passou a ser mais ampla. Esclarece o autor que, "na Itália, a obrigação de motivação se encontrava prescrita em alguns casos pela legislação estatutária, adquirindo manifestações relevantes na legislação florentina e na legislação do Piemonte". Mais adiante, ainda esclarece que "a motivação das decisões judiciais esteve influenciada, como em tantas ordens do próprio direito, pela mudança de paradigma ocorrido na França com a Revolução e a consequente caída da sociedade feudal". Tradução nossa. (GUZMÁN, Leandro. *Derecho a una Sentencia Motivada. Integración del debido proceso legal y la tutela judicial efectiva.* 1ª reimpresión. Buenos Aires-Bogotá: Astrea, 2014, p. 31 e 32). No mesmo sentido: GOMES FILHO, Antonio Magalhães. *A Motivação das Decisões Penais.* 2. ed. rev. e atual. São Paulo: Revista dos Tribunais, 2013, p. 51 e s.

923 COUTINHO, Jacinto Nelson de Miranda. *Introdução aos Princípios Gerais do Processo Penal Brasileiro, cit.*, p. 197.

livre de preconceitos legais na aferição das provas, mas não pode abstrair-se ou alhear-se ao seu conteúdo. Não estará ele dispensado de motivar a sua sentença. E precisamente nisto reside a suficiente garantia do direito das partes e do interesse social[924].

Como se vê, a construção legislativa de 1941 visava desvincular o juiz de valores probatórios prévios dados pela lei, deixando-o "livre" para formar seu convencimento, alheio a eventuais pressões políticas, econômicas ou sociais externas. Ao mesmo tempo, o juiz também ficava igualmente "livre" para atribuir as cargas valorativas que julgasse relevantes às provas produzidas. Assim, não havia – e ainda não há – uma hierarquia de valores pré-dados pela lei às provas. A ideia é que todas, em princípio, têm valores próprios e, em certa medida, equivalentes, sendo que uma não se sobrepõe, de antemão, a outra, como dado prévio. Na prática, porém, ainda temos casos de prova tarifada, quando a lei[925] ou a jurisprudência[926] exigem prova pericial ou documental em detrimento da testemunhal, por exemplo. Poderá, entretanto, sobrepor-se no contexto valorativo elaborado pelo magistrado, que poderá considerar uma prova "melhor", ou mais "confiável", ou mais "condizente", ou mais "coerente" (ou qualquer outro adjetivo similar) com o conjunto probatório que a outra. De resto, para escapar da discricionariedade absoluta da "íntima convicção", apostava-se, e ainda se aposta, que a fundamentação salvará qualquer possibilidade de arbítrio nessa livre apreciação da prova. A fundamentação, inclusive, foi elevada a cânone constitucional, conforme se vê no art. 93, IX, da Constituição da República brasileira de 1988:

> IX – todos os julgamentos dos órgãos do Poder Judiciário serão públicos, e fundamentadas todas as decisões, sob pena de nulidade, podendo a lei limitar a presença, em determinados atos, às próprias partes e a seus advogados, ou

---

924 CAMPOS, Francisco. Exposição de Motivos do Código de Processo Penal. Decreto-Lei 3689, de 03 de outubro de 1941. BRASIL. *Código Penal, Código de Processo Penal, Constituição Federal, Legislação Penal e Processual Penal, cit.*, p. 375.

925 Como se vê, por exemplo, do parágrafo único, do art. 155, do Código de Processo Penal, *verbis*: "Art. 155. O juiz formará sua convicção pela livre apreciação da prova produzida em contraditório judicial, não podendo fundamentar sua decisão exclusivamente nos elementos informativos colhidos na investigação, ressalvadas as provas cautelares, não repetíveis e antecipadas. Parágrafo único. Somente quanto ao estado das pessoas serão observadas as restrições estabelecidas na lei civil". E, também, do art. 158 do CPP, *verbis*: "Art. 158. Quando a infração deixar vestígios, será indispensável o exame de corpo de delito, direto ou indireto, não podendo supri-lo a confissão do acusado".

926 Servem de exemplos as exigências jurisprudenciais de prova pericial em relação ao objeto material "droga", no caso do tráfico de drogas (*v.g.* STJ, HC 213643/RJ, rel. min. Nefi Cordeiro), quanto à demonstração de destruição ou rompimento de obstáculo à subtração da coisa para caracterização do furto qualificado (*v.g.* STJ, AgRg no REsp 1822262/MG, rel. min. Sebastião Reis Junior) e a exigência de prova do dano ambiental em crimes ambientais (*v.g.* STJ, HC 570680/PR, rel. min. Félix Fischer).

somente a estes, em casos nos quais a preservação do direito à intimidade do interessado no sigilo não prejudique o interesse público à informação[927].

Nesses prismas construtivos, os princípios do "livre convencimento motivado" e da "livre apreciação da prova" com "persuasão racional" são positivos e contribuem para se avançar para um processo penal mais democrático, porquanto visam eliminar a possibilidade dos abusos que eram verificados tanto nos sistemas de provas com valores tarifados *a priori* quanto em modelos de "convicção íntima", nos quais o julgador não precisa externar os motivos de sua decisão. São, portanto, nesse ponto, importantes instrumentos de garantia que operam à luz do eixo de proibição de excesso na valoração da prova pelo juiz.

Porém, nem sempre eles são compreendidos em toda a sua dimensão garantista, conforme se percebe no cotidiano de decisões prolatadas por inúmeros magistrados e tribunais que acabaram, de certa forma, mal compreendendo e, assim, até mesmo deturpando a importância desses nortes de valoração probatória. Como se constata no cotidiano dos julgamentos, não raras vezes as decisões ainda são conduzidas por sentimentos pessoais do julgador ou por valores de elementos de convicção que não foram submetidos ao contraditório. Como já alertou Jacinto Coutinho: "Faz-se imprescindível reconhecer que o princípio do livre convencimento pode ser manipulado pelo julgador, razão por que a consciência de tanto é necessária a fim de controlar-se, dando efetividade à garantia constitucional"[928]. Ou ainda, como afirma o mesmo Jacinto Coutinho, seguindo a trilha de Nilo Bairros de Brum, "pelo princípio do livre convencimento, basta a imunização da sentença com requisitos retóricos bem trabalhados e o magistrado decide da forma que quiser, sempre em nome da 'segurança jurídica', da 'verdade' e tantos outros conceitos substancialmente vagos, indeterminados"[929].

Ademais, muito dessa má compreensão do princípio no Brasil[930] também decorre, por exemplo, da consolidação de uma jurisprudência e de uma doutrina anteriores à

---

927 BRASIL. *Código Penal, Código de Processo Penal, Constituição Federal, Legislação Penal e Processual Penal, cit.*, p. 82.

928 COUTINHO, Jacinto Nelson de Miranda. *Introdução aos Princípios Gerais do Processo Penal Brasileiro, cit.*, p. 197. Em linha similar: COUTINHO, Jacinto Nelson de Miranda. *A Lide e o Conteúdo do Processo Penal, cit.*, p. 136, *in verbis*: "O controle, de fato, para nós, é uma quimera. Faz-se de conta que a subjetividade não existe, ou melhor, sua existência, quando admitida, encontra total controle no livre convencimento".

929 COUTINHO, Jacinto Nelson de Miranda. *O Papel do Novo Juiz no Processo Penal, cit.*, p. 6.

930 Não que o problema seja uma exclusividade brasileira. Na Espanha, por exemplo, verifica-se a mesma má compreensão do princípio, conforme noticia MUÑOZ CONDE, Francisco. *La Búsqueda de la Verdad en el Proceso Penal, cit.*, p. 47, *in verbis*: "Porém, o que significa realmente esta declaração? Constitui o reconhecimento expresso de que na determinação dos fatos os juízes não têm outra vinculação que não seja a que lhes dita o senso comum, sua intuição e, em úlitma instância, 'sua consciência', renunciando *a priori* aos critérios objetivos que permitam racionalmente buscar a verdade ao mesmo tempo em que se faz justiça? Assim pareceu entender a STS de 10/2/78, quando disse que: 'O julgador, ao apreciar as provas praticadas, as alegações das partes e as declarações ou manifestações do acusado, o fará não sem relembrar a valoração

Constituição da República de 1988, pregando a validade e o aproveitamento dos atos de investigação produzidos no inquérito policial "até prova em contrário", como dizia Espínola Filho[931]. Aliás, a obra intitulada *Código de Processo Penal Brasileiro Anotado*, de Espínola Filho, teve papel significativo na consolidação do entendimento jurisprudencial que já havia nos anos anteriores a 1941 a respeito do aproveitamento do inquérito policial como prova para condenar, fundado, já então, na ideia de "livre apreciação da prova". Com efeito, seu *Código Anotado* traz à colação julgados do Supremo Tribunal Federal do início do século XX, dos quais o autor destaca um, de 1926, assim reproduzido:

> Mais categórica, ainda, a lição do ac. de 28 de abril 1926, em que o ministro GEMINIANO DA FRANÇA, relatando o rec. crim. n. 536, consigna: "Considerando que a prova colhida em inquérito policial tem bom valor probante, quando não infirmada pelo sumário, ou destruída por defeituosa ou falsa por outras provas oferecidas pela defesa. O nosso sistema processual empresta-lhe inquestionável valor jurídico, tanto assim que lhe dá força para a prova da materialidade do crime e para a concessão da prisão preventiva" (Arquivo Judiciário, v. 2º, 1927, p. 107)[932].

E, não obstante Espínola Filho até tenha feito referência a um acórdão em sentido inverso, também de 1927, fez questão de registrar que ele se tratava de caso isolado, para então indicar a posição dominante do Tribunal de Apelação do Distrito Federal:

> Mantido em inúmeros processos, a ponto de representar a orientação comum do Tribunal de Apelação do Distrito Federal, vemos, ao invés, firmar-se o entendimento de que prevalecem os inquéritos policiais, com valor probatório, se não são invalidados por prova em contrário. Solêne proclamação dessa realidade encontramos no acórdão proferido pela 2ª Câmara crim., na ap. crim. n. 2.218, de 11 de julho 1937, e no qual escreveu o relator, desemb. CESÁRIO PEREIRA: "Nada importa a circunstância de terem sido esses elementos de elucidação produzidos em parte fora do juízo, no inquérito policial, que innstrüi a denúncia. É

---

taxada ou predeterminada pela lei, ou seguindo as regras da crítica sã, ou de maneira simplesmente lógica ou racional, mas de um modo tão livre e omnídeo que não tem mais freio à sua soberana faculdade valorativa que não seja o proceder à análise e à consecutiva ponderação, de acordo com sua própria consciência, aos ditados de sua razão analítica e a uma intenção que se presume sepre reta e imparcial'. Porém, contra esse subjetivismo extremo, que, assumido literalmente, pode levar às consequências mais absurdas, levantaram-se vozes não somente na doutrina, mas também na própria jurisprudência posterior do Tribunal Supremo espanhol e do Tribunal Constitucional espanhol". Tradução nossa.

931 ESPÍNOLA FILHO, Eduardo. *Código de Processo Penal Brasileiro Anotado*. V. 1. 6. ed. Rio de Janeiro: Editora Borsoi, 1965, p. 255.

932 *Ibid.*, p. 254.

preceito de lei que os inquéritos policiais merecem valor até prova em contrário (art. 33, do dec. N. 5.515, de 13 de agosto de 1928), e, na espécie, nenhuma prova existe, que ilida a prova colhida na investigação policial" (Diário da Justiça – Jurisprudência, v. 21, 1937, p. 503)[933].

Prossegue, então, Espínola Filho esclarecendo compreender que esse entendimento decorre "do princípio norteador do novo processo penal brasileiro. Domina-o o sistema da livre convicção do juiz, a cujo respeito borda a exposição de motivos do ministro CAMPOS considerações desta ordem..."[934]. Por fim, sentencia o autor:

> Compreende-se, pois, que, nesse trabalho de coordenação não somente, mas de formação, também, da prova, o juiz, preocupado exclusivamente em apreender a realidade dos fatos, como correspondente à verdade mais verdadeira, não poderá deixar de dar atenção a todos os elementos, que a autoridade policial conseguir obter e apresentar, reunidos no inquérito, base da denúncia ou da queixa. Ao mesmo tempo que procurará aferir a autenticidade, a eficiência, a força objetiva desses elementos, neles terá um subsídio valioso, excelentes pontos de partida, para as suas investigações, cuja extensão será focalizada, neste estudo, em tempo próprio. Tudo quanto fizer, no curso do processo, terá a alta finalidade de obter que a sua apreciação subjetiva seja a representação mais fiel e mais segura da verdade objetiva. Se, porém, pela ação dispersiva do tempo decorrido, pelo desaparecimento ou mudança dos fatores materiais, de que puder dispor, pela invencível má vontade ou pelas grandes falhas das pessoas, a cuja colaboração tiver de recorrer, não vir coroado de êxito os seus mais denodados esforços, no sentido de alcançar, produzida no sumário, a prova de que necessita, para proclamar a boa razão da defesa ou a procedência da acusação, nada obsta, antes tudo aconselha a que, sem a menor reserva, se valha da prova existente apenas no inquérito, com o convencimento de ser ela a verdadeira, não a havendo anulado fatos ou circunstâncias mais fidedignas, conseguidos na instrução criminal.
>
> O nosso entendimento, exposto na 1ª edição deste livro[935], teve a mais completa confirmação com a orientação da jurisprudência...[936].

---

933 *Ibid.*, p. 255-256.
934 *Ibid.*, p. 256.
935 A primeira edição é de 1941.
936 ESPÍNOLA FILHO, Eduardo. *Código de Processo Penal Brasileiro Anotado*. V. 1, *cit.*, p. 257-258.

Assim, antes mesmo do Código de Processo Penal de 1941, e também ao longo de vários anos de sua vigência, como anteriormente destacado, muitos magistrados e tribunais passaram a decidir embasados em elementos preliminares de convicção, colacionados ainda na fase pré-processual, sem contraditório e sem ampla defesa, dando a eles maior ênfase do que às provas produzidas em juízo, fundados no princípio "da livre convicção do juiz", como dizia Eduardo Espínola. Ainda que, na maioria dos casos após a Constituição de 1988, os tribunais tenham passado a repudiar a condenação embasada em provas colhidas exclusivamente no inquérito policial, não foram poucas as decisões nas quais o juiz, ou até mesmo o tribunal em fase recursal, embasado nas ideias de "livre convencimento" e de "livre apreciação da prova", mantiveram a condenação[937] (ou até reformaram a absolvição de primeiro grau[938]) apenas com base em depoimentos colhidos no inquérito policial.

Diante desse cenário, veio a reforma operada pela Lei 11.690, em 2008, focada na pretensão de ajustar a legislação infraconstitucional aos princípios constitucionais do contraditório e da ampla defesa[939]. A novel redação contendo a livre apreciação

937 *V.g.*: BRASIL. Tribunal de Alçada do Paraná. *Apelação Criminal n. 80336-9*. Quarta Câmara Criminal. Relator Jesus Sarrão, julgado em 13 de outubro de 1995, unânime. Disponível em: https://portal.tjpr.jus.br/jurisprudencia/j/136984/Ac%C3%B3rd%C3%A3o-80336-9. Acesso em: 11 maio 2015. Ementa: "LESÕES CORPORAIS SEGUIDAS DE MORTE – NEXO CAUSAL – PROVA – SUFICIÊNCIA. 'Considera-se causa a ação ou omissão sem a qual o resultado não teria ocorrido' (CP, art. 13). Causas preexistentes e relativamente independentes que concorram para o resultado não excluem aquela devida ao agente. *Quando a prova, colhida no inquérito policial e em parte reproduzida em Juízo, no seu conjunto não deixa dúvida quanto à autoria e culpabilidade do réu, é de rigor sua condenação.*" (grifos nossos).

938 *V.g.*: BRASIL. Tribunal de Alçada do Paraná. *Apelação Criminal n. 54047-4*. Segunda Câmara Criminal. Relator: Fleury Fernandes, Segunda Câmara Criminal, julgado em 04 de março de 1993, unânime. Disponível em: https://portal.tjpr.jus.br/jurisprudencia/j/110334/Ac%C3%B3rd%C3%A3o-54047-4. Acesso em 11 de maio de 2015. Ementa: "AÇÃO PENAL. FURTO QUALIFICADO PELO EMPREGO DE CHAVE FALSA E FURTO NOTURNO, CRIME CONTINUADO. CONFISSÃO EXTRAJUDICIAL. RÉU REVEL. PROVA ORAL REDUZIDA A UMA SÓ TESTEMUNHA. VÍTIMAS DEIXADAS DE OUVIR. *RÉU ABSOLVIDO SOB FUNDAMENTO DE FALTA DE PROVA. PROVA QUE AUTORIZA, NO ENTANTO, A CONDENAÇÃO POR UMA DAS MODALIDADES DE DELITO. APELO PROVIDO EM PARTE. Embora o inquérito policial constitua procedimento administrativo informativo, que não se confunde com a instrução criminal, a prova colhida nessa fase investigatória só deixa de ter valor decisório se não encontra qualquer suporte no curso do procedimento judicial ou quando e amplamente desmentida nesta etapa processual*".

939 Conforme se vê da justificativa da mudança legislativa inserida na Exposição de Motivos do Projeto de Lei n. 4205/2001, elaborada pelo então ministro da Justiça, Jorge Gregori, embasado nos estudos da Comissão de Juristas formadas pelo Poder Executivo da União com os seguintes membros: Ada Pellegrini Grinover (presidente), Petrônio Calmon Filho (secretário), Antônio Magalhães Gomes Filho, Antônio Scarance Femandes, Luiz Flávio Gomes, Miguel Reale Júnior, Nilzardo Carneiro Leão, René Ariel Dotti (posteriormente substituído por Rui Stoco), Rogério Launi Tucci e Sidney Beneti, *in verbis*: "A Constituição de 1988, ao garantir 'aos litigantes, em processo judicial ou administrativo, e aos acusados em geral o contraditório e a ampla defesa' (art. 5º, inciso LV), assegura às partes a participação efetiva nas atividades processuais, especialmente aquelas em que se forma o material probatório que servirá de base para a decisão. Por esse motivo, o anteprojeto propõe nova redação ao art. 155 do Código de Processo Penal, deixando bem claro que não podem ser reconhecidos como provas – e, portanto, capazes de servir à formação do convencimento judicial – os elementos colhidos sem aquelas garantias, como ocorre em relação aos dados informativos trazidos pela investigação, que devem servir exclusivamente à formação da *'opinio delicti'* do Ministério Público e à concessão de medidas cautelares pelo juiz. Excetuam-se apenas as provas produzidas antecipadamente, as cautelares e as irrepetíveis, sobre as quais se estabelecerá o contraditório posterior". BRASIL. Câmara dos Deputados. Diário da Câmara dos Deputados. 30 de março de 2001, p. 9474. Disponível em: http://imagem.camara.gov.br/Imagem/d/pdf/

passou a constar do atual artigo 155 do Código de Processo Penal brasileiro, no qual se tomou o cuidado de acrescê-la de aspectos que visam, em certa medida, limitar essa liberdade valorativa de buscar nos elementos de convicção pré-processuais do inquérito policial não submetidos ao contraditório e à ampla defesa as razões para decidir. A redação aprovada no Congresso Nacional e sancionada pelo presidente da República, então, restou assim delineada, *in verbis*:

> Art. 155. O juiz formará sua convicção pela livre apreciação da prova produzida em contraditório judicial, não podendo fundamentar sua decisão exclusivamente nos elementos informativos colhidos na investigação, ressalvadas as provas cautelares, não repetíveis e antecipadas[940].

O problema é que a redação consagrada também nessa reforma legislativa de 2008 ainda continua autorizando a fundamentar a decisão nos "elementos informativos colhidos na investigação", apenas não admitindo que o juiz o faça "exclusivamente" com base neles. Assim, ainda comunica aos juízes a ideia de que eles são "livres" para formar sua convicção; são "livres" para valorar a prova, dando a entender que não são limitados senão pela parca restrição de não fundamentar exclusivamente nos elementos do inquérito, mas ao mesmo tempo são "livres" em suas escolhas probatórias. Enfim, as poucas restrições introduzidas na nova redação do artigo 155 não retiram a ideia norteadora da lei: liberdade ao magistrado para formar sua convicção. Tourinho Filho, por exemplo, analisando essa regra, afirma que "o juiz, em face das provas existentes nos autos, tem inteira liberdade na sua apreciação" e, nessa linha, conclui que ele "pode desprezar o depoimento de quatro testemunhas, por exemplo, e respaldar sua decisão num único depoimento"[941]. Na doutrina há também quem alerte para o risco de essas expressões serem mal compreendidas pelos juízes. Giovanni Leone, por exemplo, explica que as concepções de uma "livre apreciação da prova" ou do "livre convencimento" não podem ser lidas como autorizações para arbitrariedades[942]:

DCD30MAR2001VOLI.pdf#page=597. Acesso em: 11 maio 2015.

940 BRASIL. *Código Penal, Código de Processo Penal, Constituição Federal, Legislação Penal e Processual Penal, cit.,* p. 403-404.

941 TOURINHO FILHO, Fernando da Costa. *Processo Penal.* V. 1, *cit.,* p. 67.

942 Não é o único. No Brasil, Frederico Marques também acena, em certa medida, para esse problema. Esse autor, no entanto, não obstante explicite o risco, volta-se para admitir que o juiz julgue "segundo os ditames do bom senso, da lógica e da experiência" (FREDERICO MARQUES, José. *Elementos de Direito Processual Penal.* V. II, *cit.,* p. 362).

Porém não pode, nem deve significar mais, e sobretudo, não deve significar liberdade, ao juiz, para substituir a prova (e, consequentemente, a crítica da prova) pelas conjeturas ou, por mais honesta que seja, por sua mera opinião.

Livre convicção não equivale, pois, à arbitrariedade: "livre, no sentido que o juiz não tenha outro limite, na valoração das provas, a não ser a consciência da responsabilidade de sua função". Quer dizer, não se trata de liberdade de julgar, na qual está o arbítrio; mas de liberdade de comprovação, ou mais concretamente, de liberdade na adoção dos instrumentos de comprovação, o que pressupõe sempre o dever de proceder a uma comprovação[943].

Nesse aspecto de se permitirem confusões interpretativas do que se pretendia comunicar com o "livre convencimento motivado", a ponto de o juiz se conduzir para extrair conclusões arbitrárias da valoração da prova, Paulo Saragoça da Matta indica os problemas do princípio quando ele é conjugado com a presunção de inocência e o direito ao silêncio do acusado, que pode ser lido pelo magistrado como indicativo de culpa:

> No que concerne às relações entre o princípio da livre apreciação da prova e o princípio da presunção de inocência, conclui-se sem margem para dúvidas que aquele poderá retirar da consistência objectiva deste último. Com efeito, mercê do princípio da presunção de inocência, o Arguido tem teoricamente o direito a abster-se totalmente de agir no processo, esperando passivamente que o Ministério Público, o Assistente, e/ou o Tribunal demonstrem a respectiva responsabilidade criminal. Todavia, uma total passividade da defesa pode redundar numa imagem desfavorável desta perante o julgador, o que num sistema assente no princípio da livre convicção do julgador, poderá permitir a conclusão popular de que quem cala consente, ou, numa abordagem mais sociológica, que o silêncio funciona como uma confissão tácita da responsabilidade do Arguido[944].

Enfim, é justamente por aí que começa a transparecer o outro lado da moeda. Ainda que se saiba que, no campo dogmático da doutrina de processo penal, a explicação dada para tais regras reside na referida pretensão de substituição do modelo de prova

---

943 LEONE, Giovanni. *Tratado de Derecho Procesal Penal*. Tomo II, *cit.*, p. 157. Tradução nossa.

944 SARAGOÇA DA MATTA, Paulo. A Livre Apreciação da Prova e o Dever de Fundamentação da Sentença. *Jornadas de Direito Processual Penal e Direitos Fundamentais*, *cit.*, p. 259.

tarifada de alguns processos medievais, o que os "princípios" do "livre convencimento" e da "livre apreciação da prova" acabam comunicando a alguns magistrados é uma falsa ideia de que eles não precisam se preocupar com o que foi produzido de prova, pois, mesmo que exista uma prova que apresente um quadro inequívoco de demonstração de algo, a exemplo do que ocorre com as provas periciais em geral, eles teriam "liberdade" para desconsiderá-la se estiverem "convencidos" de que o fato ocorreu de forma diversa. Para tanto, basta expor seus motivos e "persuadir" o leitor de sua sentença, "racionalmente". E aqui, ainda que não se admita, *contrario sensu*", que o julgador se valha de argumentos irracionais, ou emotivos[945], como se sabe, a retórica pode servir de imunização para possíveis decisionismos. Nilo Bairros de Brum bem esclarece que o juiz não pode chegar na sentença e dizer que está condenando porque tem "raiva de estuprador" ou está absolvendo "porque ficou com pena do réu e do destino de sua prole". Mas, manipulando retoricamente a valoração das provas, dá a elas um "efeito de verossimilhança fática", capaz de imunizar a decisão de possíveis críticas[946].

Ou seja, a ideia do "livre convencimento" foi modernamente moldada para ser lida de mãos dadas com a ideia de "convicção íntima". Ainda que mais tarde se tenha avançado para exigir a fundamentação no chamado "livre convencimento motivado"[947], é certo que, apesar dos alertas da doutrina, a raiz do "princípio" comunica liberdade valorativa ao juiz. Nesse ponto, vale o registro: não é que se deseje um retorno à tarifação probatória como substituição à livre apreciação – longe disso –, mas é de se compreender que o princípio premia decisionismos, pois o juiz acaba acreditando que pode se valer, por exemplo, de máximas de experiência para decidir, já que não se lhe cobra nenhum critério de valoração. E, na sentença, escolhendo livremente, mas visando aparentar um "ar democrático", o juiz poderá acabar construindo, retoricamente, uma "justificativa", uma "motivação" para sua "livre escolha".

Ou seja, se essa ideia de liberdade outorgada ao magistrado é lida como "princípio" do processo penal, acaba sendo vista como norma e, como tal, tem cariz deontológico, isto é, passa a ser um dever ser. O juiz, então, pode compreender que deve ser livre para formar seu convencimento. Nessa linha, o magistrado poderá acabar conduzindo sua apreciação e valoração da prova acreditando nessa liberdade de dizer o que quiser a respeito dela. Conduzir-se-á, portanto, com a postura de se acreditar senhor da prova e, pior, senhor dos seus sentidos. E daí para o decisionismo é um passo. Os princípios, portanto, não obstante tenham desempenhado relevante

---

945 Como refere, por exemplo, UBERTIS, Giulio. *Sistema di Procedura Penale I. Principi Generali*. 3. ed. Torino: UTET, 2013, p. 98.

946 BRUM, Nilo Bairros de, *cit.*, p. 73.

947 *V.g.* GUZMÁN, Leandro. *Derecho a una Sentencia Motivada. Integración del debido proceso legal y la tutela judicial efectiva, cit.*, p. 31 e s.

papel na transição do modelo de prova tarifada para esse mais democrático, pela via inversa, paradoxalmente, acabam também premiando a manutenção do paradigma da filosofia da consciência e o solipsismo.

O problema é tão amplo que, não raras vezes, mesmo quando a lei diz que determinado fato depende de determinada prova (como ocorre, por exemplo, na regra do art. 158 combinada com o art. 564, III, "b", ambos do Código de Processo Penal[948]), o juiz, valendo-se do "livre convencimento motivado", desconsidera o texto de lei e admite como provado o fato por outros meios[949]. Não raras vezes, a perícia é requerida, por exemplo, para demonstrar a inimputabilidade ou semi-imputabilidade do acusado em crime de tráfico de drogas, como exigem os artigos 45, 46 e 47 da Lei 11.343/06[950], combinados com o artigo 149 do Código de Processo Penal[951], e o que se tem como resposta, em alguns casos, é que essa prova não seria um "direito subjetivo do acusado" e que o juiz não é obrigado a deferir requerimento nesse sentido, porque labora à luz do livre convencimento motivado[952]. Noutros

---

948 BRASIL. *Código Penal, Código de Processo Penal, Constituição Federal, Legislação Penal e Processual Penal, cit.*, p. 404 e 447, *in verbis*: "Art. 158. Quando a infração deixar vestígios, será indispensável o exame de corpo de delito, direto ou indireto, não podendo supri-lo a confissão do acusado. (...) Art. 564. A nulidade ocorrerá nos seguintes casos: (...) III – por falta das fórmulas ou dos termos seguintes: (...) b) o exame de corpo de delito nos crimes que deixam vestígios, ressalvado o disposto no art. 167".

949 O problema também foi percebido por CORDERO, Franco. *Procedura Penale, cit.*, p. 607. Na jurisprudência brasileira *vide, v.g.*: BRASIL. Tribunal de Justiça do Estado do Paraná. *Apelação Criminal n. 891609-0*. Segunda Câmara Criminal. Relator Des. Rogério Etzel, julgado em 31 de janeiro de 2013. Disponível em: https://portal.tjpr.jus.br/jurisprudencia/j/11414171/Ac%C3%B3rd%C3%A3o-891609-0. Acesso em: 11 maio 2015. Do corpo do acórdão extrai-se a seguinte passagem: "De acordo o princípio da livre apreciação das provas, o magistrado não é obrigado a esperar a juntada de determinado laudo nos autos quando já formulou o seu convencimento com base em outros elementos. 2. A perícia documenstoscópica não constitui o único método para determinar a falsidade de documento e detectado por perícia papiloscópica que a cédula de identidade é ideologicamente falsa, inarredável a condenação decorrente do art. 304, do Código Penal".

950 BRASIL. *Código Penal, Código de Processo Penal, Constituição Federal, Legislação Penal e Processual Penal, cit.*, p. 1076: "Art. 45. É isento de pena o agente que, em razão da dependência, ou sob o efeito, proveniente de caso fortuito ou força maior, de droga, era, ao tempo da ação ou da omissão, qualquer que tenha sido a infração penal praticada, inteiramente incapaz de entender o caráter ilícito do fato ou de determinar-se de acordo com esse entendimento. Parágrafo único. Quando absolver o agente, reconhecendo, por força pericial, que este apresentava, à época do fato previsto neste artigo, as condições referidas no *caput* deste artigo, poderá determinar o juiz, na sentença, o seu encaminhamento para tratamento médico adequado. Art. 46. As penas podem ser reduzidas de um terço a dois terços se, por força das circunstâncias previstas no art. 45 desta Lei, o agente não possuía, ao tempo da ação ou da omissão, a plena capacidade de entender o caráter ilícito do fato ou de determinar-se de acordo com esse entendimento. Art. 47. Na sentença condenatória, o juiz, com base em avaliação que ateste a necessidade de encaminhamento do agente para tratamento, realizada por profissional de saúde com competência específica na forma da lei, determinará que a tal se proceda, observado o disposto no art. 26 desta Lei".

951 BRASIL. *Código Penal, Código de Processo Penal, Constituição Federal, Legislação Penal e Processual Penal, cit.*, p. 403: "Art. 149. Quando houver dúvida sobre a integridade mental do acusado, o juiz ordenará, de ofício ou a requerimento do Ministério Público, do defensor, do curador, do ascendente, descendente, irmão ou cônjuge do acusado, seja este submetido a exame médico-legal".

952 *V.g.* BRASIL. Superior Tribunal de Justiça. *"Habeas corpus" n. 99.739/DF*. Quinta Turma. Rel. Ministro Arnaldo Esteves Lima, julgado em 15 de junho de 2010. Disponível em: https://ww2.stj.jus.br/processo/revista/inteiroteor/?num_registro=200800231660&dt_publicacao=02/08/2010. Acesso em: 11 maio, *in verbis*: "PROCESSUAL PENAL. "HABEAS CORPUS" SUBSTITUTIVO DE RECURSO ORDINÁRIO. ASSOCIAÇÃO E TRÁFICO ILÍCITO DE ENTORPECENTES. EXCESSO DE PRAZO PARA FORMAÇÃO DA CULPA.

casos, valora inversamente, isto é, a prova pericial diz uma coisa, mas ele prefere acreditar noutra. Isso quando não envereda para querer saber mais do que o perito, valendo-se das "regras da experiência comum subministradas pela observação do que ordinariamente acontece"[953].

Mas, se o contraditório e a ampla defesa servem de mecanismos de constrangimento à pretensão de liberdade valorativa do magistrado, há uma espécie de contrassenso em se admitir a livre apreciação e a livre convicção, de um lado, e a necessidade de

> SENTENÇAS CONDENATÓRIA E ABSOLUTÓRIA SUPERVENIENTES. PREJUDICIALIDADE PARCIAL DA ORDEM. INDEFERIMENTO DE PERÍCIAS. FUNDAMENTAÇÃO IDÔNEA. LIVRE CONVENCIMENTO MOTIVADO. AUSÊNCIA DE DEMONSTRAÇÃO DA IMPRESCINDIBILIDADE DA REALIZAÇÃO DA PROVA. CERCEAMENTO DE DEFESA NÃO CONFIGURADO. ORDEM PARCIALMENTE CONHECIDA E, NESSA EXTENSÃO, DENEGADA. 1. A superveniência de sentenças condenatória e absolutória prejudica a alegação de excesso de prazo na formação da culpa, restando prejudicada, em parte, a ordem. 2. O magistrado, como destinatário direto da instrução probatória, pode, mediante fundamentação (princípio do livre convencimento motivado), indeferir a produção de provas que entender impertinentes, desnecessárias ou protelatórias. 3. A defesa não logrou demonstrar a imprescindibilidade da realização do exame, não consistindo referida perícia em direito subjetivo do réu. 4. Ordem parcialmente conhecida e, nessa extensão, denegada".

953 A título ilustrativo, vale destacar trecho de acórdão do Tribunal de Justiça do Paraná que, em sede de competência originária no julgamento de delito imputado a promotor de Justiça, à luz do artigo 6º da Lei 8038/90, julgou improcedente *ab ovo* a denúncia por crime de homicídio culposo no trânsito, tendo o relator questionado os métodos e afastado os critérios utilizados pelos peritos do Instituto de Criminalística para aferir a velocidade mínima empregada por um dos veículos, ingressando em discussão de dados técnicos a respeito da física, mesclada com "regras da experiência comum subministradas pela observação do que ordinariamente acontece", sem ser ele mesmo um perito, por evidente, para, com isso, desconstituir a prova pericial. BRASIL.Tribunal de Justiça do Estado do Paraná. Denúncia Crime n. 647667-7. Órgão Especial. Relator Des. Xisto Pereira, julgado em 09 de maio de 2013, Disponível em:: https://www.tjpr.jus.br/consulta-2grau. Acesso em 11 de março de 2015. *In verbis*, do corpo do acórdão: "(...) Ocorre que para a elaboração dos referidos cálculos matemáticos se tomou como base, única e exclusivamente, a extensão da derrapagem do veículo conduzido pelo denunciado antes da colisão, ou seja, 38,40m. Esse dado certamente foi pinçado do croqui de fl. 11, elaborado em 06.11.2009 pela Polícia Rodoviária Federal, pois o laudo pericial data de 17.01.2011, quando não mais existiam vestígios no local. Não consta do laudo pericial que foram levadas em consideração, de acordo com o mencionado croqui de fl. 11, os ângulos das trajetórias e as distâncias finais dos veículos depois do 'ponto de impacto', isto é, depois da colisão, nem eventuais fatores de desaceleração do veículo que vinha em sentido contrário ao do denunciado. Isso era de suma importância para a confiabilidade da aludida tabela sobre ser a velocidade do veículo conduzido pelo denunciado maior do que aquela do veículo que vinha em sentido contrário. Aliás, em relação ao veículo que vinha em sentido contrário ao do denunciado, os peritos afirmaram que "os dados técnicos necessários para o referido cálculo de velocidade são insuficientes, uma vez que não foram observadas no local marcas de frenagem do veículo e nenhum vestígio que possibilitasse tal estimativa. Assim sendo, a ausência de tais elementos técnicos impossibilita o emprego dos métodos usualmente utilizados para cálculos de velocidade de veículos envolvidos em acidentes de trânsito. (...) No cálculo utilizado, o coeficiente de atrito do asfalto foi definido de acordo com as condições climáticas e da pista, sem considerar, no entanto, que o requerido (cf. consta do croqui) percorreu um trecho no acostamento, que, por óbvio, não possui a mesma aderência. Outro fator de questionamento reside no fato de que os experts presumiram que a massa dos veículos envolvidos no acidente é a mesma. Ora, não há nada que confirme tal afirmação! Seguiu-se, então, uma imprecisa 'conclusão' no sentido de que 'Aplicando os valores nas fórmulas apresentadas, obtém-se que a velocidade mínima de que estaria dotado o veículo marca Honda, modelo Civic EXL, com placas de licenciamento GJA-7000 (PR – Ponta Grossa), ao iniciar as marcas de derrapagem, não era inferior a 90 Km/h (noventa quilômetros por hora). O método utilizado nos leva a uma velocidade mínima. Ignoraram-se outras perdas de energia, que não foram tecnicamente possíveis de mensurar, tais como a perda de velocidade antes da frenagem e a perda de velocidade em função do impacto com o outro veículo. Assim sendo, a margem de erro para cima não é tecnicamente possível de determinar. Ou seja, de acordo com os peritos a velocidade do veículo conduzido pelo denunciado não era inferior a 90 Km/h, mas também se atestou que era superior, de modo que o laudo pericial é, em verdade, inconclusivo. Nessas condições, não é preciso ser doutor em Física, apenas utilizar as regras da experiência comum subministradas pela observação do que ordinariamente acontece, para se concluir que o laudo pericial de fls. 218/220 não se presta a comprovar o sustentado excesso de velocidade descrito na denúncia. (...)'".

enfrentar as teses das partes, de outro. Talvez por isso não sejam raros os julgados que seguem a baliza da desnecessidade de enfrentar todas as teses esposadas pelas partes ou de valorar todas as provas produzidas. No âmbito do Superior Tribunal de Justiça, serve de exemplo ilustrativo o seguinte trecho do acórdão proferido no HC 269.084, julgado em 16 de dezembro de 2014:

> Sustenta o impetrante que o Tribunal *a quo*, ao julgar o recurso de apelação, não observou o princípio do contraditório, haja vista que "não leram as provas produzidas pela defesa" (fl. 5).
>
> Não prospera, de igual forma, a afirmação do impetrante, haja vista que o juiz ou Tribunal profere suas decisões com base no princípio do livre convencimento motivado, vale dizer, deve ser assegurado a convicção do órgão julgador por meio da livre apreciação das provas constantes dos autos[954].

Vê-se do trecho anteriormente destacado como é fácil desconsiderar provas, isto é, nem sequer valorá-las, à luz da ideia de livre apreciação da prova. Portanto, o que se tem presente é que tal preceito tem "autorizado" vários magistrados a nem sequer analisar e valorar determinadas provas, pois, quando se tem um "princípio" que diz aos juízes, nas entrelinhas, algo como "você é livre, então fique à vontade para valorar apenas o que lhe servir para formar seu livre convencimento", o contraditório e a ampla defesa ficam em segundo plano.

O problema dessa comunicação de liberdade valorativa dos magistrados e de seu livre convencimento "motivado" aparece, igualmente, nas inúmeras decisões que se conduzem na linha de uma falsa fundamentação que se embasa na "consagrada" ideia de que, "se sou livre, decido conforme a minha consciência", tão bem denunciada por Lenio Streck[955].

O drama cotidiano que esse "princípio" provoca nas partes quando acessam o resultado dos julgamentos vem bem evidenciado pelo que se produz em sede de embargos de declaração, recurso cabível, como se sabe, quando a decisão é obscura, ambígua, contraditória ou omissa (artigos 382[956] e 619[957] do Código de Processo

---

954 BRASIL. Superior Tribunal de Justiça. *"Habeas corpus" 269084*. Quinta Turma, Relator Ministro Felix Fischer, julgado em 16 de dezembro de 2014, publicado em 2 de fevereiro de 2015. Disponível em: http://www.stj.jus.br/SCON/jurisprudencia/toc.jsp?tipo_visualizacao=null&livre=%22livre+aprecia%E7%E3o+da+prova%22&b=ACOR&thesaurus=JURIDICO. Acesso em: 9 mar. 2015.

955 STRECK, Lenio Luiz. *O que é Isto? – Decido Conforme a Minha Consciência?* 2. ed. rev. e ampl. Porto Alegre: Livraria do Advogado, 2010, p. 103 e s.

956 "Art. 382. Qualquer das partes poderá, no prazo de 2 (dois) dias, pedir ao juiz que declare a sentença, sempre que nela houver obscuridade, ambiguidade, contradição ou omissão".

957 "Art. 619. Aos acórdãos proferidos pelos Tribunais de Apelação, câmaras ou turmas, poderão ser opostos embargos de declaração, no prazo de dois dias contados da sua publicação, quando houver na sentença ambiguidade,

Penal brasileiro). Aliás, a própria admissibilidade de um recurso dessa natureza, que visa, em última análise, "salvar" uma decisão nula, desmotivada, já seria motivo para se repensar a manutenção de um "princípio" da livre apreciação da prova, como também vem alertando Lenio Streck[958]. Seja como for, as consagradas saídas argumentativas esposadas por diversos magistrados nos julgamentos dos embargos de declaração, quando são indagados a respeito de suas omissões e obscuridades, são sintomáticas e revelam como as ideias de "livre apreciação da prova" / "livre convencimento do juiz" / "persuasão racional" / "livre convencimento motivado" premiam uma postura decisionista. Com efeito, uma rápida pesquisa nas páginas oficiais de jurisprudência dos tribunais brasileiros permite encontrar milhares de julgados de embargos de declaração que se saem com as "fundamentações-padrão" no sentido de que o "magistrado não é obrigado a analisar todas as teses das partes, pois goza de livre convencimento". A título ilustrativo, vale referir as seguintes decisões extraídas de julgados do Superior Tribunal de Justiça, respectivamente dos anos de 2014 e 2015:

> O magistrado não é obrigado a refutar ou analisar, ponto por ponto, as alegações feitas pela defesa ou acusação, bastando-lhe, contudo, que decida fundamentadamente, ainda que isso não importe no exame de tudo que foi dito pelas partes. O que realmente tem relevância é que a decisão contenha coerência, fundamento e suporte jurídico, dentro de todo o contexto fático-probatório trazido pelas partes ao processo, o que ocorreu na espécie[959].

> O magistrado não é obrigado a responder a todas as teses apresentadas pelas partes para fielmente cumprir seu encargo constitucional de prestar a jurisdição, mas, tão somente, decidir fundamentadamente as questões postas sob seu julgamento[960].

---

obscuridade, contradição ou omissão".

958 STRECK, Lenio Luiz. *Azdak, Humpty Dumpty e os Embargos Declaratórios*. *Consultor Jurídico – Conjur, cit.*

959 BRASIL. Superior Tribunal de Justiça. *AgRg no Resp 1260769/SP*. Quinta Turma. Relatora Ministra Laurita Vaz, julgado em 25 de fevereiro de 2014, publicado em 12 de março de 2014. Disponível em: http://www.stj.jus.br/SCON/jurisprudencia/toc.jsp?tipo_visualizacao=null&livre=%28%22n%E3o+%E9+obriga-do%22%29+E+%28%22Quinta+Turma%22+OU+%22Sexta+Turma%22+OU+%22Terceira+Secao%22%29.org.&&b=ACOR&p=true&t=JURIDICO&l=10&i=11. Acesso em: 9 mar. 2015.

960 BRASIL. Superior Tribunal de Justiça. *AgRg no Ag 1238071/PE*, Quinta Turma. Relator Ministro Jorge Mussi, julgado em 3 de fevereiro de 2015, publicado em 12 de fevereiro de 2015. Disponível em: http://www.stj.jus.br/SCON/jurisprudencia/toc.jsp?tipo_visualizacao=null&livre=%28%22n%E3o+%E9+obriga-do%22%29+E+%28%22Quinta+Turma%22+OU+%22Sexta+Turma%22+OU+%22Terceira+Secao%22%29.org.&b=ACOR&thesaurus=JURIDICO. Acesso em: 9 mar. 2013.

Aliás, em rápida visita à página oficial do Superior Tribunal de Justiça na internet, pesquisando apenas julgados disponíveis da Quinta e Sexta Turmas, e da Terceira Seção (que são as únicas a ter competência criminal), entre 2004 e março de 2022, utilizando os verbetes entre aspas "não é obrigado a se manifestar", encontram-se 74 acórdãos e 728 decisões monocráticas com o mesmo tipo de "fundamentação-padrão", nos moldes dos trechos anteriormente destacados.

Como se vê, essas ideias de liberdade de apreciação da prova e do livre convencimento do juiz têm se revelado facilitadoras de arbítrios e decisionismos.

Portanto, não é preciso muito esforço para compreender que essas "tradições" (no sentido hermenêutico) premiam a possibilidade de o juiz atuar discricionariamente, decidindo qual prova deve ser avaliada, qual não deve, qual é melhor que a outra, suficiente ou não, sem levar em conta os constrangimentos do contraditório e da ampla defesa que permitiriam o afastamento dos pré-conceitos.

Nem mesmo a pretensa solução que a doutrina encontrou, de vincular essa liberdade de apreciação da prova e do convencimento do juiz a outro "princípio" complementar, denominado de "persuasão racional", foi suficiente para evitar o decisionismo. A ideia passou a ser de que o juiz deve convencer, racionalmente, quem for o destinatário de sua decisão, fazendo-o na fundamentação da sentença, explicando por que selecionou esta e não aquela prova e por que a considerou como suficiente para formar seu "livre convencimento". A doutrina acredita que é suficiente controlar o juiz apenas pela fundamentação. Ainda que a fundamentação seja um importante mecanismo de controle da jurisdição, pois opera como uma garantia do cidadão que visa também minimizar o arbítrio e permite ser questionado o desacerto da decisão em grau recursal, não é demais considerar que ela, se manipulada retoricamente, pode se revelar insuficiente para evitar decisionismos. Soma-se ao quadro o anteriormente destacado nos julgamentos dos embargos de declaração.

Reitere-se a lição de Nilo Bairros de Brum, que deixa bem claro como o juiz, se quiser, consegue "anular" esse "controle" mediante o domínio da retórica, construindo "efeitos de verossimilhança fática" na fundamentação das decisões, os quais são capazes de imunizar as críticas à sua decisão, por mais absurda e dissociada do conjunto probatório e das pré-compreensões que o envolvem[961].

---

961 No mesmo sentido: WARAT, Luiz Alberto. *Introdução Geral ao Direito. V. I. Interpretação da Lei. Temas para uma Reformulação*. Porto Alegre: Sergio Antonio Fabris, 1994, p. 47, *in verbis*: "Quando um juiz entende que um conjunto de fatos configura uma situação normativa típica, alega sua comprovação empírica valorando os mesmos e argumentando sobre a possibilidade de valorá-los de outra forma. Retoricamente, pois, para solucionar um problema ideológico, apelando à coisificação de seu juízo de valor, apresenta o juiz suas valorações como dados susceptíveis de uma apreciação empírica. Neste jogo, os fatos adquirem as propriedades descritivas convencionadas para os termos técnicos a que se recorre para interpretá-los,

A questão não passou despercebida na reforma do novo Código de Processo Civil brasileiro que veio à lume em 2015 (nova redação do art. 489, § 1º), igualmente reproduzida na reforma parcial do Código de Processo Penal, em 2019, com a nova redação do art. 315, § 2º:

> Art. 315. A decisão que decretar, substituir ou denegar a prisão preventiva será sempre motivada e fundamentada.
>
> (...)
>
> § 2º Não se considera fundamentada qualquer decisão judicial, seja ela interlocutória, sentença ou acórdão que:
>
> I – se limitar à indicação, à reprodução ou à paráfrase de ato normativo, sem explicar sua relação com a causa ou a questão decidida;
>
> II – empregar conceitos jurídicos indeterminados, sem explicar o motivo concreto de sua incidência no caso;
>
> III – invocar motivos que se prestariam a justificar qualquer outra decisão;
>
> IV – não enfrentar todos os argumentos deduzidos no processo capazes de, em tese, infirmar a conclusão esposada pelo julgador;
>
> V – limitar-se a invocar precedente ou enunciado de súmula, sem identificar seus fundamentos determinantes nem demonstrar que o caso sob julgamento se ajusta àqueles fundamentos;
>
> VI – deixar de seguir enunciado de súmula, jurisprudência ou precedente invocado pela parte, sem demonstrar a existência de distinção no caso em julgamento ou a superação do entendimento[962].

O texto anteriormente reproduzido representa importante ganho de qualidade no controle das fundamentações das decisões judiciais. De se lamentar, no entanto, que a Associação dos Juízes Federais do Brasil (Ajufe), a Associação dos Magistrados Brasileiros (AMB) e a Associação Nacional dos Magistrados da Justiça do Trabalho (Anamatra) tenham gestionado à Presidência da República no sentido de vetar esse dispositivo no Código de Processo Civil, ainda que o tenham feito sob o argumento "retórico" (e aqui, portanto, autoexplicativo do problema) de evitar "morosidade"[963].

---

configurando um velado processo redefinitório".

962 BRASIL. *Lei 13.964, de 24 de dezembro de 2019.*

963 VASCONCELLOS, Marcos de; ROVER, Tadeu. Novo CPC – Juízes pedem veto a artigo que traz regras para fundamentação de decisões. *Consultor Jurídico – Conjur.* 4 de março de 2015. Disponível em: http://www.conjur.com.br/2015-mar-04/juizes-pedem-veto-artigo-cpc-exige-fundamentacao. Acesso em: 9 mar. 2015.

Não que o simples expurgo do texto dos Códigos de Processo Civil e de Processo Penal tenha o condão de eliminar a ideia ou a forma de alguns juízes se comportarem em relação à valoração da prova e apreciação das teses das partes. Como já se disse, mesmo que não esteja na lei, o juiz poderá continuar adotando a mesma premissa de liberdade valorativa[964]. A questão é que, ao menos, não terá amparo legal para se escudar sem mais refletir, e a regra não estará mais comunicando, expressamente, que o juiz é livre para decidir como quiser. Ademais, visando uma efetiva mudança de comportamento, passa a ser relevante o papel que a doutrina e a jurisprudência possam representar, notadamente no sentido de constranger os julgadores a perceber o problema. Isso tudo visa minimizar a possibilidade de nada mudar efetivamente, como já alertou, com precisão, Jacinto Coutinho: "Mudam as leis, mas elas dizem pouco se não muda a mentalidade dos intérpretes"[965].

O Projeto do Novo Código de Processo Penal mantém o livre convencimento no texto proposto, pouco se afastando do caminho trilhado na legislação hoje vigente. Segue a proposta de redação que está no texto do substitutivo apresentado em abril de 2018 ao Projeto de Lei 8.045/2010:

> Art. 178. O juiz formará livremente o seu convencimento com base nas provas submetidas ao contraditório judicial, indicando na fundamentação todos os elementos utilizados e os critérios adotados[966].

Esse texto, sugerido a partir das discussões da Comissão de Notáveis na elaboração do anteprojeto do novo Código de Processo Penal e mantido tanto no projeto de lei que tramitou no Senado quanto naquele que tramita na Câmara dos Deputados, bem como em seu substitutivo suprarreferido, poderia, seguindo a trilha do novo Código de Processo Civil, sofrer um pequeno ajuste de redação para minimizar o efeito comunicante da ideia de liberdade valorativa ao juiz. Retirada a palavra "livremente" e mantido o restante da escrita indicada ao novel artigo 178, já se teria um

---

964 *Vide* texto de STRECK, Lenio Luiz. Dilema de dois juízes diante do fim do Livre Convencimento do NCPC. *Consultor Jurídico – Conjur*. 19 de março de 2015. Disponível em: http://www.conjur.com.br/2015-mar-19/ senso-incomum-dilema-dois-juizes-diante-fim-livre-convencimento-ncpc. Acesso em: 14 maio 2015. Do texto, extrai-se a seguinte passagem ilustrativa da reação de parte da magistratura ao expurgo do princípio do livre convencimento no novo Código de Processo Civil: "Na ConJur, quando falei disso no final de 2014, um dos comentários que mais me impressionou foi o do juiz Mauricio Botelho. Disse ele, querendo ser sarcástico e/ ou irônico: '1 – Acabou o princípio do livre convencimento do Juiz???? Como tenho tempo para me aposentar vou pendurar as chuteiras e vou morar nos Estados Unidos. Não quero viver num país em que Juízes não sejam livres para aplicar a lei segundo sua consciência; (...)'".

965 COUTINHO, Jacinto Nelson de Miranda. *Princípios, cit.*

966 BRASIL. *Senado Federal. Projeto de Lei n. 156/2009, cit.*

avanço importante para procurar mudar a cultura interpretativa desse princípio. O texto, então, poderia ser assim redigido:

> Art. 178. O juiz formará o seu convencimento com base nas provas submetidas ao contraditório judicial, indicando na fundamentação todos os elementos utilizados e os critérios adotados.

Visto que o "livre convencimento", lido como equivalente a "decidir conforme minha consciência", fala mais forte em boa parte da magistratura brasileira no sentido de lhe comunicar uma liberdade exacerbada na valoração probatória, a retirada da expressão "livremente" do texto de lei pode contribuir para uma postura diversa na matéria. E é por conta disso que é possível dizer hermeneuticamente, com Gadamer, que o princípio do livre convencimento ou da livre apreciação da prova se constitui, nessa linha, em uma "tradição inautêntica", pois se refere a um aspecto com aparência de garantia, quando, em verdade, provoca justamente o efeito inverso, facilitando o decisionismo e o arbítrio judicial. Assim, seguindo o pensamento de Gadamer, é possível reavaliar a história dessa tradição hermenêutica, permitindo-se retirá-la "do lusco-fusco em que se encontra entre tradição e historiografia para o claro e aberto de seu real significado"[967].

3.22 A tradição inautêntica de que o "juiz inerte é garantista" e o teste empírico desmistificador de Bernd Schünemann

Trabalhando no âmbito da psicologia cognitiva, é importante a pesquisa empírica realizada por Bernd Schünemann com juízes e promotores voluntários alemães, na qual ele demonstrou como o contato com o conjunto de dados coletados no inquérito policial pode contribuir para um maior índice de condenação em razão dos chamados "efeitos perseverança e aliança"[968].

Schünemann realizou uma pesquisa levando em conta o que acontece no processo penal alemão, no qual o juiz tem contato com a investigação e ainda é o protagonista da produção probatória, com as partes atuando apenas supletivamente na fase processual[969] (em moldes similares ao que se tinha no processo penal brasileiro antes

---

967 GADAMER, Hans-Georg. *Verdade e Método I. Traços fundamentais de uma hermenêutica filosófica, cit.*, p. 397.

968 SCHÜNEMANN, Bernd. O Juiz como um Terceiro Manipulado no Processo Penal? Uma Confirmação Empírica dos Efeitos Perseverança e Aliança. In: GRECO, Luís (Coord. e trad.). *Estudos de Direito Penal, Direito Processual Penal e Filosofia do Direito.* Madrid. Barcelona, Buenos Aires. São Paulo: Marcial Pons, 2013, p. 205-221.

969 *Ibid.*, p. 206.

594 ■ Processo Penal | Fundamentos dos fundamentos

da reforma do art. 212, em 2008). E fez essa pesquisa traçando uma comparação com o "juiz norte-americano", que não tem postura ativa na produção da prova. A pesquisa tomou como base a teoria da "dissonância cognitiva" de "Festinger, na versão de Irle", segundo a qual "toda pessoa procura um equilíbrio em seu sistema cognitivo, isto é, uma relação não contraditória entre seu conhecimento e suas opiniões". Assim, explica Schünemann, "no caso de uma dissonância cognitiva, surge para o sujeito um motivo no sentido de reduzi-la e de restaurar a consonância, isto é, de fazer desaparecer as contradições". E dessa situação toda decorrem tanto o chamado "efeito inércia ou perseverança" quanto o "princípio da busca seletiva de informações". Nas palavras de Schünemann:

> por um lado, segundo o chamado "efeito inércia ou perseverança" (mecanismo de autoconfirmação de hipóteses), as informações que confirmam uma hipótese que, em algum momento anterior fora considerada correta, são sistematicamente superestimadas, enquanto as informações contrárias são sistematicamente menosprezadas. Por outro lado, segundo o "princípio da busca seletiva de informações", procuram-se, predominantemente, informações que confirmam a hipótese que, em algum momento prévio, fora aceita ("acolhida pelo ego"), tratem-se elas de informações consoantes, ou de informações dissonantes, desde que, contudo, sejam facilmente refutáveis, de modo que elas acabem tendo um efeito igualmente confirmador[970].

Essa teoria foi, então, aplicada ao papel do juiz na audiência criminal, segundo algumas variantes consideradas pelas hipóteses selecionadas por Schünemann a partir dos modelos de juiz alemão e norte-americano. Foram tomadas, então, como "variáveis independentes", o "conhecimento dos autos" (existente/inexistente) e os "direitos de inquirição na audiência" (possibilidade de inquirir testemunhas: sim/não)[971]. E, explica Schünemann, o "material de estímulo" foi um processo criminal real pelo crime de favorecimento a fuga de preso (*Gefangenenbefreiung, §120 StGB*). Tratava-se de um processo que estava absolutamente em aberto, no qual era possível – segundo Schünemann –, "sem erro técnico, tanto absolver, quanto condenar"[972]. Participaram da pesquisa 58 juízes criminais e promotores de diversas regiões da Alemanha.

---

970 *Ibid.*, p. 208.
971 *Ibid.*, p. 209.
972 *Ibid.*, p. 209.

O mais relevante é que nessa pesquisa, não obstante Schünemann estivesse mais preocupado com a influência de contaminação dos autos de investigação com o atuar do juiz na instrução processual, também se encontra o resultado empírico a demonstrar que os juízes que tinham a possibilidade de inquirir testemunhas em audiência condenaram menos que aqueles que não podiam formular perguntas às testemunhas. Conjugando as variáveis "apenas audiência de instrução e julgamento" (portanto, sem acesso aos autos de investigação) e "existência de possibilidade de inquirir testemunhas", em comparação com as variáveis em sentido contrário, foram significativas as diferenças de resultado, com os juízes absolvendo mais naquelas ocasiões nas quais puderam inquirir as testemunhas. Nas palavras de Schünemann:

> Ainda que se deixem de lado outros resultados, como a avaliação visivelmente mais crítica dos promotores e a ainda mais intensa distorção das sentenças dos juízes sem possibilidade de inquirição, pode-se considerar confirmada a primeira hipótese: o conhecimento dos autos da investigação preliminar tendencialmente incriminadores leva o juiz a condenar o acusado, ainda que a audiência seja ambivalente, o que sugeriria uma absolvição[973].

E, mais adiante, o mesmo Schünemann conclui qual seria, então, a melhor opção para uma reforma do processo penal alemão na questão do papel do juiz em relação à prova. Repete-se, aqui, a síntese de Schünemann destacada no início desta seção:

> Quanto à questão atinente à reforma processual, é de se afirmar que a figura do juiz que apresenta os melhores resultados no processamento de dados é justamente uma que não é típica nem do modelo processual americano, nem do alemão, a saber: o juiz sem conhecimento dos autos, mas dotado de direitos próprios de inquirição[974].

Esses resultados da pesquisa empírica de Schünemann, portanto, e ainda que se leve em conta que estão voltados para um juiz formado numa cultura alemã, desmitificam a ideia de que o juiz inerte julgaria de forma mais "garantista". Claro que a ideia de "garantismo" não tem nenhum necessário compromisso com a absolvição, mas alguns autores modernos de processo penal têm trabalhado com essa visão, isto é, de que o juiz deveria ingressar no processo comprometido com a absolvição do

---

973 *Ibid.*, p. 211.
974 *Ibid.*, p. 217.

acusado, como afirma, por exemplo, Salah H. Khaled Jr.[975]. Assim, os resultados da pesquisa afastam, igualmente, o mito de que é certo dizer que "quem procura, procura algo", como quem, necessariamente, vá em busca de provas para condenar, como vem sendo sustentado por alguns doutrinadores[976]. A "procura" probatória dos juízes criminais, como se viu da experiência de Schünemann, serviu muito mais para absolver do que para condenar. E, mesmo que se possa querer dizer que os juízes brasileiros estão inseridos noutra cultura, ainda assim não há como inferir e concluir de maneira até mesmo reducionista que eles, seres humanos que são, estejam sempre à procura de algo para punir.

Por fim, outro mito que necessita ser revisitado diz respeito à máxima "*in dubio pro reo*" como proposta de "solução" que encaminharia o juiz inerte e em dúvida, invariavelmente, para a decisão absolutória, como se passa a expor.

3.23 A tradição inautêntica do *in dubio pro reo* como "solução" para as dúvidas do juiz inerte

Em parte da doutrina mais moderna de processo penal, vinculada ainda à dicotomia dos sistemas "puros", alguns autores vêm sustentando que haveria uma lógica "garantista"[977] na inércia judicial e na falta de provas para compreender o caso penal

---

975 KHALED JR., Salah H. *A Busca da Verdade no Processo Penal: para além da ambição inquisitorial, cit.*, p. 536, *in verbis*: "Como aponta Lopes Jr., 'além da independência, só um juiz consciente de seu papel de garantidor e que, acima de tudo, tenha dúvida como hábito profissional e como estilo intelectual, é merecedor do poder que lhe é conferido'. O juiz deve partir de uma premissa básica: ele deve entrar no processo predisposto a absolver e, caso venha a ficar em dúvida, é obrigado absolver. Trata-se de uma exigência inafastável de um processo penal fundado na presunção de inocência em oposição aos excessos persecutórios de um processo fundado no conceito de inimigo e na ambição de verdade". Ao que parece, Salah Khaled Jr. segue a linha de compreensão do papel do juiz dada por Amilton Bueno de Carvalho, referida, ao menos, em dois trabalhos do autor: CARVALHO, Amilton Bueno de. *Direito Alternativo em Movimento*. 2. ed. Rio de Janeiro: Luam, 1997, p. 27 e s. e CARVALHO, Amilton Bueno de. *Eles, os Juízes Criminais, Vistos por Nós, os Juízes Criminais*. 2. ed. Rio de Janeiro: Lumen Juris, 2014, p. 9, *in verbis*: "é dever constitucional do juiz ingressar no feito convencido da inocência do acusado: é um pré-juízo constitucional. E, mais adiante, na página 21, o autor esclarece seu modo de pensar o Estado, isto é, apenas sob o prisma da contenção (e até mesmo eliminação) do poder: *...o direito é sistema de garantias visando à proteção do cidadão contra o poder que tende inexoravelmente ao abuso. Vou um pouco mais longe – sinto-me muito próximo dos anarquistas, o que me leva, em consequência, a chegar perto do abolicionismo. Não consigo vislumbrar o bom poder: ele é puro abuso*".

976 *V.g* na linha sustentada por LOPES JR., Aury. *Teoria da dissonância cognitiva ajuda a compreender imparcialidade do juiz. Consultor Jurídico – Conjur*, 11 de julho de 2014. Disponível em: http://www.conjur.com.br/2014-jul-11/limite-penal-dissonancia-cognitiva-imparcialidade-juiz. Acesso em: 10 nov. 2014. Vale o registro de que PRADO, Geraldo. *Sistema Acusatório A Conformidade Constitucional das Leis Penais, cit.*, p. 158, não chega a vincular essa "procura" a algo que necessariamente venha em prejuízo do réu, mas revela sua preocupação quanto à imparcialidade. Diz Geraldo Prado: "quem procura sabe ao certo o que pretende encontrar e isso, em termos de processo penal condenatório, representa uma inclinação ou tendência perigosamente comprometedora da imparcialidade do julgador".

977 A impressão que passam é que o raciocínio que esposam seria como a vincular a ideia de "garantismo" a uma postura que premiasse apenas a absolvição ou algo como a enxergar o Estado sempre como uma espécie de vilão, um Leviatã. Em certa medida, a doutrina de Ferrajoli contribui para essa postura, ao premiar a ideia de proteção do mais débil e enxergar como tal, no processo penal, apenas o acusado frente ao Estado.

que resultaria, inevitavelmente, na absolvição do acusado: acreditam que o juiz inerte e em dúvida sempre absolverá e que isso seria "garantido" pelo princípio da presunção de inocência e seu consequente "*in dubio pro reo*". Nesse sentido, cita-se, por todos[978], a seguinte passagem da obra de Salah H. Khaled Jr.:

> Diferentemente, se o juiz em questão assumir um horizonte compreensivo ciente da imparcialidade que lhe cabe no sistema acusatório, necessariamente decidirá pela improcedência da acusação por falta de provas que corroborem a hipótese acusatória, pois não há necessidade de satisfação de qualquer ambição de verdade para absolver, e a dúvida já basta para que ela se imponha, em função do in dubio pro reo. Não vemos como a concessão de poderes instrutórios ao juiz para "buscar a verdade" possa ter qualquer finalidade que não o favorecimento da incidência do poder punitivo, uma vez que a suposta dúvida que autoriza a sua intervenção deveria conduzir a uma exigência de absolvição, condizente com o critério de democraticidade que deve guiar o processo[979].

Vale destacar, do trecho supratranscrito, que o autor afirma não enxergar "qualquer finalidade" que não seja "o favorecimento da incidência do poder punitivo" na atividade probatória do juiz quando ele estiver em dúvida. O discurso pode parecer sedutor, notadamente se lido apressadamente e com a vinculação prévia nas crenças reducionistas da dicotomia dos sistemas com suas pretensões de pureza e da "bondade" humana. Olvida-se, no entanto, uma série de coisas.

Já de início, não se leva em conta o alerta que Wittgenstein deixou em seus textos "*post mortem*" reunidos sob o título *Da Certeza*:

---

978 Destaca-se, na doutrina estrangeira e no mesmo sentido, a obra de GUZMÁN, Nicolás. *La Verdad en el proceso penal. Una Contribución a la Epistemología Jurídica*. Buenos Aires: Editores del Puerto, 2006, p. 183: *El juez no necesita conocer la verdad de lo acontecido y mucho menos debe buscarla, puesto que cuando no llega a conocerla cuenta con los criterios jurídicos de decisión (el principio de inocencia y el in dubio pro reo) que le dan las armas necesarias para decidir.* Na doutrina nacional, Salah H. Khaled Jr. segue o pregado por LOPES JR., Aury. Teoria da Dissonância Cognitiva Ajuda a Compreender a Imparcialidade do Juiz, *cit.* Existem outros importantes autores a sustentar essa mesma linha, *v.g.*, CHOUKR, Fauzi Hassan. Modelos Processuais Penais: apontamentos para a análise do papel do juiz na produção probatória. *Ativismo Judicial e Garantismo Processual*. DIDIER JR., Fredie; NALINI, José Renato; RAMOS, Glauco Gumerato; LEVY, Wilson (Coordenadores). Salvador: Juspodivm, 2013, p. 187-197, p. 194; e HARTMANN, Helen. Alguns Apontamentos Sobre o Projeto de Lei 156/2009 e o Interrogatório do Acusado. *O Novo Processo Penal à Luz da Constituição: análise crítica do projeto de lei n. 156/2009, do Senado Federal*. Rio de Janeiro: Lumen Juris, 2010, p. 77-89, p. 81; AMARAL, Augusto Jobim do. *Política da Prova e Cultura Punitiva: a governabilidade inquisitiva do processo penal brasileiro contemporâneo*. São Paulo: Almedina, 2014, p. 465.

979 KHALED JR., Salah H., *cit.*, p. 186-187.

Porém digo: "Aqui, nenhuma pessoa razoável duvidaria" – Pode-se imaginar que juízes instruídos fossem questionados sobre se uma dúvida seria razoável ou despropositada? Há casos em que a dúvida é despropositada, mas há casos em que ela parece ser logicamente impossível. E entre eles não parece haver uma fronteira precisa[980].

Na mesma linha de Wittgenstein, Paolo Ferrua e Barbara Lavarini alertam que esse "ideal de uma prova rigorosamente indubitável somente se realiza nas ciências formais, nas quais se trata de desenvolver logicamente certos axiomas e a prova se explica através da demonstração matemática"[981].

Olvida-se, igualmente, o que, na mesma trilha de compreensão, Bertrand Russell também questionou: "Existe no mundo algum conhecimento tão certo que nenhum homem razoável possa dele duvidar?". E ele mesmo alertou para se evitar uma resposta apressada: "Esta questão, que à primeira vista poderia não parecer difícil, é, na realidade, uma das mais difíceis que podemos fazer"[982].

Ou seja: assim como não há como se ter um "conhecimento tão certo que nenhum homem razoável possa dele duvidar", não há como estabelecer fronteiras entre juízos de valor de valores individuais em relação a um conjunto probatório.

Mas, sobretudo, nesse ponto a parcela da doutrina moderna que trabalha nessa linha parece desconsiderar que a solução apresentada para justificar a inércia do juiz é fundada no mito oresteico-cristão do *"in dubio pro reo"*.

Como se vê na passagem do julgamento de Orestes, acusado de matar a própria mãe na tragédia grega antiga denominada *Oresteia*, de Ésquilo (já mencionada), o mito do *"in dubio pro reo"* foi construído na tragédia grega pela vontade da deusa Atena, que resolveu absolver Orestes quando o resultado da votação de um colegiado em número par de jurados deu empate. Não se perca de vista que essa absolvição é pautada na vontade de uma deusa, de um ser mitológico e, portanto, não humano, e decorre do resultado matemático do empate de votos colhidos dos jurados. À luz das condições traçadas na tragédia grega (empate matemático somado a uma postura divina que nunca erra justamente porque é deus), pode-se considerar que, aos olhos de hoje, ela também se revela algo como um mito, uma crença de que o ser humano, de que o juiz ser-no-mundo,

---

980 WITTGENSTEIN, Ludwig. *Da Certeza*. Edição bilíngue. Tradução de Maria Elisa Costa. Lisboa: Edições 70, 2012, p. 275 e 277.

981 FERRUA, Paolo; LAVARINI, Barbara. *Diritto Processuale Penale. Appunti per gli studenti di Psicologia*. Torino: G. Giappichelli Editore, 2011, p. 75. Tradução nossa.

982 RUSSELL, Bertrand. *Os Problemas da Filosofia*. Tradução de Jaimir Conte. Florianópolis: Editora UFSC, 2005, p. 7.

em dúvida, tal qual um deus grego, sempre absolverá. Com isso não se quer desfazer o valor do "*in dubio pro reo*" na formação de um processo orientado pela proibição de excesso, ou mesmo afirmar que os gregos não acreditassem na ideia dos mitos, até porque, como expõe Paul Veyne, os gregos de fato neles acreditavam; fossem eles verdadeiros, verossímeis ou inverossímeis, o fato é que consideravam os mitos como fruto de uma espécie de verdade decorrente de seu programa cultural[983], no qual o mito é "verdadeiro" justamente porque faz parte desse programa cultural. Nas palavras de Paul Veyne:

> Mitos verdadeiros, verossímeis, inverossímeis; na história só se admitem os primeiros, mas os segundos são admitidos como cultura geral: pode-se tomar os temas das tragédias e citá-los como exempla retóricos, tal como os psicólogos e filósofos modernos invocam exemplos tirados dos romanos; estes "exempla", dizem Quintiliano e Díon, se não são acreditados, pelo menos são aceitos como argumentos[984].

Enfim, Paul Veyne considera, com essas observações, que ele não quer dizer "de forma alguma que a imaginação anunciaria as futuras verdades e que deveria estar no poder, mas que as verdades já são imaginações e que a imaginação está no poder desde sempre; ela e não a realidade, a razão ou o longo trabalho do negativo"[985]. Ou seja: o mito está desde sempre visto como verdade ou, quando muito, "são aceitos como argumentos".

Do mito grego oresteico, a questão da dúvida como critério de absolvição encontrou eco em Ulpiano[986] e, nos moldes do "*non liquet*", foi implicitamente admitida nas *Institutas* de Gaio, na máxima "a condição do réu deve ser favorecida em relação à do autor", incorporada no *Digesto* de Justiniano (50.17.125). De Dominicis, por sua vez, explicita que não há referência expressa ao "*in dubio pro reo*" no *Corpus Iuris Civilis*[987]. Posteriormente, já no século XIII, apareceu, também, nas *Siete Partidas*

---

983 VEYNE, Paul. *Acreditavam os Gregos em Seus Mitos? Ensaio Sobre a Imaginação Constituinte.* Tradução de Horácio González e Milton Meira Nascimento. São Paulo: Brasiliense, 1984, p. 27, 58, 85-86, 129-130, e 133.

984 *Ibid.*, p. 86.

985 VEYNE, Paul. *Acreditavam os Gregos em Seus Mitos? Ensaio Sobre a Imaginação Constituinte, cit.*, p. 10.

986 FERRAJOLI, Luigi. *Diritto e Ragione: teoria del garantismo penale.* Roma-Bari: Laterza, 1997, p. 643, nota 12, e p. 92, nota 25.

987 DE DOMINICIS, M.A. Brev. Pauli Sententiarum IV, 12, § 5 e l'Origine Romano-Cristiana del Principio "In Dubiis Pro Reo": in tema di riforma dubitativa. *Archivio Penale*, XVIII, I, Roma: *Juris Domus*, 1962, p. 411-417, p. 414, nota 11. Por outro lado, há quem considere ter sido tratado também no Corpus Iuris Civilis, como refere NIEVA FENOLL, Jordi. *La Duda en el Proceso Penal, cit.*, p. 65.

600 ■ Processo Penal | Fundamentos dos fundamentos

de Alfonso X; quando em dúvida, e sendo o acusado um "homem de boa fama", o juiz deveria soltá-lo, prevalecendo a presunção de inocência[988].

Foi, porém, nas estruturas processuais dos jurados cristãos e anglo-saxões da Idade Média que a ideia se consolidou – ainda que o *standard* de optar pela condenação somente quando se atingir um juízo valorativo para além de uma dúvida razoável (*"beyond a reasonable doubt"*) não estivesse bem formulado no plano teórico até o século XIX, quando então passou a ser incorporado como princípio norteador do processo penal norte-americano[989]. Porém, essa nova fórmula da dúvida ao longo da Idade Média, na Inglaterra, designava-se a dar conforto espiritual aos ansiosos – e tementes a Deus – jurados cristãos. Como se sabe, a moral teológica cristã prega o perdão ao próximo, o "dai a outra face", o "perdoai-nos assim como nós perdoamos a quem nos tem ofendido", como vem externado na tradicional reza do *Pai-Nosso*. O *Novo Testamento*, em Mateus 7:1, estabelecia essa moral sintetizada no alerta: "Não queirais julgar, para que não sejais julgados"[990]. Ademais, naquela época já era forte a ideia de que condenar um inocente representava um pecado mortal e a consequente condenação ao inferno do juiz que assim agisse. Ser cristão e jurado por volta do século XVIII na Inglaterra, portanto, representava a grande chance de "construir para você mesmo uma mansão no inferno"[991]. E, como afirma James Whitman, há fortes indicativos de que os jurados levavam isso mesmo a sério, como se viu em vários julgamentos ocorridos nos setecentos, particularmente num caso de 1785[992]. A questão, então, era criar uma fórmula legal capaz de fazer com que os jurados – essencialmente cristãos – se sentissem "capazes", "confortáveis" espiritualmente para condenar alguém sem se sentir culpados perante a religião. Procurou-se, assim, proteger a alma dos jurados da "danação eterna"[993], e essa máxima permanece até hoje como "um fóssil vivo de uma velha moral do mundo"[994].

Essa velha moral cristã, no entanto, já não é a mesma, principalmente depois de Nietzsche. No mundo de hoje, como escreve Whitman, os julgamentos "não são mais eventos nos quais vizinhos cristãos tomam a difícil decisão moral de 'confirmar'

---

988 ALFONSO EL SABIO, Rey. *Las Siete Partidas*. Madrid: Imprenta Real, 1807. Disponível em: www.archive. org/details/lassietepartidas01castuoft. Acesso em: 2 out. 2010.

989 LANGBEIN, John. H. The Criminal Trial before the Lawyers. *The University of Chicago Law Review*, v. 45, n. 2, inverno 1978, p. 263-316, p. 266.

990 BÍBLIA SAGRADA READER'S DIGEST. Rio de Janeiro: Reader's Digest do Brasil, 2001, p. 874.

991 WHITMAN, James Q. *The Origins of Reasonable Doubt. Theological Roots of the Criminal Trial*. New Haver & London: Yale University Press, 2008, p. 4.

992 *Ibid.*, p. 4 e p. 192 e s.

993 *Ibid.*, p. 3.

994 *Ibid.*, p. 4.

acusações contra membros de suas comunidades" e "vive-se numa era de um desconforto moral bem menor"[995].

Com efeito, não é preciso muito esforço para compreender que "*ser-no-mundo*" hoje – que "*ser-juiz-no-mundo*" hoje – é viver numa sociedade complexa e em grande parte movida pelo consumo. Zygmunt Bauman vinha alertando há tempo para o fato de que, nesta sociedade global do consumo em que também vive o juiz, o sonho maior de uma boa parte da população é, paradoxalmente, poder retomar comportamentos medievais, isolando-se dos "outros", dos "estranhos", encastelados em condomínios fechados e "*shopping centers*", "envoltos por grades, circuitos fechados de televisão e patrulhas de segurança" que se configuram em "equivalentes modernos dos fossos e pontes levadiças"[996], circulando em veículos blindados e trabalhando em "edifícios inteligentes", onde, por mais que se seja convidado de honra do proprietário, só se ultrapassa as catracas da segurança depois de constrangedor interrogatório e fichamento pessoal na portaria.

Esse estranho "ideal de vida" decorre, em grande medida, dos "tempos líquidos" de que fala Bauman, do fato de que se vive num chamado "medo ambiente violento", fruto de um modelo de sociedade globalmente consumista, em que as pessoas muitas vezes valem mais pelos bens materiais que possuem do que pelo que efetivamente são; em que os referenciais de valores positivos estão distorcidos, confusos, esquecidos; em que o uso de drogas é cada vez mais generalizado, sem que medidas preventivas constantes, universais e concretas sejam levadas a cabo; em que os grandes discursos que moveram o século passado são dados por muitos como mortos; em que os ideais de uma Madre Teresa de Calcutá e de São Francisco de Assis muitas vezes soam apenas como referências utópicas, por vezes distantes, notadamente se confrontados com o noticiário, que revela a corrupção vergonhosa de alguns falsos líderes políticos flagrados em sucessivos escândalos nas searas pública e privada. Nesse contexto, como afirma Jacinto Coutinho, "a questão está em enfrentar os problemas que apresenta ao Direito essa sociedade de risco, principalmente em um país como o nosso"[997].

Num mundo com esse forte perfil consumista, portanto, de uma sociedade de valores multifacetados[998], não é mais possível "apostar todas as fichas" nesse "*standard*" da dúvida, nos dias atuais, como solução simplista para o caso penal a ser decidido por um "ser-no-mundo-juiz", o qual, em diversas ocasiões, toma decisões pautadas mais pelo efeito que elas terão sobre os espectadores do que sobre os "jogadores processuais", para

---

995 *Ibid.*, p. 19. Tradução e adaptação nossa.

996 BAUMAN, Zygmunt. *A Sociedade Individualizada: vidas contadas e histórias vividas*. Tradução de José Gradel. Rio de Janeiro: Zahar. 2008, p. 258 e s.

997 COUTINHO, Jacinto Nelson de Miranda. O Estrangeiro do Juiz ou o Juiz é o Estrangeiro? *Direito e Psicanálise. Interseções a Partir de "O Estrangeiro" de Albert Camus*, cit., p. 69-83, p. 71.

998 CUNHA MARTINS, Rui. *O Ponto Cego do Direito. The Brazilian Lessons*, cit., p. 102 e s.

602 ■ Processo Penal | Fundamentos dos fundamentos

usar a metáfora de Gadamer e, ainda com ele, também compreender que, justamente ao se transformar o processo numa "competição de espetáculo", corre-se o "risco de perder seu verdadeiro caráter lúdico como competição"[999] em contraditório, em que os valores morais cristãos e o "medo" são outros, construídos em grande medida pela mídia.

Portanto, a realidade de hoje é muito diferente daquele medo de arder no inferno no caso de se condenar um inocente que consolidou o princípio da dúvida, tanto na pré-modernidade quanto na modernidade (e, para alguns, ainda na "pós-modernidade"), por resistência da influência do sagrado no processo de secularização.

Assim, esse "*standard*" de somente condenar quando se alcançar um juízo "*beyond a reasonable doubt*" até serviu de orientação para os jurados medievais, mas não se ajusta ao juiz profissional de agora e, mais do que isso, não explica "por que um juiz resolveu de um modo ou de outro, que é o autenticamente importante", como expõe Jordi Nieva Fenoll[1000]. De fato, ainda que a ideia de que, em dúvida, o julgador deverá sempre optar pela absolvição seja um discurso importante e que deveria ser levado em conta invariavelmente, e ainda que dogmaticamente se tenha a pretensão de criar uma cultura nesse sentido, por vezes não passa de um discurso programático que pode ser – e em inúmeras ocasiões é – violado por convicções pessoais do julgador, muitas vezes até mesmo de forma inconsciente. É claro que o juiz não diz na sentença que está em dúvida, mas, mesmo assim, condena[1001]. Ao contrário, em casos como esse, ele costuma valer-se das técnicas de retórica que imunizam seu discurso, como já detalhado por Nilo Bairros de Brum em seu "*capolavoro*"[1002].

Há também o risco de o juiz de primeiro grau, mesmo em dúvida, querer favorecer ou "dar uma satisfação" à vítima, "jogando" a responsabilidade de eventual confirmação ou absolvição ao segundo grau de jurisdição, como alerta Carlo Piergallini, analisando o direito italiano e citando Carlo Enrico Paliero[1003], que chega a afirmar que os juízes de primeiro grau podem agir orientados pelo "*in dubio pro culpa*":

---

999 GADAMER, Hans-Georg. *Verdade e Método I. Traços fundamentais de uma hermenêutica filosófica, cit.*, p. 163.

1000 NIEVA FENOLL, Jordi. *La Valoración de la Prueba, cit.*, p. 87. Tradução nossa.

1001 Isso sem desconsiderar que também há casos nos quais o juiz não está intimamente em dúvida (ao contrário: tem certeza da culpa), mas acaba absolvendo por não haver prova suficiente a demonstrar sua certeza, como ocorreu no famoso julgamento de O.J. Simpson, nos Estados Unidos, no qual uma das juradas do caso, Aschenbach, declarou "estar intimamente convencida da culpabilidade de Simpson, mas que votava pela absolvição porque a lei assim a obrigava a agir, porquanto as provas trazidas pela acusação suscitavam muitas dúvidas". Ainda que essa postura possa ser encontrada em alguns julgadores, a toda evidência, dada a natureza humana, ela não é a regra. Conforme STELLA, Federico; GALAVOTI, Maria Carla. L'Oltre il Raggionevole Dubbio Come Standard Probatorio: le infondate divagazioni dell'epistemologo Laudan. *Rivista Italiana di Diritto e Procedura Penale*. Milano: Giuffré, 2005, p. 883-937, p. 914.

1002 BRUM, Nilo Bairros de, *cit.*, p. 72 e s.

1003 PALIERO, Carlo Enrico. *Processo penale: diventa la regola l'inappellabilità dei proscioglimenti – Il "Ragionevole Dubbio" Diventa Criterio. Guida al Diritto*, n. 10, Milano: Il Sole 24 Ore, 2006, p. 73 e s.

"Um não declarado, porquanto inconfessável, critério do juízo de primeiro grau orientado pelo in dubio pro culpa, diante de uma quase absoluta intangibilidade, e sucessiva não verificabilidade do mérito de pronuncia absolutória" (cf. C.E. PALIERO, A *"dúvida razoável"*, cit., p. 73). De consequência, à fórmula introduzida com a reforma se atribuiria também a tarefa de enraizar um impulso emocional dos juízes na direção de uma maior proteção das "vítimas" no processo de primeiro grau: na presença de um material probatório mal-compreendido, poliglota, os juízes poderiam cair na tentação de confiar ao Tribunal a responsabilidade de um veredito absolutório, sem prejudicar, imediatamente, os interesses das partes ofendidas[1004].

E isso se dá, como explica Sentís Melendo, também porque "o juiz que diz, em sua sentença, que absolve pela dúvida, pelo benefício da dúvida, que decide a favor do réu, não está em dúvida; está firme e seguro de que não possui provas; de que não tem, ao menos, as suficientes para condenar; e sem provas não se pode condenar"[1005].

Uma rápida "visita" às sentenças criminais proferidas no Brasil dos dias de hoje, de casos nos quais se discute se o comportamento do agente era de tráfico de drogas ou de uma conduta apenas de porte para uso da droga, é suficiente para verificar quão flexível a "razoabilidade da dúvida" pode ser. Se as cinco condutas nucleares do tipo penal do art. 28 da Lei 11.343/2006 (porte para consumo próprio) são rigorosamente as mesmas encontradas no art. 33 da mesma lei (tráfico de drogas), a única diferença entre as duas figuras penais é o elemento subjetivo diverso do dolo presente no art. 28: "para consumo pessoal". Sucede que, nos milhares de casos que chegam anualmente aos tribunais de Justiça com condenação em primeiro grau por tráfico, o que se encontra no plano probatório costuma ser, em sua vasta maioria, amplamente duvidoso. Como se sabe por experiência de atuação como procurador de Justiça perante a Terceira Câmara Criminal do Tribunal de Justiça do Paraná, especializada nessa matéria, boa parte dos casos que chegam à segunda instância resume-se naquilo que se pode definir como sendo a fórmula matemática do tráfico de drogas: a Polícia Militar relata ter recebido uma notícia anônima de que haveria um traficante na região tal, com determinadas características físicas. Em verificação da notícia anônima, a Polícia Militar aborda um sujeito na rua,

---

1004 PIERGALLINI, Carlo. La Regola dell'"Oltre Ragionevole Dubbio" al Banco di Prova di un Ordinamento di Civil Law. *Rivista Italiana di Diritto e Procedura Penale*. Milano: Giuffré, 2007, p. 593-647, p. 594. Tradução nossa.

1005 SENTÍS MELENDO, Santiago. *In dubio pro reo*. Buenos Aires: Ediciones Jurídicas Europa-America, 1971, p. 81. Tradução nossa.

procede à sua revista pessoal e encontra com ele pequena quantidade de droga num dos bolsos da calça e, no outro, algumas notas de dinheiro em pequenos valores. Não interessa o que ele estava fazendo no momento, tampouco suas alegações no sentido de que a droga encontrada seria para consumo pessoal. O quadro identificado é o que costuma bastar para a prisão em flagrante por tráfico, para a denúncia e respectiva condenação, sempre por tráfico.

Esse quadro corriqueiro de casos denunciados e condenados em primeiro grau, no entanto, por evidente, apresenta, para dizer o mínimo, elevado índice de dúvida a respeito do elemento subjetivo diverso do dolo em relação ao acusado. E, havendo essa dúvida, o que a dogmática moderna espera e o que a Constituição da República de 1988 determina é que a pessoa abordada pela Polícia Militar nas condições anteriormente indicadas tenha sua conduta desclassificada para o delito de "porte para uso" ou até mesmo seja absolvida pelo juiz em primeiro grau. Aliás, não deveria nem sequer ter sido lavrado o flagrante e sido oferecida a denúncia em relação a ele. O que se vê, portanto, é que, mesmo em dúvida, a condenação por tráfico de drogas também aflora, e com certa facilidade, em casos que apresentam determinado padrão de conduta e de prova, frequentes no foro.

Crimes de lesão corporal ou homicídio no trânsito nos quais a discussão orbita em definir se houve dolo eventual ou culpa consciente também são sintomáticos a revelar como os tribunais costumam julgar contra o acusado, mesmo em dúvida. Até o Supremo Tribunal Federal chegou a praticamente "matematizar" a identificação probatória do dolo eventual, passando a considerá-lo toda vez que o caso apresentar embriaguez + velocidade excessiva[1006]. Não é preciso muito esforço para compreender como essa interpretação é equivocada e premia um "*in dubio pro culpa*", pois conduz à ideia – falsa, frise-se – de que, em todos os casos em que o sujeito esteja embriagado e acima da velocidade permitida, ele não se importe com o resultado lesão ou morte das pessoas que vier a atingir com seu veículo. Não há como se admitir essa "fórmula" do dolo eventual, salvo na flexibilização da presunção de inocência. Casos como esse revelam, de forma clara, como nem sempre a dúvida é lida em favor do acusado[1007].

1006 *Verbi gratia*: BRASIL. Supremo Tribunal Federal. *"Habeas corpus" n. 115352/DF*. Segunda Turma, Relator Min. Ricardo Lewandowski, julgado em 16/04/2013. Disponível em: http://www.stf.jus.br/portal/jurisprudencia. Acesso em 7 de setembro de 2014. Ementa: "(...) No caso sob exame, o paciente foi condenado pela prática de homicídio doloso por imprimir velocidade excessiva ao veículo que dirigia, e, ainda, por estar sob influência do álcool, circunstância apta a demonstrar que o réu aceitou a ocorrência do resultado e agiu, portanto, com dolo eventual. IV – *Habeas corpus* denegado".

1007 O problema também é tratado como decorrente de crenças em "máximas de experiência", como indica, UBERTIS, Giulio. *Sistema di Procedura Penale I. Principi Generali, cit.*, p. 68 e s. Sobre o tema, de forma crítica, refere PIERGALLINI, Carlo. *La Regola dell'"Oltre Ragionevole Dubbio" al Banco di Prova di un Ordinamento di Civil Law, cit.*, p. 626 e s. "Não menos desprezível aparece o problema de aplicação da fórmula *'Bard'*

O que sucede em casos como os aludidos anteriormente é explicado pela psicologia cognitiva de Amos Tversky e Daniel Kahneman como sendo um "julgamento por representatividade"[1008] que se costuma realizar mentalmente. No caso do tráfico de drogas, por exemplo, criou-se uma representação, uma ideia – nem sempre falsa, mas que passou a ser padronizada e aceita como "suficiente" – de se acreditar na notícia anônima, pois ela teria sido "confirmada" com a descoberta da droga e do dinheiro no bolso. Assim, afasta-se, pela "heurística da representação", a possibilidade de ele ser mero consumidor, porquanto, além da notícia, houve o flagrante pelo porte da droga, e as notas de dinheiro de pequeno valor no bolso da calça conduzem, no imaginário das probabilidades aceitas, a considerá-las produto do comércio de drogas. Logo, o policial militar, o delegado, o promotor e o juiz acabam considerando, mentalmente, que o sujeito "só pode ser traficante". Mas há certeza nessa afirmação? Há prova capaz de concluir nesse sentido? Óbvio que não, mas o resultado tem sido lido sob a ótica de que isso "não importa", pois a aparência, ou o estereótipo, resolve o processo decisório, e, mesmo havendo dúvida – no caso, pode-se até afirmar que a certeza seria inversamente proporcional à condenação esposada –, não raras vezes é a condenação por tráfico de drogas o que se tem.

Na "heurística da representatividade", a probabilidade de que o sujeito abordado com a droga e com o dinheiro trocado no bolso seja traficante "é avaliada segundo o grau em que ele é representativo, ou similar ao estereótipo" de um traficante[1009].

– (Beyond a Reasonable Doubt) – em relação à prova do dolo e daqueles elementos objetivos, a exemplo da causalidade psicológica, que também passam na mente do agente. Ao contrário da causalidade naturalística, não existem, ou ocorrem raramente, de fato, as leis científicas sobre quais recaem. De resto, a prova sobre esse tema sempre se constituiu em algo difícil, não raras vezes contornada por um desenvolvido apelo às máximas de experiência. É bem sabido que a noção de máxima de experiência abre o campo de consideráveis nós problemáticos. A afirmação segundo a qual ela consistiria em regras gerais derivadas indutivamente da experiência, no pressuposto de que a cultura média da sociedade esteja em condições de resumir as experiências mais diversificadas na forma de leis gerais, abre o caminho para objeções consideráveis. É verdade que, em alguns casos limitados, a máxima da experiência pode ter como base um conteúdo cognoscitivo comparável àquele das leis científicas gerais (universais ou estatísticas), de modo a não alimentar os problemas particulares de aplicação. A situação é, no entanto, muito mais incerta quando a máxima é desprovida de qualquer suporte científico ou estatístico, resumindo-se a um enunciado que provém inteiramente da experiência, dos fatos. Nesses termos, é necessário proteger-se contra o risco de recorrer a critérios de inferência falsa, ou pior ainda, de transformar o objeto a ser provado num critério de inferência: o abismo da patologia probatória se desenrola perigosamente. E, de fato, dizer que a máxima consiste numa noção de senso comum não permite desconsiderar que as noções de senso comum são baseadas em práticas de comportamento desleixadas, pouco rigorosas e, finalmente, pouco confiáveis. Além disso – já nos perguntaram –, 'a experiência de quem é relevante para o desenvolvimento de uma máxima? Aquela do juiz? Mas então, quantos casos deve ter visto e decidido o juiz para formar-se essa experiência?'. Sem contar que o 'saber' do juiz, no caso das máximas de experiência, reflete o risco de derivar de sua 'pré-compreensão', ou seja, na direção da uma realidade capaz de abraçar a experiência humana do juiz, incluindo seus prejuízos, sua moral e suas convicções. E, ainda, como deve ser o ambiente cultural e social no qual se formou a máxima? Circunscrito, generalizado, homogêneo?"

1008 AMOS, Tversky; KAHNEMAN, Daniel. Apêndice A: Julgamento sob Incerteza: Heurísticas e Vieses. In: KAHNEMAN, Daniel, *cit.*, p. 524-539.

1009 *Ibid.*, p. 524-539, p. 525.

606 ■ Processo Penal | Fundamentos dos fundamentos

E, por mais que se treinem – que se doutrinem – os juízes a compreender que não podem agir assim, que esse conjunto de dados deve ser considerado invariavelmente como insuficiente para condenar por tráfico, sempre haverá um percentual de magistrados – porque são seres humanos – que não escapará do mecanismo heurístico da representatividade. É inevitável, pois é assim que a mente da maioria das pessoas opera.

Análises de decisões colegiadas – a exemplo do conselho de sentença e das câmaras e turmas dos tribunais – são igualmente reveladoras, pois a dúvida que possa conduzir à absolvição para um desembargador, por exemplo, pode não equivaler à "certeza" que os demais reputem presente no sentido inverso. E o conjunto de provas é o mesmo para todos os desembargadores.

A fragilidade do "*in dubio pro reo*" fica ainda mais clara no Tribunal do Júri brasileiro, no qual a "convicção íntima" persiste com a desnecessidade de o leigo--juiz fundamentar sua decisão (o que, por si só, já poderia ser eivado de inconstitucionalidade, diante da exigência de fundamentação, mas segue sendo o padrão da "normalidade" dos julgamentos populares no Brasil). Seja como for, o fato é que, como qualquer um que atue perante o Tribunal do Júri sabe, não raras vezes o conselho de sentença condena o réu muito mais pelo seu histórico de vida do que pela prova do fato em si. Já se ouviu de jurados dizerem, após questionável decisão condenatória: "Pode até ser que esse crime ele não tenha cometido, mas estava na hora de pagar pelos seus antecedentes". E condenam mesmo em dúvida, com a facilidade de não precisarem justificar a decisão ("convicção íntima"). A questão é tão evidente – e tão frequente – que o legislador se preocupou em regrar que, mesmo diante da soberania dos veredito, é possível apelar para submeter o réu a um segundo júri quando "a decisão dos jurados é manifestamente contrária à prova dos autos", nos termos da letra "d", inciso III, do art. 593 do Código de Processo Penal brasileiro[1010].

1010 Desde uma decisão monocrática do ministro Celso de Mello, no ROHC n. 117.076, em 01 de agosto de 2019, confirmada pela Segunda Turma em 20 de outubro de 2020, o Supremo Tribunal Federal vem acenando com a possibilidade de ressignificar esse entendimento. Vem fazendo isso de forma ainda oscilante, mas indicando que pode impedir o Ministério Público de recorrer de decisões absolutórias do júri, mesmo que completamente dissociadas das provas e mesmo que o recurso não vise mudar o mérito, mas, sim, apenas reenviar o réu a novo júri. A mudança que se indica decorre da alteração legislativa operada em 2008 em relação à forma de quesitação aos jurados. Até essa alteração da lei os jurados eram submetidos a um detalhado questionário que esmiuçava os aspectos fáticos em torno das teses jurídicas da acusação e da defesa. Com a formulação de quesitos bem específicos e sendo os jurados brasileiros limitados e responder monossilabicamente apenas "sim" ou "não", ainda era possível compreender o que ensejou eventual absolvição, dado que a pergunta conjugada com a resposta permitia identificar se a decisão era manifestamente contrária à prova dos autos, encaixando-se na hipótese recursal prevista na letra "d" do inciso III do art. 593 do Código de Processo Penal. Levando em conta o problema de má formulação desses quesitos e da grande quantidade de nulidades que isso provocava, a reforma de 2008 simplificou essa quesitação que agora se resume, basicamente, a três perguntas: 1ª) materialidade; 2ª) autoria ou participação; 3ª) "o jurado absolve o acusado?". Essa última pergunta aglutina todas as teses de defesa que possam gerar absolvição, à exceção das duas perguntas anteriores. Assim, no caso de a defesa sustentar mais de uma tese, ou de apelar para argumentos metajurídicos, não é

Também é interessante analisar os casos nos quais os acusados usaram do direito ao silêncio e foram condenados. Não sem surpresa se verá que, ainda que não seja uma regra e ainda que se possa rotular essa questão como decorrente de um "ranço inquisitorial"[1011] ou do "senso comum teórico dos juristas", ou algo similar, há elevado índice de condenação nesses casos, pois o silêncio, ainda que seja vendido dogmaticamente como garantia ao acusado e como corolário da presunção de inocência, na prática e na via psicológica, comunica culpa. Na "heurística da representatividade", ele se encaixa naquilo que o Sistema 1 considera *a priori* como "culpado". Por mais que se considere a possibilidade de o silêncio ter múltiplos significados[1012], no contexto de uma imputação de culpa não há como evitar que ele gere esse efeito de sentido, "produzido pela relação do silêncio com o não dito cuja sobra é o 'implícito'", como diz Orlandi[1013]. Há evidente contaminação psicológica do silêncio na formação do processo decisório do juiz formado numa sociedade que tem como ditados populares "quem cala consente" e "quem não deve não teme"[1014]. Repita-se: ainda que o juiz seja treinado – doutrinado até – para acreditar dogmaticamente que o acusado usa do silêncio como uma garantia pelo fato de ser considerado presumidamente inocente no âmbito constitucional de suas garantias e, assim, não precisar provar sua inocência, o silêncio de quem é acusado injustamente, por não ser uma reação natural do ser humano, pode ser lido como demonstração de culpa pelo Sistema 1 do juiz, ainda que inconscientemente.

Considere-se o seguinte caso hipotético: o juiz sabe, por exemplo, pelas "experiências de vida", que, se alguém chegar em casa de madrugada, bêbado e com marcas de batom no colarinho, e for indagado por sua esposa onde estava até aquela hora e como ficou naquele estado, e quiser usar do silêncio como mecânica

---

mais possível dizer por qual motivo o réu foi absolvido. Essa dúvida gerou a discussão da possibilidade de os jurados absolverem por "clemência", e essa hipótese passou a ser sustentada como uma liberalidade dos jurados, fundada na soberania dos veredictos e na convicção íntima. Invocou-se, então, como corolário desse entendimento, que não poderia mais haver recurso do Ministério Público de decisões de absolvição com base nesse quesito genérico ao argumento de que a decisão é manifestamente contrária à prova dos autos. O tema ganhou destaque por ocasião da análise do ARE n. 1.225.185, relator o ministro Gilmar Mendes, a ponto de ser considerado de repercussão geral, afetado como o Tema 1087, em decisão de 08 de maio de 2020. Na ocasião, fixou-se a seguinte "questão-problema" a ser debatida: "a realização de novo júri, determinada por Tribunal de 2º grau em julgamento de recurso interposto contra absolvição assentada no quesito genérico (art. 483, III, c.c. §2º, CPP), ante suposta contrariedade à prova dos autos (art. 593, III, d, CPP), viola a soberania dos veredictos (art. 5º, XXXVIII, c, CF)?". O tema ainda não foi deliberado pelo Pleno do STF, mas as Turmas seguem julgando.

1011 CORDERO, Franco. *Guida alla Procedura Penale, cit.*, p. 48.

1012 ORLANDI, Eni Puccinelli. *As Formas do Silêncio. No movimento dos sentidos.* 6. ed. Campinas: Editora da Unicamp, 2007.

1013 *Ibid.*, p. 169.

1014 Em sentido similar: SARAGOÇA DA MATTA, Paulo. A Livre Apreciação da Prova e o Dever de Fundamentação da Sentença. *Jornadas de Direito Processual Penal e Direitos Fundamentais, cit.*, p. 259.

de demonstração de sua inocência, não terá muito sucesso. A presunção que a esposa terá a respeito de sua conduta será de culpa, até pelas demais evidências. Imaginando uma esposa amorosa, ela muito provavelmente pode até "torcer" por uma explicação convincente do marido que seja capaz de constranger as evidências a tal ponto de lhe alterar o estado de espírito. O marido, de outro lado, sabe que será difícil convencê-la de que "não é nada disso que você está pensando". O silêncio, no entanto, aqui acaba sendo lido como um atestado de culpa. Porém, em variação desse mesmo exemplo, se as "evidências de culpa" não forem tantas, ou seja, se ele não estiver bêbado e não tiver as marcas de batom no colarinho, mas chegar de madrugada em casa porque precisou trabalhar até mais tarde, mas, mesmo assim, não quiser dar explicações à sua esposa e mantiver o silêncio por "ser inocente", o resultado presumido pela esposa será praticamente o mesmo. Na "heurística da representatividade", chegar tarde em casa e não dar explicações a respeito se encaixa na probabilidade de culpa. Assim, se, nesse segundo caso, ela o acusar de estar "na gandaia" ao invés de estar trabalhando e obtiver em troca o silêncio, a presunção continuará sendo de culpa. O silêncio continua não sendo o melhor caminho defensivo, pois o natural do ser humano, quando acusado de alguma coisa injustamente, é se defender falando. O não natural é silenciar. É assim que o Sistema 1 opera. Por isso os ditados populares são tão fortes e persistem como produções culturais perenes, introjetados no inconsciente coletivo pelo tempo, pois, num primeiro momento, acabam sendo a expressão do modo de pensar coletivo, e, num segundo momento, atuam de forma circular na confirmação dessa crença coletiva toda vez que são invocados. Assim, ainda que inconscientemente, também agem na formação da compreensão e da representatividade do sujeito que interpreta a cena. O mesmo processo mental ocorre com o juiz quando conduz o processo penal e se depara com o silêncio do acusado. Insista-se: por mais treinado que esteja o juiz quanto a compreender o silêncio como uma garantia do acusado e ainda que não possa valorá-lo como fundamento na sentença, quando o acusado silencia em sua defesa, no inconsciente do juiz ativa-se uma correspondência à culpa. É como se o Sistema 1 do juiz dissesse: "Já entendi; você é culpado, mesmo que a prova seja insuficiente para um juízo de valor de certeza da culpa; o seu silêncio, por si só, me comunica sua culpa, e, assim, só preciso discursiva e retoricamente demonstrá-la na sentença". Em sentido similar, Geraldo Prado já havia acenado:

> Ocorre que nem sempre a disciplina normativa assegura a efetividade dos
> direitos, mesmo quando, como no caso dos interrogatórios promovidos pela
> autoridade policial, a avaliação do material colhido, em nível provisório e

superficial se a hipótese é de receber denúncia do Ministério Público, ou em cotejo com provas adquiridas ao longo do processo, se o momento é de cognição exaustiva e emissão de sentença de mérito, é incumbência principal do juiz.

É que a prática do foro tem revelado, mediante o emprego de técnicas de dissimulação às vezes inconscientes, que aquilo que a Constituição quis impedir de forma direta, tal seja, a coação sobre a pessoa investigada de sorte a dela extrair a confissão, em muitos aspectos ainda esperada com ansiedade, acaba invadindo o processo de modo sutil, sinuoso, esvaziando no plano prático a indiscutível proteção constitucional[1015].

No entanto, se o juiz, ao contrário, puder também esclarecer dúvidas, de maneira secundária em relação às partes, como já se destacou, poderá esclarecer aspectos que possam não ter sido trazidos pelas partes, notadamente pela defesa que usou da estratégia do silêncio, e, assim, poderá também obter prova que ative o Sistema 2, constranja sua representatividade e conduza à inocência do acusado, ou, pelo menos, que lhe amplie o quadro de dúvida de tal forma que lhe afaste a presunção de culpa que a "heurística da representatividade" mentalmente guarda a partir do silêncio do acusado e da atuação do Sistema 1. É como se, no segundo caso hipotético suprarreferido, a esposa fosse procurar informar-se onde estava seu marido silente e descobrisse que ele ficara, de fato, trabalhando até tarde. A presunção psicológica de culpa que estava em sua mente muda no mesmo instante. Do contrário, permanece em estado psicológico de compreensão da culpa do marido e de prevalência da representatividade primitiva.

Assim, há que se considerar que a inércia do defensor no plano probatório também contribui para que aspectos considerados relevantes pelo juiz na apreciação do caso – mas não aprofundados em termos probatórios pela defesa – passem a ser mal compreendidos e até mesmo desconsiderados no processo decisório. Um juiz inerte, nesse prisma, até mesmo pode prejudicar o réu, como alerta Eugênio Pacelli de Oliveira:

> O juiz inerte, como é a regra no denominado sistema de partes do direito norte-americano, normalmente classificado pela doutrina como modelo acusatório puro, encontra fundamentação em premissas e postulados valorativos absolutamente incompatíveis, não só com nossa realidade atual, mas com a essência do processo penal. Em sistemas como este, do juiz inerte, há que se conviver, em maior ou menor grau, com a possibilidade

---

1015 PRADO, Geraldo. Direito ao Silêncio. *Revista da Universidade Estácio de Sá*, Rio de Janeiro, n. 1, maio 2007. Disponível em: www.estacio.br/graduacao/direito/revista/revista1/artigo12.htm. Acessoem: 13 ago. 2014.

de condenação de alguém pela insuficiência defensiva, reputada, *"a priori"*, igual à atividade acusatória[1016].

Em sentido similar é a posição de Geraldo Prado, quando afirma ser possível identificar "defensores inaptos para a melhor forma de representação dos interesses do imputado"[1017]. Para alguns doutrinadores[1018], a "saída" nesse caso seria anular o processo por deficiência técnica da defesa. Mas, como se sabe, nem sempre o magistrado terá iniciativa assim tão drástica, pois, ao anular o processo por deficiência técnica do advogado, em certa medida o magistrado acabaria imputando, implicitamente, a pecha de incompetente ao defensor.

Assim, nesse ponto vale a lembrança de Aury Lopes Júnior ao conceber o processo como situação jurídica, na linha defendida por James Goldschmidt[1019], em que, não obstante a carga probatória seja do Ministério Público, há riscos para a defesa inerte. A defesa "assume riscos pela perda de uma chance probatória" que pode levar a uma "sentença desfavorável". E dá como "exemplo típico" o exercício do direito ao silêncio, o qual, não obstante não gere um "prejuízo processual, acaba potencializando o risco de uma sentença condenatória. Isso é inegável"[1020].

Nesse ponto também é conveniente recordar a diferenciação colocada por Eugênio Pacelli de Oliveira quando separa possíveis dúvidas sobre o material probatório já produzido e sobre o que se tem quando não há material probatório produzido. Como conclui Pacelli, "é de se admitir a dúvida do juiz apenas sobre a prova produzida, e não sobre a insuficiência ou a ausência da atividade persecutória"[1021]. Para Pacelli, a "dúvida somente instala-se no espírito a partir da confluência de proposições em sentido diverso sobre determinado objeto ou ideia", e, assim, para o autor, quando não há prova alguma, quando há inatividade defensiva, não se trata de sanar dúvidas, mas de suprir a inércia defensiva, em favor do acusado (ainda que se saiba, com Aury Lopes Jr., por exemplo, que essa busca pode resultar em prova contra o réu).

Seja como for, dizer que o juiz somente pode condenar se alcançar um juízo de valor *"beyond a reasonable doubt"*, isto é, para além de uma dúvida razoável,

---

1016 OLIVEIRA, Eugênio Pacelli de. *Curso de Processo Penal*. 17. ed., *cit.*, p. 13.

1017 PRADO, Geraldo. *Sistema Acusatório: a conformidade constitucional das leis processuais penais, cit.*, p. 137.

1018 *V.g.* AMARAL, Augusto Jobim do. *Política da Prova e Cultura Punitiva: a governabilidade inquisitiva do processo penal brasileiro contemporâneo, cit.*, p. 465.

1019 GOLDSCHMIDT, James. *Problemas Jurídicos y Políticos del Proceso Penal: conferencias dadas en la Universidad de Madrid en los meses de diciembre de 1934 y de enero, febrero y marzo de 1935*. Barcelona: Bosch, Casa Editorial, 1935., p. 53. *Vide* também: GOLDSCHMIDT, James. *Teoria General del Proceso*. Buenos Aires: Editorial Labor, 1936.

1020 LOPES JR, Aury. *Direito Processual Penal*. 10. ed., *cit.*, p. 93.

1021 OLIVEIRA, Eugênio Pacelli de. *Curso de Processo Penal*. 17. ed., *cit.*, p. 337.

semanticamente é o mesmo que dizer que ele pode julgar em dúvida. É isso que o princípio semanticamente comunica: se sua dúvida for além do razoável, condene. Mas frise-se: "condene em dúvida". No direito brasileiro, acontece o mesmo com a redação dos incisos VI e VII do art. 386 do Código de Processo Penal, que contribuem para "aliviar a culpa cristã" do julgador. Diz a regra do inciso VI que o juiz absolverá o réu quando "existirem circunstâncias que excluam o crime ou isentem o réu de pena (arts. 20, 21, 22, 23, 26 e § 1º do art. 28, todos do Código Penal), ou mesmo se houver fundada dúvida sobre sua existência", e o inciso VII autoriza a absolvição quando "não existir prova suficiente para a condenação". Lidos *"contrario sensu"*, os dois incisos indicam a possibilidade de condenação em dúvida. Com efeito, nessa leitura às avessas, para o inciso VI a condenação pode ocorrer se a dúvida sobre a excludente de ilicitude ou culpabilidade não for "fundada" – seja lá o que isso signifique no caso concreto –, e a regra do inciso VII diz que, se a prova for "suficiente", o juiz condena. É a mesma lógica do *"standard"* norte-americano do *"beyond a reasonable doubt"*.

A respeito do aspecto da comunicação semântica do princípio, vale citar a crítica de Larry Laudan, que considera esse *"standard"* "penosamente inadequado, deliberadamente pouco claro, totalmente subjetivo e aberto a um número de interpretações semelhante ao número de juízes"[1022]. Laudan apresenta o resultado de sua pesquisa empírica na tentativa de estabelecer critérios para adoção do princípio, concluindo que:

> de uma leitura cuidadosa das opiniões da segunda instância nas quais se buscou explicitamente esclarecer o que essa doutrina significa, não se pode deixar de concluir que nem sequer as mentes mais sagazes do sistema de administração da justiça conseguiram gerar um entendimento homogêneo a respeito de qual é o nível de prova apropriado para condenar alguém pelo delito que lhe é imputado[1023].

E, diante dessa constatação, Laudan alerta para o grau de complexidade que ultrapassa a discussão a respeito do risco de se ter um jurado "severo e inquisitivo, decidido a condenar ignorando as provas exculpatórias", para considerar o problema como "mais sistêmico":

1022 LAUDAN, Larry. *Verdad, error y proceso penal. Un ensayo sobre epistemologia jurídica*. Tradução do inglês para o espanhol de Carmen Vázquez e Edgar Aguilera, Madrid, Barcelona, Buenos Aires, São Paulo: Marcial Pons, 2013, p. 61.

1023 *Ibid.*, p. 62. Tradução nossa.

Até mesmo o conselho de sentença mais responsável, composto por doze pessoas desejosas de fazer o correto e ansiosas de ver que se faz justiça, fica à deriva em relação a quão poderoso deva ser um caso antes que seus membros possam corretamente afirmar que creem que a culpabilidade do acusado sobrepassa o umbral da dúvida razoável[1024].

Laudan ainda informa que na Inglaterra recentemente se adotou uma recomendação para que os juízes informem aos jurados que devem condenar apenas quando "tiverem certeza", abandonando o velho "*standard*" cristão de condenar apenas quando tiverem "uma dúvida além do razoável". Porém, Laudan critica essa mudança, dizendo que trocar "não tenha dúvidas razoáveis" por "tenham certeza" lhe parece "algo supérfluo", pois "ambas as fórmulas são desesperançosas"[1025]. Em sentido equivalente, Jacinto Coutinho já tinha alertado para a insuficiência operada por Carnelutti quando este operou a "troca" da "busca da verdade" pela "busca da certeza"[1026]. Se na Inglaterra o problema está nesses termos, nos Estados Unidos é ainda mais dramático, pois lá se recomenda que o jurado condene quando "a quantidade de probabilidade" atinja 51%[1027].

Não bastasse tudo isso, ainda se tem o inconsciente. E aí a questão da dúvida se resolve noutro plano, incontrolável pelo juiz. Como se sabe depois de Freud e Lacan, a condenação pode vir por fatores dos quais talvez nem o juiz se dê conta.

Dessa forma, sempre preservada a vênia, essa crença na máxima "*in dubio pro reo*" como justificativa de parte da doutrina moderna para manter o juiz inerte revela, por um lado, excesso epistêmico, fruto de certa ingenuidade da doutrina que aposta na "bondade humana", seja esta uma bondade orientada por uma vetusta moral cristã, seja, ao contrário e paradoxalmente, porém com o mesmo nível de crença, orientada por um racionalismo que pudesse ser sempre forte e sempre presente na mente de todos os juízes, desconsiderando as pré-compreensões do ser-no-mundo heideggeriano e o inconsciente freudiano. Não bastasse, essa crença, de outro lado, não leva em conta que a atividade probatória do juiz possa, em dose certa, representar um antídoto para o arbítrio e para a manutenção do "quadro

---

1024 *Ibid.*, p. 62. Tradução nossa.

1025 *Ibid.*, p. 63.

1026 COUTINHO, Jacinto Nelson de Miranda. *Glosas ao Verdade, Dúvida e Certeza, de Francesco Carnelutti, para os operadores do Direito*, *cit.*, p. 88.

1027 GÓMEZ COLOMER, Juan-Luis; LEIBAR, Iñaki Esparza; GARGALLO, Andrea Planchadell; CEBADERA, María-Ángeles Pérez; MONTOLIU, Ana Beltrán. La Prueba. In: GÓMEZ COLOMER, Juan-Luis (Org.). *Introducción al Proceso Penal Federal de Los Estados Unidos de Norteamerica*. Valencia: Tirant Lo Blanch, 2013, p. 351, *in verbis*: "Se disse en Norteamérica que la cantidad de probabilidades que se exige es de 51%, con lo que se pretende instruir al Jurado de que, a pesar de que tengas dudas razonables, tiene que inclinar la balanza a favor de la versión que considere más probable".

mental paranoico" que possa ter se formado em sua psique. E nessa análise não se pode olvidar que a linguagem é condição de possibilidade da compreensão, como já afirmaram Heidegger e Gadamer.

Assim, num primeiro aspecto, pode-se até desejar que os juízes sejam todos de "bom coração" (seja lá o que isso queira significar, como já dizia Agostinho Ramalho[1028]) e tenham sido criados numa nova cultura que supere os ditados populares que, de forma milenar, formaram o inconsciente coletivo do Ocidente: "Quem cala consente" e "quem não deve não teme". Mas o juiz é "ser-no-mundo" e age à luz de sua faticidade, como se sabe desde Heidegger. Talvez, para alguns, fosse mesmo desejável que todos os "juízes-seres-no-mundo" fossem tão racionais a ponto de abstrair tudo ao seu redor e toda a sua formação preconceituosa e se comportassem invariavelmente numa nova cultura de compreensão da presunção de inocência e, assim, se pudesse apostar as fichas na ideia de que o juiz em dúvida sempre absolverá. Porém, esse discurso acaba desconsiderando como a natureza humana opera entre a dúvida e a certeza. Nesse ponto Nietzsche já alertava:

> E tu, juiz vermelho, se dissesses em voz alta o que fizeste em pensamento, todo o mundo gritaria: "Fora com essa imundície, com esse verme venenoso!". Mas uma coisa é o pensamento e outra é a ação, e outra a imagem da ação. A roda da causalidade não gira entre elas[1029].

Assim, a certeza, como também dizia Carnelutti, está não no pensamento, mas na ação, na liberdade de ação, e "o ciclo da ação se inicia e se fecha com a fé"[1030]. E aqui não se pode desconsiderar que o inconsciente também opera no processo decisório, inclusive para o juiz condenar sem provas que possam ser consideradas como "suficientes" pelas partes. O juiz pode estar em dúvida – *"in interiore homine"* –, mas, ao mesmo tempo, querer condenar por razões outras, inclusive inconscientes.

Aliás, nesse raciocínio reducionista de que em dúvida o juiz sempre absolve (ou sempre deva absolver), desconsidera-se também o alerta de Fernando Gil de que "quando julgamos possuir uma dose elevada de verossimilhança aceitamos algo em termos de convicção" e que esse "engano de nós próprios" só é alterado – quando

---

1028 MARQUES NETO, Agostinho Ramalho. O Poder Judiciário na Perspectiva da Sociedade Democrática: O Juiz Cidadão. *Revista Anamatra*. São Paulo: Associação Nacional dos Magistrados do Trabalho, n. 21, 1994, p. 50, *in verbis*: "Uma vez perguntei: quem nos protege da bondade dos bons? Do ponto de vista do cidadão comum, nada nos garante, 'a priori', que nas mãos do Juiz estamos em boas mãos, mesmo que essas mãos sejam boas".

1029 NIETZSCHE, Friedrich. *Assim Falava Zaratustra*. Tradução de Márcio Ferreira dos Santos. Petrópolis: Vozes, 2011, p. 43.

1030 CARNELUTTI, Francesco. *Verdade, Dúvida e Certeza, cit.*

o é, diga-se –, posteriormente, pelo eventual constrangimento externo que seja capaz de gerar a "*self-deception*".

Com efeito, apostar na inércia do juiz em relação à produção probatória como capaz de, por si só, conduzir invariavelmente à absolvição pela dúvida significa não levar em conta que "o problema", como mais uma vez diz Fernando Gil, "será então saber se o reconhecimento e a avaliação deste enganar-se a si próprio é coisa que cada indivíduo ou está em condições de poder efectuar, ou não"[1031]. "O ponto crítico" – prossegue Gil – "não reside na universalidade da razão, mas, antes, na admissão, ou não, de que o sujeito possui em princípio meios cognitivos suficientes para reconhecer o autoengano"[1032]. E aqui o caldo cultural no qual o "ser-juiz-no-mundo" está inserido fala mais alto. E fala, diga-se, até mesmo a partir da linguagem, na qual estão "marcados" os critérios "que definem e distinguem os modos epistêmicos nela vigentes: o certo, o provável, o presumível, o duvidoso, o falso, etc."[1033], enfim, que estabelecem a definição das crenças de um povo, para prosseguir com a análise de Fernando Gil. Assim, parece inadequada e insuficiente a aposta na inércia do juiz como solução para evitar que os "quadros mentais paranoicos" prevaleçam na sentença.

Pode-se também considerar essa problemática situação de se acreditar na solução do "*in dubio pro reo*" sob o prisma psicanalítico. Se é o "limite" que gera o desejo, quanto mais limites forem impostos ao juiz para compreender o caso penal, mais ele vai desejar saber para poder "gozar" na sentença. E se, para desconstruir as dúvidas que geram o desejo de saber, a barreira for absolutamente intransponível, pela exigência de inércia plena, o limite continuará gerando o desejo. E, como afirmava Nietzsche, "acabamos por amar nosso próprio desejo, em lugar do objeto desejado"[1034]. Lacan também deixa transparente essa questão quando identifica a ausência de um objeto definível do desejo. Assim, por não poder se satisfazer nem sequer em parte, a falta continua alimentando o desejo, e, nessa medida, os quadros mentais paranoicos tendem a se acentuar significativamente e, depois, por ocasião da sentença, "desaparecem", camuflados que ficam na retórica que serve de imunização do discurso às críticas, como já visto em Nilo Bairros de Brum.

Retome-se, então, o que dizia Fernando Gil logo acima: o "engano de nós próprios" necessita de um "constrangimento externo" que provoque a "autodecepção".

1031 GIL, Fernando. Reflexões Sobre a Prova, Verdade e Tempo. CUNHA MARTINS, Rui. *O Ponto Cego do Direito. The Brazilian Lessons, cit.*, p. 174.

1032 *Ibid.*, p. 174.

1033 *Ibid.*, p. 174.

1034 NIETZSCHE, Friedrich. *Além do Bem e do Mal. Prelúdio de uma Filosofia do Futuro.* Tradução de Armando Amado Júnior. São Paulo: WVC, 2001, p. 115, aforismo 175.

É aqui que pode operar, como via de consequência, a metanoia. Porém, para que o constrangimento externo seja capaz de provocar a "*self-deception*" de que fala Fernando Gil, é necessário que seja um constrangimento correlato ao que vai à cabeça do juiz.

Nessa tentativa de provocar a reflexão necessária na mente do juiz e promover a chamada "captura psíquica do juiz", podem-se identificar dois modelos na linha aqui discutida. No primeiro, no qual o juiz é absolutamente inerte, a parte deve procurar adivinhar o que vai à mente do juiz para produzir a prova capaz de "apertar o botão certo" que sirva de constrangimento externo capaz de provocar no juiz o afastamento de seu possível quadro mental paranoico e, assim, gerar a compreensão e a aderência à sua tese. Nesse caso, o contraditório e a ampla defesa não são aproveitados em toda a sua potencialidade, podendo até mesmo ser circunstancialmente anulados como efetivas funções de garantia, pois tudo se resume a um arriscado jogo de adivinhação que é pautado pela sorte ou azar da parte de ter produzido a prova que o juiz entendia como relevante para tomar sua decisão. Some-se a tudo isso a capacidade da parte de manipular provas retoricamente e convencer o juiz pelo discurso unilateral contraposto apenas pelo contradiscurso do adversário. De resto é "ficar na torcida" para que o juiz não decida antes do debate entre as partes. "Torcer" para que a "de-cisão", ou seja, para que o corte do elo comunicativo do juiz com as partes, não ocorra antes de se findar a produção da prova e do consequente debate entre as partes. E "torcer", também, para que o juiz possa entender como relevante essa discussão da qual ele não participa e que fica centrada nas defesas de dois pontos de vista entre duas partes se contradizendo.

No segundo modelo, porquanto o juiz abre a boca e fala, faz perguntas adicionais, participa da discussão, enfim, não corta o elo comunicativo com as partes, externa suas dúvidas e inquietações na tentativa de compreender a prova no presente da audiência, é possível às partes captar, seja diretamente pelo que for dito pelo juiz, seja até mesmo pelos buracos de sua fala, nos moldes similares – guardadas as proporções, é claro – aos da atuação de um psicanalista, o que se passa na complexidade da mente do juiz, na sua forma de compreender o caso, antes de se completar o processo decisório mental. De fato, se o juiz de alguma forma comunica previamente sua preocupação, sua angústia ou sua não compreensão da prova, permite às partes procurar "apertar o botão certo", agindo como um constrangimento externo que pode ser capaz de iluminar a não compreensão do juiz. Isto é, sabendo o que vai à sua mente no curso da produção da prova, as partes podem, por meio de novas intervenções nesse contexto da audiência, provocar no juiz, até mesmo, dependendo do quanto o ser-no-mundo juiz esteja receptivo, um

Processo Penal | Fundamentos dos fundamentos

"quadro mental sublimador"[1035], para usar a linguagem freudiana, que lhe permita mudar o modo de pensar, promovendo "uma orientação para novas metas"[1036], permitindo-lhe "encontrar escoamento e emprego em outros campos", como refere Freud[1037], quem sabe até eliminando o "quadro mental paranoico" e provocando um "quadro mental metanoico".

Nesse plano, também é relevante o que Roland Chemama informa a respeito da compreensão freudiana da "sublimação", dizendo que ele considerava que "as condições que permitem a instauração desse processo" – de sublimação –, "seu desdobramento e sua conclusão estão na dependência de contingências internas e externas"[1038]. No caso da audiência de instrução, essas contingências externas de que fala Freud podem ser criadas pelas novas intervenções das partes.

Vale a ressalva de que não se está psicanalisando o juiz nesse momento da audiência, nem ele está em busca de algo tão pleno quanto uma "cura" que provoque um "tamponamento da falta" que lhe tenha gerado o desejo e o consequente "quadro mental paranoico". Aqui se trabalha com a possibilidade de ele vir a sublimar o que lhe vem do inconsciente; sublimar os instintos preconceituosos, permitindo, em certa medida, procurar "minimizar" ou quiçá "solucionar" os possíveis conflitos psíquicos internos que provocaram aquele "quadro mental paranoico". A ideia é fazer com que, no presente da audiência, o juiz possa redirecionar a compreensão da fala da testemunha e do caso penal, a partir de provocações externas. Pretende-se, então,

---

1035 Freud esclarece que os instintos (pulsões) podem sofrer quatro espécies de destino ou reação: a reversão no contrário; o voltar-se contra a própria pessoa; a repressão (ou "recalque", como explica Paulo Cesar de Souza, tradutor de Freud); e a sublimação (FREUD, Sigmund. *Os Instintos e seus Destinos. Obras Completas, V. 12. Introdução ao Narcisismo, Ensaios de Metapsicologia e Outros Textos (1914-1917)*. Tradução de Paulo César de Souza. São Paulo: Companhia das Letras, 2010, p. 64). Em relação à sublimação propriamente dita, Freud fala dela em determinadas passagens de sua obra, a exemplo do texto intitulado "Três Ensaios Sobre a Teoria da Sexualidade" (FREUD, Sigmund. Três Ensaios Sobre a Teoria da Sexualidade. *Edição Standard Brasileira das Obras Psicológicas Completas de Sigmund Freud, V. 7. Um Caso de Histeria. Três Ensaios Sobre a Teoria da Sexualidade e Outros Trabalhos (1901-1905)*. Rio de Janeiro: Imago, 1996, p. 80 e 91). Nesse texto, por exemplo, Freud está tratando da "transferência" e refere à sublimação, dizendo que, quando ocorre uma sublimação, as transferências podem "até tornar-se conscientes ao se apoiarem em alguma particularidade real habilmente aproveitada da pessoa ou das circunstâncias do médico. São, portanto, edições revistas, e não mais reimpressões".

1036 FREUD, Sigmund. Três Ensaios Sobre a Teoria da Sexualidade. *Edição Standard Brasileira das Obras Psicológicas Completas de Sigmund Freud, V. 7. Um Caso de Histeria. Três Ensaios Sobre a Teoria da Sexualidade e Outros Trabalhos (1901-1905), cit.*, p. 80.

1037 *Ibid.*, p. 91, *in verbis*: "O terceiro desfecho da disposição constitucional anormal é possibilitado pelo processo de 'sublimação', no qual as excitações hiperintensas provenientes das diversas fontes da sexualidade encontram escoamento e emprego em outros campos, de modo que de uma disposição em si perigosa resulta um aumento nada insignificante da eficiência psíquica. Aí encontramos uma das fontes da atividade artística, e, conforme tal sublimação seja mais ou menos completa, a análise caracterológica de pessoas altamente dotadas, sobretudo as de disposição artística, revela uma mescla, em diferentes proporções, de eficiência, perversão e neurose".

1038 CHEMAMA, Roland (Org.). *Dicionário de Psicanálise Larousse*. Tradução de Francisco Franke Settineri. Porto Alegre: Artes Médicas Sul, 1995, p. 207.

permitir-se criar as condições para que possa se operar uma mudança de rumo do objetivo da pulsão geradora do chamado "quadro mental paranoico".

É importante compreender, também, que a questão relacionada à possibilidade de o juiz produzir ou não prova não é a causa da produção dos chamados "quadros mentais paranoicos", e, por mais que se doutrinem os magistrados a levar em conta a complexidade e a impossibilidade de se obter uma verdade por correspondência, ainda assim eles continuarão a construir hipóteses mentais sobre os fatos (ou sobre os rastros desses fatos), promovendo suas próprias reconstruções mentais discursivas dos fatos, mesmo inertes. Assim, uma "patológica ambição de verdade", como diz Salah Khaled Jr.[1039], pode até existir, e o juiz pode até se conduzir ao longo do processo penal nessa linha, mas não é esse o dado relevante. O que importa, invertendo a lógica do raciocínio, é compreender que essa atividade do magistrado é que permitirá às partes uma maior efetividade do contraditório e da ampla defesa. Aí está o cerne do problema. O juiz, ativo ou não, repita-se, continuará sua busca, de forma consciente ou inconsciente. O problema é o que ele vai encontrar e, principalmente, como vai encontrar, isto é, se sozinho ou com a colaboração das partes. Saber quais "rastros do passado" o juiz está selecionando para alcançar o momento "de-cisório", o momento de cindir o elo comunicativo, é que, de fato, se torna relevante. E é aí que as decisões se tornam dialógicas, e não monológicas[1040]; é aí que a intersubjetividade opera, afastando o modelo sujeito-objeto e premiando um modelo processual que se dê no plano sujeito-sujeito, sendo também esse o momento em que se tentará frear o arbítrio que possa estar sendo produzido no silêncio do juiz. O inverso, portanto, do sustentado por boa parte da doutrina moderna.

Enfim, o que se deve provocar no juiz é, agora no campo da filosofia, o que Gadamer cita como uma "transformação em configuração", isto é, promover uma transformação que permita dizer que "aquilo que era antes não é mais". Não uma mera "modificação", pois esta "sugere que aquilo que se modifica permanece e continua sendo o mesmo", mas uma "transformação em configuração" na qual "algo se torna uma outra coisa, de uma só vez e como um todo, de maneira que essa outra coisa em que se transformou passa a constituir seu verdadeiro ser, em face do qual seu ser anterior é nulo"[1041].

1039 KHALED JR., Salah H., *cit.*, p. 386.

1040 FERRAZ JR., Tércio Sampaio. *Direito, Retórica e Comunicação*, *cit.*, p. 16 e s.

1041 GADAMER, Hans-Georg. *Verdade e Método I. Traços fundamentais de uma hermenêutica filosófica*, *cit.*, p. 165-166.

618 ■ Processo Penal | Fundamentos dos fundamentos

Só assim "o jogo" do processo penal – para usar a metáfora de Gadamer, igualmente trabalhada por outros autores, a exemplo de Alexandre Morais da Rosa[1042] – e as garantias constitucionais do contraditório e da ampla defesa "alcançam sua idealidade"[1043], o que se dá no presente da audiência, como se passa a expor.

3.24 As garantias do contraditório e da ampla defesa e o "senso comum teórico-crítico dos juristas"

Como adverte Pedro Aragoneses Alonso, seguindo o pensamento de Carnelutti, o processo pode produzir "fins anormais" e "ilícitos" sob duas óticas fraudulentas: uma unilateral e outra bilateral. Interessa, neste ponto, o que esses dois importantes autores, ainda que raciocinando mais à luz do processo civil, consideram como "fraude unilateral". Esclarece Pedro Aragoneses Alonso que essa fraude é até certo ponto imanente ao processo, pois cada um dos contentores trata de que se resolva o litígio de forma mais conveniente aos seus interesses. Porém, diz Aragoneses Alonso, essa "fraude unilateral" é destruída, precisamente, com o contraditório[1044]. Ainda que no processo penal a dinâmica dos interesses em jogo seja um pouco diversa, não há como se afastar do risco de essa referida "fraude unilateral" se impor – até mesmo de forma inconsciente –, e vem daí a importância do contraponto, da contra-argumentação, da contraposição dialética das ideias ao longo do processo.

Portanto, não à toa, na Constituição da República brasileira, orientada pela ideia fundante de um Estado Democrático de Direito, o contraditório é alçado à categoria de garantia do cidadão, estando a ampla defesa a ele vinculada, umbilicalmente, no mesmo inciso LV do art. 5º. Dois importantes princípios e duas importantes e fundamentais garantias das partes em juízo e, notadamente, do cidadão acusado de ter cometido um delito.

Na compreensão desses princípios constitucionais, particularmente em relação ao contraditório, até mesmo a doutrina moderna costuma apresentar uma concepção, em certa medida, muito mais formal do que material a respeito de como ele se efetiva. Aury Lopes Júnior, por exemplo, diz que "o contraditório deve ser visto basicamente como o direito de participar, de manter uma contraposição em relação à acusação e de estar informado de todos os atos desenvolvidos no iter

---

1042 ROSA, Alexandre Morais da. *Guia do Processo Penal Conforme a Teoria dos Jogos*. 4. ed. rev., atual. e ampl. Florianópolis: Empório do Direito, 2017.

1043 GADAMER, Hans-Georg. *Verdade e Método I. Traços fundamentais de uma hermenêutica filosófica, cit.*, p. 165 e s.

1044 ARAGONESES ALONSO, Pedro. *Proceso y Derecho Procesal*. Madrid: Aguilar, 1960, p. 245.

procedimental"[1045]. A análise, como se vê, é circunscrita a poder contrapor-se ao discurso da parte adversa e ter informação do que se desenvolve no processo. Aury até chega a destacar que "o contraditório engloba o direito das partes de debater frente ao juiz", dizendo que "não é suficiente que tenham a faculdade de ampla participação no processo" e que, assim, "é necessário que o juiz participe intensamente", porém, de imediato faz a ressalva, entre parênteses, ponderando ao leitor que não confunda essa referência com o "juiz-inquisidor ou com a atribuição de poderes instrutórios ao juiz", mas apenas que este deve "responder adequadamente às petições e requerimentos das partes, fundamentando suas decisões (...), evitando atuações de ofício e as surpresas"[1046]. Como se vê, o tratamento é dado como direito de se informar, de reagir e de contar com a consideração do juiz a partir da fundamentação na sentença. Claro que isso tudo é importante, mas se acredita ser possível ampliar ainda mais as garantias referidas, justamente a partir do ponto que é desconsiderado pela doutrina moderna.

Arrisca-se a dizer que talvez a análise hoje predominante na doutrina moderna tenha se mantido com aparência de satisfatória em razão da redação do art. 155 do Código de Processo Penal brasileiro, dada após a reforma de 2008, quando se introduziu, no texto originário de 1941, que permitia a "livre apreciação da prova" pelo juiz, a atual referência de que essa "livre apreciação" deve ser "da prova produzida em contraditório judicial", induzindo no intérprete uma impressão de suficiência desse modelo, *in verbis*:

> Art. 155. O juiz formará sua convicção pela livre apreciação da prova produzida em contraditório judicial, não podendo fundamentar sua decisão exclusivamente nos elementos informativos colhidos na investigação, ressalvadas as provas cautelares, não repetíveis e antecipadas[1047].

De fato, em comentários à reforma de 2008, vários autores mais modernos de processo penal deram especial destaque para a referência ao "contraditório" na novel redação do art. 155 do Código de Processo Penal brasileiro, como se a inserção desse dado no texto legal tivesse permitido dar um salto de qualidade pleno e suficiente para o princípio e para as garantias do acusado no processo penal e como se essa nova redação tivesse conseguido amplamente imunizar o paradigma filosófico da

---

1045 LOPES JR., Aury. *Direito Processual Penal*. 14. ed. São Paulo: Saraiva, 2017, p. 363.

1046 *Ibid.*, p. 362.

1047 BRASIL. *Código Penal, Código de Processo Penal, Constituição Federal, Legislação Penal e Processual Penal, cit.*, p. 389.

consciência que acaba implicitamente sendo comunicado com a ideia de "livre apreciação da prova"[1048]. Se o juiz é autorizado a ter "livre convencimento", a ser um "livre apreciador da prova", incluir o contraditório nesse processo não basta. Ainda que essa referência ao "contraditório" represente avanço em comparação ao texto original, a efetividade do contraditório é mitigada com a manutenção da referência comunicativa das liberdades de convencimento e valoração probatória do juiz. Então se repita: observar o contraditório no modelo dessa compreensão doutrinária e legal, ainda que tenha representado importante avanço em relação à redação originária de 1941 (é óbvio que a redação melhorou a efetividade das garantias em relação ao texto original), continua, para o âmbito de compreensão da prova que se dá no presente da audiência, sem ultrapassar a concepção de mero formalismo distintivo entre o que é "elemento informativo" com força probante reduzida ou mesmo nula e o que é "prova", isto é, o que, tecnicamente, é capaz de ser valorado validamente pelo juiz na sentença.

De resto, mantendo a referência à "livre apreciação da prova" no texto legal, manteve-se, como já referido em seção anterior, igualmente o paradigma filosófico que "autoriza" a discricionariedade. A eficácia garantista do princípio do contraditório lido sob esse prisma acaba não alcançando toda a sua potência, como se verá mais adiante.

A doutrina estrangeira apresenta visão semelhante a respeito do princípio do contraditório, com discurso fortemente pautado pela máxima "*audiatur et altera pars*" e circunscrito ao direito de ser informado e de discutir[1049]. Ainda que raciocinando à luz de uma teoria geral do processo[1050], Elio Fazzalari é considerado por vários autores modernos de processo penal[1051] como quem melhor trabalhou a questão do

---

1048 Nesse sentido, a título ilustrativo, *vide*: GOMES FILHO, Antonio Magalhães. Provas – Lei 11.960, de 09.06.2008. In: ASSIS MOURA, Maria Thereza Rocha de (Coord.). *As Reformas no Processo Penal. As Novas Leis de 2008 e os Projetos de Reforma*. São Paulo: RT, 2008, p. 246-297, p. 249, *in verbis*: "A verdadeira pedra angular da nova disciplina da prova penal trazida pela Lei 11.690/2008 é a vinculação do próprio conceito de prova à observância do contraditório".

1049 Nesse sentido, a título ilustrativo na doutrina estrangeira, *vide*: MATHIEU, Patricia. Avant le "Procès Équitable": la place du contradictoire dans la procedure pénale française depuis l'époque médiévale. In: RIBEYRE, Cédric (Dir.). *Le Contradictoire dans le Procès Pénal. Nouvelles Perspectives. Actes du coloque organisé le 8 décembre 2011 par l'Institut de Sciences Criminelles de Grenoble*. Paris: Cujas, 2012, p. 13-23.

1050 Sobre a polêmica em torno da adoção de uma "Teoria Geral do Processo", que sirva tanto ao processo civil, quanto ao penal, *vide* capítulo próprio a esse respeito, a seguir.

1051 *V.g.*: ROSA, Alexandre Morais da. O Processo (Penal) como Procedimento em Contraditório: Diálogo com Elio Fazzalari. *Novos Estudos Jurídicos – NEJ*, v. 11, n. 2, jul.-dez. 2006, p. 219-233. Disponível em: http://siaiweb06.univali.br/seer/index.php/nej/article/view/434. Acesso em: 10 ago. 2014: "Assim é que apesar desse participação – sujeito do processo –, não se pode confundir a função do juiz com a das partes, eis que não assume a condição de contraditor, a qual é exercida pelos interessados, mas de terceiro, responsável, todavia, pela sua regularidade na produção dos significantes probatórios". Em sentido similar: LEAL, Rosemiro Pereira. *Teoria Processual da Decisão Jurídica*. São Paulo: Landy, 2002, p. 27: "Com Fazzalari, foi possível um salto epistemológico que retirou a decisão da esfera individualista, prescritiva e instrumental da razão prática do decisor". Na mesma linha: GOMES FILHO, Antonio Magalhães. Provas – Lei 11.960, de 09.06.2008. In: ASSIS MOURA, Maria Thereza Rocha de (Coord.). *As Reformas no Processo Penal. As Novas Leis de 2008 e*

contraditório como garantia inserida num processo, dizendo que ele deve ser lido como um procedimento em contraditório. Ou seja: o contraditório é necessário para que o processo exista, e processo sem contraditório não é processo, mas outra coisa. Nas palavras do autor:

> Se, depois, o procedimento é regulado de tal modo que participam também aqueles em cujas esferas jurídicas o ato final é destinado a produzir efeitos (de tal forma que o autor deste tenha que levar em conta as suas atividades), e se tal participação é consignada de modo que os contrapostos "interessados" (aqueles que aspiram à emanação do ato final – interessados em sentido estrito – e aqueles que querem evitá-la – "contrainteressados") estão no plano de simétrica paridade; então o procedimento compreende o "contraditório", se faz mais articulado e complexo, e pelo "genus" "procedimento" está autorizado a incluir a *"species"* "processo"[1052].

Fazzalari foca, no entanto, apenas na questão da troca entre um "interessado" e um "contrainteressado", dizendo que a "essência mesma do contraditório exige que dele participem ao menos dois sujeitos", pois, em relação a um deles, "o ato final é destinado a desenvolver efeitos favoráveis, e, ao outro, efeitos prejudiciais"[1053]. E ao ingressar na análise do processo penal italiano, levando em conta o quadro dicotômico dos sistemas acusatório e inquisitório (e acreditando também no sistema "misto")[1054], Fazzalari reafirma sua ideia de que o contraditório *"se instaura e se desenvolve entre as partes"*:

> O contraditório se instaura e se desenvolve entre as partes: o Ministério Público (magistrado de ordem judiciária, o qual, porém, exercita não a função do juiz, mas aquela de "requerente", isto é, requer a pronúncia jurisdicional: ainda o *"nemo iudex sine actore"*, ator sendo aqui o Estado na pessoa do M.P.); o impu-

---

os Projetos de Reforma, cit., p. 250: "Como ensina Fazzalari, só o procedimento regulado de modo a que dele participem aqueles em cuja esfera jurídica o ato final produzirá efeitos, em simétrica paridade, pode ser chamado de processo". E também: GONÇALVES, Aroldo Plínio. *Técnica Processual e Teoria do Processo.* 2. ed. Belo Horizonte: Del Rey, 2012, p. 108 e 109: "O contraditório é a garantia da participação das partes, em simétrica igualdade, no processo, e é garantia das partes porque o jogo da contradição é delas, os interesses divergentes são delas, são elas os 'interessados e os contra-interessados' na expressão de Fazzalari...".

1052 FAZZALARI, Elio. *Istituzioni di Diritto Processuale. Settima Edizione.* Padova: Cedam, 1994, p. 60. Tradução nossa.

1053 *Ibid.*, p. 83. Tradução nossa.

1054 Fazzalari não aprofunda a análise desse tema, limitando-se a apresentá-lo num único parágrafo e remetendo, em nota de rodapé, às doutrinas de Leone, Cordero, Vanini, Pisapia, Malinverni, Montalbano, Paolozzi, Di Nanni, Valiante, Ferrua, Cristiani e Taormina. Esses autores, por sua vez, em grande parte também reproduzem discursos de outros autores, até retroagir a Carmignani, como destacado na Segunda Parte, deste trabalho (*Ibid.*, p. 254-255).

tado; a "parte civil". Estes – os últimos por meio do ministério de procuradores legais – "dizem e contradizem" em torno de situações substanciais "*de quibus*", isto é, sempre em torno de certa transgressão de uma norma penal e, no caso da presença da parte civil, também em razão da obrigação de ressarcir o dano e o correspondente direito da parte lesada[1055].

E complementa sua compreensão do contraditório apresentando o que considera ser seu duplo momento: como "informação" e como "reação". Ou seja: entende o contraditório no seu plano de se garantir à outra parte que tenha acesso ao que a primeira argumentou e, assim, possa lhe rebater os argumentos. Limita, portanto, em certa medida, o contraditório a esse "debate" entre o "interessado" e o "contrainteressado", ainda que admita que o debate se dá no "*iter*" de formação do ato final do juiz.

Sucede que a argumentação desenvolvida pelo "interessado" não visa convencer o "contrainteressado", e vice-versa, mas um terceiro, que é o juiz. Fazzalari expressamente afirma considerar que "o autor do ato final não é, ao contrário, um contraditor nas vezes em que seja estranho aos interesses em disputa, isto é, não seja parte daquela situação (assim, o juiz, o árbitro)"[1056]. Para Fazzalari, então, fica claro que o juiz não deve participar do contraditório, o que, para ele, permitiria amoldar o processo penal italiano ao "sistema acusatório". Esse tem sido hoje o que se pode chamar, com a já referida paráfrase de Warat, de "senso comum teórico-crítico da doutrina moderna".

No entanto, como destacado, essa análise parece olvidar que o contraditório serve não para que uma parte convença a outra, mas para que uma delas convença o juiz. E, mais do que isso: serve, notadamente, para que consiga atuar como fator imunizante do decisionismo valorativo das provas por parte do magistrado. Interessante, nesse prisma, a definição de contraditório dada pela Corte Europeia de Direitos Humanos, no caso Vermeulen c. Belgique (1996), quando assentou que o contraditório "implica a faculdade dada às partes, num processo penal ou civil, de tomar conhecimento de todas as peças ou observações apresentadas ao juiz, que deve ser um magistrado independente, em vias de influenciar sua decisão e de discuti-la"[1057].

De fato, o contraditório e a ampla defesa, como princípios garantistas das partes processuais, somente fazem sentido pleno se compreendidos como voltados a produzir efeitos em relação a um destinatário: o juiz. E, assim, devem operar de

---

1055 *Ibid.*, p. 253-254. Tradução nossa.

1056 *Ibid.*, p. 86. Tradução nossa.

1057 COUR EUROPÉENNE DES DROITS DE L'HOMME. *Affaire Vermeulen c. Belgique. Requête*, n. 19075/91. Strasbourg, 20 de fevereiro de 1996. Disponível em: http://hudoc.echr.coe.int/sites/fra/pages/search.aspx?i=-001-62544#{"itemid":["001-62544"]}. Acesso em: 13 set. 2014. Tradução nossa.

forma a influenciar a tomada de decisão do juiz. A questão é evitar a prevalência de um juízo decisório orientado pela discricionariedade sem controle. Não é demais recordar que a hermenêutica se dá, como refere Gadamer, com a pretensão de evitar ou ao menos "suspender" a prevalência dos pré-conceitos originários e inautênticos, evitando, também, a prevalência da discricionariedade. Gadamer considera que, na interpretação, a compreensão "atualiza" o que ela abre de sentidos possíveis. Porém, repita-se: para a Hermenêutica Filosófica, a compreensão atualiza esses sentidos sem que a pessoa fique presa aos seus preconceitos e pressupostos iniciais, pois esse "projeto prévio" deve "ir sendo constantemente revisado (...) conforme se avança na penetração do sentido"[1058]. Reiterando o que se anotou *supra*, Gadamer esclarece que "quem busca compreender está exposto a erros de opiniões prévias que não se confirmam nas próprias coisas"[1059], e, assim, é por meio da revisão constante do projeto prévio de sentido, decorrente de "projetos rivais" que "possam se colocar lado a lado" na antecipação de "um novo projeto de sentido", que se faz com que a interpretação que começou "com conceitos prévios" possa permitir que eles sejam substituídos por outros mais adequados, "até que se estabeleça univocamente a unidade de sentido"[1060]. E complementa dizendo que "a compreensão só alcança sua verdadeira possibilidade quando as opiniões prévias com as quais inicia não forem arbitrárias"[1061]. E é aí que reside o ponto relevante: não há como garantir às partes que o juiz exercitará, sozinho, em mecanismo autorreferente, esse desapego dos prévios sentidos. Ao contrário, a pulsão impele o magistrado a mantê-los no curso da audiência e da produção probatória, que é justamente um dos principais momentos no qual podem ocorrer a compreensão e o processo decisório.

Portanto, se as partes querem que o juiz compreenda a prova, notadamente a fala da testemunha, é preciso criar condições para que o magistrado esteja disposto a deixar que o outro "lhe diga alguma coisa", não se entregando "de antemão ao arbítrio de suas próprias opiniões prévias"[1062].

Nesse contexto, os princípios do contraditório e da ampla defesa se revelam como mecanismos de imunização inseridos no corpo do processo para evitar que o juiz desenvolva – ou permaneça em – seu "quadro mental paranoico", na importante contribuição de Cordero. É no exercício pleno dessas garantias que Franco Cordero,

---

1058 GADAMER, Hans-Georg. *Verdade e Método I. Traços fundamentais de uma hermenêutica filosófica, cit.*, p. 356.

1059 *Ibid.*, p. 356.

1060 *Ibid.*, p. 356.

1061 *Ibid.*, p. 356.

1062 *Ibid.*, p. 358.

amparado na doutrina de Goldschmidt, afirma que as partes no processo penal procuram concretizar a "captura psíquica do julgador"[1063].

Sucede que, para serem realmente eficazes, esses mecanismos de tentativa de imunização precisam produzir efeitos duradouros no receptor do debate, isto é, no receptor das teses de acusação e de defesa; insista-se: no juiz. Até porque, quando se produz uma prova em audiência e quando se comunica uma defesa de tese a alguém, espera-se que o receptor as compreenda e se espera, igualmente, que ele dê a resposta desejada pelo comunicante[1064], atualizando os sentidos prévios que tinha do caso. No caso da defesa do acusado, espera-se a absolvição; no caso do Ministério Público, espera-se o acolhimento de sua tese (condenação, desclassificação ou, até mesmo, a absolvição).

Porém, como se sabe, nem sempre a resposta dada pelo magistrado corresponde à expectativa do comunicante originário, ainda mais quando ele fica com absoluta liberdade para valorar a prova, sem constrangimentos efetivos que façam com que ele saia dos sentidos arbitrários e prévios que tem e que minimizem e até mesmo evitem o caráter alucinatório da evidência.

Enfim, esse descompasso entre a expectativa e a resposta diferente pode decorrer de uma série de fatores. O mais comum é que decorra da falha na comunicação (na insuficiência da argumentação/na deficiência da persuasão) ou no distanciamento do receptor em relação ao pretendido pelo comunicante. Essa última hipótese se deve ao fato de que o receptor possa já ter decidido mentalmente a respeito do objeto da comunicação, fruto, muitas vezes, de seus pré-conceitos ou pré-juízos de valor ou até mesmo da falha na recepção da prova. Nesse caso pode haver uma incompatibilidade entre o objetivo da fonte da comunicação e o do receptor, situação que leva à não compreensão, ou à má compreensão e ao rompimento da comunicação, como alerta David K. Berlo:

> Quando os objetivos da fonte e do receptor são incompatíveis, rompe-se a comunicação. Quando são independentes, ou complementares, a comunicação pode prosseguir. Em qualquer caso, tanto a fonte como o crítico precisam perguntar a razão, mas do ponto de vista com que o receptor participa da experiência de comunicação[1065].

1063 CORDERO, Franco. *Guida alla Procedura Penale, cit.*, p. 194.

1064 BERLO, David K. *O Processo da Comunicação. Introdução à Teoria e à Prática.* Tradução de Jorge Arnaldo Fontes. São Paulo: Martins Fontes, 2003, p. 17.

1065 *Ibid.*, p. 17.

Então, se o receptor da comunicação – o juiz – já "de-cidiu" a respeito do caso, isto é, se já tomou uma posição, é porque ele já rompeu com o elo comunicativo que o mantinha interessado nas perguntas das partes e no que a testemunha tinha a dizer. Como já referido, "de-cidir" vem de "cortar fora". E, se o regramento processual estabelecer que o magistrado deva ser absolutamente inerte, como pregam os defensores da adoção de um sistema acusatório pretensamente "puro", esse quadro cognitivo mental prévio não sendo externado no presente da audiência também acaba não chegando ao conhecimento de quem está comunicando. Os princípios da ampla defesa e do contraditório, nessas circunstâncias, não alcançam toda a sua potencialidade, podendo, até mesmo, dependendo do caso, restar resumidos a meras garantias formais, sem possibilidade de efetivação e colaboração para provocação de uma mudança de pensamento no magistrado. Pode se dar, então, ainda que de forma implícita, a prevalência compreensiva, pelo juiz, de que ele tem plena liberdade para se convencer, e daí para o decisionismo e o arbítrio não sobra muito espaço. Assim, não ser capaz de interferir na compreensão do caso pelo juiz, acessando o que vai à sua mente no curso da audiência, é caminhar na contramão do paradigma filosófico da intersubjetividade e se aproximar ainda mais do paradigma filosófico da consciência.

E o mais curioso disso é que tanto o "senso comum teórico" da doutrina tradicional quanto parcela da doutrina moderna não percebem essa problemática toda, obnubilados que estão; o primeiro, pela distorcida ideia de busca da verdade material como norte; e o segundo, pelas igualmente equivocadas ideias de que qualquer postura ativa do magistrado seria "inquisitória" e que, em dúvida, o magistrado sempre julgará a favor do réu.

Partindo dessas premissas, pregam, então, agora num senso comum teórico compartilhado, o discurso de que a ampla defesa se garante com a participação pessoal do acusado (autodefesa) agregada à presença e participação de um defensor técnico. Até conseguem perceber a necessidade de que a garantia da ampla defesa e do contraditório não sejam formais, porém, interpretam essa questão apenas no plano de que "não basta qualquer defesa técnica" e que ela "deve ser efetiva". Com essa ressalva, no entanto, querem apenas dizer que o advogado deve ter qualidade técnica suficiente para defender juridicamente o acusado, sob pena de nulidade do ato. Olvidam, portanto, que a garantia formal dessas duas participações – do réu e de seu defensor (ainda que o defensor seja um excelente conhecedor do direito e tenha ampla capacidade de argumentação) – não basta para dar conta de uma – agora sim – "efetiva" recepção do discurso pelo magistrado.

Exemplo facilmente constatável desse quadro ocorreu no famoso julgamento da Ação Penal 470 no Supremo Tribunal Federal brasileiro, no caso conhecido como Mensalão. Logo no início do julgamento, foi dada a palavra aos inúmeros – e preparados/renomados/qualificados – advogados de defesa dos acusados, que se revezaram na tribuna para fazer a veemente defesa técnica oral de seus clientes. No entanto, em diversos momentos, como foi mostrado à exaustão nos meios de comunicação, alguns ministros do Supremo Tribunal Federal chegaram a dormir durante a fala dos advogados[1066], desconsiderando, na prática, aquele apenas "solene" e meramente "formal" momento em que a ampla defesa era "garantida". Uma garantia nesses moldes chega, em determinados casos, a ser apenas uma garantia de fachada. Alguém poderia argumentar que a regra não é que os juízes durmam e que o sono não ocorreu durante a produção de provas. No entanto, o que importa destacar com o exemplo é que esse comportamento decorreu essencialmente do fato de que os ministros compareceram ao julgamento com seus votos já prontos, escritos, decididas todas as questões antes da fala dos advogados. Se, no momento da produção da prova, o juiz também já decidiu mentalmente a respeito do fato, o que as partes disserem será de pouca valia para chamar sua atenção. Assim, a ampla defesa, naquele momento, foi assegurada muito mais "*pro forma*", como quem diz "é preciso passar por isso para depois apresentar o que já tenho em mente sobre o caso". Dessa forma, se não há diálogo, se não há como interferir na formação do juízo de valor antes de a decisão ser tomada e externalizada pelo magistrado, em diversas oportunidades ao longo do procedimento, garantir o contraditório e a ampla defesa não alcança a potencialidade plena que seria capaz de garantir efetivos momentos de influenciar a forma de o julgador pensar sobre o caso.

O processo penal, portanto, necessita de garantias que atuem de forma tal que permitam realmente imunizar a ameaça de o juiz decidir conforme seus pré-juízos e pré-conceitos. As garantias precisam funcionar como técnicas de imunização que permitam dizer que não vai acontecer de o juiz julgar apenas com suas impressões, por vezes tortas, do caso. As garantias, enfim, precisam imunizar a possibilidade de o julgador decidir pela condenação em razão de ter uma formação pessoal que o leve a pensar que será melhor punir em determinados casos, mesmo diante de uma dúvida razoável.

1066 *Vide*, dentre outras, a reportagem com as fotos dos ministros dormindo, publicada na internet, no *site* Yahoo notícias do dia 6 de agosto de 2012. Disponível em: http://br.noticias.yahoo.com/ministros-s%C3%A3o--flagrados-dormindo-no-julgamento-do-mensal%C3%A3o-.html. Acesso em: 5 ago. 2013.

E muito desse papel de ampliação da efetividade dos princípios do contraditório e da ampla defesa se dá no curso da audiência de instrução probatória, por ocasião da ouvida das testemunhas, notadamente em decorrência da complexidade, da falha comunicacional natural nos relatos testemunhais e da ampla adoção desse meio de prova. E se dá com a participação – ainda que secundária – do juiz, já que a prova testemunhal o tem como destinatário.

Assim, com essa recolocação da importância das garantias do contraditório e da ampla defesa, conseguirão melhores resultados no intuito de se imunizar do uso abusivo da retórica decisória na sentença. O contraditório e a ampla defesa, portanto, devem ser atuantes no presente da audiência do processo de forma efetiva e comunicativa com o magistrado no modelo que aqui se propõe. A ameaça mais perigosa à maior efetivação desses princípios é a que permita bloquear a complexidade característica da produção probatória em relação à formação da decisão do juiz, notadamente em relação ao que sucede de reconstrução – primeiro mental e depois narrativa – dos fatos pelo juiz na sentença, e do quanto isso possa ser deturpado com a inércia absoluta do magistrado. Assim, ao contrário do "senso comum teórico-crítico", é justamente a complexidade desse momento que acaba sendo a garantia de se ter presentes, na audiência, as condições de possibilidade de mudança na forma de pensar do magistrado, como se verá a seguir.

3.25 Recognição fática no presente e na complexidade da audiência de instrução e o processo decisório: o paradoxo de Jano e a parcial solução da Hermenêutica Filosófica

O deus romano Jano (*Janus*) é representado por duas faces, uma olhando para a frente, outra para trás, simbolizando antever o futuro e conhecer o passado[1067]. Situação similar se dá com o processo penal, que funciona dentro dessa pretensão de conhecer o passado (produzindo provas) e, ao mesmo tempo, prever o futuro (antecipando mentalmente a sentença). Essa comparação com a visão mitológica, no entanto, acaba se revelando precária quando compreendida no contexto da complexidade da comunicação, da compreensão e da decisão como dados centrais da audiência no processo penal, e quando se reformula a problemática da temporalidade, do risco e do futuro.

Admitindo a estrutura do pensamento de Heidegger e fortemente influenciado pela análise sistêmica de Niklas Luhmann, Raffaele De Giorgi considera ser importante compreender a centralidade do tempo, pela constituição da sociedade, esclarecendo que

---

1067 KURY, Mário da Gama. *Dicionário de Mitologia Grega e Romana*. 8. ed. Rio de Janeiro: Zahar, 2009, p. 222.

isso não é só um problema semântico, mas é um problema constitutivo da sociedade, pois tudo que acontece, acontece na sociedade, e tudo é produzido no tempo[1068].

Assim, diz De Giorgi, a sociedade que se representa como moderna se preocupa com o presente, mas não com o passado ou o futuro[1069].

Essa questão é bastante significativa para a compreensão do papel da audiência de instrução no processo penal, já que nela se procura, no presente, promover uma recognição do passado projetando-se um futuro na sentença. Nessa audiência o que se tem é um juiz que não conhece e que precisa conhecer, como destacado por Jacinto Coutinho[1070].

Mesmo assim, no processo penal, não é de buscas de "verdades absolutas" que se deve ocupar, mas de técnicas de diminuição ou de imunização das possibilidades decisionistas; da substituição do paradigma da consciência pelo da linguagem e da intersubjetividade. Assim, vale também a consulta à etimologia da palavra "*conhecer*", que vem do latim "*cognoscere*"[1071] ou "*cognitio*", sendo formada pelo prefixo "*co*", "*cum*", significando "junto, com", acrescido da letra "g", raiz do verbo "*gignomai*" ("gerar, nascer"), e também de "*noscere*" (entender)[1072]. Outra referência é que "*gnoscere*" vem do grego "*ginnoskein*" e significa "saber"[1073]. "Conhecer", portanto, etimologicamente, significa "nascer junto, entender junto, saber junto/com".

Então, repita-se, para não se perder a ideia: na audiência de instrução probatória no processo penal, tem-se um juiz que não "conhece" e precisa, no presente, "conhecer" – saber, entender junto – um passado que não existe mais, para permitir que num futuro – que ainda não existe – possa externar sua decisão sobre o caso penal. Esse juiz deve, então, "conhecer" – isto é, repita-se, entender, saber, junto com os demais presentes em audiência, o que ocorreu no passado. Sucede que ele acaba agindo sob o paradoxo de Jano de estar entre dois momentos (passado e futuro), isto é, de estar sob o paradoxo de um presente que não contém nem o passado nem o futuro, nos termos de que fala Raffaele De Giorgi, seguindo a compreensão da temporalidade heideggeriana. De fato, pode-se compreender o presente apenas com essa representação paradoxal, de ele ser a unidade de uma

---

1068 DE GIORGI, Raffaele. Aula do dia 22 de maio de 2013. *Curso "A função do Direito e do Risco na Construção do Futuro"*. Curitiba, UFPR, Programa de Pós-Graduação em Direito, Escola de Altos Estudos, de 22 de maio a 12 de julho de 2013.

1069 DE GIORGI, Raffaele. Aula do dia 22 de maio de 2013. *Curso "A função do Direito e do Risco na Construção do Futuro"*, cit.

1070 COUTINHO, Jacinto Nelson de Miranda. *Glosas ao Verdade, Dúvida e Certeza, de Francesco Carnelutti, para os Operadores do Direito, cit.*, p. 79.

1071 DE PLÁCIDO E SILVA. *Vocabulário Jurídico*. V. I. Rio de Janeiro: Forense, 1963, p. 402.

1072 ZIMERMAN, David E. *Bion. Da Teoria à Prática: uma leitura didática*. 2. ed. Porto Alegre: Artmed, 2008, p. 160.

1073 Disponível em: http://origemdapalavra.com.br/site/palavras/conhecer/. Acesso em: 30 jul. 2014.

diferença entre o passado e o futuro. E cada vez que se constrói essa unidade, ela também se transforma, e é nessa dinâmica – e nesse paradoxo constante – que se insere a discussão de o juiz poder também interferir, junto com as partes e com as testemunhas, frise-se, sempre no presente em constante transformação, na coleta de dados passados para a construção de um futuro incerto.

Essa temporalidade e esse "saber junto" são, portanto, condições de possibilidade do "*accertamento*" do caso penal. Como diz Raffaele De Giorgi, o direito temporaliza o conflito social, e, assim, o processo atribui-lhe sentidos variados, por meio de seleções de comunicações feitas no presente[1074]. A pergunta que surge nesse contexto é: seria prudente alijar completamente o juiz dessa construção conjunta do saber, dessa seleção de sentidos temporalizada, desse conflito social representado no caso penal em mesa no exato presente em que a recognição dos fatos é concretizada em audiência? De Giorgi contribui permitindo uma conclusão no sentido negativo à questão que se acaba de formular. De fato, se o único presente que está acontecendo é o que está acontecendo nessa comunicação, e isso anula os presentes dos demais, como diz Raffaele De Giorgi[1075], é no presente da audiência – ainda que não exclusivamente, claro – que as coisas acontecem na formação da decisão judicial. E a audiência, como elemento central da produção probatória do processo penal, é, assim como a sociedade, de uma complexidade que indica um excesso de possibilidades, de relações entre acontecimentos, entre eventos e entre manifestações de sentido.

Mas "a temporalidade é apenas um dos planos da convicção", como alerta Fernando Gil[1076], pois o sentido que se dá é sempre o resultado de uma seleção, ainda que não deva ser reduzida a uma mera "escolha" discricionária. O fato é que, em termos processuais, a decisão será dada, em última análise e inevitavelmente, pelo juiz. Assim, como não existe uma lei natural que diga que tal acontecimento tenha sempre tal sentido, pois os sentidos são atribuídos por quem interpreta, deve-se garantir a possibilidade de as partes interferirem positivamente nesse processo de conhecimento e interpretação da fala das testemunhas em audiência "junto com" o juiz, e não "sem ele". Até porque, como diz Raffaele, se o sentido é uma "determinação que bloqueia uma, dentre outras possibilidades", ao mesmo tempo ele "abre outras possibilidades"[1077]. Assim, no caso da audiência criminal,

---

1074 DE GIORGI, Raffaele. Aula do dia 23 de maio de 2013. *Curso "A função do Direito e do Risco na Construção do Futuro"*, cit.

1075 DE GIORGI, Raffaele. Aula do dia 22 de maio de 2013. *Curso "A função do Direito e do Risco na Construção do Futuro"*, cit.

1076 GIL, Fernando. Reflexões Sobre a Prova, Verdade e Tempo. In: CUNHA MARTINS, Rui. *O Ponto Cego do Direito. The Brazilian Lessons*, cit., p. 180.

1077 DE GIORGI, Raffaele. Aula do dia 23 de maio de 2013. *Curso "A função do Direito e do Risco na Construção do Futuro"*, cit.

essa complexidade de sentidos que, ao mesmo tempo, bloqueia possibilidades e abre novas possibilidades fica muito evidente na dinâmica das trocas decorrentes do jogo de perguntas e respostas, que acaba gerando novas perguntas e novas respostas, que se verificam nos depoimentos testemunhais, abrindo a possibilidade de novos sentidos. Essa gama de sentidos que pode ser extraída dos depoimentos testemunhais deve ser levada em conta não apenas na participação exclusiva das partes nesse processo, mas também na participação complementar do juiz, permitindo às partes, agora pela via efetiva do contraditório e da ampla defesa, interferir positivamente nas produções de novos sentidos, os quais acabam conduzindo ao processo decisório do juiz no presente da audiência.

Sucede que, para compreender como se pode alcançar a efetividade do contraditório e da ampla defesa no processo decisório do juiz, para além de meras garantias formais, não se pode desconsiderar a complexidade comunicativa da própria prova testemunhal, também ela um cabedal de sentidos do que apreendeu do fato e do que pretende dele revelar em audiência.

Quando a testemunha é instada a dizer o que sabe em juízo, deve-se levar em conta que ela o faz num ambiente de aparência hostil (como costumam ser as salas de audiência[1078]), perante estranhos, numa comunicação com os profissionais presentes à audiência, notadamente as partes processuais, que acaba sendo atravessada por um linguajar questionador, normalmente empolado, técnico e, por vezes, entrecortado, tudo somado à pressão do "compromisso legal de dizer a verdade" e de ser obrigada a se lembrar do passado e a revelar "tudo o que viu e sabe a respeito do fato". Natural, portanto, que a testemunha preste depoimento sob elevado nível de estresse que a conduz a um intrincado jogo de revisitação mental do passado no presente. Tem-se, então, um momento no qual "o futuro" da sentença não existe ainda (e a palavra ainda é uma petição de princípio), mas, por outro lado, o passado também "não mais existe, salvo sob a forma de memórias", como diz Iván Izquierdo[1079]. Mas se tem, sobretudo, uma ocasião de constrangimentos epistêmicos da fala da testemunha, operada pelas circunstâncias do momento e do local e, também, pelas intervenções das partes, pelo modo de estas inquirirem a testemunha e, por esse mecanismo, buscarem inteirar o juiz do passado, por intermédio da testemunha.

1078 Sobre o tema, *vide*: GUIMARÃES, Rodrigo Régnier Chemim; PARCHEN, Andrelize Guaita Di Lascio. Videoconferência na Inquirição de Testemunhas em Tempos de Covid-19: prós e contras na percepção dos atores processuais penais. *Dossiê Especial Covid-19 – V. I*, Direito Público, v. 17, n. 94, Brasília: IDP, 2020, p. 493-521.

1079 IZQUIERDO, Iván. Memórias. *Estudos Avançados*, v. 3, n. 6, maio/ago. 1989. Disponível em: http://www.scielo.br/scielo.php?script=sci_arttext&pid=S0103-40141989000200006. Acesso em: 19 ago. 2014.

O presente da audiência e da produção da prova testemunhal no processo penal tem, então, a pretensão de que a testemunha atualize o passado do fato imputado ao acusado e informe ao juiz o que sabe do caso penal. E, dependendo do que ela disser, o juiz poderá – ou não – tomar de imediato uma decisão mental sobre o caso penal e, no futuro, reconstruir discursivamente o fato na sentença[1080].

Ao tratar da lembrança e da compreensão do passado histórico e da esperança que se tem no futuro, Julián Marías esclarece a dinâmica correlata ao "presente que confere realidade ao passado e ao futuro", em plano similar àquele que também se verifica no processo penal.

O tempo presente, nesse percurso e no momento da audiência da testemunha, é, portanto, fator importante, notadamente quando conjugado com a possibilidade e, até mesmo, a necessidade do esquecimento de que o *ser-no-mundo-testemunha* precisa ter do que viveu no passado para se permitir viver o presente[1081]. Com efeito, como se vê do conto de Jorge Luis Borges, "Funes, o Memorioso"[1082], para viver o presente é necessário esquecer o passado. Ao menos uma parte dele. Aliás, a questão não se resume aos contos fantásticos de Borges, pois, como relata Leonard Mlodinow, há o caso do "famoso mnemônico chamado Solomon Shereshevsky", que "conseguia se lembrar com grandes detalhes de tudo que lhe havia acontecido", com o registro de que "os detalhes costumavam atrapalhar sua compreensão", tendo, inclusive, problemas com a linguagem, como descreve Mlodinow:

> O lado negativo da impecável memória de Shereshevsky era que os detalhes costumavam atrapalhar sua compreensão. Por exemplo, ele tinha uma grande

---

1080 CARNELUTTI, Francesco. *Verità, Dubbio, Certezza, cit.*, p. 6: *E ricordare che prima si giudica e poi si ragiona*. E, também, COUTINHO, Jacinto Nelson de Miranda. *Glosas ao Verdade, Dúvida e Certeza, de Francesco Carnelutti, para os Operadores do Direito, cit.*, p. 86, *in verbis*: "Decide-se antes (o que é normal, no humano, repita-se); e depois raciocina-se sobre a prova para testar a escolha".

1081 IZQUIERDO, Iván. *Memória*. 2. ed. rev. e ampl. Porto Alegre: Artmed, 2011, p. 40

1082 BORGES, Jorge Luis. Funes o Memorioso. *Jorge Luis Borges: Prosa Completa*. Tradução de Marco Antonio Franciotti. Barcelona: Bruguera, 1979, v. 1, p. 477-484. Vale destacar alguns trechos do conto: "Dezenove anos havia vivido como quem sonha: olhava sem ver, ouvia sem ouvir, esquecia-se de tudo, de quase tudo. Ao cair, perdeu o conhecimento; quando o recobrou, o presente era quase intolerável de tão rico e tão nítido, e também as memórias mais antigas e mais triviais. Pouco depois averiguou que estava paralítico. Fato pouco o interessou. Pensou (sentiu) que a imobilidade era um preço mínimo. Agora a sua percepção e sua memória eram infalíveis. (...) Essas lembranças não eram simples; cada imagem visual estava ligada a sensações musculares, térmicas, etc. Podia reconstruir todos os sonhos, todos os entresonhos. Duas ou três vezes havia reconstruído um dia inteiro, não havia jamais duvidado, mas cada reconstrução havia requerido um dia inteiro. Disse-me: Mais lembranças tenho eu do que todos os homens tiveram desde que o mundo é mundo. (...) Este, não o esqueçamos, era quase incapaz de ideias gerais, platônicas. Não apenas lhe custava compreender que o símbolo genérico cão abarcava tantos indivíduos díspares de diversos tamanhos e diversa forma; perturbava-lhe que o cão das três e catorze (visto de perfil) tivesse o mesmo nome que o cão das três e quatro (visto de frente). Sua própria face no espelho, suas próprias mãos, surpreendiam-no cada vez. (...) Havia aprendido sem esforço o inglês, o francês, o português, o latim. Suspeito, contudo, que não era muito capaz de pensar. Pensar é esquecer diferenças, é generalizar, abstrair. No mundo abarrotado de Funes não havia senão detalhes, quase imediatos."

dificuldade de reconhecer fisionomias. A maioria de nós guarda na memória a fisionomia dos rostos de que nos lembramos; quando vemos alguém que conhecemos, identificamos a pessoa comparando o rosto que estamos vendo com um dos rostos desse catálogo limitado. Mas a memória de Shereshevsky guardava muitas versões de cada rosto que já tinha visto. Para ele, cada vez que um rosto mudava de expressão, ou fosse visto sob luz diferente, era um novo rosto, e ele se lembrava de todos. Assim, para ele as pessoas não tinham um só rosto, mas dezenas; quando encontrava alguém que conhecia, comparar o rosto daquela pessoa com aqueles que guardava na memória significava a busca em um vasto inventário de imagens para tentar encontrar o equivalente exato do que estava vendo.

Shereshevsky tinha problemas semelhantes com a linguagem. Se você falasse com ele, ainda que conseguisse sempre repetir suas palavras exatas, ele tinha problemas para entender o raciocínio[1083].

Assim, o que se tem é que o cérebro humano normal precisa operar constantemente provocando apagamentos do passado. Do contrário, viver-se-ia apenas o passado, e nunca o presente, tal qual a personagem Irineo Funes do conto de Borges, ou se teria dificuldades enormes de viver e de se comunicar, como se deu no caso real de Salomon Shereshevsky.

Levando em conta essa necessidade do esquecimento, e igualmente considerando que a testemunha é *"ser-no-mundo"* presa à sua faticidade e sua temporalidade, para seguir vivendo ela esquece. Por vezes, quando a memória seria traumática, a testemunha reprime e "joga" sua "memória" para o inconsciente, como refere Freud[1084]. O interessante é que esse "pedaço" da memória que se tornou inconsciente, segundo Freud, não sofre a influência do apagamento com o tempo, estando presente sempre, mas, sem o controle da consciência[1085]. Porém, pior do que "apenas" esquecer ou reprimir o que se tem em algumas ocasiões é que a testemunha esquece até mesmo o pouco que havia permanecido na consciência, o pouco que conseguiu apreender dos rastros do fato presenciado, principalmente quando ausente alguma emotividade que

---

1083 MLODINOW, Leonard. *Subliminar: como o inconsciente influencia nossas vidas.* Tradução de Claudio Carina. Rio de Janeiro: Zahar, 2013, p. 77-78.

1084 FREUD, Sigmund. O Inconsciente (1915). *Obras Completas.* V. 12. *Introdução ao Narcisismo, Ensaios de Metapsicologia e Outros Textos (1914-1916).* Tradução de Paulo César de Souza. São Paulo: Companhia das Letras, 2010, p. 100.

1085 *Ibid.*, p. 128: "Os processos do sistema Ics são atemporais, isto é, não são ordenados temporalmente, não são alterados pela passagem do tempo, não têm relação nenhuma com o tempo. A referência ao tempo também se acha ligada ao trabalho do sistema Cs".

provoque a fixação da memória[1086]. A problemática da prova testemunhal se inicia, assim, pela compreensão de que o ser humano não consegue apreender na consciência o todo de determinado fato presenciado e tende a esquecer – ou reprimir – boa parte do que conseguiu assimilar, em razão do decurso de tempo. A testemunha de um delito, portanto, capta, quando muito, visões parciais, flashes do fato, determinados ângulos de análise, certos detalhes que foram considerados marcantes pela emoção do momento, *"fragmentos de experiências"*, como afirma Daniel Stern[1087], mas não o todo dele. E, nesse processo de memorização, a testemunha não registra o que viu em formas de fotografias perenes que pudessem ser consultadas mentalmente a qualquer momento, conforme explica precisamente António Damásio:

> As imagens não são armazenadas sob a forma de fotografias fac-similares de coisas, de acontecimentos, de palavras ou de frases. O cérebro não arquiva fotografias Polaroid de pessoas, objetos, paisagens; nem armazena fitas magnéticas com música e fala; não armazena filmes de cenas de nossa vida; nem retém cartões com "deixas" ou mensagens de teleprompter do tipo daquelas que ajudam os políticos a ganhar a vida. (...) Dada a enorme quantidade de conhecimento que adquirimos durante a vida, qualquer tipo de armazenamento fac-similar colocaria provavelmente problemas insuperáveis de capacidade. Se o cérebro fosse como uma biblioteca convencional, esgotaríamos suas prateleiras à semelhança do que acontece nas bibliotecas. Além disso, o armazenamento fac-similar coloca também problemas difíceis de eficiência do acesso à informação. Todos possuímos provas concretas de que sempre que recordamos um dado objeto, um rosto ou uma cena, não obtemos uma reprodução exata, mas antes uma interpretação, uma nova versão reconstruída do original. Mais ainda, à medida que a idade e experiência se modificam, as versões da mesma coisa evoluem[1088].

1086 IZQUIERDO, Iván; BEVILAQUA, Lia R. M.; CAMMAROTA, Martín. A Arte de Esquecer. *Estudos Avançados,* v. 20, n. 58, 2006, p. 289. Disponível em: http://www.scielo.br/pdf/ea/v20n58/22.pdf. Acesso em: 19 ago. 2014, *in verbis:* "A maioria de nós lembra com detalhes o que estava fazendo, onde e com quem, no momento em que morreu Ayrton Senna; ninguém se lembra do que aconteceu 24 horas antes ou depois. A morte do Senna é uma memória altamente emocional, que recordaremos sempre porque foi gravada de maneira indelével (ver comentário no final deste artigo); as memórias do dia anterior e do dia posterior correspondem a memórias inexpressivas, que logo esquecemos para sempre".

1087 STERN, Daniel N. *O Momento Presente na Psicoterapia e na Vida Cotidiana.* Tradução de Celimar de Oliveira Lima. Rio de Janeiro. São Paulo: Record, 2007, p. 224.

1088 DAMÁSIO, António R. *O Erro de Descartes: emoção, razão e o cérebro humano.* 2. ed. Tradução de Dora Vicente e de Georgina Segurado. São Paulo: Companhia das Letras, 1996, p. 127-128. No mesmo sentido a lição de MLODINOW, Leonard. *Subliminar: como o inconsciente influencia nossas vidas, cit.*, p. 71 e s.

Por vezes, alguns detalhes até são captados pela mente, mas não são processados de imediato, ou, como dito, são reprimidos e podem emergir subitamente e surpreender por terem sido olvidados na ocasião[1089]. Essa emersão do detalhe também pode ser confundida com elementos externos ao fato e posteriormente agregados, a exemplo das opiniões de terceiros, das notícias de mídia sobre o fato e das trocas de impressões sobre o que se passou com outras testemunhas[1090]. Com efeito, nessa questão que envolve a aquisição e a conservação da memória pela testemunha, Iván Izquierdo acena com a necessidade de se levar em conta que, no âmbito bioquímico respectivo, uma série de outros dados emocionais, sentimentais e anímicos acaba influenciando[1091].

Assim, é grande a possibilidade de que a testemunha, a partir de determinado momento, não consiga mais "separar" o que efetivamente viu do fato daquilo que lhe disseram sobre o fato, gerando até mesmo, em algumas ocasiões, as chamadas "falsas memórias", estudadas principalmente[1092] pelos norte-americanos Gary L. Wells[1093] e Elizabeth Loftus[1094].

Ademais, ao reter fragmentos do fato, a testemunha procura armazená-los no cérebro, em sua consciência, por meio de associações, linguagem (às vezes, inclusive, por metáforas[1095] e metonímias[1096]) e imagens. E as lacunas que acabam existindo entre os fragmentos captados do fato, para serem coerentes quando da necessidade de externalização, necessitarão da capacidade linguística da testemunha, que será utilizada justamente para preencher os vazios deixados entre os fragmentos captados e, com isso, procurar dar coerência ao seu discurso.

Assim, quando a testemunha é chamada a depor sobre o que se lembra do passado, além de superar o estresse do momento, deve ter autocontrole e se esforçar para atualizar o passado no presente. Nesse processo, como se estava dizendo, as lacunas do que se havia fixado na memória serão invariavelmente preenchidas pela linguagem (e o

---

1089 *Ibid.*, p. 134.

1090 BRUM, Nilo Bairros de, *cit.*, p. 76.

1091 IZQUIERDO, Iván. *Memórias, cit.*

1092 No Brasil, é relevante a contribuição, dentre outros, de STEIN, Lilian Milnitsky (Org.). *Falsas memórias: fundamentos científicos e suas implicações clínicas e jurídicas*. 12. ed. Porto Alegre: Artmed, 2010. Importante, também, o trabalho de GESU, Cristina di. *Prova Penal e Falsas Memórias*. 2. ed. Porto Alegre: Livraria do Advogado Editora, 2014 e de LOPES JR., Aury; GESU, Cristina Carla di. Prova Penal e Falsas Memórias: em busca da redução de danos. *Boletim IBCCRIM – Instituto Brasileiro de Ciências Criminais*. São Paulo: IBCCRIM, ano 15, n. 175, p. 14-16, jun. 2007.

1093 WELLS, Gary; MEMON, Amina; PENROD, Steven D. Eyewitness Evidence: Improving its Probative Value. *Psychological Science in the Public Interest*. New York, v. 7, n. 2, 2006, p. 45-75. Disponível em: http://public. psych.iastate.edu/glwells/Wells_articles_pdf/pspi_7_2_article[1].pdf. Acesso em: 19 ago. 2014.

1094 WELLS, Gary L.; LOFTUS, Elizabeth F. Eyewitness Memory for People and Events. *Forensic Psychology.* New York, v. 11, 2003, p. 149-160. Disponível em: https://webfiles.uci.edu/eloftus/WellsLoftus03.pdf. Acesso em: 19 ago. 2014.

1095 STERN, Daniel N. *O Momento Presente na Psicoterapia e na Vida Cotidiana, cit.*, p. 226.

1096 LAKOFF, George; JOHNSON, Mark. *Metaphors We Live By*. London: The University of Chicago Press, 2003.

inconsciente, também sendo formado como linguagem, como já visto anteriormente com Lacan, "colabora" nessa mecânica), levando em conta que, quanto maior a capacidade linguística da testemunha, maior leque de palavras ela terá para preencher os vazios e procurar dar coerência ao relato. E, como igualmente já exposto, na falta de alguma palavra, o que sucede é que a testemunha, para não externar aparência de falsidade em seu discurso, acaba colocando outra palavra no lugar, sem olvidar que essa palavra pode vir aflorada de seu inconsciente, inclusive de forma metafórica ou metonímica. Assim, aquilo que foi apreendido do passado poderá ser apresentado no presente como algo diverso sem que se possa dizer que a testemunha esteja necessariamente "mentindo". Ao contrário, a testemunha até se esforça para tentar reproduzir os padrões experimentais que vivenciou no passado, como explica mais uma vez António Damásio:

> Uma das tentativas de resposta a esse problema sugere que as imagens mentais são construções momentâneas, tentativas de réplica, de padrões que já foram experienciados, nas quais a probabilidade de se obter uma réplica exata é baixa, mas a de ocorrer uma reprodução substancial pode ser alta ou baixa, dependendo das circunstâncias em que as imagens foram assimiladas e estão sendo lembradas[1097].

Assim, mesmo com essa dificuldade de armazenamento do fato na memória, com a necessidade de esquecimento seletivo, com os processos de repressão e redirecionamento ao inconsciente, com a possibilidade do retorno incontrolado do inconsciente e diante da igual possibilidade de as influências externas produzirem falsas memórias, a testemunha ainda se esforça para realizar uma "reprodução substancial" do fato vivenciado. Levando em conta essa complexidade, é importante que as condições de possibilidade de compreensão do que ela pretende reproduzir em audiência sejam amplas, não limitadas por formalismos exagerados que reduzem ainda mais o conjunto informativo de sua fala. Dessa forma, para permitir o mais alto grau de obtenção da réplica imagética que a testemunha está procurando reproduzir, transparece como fundamental que as condições de possibilidade de compreensão da fala da testemunha pelo juiz sejam preservadas. Com efeito, quando o domínio da língua pela testemunha é amplo, a escorreita narrativa do que ela afirma ter sucedido no passado transmite ao receptor juiz a segurança de uma efetiva – porém sempre parcial – atualização do passado. Do contrário, quanto menor a capacidade linguística da testemunha, menor sua capacidade de se fazer compreender e, portanto, menor a chance de seu depoimento ser crível, compreensível e assimilável na pretensão de atualização do passado.

1097 DAMÁSIO, António R., *cit.*, p. 128.

Em plano equivalente de importância, diminuir o lapso temporal entre a data do fato presenciado pela testemunha e seu relato em juízo é fundamental nesse processo, pois, quanto mais tempo tenha decorrido, mais lacunas ela apresentará entre os fragmentos que ainda permanecem em sua mente e, portanto, mais necessário será que ela consiga acessar e dominar a linguagem para promover a ligação entre eles. Não raras vezes, o tempo decorrido entre um primeiro depoimento prestado na fase investigativa e sua reprodução em juízo é tão amplo que se tem depoimentos absolutamente conflitantes entre aqueles colhidos na fase pré-processual (quando a distância temporal entre o fato e o relato da testemunha não era muita) e aqueles colhidos em juízo, anos depois do fato. Tem-se a impressão, inclusive, de que a testemunha estaria deliberadamente mentindo, mas, em boa parte dos casos, não é de falseamento que se trata, mas de dificuldade de dar logicidade e coerência ao que restou de apreensão da cena presenciada no passado distante.

Em paralelo a essa dificuldade toda, não há como olvidar a igual possibilidade de a testemunha estar efetivamente mentindo, por variadas razões, como explica mais uma vez Nilo Bairros de Brum:

> Para ilustrar a relatividade dos meios de prova não é necessário recorrer ao exemplo extremo de que existem escritórios de advocacia que mantém "viveiros" de testemunhas profissionais. Basta lembrarmo-nos das falhas de percepção e memória das testemunhas, das distorções involuntárias pelas quais as testemunhas "mentem" por motivo de coleguismo, simpatia, antipatia, sentimento de classe, etc.[1098]

Assim, com François Ost é importante entender que, "quando o passado já não constitui autoridade e o futuro já não mobiliza as energias, a fonte do valor (validade) concentra-se na troca do presente"[1099]. É, portanto, no presente que se deve realizar a troca entre os que procurarão compreender o caso penal. E esse presente é, essencialmente, o presente da audiência. Nela as partes estão presentes, as testemunhas estão presentes e o juiz está presente. A *troca do presente*, mencionada por Ost, torna-se, então, possível. O "último" Carnelutti, com sua genialidade, já acenava a esse propósito e por isso – valendo-se de Heidegger – discorreu a respeito do que acontece com o juiz nessa audiência:

1098 BRUM, Nilo Bairros de, *cit.*, p. 75-76.
1099 OST, François. *O Tempo do Direito*. Lisboa: Piaget, 1999, p. 409.

> Voltemos agora a atenção ao juiz, deixando de lado as partes. O que faz o juiz quando julga? (...) Frente a seus olhos. Detenhamo-nos aqui. Chega à minha mente uma frase do mais trágico pensador da Alemanha atual, Martin Heidegger, que diz, para explicar o conceito de "presente" "algo está adiante". Depois que a li, finalmente compreendi a "prova", ou, melhor, o valor lógico da prova. O "presente", o mais problemático dos conceitos, ou seja, o tempo, não é mais que a zona iluminada na frente do homem que caminha levando uma lanterna. Assim faz o juiz: tenta iluminar o máximo possível o caminho que se delineia à sua frente. Assim faz qualquer um que deve formar um juízo.
>
> (...) Enquanto o juiz pergunta, tenta prolongar o presente. Mas, em certo ponto, para de perguntar. O presente então prolonga-se até os limites do possível[1100].

Assim, quando se procura saber do passado na audiência, não se sabe dele em si, mas apenas de uma atualização parcial dada pela testemunha, pelo documento, pela perícia e, notadamente, pelos interlocutores e intérpretes no momento presente. Não é o passado que é apresentado pela testemunha, mas a atualização no presente de quem o atualiza. Por isso, "prolongar o presente", como diz Carnelutti, passa a ser fundamental no processo decisório do juiz e na pretensão de efetivação máxima das garantias do contraditório e da ampla defesa, como se verá mais adiante.

3.26 Criando condições de possibilidade para ampliar a efetividade do contraditório e da ampla defesa e diminuir a discricionariedade judicial no presente da instrução probatória

Ainda que se tenha consciência do "risco de comprometer o resultado aplicativo do direito toda a vez que se lançar mão de 'mixagens' de matrizes teóricas incompatíveis", como alerta Lenio Streck[1101], do que já se trabalhou ao longo do texto, vê-se que, de um lado e em certos aspectos, pode haver uma interseção entre a razão comunicativa e a razão hermenêutica, notadamente a partir de suas feições intersubjetivas, e, de outro, há igual possibilidade de somar o aproveitamento das conclusões da Hermenêutica Filosófica com as análises de como atua a psique humana, tanto a

---

1100 CARNELUTTI, Francesco. *Arte do Direito*. Tradução de Hebe A. M. Caletti Marenco. São Paulo: Edicamp, 2001, p. 71.

1101 STRECK, Lenio Luiz. Uma Leitura Hermenêutica das Características do Neoconstitucionalismo. *Observatório de Jurisdição Constitucional*. Brasília: IDP – Instituto Brasileiro de Direito Público. Ano 7, n. 2, jul./dez. 2014, p. 25-48. Disponível em: http://www.portaldeperiodicos.idp.edu.br/index.php/observatorio/article/viewFile/1043/672. Acesso em: 13 abr. 2015, p. 35.

638 ■ Processo Penal | Fundamentos dos fundamentos

partir da psicanálise quanto da psicologia cognitiva e até mesmo a partir de algumas conclusões da neurociência[1102].

Vale o registro de que aqui se fala em "interseção", como explica José Martinho, não como "interlocução, diálogo com a eventual finalidade de obter um consenso ou uma solução", mas "convém entender a 'interseção' como um real lógico ou que apenas encontra a sua consistência a partir da lógica simbólica", algo como a "interseção dos conjuntos", com alguns elementos em comum que pertencem aos dois "conjuntos"[1103].

No primeiro plano de interseção, não obstante não se possa levar a razão comunicativa de Habermas em toda a sua potencialidade, pois ela parte de uma falsa premissa de igualdade e de condições ideais de fala, impossíveis de atuar na prática, além de acreditar na possibilidade de uma discussão que parta de um grau zero de sentido, não há como desconsiderar que ela traz algo de positivo, pois admite a necessidade do diálogo, da comunicação, da intersubjetividade, com a participação de todos aqueles que de alguma forma possam influenciar no processo decisório. As filosofias de Heidegger e Gadamer também partem da ideia de o Dasein saber que não está sozinho, que é um "ser-com" o outro, levando em conta o compartilhamento de horizontes e a pré-compreensão estruturante. Assim, identificar os pontos nos quais há possibilidade de formar, como traz José Martinho, um "subconjunto" com o que a razão comunicativa de Habermas tem de positivo e o que a razão hermenêutica de Gadamer tem de positivo, e que pode ser compartilhado por ambos, é a tarefa que se impõe no processo penal de partes que atuam dialeticamente e que agem no intuito de instruir um terceiro que é o intérprete final da discussão.

Com efeito, se para Gadamer "a fusão de horizontes se dá entre o horizonte histórico do significado a ser interpretado e o horizonte histórico do intérprete", o problema que ela apresenta, como alerta Simioni, é que "parece não haver espaço, na Hermenêutica Filosófica, para uma fusão de horizontes entre participantes de um diálogo 'sobre' um horizonte histórico"[1104]. Assim, torna-se plenamente compatível se

---

1102 Em sentido similar: COUTINHO, Jacinto Nelson de Miranda. Sistema Inquisitório e o Processo em "O Mercador de Veneza". In: *Direito e Psicanálise: interseções a partir de "O Mercador de Veneza", de William Shakespeare, cit.*, p. 177, *in verbis*: "Hoje não mais se pode pretender ter uma visão adequada do Direito se em jogo não estiverem as ideias de Heidegger e Gadamer (o que se vê na obra de Enrique Dussel e, no Brasil, por todos, Lenio Luiz Streck), tanto quanto as ideias de Freud e Lacan (o que se vê na obra de Pierre Legendre e, no Brasil, por todos, Agostinho Ramalho Marques Neto). Ora, parece inevitável, mais cedo ou mais tarde, um encontro com a linguagem".

1103 MARTINHO, José. A "Intersecção Direito-Psicanálise". *Afreudite – Revista Lusófona de Psicanálise Pura e Aplicada*. Ano III, n. 05/06. Lisboa: Universidade Lusófona de Humanidades e Tecnologias, 2007, p. 55. Disponível em: http://revistas.ulusofona.pt/index.php/afreudite/article/view/830/671. Acesso em: 17 maio 2015, 63, p. 56.

1104 SIMIONI, Rafael Lazzarotto. *Curso de Hermenêutica Jurídica Contemporânea: do positivismo clássico ao pós-positivismo jurídico, cit.*, p. 587.

operar a interseção também entre alguns aspectos da razão comunicativa habermasiana e outros da razão hermenêutica gadameriana. Como já exposto, ambas premiam, a seu modo, a intersubjetividade, mas é de sua soma que a intersubjetividade se amplia para alcançar também o diálogo entre os envolvidos, quiçá promovendo, agora para usar a linguagem de Gadamer, uma "fusão sobre o horizonte histórico", sem olvidar do juiz e sem descurar do papel das pré-compreensões estruturantes e das perguntas a serem formuladas pelo hermeneuta nesse processo comunicacional.

Acredita-se, então, que a interseção dos aspectos positivos desses dois horizontes – da razão comunicativa e da razão hermenêutica – é igualmente positiva e vem reforçar a necessidade de se permitir a participação do juiz na produção da prova testemunhal, inclusive autorizando-o a formular perguntas que visam ampliar o quadro de compreensão da fala da testemunha. É como também conclui Rafael Lazzarotto Simioni:

> Um diálogo entre intérpretes pode acelerar uma compreensão autêntica na medida em que a compreensão de cada um dos participantes do diálogo pode colocar-se à prova também perante a compreensão dos demais. Isso significa uma dupla fusão de horizontes: uma fusão entre a historicidade do significado e a do intérprete e outra fusão entre os participantes de um diálogo sobre aquilo que cada um compreendeu sobre o significado. É nesse sentido que Habermas afirma ser impossível compreender um significado solipsisticamente[1105].

Noutro prisma, como já destacado, não é possível que essa participação desconsidere por completo tudo aquilo que é constitutivo do juiz "ser-no-mundo", notadamente aquilo que é formador tanto de sua fisiologia quanto do inconsciente (do inconsciente como lido por Lacan, isto é, estruturado como linguagem), e, portanto, incontrolável. Há, igualmente, uma possibilidade de inter-relacionar esses "veios enriquecedores da Filosofia e da Psicanálise", como afirma Stein[1106], e mais uma vez promover a interseção desses dois grupos de compreensões[1107]. Trata-se não de, parafraseando Jacinto Coutinho[1108], "filosofar psicanaliticamente ou psicanalisar filosoficamente", mas de

---

1105 Ibid., p. 587-588.

1106 STEIN, Ernildo. *Analítica Existencial e Psicanálise. Freud, Binswanger, Lacan, Boss. Conferências.* Ijuí: Editora Unijuí, 2012, p. 18.

1107 *Ibid.*, p. 177, *in verbis*: "A aliança entre Psicanálise e Filosofia não é necessária. Agora, enquanto pesquisador, por exemplo, que quer investigar outros aspectos do ser humano, certamente poderá oferecer contribuições importantes. (...) Acho, porém, que não podemos mais deixar de pensar sobre isso. Porque eu penso que houve entre nós durante muito tempo uma espécie de imperativo de ortodoxia de um tipo determinado".

1108 COUTINHO, Jacinto Nelson de Miranda. Jurisdição, Psicanálise e o Mundo Neoliberal. In: *Direito e*

640 ■ Processo Penal | Fundamentos dos fundamentos

levar em conta tanto a filosofia quanto a psicanálise na dimensão dos processos de compreensão e de decisão do juiz. Serve, mais uma vez, o empréstimo da conclusão de Jacinto Coutinho (ainda que ele estivesse analisando a relação entre o direito e a psicanálise): não se pode "esquecer, jamais, os efeitos que um produz – ou pode produzir – no outro"[1109]. Até porque, seguindo a observação de Stein, ainda que o discurso filosófico de Heidegger e Gadamer represente uma "superação das teorias da consciência", isso "não significa que o sujeito desapareça"[1110]. E prossegue Stein:

> No plano empírico, essa espécie de "enclausuramento", essa tentativa de não alienar a explicação de si mesmo com outros universos, tem custos individuais, tem custos constantes. E nós sabemos que, exatamente, esse processo de simbolizar por outras explicações a nós mesmos, em lugar de sustentarmos a nossa própria condição, produz os elementos fundamentais com os quais a Psicanálise trabalha (processos neuróticos, etc.). Freud sabe daquilo que enfrenta. Por exemplo, quando lemos aquela frase no começo do livro "Interpretação dos Sonhos": "Se eu não consigo mover/dobrar os deuses, eu vou movimentar os infernos". Se Freud diz isso, ele não vai mover o inferno dos mortos, mas os infernos são exatamente essa condição na qual o ser humano está enclausurado e onde está desafiado a produzir sentido nesse enclausuramento. Ou fugir do sentido desse enclausuramento – alienar o sentido, não suportar esse enclausuramento. É nesse sentido que a Psicanálise trabalha, de certo modo, sob uma constante que é esse "pensamento filosófico da Psicanálise", que não é só empírico, que é a questão da situação formadora do recalque[1111].

Stein também explica que, em certa medida, Heidegger não compreendeu o alcance da análise freudiana do inconsciente[1112], não entendendo que Freud ponderava que o acesso ao inconsciente se dá pelo consciente. Seja como for, é certo que Heidegger se preocupou com a questão da psicanálise, particularmente em suas conversas com o psiquiatra Medard Boss documentadas nos chamados *Seminários de Zollikon*[1113].

Neoliberalismo. Elementos para uma Leitura Interdisciplinar. Curitiba: Edibej, 1996, p. 39-77, p. 41, *in verbis*: "Ficou patente, por exemplo, que não se pode fazer um discurso psicanalítico do direito e muito menos um discurso jurídico da psicanálise, ou seja, um pelo outro".

1109 *Ibid.*, p. 41.

1110 STEIN, Ernildo. *Analítica Existencial e Psicanálise. Freud, Binswanger, Lacan, Boss. Conferências, cit.*, p. 30.

1111 *Ibid.*, p. 32.

1112 *Ibid.*, p. 46.

1113 HEIDEGGER, Martin; BOSS, Medard. *Seminários de Zollikon: Editado por Medard Boss*. Tradução de Gabriela Arnhold e Maria de Fátima de Almeida Prado. Petrópolis: Vozes, 2001.

Analisando os registros do diálogo travado entre Heidegger e Medard Boss, particularmente o trecho no qual Heidegger sintetiza seu ponto de vista dizendo que "o inconsciente é incompreensível"[1114], Stein diz que "o que choca nessas interpretações do filósofo em relação aos sonhos e ao inconsciente (...) é uma espécie de inocência, própria de filósofos, das respostas que ele achava que poderia dar às interrogações de Boss, sendo que a maioria de nós não ousaria tomar tal posição diante do já estabelecido pela Psicanálise"[1115]. De outro lado, Stein também considera que essa "ingenuidade" de não parecer ridículo diante do que já foi estabelecido pela ciência pode ser positiva e que é esse o papel que se deveria assumir diante das questões do inconsciente[1116]. Nesse passo, é possível complementar dizendo que o mesmo deve ocorrer quando se está diante das certezas da Hermenêutica Filosófica.

De resto, o próprio Heidegger afirmava que o ser humano é "essencialmente necessitado de ajuda", ou seja, que o Dasein está "sempre à beira de se perder", isto é, "está à beira de não conseguir resolver-se em situações existenciais"[1117]. Analisando essa questão, Ernildo Stein então conclui que, "como isso é uma estrutura fundamental e está ligada à questão da liberdade, esta, como podemos perceber, tem um lado negativo, isto é, o indivíduo, em certas situações, arrisca-se, pois não sabe exatamente o que fazer consigo"[1118]. Como se vê, o discurso do filósofo, ao admitir que o Dasein está sempre à beira de se perder e necessita de ajuda para resolver suas questões existenciais, de certa forma também tangencia e admite o quanto o inconsciente freudiano contribui para inserir o ser humano nessa situação por vezes angustiante.

Portanto, ainda que Heidegger considere o "ser-aí" como um ser que não é fechado em si mesmo, pois está lançado/jogado num mundo dentro de uma faticidade própria, não se compreende como absolutamente excludente a ideia de que esse "ser-aí" possa trazer consigo uma questão intrínseca, inconsciente em seu processo de comunicação com o mundo. Nesse sentido também foi a percepção de Alexandre Morais da Rosa, no "*capolavoro*" *Decisão Penal: a bricolagem de significantes*, também ele baseado na crítica de Stein, destacando a "ausência de uma dimensão do desejo no ser-aí, dado que, na proposta de Heidegger, apesar de a consciência não ser mais a da metafísica, deixa a latere o inconsciente"[1119]. E cita trecho de Stein que também aqui merece ser reproduzido:

1114 STEIN, Ernildo. *Analítica Existencial e Psicanálise. Freud, Binswanger, Lacan, Boss. Conferências, cit.*, p. 55.

1115 *Ibid.*, p. 57.

1116 *Ibid.*, p. 58.

1117 *Ibid.*, p. 134.

1118 *Ibid.*, p. 134.

1119 ROSA, Alexandre Morais da. *Decisão Penal: A Bricolage de Significantes, cit.*, p. 191.

Processo Penal | Fundamentos dos fundamentos

A hermenêutica desconhece a economia libidinal. As pulsões, os desejos não aparecem como existenciais e por isso o sonho também não existe. É certamente uma das grandes "falhas" da analítica existencial: o estar-aí não sonha. Ele não incorporou a ferida do ego que a psicanálise trouxe para o narcisismo. É por isso que reina uma grande assepsia no reino do ser-no-mundo. O operar com os utensílios, o interpretar os significantes, o lutar com a fuga de si mesmo, a tendência para o encobrimento, não são ligados ao sentido que se esconde, que se oculta. O latente e o manifesto só aparecem como o velamento e o desvelamento. O "como hermenêutico" possui uma duplicidade que Heidegger não percebeu.

(...) Sem uma economia libidinal, o estar-aí parece muito o "homem" orgulhoso do século XIX. É certo, livre da onipotência da razão, mas ainda não marcado pela consciência dos limites trazidos por Freud e sua teoria das pulsões[1120].

Assim, para além de não ser possível desconsiderar as pulsões, como concebido por Freud e destacado por Stein, também não se pode deixar de lado os fatores biológicos que impulsionam o ser humano a decidir irrefletidamente. Com efeito, no processo penal esses fatores decorrem tanto da mecânica repetitiva do dia a dia do magistrado, nos moldes que a psicologia cognitiva nomeia como "Sistema 1", quanto da economia de energia que o corpo humano, cansado, possa querer "impor", como mencionado no caso dos juízes israelenses com fome. Mas o dado mais relevante a não ser ignorado é o quanto o inconsciente constituído como linguagem opera na constituição desse "ser-no-mundo" que reside na mesma linguagem, e do quanto ele possa aflorar no curso do processo comunicacional, pois, como visto em Lacan, ele também é constituído como linguagem (e, assim, por metáforas e metonímias).

Com efeito, seguindo as observações de Lacan, o sujeito, ao falar, mostra-se e, ao se mostrar, oculta-se. Nessa linha, ao intercalar os significantes na fala, o inconsciente se revela. Lacan explica que o ser humano vive em busca do "objeto a", daquilo que lhe falta, mas que não sabe dizer exatamente o que seja. Com isso ele é constituído de falta. O ser humano quer constituir uma totalidade, mas não consegue, pois algo sempre lhe falta.

O mesmo ocorre com o juiz, que fala no presente da audiência e quer dominar o todo, mas algo lhe falta; ao falar, ele se mostra e se oculta simultaneamente. Aliás, nesse ponto, a análise feita por Heidegger é muito similar à de Lacan. Stein explica

---

1120 STEIN, Ernildo. *Seis Estudos Sobre "Ser e Tempo". Comemoração dos Sessenta Anos de Ser e Tempo de Heidegger.* Petrópolis: Vozes, 1988, p. 129-130.

que, "à medida que no pensar está o não pensado, no falar está um ocultamento do logos, no escrever está o oculto entre as linhas, Heidegger remete a uma dimensão de profundidade e a uma dimensão de superfície"[1121]. A semelhança de análises é marcante. Ernildo Stein também compara esse ser conforme visto por Freud e Lacan ao ser heideggeriano, e ambos se apresentam em ampla similitude:

> Lacan utiliza uma falta em ser, ainda que isso não remeta nem à maneira – como poderíamos pensar – da ontologia tradicional nem à ideia do ser heideggeriano. Em todo o caso, a falta em ser, que pode se expressar por uma barra ou por um risco surgiu também de uma influência de Heidegger. Este vai dizer o seguinte: Quando falamos em ser, o ser da cadeira, da mesa, dos objetos em geral, nós nos referimos aos objetos, e não ao ser. Então, o ser que aí aparece deve ser propriamente riscado. E Heidegger o risca por meio de um pequeno sinal – um X. Lacan também introduz o S barrado, que é o mesmo "s", que é o sujeito destituído de sua totalidade. Temos aí o mesmo SER – marcado com o X – de Heidegger?
>
> Chamo a atenção para esses dois elementos: a não totalidade indicada pelo "a" e a não totalidade indicada por essa "barra" – ou risco em X – que sofre o ser[1122].

Como se vê, não há, necessariamente, um distanciamento entre o *"ser-no-mundo"* heideggeriano e o sujeito como visto por Freud e Lacan, até porque o próprio Lacan admite que sua posição sofreu grande influência do pensamento de Heidegger[1123], notadamente a partir da famosa e poética máxima heideggeriana de que "a linguagem é a casa do ser; nesta habitação do ser mora o homem"[1124]. Assim, se o homem "habita a linguagem", como afirma Heidegger, e o "inconsciente é estruturado como linguagem", como diz Lacan, na "fusão dos horizontes" pode-se chegar à ideia de que o "homem também habita o inconsciente". Ou ainda, em outras palavras, pode-se considerar que a linguagem é condição de possibilidade tanto do ser quanto do inconsciente desse ser. Em sentido análogo vai Ernildo Stein, explicando que, se a "linguagem é a casa do ser", como diz Heidegger, "sou obrigado sempre a reconhecer que a linguagem ultrapassa o Dasein"[1125], e, assim, "justamente no momento em que o Dasein é mergulhado na

---

1121 *Id. Pensar é Pensar a Diferença. Filosofia e Conhecimento Empírico, cit.*, p. 166.
1122 *Id. Analítica Existencial e Psicanálise. Freud, Binswanger, Lacan, Boss. Conferências, cit.*, p. 88.
1123 LACAN, Jacques. De um Desígnio. *Escritos, cit.*, p. 367.
1124 HEIDEGGER, Martin. *Carta Sobre o Humanismo*. 2. ed. Tradução de Rubens Eduardo Frias. São Paulo: Centauro Editora, 2010, p. 08.
1125 STEIN, Ernildo. *Analítica Existencial e Psicanálise. Freud, Binswanger, Lacan, Boss. Conferências, cit.*, p. 91.

644 ■ Processo Penal | Fundamentos dos fundamentos

faticidade, isto é, no que ele já foi e não consegue recuperar, ele, de certo modo, reconhece a sua finitude, reconhece algo que o ultrapassa sem deixar de ser relativo a ele"[1126].

O que se admite, portanto, é que há a possibilidade de se operar uma releitura dos conceitos da psicanálise, notadamente aqueles freudianos, a partir de um "ser-no-mundo", lançado numa faticidade e temporalidade próprias. E é de certa forma isso que Heidegger desenvolve, como se vê dos já citados diálogos travados por ele com o psiquiatra Medard Boss nos *Seminários de Zollikon*, nos quais Heidegger redefine os significados da linguagem descritiva freudiana, ajustando-os a uma linguagem fenomenológica[1127]. Para exemplificar o que fez Heidegger nessas conversas com Boss, segue sua explicação para o significado de uma mulher deixar uma bolsa ao sair da sala de um conhecido. Enquanto Freud entende que esse esquecimento possa expressar o desejo inconsciente de poder voltar àquele lugar, Heidegger explica que isso não tem relação com o inconsciente e se dá porque "o homem que ela estava visitando não lhe é indiferente", e, assim, "seu sair é tal que, ela ainda ao ir embora, ainda mais e sempre mais continua lá. Por ainda estar tão junto do homem ao sair, a bolsa nem está aí. Neste ir embora, a bolsa fica lá porque, enquanto ainda estava na sala, a mulher estava tão junto do amigo que, já então, a bolsa não estava lá"[1128].

Na síntese de Stein, é possível, então, uma "desconstrução de determinados conceitos da Psicanálise, a partir da Antropologia existencial" heideggeriana, deixando de tratar o ser humano como objeto de estudo, para considerá-lo como ser-no-mundo, e, nessa medida:

> O que comanda como vetor de unidade o acontecer dos processos inconscientes não será mais o determinismo de uma causalidade onipresente, mas a estrutura prévia de sentido que percorre, como dimensão fundadora, ou como um jogo enigmático de retração e de aparecimento, as manifestações com as quais a Psicanálise trabalha. Pode-se, sob muitos aspectos, substituir assim o caráter de construção do aparelho psíquico por uma dimensão em que se dá o acontecer de fenômenos ligados ao caráter de mundanidade do ser humano[1129].

Nesse passo, a dupla interseção que pretenda diminuir a discricionariedade judicial deve ser ainda mais ampla e deve ser efetivada levando em conta esse "algo que ultrapassa"

1126 *Ibid.*, p. 92.
1127 HEIDEGGER, Martin; BOSS, Medard. *Seminários de Zollikon: Editado por Medard Boss, cit.*, p. 178 e s.
1128 *Ibid.*, p. 189.
1129 STEIN, Ernildo. *Analítica Existencial e Psicanálise. Freud, Binswanger, Lacan, Boss. Conferências, cit.*, p. 178-179.

o "ser-no-mundo" juiz e como ele opera na complexidade da produção e valoração da prova testemunhal, passando pela conjugação desses dois grupos de aspectos, desses dois níveis teoréticos, isto é, tanto aqueles inerentes à natureza humana quanto aqueles orientados pela filosofia em busca de uma resposta correta. Essa questão não passou despercebida por Jacinto Nelson de Miranda Coutinho:

> Que a filosofia não é o único campo que suporta o Direito, na sua interdisciplinaridade e transdisciplinaridade, já se disse antes. E assim o é não só porque se não dá conta do objeto, na sua plenitude (Verdade), como, também, porque a linguagem é furada ou passível de furo de modo a recomendar um outro saber para aquilo que fura, que falta, ou mesmo para o possível do todo. Aqui, fala mais alto a Psicanálise, a qual, por isso mesmo – porque diz sobre o que fala quando falta –, não se pode dispensar, como insistentemente querem alguns dos mais notáveis filósofos (dentre outros) para, obviamente, poderem dizer; ou seguir dizendo sem muitos percalços[1130].

Assim, é fundamental compreender que a Hermenêutica Filosófica desempenha papel bastante importante de exigir ao juiz que trabalhe a partir das pré-compreensões linguísticas em sua comunicação com a testemunha e com as partes. Ela também exige que o juiz suspenda seus pré-conceitos, bem como que formule as perguntas certas. Por outro lado, também é importante compreender que não se pode desconsiderar a possibilidade de o juiz não conseguir identificar quais pré-conceitos seriam inautênticos e, portanto, quais ele deveria suspender no processo de compreensão, além de não identificar de onde possam estar vindo as perguntas (podem vir também do inconsciente e, assim, ser incontroláveis).

Nesses termos, compatibilizar aquilo que parece ser incompatível quando algum radicalismo teórico se impõe é a tarefa que se propõe para melhor controlar o mecanismo decisório do juiz no processo penal, e isso se dá com a interseção (ou, para usar um linguajar hermenêutico, com uma "fusão de horizontes") entre esses campos do saber. Nesse sentido, Agostinho Ramalho recorda, ao tratar da possibilidade de articulação entre o direito e a psicanálise, que se trata de "uma questão cuja elaboração precisa encaminhar-se mais no sentido de sua abertura do que no de seu fechamento"[1131]. Com

---

1130 COUTINHO, Jacinto Nelson de Miranda. A Dogmática Jurídica a Partir de uma Nova Visão da Filosofia do Direito. *Empório do Direito*, 22 de março de 2015. Disponível em: http://emporiododireito.com.br/a-dogmatica-juridica-a-partir-de-uma-nova-visao-da-filosofia-do-direito-por-jacinto-nelson-de-miranda-coutinho/. Acesso em: 22 mar. 2015.

1131 MARQUES NETO, Agostinho Ramalho. Subsídios para pensar a possibilidade de articular Direito e Psicanálise. *Direito e Neoliberalismo: Elementos para uma Leitura Interdisciplinar*. Curitiba: Edibej, 1996, p. 19.

Processo Penal | Fundamentos dos fundamentos

isso se amplia a possibilidade de as partes controlarem o juiz no presente da audiência de produção da prova testemunhal e no presente da compreensão dessa mesma prova e de seu processo decisório, ampliando a preservação e a efetivação das garantias constitucionais do contraditório e da ampla defesa.

3.27 Estabelecendo as condições para a ampliação da efetividade ao contraditório e à ampla defesa no momento decisório da audiência de instrução

Como se vem destacando, para compreender a complexidade que envolve a produção probatória no processo penal, não se pode desconsiderar que a maior parte dos casos penais conta com a prova testemunhal como referência capaz de embasar a decisão tomada pelo juiz. Na realidade dos casos concretos, raras vezes se depara com um processo no qual a prova é exclusivamente documental ou pericial, e, assim, a testemunha continua sendo uma prova recorrente no "*accertamento*" dos casos penais[1132]. Cordero chega a afirmar que, se forem excluídos os depoimentos testemunhais, "torna-se quase impossível o trabalho judiciário penal"[1133].

Dessa forma, o processo decisório pelo qual o juiz passa implica, quase invariavelmente, na necessidade de ele valorar depoimentos testemunhais. E aqui reside o risco de que, ao fazê-lo, o juiz possa entender errado, valorar errado e decidir errado a partir do que compreender da fala das testemunhas. Pior, existe o risco de ele acreditar que está orientado e autorizado a fazer "escolhas" probatórias, em decorrência da má recepção que vários juízes e tribunais fazem dos "princípios" da "livre apreciação da prova" e do "livre convencimento", como já visto.

Não bastasse isso, no curso do processo de recognição do fato imputado ao acusado no processo penal, há uma perene aposta nas memórias das pessoas que presenciaram ou souberam desse fato, o que, como já igualmente destacado, é bastante significativo e revelador da complexidade do ato.

Discutir se o juiz deve ou não ser inerte no momento presente de produção da prova em audiência passa, então, pela avaliação da capacidade de ele compreender o que a testemunha diz e o grau de confiança que deposita naquilo que esteja resultando como compreensão da fala da testemunha. E passa também pela não admissão da ideia torta que é recepcionada como "livre convencimento", isto é, na forma como vem

---

1132 Nilo Bairros de Brum chega a fazer uma brincadeira com o conceito medieval de "rainha das provas" e a frequência com que se utiliza a prova testemunhal no processo penal. Se a prova testemunhal é a menos confiável, ela seria a "prostituta das provas", mas, se é a mais usada, seria a "rainha das provas". E indaga, ao final: "Teríamos, então, uma rainha prostituta?" (BRUM, Nilo Bairros de, *cit.*, p. 75).

1133 CORDERO, Franco. *Guida alla Procedura Penale*, *cit.*, p. 323. Tradução nossa.

sendo aplicado por vários magistrados, nos moldes da filosofia da consciência, e não apenas como contraponto ao modelo de prova tarifada. Essa discussão, por sua vez, remete à redefinição do que se entenda do alcance dos princípios do contraditório e da ampla defesa, que podem ganhar maior dimensão em seus papéis de garantias processuais, ampliando sua efetividade em relação à pretensão de "captura psíquica do juiz", na feliz expressão de James Goldschmidt citada por Franco Cordero[1134].

Assim, pretende-se ver neste capítulo como é possível ressignificar o contraditório e a ampla defesa para além do "senso comum teórico dos juristas" – como fala Warat[1135]. Para tanto, é preciso procurar entender que o contraditório e a ampla defesa devem ter um efeito inibitório e imunizante da ideia que tem predominado na jurisprudência brasileira em torno do princípio do "livre convencimento". Leva-se em conta, também, que essas garantias operam quando da interação das partes e das testemunhas com o juiz em audiência. E aqui surge como relevante considerar o que já se pontuou a respeito da maneira de se estruturar o armazenamento das memórias na mente da testemunha e de como seus depoimentos são produzidos em juízo, notadamente em razão dos naturais esquecimentos. Como visto, o tempo decorrido entre o fato e a prova, a temporalidade que envolve o momento do depoimento, o grau de informação que as testemunhas são capazes de revelar, as dúvidas que encerram e as possíveis certezas ou incertezas que comunicam são dados que devem ser previamente considerados na avaliação da conveniência ou não de o juiz ter postura ativa no plano probatório testemunhal e de se dar efetividade garantista ao contraditório e à ampla defesa.

Rui Cunha Martins anota que é no "ambiente" de produção da prova[1136] que "verdadeiramente se joga a sua maior ou menor capacidade de filtragem"[1137]. De fato, o ambiente de que fala Rui Cunha Martins, em grande parte, é a audiência, na qual a vítima, as testemunhas e o próprio acusado são ouvidos pelo juiz e pelas partes na tentativa de reproduzir os rastros de verdade que restam do passado, permitindo àquele que não conhece – o juiz – vir a conhecer e poder julgar, decidir.

No entanto, para que a compreensão aconteça de forma ampla, é importante que a comunicação entre as testemunhas, as partes e o juiz seja não apenas capaz de transmitir as informações, mas também uma forma de agir sobre o interlocutor-receptor da informação, notadamente, o juiz, provocando-lhe a compreensão do que se lhe comunica.

1134 *Ibid.*, p. 194.

1135 WARAT, Luís Alberto. Saber Crítico e Senso Comum Teórico dos Juristas. *Sequência: Estudos Jurídicos e Políticos*, n. 5. Florianópolis: Editora UFSC, 1982, p. 48-57, p. 51.

1136 Rui Cunha Martins usa, em verdade, uma expressão não técnica, aludindo ao "ambiente de captação e instalação da prova". Assim, para não causar confusão, preferiu-se a substituição da expressão por outra processualmente técnica: "ambiente de produção da prova".

1137 CUNHA MARTINS, Rui. *O Ponto Cego do Direito. The Brazilian Lessons, cit.*, p. 3.

648 ■ Processo Penal | Fundamentos dos fundamentos

Amilton Bueno de Carvalho já acenava, ainda no contexto do movimento do direito alternativo, que "o processo, instrumento do direito na diretiva da democracia, deve, portanto, estar calcado nestes dois princípios: local da fala e da escuta, os quais são informadores dos princípios que lhe são secundários, contraditório e ampla defesa"[1138].

Sucede que a exuberância de possibilidades de sentido que ocorre no curso de um depoimento testemunhal, como visto anteriormente, também deve ser reduzida para que o juiz possa decidir sem arbitrariedade. E para reduzir essa ampla gama de sentidos gerada pela complexidade natural que envolve a reconstituição de um fato do passado no presente, e pela testemunha, é que se garantem o contraditório e a ampla defesa como ferramentas de diminuição do risco de um resultado indesejado pelas partes. Em outras palavras, por meio do contraditório e da ampla defesa se visa promover uma diminuição do caráter alucinatório das declarações testemunhais.

Assim, é no presente da audiência que se tem o momento mais importante de efetivação do contraditório e da ampla defesa. Não que esses princípios não tenham relevância fora desse momento, mas aqui há aspectos mais concretos a revelar suas importâncias. Como se sabe, depois da audiência, o que sobra às partes antes da sentença são as alegações finais, e nesse momento, no entanto, normalmente o juiz já decidiu o caso penal, ainda que não tenha externado sua decisão no papel. Para ilustrar essa questão, vale citar um caso extremo, porém sintomático, ocorrido no dia 20 de janeiro de 2015, na 3ª Vara Criminal da Comarca de São José do Rio Preto. Chegado o momento dos debates orais em audiência de instrução e julgamento (artigo 403 do Código de Processo Penal brasileiro[1139]), a magistrada se retirou da sala para presidir outra audiência de instrução e julgamento, que se iniciaria na 1ª Vara Criminal da mesma comarca, na qual ela atendia cumulativamente. Ela somente retornou à sala de audiências da 3ª Vara depois de encerrados os debates orais. Detalhe: ao sair da sala de audiências da 3ª Vara Criminal, já havia deixado a sentença pronta com a escrivã.. Ou seja: como já tinha formado seu convencimento "livremente", isto é, sem ouvir as alegações finais e o desenvolvimento argumentativo das teses das partes, antecipou-se até mesmo na documentação de sua decisão. Assim, não se deu ao "trabalho" de ouvir as alegações finais orais das partes no processo da 3ª Vara Criminal, retornando para a audiência somente depois de a reclamação do advogado de defesa ter constado em ata. Ainda que esse caso não espelhe uma prática corriqueira da magistratura brasileira e possa ser

---

1138 CARVALHO, Amilton Bueno de. *Direito Alternativo em Movimento, cit.*, p. 104.

1139 BRASIL. *Código Penal, Código de Processo Penal, Constituição Federal, Legislação Penal e Processual Penal, cit.*, p. 441, *in verbis*: "Art. 403. Não havendo requerimento de diligências, ou sendo indeferido, serão oferecidas alegações finais orais por 20 (vinte) minutos, respectivamente, pela acusação e pela defesa, prorrogáveis por mais 10 (dez), proferindo o juiz, a seguir, sentença".

lido como exceção mesmo, não há como desconsiderá-lo, pela sinceridade que ele externa no modo de agir de alguns juízes. Vale, portanto, conferir os detalhes de como as coisas se deram nesse caso concreto. Na ata da audiência, o inconformismo do defensor com a postura da magistrada restou consignado nas razões finais da defesa, formulada pelo advogado Eloy Vitorazzo Vigna, atuante nos autos de processo n. 0025236-84.2014.8.26.0576 da 3ª Vara Criminal de São José do Rio Preto, nos seguintes termos:

> Espanta a este defensor, peça primordial conforme ditame 133 da Constituição Federal, deparar-se com a sentença já proferida pela MM. Juíza, mas não assinada, logo abaixo do texto de memoriais, o que deve ficar aqui registrado para evitar qualquer prejuízo ao réu. De outra banda, insistindo novamente neste sentido, este advogado informa que a serventia informou a MM Juíza por telefone, que presidia outra audiência em outra vara, que nos pediu para aguardar acabar aquela audiência, para aí sim voltar, ler os memoriais e aí sim fazer sabe-se lá o que com a sentença já digitada, alterando-a ou a mantendo nos mesmos termos[1140].

Diante desse questionamento anotado em ata pela defesa, a magistrada Luciana Cassiano Zamperlini Cochito, quando retornou à sala de audiências da 3ª Vara Criminal, fez consignar em ata a seguinte manifestação:

> É necessário salientar, com relação ao alegado pela defesa, que esta magistrada é titular da 1ª Vara Criminal desta Comarca e acumula esta 3ª Vara há meses, havendo colidência de audiências, mas mesmo assim para não prejudicar os jurisdicionados nenhuma audiência foi redesignada. Assim, após serem colhidos todos os depoimentos proferi a sentença, em meu computador, enquanto o Promotor de Justiça e o defensor apresentavam suas alegações finais, e para o bom andamento dos trabalhos, fui até a sala de audiências da 1ª Vara Criminal presidir outras audiências, retornando. Não havendo nenhum prejuízo para as partes, nada a ser acrescentado, mormente porque está fundamentada a decisão judicial como determina a Constituição Federal[1141].

1140 BRASIL. Poder Judiciário do Estado de São Paulo. *Ata da audiência de instrução e julgamento nos Autos de Processo Criminal n. 0025236-84.2014.8.26.0576, da 3ª Vara Criminal de São José do Rio Preto. São Paulo.* Publicada em audiência no dia 20 de janeiro de 2015. Disponível em: http://www.migalhas.com.br/arquivos/2015/2/art20150211-11.jpg. Acesso em: 17 maio 2015.

1141 BRASIL. Poder Judiciário do Estado de São Paulo. *Ata da audiência de instrução e julgamento nos Autos de Processo Criminal n. 0025236-84.2014.8.26.0576, da 3ª Vara Criminal de São José do Rio Preto. São Paulo.* Publicada em audiência no dia 20 de janeiro de 2015. Disponível em: http://www.migalhas.com.br/arquivos/2015/2/

650 ■ Processo Penal | Fundamentos dos fundamentos

Mas o imbróglio não parou aí. Depois de encerrada a audiência, o advogado impetrou *"habeas corpus"* perante o Tribunal de Justiça de São Paulo, distribuído para a 16ª Câmara de Direito Criminal, a qual tem como um dos integrantes que participou do julgamento o desembargador Guilherme de Souza Nucci, também ele, como se sabe, autor de um dos mais difundidos manuais de processo penal do Brasil na atualidade. O julgamento, ocorrido no dia 28 de abril de 2015, concedeu parcialmente a ordem, apenas para dar direito ao paciente de recorrer em liberdade, mas não anulou a audiência de instrução e julgamento, com a seguinte argumentação:

> O fato de a D. Magistrada *"a quo"* ter se ausentado temporariamente da sala de audiências não impediu que ela apreciasse as teses arguidas pela defesa.
>
> O que ocorreu é que a Magistrada já havia formado seu convencimento e, mesmo após leitura dos memoriais das partes, os argumentos ali constantes não tiveram o condão de alterar seu convencimento, razão pela qual manteve a sentença, que já havia elaborado.
>
> De se ressaltar ainda, que a r. decisão monocrática encontra-se fundamentada a contento.
>
> O combativo impetrante pode até discordar do quanto ali decidido. No entanto, não se verificando qualquer ilegalidade e estando a r. decisão fundamentada a contento, inexiste a nulidade arguida[1142].

A respeito desse caso, são oportunas as observações críticas lançadas em artigo publicado por André Karam Trindade ainda antes do resultado do "habeas corpus":

> Que tipo de fraude se tornou o exercício da ampla defesa no processo penal brasileiro? Desde quando, além de onipotentes e oniscientes, os juízes também são onipresentes? A que ponto nós chegamos? Será que a sustentação oral realizada na colenda câmara em que atua o eminente desembargador é capaz de surtir algum tipo de efeito? Alguém certamente dirá que, nos tribunais e cortes superiores, é diferente porque a lógica (operacional) é outra. No entanto, como se sabe, as decisões também já foram tomadas quando os processos são pautados nos tribunais. De há muito, quando se iniciam

---

art20150211-11.jpg. Acesso em: 17 maio. 2015.

1142 BRASIL. Tribunal de Justiça do Estado de São Paulo. 16ª Câmara de Direito Criminal, *"Habeas corpus" n. 2020697-86.2015.8.26.0000.* Relator Desembargador Borges Pereira, julgado em 28 de abril de 2015. *CONCEDERAM PARCIALMENTE A ORDEM de "habeas corpus", de ofício, para reconhecer ao paciente CELSO LUIS ALVES DE ARAÚJO o direito de apelar da sentença em liberdade, com a imposição das medidas cautelares previstas nos incisos I, IV e V, do artigo 319, do CPP, determinando-se a expedição do competente alvará de soltura clausulado em seu favor. v.u.*

as sessões de julgamento, todos processos já contêm os votos do relator e do revisor. Na maior parte das vezes, um pedido de vista é o máximo que a defesa pode obter[1143].

E, após a decisão proferida no julgamento do *"habeas corpus"* citado, o mesmo autor reprisou o tema, em outro artigo, agora escrito a quatro mãos com Lenio Streck:

> Admitir que a sentença possa ser elaborada antes dos debates e simplesmente ratificada após o conhecimento do resumo das teses sustentadas pelas partes significa reconhecer que a decisão é um ato solipsista, produzida por um sujeito onisciente e onipotente. Ou melhor: significa assumir que a decisão é um ato solitário (e, portanto, autoritário), cujo único limite é determinado pela consciência do juiz. Se isso é verdade, professor Guilherme de Souza Nucci, gostaríamos de saber qual a diferença entre o procedimento adotado pela Magistrada – e referendado pelo TJ-SP – e aquele praticado pelos tribunais da inquisição? E, mais: temos a certeza de que nos livros do professor Nucci está escrito exatamente o contrário do que foi decidido nesse *"habeas corpus"*. Não encontramos nos livros do professor – por acaso presidente da Câmara Criminal que julgou o caso – nada que pudesse indicar a dispensabilidade das alegações ou que autorize a juíza a presidir duas audiências ao mesmo ou.. bem, o resto já falamos.
>
> (...)
>
> Como se sabe, o argumento de que a magistrada não precisa responder a todos os argumentos das partes é retrógado. Isso já foi superado pelo Supremo Tribunal Federal e, mais recentemente, pelo próprio legislador no novo Código de Processo Civil. A decisão judicial é um ato de responsabilidade política do juiz. É por isso que, para ser democrática, ela deve ser construída intersubjetivamente. Todavia, para tanto, é preciso compreender, na esteira de Marcelo Cattoni, que o processo é um procedimento que se desenvolve em contraditório. É ele – o contraditório – que permite conferir legitimidade ao provimento jurisdicional.
>
> Numa palavra: em uma democracia, o processo – antes de ser obstáculo – é condição de possibilidade. E, tratando-se de processo penal, em que está em jogo o bem fundamental chamado liberdade, não é possível imaginar que um magistrado possa dispensar a argumentação das partes. E a soma é zero. Se a juíza faz duas audiências ao mesmo tempo e, com isso, faz tudo o que fez, ela

---

1143 *Ibid.*

cometeu uma flagrante inconstitucionalidade. Uma, não. Várias. Se o tribunal, em sede de "habeas corpus", convalida o ato da juíza, então ele comete igualmente uma série de inconstitucionalidades, como a violação do devido processo legal, do contraditório, da fundamentação da decisão e da presunção da inocência (afinal, como resultado, sobrou para o réu, que foi condenado!)[1144].

O exemplo, então, serve para mostrar, dentre outras questões já pontuadas pelos autores referidos, a importância do momento presente da audiência como sendo o *locus* onde se dá o ápice de operacionalidade do contraditório e da ampla defesa. E isso é assim porque a audiência de inquirição das testemunhas é caracterizada por uma natural complexidade. E essa complexidade, como já destacado da fala de Raffaele De Giorgi, indica um excesso de possibilidades, de relações, de acontecimentos, de manifestações de sentido, as quais precisam ser restringidas a ponto de eliminar o caráter alucinatório que possa ter provocado no juiz.

Nesse contexto da audiência, portanto, determinado aspecto do caso penal só será relevante se for discutido e compreendido pelo juiz, reduzindo-se sua natural complexidade. Até porque, como sintetizou Wittgenstein, seguindo o que também já havia sido explicitado por Schleiermacher no século XIX, "toda explicação pode ser mal entendida"[1145] e "pode acontecer também que alguém tire uma explicação para a palavra daquilo que se tinha em mente como comunicação"[1146]. No mesmo sentido é a percepção de Roman Jakobson:

> Muitas vezes, em um diálogo, os interlocutores cuidam de verificar se é, de fato, o mesmo código que estão utilizando. "Está me ouvindo? Entendeu o que eu quero dizer?", pergunta o que fala, quando não é o próprio ouvinte que interrompe a conversa com um "O que é que você quer dizer?". Aí então, com substituir o signo que causa problema por outro signo. que pertença no mesmo código linguístico ou por todo um grupo dos signos do código, o emissor da mensagem procura torná-la mais acessível ao decodificador[1147].

1144 TRINDADE, André Karam; STRECK, Lenio Luiz. *Kill the lawyers*: para que contraditório se já formei o convencimento mesmo? *Consultor Jurídico – Conjur*. 9 de maio de 2015. Disponível em: http://www.conjur.com.br/2015-mai-09/diario-classe-contraditorio-formei-convencimento-mesmo. Acesso em: 17 maio 2015.

1145 WITTGENSTEIN, Ludwig. *Investigações Filosóficas*. 6. ed. Tradução de Marcos G. Nontagnoli. Petrópolis: Vozes, 2009, p. 30.

1146 *Ibid.*, p. 35.

1147 JAKOBSON, Roman. *Linguística e Comunicação*. 24. ed. Tradução de Izidoro Blikstein e José Paulo Paes. São Paulo: Cultrix, 2007, p. 45.

E não são raros os casos nos quais os códigos precisam ser decodificados adequadamente, sob pena de não compreensão da mensagem pelo receptor, como bem explicitado por Jakobson:

> Sempre que o remetente e/ou o destinatário têm necessidade de verificar se estão usando o mesmo código, o discurso focaliza o CÓDIGO; desempenha uma função METALINGUÍSTICA (isto é, de glosa) "Não o estou compreendendo – que quer dizer?", pergunta quem ouve, ou, na dicção shakespeareana, "Que é que dizeis?" E quem fala, antecipando semelhantes perguntas, indaga: "Entende o que quero dizer?". Imagino este diálogo exasperante: "O 'sophomore' foi ao pau". "Mas que quer dizer ir ao pau?" "A mesma coisa que levar bomba." "E levar bomba?" "Levar bomba é ser reprovado no exame." "E o que é 'sophomore'?", insiste o interrogador ignorante do vocabulário escolar em inglês. "Um 'sophomore' é (ou quer dizer) um estudante de segundo ano." [1148]

Ademais, o que acontece quando da ouvida de testemunhas é que os temas levantados no curso dessa audiência vão sendo "catalogados" e "selecionados" na mente do julgador como "relevantes" ou "irrelevantes" na formação de sua convicção a respeito do caso penal. Diante dessa seleção "silenciosa" operada na mente do juiz inerte, as partes somente conseguirão provocar reflexões no magistrado que tornem o que ele já rotulou de "irrelevante" como "relevante" se conseguirem acessar o que vai à sua mente. Assim, para o aproveitamento mais amplo possível das potencialidades das garantias do contraditório e da ampla defesa, torna-se importante obter esses dados de seletividade de "relevância-irrelevância" no curso e no presente da audiência.

Portanto, os princípios do contraditório e da ampla defesa são também ferramentas de imunização de que as partes dispõem justamente para permitir dar maior segurança ao que não sabem possa vir no futuro, na publicação da sentença, procurando evitar uma decisão que possa ser considerada arbitrária, abusiva. Essas garantias se revelam, então, igualmente como técnicas de "pré-venir", de "prevenir", ou seja, de "antever", de ver antes o que virá pela frente e procurar "evitar" incompreensões e equívocos interpretativos, portanto, visam evitar que sobressaia na sentença a visão solipsista do juiz.

Nessa questão também é importante compreender que as partes não têm a possibilidade de controlar de antemão o que o juiz entendeu da prova, pois a psique do juiz – notadamente quando de sua inércia – atua como um sistema fechado em relação às partes – é incomunicável, impenetrável. O que o Ministério Público e a defesa podem

---

1148 *Ibid.*, p. 126.

Processo Penal | Fundamentos dos fundamentos

fazer no curso do processo, quando muito, é aguardar a externalização, na sentença, do que vai à mente do juiz, para, a partir dessa externalização, perceber o que o juiz compreendeu do fato, o que ele já rotulou de "relevante" e/ou "irrelevante". E não são raras as vezes nas quais a parte deixou de abordar aspecto ou de levantar argumento que o juiz considerou relevante. Nesse sentido, a lição de René Ariel Dotti:

> Os motivos da sentença obrigam ao reexame da causa quanto à sua boa ou má qualidade. E também conduzem à meditação sobre os argumentos do Juiz que, mesmo decidindo na linha da pretensão do Advogado, aduz argumentos e ilações diferentes que o surpreendem e fazem-no indagar em silêncio: "Mas por que eu não pensei nisso?"[1149].

Por isso o diálogo antecedente à sentença é fundamental. É com ele que se realiza uma melhor compreensão do que vai à cabeça do juiz, como ocorre no exemplo de Jakobson: "Por que é que você sempre diz Joana e Margarida, e nunca Margarida e Joana? Será porque prefere Joana à sua irmã gêmea?". "De modo nenhum; só porque assim soa melhor."[1150]

Vê-se como, uma vez percebida a forma torta ou preconceituosa de compreensão da fala da testemunha – e até mesmo de um evidente equívoco – externada pelo juiz, as partes então podem antever quais são suas preocupações, seleções, dúvidas até, e promover novas interferências na produção probatória, suscitar novas questões e obter esclarecimentos adicionais que possam provocar novas reflexões no magistrado, de forma tal que ele também se permita novas possibilidades de sentido em sua mente no presente da audiência. Com esse mecanismo, vai-se diminuindo e até eliminando a "liberdade de escolha" do valor das provas que possa estar sendo o norte da formação do convencimento do juiz.

Se as partes não têm segurança para saber o que vem pela frente, e elas só podem agir no presente para realizar o futuro, é no presente da audiência que deve se dar a maior possibilidade de ocorrer a metanoia, isto é, a mudança de prejuízos de valor que o magistrado possa ter em relação ao caso, diminuindo o efeito alucinatório ou até mesmo eliminando-o por completo.

Assim, ainda que as partes caminhem no curso do processo como cegas em relação ao futuro, elas devem ter garantidas condições processuais que permitam colaborar na construção desse mesmo futuro. Em outras palavras: as partes sabem que haverá um futuro na sentença, ainda que não saibam exatamente que futuro é

1149 DOTTI, René Ariel. *Breviário Forense. Crônicas da experiência de um Advogado.* Curitiba: Juruá, 2002, p. 90.
1150 JAKOBSON, Roman, *cit.*, p. 127.

esse, e, assim, necessitam que as garantias processuais da ampla defesa e do contraditório sejam as mais efetivas possíveis a ponto de encontrarem eco comunicativo com o magistrado julgador antes de se finalizar o processo decisório mental, para, então, permitir minimizar os riscos de uma decisão errada e ampliar a possibilidade da "captura psíquica do juiz".

E, seguindo o norte de compreensão dado por Raffaele De Giorgi, é possível dizer que essas garantias atuam como "técnicas" adequadas para evitar o solipsismo. Assim, sem qualquer antecipada participação do magistrado no momento da produção probatória (de forma complementar, frise-se), as garantias do contraditório e da ampla defesa não atuarão em toda a sua potencialidade, pois a única certeza que se tem nesse caso é de que será prolatada uma sentença, não obstante não se saiba, de antemão, o que o juiz considerou relevante ou irrelevante no conjunto probatório e qual será o conteúdo da decisão. As partes sabem que haverá uma sentença no futuro, até têm expectativas (normalmente contraditórias entre elas) do que será decidido, mas no fundo não sabem qual será o resultado. Assim, elas não têm a possibilidade de intervenção absolutamente segura, mas querem controlar o que não podem controlar: o que vai à cabeça do juiz[1151]. Para minimizar essa angústia processual é que se entende fundamental que, no presente da audiência, as partes possam ao menos criar condições para procurar "ante-ver" o que vai à cabeça do juiz, para, como dito, pré-venir o que estaria para vir quando da de-cisão e, assim, ter a possibilidade de provocar as transformações de compreensão do caso penal antes da cisão definitiva do elo comunicativo que se dá naquele mesmo presente da audiência. Com efeito, se o juiz não puder complementar a inquirição da testemunha, as partes não terão como antever – pela leitura das inquietações e perguntas complementares que seriam feitas por ele caso o magistrado estivesse autorizado a tanto – o que ele compreendeu do caso antes da sentença, e, assim, o que as partes aduzirem no presente da audiência poderá acabar não tendo importância plena, pois o que prevalecerá na sentença é o que está na cabeça do juiz.

Na inércia judicial absoluta, o quadro é ainda mais agravado quando a fundamentação da decisão não passar de um jogo de retórica. Por isso é importante que as partes tenham condições de acessar o que vai à mente do juiz, antes da de-cisão, antes desse "cortar fora" o elo comunicativo. E para tanto, como dito, é necessário criar condições para que o juiz externe, no presente – e não no futuro, que é incerto e incontrolável –, o que ele tem em mente sobre o caso. Não é possível ficar aguardando a surpresa externada na sentença, para então recorrer. Esperar pela possibilidade recursal

---

1151 WITTGENSTEIN, Ludwig. *Investigações Filosóficas, cit.*, p. 172: "Enquanto eu lhe falava, não sabia o que se passava dentro de sua cabeça".

é desperdiçar uma chance processual importante de captura psíquica do julgador. Ademais, depois que a decisão for para o papel, dificilmente se conseguirá mudar a posição do juiz ou mesmo daquele que a revisará em recurso, pois passa a haver uma relação de "compromisso" psicológico com sua manutenção. Ninguém gosta de admitir que está errado, e quando o erro se torna público, a tendência é procurar argumentos para "salvar" o julgado. Por isso é necessário que as partes possam saber o que vai à cabeça do juiz antes de este colocar sua decisão no papel. Somente assim as garantias processuais de prevenção do risco de uma má compreensão do caso penal (ou seja, o contraditório e a ampla defesa) podem ter efeito autoimunizante. Só assim se minimizará/evitará o risco de uma decisão arbitrária ou equivocada.

Do contrário, se o juiz for apenas um observador passivo do que se produz de prova em audiência, o que se tem é que ele vai construir a história do fato a partir das suas próprias e exclusivas percepções. Ele vai enxergar uma causalidade específica na conexão entre os acontecimentos, e selecionará os elementos que reputar "relevantes", excluindo aqueles que ele considerar "irrelevantes". Formará, portanto, sua convicção a partir desses dados silenciosamente selecionados, tudo somado ao quanto de alucinação essa prova possa lhe ter provocado e ao quanto o inconsciente o possa ter impulsionado. E, talvez, fossem justamente os elementos causais que o magistrado considerou como "irrelevantes" na conexão causal das declarações colhidas na audiência aqueles que as partes estivessem considerando como "relevantes". Essa questão fica muito clara na explanação dada por Raffaele De Giorgi quando afirma que "a ideia de uma conexão causal é a ideia que é muito difícil, é um caso limite. 'A' causa 'B'. É possível, mas extremamente improvável, porque 'A' é resultado de uma seleção e no lugar de 'A' poderia ter 'A1', 'A2', 'A3' e no lugar de 'B' poderia haver 'B1', 'B2', ou outro"[1152]. No mesmo caminho, Raffaele De Giorgi também trabalha com o conceito de operações, considerando que:

> podemos dizer que num ambiente (sala, ou uma aula, ou o tribunal) em relação a um conjunto de operações pode acontecer sempre muito mais do que realmente acontece. As operações são sempre resultado de uma seleção e cada seleção deixa aberta a possibilidade de variação, e frente a esta variação outra seleção vai eleger outra operação o que vai conduzir a um conjunto de novas operações[1153].

1152 DE GIORGI, Raffaele. Aula do dia 28 de maio de 2013. *Curso "A função do Direito e do Risco na Construção do Futuro"*. Curitiba: UFPR, Programa de Pós-Graduação em Direito. Escola de Altos Estudos, de 22 de maio a 12 de julho de 2013.

1153 *Ibid.*

Assim, ainda que se leve em conta que a mente humana equivale a uma máquina complexa impenetrável por simples provocação externa, também não há como desconsiderar que ela possa, diante de um novo dado que ocorre no ambiente da audiência, ou seja, diante das sucessivas operações de sentido que ocorrem nesse momento presente da inquirição das testemunhas, autoirritar-se a ponto de provocar uma metanoia.

De resto, autorizar que o magistrado fale na audiência complementando a inquirição das testemunhas permite que as partes possam, até mesmo circunstancialmente, atuar no modelo equivalente àquele operado pelo psicanalista em relação a seu paciente. Ou seja, permite que as partes possam, sempre guardadas as proporções, perceber, pelos "buracos de fala" do juiz, o que vai no seu inconsciente. De fato, como explicou Freud[1154], e como também destacou Lacan, é no ato falho, no chiste, o "modo de tropeço" pelo qual o inconsciente aflora:

> Tropeço, desfalecimento, rachadura. Numa frase pronunciada, escrita, alguma coisa se estatela. Freud fica siderado por esses fenômenos, e é neles que vai procurar o inconsciente. Ali, alguma outra coisa quer se realizar – algo que aparece como intencional, certamente, mas de uma estranha temporalidade. O que se produz nessa hiância, no sentido pleno do termo "produzir-se", se apresenta como "um achado". É assim, de começo, que a exploração freudiana encontra o que se passa no inconsciente[1155].

Vê-se, portanto, também sob o prisma psicanalítico, quão importante é, para as partes, permitir-se ao magistrado a fala complementar no momento presente da inquirição das testemunhas em audiência. Com efeito, a partir de Lacan já se sabe que o "inconsciente é estruturado como linguagem"[1156], e, assim, é pela linguagem externada e pelos "tropeços" e "rachaduras" da fala que ele se apresenta. Como recorda Jacinto Coutinho, "a palavra pode restar sempre a mesma, mas não aprisiona o seu sentido que, escorregando, pode mudar o resultado, não poucas vezes sem o domínio do agente"[1157]. Dessa forma, se é o inconsciente que move o decisório, é

1154 FREUD, Sigmund. Os Atos Falhos. *Obras Completas*, V. 13. *Conferências Introdutórias à Psicanálise (1916-1917)*. Tradução de Sérgio Tellaroli. São Paulo: Companhia das Letras, 2014, p. 19 e s.

1155 LACAN, Jacques. O Inconsciente Freudiano e o Nosso. *O Seminário. Livro 11. Os quatro conceitos fundamentais da psicanálise*. Tradução de M. D. Magno. Rio de Janeiro: Zahar, 2008, p. 32.

1156 *Ibid.*, p. 27.

1157 COUTINHO, Jacinto Nelson de Miranda. Jurisdição, Psicanálise e o Mundo Neoliberal. In: *Direito e Neoliberalismo. Elementos para uma Leitura Interdisciplinar, cit.*, p. 43-44, *in verbis*: "Afinal, a palavra pode restar sempre a mesma, mas não aprisiona o seu sentido que, escorregando, pode mudar o resultado, não poucas vezes sem o domínio do agente. Nesta hipótese temos o chiste (que Freud analisou em uma obra clássica), assim como o ato falho, o sintoma, o lapso, o sonho; todos formações do inconsciente e, por conseguinte, produtos daquela estrutura. O importante é perceber, então, que nesse escorregar das palavras, nesse deslizar,

fundamental ter ao menos a chance de poder percebê-lo nos "buracos da fala" do magistrado antes de a sentença ser prolatada. O presente da audiência, portanto, atua como condição de possibilidade da compreensão e como momento constitutivo também da decisão. Deixar o juiz isolado nesse processo de construção mental de sua decisão é, para as partes, "jogar" de olhos fechados.

Compreendido que é no momento presente da audiência que se deve dar maior efetividade ao contraditório e à ampla defesa em sua mais importante face ao longo do rito, resta delimitar o âmbito de atuação do magistrado no contexto da produção probatória, agora sob novos paradigmas – que não aqueles da busca da verdade ou da cooperação processual –, relegitimando a importância de sua participação, que passa a ser considerada condição de redimensionamento das garantias das partes naquele relevante momento de compreensão da prova.

E essa participação do magistrado, que poderia ser lida, num primeiro momento, como uma afirmação do modelo cartesiano solipsista, nos moldes aqui trabalhados, visa justamente reverter esse processo e premiar o modelo da intersubjetividade, levando em conta tanto a hermenêutica gadameriana quanto os aspectos psicanalíticos.

Com efeito, se – como afirmam Lenio Luiz Streck, Rafael Tomaz de Oliveira e André Karam Trindade – é preciso "conquistar as condições" para que os "pré-juízos sejam debelados da interpretação" e se "isso só se consegue a partir da construção de um verdadeiro espaço público de discussão das fundamentações das decisões"[1158], não se pode descurar que esse "espaço público" também ocorre – e antes – na audiência de instrução, mediante o acesso, pelas partes, do que vai à cabeça do juiz, já que este não consegue ser neutro em relação àquilo que julga. O problema é que o juiz não sabe que tem determinados preconceitos, pois estes muitas vezes são inconscientes. Assim, é preciso, igualmente, não confiar que os juízes – todos eles, sozinhos – conseguirão suspender seus pré-juízos e se conduzir a uma decisão que não seja produto apenas de sua vontade. Apostar todas as fichas nessa possibilidade autoirritante de mudança dos pré-juízos é desconsiderar que a formação do homem ocidental é tão fortemente arraigada no modelo racional cartesiano que somente depois de muito adestramento para o autocontrole se conseguiria aproximar o "ser-no-mundo-juiz" desse ideal de magistrado. Mesmo assim, dificilmente se teria como demonstrar que este ou aquele juiz assimilou uma nova postura processual, e o mais provável é que o juiz continue se mantendo um sujeito tendente a agir de forma solipsista. De resto, ainda sobraria o inconsciente, do qual o juiz não consegue se desvincular.

Freud vê o modelo de toda formação. Eis porque, em Lacan, o sujeito constitui-se entre significantes, como pura diferença. O significante, então, remete a outro significante; e assim sucessivamente, em uma cadeia".

1158 STRECK, Lenio Luiz; OLIVEIRA, Rafael Tomaz de; TRINDADE; André Karam, *cit.*, p. 20.

Então, procurar controlar esse juiz, minimizando o solipsismo judicial e, arrisca-se a dizer, seu corolário, que vem sendo a má recepção da ideia do "livre convencimento" em parcela da doutrina e da jurisprudência brasileiras, não se resolve com o simples afastamento do juiz das intervenções positivas de produção probatória, mas, ao contrário, levando em conta essa quase inevitável forma de agir do "ser-no-mundo-juiz", deve-se usá-la no sentido reverso, com a "doença" sendo inoculada em doses não letais, com cunho imunizante, como se procurará expor a seguir.

3.28 Superando o caráter alucinatório dos "quatros mentais paranoicos" e a má compreensão dos "quadros mentais parafásicos" e caminhando para o efeito de iluminação e transformação com os "quadros mentais metanoicos"

Como já explorado, na doutrina moderna de processo penal, Franco Cordero consagrou a expressão "quadros mentais paranoicos" ao explicar a possibilidade de serem desenvolvidos determinados efeitos dissociados da realidade no âmbito da psique do magistrado quando este produz provas de ofício. Acontece que, como também já visto, esses efeitos podem ser produzidos na mente do sujeito, independentemente de ele ter postura ativa ou passiva na questão probatória. Mesmo inerte, portanto, os "quadros mentais paranoicos" são capazes de ser produzidos e, assim, são capazes de ser os fios condutores da decisão que vier a ser externada na sentença, ainda que eles não transpareçam com toda a sua potência na narrativa do texto e fiquem imunizados das críticas pela ampla possibilidade de manipulação retórica, como já foi bem detalhado por Nilo Bairros de Brum.

Mas o drama psicológico não se esgota na possibilidade de construção dos *quadros mentais paranoicos*", pois, ao lado destes, também existe a ampla possibilidade de serem produzidos, parafraseando Cordero, "*quadros mentais parafásicos*" na mente do julgador, isto é, existe também a possibilidade de o juiz compreender mal, de haver mal-entendidos em sua tentativa de compreensão da prova e do caso penal. Nesse ponto, é fundamental o alerta de Schleiermacher:

> Como todo discurso tem uma dupla relação, com a totalidade da linguagem e com o pensar geral de seu autor: assim também toda compreensão consiste em dois momentos, compreender o discurso enquanto extraído da linguagem e compreendê-lo enquanto fato naquele que pensa[1159].

1159 SCHLEIERMACHER, Friedrich D. E. *Hermenêutica e Crítica*. V. 1. Tradução de A. Ruedell. Ijuí: Unijuí, 2005, p. 95.

660 ■ Processo Penal | Fundamentos dos fundamentos

A preocupação também é externada por Gadamer, que igualmente considera necessário partir da proposição de Schleiermacher segundo a qual "compreender significa, de princípio, entender-se uns aos outros"[1160]. E, no caso do processo penal, como qualquer um que vivencie as salas de audiência já constatou, o juiz não raras vezes compreende mal aquilo que lhe é direcionado como prova, principalmente a testemunhal. Portanto, também aqui pode ocorrer a produção de um efeito na mente do julgador que passa pelo engano de compreensão, levando-o a acreditar noutra direção. Na cadeia de significantes que se forma na mente do juiz, a má compreensão de um elo dessa cadeia é o que basta para produzir um caminho divergente, pois o significante mal compreendido ressignifica os significantes antecedentes, premiando os quadros mentais mencionados por Cordero, os quais podem até mesmo apontar na direção errada da adequada compreensão do caso penal.

A questão é: como eliminar – ou ao menos minimizar – esses efeitos? Como perceber a necessidade de provocar uma ressignificação adequada na cadeia de significantes probatórios que são levados ao juiz e, também, como provocar uma ressignificação dos sentidos por ele pré-compreendidos que provoquem um efeito de iluminação no juiz capaz de fazê-lo mudar a forma de pensar a prova do caso penal?

Se é certo que o juiz pode produzir os chamados "quadros mentais paranoicos" de que fala Franco Cordero, apenas pelo fato de que é ser humano, e todo ser humano tem essa tendência, pelos seus pré-conceitos, ainda mais se levando em conta a influência do inconsciente na formação da compreensão do mundo, também é certo que, ainda pelo mesmo fato de ser humano, ele pode produzir "quadros mentais parafásicos"[1161], isto é, compreender mal o que lhe foi dito no contexto da produção probatória. Nesse plano, é importante a explicação de Roman Jakobson a respeito da afasia:

> (...) de acordo com um preconceito antigo, mas que renasce periodicamente, o modo de falar específico de um indivíduo num dado momento, batizado de idioleto, tem sido considerado a única realidade linguística concreta. Na discussão desse conceito, foram levantadas as seguintes objeções:
>
> Quando fala a um novo interlocutor, toda pessoa procura deliberada ou involuntariamente, encontrar um vocabulário comum: utiliza os termos dele, seja para agradar o interlocutor, seja simplesmente para ser compreendida ou, enfim, para livrar-se dele. A propriedade privada, no domínio da linguagem,

---

1160 GADAMER, Hans-Georg. *Verdade e Método I. Traços fundamentais de uma hermenêutica filosófica*, cit., p. 248.

1161 Ver explicação de JAKOBSON, Roman, *cit.*, p. 46; ver também FREUD, Sigmund. *Sobre a Concepção das Afasias: um estudo crítico*, *cit.*, p. 31 e s. e LACAN, Jacques. A Instância da Letra no Inconsciente. *Escritos*, Cit., p. 498 e s. Ver ainda PEIRCE, Charles Sanders. *The icon, index and symbol. Collected Papers.* II Cambridge: Mass, 1932.

não existe: tudo é socializado. O intercâmbio verbal, como qualquer forma de relação humana, requer dois interlocutores pelo menos, e o idioleto demonstra ser uma ficção algo perversa.

Esta afirmação, entretanto, exige uma reserva: para um afásico que perdeu a capacidade de "mudança de código" *("code switching")*, o "idioleto" torna-se, na verdade, a única realidade linguística. Enquanto não considerar o discurso de outrem como uma mensagem que lhe é dirigida em seus próprios modelos verbais, ele experimentará sentimentos que um paciente de Hemphil e Stengel assim exprimia: "Estou ouvindo perfeitamente, mas não posso compreender o que você diz (..) Ouço sua voz mas não as palavras. (...) Não é pronunciável". Ele considera o discurso do outro uma algaravia, ou, pelo menos, algo enunciado numa língua desconhecida[1162].

E mais adiante Jakobson ainda esclarece que, "se um afásico se torna incapaz de decompor a palavra em seus elementos fonológicos, seu domínio da construção da palavra se enfraquece e desordens perceptíveis afetam em pouco os fonemas e suas combinações"[1163].

No primeiro texto de Freud, datado de 1891 e curiosamente não publicado nas chamadas Obras Completas, vindo a lume em edição brasileira apenas em 2013, intitulado Sobre a Concepção das Afasias: um estudo crítico[1164], Freud, ainda trabalhando apenas como médico neurologista e não em sua nova ordem psicanalista, já tratava de problemas de compreensão da linguagem: as afasias. Nessa obra, em análise crítica à forma pela qual os médicos do século XIX consideravam as afasias, Freud propôs um "esquema psicológico da representação da palavra", dizendo que "à palavra corresponde um intricado processo associativo para o qual concorrem os referidos elementos de origem visual, acústica e sinestésica", e que, "todavia, a palavra" – ao menos os substantivos – "conquista seu significado por meio da conexão com a representação do objeto"[1165]. E essa "representação do objeto", dizia Freud, é "um complexo associativo composto pelas mais diversas representações visuais, acústicas, táteis, sinestésicas, etc."[1166].

Posteriormente, já embrenhado na construção da psicanálise, no texto O Ego e o Id, Freud estabeleceu que a "verdadeira diferença entre uma ideia inconsciente e uma

---

1162 JAKOBSON, Roman, *cit.*, p. 46 e 47.

1163 *Ibid.*, p. 53.

1164 FREUD, Sigmund. *Sobre a Concepção das Afasias: um estudo crítico*. Coleção Obras Incompletas de Sigmund Freud, Tradução de Emiliano de Brito Rossi. Belo Horizonte: Autêntica, 2013.

1165 *Ibid.*, p. 102.

1166 *Ibid.*, p. 102-103.

662 ■ Processo Penal | Fundamentos dos fundamentos

ideia pré-consciente (um pensamento) consiste em que o material da primeira permanece oculto, ao passo que a segunda se mostra envolta com representações verbais"[1167].

Freud, então, considerou que uma variação da afasia, a "parafasia", é "um distúrbio de linguagem no qual a palavra apropriada é substituída por uma inapropriada que, contudo, mantém sempre uma certa relação com a palavra correta". E explica a parafasia valendo-se das exposições do filólogo Delbrück, que assim a define:

> Trata-se de parafasia quando o falante utiliza uma palavra em vez de outra, que sejam ligadas em função de significado próximo ou que sejam ligadas uma à outra por meio de associação frequente, por exemplo, quando ele usa "pena" em vez de "lápis", *"Postdam"* em vez de *"Berlim"*. Além disso, quando ele confunde palavras que têm sons semelhantes, "manteiga" *("Butter")* em vez de mãe *("Mutter")*, "cânfora" *("Campher")* em vez de "panfleto" *("Pamphlet")*, e, finalmente, quando ele comete falhas na articulação *(parafasia literal)*, nas quais letras isoladas são substituídas por outras[1168].

Para Freud, a parafasia pode ser encontrada tanto em pessoas enfermas quanto em pessoas saudáveis, podendo se verificar "em função do cansaço, da atenção dividida ou por influência de afetos perturbadores, através do qual, por exemplo, nossos palestrantes tornam nossa escuta tão frequentemente algo penoso"[1169]. E prossegue dizendo parecer-lhe apropriado considerar a parafasia "um sintoma puramente funcional, um indício de capacidade de desempenho menos acurada do aparelho associativo de linguagem"[1170].

Em termos de processo penal, a possibilidade de o juiz construir o que se pode denominar, parafraseando Cordero, de "quadros mentais parafásicos" é plenamente factível, pois, na comunicação que trava com a testemunha, seja o juiz inerte ou ativo nesse processo, encontram-se amplas chances de a testemunha dizer uma coisa e o magistrado entender outra. Assim, as pré-compreensões estruturantes e compartilhadas não são suficientes para segurar os sentidos da conversa travada entre o juiz, as partes e as testemunhas. A Hermenêutica Filosófica, sozinha, não dá conta dessa complexidade.

Ademais, além da sonoridade similar entre diversas palavras, conduzindo a compreensões tortas do que disse a testemunha[1171], ainda há o problema dos significados

---

1167 *Id.* O Ego e o *Id. Edição Standard Brasileira das Obras Psicológicas Completas de Sigmund Freud, O Ego, o Id e Outros Trabalhos (1923 – 1925)*. Rio de Janeiro: Imago, 1996, v. 19, p. 33-34.

1168 *Id. Sobre a Concepção das Afasias: um estudo crítico, cit.*, p. 41.

1169 *Ibid.*, p. 31.

1170 *Ibid.*, p. 31.

1171 Na literatura também se explora essa questão, como se vê dessa passagem de *Alice Através do Espelho*, de Lewis

regionais, das gírias locais ou de determinados grupos específicos que podem até ter um significado notório para quem reside na comarca ou para quem integra o mesmo grupo social da testemunha, mas não será necessariamente assim compreendido pelo juiz. Ou seja, as palavras acabam ganhando significados próprios e regionais com os quais o magistrado nem sempre será familiarizado. Poderá, então, o magistrado, ressignificá-las para ajustá-las à sua pré-compreensão do mundo. Para ilustrar, explicita-se um exemplo de experiência própria: atendendo o povo como promotor de Justiça na comarca de Telêmaco Borba, interior do Paraná, recebe-se em gabinete duas famílias inteiras (pais, mães, tios, avós) e um jovem casal, o menino com treze anos e a menina com doze anos de idade. Sem qualquer interlocução inicial de apresentação, um dos adultos presentes, agindo como representante dos demais e referindo-se ao jovem casal, dirige-se ao promotor dizendo: "Doutor, eles fugiram!". No afã de resolver celeremente os mais variados problemas sociais das inúmeras pessoas que se socorrem do Ministério Público em comarcas do interior do país, pressionado por uma fila interminável de pessoas que aguardavam sua vez para "falar com o promotor", o que se pôde compreender é que a situação era simples e, então, partiu-se direto para a "solução do caso", dizendo-se às duas famílias presentes: "Bom, se fugiram e já foram localizados, ótimo. Vejo que estão bem. Devem ter aprendido a lição com as dificuldades encontradas na rua. Não fujam mais! O lar e a família são importantes". E se iniciava um discurso moral nesse sentido quando se foi interrompido pelo representante das famílias: "Doutor, o senhor não entendeu: eles fugiram!". Retrucou-se dizendo: "Sim, mas já foram localizados. O que importa é isso. Não fujam mais! O que desejam que se faça além dessa recomendação?". E mais uma vez o representante das famílias insistiu, agora dando entonação diversa na voz: "Doutor, o senhor ainda não entendeu. Eles fu-gi-ram, fu-gi-ram!!", reforçando o tom e gesticulando com as mãos como a indicar uma relação sexual. E completou: "Precisamos casar os dois!". Foi só então que se conseguiu compreender: "fugir" ali, para aquela comunidade e para aquelas famílias e naquele contexto, significava "manter relação sexual". E o que as famílias queriam com a visita ao promotor era promover o casamento dos dois em razão da tal "fuga". Enfim, o verbo "fugir", naquele momento, numa leitura parafásica do promotor, vinculado àqueles dois adolescentes, apresentou um significado claro: abandono sorrateiro do lar com intuito de residir na rua, decorrente de alguma rebeldia própria da adolescência. Para a família dos adolescentes, no entanto e no

---

Carrol: "Você disse 'porco' ou 'corpo'?", o Gato perguntou". "Eu disse porco, respondeu Alice". CAROLL, Lewis. *Aventuras de Alice no País das Maravilhas & Através do Espelho e o que Alice Encontrou Por Lá*. Tradução de Maria Luiza X. de A. Borges. Rio de Janeiro: Zahar, 2009, Capítulo VI, p. 79. Jakobson também cita essa passagem, com uma pequena variação de texto: "Você disse 'porco' ou 'porto'? Perguntou o Gato. Disse 'porco', respondeu Alice". JAKOBSON, Roman, *cit.*, p. 36.

mesmo contexto, o significado era outro, completamente diverso. A comunicação inicialmente falha provocou no receptor da mensagem dada pela família um "quadro mental parafásico". Falaram uma coisa, entendeu-se outra. Caso não tivesse havido diálogo com os emissores da mensagem que permitisse aprofundar a compreensão e iluminar o mal-entendido, a compreensão da situação teria permanecido equivocada. No contexto da produção probatória em juízo, não raras vezes, percebe-se situação similar com o magistrado. Vale a lição de Carnelutti sobre o tema:

> O homem, quando pensa, faz a mesma coisa que quando caminha. Há estradas de planície; há estradas de montanha. E como se desenvolvem as estradas de montanha? Na planície, o caminhante pode andar de forma retilínea, mas, na montanha, tem que fazer o que os franceses denominam *"tourniquets"*. Eis aqui a comparação. Há, também, no terreno do pensamento, estradas de planície e de montanha. Este caminho, que deveria acabar no conceito de Direito, é um rude sendeiro montanhoso. Disso decorre, pelo menos para mim, que não sou exímio alpinista, a necessidade das voltas[1172].

E prossegue Carnelutti, esclarecendo que "o objeto determina-se mediante a atenção. (...) Para se enxergar uma coisa é necessário não olhar para as outras. Assim, o mundo divide-se numa multidão de objetos"[1173]. Nesse recorte, é preciso que as partes, ao mesmo tempo que chamem a atenção do juiz para o que consideram relevante no caso, também saibam o que lhe chama atenção para a compreensão do caso penal, pois o juiz, caso fique absolutamente inerte e mudo, terá a visão do fato apenas da sua janela. Ainda seguindo o raciocínio de Carnelutti, do mesmo jeito que a lei "deve compactar o fato numa espécie"[1174] (quando o legislador constrói o tipo – "*fattispecie*"), o juiz também acaba "*compactando*" o fato à sua compreensão de mundo. Nessa medida, não se desvincula o processo penal do paradigma da consciência, pois a compreensão da prova ainda continua orientada nos moldes da relação "sujeito-objeto".

E nesse processo de "compactação" do fato à sua compreensão de mundo, construído no curso de tentar compreender o que diz a testemunha, vale aqui recordar o alerta de Wittgenstein de que "a língua é um labirinto de caminhos. Você vem de

---

1172 CARNELUTTI, Francesco. *Arte do Direito*. Tradução de Hebe A. M. Caletti Marenco. São Paulo: Edicamp, 2001, p. 16.

1173 *Ibid.*, p. 48.

1174 *Ibid.*, p. 50.

um lado, e se sente por dentro; você vem de outro lado para o mesmo lugar, e já não se sente mais por dentro"[1175]. Por isso, com Gadamer, esclarece-se que o "verdadeiro problema da compreensão aparece quando o esforço de compreender um conteúdo coloca a pergunta reflexiva de como o outro chegou à sua opinião", pois "é evidente que um questionamento como este anuncia uma forma de estranheza bem diferente, e significa, no fundo, a renúncia a um sentido comum"[1176].

Assim, se os "quadros mentais parafásicos" podem facilmente se formar na mente do magistrado, acabam não apenas facilitando o caminho para a construção dos "quadros mentais paranoicos", mas, inclusive, os amplificam diante da inércia imobilizadora da compreensão do caso penal. Revela-se, então, a necessidade de provocar nesse mesmo julgador outros tipos de quadros mentais: os "quadros mentais metanoicos".

"Metanoia" é palavra grega que significa "mudar de opinião"[1177] e foi muito explorada nos textos cristãos por conta de se atribuir a Jesus Cristo a pregação da palavra divina com esse intuito metanoico. Ao tratar da metanoia, Treadwell Walden explica que:

> Uma mudança de situação exterior induz uma mudança de consciência mental; uma mudança de consciência mental induz uma alteração da disposição moral; uma mudança de disposição moral induz uma mudança de vida para o exterior. Dê a um homem uma nova consciência e ele vai desenvolver uma nova natureza[1178].

No âmbito da psicanálise, ao se analisar a possibilidade de se operar a metanoia no juiz em sua interlocução com a testemunha, vale também a referência de Jung quando assinala que o:

> encontro de duas personalidades é como uma mistura de duas substâncias químicas diferentes: no caso de se dar uma reação, ambas se transformam. Como se espera de todo tratamento psíquico efetivo, o médico exerce uma influência sobre o paciente. Influir é sinônimo de ser afetado. (...) De todo

---

1175 WITTGENSTEIN, Ludwig. *Investigações Filosóficas, cit.*, p. 114.

1176 GADAMER, Hans-Georg. *Verdade e Método I. Traços fundamentais de uma hermenêutica filosófica, cit.*, p. 249.

1177 DAVIS, Mary Ogden. *Metanoia. A Transformation Journey*. Marina Del Rey (California): De Vorss & Company, 1984, *Foreword*.

1178 WALDEN, Treadwell. *The Great Meaning of Metanoia. An undeveloped chapter in the life and teaching of Christ*. New York: Thomas Whittaker, 1896, Reprint from the collections of the University of California Libraries, p. 61. Tradução nossa.

Processo Penal | Fundamentos dos fundamentos

jeito, o paciente vai exercer sua influência, inconscientemente, sobre o médico, e provocar mudanças em seu inconsciente[1179].

Do que se disse anteriormente, não é que se vá querer provocar no juiz uma nova forma de enxergar o mundo, uma total metanoia, mas sim apenas a possibilidade de ele enxergar o caso penal de forma diversa, provocando-lhe um "quadro mental metanoico", nos dizeres de Jung, ou um "quadro mental sublimador", para usar a linguagem freudiana, que lhe permita mudar o modo de pensar, promovendo "uma orientação para novas metas"[1180], permitindo-lhe "encontrar escoamento e emprego em outros campos", como pontua Freud[1181]. E isso é mais provável de ocorrer se ele não for inerte, pois na inércia e, assim, na não comunicação, em grande parte se esvazia a intersubjetividade, compromete-se a compreensão e a possibilidade mesmo desse quadro de mudança. Nesse sentido, mais uma vez o alerta de Jung:

> Na medida em que o médico se fecha a essa influência, ele também perde sua influência sobre o paciente. E, na medida em que essa influência é apenas inconsciente, abre-se uma lacuna em seu campo de consciência, que o impedirá de ver o paciente corretamente. Em ambos os casos, o resultado do tratamento está comprometido[1182].

Não obstante Jung se refira à relação médico-paciente, fica evidente o paralelismo possível na relação juiz-testemunha. O juiz poder formular perguntas complementares à testemunha, portanto, torna-se condição de possibilidade de se promoverem os "quadros mentais metanoicos".

Enfim, para além do risco de os referidos "quadros mentais paranoicos" prevalecerem na compreensão do caso penal, também se corre outro sério risco de que o juiz se mantenha na crença de seu "quadro mental parafásico" com sua equivocada compreensão que é dada como certa na mente do um-julgador, sem que as partes tenham noção de que isso se operou. A "descoberta" desses quadros mentais alterados e equivocados somente se daria por ocasião da publicação da sentença. Ou seja: tarde demais. Ainda que se possa identificar o problema questionando os fundamentos

---

1179 JUNG, Carl-Gustav. *A Prática da Psicoterapia*. Obra Completa. V. 16/1. 15. ed. Tradução de Maria Luiza Appy. Petrópolis: Vozes, 2012, p. 85.

1180 FREUD, Sigmund. Três Ensaios Sobre a Teoria da Sexualidade. *Edição Standard Brasileira das Obras Psicológicas Completas de Sigmund Freud*, V. 7. *Um Caso de Histeria. Três Ensaios Sobre a Teoria da Sexualidade e Outros Trabalhos (1901-1905)*, *cit.*, p. 80.

1181 *Ibid.*, p. 91.

1182 JUNG, Carl-Gustav. A Prática da Psicoterapia, *cit.*, p. 86.

usados na sentença, perdeu-se uma chance importante de provocar a mudança no julgador. O recurso da sentença pode ser até efetivo, mas por que esperar por ele se é possível obter o melhor resultado antes? O ideal, portanto, é que, antes de se concluir o processo decisório, antes de o juiz de-cidir, isto é, de cortar o elo comunicativo com as partes, ele possa externar o que vai à sua mente, e as partes, antevendo as preocupações e os modos de enxergar o caso do juiz, possam provocar, também elas, novos questionamentos e promover novas intervenções que conduzam ao pretendido "quadro mental metanoico".

Fazendo um contraponto, alguém poderia ponderar dizendo que o juiz ativo, quando questionado na dialeticidade da audiência, poderia querer fazer valer seus posicionamentos buscando novos elementos de convencimento, algo similar ao que ocorre nos "embargos declaratórios acolhidos sem efeito infringente", nos quais alguns juízes costumam se sair dizendo que não precisam esclarecer nada, mas ao mesmo tempo esclarecem a obscuridade questionada, usando frases de efeito retórico, como quem diz "não preciso esclarecer nada, pois está muito claro que quando disse tal coisa quis dizer isso, isso e aquilo outro", sem assumir a obscuridade da própria fundamentação. Mas a questão não é essa, pois essa possibilidade de ele se valer de uma argumentação de reforço de sua pré-compreensão pode ocorrer seja o juiz ativo, seja passivo na questão da prova. O que se abre de oportunidade na atuação secundária do juiz é a possibilidade de as partes provocarem no magistrado o "quadro mental metanoico" pela percepção do que vai à sua mente. A atividade probatória secundária do juiz, portanto, é um mal necessário que pode possibilitar a imunização dos seus efeitos perversos de "alucinação", como se verá a seguir.

3.29 A atividade probatória do juiz como vacina imunizante do decisionismo

O filósofo italiano Roberto Esposito apresenta, na obra *Immunitas*, sua forma de compreender a biopolítica, traçando um paralelo com o sentido biomédico da ideia de imunidade, vista como a condição de o organismo ser refratário ao perigo de contrair uma doença contagiosa, podendo ser uma imunidade natural ou adquirida pela vacina[1183]. Assim, "uma forma atenuada de infecção pode proteger de outra mais virulenta do mesmo tipo"[1184]. Deve haver, no entanto, um cuidado para que a dose não seja letal: "reproduzir de forma controlada o mal que deve proteger". Evidencia-se, portanto, uma relação próxima entre proteção e negação da vida,

---

1183 ESPOSITO, Roberto. *Immunitas. Protezione e negazione della vita*. Torino: Einaudi, 2002, p. 9-10.
1184 *Ibid.*, p. 10. Tradução nossa.

pois "o veneno é vencido pelo organismo não quando é expulso para fora dele, mas quando, de alguma maneira, passa a fazer parte dele"[1185].

Quando se transporta essa análise comparativa para o processo penal, fazendo-o dentro das balizas de proibição de excesso, de um lado, e de proibição de proteção insuficiente, de outro, pode-se pensar como trabalhar essa questão na atividade probatória do magistrado, minimizando a possibilidade de um decisionismo solipsista.

Frise-se, aqui, a necessidade de se abandonarem os pré-juízos valorativos a respeito das categorias com pretensão de pureza dos sistemas nessa discussão. Somente com a retirada do Véu de Maia dessa dicotomia pretensamente pura e pensando o tema a partir do sistema processual penal brasileiro que seja orientado pelos dois princípios funcionais da proibição de excesso e da proibição de proteção insuficiente é que se consegue compreender a questão sob o prisma do que ela efetivamente representa.

Para início de análise, como já se explorou antes, deve-se levar em conta que o juiz pode construir "quadros mentais paranoicos" a respeito do caso penal e agir de forma decisionista (e, portanto, arbitrária), seja ele inerte, seja ativo na questão probatória, como se deixou claro nas seções anteriores. Não é a inércia que evita a construção de "quadros mentais paranoicos". Como anota Rui Cunha Martins, "o ponto cego é privilégio de quem vê"[1186]. Ou seja, basta ao juiz "ver" a prova, "ouvir" a testemunha, e o "ponto cego" já estará presente, pois não consegue apreender o todo dessa fala. Ademais, o caráter alucinatório que pode se ter criado com as convicções mescladas em crenças que decorrem da natural ausência de neutralidade do juiz "ser-no-mundo" e mesmo os "quadros mentais parafásicos" que possam ter sido nele criados pela má compreensão do que foi dito pelas partes e pelas testemunhas não podem ser eliminados sem uma autoirritação da mente do juiz provocada pelas circunstâncias e condições do ambiente que permitam criar condições para a metanoia ou para a sublimação.

Portanto, é somente criando condições de ambiente que permitam provocar mudanças na maneira de o juiz formar suas convicções que se fará com que as garantias do contraditório e da ampla defesa ganhem nova dimensão de amplitude. Diante dessa complexidade, surge o dilema: permitir ou não permitir que o juiz fale com a testemunha, com o réu, enfim, que ele dialogue complementarmente com a prova no processo.

Como já visto, o problema evidenciado nos modelos processuais nos quais o magistrado atua com ampla liberdade probatória, nos quais ele é o senhor absoluto da gestão da prova, é que ele acaba, até mesmo de forma inconsciente, deixando

---

1185 *Ibid.*, p. 10. Tradução nossa.
1186 CUNHA MARTINS, Rui. *O Ponto Cego do Direito. The Brazilian Lessons, cit.*, p. 1.

aflorar toda a sua natural ausência de neutralidade e, porque pode ter construído seus referidos "quadros mentais paranoicos" e porque também está sempre sujeito aos "quadros mentais parafásicos", estará, nesses casos, sempre em busca de resultados probatórios que lhe sirvam de conforto mental. Se nesse modelo as partes são colocadas em perspectiva secundária, trabalhando apenas depois da atividade do magistrado, muito pouco resta para provocar mudanças no modo de compreender o caso penal. Dessa forma, se o juiz atuar livremente como principal protagonista, o resultado é amplamente favorável à prevalência das possíveis hipóteses criadas em sua mente sobre os fatos, como já alertava Cordero.

Essas iniciativas probatórias do magistrado, portanto, consideradas de forma dominante, escanteadas as partes do protagonismo probatório, como ocorria no chamado sistema presidencialista brasileiro anterior à reforma do Código de Processo Penal de 2008, no qual toda e qualquer intervenção das partes somente ocorria ao final e sempre filtrada pelo juiz, provocam violação de um dos princípios norteadores do sistema processual brasileiro, qual seja: a proibição de excesso. Aliás, eram a expressão de um sistema fundado no paradigma filosófico da consciência, no qual o juiz se basta para compreender a prova e o caso penal, no qual ele, atuando como uma espécie de "senhor dos sentidos", assujeita, solipsisticamente, a prova e o caso. De resto, exacerbar o poder do magistrado no momento da produção da prova, transformando-o no principal protagonista da audiência, é acabar com qualquer possibilidade de freio aos efeitos de alucinação que as provas possam nele provocar. Estaria, portanto, violado o sistema processual penal brasileiro, lido sob a ótica da importância de se preservar a gestão da prova pelas partes.

De outro lado, essa questão da atividade probatória complementar do magistrado não pode continuar a ser vista como algo a ser evitado a qualquer custo com a simples alusão autorreferente do mote pejorativo de que isso seria "inquisitório", como tem pregado parte da doutrina mais moderna de processo penal.

De fato, proibir-se por completo qualquer atividade probatória complementar do juiz acaba conduzindo a outro problema, desconsiderado pela mesma doutrina em decorrência da cegueira gerada pela vinculação à dicotomia dos sistemas "puros": provoca-se o efeito de falta de não se explorar toda a potencialidade das garantias do contraditório e da ampla defesa e, portanto, viola-se a segunda baliza interpretativa do sistema processual penal brasileiro: a vedação de proteção insuficiente. Se é possível fazer com que a ampla defesa e o contraditório atuem no âmbito da produção da prova e na proteção dos direitos do cidadão, no caso, do acusado, da forma mais suficiente possível, essa deve ser uma preocupação de um sistema processual penal democrático.

Assim, o que se pode fazer aqui é buscar uma forma de procurar anular ou diminuir os efeitos negativos dessa ausência de neutralidade na tomada de decisão do magistrado. Para tanto, usa-se um "phármakon"[1187], isto é, um remédio que tem a ambivalência de ser, simultaneamente, medicina e veneno, agindo como antídoto – como fator imunizante – à ausência de neutralidade e que, simultaneamente, permite dar maior efetividade ao contraditório e à ampla defesa[1188].

Para que os princípios do contraditório e da ampla defesa funcionem, em toda a sua potencialidade, como mecanismos de fechamento da discricionariedade do juiz e de ressignificação dos sentidos, provocando-lhe um efeito de iluminação e consequente possível metanoia em relação ao que ele vinha considerando mentalmente, é preciso que uma dose da "doença" seja inoculada no processo. Isto é, é preciso que certa dose de intervenção do magistrado no momento da produção probatória seja inoculada no processo para permitir sua imunização ao risco de contaminação dado pela ausência de neutralidade. Somente assim as partes poderão antever o que vai à mente do juiz e provocar condições de ambiente que permitam gerar a autoirritação necessária para produzir a ressignificação que gere a mudança de enxergar o caso penal, produzir o que aqui se denomina de "quadro mental metanoico".

3.30 A identidade física do juiz como complemento fundamental do efeito metanoico

No plano da Hermenêutica Filosófica, pode-se dizer que não há problema algum na troca de um juiz por outro no curso do processo penal, porquanto o segundo juiz – que profere a sentença – deve ter tanta responsabilidade política quanto o primeiro – que participou da instrução probatória. Isto é, se, no âmbito da Hermenêutica Filosófica, o juiz, porque é "ser-no-mundo", opera a partir de uma linguagem pública, pré-compreendida, intersubjetivamente compartilhada, e age pautado pela autoridade da tradição e pela consciência dos efeitos que a história tem sobre ele, seja quem for o juiz, ele terá que decidir suspendendo seus pré-conceitos inautênticos e dar a resposta adequada que dele se espera como ator com responsabilidade política, como esclarece Lenio Streck.

No entanto, é também aqui que a Hermenêutica Filosófica parece não conseguir dar conta – sozinha – da possibilidade concreta de o juiz não ser suficientemente doutrinado a compreender esse seu papel e de os possíveis constrangimentos posteriores – *v.g.*, recursos e críticas doutrinárias – não serem suficientes para evitar o

---

1187 ESPOSITO, Roberto. *Immunitas. Protezione e negazione della vita, cit.*, p. 145 e s.
1188 *Ibid.*, p. 18.

problema da discricionariedade no caso concreto. Frise-se: não se ignora o importante papel da Hermenêutica Filosófica no constrangimento que visa evitar o uso de linguagens privadas do magistrado na sentença e exige dele um compromisso político no exercício de sua função. Esse papel é significativamente relevante para controlar o juiz "a posteriori", isto é, analisando sua fundamentação e criticando-a pela via recursal. Porque a linguagem usada pelo juiz é compartilhada e pública, pode-se, como parte, questionar a compreensão do magistrado, e isso também pode ser feito pelo tribunal em grau de recurso. Mas há aspectos que antecedem esse momento e que operam justamente na seleção das provas no presente da audiência e que não são absolutamente controláveis pelas partes porque são igualmente incontroláveis pelo próprio juiz em seu processo decisório, conforme detalham a psicanálise, a psicologia cognitiva e, até mesmo, a neurociência. Nesse ponto, portanto, entende-se que os mecanismos aqui desenvolvidos que visam diminuir/eliminar a discricionariedade do processo decisório no presente da audiência não podem ser desconsiderados e relegados ao plano do controle "a posteriori" em relação à sentença. Se a compreensão da prova se dá no presente da audiência e por meio de perguntas que permitam ao hermeneuta-juiz suspender seus pré-conceitos inautênticos e ir do todo à parte e desta ao todo, revelando-se no interior desse círculo hermenêutico, é esse mesmo juiz que deve proferir a sentença.

Assim, diante de tudo aquilo que foi exposto a respeito da necessidade de se criarem condições de possibilidades de as partes interferirem no processo decisório do juiz em audiência, ganha destaque, para completude dos efeitos de metanoia que se consiga projetar na captura psíquica do juiz, o princípio complementar denominado "identidade física do juiz", desdobramento do princípio do "juiz natural" e inserido no Código de Processo Penal brasileiro, no § 2º do art. 399, após a reforma de 2008, *in verbis*: "O juiz que presidiu a instrução deverá proferir a sentença".

Como se vê da redação do dispositivo legal, o princípio da identidade física do juiz compreende-se na exigência de que o juiz sentenciante seja o mesmo que presidiu a audiência de instrução probatória. Ou seja, não basta se garantir um juízo com competência prévia e prevista em lei em relação ao fato que irá julgar (juiz natural), mas se deve igualmente garantir que a mesma pessoa física atue em ambos os atos: de instrução e de sentença.

A doutrina moderna de processo penal, a exemplo de Eugênio Pacelli de Oliveira, costuma destacar apenas as justificativas mais evidentes da manutenção desse princípio, quais sejam, imediatidade, livre convencimento motivado e persuasão racional na sentença[1189]. Jorge de Figueiredo Dias, por sua vez, desde 1974, aproxima-se

---

1189 OLIVEIRA, Eugênio Pacelli de. *Curso de Processo Penal.* 16. ed. São Paulo: Atlas, 2012, p. 321.

672 ■ Processo Penal | Fundamentos dos fundamentos

de outro aspecto aqui defendido, ao dizer que o princípio da imediação decorre da "relação de proximidade comunicante entre o tribunal e os participantes no processo, de modo tal que aquele possa obter uma percepção própria do material que haverá de ter como base da sua decisão", tudo indicando certa forma de obter a decisão[1190]. E complementa, esclarecendo que essa é garantia da "oportunidade conferida a todo o participante processual de influir, através da sua audição pelo tribunal, no decurso do processo"[1191].

Essa "proximidade comunicante", exposta por Figueiredo Dias com clareza peculiar, é que deve ser levada em conta na questão da identidade física do juiz. De fato, deve haver uma "proximidade comunicante" não apenas entre o juiz e as partes, mas também entre ele e as provas testemunhais. Sucede que o detalhe é que essa "proximidade comunicante" existe, como regra, até o momento no qual o juiz conclua seu processo decisório, o que, normalmente[1192], ocorre na audiência, e não por ocasião da prolação da sentença. Como recorda Nilo Bairros de Brum, "geralmente, chegado o momento de prolatar a sentença penal, o juiz já decidiu se condenará ou absolverá o réu"[1193]. E "de-cidir", repita-se, é cortar o elo comunicante, isto é, o elo comunicante com as partes e com a prova. Pode ocorrer quando o juiz, mentalmente, diz para si mesmo "já entendi", seja para condenar, seja para absolver; ou quando, pela dúvida, é conduzido a dizer também para si "a prova é fraca". Assim, o que vem

---

1190 FIGUEIREDO DIAS, Jorge de. *Direito Processual Penal, cit.*, p. 232.

1191 *Ibid.*, p. 153. MAIER, Julio B. *Derecho Procesal Penal Argentino, 1b*. Buenos Aires: Hammurabi, 1989, p. 316 e s., vai na mesma linha.

1192 É claro que não se ignora a possibilidade de o juiz ter "decidido" mentalmente até mesmo antes da audiência. Afinal, o juiz decide "porque pensa", como refere Jacinto Coutinho e, assim, pode concluir um processo mental antes mesmo da produção da prova, notadamente num processo no qual a prevenção (art. 83 do Código de Processo Penal) não raras vezes delimita a competência do juiz ainda na fase pré-processual (nos termos da criação do "juiz das garantias", isso não se dá mais assim). No entanto, ainda hoje, tem-se a seguinte situação: um juiz que toma decisões cautelares no curso da investigação ou que decide receber a denúncia, por exemplo, tende a formar convencimento a respeito do fato antes mesmo do momento da instrução probatória. O ideal, por evidente, é que o juiz que atuou até o recebimento da denúncia não seja o mesmo que atue na instrução do processo e na prolação da sentença. Decorre daí a inserção do art. 3º-B, no texto do Código de Processo Penal a respeito do "juiz das garantias". Diferente do texto de lei aprovado, nos termos do que decidiu o STF, ele deve atuar até o momento do oferecimento da denúncia. Sua exigência já vinha sendo defendida pela doutrina mais moderna. *Vide*, por exemplo, na doutrina nacional: LOPES JR., Aury; GLOECKNER, Ricardo Jacobsen. *Investigação Preliminar no Processo Penal*. 5. ed. São Paulo: Saraiva, 2013, p. 259 e s.; COUTINHO, Jacinto Nelson de Miranda. *O Papel do Novo Juiz no Processo Penal, cit.*; CHOUKR, Fauzi Hassan. O Juiz de Garantias na Reforma do Código de Processo Penal. In: *Processo Penal, Constituição e Crítica: Estudos em homenagem ao Prof. Dr. Jacinto Nelson de Miranda Coutinho*. Rio de Janeiro: Lumen Juris, 2011, p. 267-276; BADARÓ, Gustavo Henrique Righi Ivahy. Direito ao Julgamento por Juiz Imparcial: como assegurar a imparcialidade objetiva do juiz nos sistemas em que não há a função do juiz de garantias. In: *Processo Penal, Constituição e Crítica: Estudos em homenagem ao Prof. Dr. Jacinto Nelson de Miranda Coutinho*. Rio de Janeiro: Lumen Juris, 2011, p. 343-363; e GUIMARÃES, Rodrigo Régnier Chemim; RIBEIRO, Sarah Gonçalves. A introdução do juiz das garantias no Brasil e o inquérito policial eletrônico. *Revista Brasileira de Direito Processual Penal*, v. 6, n. 1, jan./abr. 2020, p. 147-174. E na doutrina estrangeira: MOURAZ LOPES, José António. A tutela da Imparcialidade Endoprocessual no Processo Penal Português. *Boletim da Faculdade de Direito. Estudia Iuridica*, n. 83, Coimbra: Coimbra Editora, 2005.

1193 BRUM, Nilo Bairros de, *cit.*, p. 72.

externado na sentença é apenas o espelho do que já ia à cabeça do juiz na audiência, agora camuflado retórico-argumentativamente pela exigência de fundamentação. Resta claro, então, que "trocar" o juiz por ocasião da prolação da sentença pode ser prejudicial às partes e à efetividade das garantias do contraditório e da ampla defesa, anulando os "quadros mentais metanoicos" ou "sublimadores" que possam ter sido alcançados no processo dialógico da audiência.

Assim, para que a imediação e a produção secundária da prova produzida em audiência tenham o efeito que se pretende alcançar reproduzido na sentença, é preciso que a pessoa que passou pelo constrangimento das evidências no curso da audiência e atingiu níveis de compreensão que possam ter gerado até mesmo os chamados "quadros mentais metanoicos" seja a mesma a elaborar a sentença.

Com efeito, é pela imediação e participação ativa secundária que o juiz estará em contato direto com a prova produzida em audiência. Vale recordar que o processo penal é um ritual que busca promover o (re)conhecimento de um fato pretérito, que deve ser feito por alguém que dele não participou e que, portanto, não o conhece, mas precisa conhecê-lo[1194], por intermédio de quem já o conheceu (notadamente as testemunhas), para sobre ele decidir. E isso se afirma como limite possível e necessário, isto é, como o que é possível fazer quando não se tem algo melhor do que o processo para resolver casos penais. Para além disso e a depender do enfoque, o julgamento seria até mesmo impossibilitado, pois, como afirma Santiago Sentís Melendo, "não se pode julgar o que não se conhece e não se conhece o que chega mediatizado, através ou com a interposição de um diagrama"[1195]. Assim é que o juiz se instrui sobre os fatos expostos na denúncia e apontados pela defesa e de tudo traça um painel recognitivo do que compreendeu ter acontecido e, por ocasião da sentença, reconstrói, discursivamente, o que resultou dessa compreensão, explorando as provas produzidas.

Os efeitos metanoicos ou sublimadores que podem ter sido gerados na dialogicidade da audiência, decorrência da imediação entre o magistrado e a prova arrecadada, somados aos constrangimentos epistêmicos das evidências promovidos pelas partes, somente se prolongam à sentença se o mesmo juiz for o sentenciante.

Convém, então, valorizar o direito das partes de se fazerem ouvir pelo magistrado que proferirá a sentença. O acusado, inclusive, tem o direito de travar contato pessoal com o "seu" julgador, apresentando a ele sua versão e suas razões. Até porque – numa leitura às avessas do papel do juiz, das testemunhas e das partes nesse contexto da audiência – as expressões faciais e corporais que o magistrado

---

1194 COUTINHO, Jacinto Nelson de Miranda. *Glosas ao Verdade, Dúvida e Certeza, de Francesco Carnelutti, para os Operadores do Direito*, cit., p. 79.

1195 SENTÍS MELENDO, Santiago. *La Prueba. Los Grandes Temas de Derecho Probatorio*. Buenos Aires: Ediciones Jurídicas Europa América, 1978, p. 476. Tradução nossa.

possa externar no momento da coleta da prova, e também suas complementações de fala produzidas no contexto da audiência, permitem às testemunhas e às partes, na essência, perceber o que vai à cabeça do magistrado no curso da coleta da prova, perceber como ele está recepcionando a prova, se prestou atenção ao que foi dito e como está formando sua convicção nesse mesmo momento, reagindo com novas reflexões e ponderações a respeito do fato em análise[1196]. Gomes Filho acrescenta que a audiência representa "o ponto de observação privilegiado para aferir-se a efetividade do direito das partes a influir no acertamento dos fatos"[1197]. Essa percepção, assim, de forma antecipada, permite às partes também acrescer dados que ampliarão a recognição do fato pelo magistrado, nele provocando reflexões que podem conduzi-lo até mesmo a uma metanoia, como já destacado anteriormente. No entanto, se o juiz que participa da audiência de instrução é diverso do que proferirá a sentença, minimiza-se ou até mesmo se anula essa possibilidade.

Portanto, preservar a mesma pessoa que participou da instrução no momento de prolação da sentença permite dar a amplitude de efetividade aos princípios de ampla defesa e contraditório, os quais, do contrário, ficariam mitigados pela distância entre seu exercício e o julgador. É o que Carlo Lessona – não obstante trabalhasse com "verdade" como um objetivo e pensasse a partir do processo civil – sintetizou na ideia de "iluminar o juiz"[1198].

Acontece que a jurisprudência brasileira, porquanto trabalha ainda fortemente pautada pela visão unitária da Teoria Geral do Processo (na qual se privilegia a visão civilista do processo), e porquanto o princípio da identidade física do juiz tenha sido estruturado primeiro no processo civil, não tendo a nova regra da reforma parcial de 2008 do Código de Processo Penal brasileiro se preocupado em detalhar questões atinentes às férias, remoções, promoções, licenças e aposentadorias dos juízes, acaba mitigando a observância dessa regra, o que resulta em sua muito pouca eficácia prática. Com efeito, a jurisprudência brasileira vinha adotando, nos processos penais, a regra do art. 132 do Código de Processo Civil de 1973, com a redação dada pela Lei 8.637, de 1993 (não reproduzida na reforma do Código de Processo Civil de 2015), aplicando-a analogicamente por se tratar do mesmo tema e por força da lacuna no Código de Processo Penal, nos termos de seu art. 3º. Essa regra civilista diz que, em caso de convocação, licença, afastamento por

---

1196 Sobre o tema *vide*, dentre outros: JAUCHEN, Eduardo M. *Estrategias de Litigación Penal Oral (Sistema acusatório adversarial. Teoria y práctica)*. Santa Fe, Buenos Aires: Rubinzal-Culzoni Editores, 2014, p. 325 e s.

1197 GOMES FILHO, Antonio Magalhães. *Direito à Prova no Processo Penal, cit.*, p. 160.

1198 LESSONA, Carlo; LESSONA, Silvio. *Trattato delle Prove in Materia Civile*. 3. ed. Firenze: Fratelli Cammelli, 1924, v. 5, p. 69. "L'intervenzo ordinato d'ufficio non há per fine nè la difesa, nè la condanna d'um terzo, ma tende solo a illuminare la giustizia a far si che il suo pronunciato sia conforme a verità".

qualquer motivo, promoção ou aposentadoria, a regra da identidade física do juiz é excepcionada, *in verbis*:

> Art. 132. O juiz, titular ou substituto, que concluir a audiência julgará a lide, salvo se estiver convocado, licenciado, afastado por qualquer motivo, promovido ou aposentado, casos em que passará os autos ao seu sucessor.

Por interpretação extensiva, a jurisprudência utiliza-se da regra também para as hipóteses de remoção do magistrado[1199]. O que sobra, então, da identidade física do juiz no atual modelo se circunscreve à casuística, extremamente rara na prática, de haver dois juízes com idêntica competência territorial, material e ainda atuando em conjunto na mesma vara. Nesse caso incomum, evita-se que um deles possa julgar os processos que o outro instruiu. Nada mais. Essa visão civilista deve ser revista no âmbito de um processo penal que seja pautado pela baliza de proibição de proteção insuficiente. No caso de não se observar a identidade física do juiz, as garantias do contraditório e da ampla defesa revelam-se insuficientes, pois o que se pretende com elas é que as partes possam ver o resultado de sua captura psíquica do juiz externado na sentença.

Diante desse quadro, caso haja necessidade, por qualquer razão, de se trocar o juiz que participou da instrução probatória oral em relação àquele que irá sentenciar, haverá igual necessidade de se repetir a produção dessa prova perante o novo juiz, evitando-se o processo de descontinuidade da captura psíquica do magistrado. Nesse sentido também é a lição de Eduardo Jauchen, tratando do processo penal argentino, que sintetiza a questão dizendo que, "em caso de incapacidade, falecimento ou qualquer outro fator que impossibilite manter a mesma integração até o final, será preciso renovar o debate em sua integralidade"[1200]. E complementa, dizendo que, "para evitar este último inconveniente, algumas legislações preveem a possibilidade de que em casos complexos se designe, desde o início do debate, juízes suplentes que presenciem também integralmente as

---

1199 BRASIL. Superior Tribunal de Justiça. AgRg no AREsp 395152/PB n. 2013/0307936-0, Relatora Ministra Laurita Vaz, julgado em 06/05/2014. Disponível em: www.stj.jus.br. Acesso em: 21 ago. 2014, *in verbis*: "O princípio da identidade física do juiz, introduzido no sistema processual penal pátrio pela Lei n.º 11.719/2008, deve ser analisado, conforme a recente jurisprudência da Quinta Turma deste Superior Tribunal, à luz das regras específicas do art. 132 do Código de Processo Civil. Dessa forma, tem-se que, nos casos de convocação, licença, promoção, férias, ou outro motivo legal que impeça o Juiz que presidiu a instrução sentenciar o feito, o processo-crime será julgado, validamente, por outro Magistrado. Precedentes. 4. Segundo entendimento desta Corte, a remoção do Magistrado está dentro das hipóteses do art. 132, do Código de Processo Civil, configurando exceção à obrigatoriedade de ser o processo-crime julgado pelo Juiz que presidiu a instrução".

1200 JAUCHEN, Eduardo M. *El Juicio Oral en el Proceso Penal*. Santa Fe, Buenos Aires: Rubinzal-Culzoni Editores, 2008, p. 41. Tradução nossa.

audiências para uma eventual substituição em caso de impedimento insuperável de algum dos integrantes titulares"[1201].

Consolidam-se, assim, as condições de possibilidade de vir a se obter algo próximo de uma "resposta correta", ou "adequada", que não apenas abarque a hermenêutica do texto – como defendido por Dworkin e Lenio Streck –, mas que também alcance a interpretação da prova, reduzindo ao máximo a discricionariedade judicial na valoração probatória.

1201 *Ibid.*, p. 41-42. Tradução nossa.

4. FRANCESCO CARNELUTTI E A SUA TEORIA GERAL DO PROCESSO

Na primeira metade do século XX, mais precisamente entre os anos de 1926 e 1941, o jurista italiano Francesco Carnelutti desenvolveu uma teoria geral do processo, sustentando a possibilidade de ela ser empregada tanto para o processo civil quanto para o processo penal[1].

Carnelutti partiu da noção central da "lide" como razão de ser da jurisdição. A palavra "lide" vem do latim "*litis*" ou "*lis*" e era empregada pelos romanos antigos como equivalente ora à "coisa deduzida em juízo" ("*res in iudicium deducta*"), ora à "ação", como se vê referido no Digesto de Justiniano, em citação a Ulpiano, no livro 23, e na fórmula: "*D. 50.16.36: Litis nomen omnem actionem significat, sive in rem sive in personam sit*" ("Lide significa o nome dado a qualquer ação, seja real, seja pessoal")[2]. Diante dessa disparidade conceitual, os autores do século XIX em diante seguiram compreendendo a lide também sob a ótica de diferentes sentidos e, portanto, de forma não muito precisa, ora como equivalente à "ação", ora como equivalente ao "processo" (*v.g. "litispendência, in limine litis, litisaestimatio, litisconsortium, litiscontestatio* e *litisdenuntiatio*"). No entanto, a "ação" deixou de ser considerada o mesmo que "lide", ganhando contornos mais precisos após a famosa polêmica entre Windscheidt e Müther, ainda no século XIX[3]. A ação, então, passou a ser considerada, no âmbito do processo civil, como o direito de se invocar a tutela jurisdicional. Por sua vez, o "processo" também não se confunde com a "lide". Processo é o continente, o meio de se chegar à sentença, enquanto a lide, assim compreendida hoje, pode ser o conteúdo desse processo.

O certo é que, com Carnelutti, em 1926, o significado de "lide" ganhou uma definição mais precisa e técnica na doutrina de processo civil, sendo considerada

---

1   Não foi o único a defender a ideia de uma teoria geral unitária. Outros autores já haviam se dedicado a isso, a exemplo de DIANA, Agostino. *L'unità del processo e della dottrina processuale*. Siena: Stab. Arti Grafiche Lazzari, 1914, p. 6; D'AGOSTINO, G. *L'unità fondamentale del processo civile e penale*. Nicastro: Tip. ed. Moderna Bevilacqua, 1920, *passim*; e RENDE, D. L'unità fondamentale del processo civile e del processo penale. *Rivista di diritto pubblico e della pubblica amministrazione in Italia*, v. I, Milano: Società ed. Libraria, 1921, p. 372 s.

2   BUZAID, Alfredo. Da Lide: estudo sobre o objeto litigioso (1980). *Estudos e pareceres de direito processual civil*. São Paulo: Revista dos Tribunais, 2002, p. 72-132, p. 76-77.

3   WINDSCHEIDT, Bernhard; MÜTHER, Theodor. *Polémica sobre la "actio"*. Tradução do alemão para o espanhol de Tomás A. Bbanzhaf. Buenos Aires: Ed. Juridicas Europa-America, 1974.

678 ■ Processo Penal | Fundamentos dos fundamentos

equivalente a um "conflito de interesses qualificado por uma pretensão e por uma resistência a esta"[4]. Esse conceito foi aprimorado ainda no mesmo ano, por ocasião da sugestão de redação dos artigos 86 e 87 do *Projeto de Código de Processo Civil para a Itália*, elaborado por Carnelutti. O projeto se organizava em torno da lide, com regras que definiam o papel do juiz como sendo o de julgar a lide, como se vê no artigo 86, no qual Carnelutti estabeleceu a lide como conteúdo do processo e razão de ser do exercício do poder jurisdicional: "Ninguém pode pedir ao juiz que se pronuncie sobre uma questão, se desta não dependa a decisão de uma lide"[5]. E, no artigo 87, deu um conceito de lide: "Duas pessoas estão em lide quando uma delas pretende que o direito tutele imediatamente o seu interesse em conflito com um interesse da outra e esta contrasta a pretensão, ou, mesmo não a contrastando, não a satisfaz"[6]. Carnelutti ainda esclareceu que essa definição é "mais complexa do que aquela que havia proposto nas Lezioni", dizendo que, "mais exatamente", existe "a lide quando alguém pretende que a tutela de um seu interesse em contraste com o interesse de outra pessoa e esta resiste a essa pretensão mediante a lesão do interesse ou mediante a contestação da pretensão"[7].

Importante reforçar que o raciocínio de Carnelutti partiu do direito e do processo civil. Assim, para ilustrar o que isso significa, imagine uma lide civil, decorrente de um professor ter se aproximado de um aluno, apontado para um livro que estava na mesa do aluno e lhe dito "Devolva o meu livro!", tendo sido retrucado pelo aluno: "Acho que o professor está enganado. Este livro é meu". O professor, então, insistiu: "Não é seu não! É meu! Me devolva que eu pretendo levar ele comigo para a minha casa", ao que o aluno, por sua vez, respondeu: "Não tenho o que lhe devolver, pois o livro é meu. Eu é que pretendo levá-lo comigo para a minha casa". Nesse exemplo, identifica-se um conflito de interesses sobre a mesma coisa (o livro), acrescido de uma pretensão (ainda que infundada) do professor de exercitar uma propriedade que não possui e levar o livro para sua casa, que é resistida pelo aluno e por uma pretensão (fundada) do aluno que é igualmente resistida pelo professor[8]. Assim, na visão de Carnelutti, tem-se uma lide.

A solução dessa lide pode ocorrer por um acordo entre os dois interessados. Vamos imaginar que o professor resolva propor ao aluno que eles não discutam mais a respeito da propriedade do livro, promovendo um revezamento semanal na sua posse, com a

---

4   CARNELUTTI, Francesco. *Lezioni di Diritto Processuale Civile*. V. 1. Padova: Cedam, 1926, p. 302. Tradução nossa.

5   *Id. Progetto del codice di procedura civile: presentato alla sotto commissione reale per la riforma del codice di procedura civile. Parte prima. Del processo di cognizione*. Padova: Cedam, 1926, p. 92. Tradução nossa.

6   *Ibid.*, p. 92. Tradução nossa.

7   *Id.* Lite e funzione processuale (postilla). *Rivista di diritto processuale civile*, Padova: Cedam, 1928, p. 29. Tradução nossa.

8   As terminologias "pretensão fundada" e "pretensão infundada" são do próprio Carnelutti. CARNELUTTI, Francesco. *Lezioni di Diritto Processuale Civile, cit.*, p. 299.

previsão de um sorteio do livro entre os dois ao final do semestre letivo. Imagine, então, que o aluno, que é desapegado de bens materiais, mesmo sendo o proprietário do livro, resolva aceitar essa proposta para evitar animosidades com o professor. Nesse caso, o acordo entre os dois fez cessar a lide, já que não há mais uma resistência às pretensões de ambos. Nesse exemplo não foi necessário invocar a tutela jurisdicional do Estado para solucionar a lide, pois as duas partes se compuseram amigavelmente.

Imagine, agora, que a proposta de revezamento na posse do livro não seja aceita pelo aluno. Que caminhos legais teria o professor para resolver a lide caso ele insista em ter o livro para si? Poderia ele usar de violência ou grave ameaça e arrancar da mão do aluno o livro? Poderia ele aproveitar uma distração do aluno e subtrair o livro que estava em cima da mesa? Poderia ele dizer ao aluno que gostaria de dar uma olhada no livro e, aproveitando-se desse acesso, nunca mais devolvê-lo, agindo como se dono fosse? Todas essas opções estão fora da legalidade e caracterizam até mesmo possíveis crimes de roubo, furto e apropriação indébita ou, a depender do enfoque, o crime de exercício arbitrário das próprias razões. Se o professor quiser o livro e quiser agir dentro da legalidade, a única solução que se encontra é exercitar o seu direito de ação e invocar a tutela jurisdicional do Estado-juiz, dando início a um processo no qual se discutirá a lide.

Siga, então, imaginando que esse processo teve início e está sendo conduzido de forma morosa. A discussão já se prolonga por mais de ano e até esse momento ainda não foi proferida nem sequer a sentença de primeiro grau. Diante desse cenário, o aluno procura o professor e diz a ele que não faz sentido que continuem litigando. O aluno informa que está disposto a aceitar aquela proposta de revezamento na posse do livro, seguida de um sorteio ao final de um semestre. O professor, então, diz: "Maravilha! Vamos colocar isso no papel!". Os dois, então, elaboram um documento contendo esse ajuste, assinam e o apresentam ao juiz, que homologa o acordo, colocando fim ao processo. A atuação da jurisdição cessou com o acordo. Assim, para Carnelutti, a lide é a razão de ser da jurisdição. Ou seja: enquanto houver uma lide, a jurisdição opera; cessada a lide, cessa a atividade jurisdicional. E Carnelutti dizia que isso era assim tanto no processo civil quanto no processo penal, razão pela qual seria possível construir uma teoria geral unitária do processo, que servisse aos dois ramos processuais[9]. Nas palavras de Carnelutti: "A função essencial do juiz é aquela de decidir uma lide. Esta é, para mim, tanto a função do juiz civil, como a do juiz penal"[10].

No entanto, ele sofreu duras críticas de seus colegas italianos.

---

9   CARNELUTTI, Francesco. *Lezioni di Diritto Processuale Civile*. V. II, *cit.*, p. 148.

10   *Id.* Sulla *"reformatio in peius"*. *Rivista di diritto processuale civile*, Padova: Cedam, 1927, p. 183-184. Tradução nossa.

4.1 As críticas a Carnelutti e o seu abandono da teoria geral unitária

O primeiro a criticar a ideia de uma teoria geral unitária do processo, já em 1927, foi Eugenio Florian, com a obra *Principi di Diritto Processuale Penale*[11]. Ele entendia ser inadmissível a tese do uso de uma teoria geral para ambos os processos (civil e penal). Em suas palavras:

> A nosso juízo, o processo penal e o civil são duas instituições distintas.
>
> 1. O objeto essencial do processo penal é, como vimos, uma relação de direito público, porque nele se desenvolve outra relação de direito penal.
>
> 2. Em troca, no processo civil o objeto é sempre ou quase sempre uma relação de direito privado, seja civil ou mercantil. A diferença apontada quanto ao objeto dos dois processos tem uma repercussão de grande transcendência sobre o conteúdo dos mesmos, como teremos a ocasião de demonstrar em seguida.
>
> 3. O processo penal, como já se disse, é o instrumento normalmente indispensável para a aplicação da lei penal em cada caso; o civil, ao contrário, não é sempre necessário para fazer atuar as relações de direito privado; até tal ponto que a diminuição das causas nos assuntos civis é um indicativo de civilização jurídica.
>
> 4. O poder dispositivo das partes é muito restrito no processo penal, enquanto é grande aquele do juiz; inversamente, no processo civil é grande das partes e mínimo o do juiz, como veremos em seguida, dada a diversidade de objeto.
>
> 5. No processo civil o juízo está regido exclusivamente por critérios jurídicos puros, com abstenção, quase sempre, da qualidade das pessoas e prescindindo de critérios e apreciações discricionais, de equidade e éticas; em sentido contrário, no processo penal o juiz deve julgar um homem e, por isso mesmo, deve inspirar-se em critérios ético-sociais.
>
> (...)
>
> Mas há muito mais. O processo penal requer valorações de caráter técnico (psicológico, antropológico) e sociológico, como algo que tem cada vez mais que se desenvolver em torno à personalidade e à periculosidade do acusado.
>
> (...)

---

11   O título da obra foi traduzido, na edição espanhola de 1934, para *"Elementos de Derecho Procesal Penal"*.

De todos os modos, na questão assim colocada, oculta-se um equívoco, porque se toma em consideração o menos pelo mais, isto é, tomam-se em consideração algumas formas comuns de mínima importância, enquanto se descuidam de elementos diferenciais, que são os mais decisivos. (...)

De outra parte, o triunfo da tese contrária conduziria à absorção da ciência do processo penal pela do civil, com o que o primeiro perderia a sua autonomia, resultando profundamente alterado em sua concepção e estrutura[12].

Florian ainda fez explícita crítica à tese de Carnelutti de querer adotar a lide como ponto comum entre os dois processos, dizendo que, "por ser o processo penal o instrumento normalmente necessário para a realização do direito penal, deve ter lugar sempre, inclusive nos casos em que não exista oposição e o contraste que seria o conteúdo da 'litis'"[13]. Acrescentou, por fim, que o processo penal italiano da época seria diferente do civil, dado que o juiz teria mais poderes instrutórios e, também, que no processo penal o interesse é sempre um só: "a determinação da verdade, em torno da qual pode surgir, ou não, a controvérsia"[14].

Foi, no entanto, a partir da crítica de Piero Calamandrei, em texto intitulado *Il concetto di "lite" nel pensiero di Francesco Carnelutti* (*O conceito de "lide" no pensamento de Francesco Carnelutti*)[15], publicado no ano seguinte, em 1928, que a postura contrária à tese de Carnelutti começou a ganhar maior repercussão. Como destaca Jacinto Coutinho, foi a partir das críticas de Calamandrei, que não era um professor de processo penal, que os penalistas passaram a se opor à tese de Carnelutti[16].

Como referido anteriormente, Carnelutti sustentava que a jurisdição depende de uma "lide", e o fazia sob o argumento de que, caso ela não exista, o juiz estaria operando no plano administrativo, de uma "jurisdição voluntária", a exemplo do divórcio consensual. Assim, dizia ele, ou o processo tem lide e jurisdição, ou é caso de jurisdição voluntária.

Calamandrei, por sua vez, ponderou que a aplicação da pena não pode ser efetivada na esfera administrativa, criticando a ideia de que o juiz, ao condenar, possa estar atuando como se fosse uma jurisdição voluntária. Disse ele:

---

12 FLORIAN, Eugenio. *Elementos de Derecho Procesal Penal*. Tradução do italiano para o espanhol de L. Pietro Castro. Barcelona: Bosch, Casa Editorial, 1934, p. 20-23. Tradução nossa.

13 *Ibid.*, p. 24. Tradução nossa.

14 *Ibid.*, p. 24.

15 CALAMANDREI, Piero. Il concetto di "lite" nel pensiero di Francesco Carnelutti. *Rivista di diritto processuale civile*, v. V, Parte I. Padova: Cedam, 1928, p. 3-22.

16 COUTINHO, Jacinto Nelson de Miranda. *A Lide e o Conteúdo do Processo Penal*. Curitiba: Juruá, 1989, p. 40.

682 ■ Processo Penal | Fundamentos dos fundamentos

E mais ainda, em seu bom senso prático, ficaria surpreso e desorientado o juiz criminal se lhe dissesse que quando ele, em um julgamento em que o M.P. concluiu pela absolvição do acusado, for em sentido oposto e o condenar, não julga, mas o faz, sem perceber – como aquele personagem de Molière, que sem perceber fazia prosa –, uma jurisdição voluntária![17]

Assim, Calamandrei apontou que, no processo penal, não há necessariamente uma lide como razão de ser da jurisdição. Exemplificou com a situação não admitida no processo penal italiano, de uma composição amigável entre o acusador e o acusado, dizendo que não há espaço para essa possibilidade pois "a punição do culpado não pode ocorrer senão através do pronunciamento jurisdicional"[18]. Sustentou, então, que no processo penal "o conceito de lide não é utilizável como elemento distintivo da função jurisdicional, pela simples razão de que os interesses, ao regulamento dos quais é preordenada a intervenção do juiz, não são disponíveis por aqueles que figuram como parte no processo"[19]. Em outro texto, argumentou, ainda, que, se a lide penal se desse no conflito de interesses entre o autor do delito, que quer manter seu "*status libertatis*", e o Ministério Público, que quer exercer seu "*ius puniendi*", bastaria que o réu confessasse o crime, por exemplo, para que o conflito de interesses deixasse de existir[20]. E se a jurisdição, nesses casos, segue atuando (até porque não é o fato de que o réu confessou e de que o Ministério Público concorda com essa confissão que, por si só, permite conduzir o caso à condenação), é porque ela não depende de uma "lide". A "lide", portanto, não pode ser considerada o conteúdo do processo penal.

Carnelutti resistiu a essa crítica (1928) argumentando que, quando pensou na lide para o processo penal, não teria imaginado o conflito entre o Ministério Público e o autor do delito, mas entre este e a vítima. Diferenciou, assim, a lide e a contradição com o Ministério Público, a quem considerou ser não um "sujeito da lide", mas um "sujeito da ação"[21]. Esse esclarecimento, no entanto, soou ainda pior aos críticos de Carnelutti. Se ele estava sustentando que o conflito de interesses se daria com a vítima e o autor do delito, como justificar a atuação jurisdicional nos crimes em que não há uma vítima direta? Quem seria a vítima de um crime de tráfico de drogas ou de porte ilegal de arma de fogo? Não há uma vítima direta.

---

17 CALAMANDREI, Piero. Il concetto di "lite" nel pensiero di Francesco Carnelutti, *cit.*, p. 15. Tradução nossa.

18 *Ibid.*, p. 16.

19 *Ibid.*, p. 17. Tradução nossa.

20 CALAMANDREI, Piero. Linee fondamentali del processo civile inquisitorio. *Opere Giuridiche*, Napoli: Morano, 1966, p. 159.

21 CARNELUTTI, Francesco. Lite e funzione processuale (postilla), *cit.*, p. 31.

Costuma-se dizer: é a coletividade, ou é o Estado, em última análise. Porém, nesse caso, retorna-se ao modelo crítico anterior, isto é, ao fato de que a coletividade é representada pelo Estado-Ministério Público.

Nesse sentido, e incorporando as observações de Calamandrei, a proposta de Carnelutti, de introduzir um conceito de lide na redação do artigo 87 do projeto de novo Código de Processo Penal italiano, foi criticada por Giulio Paoli, que considerou que "a lide não serve para caracterizar a função jurisdicional penal", seja "entre o M.P. e o imputado, seja entre o imputado a parte lesada"[22]. Giulio Paoli anotou que Carnelutti não considerara que o Ministério Público não tem um interesse necessariamente conflitante, pois ele só se interessa em condenar "o culpado" e apenas caso ele exista, além do que há crimes sem vítima, como já destacado. Assim, se "o acusado for inocente, o Ministério Público tem interesse em sua absolvição", diz Paoli[23].

Carnelutti respondeu insistindo que não há lide entre o Ministério Público e o imputado, pois o Ministério Público seria um sujeito da relação processual ("sujeito da ação"), e não da relação material protegida pelo tipo penal e vinculada à lide. A lide, segundo essa resposta de Carnelutti, "não diz respeito à relação processual, mas, sim, à relação material; e digo 'tem relação' e não que ela 'é', porque a lide está tão distante da relação quanto da pretensão do direito"[24]. Carnelutti ainda criticou o argumento de Paoli de que o Ministério Público teria uma pretensão de condenar "o culpado" e não "o imputado", indagando: "Mas que tipo de pretensão é essa? Uma pretensão não contra uma pessoa determinada, mas contra o culpado? Uma pretensão que não pode ser jamais infundada? Me faça o favor, então, o Prof. Paoli, de me esclarecer as suas ideias sobre a pretensão?"[25]. E ainda acrescentou que "o Ministério Público, como sujeito da ação e não da lide, personifica o Estado acusador, e não o Estado lesado", argumentando que sobre essa distinção reside "toda a teoria do processo, aliás, toda teoria do direito"[26].

Invocando a discussão que se travou entre Giulio Paoli e Carnelutti, Francesco Invrea investiu contra os dois. Disse que o "ponto fraco" da tese de Paoli seria invocar crimes sem parte lesada, endossando a crítica de Carnelutti nesse aspecto[27]. Por outro lado, Invrea argumentou que a tese da lide como conteúdo do processo, proposta por Carnelutti, deve ser descartada no processo penal, por

---

22 PAOLI, Giulio. La nozione di lite nel processo penale. *Rivista di diritto processuale civile*. V. VII, Parte I, Padova: Cedam, 1930, p. 63-74, p. 65.

23 *Ibid.*, p. 67.

24 *Ibid.*, p. 75. Tradução nossa.

25 *Ibid.*, p. 75. Tradução nossa.

26 *Ibid.*, p. 75. Tradução nossa.

27 INVREA, Francesco. La servitù del giudicato. *Rivista di diritto processuale civile*. Padova: Cedam, 1930, p. 223-244, p. 225.

684 ■ Processo Penal | Fundamentos dos fundamentos

razões diversas daquelas apontadas por Paoli. Aduziu que no processo penal não há necessariamente uma pretensão da vítima que seja anterior ao processo. E deu o seguinte exemplo:

> Tizio (que eu nem conheço de vista) é acusado (por denúncia de um terceiro) de ter roubado alguns cachos de uvas à noite na minha vinha. Antes do furto eu nunca sustentei contra Tizio alguma pretensão à inviolabilidade da minha propriedade. Depois de ocorrido o furto, eu nunca sonhei em sustentar contra ele alguma pretensão, também porque (a partir de informações obtidas) estou convencido de que ele é inocente; na audiência declaro considerá-lo inocente; o pretor, endossando as conclusões consistentes do M.P., absolve Tizio por não ter cometido o crime. Encontrar neste processo alguma pretensão minha contra Tizio é, verdadeiramente, impossível[28].

Esse exemplo veio em reforço a outro que ele havia dado em outro texto, do mendigo que não tem parentes e é morto quando está dormindo. Esse mendigo nem sequer tomou consciência de que estava sendo agredido. Não haveria, nesse caso do mendigo, uma lide como relação material[29]. E, de resto, a pena tem caráter público, é monopólio do Estado, o que não permite ao particular (vítima) ser o titular da pretensão punitiva. Aliás, completou Invrea, no processo penal italiano da época, de matriz ainda inquisitória, era possível haver condenação mesmo quando o Ministério Público pedisse a absolvição, o que remete à ideia de que o conceito de lide seria absolutamente estranho ao processo penal[30].

Nesse debate, Carnelutti insistiu em dizer que a lide se preserva, pois o argumento de Invrea, de que a lide não existe necessariamente no processo penal porque a vítima não pode ter pretensão alguma a ser assegurada, serviria também para alguns casos civis, a exemplo da dissolução do matrimônio proposta pelo Ministério Público, e que, assim, ou bem a lide existe também no processo penal, ou não existe nem mesmo no processo civil[31]. Seguiu dizendo que a afirmação do direito pode ser sustentada por quem não seja o seu titular e que, nesse caso, ele considerava o Ministério Público como substituto processual da vítima[32]. Assim, sustentou Carnelutti, no exemplo do

---

28 *Ibid.*, p. 226. Tradução nossa.

29 INVREA, Francesco. Il torto e l'azione. *Rivista del diritto commerciale*. Fasc. 3-4, Parte I, Milano: Vallardi, 1930, p. 153-183, p. 181.

30 INVREA, Francesco. La servitù del giudicato, *cit.*, p. 227.

31 CARNELUTTI, Francesco. Ancora sulla lite nel processo penale (Postilla). *Rivista di diritto processuale civile*. V. VII, Parte I, Padova: Cedam, 1930, p. 245-248, p. 245.

32 *Ibid.*, p. 245.

furto das uvas, o Ministério Público somente pôde acusar o ladrão porque sustentou que a propriedade era de outra pessoa; do contrário, não haveria crime[33]. Invrea, então, repetiu o argumento de que, no processo italiano da época, o Ministério Público podia se manifestar pela absolvição do acusado sem afastar a possibilidade de o juiz julgar condenando o acusado[34].

Todas essas críticas foram minando a resistência de Carnelutti, até porque eram de diversas ordens, ficando cada vez mais difícil sustentar a ideia de uma teoria geral unitária. Assim, a partir da publicação da obra *Istituzioni del processo civile italiano*[35], em 1941, Carnelutti finalmente compreendeu que não podia seguir sustentando sua ideia de uma teoria geral do processo para todos os ramos processuais. Disse que o conteúdo do processo penal não é uma lide, mas a verificação de uma pretensão (mesmo não resistida). E, daí em diante, em postura digna dos grandes juristas que sabem a importância de não se insistir em teorias ou teses que não se sustentam racionalmente, assumiu o equívoco e detalhou a diferença de conteúdo entre o processo penal e o civil:

> Se nas primeiras tentativas de uma sistematização de uma Teoria Geral do Processo, desde o ponto de vista da função, pareceu-me que também o processo penal tem caráter contencioso, isto se deriva em primeiro lugar da falta de distinção de seu duplo conteúdo, penal e civil: ademais, como logo se verá, da confusão, em que eu mesmo caí, entre "lide" e "controvérsia". Meu ponto de vista era exato quanto a seu conteúdo civil, mas equivocado quanto a seu conteúdo penal[36].

O problema é que Carnelutti, a essa altura e não obstante as críticas já referidas, também contava com seguidores de seu pensamento em torno da ideia de uma teoria geral unitária do processo. E muitos não assimilaram a mudança de pensamento de Carnelutti, como se deu, por exemplo, com Enrico Tullio Liebman, professor mais jovem que Carnelutti e que, não obstante o criticasse em alguns aspectos, não era contrário à ideia de uma teoria geral unitária. Aliás, foi pelas mãos de Liebman que essa ideia foi acolhida no Brasil.

---

33 *Ibid.*, p. 246.

34 INVREA, Francesco. La sentenza e le azioni nel processo penale. *Rivista Penale*. Roma: Libreria del Littorio, 1931, p. 80.

35 CARNELUTTI, Francesco. *Istituzioni del processo civile italiano*. 5. ed. Roma: Soc. Ed. del "Foro Italiano", 1956, p. 25.

36 CARNELUTTI, Francesco. *Lições Sobre o Processo Penal*. V. 1. Tradução de Francisco José Galvão Bruno. Campinas: Bookseller, 2004, p. 147-148.

4.2 A importação brasileira do discurso de uma teoria geral unitária

Como esclarece Jacinto Coutinho, foi com a chegada de Enrico Tullio Liebman ao Brasil, fugindo do regime fascista italiano, que a teoria geral do processo de Carnelutti foi difundida por aqui[37]. Como já se destacou no primeiro capítulo deste livro, Liebman saiu da Itália em 1938, portanto, ainda antes de Carnelutti mudar sua forma de pensar a teoria geral do processo. Liebman veio para a América Latina e fixou residência em São Paulo, onde lecionou na Faculdade de Direito do Largo de São Francisco (USP), entre os anos de 1940 e 1946. Durante sua estadia, como já destacado, acabou colaborando para fundar aquilo que se usou denominar de Escola Paulista de Processo, servindo de grande referência para o aprimoramento do estudo do direito processual civil. Liebman também contribuiu para difundir, entre os professores brasileiros, o conceito de lide carneluttiano, compreendida como objeto do processo, ainda que tenha criticado o pensamento de Carnelutti para sustentar que o objeto do processo seria o "pedido do autor"[38]. Relegou, então, a lide de Carnelutti a uma "causa remota", antecedente ao processo[39]. Seja como for, Liebman seguiu empregando a referência à lide, por ele compreendida como o "conflito efetivo ou virtual de pedidos contraditórios, sobre o qual o juiz é convidado a decidir"[40]. Com esse conceito, Liebman, mesmo involuntariamente, contribuiu para a difusão de uma teoria geral unitária pensada a partir do processo civil, esclarecendo que, "assim modificado, o conceito de lide torna-se perfeitamente aceitável na teoria do processo"[41]. Isso se deve ao fato de que o processo penal sempre ficou relegado a um segundo plano no estudo científico. O processo penal acaba sendo comparado àquela "irmã pobre", que deve se contentar com as sobras das irmãs ricas (leia-se, particularmente, do processo civil), para usar a referência metafórica do clássico infantil *Cinderela* promovida pelo próprio Carnelutti:

> Era uma vez três irmãs que tinham pelo menos um dos pais em comum: chamavam-se a "ciência do direito penal", a "ciência do processo penal", a "ciência do processo civil". Ora, aconteceu que a segunda, em comparação com as outras duas, que eram muito bonitas e prósperas, teve uma infância e

---

37   COUTINHO, Jacinto Nelson de Miranda. *A Lide e o Conteúdo do Processo Penal, cit.*, p. XV.

38   LIEBMAN, Enrico Tullio. O Despacho Saneador e o Julgamento do Mérito. *Estudos Sobre o Processo Civil Brasileiro.* São Paulo: Saraiva, 1947, p. 107-152, p. 132.

39   *Ibid.*, p. 131.

40   *Ibid.*, p. 137.

41   *Ibid.*, p. 137.

adolescência infelizes. Com a primeira ela teve que dividir, por muito tempo, o mesmo quarto; e aquela pegou o bom e o melhor para si mesma. (...)

Em uma palavra, a teoria do processo penal ainda está em uma fase de dependência líquida da teoria do processo civil (...)

O certo é que Cinderela se contentava com as roupas deixadas por suas irmãs mais afortunadas. (...)

Cinderela é uma boa irmã, a quem não lhe ocorre se levantar de seu canto para confinar as outras em seu lugar; portanto, não é uma pretensão de superioridade, que se opõe às ciências contíguas, mas apenas uma afirmação de paridade. (...)

Se o estudo do processo penal contraiu certas dívidas perante a ciência processual civil, em breve poderá pagá-las com usura[42].

Esse "contentar-se com as roupas das irmãs mais afortunadas" foi reforçado, no Brasil, a partir dos professores paulistas que se reuniam aos finais de semana na casa de Liebman para discutir temas de processo civil, como destaca Ada Pellegrini Grinover:

> Reunindo os jovens discípulos nas tardes de sábado na modesta residência da Alameda Rocha Azevedo, discutia os seus estudos, aprofundava-as discussões e se prodigalizava em inigualáveis lições utilizando o método científico até aquele momento desconhecido do processualista brasileiro. Talvez nem o próprio Liebman soubesse com precisão quais seriam os resultados daqueles encontros. Talvez não o soubessem nem os discípulos dos sábados à tarde: Vidigal, o primeiro a conquistar a cátedra; Buzaid, com os seus escritos rigorosamente científicos e caracterizados por profundas considerações históricas e de direito comparado; José Frederico Marques, que se preparava para a cátedra na Pontifícia Universidade Católica de São Paulo; Bruno Afonso de André e Benvindo Aires, com sua inteligência penetrante e profundo preparo humanístico. Mas tais resultados estão vivos até hoje...[43]

Repita-se a parte final desta última citação, para reforçar que, desses encontros, como disse Ada, "os resultados estão vivos até hoje". E isso decorre das obras de muitos processualistas que passaram a adotar uma postura de divulgação de uma teoria geral unitária, isto é, de pensar o processo penal a partir das categorias construídas para

---

42 CARNELUTTI, Francesco. Cenerentola. *Rivista di diritto processuale*. V. 1. Parte 1. Padova: Cedam, 1946, p. 73-78. Tradução nossa.

43 GRINOVER, Ada Pellegrini. *O Magistério de Enrico Tullio Liebman no Brasil*, *cit.*, p. 99.

688 ■ Processo Penal | Fundamentos dos fundamentos

o processo civil. Vale, como exemplo, citar José Frederico Marques, que conseguiu, num lapso temporal de três anos de diferença, escrever tanto uma obra intitulada *Instituições de Direito Processual Civil*, em quatro volumes[44], quanto um uma obra sobre os *Elementos de Direito Processual Penal*, também em quatro volumes[45]. Já na primeira edição de suas *Instituições de Direito Processual Civil*, publicada em 1958, Frederico Marques defendeu uma teoria geral unitária:

> O processo, como instrumento compositivo de litígios, é um só, quer quando tenha por pressuposto uma lide penal, quer quando focalize uma lide não penal.
>
> Instrumento da atividade jurisdicional do Estado, o processo não sofre mutações substanciais quando passa do campo da justiça civil para aquele da justiça penal. Direito Processual Civil e Direito Processual Penal são divisões de um mesmo ramo da Ciência do Direito, que é o Direito Processual. E isto porque o "processo", em sua essência, é um só, tanto na jurisdição civil como na jurisdição penal. (...)
>
> Entre processo civil e processo penal, a diferença é apenas de grau e não de natureza. Se razões de ordem prática aconselham a divisão do Direito Processual em civil e penal, certo é que ambos os ramos do processo apresentam um fundo comum. Uno, portanto, é o Direito Processual, pelo que pode ser construída uma "teoria geral do processo" com os postulados e linhas mestras construídos segundo a metodologia da Dogmática do Direito[46].

Três anos depois, por ocasião da publicação do manual de processo penal, em 1961, Frederico Marques abriu um capítulo para tratar especificamente da "lide penal"[47], citando Carnelutti e o fazendo para explicar a lide como conteúdo do processo penal[48]. E seguiu considerando o processo penal e o processo civil como similares em diversos aspectos, adotando, em moldes muito similares à exposição feita nas *Instituições de Direito Processual Civil*, também aqui, expressamente, a teoria geral do processo:

> Em suas linhas mestras, a estruturação processual da justiça penal não difere daquela que envolve a jurisdição civil. O processo, como instrumento de atuação

---

44 FREDERICO MARQUES, José. *Instituições de Direito Processual Civil*. V. 1. Rio de Janeiro: Forense, 1958.
45 Id. *Elementos de Direito Processual Penal*. V. 1. 2. ed. Campinas: Millenium, 2000.
46 Id. *Instituições de Direito Processual Civil*. V. 1, *cit.*, p. 32-33.
47 Id. *Elementos de Direito Processual Penal*. V. 1, *cit.*, p. 6.
48 *Ibid.*, p. 9 e 15.

da lei, é um só. Regras procedimentais diversas que, em um e outro, possam existir, não constituem motivo suficiente para fazer-se do processo civil e do processo penal categorias estanques. Ambos se filiam a um tronco, comum, que é a teoria geral do processo. O poder jurisdicional e o processo em nada diferem, quer se projetem sobre uma lide de direito privado, quer atuem no campo da pretensão punitiva em conflito com o direito de liberdade[49].

Em caminho similar, também merecem destaque Galeno Lacerda[50], Hélio Tornaghi[51], Magalhães Noronha[52], Tourinho Filho[53], Mirabete[54], dentre outros[55], que seguiram adotando a teoria geral unitária. É interessante a análise de Hélio Tornaghi, pois ele expressamente se referiu a Carnelutti, citando suas obras de 1920 e 1931, e dizendo que elas "marcam o início de um novo período, o da Teoria Geral do Processo", mas não considerou a mudança de pensamento de Carnelutti, em 1941[56]. Tourinho Filho, por sua vez, até esclareceu "não ser pacífico falar em 'lide' no campo processual penal", apresentando as críticas de Giulio Paoli, mas optou, em seguida, por dizer: "sem embargo, a doutrina majoritária fala de 'lide penal'"[57].

É certo que alguns poucos autores brasileiros arriscaram uma crítica à teoria geral do processo, antes mesmo da Constituição brasileira de 1988. Destaca-se o artigo pioneiro de Adhemar Raymundo da Silva, publicado em 1957[58]. Adhemar Raymundo explorou a evolução do pensamento de Carnelutti, destacando, inclusive,

---

49   *Ibid.*, p. 11.

50   LACERDA, Galeno. Considerações Sobre a Reforma Processual. *Revista dos Tribunais*. São Paulo: Revista dos Tribunais, 1975, p. 13.

51   TORNAGHI, Hélio. *Instituições de Processo Penal*. Rio de Janeiro: Forense, 1959, v. I, p. 54 e s.

52   MAGALHÃES NORONHA, Edgard. *Curso de Direito Processual Penal*. 28. ed. atual. por Adalberto José Q. T. de Camargo Aranha. São Paulo: Saraiva, 2002, p. 7.

53   TOURINHO FILHO, Fernando da Costa. *Processo Penal*. 33. ed. São Paulo: Saraiva, 2011, v. 1, p. 21.

54   MIRABETE, Julio Fabbrini. *Processo Penal*. 16. ed. São Paulo: Atlas, 2004, p. 27.

55   Há autores mais jovens que publicaram seus manuais após a Constituição de 1988 e ainda seguem adotando a visão de teoria geral unitária, endossando a ideia de "lide penal". Por exemplo: MARCÃO, Renato. *Curso de Processo Penal*. 2. ed. São Paulo: Saraiva, 2016, p. 54; CAPEZ, Fernando. *Curso de Processo Penal*. 5. ed. São Paulo: Saraiva, 2000, p. 2; MALCHER, José Lisboa da Gama. *Manual de Processo Penal*. 4. ed. Rio de Janeiro: Forense, 2009, p. 7; MESSA, Ana Flávia. *Curso de Direito Processual Penal*. 2. ed. São Paulo: Saraiva, 2014, p. 49; LIMA, Marcellus Polastri. *Curso de Processo Penal*. Rio de Janeiro: Lumen Juris, 2002, v. 1, p. 05; BONFIN, Edilson Mougenot. *Curso de Processo Penal*. 7. ed. São Paulo: Saraiva, 2012, p. 47; GRECO FILHO, Vicente. *Manual de Processo Penal*. 9. ed. São Paulo: Saraiva, 2012, v. 1, p. 23; MUCCIO, Hidejalma. *Curso de Processo Penal*. Bauru: Edipro, 2000, v. 1, p. 44; CARVALHO, Djalma Eutímio de. *Curso de Processo Penal*. Rio de Janeiro: Forense, 2007, p. 1; NICOLITT, André. *Manual de Processo Penal*. 5. ed. São Paulo: Revista dos Tribunais, 2014, p. 48; MOREIRA ALVES, Leonardo Barreto. *Manual de Processo Penal*. São Paulo: JusPodivm, 2021, p. 69 e s.

56   TORNAGHI, Hélio. *A Relação Processual Penal*. 2. ed. São Paulo: Saraiva, 1987, p. 84.

57   TOURINHO FILHO, Fernando da Costa. *Processo Penal. cit.*, v. 1, p. 29-30.

58   SILVA, Adhemar Raymundo. O Processo Penal à Luz do Pensamento "Carneluttiano". *Estudos de Direito Processual Penal*. Salvador: Progresso, 1957, p. 43-54.

sua mudança de entendimento em torno da lide penal. Ao final, firmou posição discordando de Carnelutti, pois considerava "coisas diversas o objeto do processo penal, que é a imputação de um fato tido como criminoso a determinada pessoa, para que se declare a procedência (condenação) ou improcedência daquele (absolvição), e os possíveis efeitos civis do ato jurisdicional condenatório"[59].

Em 1970, também foi relevante a contribuição de Luciano Marques Leite, em texto no qual ele endossou a crítica de Calamandrei a Carnelutti[60]. Luciano Marques Leite concluiu que a "lide, como conceito de 'teoria geral do processo', na forma inicial pretendida por Carnelutti, e isto procuramos ter demonstrado, é inaplicável ao processo penal". E complementou dizendo que Carnelutti pretendeu "fazer uma 'soldadura' entre 'lide' e 'controvérsia'", mas "essa soldadura, ademais de não ser autógena, mas sim heterógena, não engendrou esses inseparáveis irmãos siameses que Carnelutti nos apresenta, mas sim, ao final, um irmão (litígio civil) e uma irmã (controvérsia penal), gêmeos, que podem caminhar separadamente, ainda que sua origem tenha sido comum"[61]. Ao final, Luciano Marques Leite, embasado em Giovanni Leone, sugeriu o abandono do conceito de "lide", propondo, em seu lugar, a expressão "conflito de direitos subjetivos ('direito de punir' e 'direito de liberdade')", argumentando que esse conflito seria "artificial, criado pelo próprio Estado para que o processo penal possa funcionar, como processo de partes"[62]. Assim, não obstante tenha acertado na crítica à ideia de lide para o conteúdo do processo penal, não conseguiu romper integralmente com essa mesma ideia, já que, ao falar em "conflito de direitos subjetivos artificial, criado pelo Estado", pareceu apenas repaginar o conceito carneluttiano de lide, que, agora com nova roupagem, seguiria sendo adotado no processo penal.

Seja como for, as críticas à ideia de uma teoria geral unitária para o processo não foram assimiladas pela Escola Paulista de Processo, a tal ponto que, em 1973, a Universidade de São Paulo acabou instituindo uma nova disciplina, intitulada, não à toa, *Teoria Geral do Processo*. A professora Ada Pellegrini Grinover foi convidada para lecionar à turma matutina, ao passo que o professor Antônio Carlos de Araújo Cintra foi convidado para a turma da noite[63]. Logo que as aulas tiveram início, os alunos reclamaram da ausência de uma obra que fizesse a abordagem de uma teoria geral

---

59   SILVA, Adhemar Raymundo. O Processo Penal à Luz do Pensamento "Carneluttiano", *cit.*, p. 53-54.

60   LEITE, Luciano Marques. O Conceito de "Lide" no Processo Penal – um tema de teoria geral do processo. *Revista Justitia*, v. 70, 1970, p. 181-195.

61   *Ibid.*, p. 192.

62   *Ibid.*, p. 194.

63   ZUFELATO, Camilo; YARSHELL, Flávio Luiz (Org.). *40 Anos da Teoria Geral do Processo no Brasil. Passado, presente e futuro*. São Paulo: Malheiros, 2013, p. 16.

unitária do processo. Atendendo ao reclamo, Ada e Antônio Carlos elaboraram apostilas manuscritas para que os alunos pudessem acompanhar a matéria. Essas apostilas foram um "sucesso" entre os alunos. Ada e Antônio Carlos, então, convidaram seu colega Cândido Rangel Dinamarco para que, os três em conjunto, transformassem as apostilas num livro, mais aprimorado em seu conteúdo[64]. Lançaram, assim, em 1974, o primeiro livro de *Teoria Geral do Processo* no Brasil[65]. Era uma obra que ainda considerava a teoria geral unitária proposta por Carnelutti e difundida no Brasil por Enrico Tullio Liebman e por João Mendes de Almeida Júnior[66]. O prefácio da obra foi escrito por Luís Eulálio de Bueno Vidigal, também ele professor da USP e mestre dos três autores. Ada Pellegrini conta que Luís Eulálio não era grande adepto da teoria geral do processo, tendo escrito o prefácio "não muito convicto do acerto metodológico, diante das perplexidades geradas, por exemplo, pela busca de uma lide penal..."[67]. Mesmo assim, os três autores justificaram a opção seja pela inspiração pioneira de João Mendes de Almeida Júnior, seja pela contribuição decisiva da passagem de Liebman por São Paulo:

> João Mendes Júnior, certamente o mais genial de todos, tratou do processo penal e do processo civil à luz de regras comuns a ambos, numa verdadeira teoria geral do processo, ciência que principiou a despontar entre nós, com real pujança, há menos de vinte anos.
>
> (...)
>
> Mas o ingresso do método científico na ciência processual brasileira só pôde ter lugar mesmo, definitivamente, a partir do ano de 1940, quando para cá se transferiu o então jovem Enrico Tullio Liebman, já àquela época professor titular de direito processual civil na Itália. Nos seis anos que esteve entre nós, tendo inclusive sido admitido como professor visitante na Faculdade de Direito de São Paulo, foi Liebman o portador da ciência europeia do direito processual. Fora aluno de Chiovenda, o mais prestigioso processualista italiano de todos os tempos. Conhecia profundamente a obra dos germânicos, a história do direito processual e o pensamento de seus patrícios, notadamente do genial Carnelutti.
>
> (...)

---

64 *Ibid.*, p. 16.

65 CINTRA, Antônio Carlos de Araújo; GRINOVER, Ada Pellegrini; DINAMARCO, Cândido Rangel. *Teoria Geral do Processo*. 7. ed. São Paulo: Revista dos Tribunais, 1990.

66 *Ibid.*, p. 108.

67 ZUFELATO, Camilo; YARSHELL, Flávio Luiz (Org.). *40 Anos da Teoria Geral do Processo no Brasil. Passado, presente e futuro, cit.*, p. 16.

692 ■ Processo Penal | Fundamentos dos fundamentos

A "Escola Processual de São Paulo" caracterizou-se pela aglutinação dos seus integrantes em torno de certos pressupostos metodológicos fundamentais, como a relação jurídica processual (distinta e independente da relação substancial, ou *"res in judicium deducta"*), autonomia da ação, instrumentalidade do direito processual, inaptidão do processo a criar direitos e, ultimamente em certa medida, a existência de uma teoria geral do processo[68].

Importante destacar que a Faculdade de Direito da Universidade de São Paulo (USP) sempre foi uma referência no Brasil, dado o seu pioneirismo no ensino jurídico. Assim, quando a USP instituiu essa nova disciplina, boa parte das demais faculdades de direito no país, não querendo ficar para trás, acabou copiando a USP e criou suas respectivas disciplinas com igual conteúdo[69]. No entanto, como explica Luciano Marques Leite, em texto de 1979, não havia professores em número suficiente e com o domínio dos diferentes ramos do processo (civil e penal) para lecionar:

> A literatura especializada sobre o assunto é quase inexistente; poucas Faculdades mantêm um curso de *Teoria Geral do Processo*; faltam professores que dominem o conjunto dos diversos ramos do processo, "a fim de que possam captar bem as identidades, afinidades e divergências entre os mesmos" (*sic*); ainda não foi fixado o seu conteúdo e nem há unanimidade na determinação dos seus conceitos fundamentais[70].

Diante da carência de publicações sobre o tema, o livro de Ada, Antônio Carlos e Dinamarco foi amplamente difundido no Brasil, levando o discurso de uma teoria geral unitária a ser referência nas academias brasileiras. Chegou-se a publicar uma "edição comemorativa" do livro, após quarenta anos e trinta edições da teoria geral do processo no Brasil[71].

O interessante é que, no mesmo ano em que Ada, Antônio Carlos e Dinamarco publicaram a primeira edição de *Teoria Geral do Processo*, ou seja, em 1974, Antônio Acir Breda fez críticas à adoção da palavra "lide" no projeto de novo Código de Processo Penal brasileiro. Citando Xavier de Albuquerque[72] e Adhemar Raymundo

---

68 CINTRA, Antônio Carlos de Araújo; GRINOVER, Ada Pellegrini; DINAMARCO, Cândido Rangel. *Teoria Geral do Processo*, *cit.*, p. 109-111.

69 ZUFELATO, Camilo; YARSHELL, Flávio Luiz (Org.). *40 Anos da Teoria Geral do Processo no Brasil. Passado, presente e futuro*, *cit.*, p. 18.

70 LEITE, Luciano Marques. A Teoria Geral e o Processo Penal. *Revista da Faculdade de Direito,* ano 3, n. 1, Taubaté, 1979, p. 27-39.

71 ZUFELATO, Camilo; YARSHELL, Flávio Luiz (Org.). *40 Anos da Teoria Geral do Processo no Brasil, cit.*

72 XAVIER DE ALBUQUERQUE, Francisco Manoel. Conceito de Mérito no Direito Processual Penal. *Estudos*

da Silva[73], Breda disse que "o conceito carneluttiano, na doutrina processual penal, via de regra, ou é ignorado ou é repelido"[74]. Suas críticas contribuíram para a retirada das referências à "lide" que constavam do projeto, propondo que ela fosse substituída pela palavra "causa". Jacinto Coutinho, ao comentar essa proposta, disse ter sido um avanço para o direito brasileiro, mas ainda não era uma palavra ideal para explicar o conteúdo do processo, dado que é controvertida em seu significado. Disse Jacinto que "o importante, além de uma substituição das palavras, é identificar a relação semântica, de modo a, da melhor forma possível (segura não há nenhuma, tratando-se de lei), garantir ao acusado seus direitos no processo penal"[75].

Quase dez anos depois, em 1983, destacou-se a contribuição crítica de Fábio Luiz Gomes, com o texto *Teoria Unitária e Dualista do Direito Processual*[76]. As críticas, como se vê, eram feitas em artigos esparsos, sem conseguir convencer a grande maioria dos doutrinadores de manual. Como já destacado, a doutrina de processo penal seguia, majoritariamente, adotando e difundindo a ideia da teoria geral unitária. As críticas passaram a ganhar maior adesão doutrinária a partir da publicação dos livros de Rogério Lauria Tucci (*Jurisdição, Ação e Processo Penal – subsídios para uma teoria geral do direito processual penal*[77]), em 1984, e de Jacinto Nelson de Miranda Coutinho (*A Lide e o Conteúdo do Processo Penal*[78]), em 1989.

Rogério Lauria Tucci propôs o que denominou de uma *Teoria do Direito Processual Penal*, visando "conferir ao Direito Processual Penal a exigível dignidade científica, mostrando-o (como, na realidade, se apresenta) de todo despregado do Direito Processual Civil"[79].

Jacinto Coutinho contribuiu de maneira bastante significativa para que a doutrina mais moderna de processo penal passasse a repensar a ideia de uma teoria geral unitária e começasse a se preocupar com a construção de uma teoria geral para o processo penal, desvinculada do pensamento civilista. Ele ainda propôs a adoção da expressão "caso penal"[80] no lugar de "lide", a qual, seguramente, é melhor do que a

---

de Direito e Processo Penal em Homenagem a Nelson Hungria. Rio de Janeiro: Forense, 1962, p. 302-314, p. 306.

73   SILVA, Adhemar Raymundo da. O Processo Penal à Luz do Pensamento "Carneluttiano", *cit*.

74   BREDA, Antônio Acir. Sugestões ao novo Código de Processo Penal. *Revista do Ministério Público do Paraná*, n. 4, Curitiba, 1974, p. 107.

75   COUTINHO, Jacinto Nelson de Miranda. *A Lide e o Conteúdo do Processo Penal*, *cit.*, p. 128.

76   GOMES, Fabio Luiz. Teoria unitária e dualista do direito processual. In: *Teoria Geral do Processo Civil*. Porto Alegre: Lejur, 1983.

77   TUCCI, Rogério Lauria. *Jurisdição, Ação e Processo Penal – subsídios para uma teoria geral do direito processual penal*. Belém: Cejup, 1984.

78   COUTINHO, Jacinto Nelson de Miranda. *A Lide e o Conteúdo do Processo Penal, cit.*

79   TUCCI, Rogério Lauria. *Teoria do Direito Processual Penal. Jurisdição, ação e processo penal (estudo sistemático)*. São Paulo: Revista dos Tribunais, 2002, p. 11.

80   COUTINHO, Jacinto Nelson de Miranda. *A Lide e o Conteúdo do Processo Penal, cit.*, p. 134 e s.

694 ■ Processo Penal | Fundamentos dos fundamentos

insistência de querer enxergar, necessariamente, uma lide no processo penal como conteúdo do processo.

Seguindo as lições de Jacinto Coutinho, Aury Lopes Júnior, em 2007[81], e Alexandre Morais da Rosa, em 2013[82], incorporaram a crítica à teoria geral unitária em seus manuais, consolidando a necessidade de se construir uma teoria geral do processo penal. Também em 2007, Gustavo Badaró apresentou crítica à ideia de "lide penal" e, assim, de adoção de uma teoria geral do processo[83]. Já Eugênio Pacelli de Oliveira publicou a primeira edição de seu manual em 2002, ainda sem enfrentar uma crítica mais direta à ideia de uma teoria geral do processo, não obstante já dissesse que a noção carneluttiana da "lide" para o processo penal não servia[84]. Em artigo publicado em 2009, para comentar sua participação na Comissão de Notáveis que elaborou o anteprojeto de novo Código de Processo Penal (da qual também participou Jacinto Coutinho), voltou a anotar a "*mea culpa* feita por Carnelutti (1971), em manifestação em que reconheceu o equívoco de seu entendimento anterior, via do qual afirmava ser possível adaptar-se o conceito de pretensão, como exigência de subordinação do interesse alheio ao próprio, ao âmbito do processo penal"[85]. E explorou a necessidade de se pensar o processo penal a partir de uma estrutura dialética, mas ponderou que ainda o fazia "sem adentrar o movediço campo da possibilidade de adequação das categorias essenciais do processo penal a uma teoria geral do processo"[86]. Em edições posteriores de seu manual, ao menos a partir de 2013, a crítica foi sendo encorpada[87], embora ele ainda não dispense a teoria geral do processo para algumas questões[88]. E seguiu reforçando a necessidade de se pensar uma teoria para o processo penal que leve em conta a "estrutura dialética do processo", com a "potencialização da ampla defesa"[89].

---

81 LOPES JR., Aury. *Direito Processual Penal e sua Conformidade Constitucional.* V. 1. Rio de Janeiro: Lumen Juris, 2007, p. 33 e s.

82 ROSA, Alexandre Morais da. *Guia Compacto do Processo Penal Conforme a Teoria dos Jogos.* Rio de Janeiro: Lumen Juris, 2013.

83 BADARÓ, Gustavo Henrique. *Direito Processual Penal.* Tomo 1. Rio de Janeiro: Elsevier, 2007; e BADARÓ, Gustavo Henrique. *Processo Penal.* 3. ed. São Paulo: Revista dos Tribunais, 2015, p. 565 e s.

84 OLIVEIRA, Eugênio Pacelli. *Curso de Processo Penal.* Belo Horizonte: Del Rey, 2002.

85 *Id.* O processo penal como dialética da incerteza. *Revista de Informação Legislativa*, ano 46, v. 183, Brasília, 2009, p. 67-75, p. 69.

86 *Ibid.*, p. 68.

87 *Id. Curso de Processo Penal.* 17. ed. São Paulo: Atlas, 2013, p. 100 e s.

88 *Ibid.*, p. 99.

89 *Ibid.*, p. 95 e s.

4.3 A necessidade de se construir uma teoria geral do processo penal

Por conta de toda essa influência que o discurso da teoria geral do processo teve na doutrina brasileira, ainda é controvertida a ideia de que se deva construir uma teoria geral especificamente voltada para o processo penal. Mas a controvérsia não é exclusividade nossa. Na doutrina estrangeira, há quem siga insistindo no discurso de uma teoria geral unitária, ainda que sob novas premissas, a exemplo do que faz, na Itália, Elio Fazzalari, ao identificar o contraditório como ponto comum entre os dois processos (civil e penal)[90].

Elio Fazzalari analisa inúmeros ramos processuais procurando traçar uma teoria que sirva para todos, não necessariamente na linha de Carnelutti (com a lide como razão de ser da jurisdição), mas num percurso no qual o contraditório é a "peça-chave" da identificação do processo, permitindo se construir, a seu modo, uma teoria unitária. Diz o autor:

> As informações detalhadas fornecidas até agora valem, talvez, para esclarecer melhor a nossa tarefa. Esta consiste – como anunciado – na identificação, reconhecimento e sistematização das "normas" que disciplinam os "processos", bem como "atos" e as "posições subjetivas" que se derivam: as quais resultam, em abstrato, em nosso ordenamento. E aqui está o plano da exposição. Vamos tentar, primeiro, aprofundar a noção de "processo" do ponto de vista formal, isto é, isolado como um "esquema" (ou "tipo") da teoria geral. (...) Como anunciado anteriormente, essas "instituições" cobrem um setor de conhecimento – regras fundamentais dos vários tipos de processo e noções relacionadas –, que pode ser especificado como "direito processual geral" (ou "direito processual" "*tout court*": como está no título deste livro)[91].

Já em Portugal prevalece a posição de Jorge de Figueiredo Dias, contrária à ideia de uma teoria geral unitária:

> No que toca ao processo, os resultados de uma teoria geral em nada conseguiriam esbater ou minorar as extensas divergências entre cada um dos

---

90 Outro exemplo é encontrado na doutrina mexicana, com ALCALÁ-ZAMORA Y CASTILLO, Niceto; LEVENE HIJO, Ricardo. *Derecho Procesal Penal*. V. 1. Buenos Aires: Guilhermo Kraft, 1945, p. 46-47.

91 FAZZALARI, Elio. *Istituzioni di Diritto Processuale. Settima Edizione*. Padova: Cedam, 1994, p. 67 e 69. Tradução nossa.

principais tipos processuais, respeitantes ou à sua estrutura ou, sobretudo, aos seus fundamentos e princípios e às suas formas concretas de realização.

(...)

A conclusão pessimista a que acaba de chegar-se quanto à viabilidade de uma teoria geral do processo não deve, porém, obstar a que se reconheça o altíssimo valor de uma consideração comparatista dos diversos tipos de processo, levada a cabo ou como hipótese geral de investigação, ou a propósito de singulares problemas processuais. Ela mostra com inexcedível clareza como os diferentes tipos de processo são, no fundo, determinados pela especificidade do objecto processual e como é este quem comanda a construção geral e a regulamentação concreta próprias de cada tipo de processo[92].

No Brasil, há autores que fazem um esforço retórico para seguir justificando a adoção de uma teoria geral unitária. Fredie Didier Jr., por exemplo, argumenta que as críticas à teoria geral do processo seriam infundadas, considerando que essa disciplina teria uma pretensão filosófica, epistemológica, aproximando-se da teoria geral do direito[93]. Didier Jr. argumenta que "essas críticas partem do equívoco metodológico de confundir o produto da Filosofia do Processo (especificamente, da Teoria Geral do Processo) com o conjunto de normas jurídicas processuais, elas mesmas objeto de investigação pela Ciência Dogmática do Processo"[94]. Leonardo Barreto Moreira Alves segue esse entendimento de Didier Jr. e acrescenta que seriam "exemplos desses conceitos comuns, a competência, a demanda, legitimidade, prova, decisão, etc., sendo o processo o conceito fundamental primário da Teoria Geral do Processo"[95].

A discussão ganhou a dimensão de polêmica em 2014, quando Afrânio Silva Jardim resolveu rebater um artigo escrito por Aury Lopes Jr. e recebeu o apoio, em forma de "comentário", de Ada Pellegrini Grinover[96].

No dia 27 de junho de 2014, Aury publicou, em sua coluna *Limite Penal*, no *site* Consultor Jurídico (Conjur), o artigo intitulado *Teoria Geral do Processo é danosa para a boa saúde do processo penal*[97]. Nesse artigo Aury elencou os institutos que considera

---

92 FIGUEIREDO DIAS, Jorge de. *Direito Processual Penal, cit.*, p. 54-55.

93 DIDIER JR., Fredie. Teoria Geral do Direito, Teoria Geral do Processo, Ciência do Direito Processual e Direito Processual: aproximações e distinções necessárias. In: ZUFELATO, Camilo; YARSHELL, Flávio Luiz (Org.). *40 Anos da Teoria Geral do Processo no Brasil. Passado, presente e futuro, cit.*, p. 334-355, p. 349.

94 *Ibid.*, p. 349-350.

95 MOREIRA ALVES, Leonardo Barreto. *Manual de Processo Penal, cit.*, p. 71.

96 LOPES JR., Aury; JARDIM, Afrânio Silva; GRINOVER, Ada Pellegrini. *Uma Polêmica Sobre a Teoria Geral do Processo: um debate com Aury Lopes Jr., Afrânio Jardim e Ada Pellegrini*. Disponível em: https://deusgarcia.files.wordpress.com/2019/02/uma-polemica-sobre-a-teoria-geral-do-processo-aury-afranio-e-ada.pdf. Acesso em: 23 maio 2022.

97 LOPES JR., Aury. Teoria Geral do Processo é danosa para a boa saúde do Processo Penal. *Consultor Jurídico*

mereçam ser compreendidos de forma diversa quando pensados para o processo penal em comparação ao civil. Referiu-se, assim, à não adoção da instrumentalidade das formas no processo penal; à necessidade de se abandonar a compreensão da "ação" e adotar uma "teoria da acusação"; ao fato de que as condições da ação no processo penal são diferentes; à dificuldade de se falar em lide no processo penal; à compreensão da jurisdição como limite de poder; à necessidade de se interpretar as regras de competência sempre em termos absolutos; à ideia de que o juiz penal não pode ir em busca de provas; à compreensão de que o ônus da prova é integral da acusação; à presença do "*in dubio pro reo*" como regra de tratamento; à não compatibilidade das máximas latinas "*fumus boni iuris*" e "*periculum in mora*" para a questão das cautelares pessoais no processo penal; ao fato de que o juiz não deve ter poder geral de cautela no processo penal; à indevida adoção do termo revelia no processo penal, pois não se consideram provados os fatos pela ausência de contestação; à necessidade de empregar efeito suspensivo nos recursos especial e extraordinário; e à ideia de que toda nulidade no processo penal seria absoluta, sem a necessidade de demonstração de prejuízo pela parte interessada.

Uma semana depois, em 4 de julho de 2014, Afrânio Silva Jardim publicou no mesmo *site* o artigo intitulado *Não creem na Teoria Geral do Processo, mas ela existe*[98]. Afrânio criticou o texto de Aury, ponderando que não há como abandonar o caráter instrumental do processo penal, pois este só existe para permitir a aplicação democrática do direito penal; que se pode até não gostar da Teoria Geral do Processo, mas ela existe, espelhada em inúmeros livros escritos a respeito; que o direito penal também pode ser obedecido sem o processo, pois as pessoas geralmente não matam, não roubam e não estupram da mesma forma que pagam suas dívidas, respeitam a posse e propriedade dos outros; que o princípio da necessidade também pode reger o processo civil, como ocorre nas "ações constitutivas necessárias", isto é, anulação de casamento, interdição e hipóteses de jurisdição voluntárias; que o direito processual penal abriga também ações penais não condenatórias, a exemplo do *"habeas corpus"*, da revisão criminal, do mandado de segurança e da reabilitação na execução penal; que, assim como ocorre no processo penal, também no processo civil e trabalhista a legalidade das formas dos atos e procedimentos processuais é maneira de limitar o poder do Estado-juiz; que não vê como possível uma "teoria da acusação" no *"habeas corpus"*, na ação de revisão criminal, na reabilitação e no mandado de segurança em matéria penal; que é possível seguir adotando as condições da ação construídas no processo civil, pois a possibilidade jurídica do pedido deve

---

– *Conjur*, 27 de junho de 2014. Disponível em: https://www.conjur.com.br/2014-jun-27/teoria-geral-processo-danosa-boa-saude-processo-penal. Acesso em: 23 maio 2022.

98   JARDIM, Afrânio Silva. Não creem na Teoria Geral do Processo, mas ela existe. *Consultor Jurídico – Conjur*, edição de 4 de julho de 2014. Disponível em: https://www.conjur.com.br/2014-jul-04/afranio-jardim-nao-creem-teoria-geral-processo-ela-existe.Acesso em: 23 maio 2022.

ser observada, haja vista que não se admitiria que um pedido de pena de açoite ou de morte fosse juridicamente possível, o interesse de agir pode deixar de existir quando se pensa em prescrição retroativa em perspectiva; que a exigência de suporte probatório mínimo para o exercício da ação não guarda relação com a possibilidade jurídica do pedido, mas, sim, deve ser lido como uma quarta condição da ação; que a originalidade deve ser uma quinta condição da ação; que o essencial para que exista o processo (como categoria autônoma) é a pretensão, e não a lide, o que vale tanto para o processo civil quanto para o penal e trabalhista; que a existência de um poder-dever de prestar a jurisdição em nada seria incompatível com a garantia do juiz natural; que a maior ou menor atuação do juiz no campo probatório no processo penal, civil ou trabalhista não infirma a existência de um conceito unitário de processo; que a circunstância de o ônus da prova ser distribuído diversamente no processo penal não nega a Teoria Geral do Processo e que esse ônus pode ser similar à distribuição entre as partes nas ações penais não condenatórias; que juiz natural e imparcial são temas comuns a vários ramos do processo; que as expressões "*fumus boni iuris*" e "*periculum in mora*" podem ser usadas, sim, nas medidas cautelares penais, pois são expressões tradicionais no Direito há anos e não caberia uma tradução literal; que a existência ou não do poder geral de cautela no processo penal não infirma a Teoria Geral do Processo; que o fato de a revelia não autorizar a presunção de veracidade dos fatos alegados na denúncia em nada prejudica a Teoria Geral do Processo, inclusive porque, no processo civil, a revelia não conduz a tal presunção quando o direito for indisponível, quando a parte for incapaz e quando um litisconsorte unitário contestar; que a não adoção de efeito suspensivo nos recursos especial e extraordinário em nada colide com a Teoria Geral do Processo e que a existência desses recursos para todos os ramos confirma a Teoria Geral; e que a existência, ou não, de nulidades relativas no processo é um tema da Teoria Geral do Processo, e gostar delas, ou não, não seria culpa da Teoria Geral do Processo.

Após o texto de Afrânio, a professora Ada Pellegrini Grinover, em "comentário" à polêmica entre ele e Aury Lopes Jr., reforçou os argumentos de Afrânio e, inclusive, defendeu a ideia, lançada por ele, de se criar uma "neoteoria geral do processo". Ada sustentou que a Teoria Geral do Processo seria mais um método para a análise do processo, e não uma disciplina autônoma. Para ela, "não há mais qualquer sentido na controvérsia (Chiovenda-Carnelutti) sobre a teoria dualista ou monista do processo. O importante é não perder de vista sua instrumentalidade pois o processo deve ser concebido como instrumento para a realização do direito material"[99]. Disse, ainda,

---

99   GRINOVER, Ada Pellegrini. Comentário. *Uma Polêmica Sobre a Teoria Geral do Processo: um debate com Aury Lopes Jr., Afrânio Jardim e Ada Pellegrini*. Disponível em: https://deusgarcia.files.wordpress.com/2019/02/uma-polemica-sobre-a-teoria-geral-do-processo-aury-afranio-e-ada.pdf. Acesso em: 23 maio 2022, p. 12.

que "o conceito de lide não se aplica ao processo penal, assim como não se aplica ao processo civil utilizado no tratamento de direitos indisponíveis, nem à justiça conciliativa"[100]. Por fim, Ada invocou a doutrina de Elio Fazzalari para explicar o processo como procedimento em contraditório e que, assim, deveria haver contraditório também nos inquéritos civis e penais.

Afrânio e Ada, portanto, tentaram promover aproximações entre o processo civil e o penal, sustentando a necessidade de se seguir adotando uma Teoria Geral unitária, para todos os ramos processuais.

Ainda que os argumentos de Fredie Didier Jr., Afrânio Silva Jardim e Ada Pellegrini Grinover, em defesa de uma teoria geral unitária, sejam importantes, pois promovem um olhar a partir de uma visão epistêmica e filosófica e indicam pontos de contato entre os dois processos (civil e penal) que não podem ser desconsiderados, a justificativa para se adotar uma teoria geral dualista e não unitária se relaciona com a necessidade de se ter presente que o processo penal não pode ser pensado, invariavelmente, a partir das categorias próprias do processo civil. E isso se deve tanto à divergência de objetos ("lide" para o processo civil, e "caso penal" para o processo penal[101]) quanto a diferentes outros fatores diferenciais em suas premissas principiológicas que impactam nos três pilares de sustentação da Teoria Geral do Processo: jurisdição, ação e processo. E isso não significa dizer que em vários pontos os dois ramos processuais se toquem, tendo institutos e conceitos em comum, mas, sim, apenas reforça a ideia de que se considerem as estruturas do processo penal como orientadas por balizas de princípios que operam em alcances diferentes num e noutro.

Dessa forma, mesmo que se considerem os conceitos de jurisdição – como poder de aplicação da lei ao caso concreto –, de ação – como direito de invocar a tutela da jurisdição – e de processo – como meio ou instrumento por meio do qual se fará o acertamento do caso penal – como inerentes tanto ao processo civil quanto ao penal, ainda assim não é recomendável seguir pensando a partir de uma teoria geral unitária, pois esses três pilares ganham tons diferentes quando se avalia um processo que é

---

100 *Ibid.*, p. 12.

101 Adota-se, aqui, a sugestão teórica de Jacinto Nelson de Miranda Coutinho, ao cunhar a expressão "caso penal" como sendo o conteúdo do processo penal. Em suas palavras: "Para expressar essa reconstituição que se efetiva no processo penal – geralmente de forma conflitual, mas não sempre –, e tem importância prática já na primeira fase da persecução penal, o ideal seria uma expressão ainda não comprometida com outros significados relevantes: caso penal, por exemplo. Trata-se, entenda-se bem, de encontrar uma palavra, uma expressão, adequada ao fenômeno que se dá no processo e, dessa maneira, o melhor é deixar, na medida do possível, um menor espaço à indeterminação, por natureza sempre presente. Caso penal cumpre o requisito a contento. Com ele estamos diante de uma situação de incerteza, de dúvida, quanto à aplicação da sanção penal ao agente que, com sua conduta, incidiu no tipo penal. Em não sendo autoexecutável a sanção, não há outro caminho que o processo para fazer o acertamento do caso penal" (COUTINHO, Jacinto Nelson de Miranda. *A Lide e o Conteúdo do Processo Penal, cit.*, p. 134-135).

700 ■ Processo Penal | Fundamentos dos fundamentos

voltado prioritariamente para o "ter" (processo civil) em comparação ao processo que é voltado para o "ser" (processo penal)[102].

4.3.1 Jurisdição na teoria geral do processo penal

Tome-se, inicialmente, o caso da jurisdição, que é unitária e que espelha uma dupla função no papel do juiz: atuar como garante dos direitos do cidadão e julgar o caso penal. Numa leitura apressada do que se acabou de expor, essas referências poderiam dar a entender que o papel do juiz seria absolutamente equivalente no processo penal e no civil. No entanto, o juiz civilista, no exercício do poder jurisdicional, não precisa se preocupar com a "presunção de inocência" de uma das partes, que deve ser levada em conta como norma de comportamento do juiz e de tratamento apenas de uma das partes no processo: o acusado. O juiz civilista também não precisa se preocupar em tomar decisões, quando provocado, que visam proteger terceiras pessoas na relação jurídica processual, ou seja, as vítimas de potenciais reiterações de comportamentos delitivos. Nesse ponto, os interesses em jogo no processo penal transcendem aqueles do caso concreto, e a atuação jurisdicional cautelar pró-vítima pode evitar crimes anunciados (fácil de visualizar em casos de violência doméstica contra a mulher e em casos de violência sexual reiterada[103]). Como ela também impacta no processo, mais à frente se retomará essa discussão com abordagem mais detalhada.

Assim, a atuação do juiz com jurisdição penal deve observar essa natural disparidade entre as partes, até porque a preservação da presunção de inocência é condição de validade do exercício do poder, e as vítimas de crimes também merecem tratamento de proteção do Estado-juiz. A presunção de inocência e evitação de revitimização, portanto, mudam todo o olhar que se deve ter em relação à jurisdição penal e, assim, ao grau de imparcialidade do juiz (a equidistância das partes, aqui, não é a mesma que se tem no processo civil), e exige uma análise dos limites do poder que deve ser orientada para os propósitos do processo penal.

De resto, como já dito, há pontos em comum, claro. Tanto no processo penal quanto no processo civil, a jurisdição deve ser exercida observando a ideia fundante da República Federativa do Brasil, isto é, o Estado Democrático, compreendido em sua

---

102 Essa, claro, é uma visão reducionista, pois no processo penal posso ter discussões patrimoniais (*v.g.* medidas cautelares reais e a questão do valor de indenização à vítima fixado na sentença penal) e no processo civil posso ter discussões em torno do ser humano (*v.g.* ações que envolvem direitos personalíssimos), mas serve, aqui, para ilustrar a essência predominante num e noutro.

103 Sobre esse aspecto, recomendo a leitura de uma crônica que escrevi explicando como é o drama real da necessidade de evitação de novos delitos no cotidiano dos casos criminais. GUIMARÃES, Rodrigo Régnier Chemim. Crônica de Estupros e Mortes Anunciadas e a Tese de que a "Prisão Preventiva para Garantir a Ordem Pública é Inconstitucional". *Revista Jurídica do Ministério Público do Estado do Paraná*, ano 4, n. 7, Curitiba, dez. 2017, p. 109-122.

dupla funcionalidade: de proibição de excessos e proibição de proteção insuficiente. Seguindo a trilha do que já foi dito, no âmbito do processo penal se devem proibir excessos no exercício do poder punitivo contra o acusado, sem olvidar a necessidade de se atentar à proibição de proteção insuficiente das vítimas de crimes. O juiz que atua no processo penal, portanto, deve se portar como quem assegura a efetivação das garantias processuais que visam proteger os direitos fundamentais do acusado e da vítima.

4.3.2 Ação na teoria geral do processo penal

Feitas essas considerações em relação à jurisdição, passa-se, agora, à análise de uma teoria geral dualista em relação à ação. No âmbito da ação penal, não é possível seguir a conceituação construída a partir do processo civil, de que ação seria um direito público, subjetivo e abstrato de invocar a tutela jurisdicional do Estado.

De regra, no processo penal, nos crimes de ação penal pública, a ação é mais um poder-dever do que um direito. A distinção que Afrânio faz, seguindo a lição de Frederico Marques, por exemplo, entre direito e exercício do direito de ação não parece fazer muito sentido[104]. O que se quer discutir com a ação é saber se é possível invocar a tutela do Estado-juiz. A tutela da jurisdição somente pode ser feita com o exercício da ação. E no processo penal, orientado tanto pelo princípio da necessidade quanto pelo princípio da igualdade, do qual decorre a obrigatoriedade da ação, a ação deve ser exercitada todas as vezes que estejam preenchidas suas condições. Portanto, ela é um dever, como regra. Se fosse um direito, poderia ser exercitada apenas se o seu titular quisesse. Seria discricionária. O dever, como dito, é algo do qual não se pode abdicar.

A ação penal também não é subjetiva, isto é, não é inerente a qualquer cidadão, como se dá com a ação civil. No processo civil, qualquer pessoa que queira discutir a propriedade de determinado objeto, pode, querendo, exercitar a ação. No processo penal não é assim. Não é possível, por exemplo, que uma pessoa assista à notícia de um crime na televisão e resolva ela mesma exercer a ação penal. Não terá legitimidade jurídica para tanto, já que a Constituição de 1988 estabelece que a ação penal é privativa do Ministério Público (art. 129, I).

Também não é possível afirmar que a ação penal seja abstrata em relação ao direito material, como se prega no processo civil a partir da contribuição das chamadas "*teorias abstratas da ação*", originadas com a polêmica Windscheidt *versus* Muther[105],

---

104 JARDIM, Afrânio Silva. *Direito Processual Penal*. 6. ed. Rio de Janeiro: Forense, 1997, p. 94.

105 WINDSCHEIDT, Bernhard; MUTHER, Theodor. *Polemica sobre la "actio"*. Tradução do alemão para o espanhol de Tomás A. Banzhaf. Buenos Aires: EJEA, 1974.

Processo Penal | Fundamentos dos fundamentos

entre 1856 e 1857, e aperfeiçoadas por Degenkolb (1877) e Plòsz (1876)[106]. Se no processo civil é possível exercer a ação e informar ao juiz que depois se provará o direito material (daí por que ela se diz abstrata, isto é, não dependente de prévia demonstração da materialidade), no processo penal o cenário é diferente. Para o exercício da ação penal é necessário investigar e colher elementos de convicção preliminares que apresentem, pelo menos, indícios mínimos de autoria e prova da materialidade do crime. É o que Afrânio Silva Jardim denominou de "justa causa", como uma "quarta condição para o regular exercício da ação penal condenatória"[107], isto é, uma necessidade de se ter um lastro probatório mínimo que dê suporte ao fato narrado na petição inicial.

Tudo isso, no entanto, não significa dizer que não seja importante considerar o conceito civilista de ação também para algumas situações anômalas no processo penal, como se dá com a ação penal privada (exercida pela vítima, como um direito) e com as ações autônomas de impugnação: *"habeas corpus"*, revisão criminal e mandado de segurança criminal.

A ideia de pretensão, igualmente, não pode ser considerada como o conteúdo da ação penal, caso se leve em conta sua conceituação elaborada a partir da compreensão civilista com as contribuições de Carnelutti sobre a lide[108]. Carnelutti, pensando a pretensão no contexto da lide, sustentava que ela seria a "exigência de subordinação de um interesse a outro interesse superior"[109]. E, com o olhar voltado para o processo penal, Carnelutti definiu que, na análise da "pretensão penal" (...), "não se trata de verificar a suspeita do delito, mas de exigir seu castigo". Para ele, então, a pretensão é de "exigência de submissão de alguém à pena"[110]. Porém, esse raciocínio, que parte do direito civil, como refere Franco Cordero, estaria vinculado a "velhas fórmulas" que "evocavam um 'direito de punir' ou a 'pretensão punitiva', assimilando o fenômeno do direito penal ao crédito"[111].

Na já referida polêmica Windscheidt *versus* Muther, na Alemanha, ficou bem definida, por Muther, a diferença entre "ação" e "pretensão". Sempre com o olhar

---

106 Esclarece Chiovenda, que o livro do húngaro Alexander Plòsz foi publicado originalmente na Hungria, em 1876, antes do o livro de Heinrich Degenkolb ser publicado na Alemanha, em 1877. Em 1880, o livro de Plósz foi traduzido para o alemão. CHIOVENDA, Giuseppe. *A Ação no Sistema dos Direitos*. Tradução de Hiltomar Martins Oliveira. Belo Horizonte: Líder, 2003, p. 87.

107 JARDIM, Afrânio Silva. *Direito Processual Penal, cit.*, p. 100.

108 CARNELUTTI, Francesco. *Lecciones sobre el proceso penal*. V. 1. Tradução para o espanhol de Santiago Sentís Melendo. Buenos Aires: Libreria "El Foro", 2002, p. 191.

109 *Ibid.*, p. 191.

110 *Ibid.*, p. 191.

111 CORDERO, Franco. *Procedura Penale*. 8. ed. Milano: Giuffrè, 2006, p. 14. Tradução nossa.

voltado para os textos romanos antigos, Muther ponderou que o termo *"actio"*, em latim, não é equivalente a *"Anspruch"*, em alemão (pretensão, em português[112]):

> É lógico que o pretor só faça essa promessa se concorrem certos pressupostos que são entendidos por si mesmos. Um deles é que o gestor solicite a fórmula; mas outro é, com igual segurança, que o dono dos "negotia" se recuse a cumprir o que o *"nogotiorum manager"* exige dele. Porque se A.A. leva a N.N. na presença do pretor, e N.N. declara que quer pagar a A.A. tudo o que ele pede, o pretor negará a fórmula. É, portanto, uma condição prévia para a concessão da fórmula, ou da "actio", que o requerido não tenha satisfeito previamente, sem julgamento, o pedido do requerente. Portanto, deve haver uma pretensão antes da *"actio"*. O pretor não confere, então, através da *"actio"*, uma pretensão, mas a pretensão preexiste à *"actio"*, o que também decorre do fato de que se o requerido paga voluntariamente e sem ser acionado, é certo que que ele não poderá repetir o que foi pago por meio de uma *"conditio indebiti"*. Assim, o pretor, ao conferir "ações", não cria pretensões, mas dá "ações" para tutelar as pretensões das quais já antecipou reconhecer sua legitimidade. Essas pretensões se baseiam, sim, na *"tuitio Praetoris"*, ou seja, na promessa do pretor de que as protegeria, mas não passam a existir apenas quando as medidas protetivas são efetivamente aplicadas: a pretensão é o *"prius"*, a *"actio"* o *"posterius"*, a pretensão é o gerador, o *"actio"* o gerado[113].

Assim, a palavra alemã *"Anspruch"* costuma ser traduzida, na doutrina italiana de direito penal, como "pretesa punitiva"[114], e, em português, é traduzida como "pretensão punitiva"[115]. A construção de uma "pretensão punitiva", como vinculada à ideia de que o Estado teria o "direito de punir" quem comete um delito, costuma ser atribuída a Karl Binding[116], em livro de 1872, no qual ele desenvolve uma dife-

---

112 Importante anotar que, na *"Introdução"* a essa *Polêmica* entre Windscheidt e Muther, Giovanni Pugliese destacou a necessidade de se "aclarar o conceito de *'Anspruch'*, que se traduz aproximadamente em nossa linguagem jurídica por 'pretensão' (melhor do que por 'razão', como alguém já propôs no passado)". PUGLIESE, Giovanni. Introducción. WINDSCHEIDT, Bernhard. MUTHER, Theodor. *Polemica sobre la "actio"*, *cit.*, p. XXVI. Tradução nossa.

113 MUTHER, Theodor. Sobre la doctrina de la actio romana, del derecho de accionar actual, de la litiscontestatio y de la sucesion singular en las obligaciones. Crítica del libro de Windscheidt "La 'actio' del derecho civil romano, desde el punto de vista del derecho actual". WINDSCHEIDT, Bernhard; MUTHER, Theodor. *Polemica Sobre la "Actio"*, *cit.*, p. 223. Tradução nossa.

114 *V.g.* FLORIAN, Eugenio. *Elementos de Derecho Procesal Penal*, *cit.*, p. 175, nota 3.

115 *V.g.* ESPÍNOLA FILHO, Eduardo. *Código de Processo Penal Brasileiro*. 6. ed. Rio de Janeiro: Borsoi, 1965, v. 1, p. 322.

116 *V.g.* LOPES JR., Aury. *Direito Processual Penal*. 14. ed. São Paulo: Saraiva, 2017, p. 49-50.

704 ■ Processo Penal | Fundamentos dos fundamentos

renciação entre a indenização pelo ato ilícito (devida à vítima) e o direito de punir por esse mesmo ilícito, vinculado ao Estado:

> O fato de a indenização não ser de forma alguma uma punição explica como a lei pode aplicar tranquilamente o fato de que, no caso de crimes relativamente menores, como furto e fraude, o perpetrador tem que pagar regularmente uma indenização além da punição (...). Seria injusto e implacável se a lei permitisse dupla punição nesses casos, uma das quais seria determinada pela gravidade do ato culposo e a outra pela extensão do dano à propriedade do assaltado.
>
> De acordo com o entendimento correto, no entanto, a pena não deve levar em conta essa obrigação de indenização, que supostamente decorre da infração como tal, nem de obrigações contratuais que o ladrão ainda tem que cumprir com a pessoa roubada no momento da sentença.
>
> Se a pena substitutiva fosse imposta, não seria o Estado, mas a parte lesada que teria o direito de reclamar do delito. A punição é sempre um direito do Estado: ele sempre tem direito à punição[117].

E essa ideia do "direito de punir" decorre ainda mais primitivamente da contribuição de Feuerbach, em 1847, no sentido de que as normas penais integram um direito subjetivo, do particular ou do Estado[118]. Então, na visão de Feuerbach, o Estado ou o particular (nas ações penais privadas, mas agindo "em nome do Estado") atuam no sentido de fazer cumprir essa pretensão de punir o autor do delito[119].

No entanto, como esclarece James Goldschmidt, amparado em Schoetensack, "no processo penal nenhum direito se 'outorga' ao acusador. A parte acusadora não reclama nenhum direito. Somente solicita que justiça estatal aplique o Direito Penal ou, melhor ainda, que cumpra com seu dever de impor penas"[120].

Ademais, a vinculação do conceito de pretensão à ideia de lide e, assim, à ideia de exigência de um direito material, já nos moldes carneluttianos, também impede que ele seja emprestado, pronto, para o processo penal, no qual, como já dito, a lide não é, necessariamente, o seu conteúdo. Soma-se a isso o fato de que o Ministério

---

117 BINDING, Karl. Die *Normen und Ihre Übertretung*. Leipzig: Verlag Von Wilhelm Engelmann, 1872, p. 218-219. Tradução nossa.

118 FEUERBACH, Paul Johann Anselm Ritter Von. *Tratado de Derecho Penal Común Vigente en Alemania*. Tradução para o espanhol de Eugenio Raul Zaffaroni e Irma Hagemeier. Buenos Aires: Editorial Hammurabi, 1989, p. 58-59, 64-65 e 315 e s.

119 *Id. Tratado de Derecho Penal Común Vigente en Alemania, cit.*, p. 325-326.

120 GOLDSCHMIDT, James. *Derecho, Derecho Penal y Proceso. III. El Proceso como Situación Jurídica. Una crítica al pensamiento procesal*. Tradução para o espanhol de Jacobo López Barja de Quiroga, Ramón Ferrer Baquero e León García-Comendador Alonso. Madrid. Barcelona, Buenos Aires. São Paulo: Marcial Pons, 2015, p. 269. Tradução nossa.

Público, no processo penal, não tem interesse ou direito próprio capaz de ser imposto a alguém. Muito menos quer a condenação a qualquer custo. Aliás, não interessa ao Ministério Público a punição de inocentes. A pretensão, no processo penal, então, deve ser lida não como uma "pretensão punitiva", ou seja, uma exigência contra o réu, mas sim uma pretensão em relação ao juiz, isto é, uma "pretensão ao acertamento do caso". Pretender, então, no processo penal, se desvincula de seu sentido formal de exigência do direito, para se ligar apenas à ideia de querer, almejar, ter a intenção de algo. Então, o que o Ministério Público quer quando exercita a ação penal? Ele não quer, como já destacado, exigir do réu uma submissão ao seu interesse ou a uma pena, até porque, sendo o Ministério Público fiscal da lei, não lhe interessa uma submissão a quem não tenha culpa, e esta somente será definida após a instrução probatória, ao final do processo.

Diante disso, Aury Lopes Jr., por exemplo, quando discute essa questão fazendo-o a partir do que considera ser o "objeto do processo", afasta a concepção de "pretensão punitiva" e sugere que a pretensão seja "acusatória, isto é o poder de proceder contra alguém"[121]. É possível concordar que o Ministério Público, ao exercitar a ação, tem a intenção de proceder contra alguém, mas também é possível dizer que essa intenção vai mais além, ou seja, alcança a intenção de obtenção de uma resposta à imputação fática formulada na petição inicial e imputada ao acusado (seja ela a condenação, absolvição ou desclassificação). Não há uma "pretensão de proceder" por proceder. É preciso identificar a ligação com o que esse proceder visa: no caso, o que os italianos costumam chamar de "*accertamento*" do caso penal. E por "*accertamento*" eles compreendem o esforço para eliminar a incerteza objetiva presente no momento do exercício da ação e demonstrar uma possível correspondência entre o fato imputado ao acusado e o que possa ter ocorrido no passado. É nesse sentido a lição de Calamandrei quando critica a ideia carneluttiana de lide como centro do processo:

> Para isso veio a doutrina, colocando a finalidade da fase de cognição não na resolução de um litígio, mas na eliminação do estado de incerteza (isto é, como dizem, no acertamento) em que existe uma relação jurídica entre pessoas que não o juiz.
>
> Esse objetivo de acertar, ou seja, de fixar a regulação jurídica de uma dada relação de maneira não mais controversa, encontra-se invariavelmente em todos os processos de cognição: e a apuração é o efeito essencial de todas as sentenças, ainda que com ela, em certos tipos especiais de sentenças, podem

---

121 LOPES JR., Aury. *Direito Processual Penal*. 14. ed., *cit.*, p. 49-50.

706 ■ Processo Penal | Fundamentos dos fundamentos

ser cumulados outros efeitos acessórios, cuja verificação é, em todo o caso, a premissa necessária[122].

Em sentido aproximado, ainda que criticando a ideia de Calamandrei, Carnelutti indaga e responde: "Acertamento, o que significa? Eliminação da incerteza. Agora, quando há incerteza? Quando alguém está em dúvida (sobre a existência de uma relação jurídica)"[123]. Assim, é possível dizer que o "acertamento" é uma aposta na verificação ou falsificação das hipóteses imputadas ao acusado na denúncia[124]. Ainda que não exista uma palavra equivalente em sentido na língua portuguesa[125], é possível adotar uma tradução literal e emprestar o sentido italiano, para dizer que a pretensão que se tem com o exercício da ação – e que se projeta no processo – é de acertamento do caso penal. Tudo isso demonstra que a teoria geral unitária realmente apresenta problemas e não merece ser empregada cegamente.

As condições da ação são igualmente reveladoras de como é necessário buscar uma teoria geral para o processo penal que não se organize a partir das categorias do processo civil. No processo civil, as condições da ação "clássicas" são frutos da contribuição de Liebman. Elas restaram positivadas no artigo 267, IV, do Código de Processo Civil de 1973, e se resumiam à "possibilidade jurídica do pedido" (lida em seu sentido negativo, isto é, será juridicamente possível tudo o que não for vedado pelo ordenamento jurídico[126]), ao "interesse de agir" (necessidade e utilidade do exercício da ação, ou seja, não possibilidade de solução da "lide" de forma extrajudicial) e à "legitimidade de parte" (no Código de Processo Civil de 2015, no art. 330, ficaram circunscritas apenas às duas últimas). Já no processo penal, incorporar essas condições da ação, com as correspondentes construções conceituais de como se compreende cada uma delas, mais atrapalha do que ajuda. Assim, a doutrina "mais moderna" de processo penal tem sustentado, a partir da leitura às avessas do hoje revogado art. 43 do Código de Processo Penal[127], que as

---

122 CALAMANDREI, Piero. Il concetto di "lite" nel pensiero di Francesco Carnelutti, *cit.*, p. 19-20. Tradução nossa.

123 CARNELUTTI, Francesco. Lite e funzione processuale (postilla), *cit.*, p. 24. Tradução nossa.

124 MANCUSO, Enrico Maria. *Il giudicato nel processo penale. Trattato di Procedura Penale. XLI.1*, diretto da UBERTIS, Giulio e VOENA, Giovanni Paolo. Milano: Giuffrè, 2012, p. 22. *in verbis*: "O sistema de acertamento visa a formação de uma disposição incontroversa, destinada a dirimir a questão relativa à culpa e, se for o caso, sobre a pena a ser executada". Tradução nossa.

125 Aproximadamente se poderia falar em "apuração" ou "verificação".

126 MONIZ DE ARAGÃO, Egas Dirceu. *Comentários ao Código de Processo Civil*. 4. ed. Rio de Janeiro: Forense, 1983, t. II, p. 521 e s.

127 A redação original do art. 43 do Código de Processo Penal estava assim posta: "Art. 43. A denúncia ou queixa será rejeitada quando: I – o fato narrado evidentemente não constituir crime; II – já estiver extinta a punibilidade, pela prescrição ou outra causa; III – for manifesta a ilegitimidade da parte ou faltar condição exigida pela lei para o exercício da ação penal". Do inciso I se extrai a ideia de tipicidade (ou criminosidade) aparente.

condições da ação penal seriam tipicidade (ou criminosidade) aparente, punibilidade concreta, legitimidade de parte e justa causa[128].

De resto, o "pedido" é fundamental no processo civil. Sem um pedido preciso, o juiz deve indeferir a petição inicial (art. 330, § 1º, I, do CPC). É o pedido que baliza tanto a discussão processual quanto o exercício da jurisdição. O juiz deve julgar nos limites do pedido formulado na denúncia. Já no processo penal, o pedido em si não muda. Ainda que alguns promotores peçam a "condenação" na petição inicial, o mais indicado é que o Ministério Público peça que o juiz profira uma decisão de mérito, faça o "acertamento" do caso, como já destacado. A condenação do acusado não é um pedido que aqui se exige, até porque, no processo penal, o Ministério Público é, ao mesmo tempo, parte autora e fiscal da lei. E, repita-se: não pretende punir a qualquer custo. Assim, frise-se: não interessa ao Ministério Público que um inocente seja condenado, razão pela qual o pedido mais detalhado deve vir ao final da instrução probatória, em sede de alegações finais, ocasião em que o Ministério Público pode também pedir a absolvição do acusado. E se, para usar o exemplo de Afrânio, na crítica a Aury, anteriormente destacado, um promotor de Justiça resolver pedir a pena de açoite ou de morte, o juiz, por força de lei, deve ignorar tal pedido e não está a ele vinculado. A correlação no exercício da jurisdição penal não é com o pedido do autor, mas, para usar uma expressão construída no processo civil, com sua "causa de pedir", no caso, aqui, com o fato imputado ao acusado.

Do inciso II a ideia de punibilidade concreta. E do inciso III a exigência de legitimidade da parte somada à eventuais condições específicas da ação que possam ser definidas em lei para casos específicos. Na definição das condições da ação, esse artigo se completava com o art. 18 do mesmo Código (ainda vigente), do qual se extraiu o conceito de "justa causa" como quarta condição da ação. Diz o art. 18 na parte que interessa: "Depois de ordenado o arquivamento do inquérito pela autoridade judiciária, por falta de base para a denúncia...". A "base" probatória mínima exigida para a denúncia é a "justa causa". Em 2008, o legislador brasileiro revogou o art. 43 e não colocou nada no lugar. Fez mais: criou uma confusão legislativa com a nova redação do art. 395, que até refere à necessidade de se observar as condições da ação, mas não diz quais sejam.. A questão, hoje, é resolvida apenas no plano doutrinário e jurisprudencial.

128 Essa construção teórica teve início com FOWLER, Fernando N. Bittencourt. Anotações em torno da ação penal pública no projeto de reforma. *Revista do Ministério Público do Paraná*, n. 7, Curitiba, 1977. E ganhou corpo com a contribuição de BREDA, Antônio Acir. Efeitos da declaração de nulidade no processo penal. *Revista do Ministério Público do Paraná*. Curitiba, ano 9, n. 9, 1980, p. 171-189. Depois foi adotada por COUTINHO, Jacinto Nelson de Miranda. *A Lide e o Conteúdo do Processo Penal, cit.*, p. 148-149, seguido de PACHECO, Denilson Feitoza. *Direito Processual Penal: crítica e práxis*. Belo Horizonte: Delta Fenix, 1997, depois por RAMOS, João Gualberto Garcez. *A Tutela de Urgência no Processo Penal Brasileiro*. Belo Horizonte: Del Rey, 1998, p. 258 e s.; por GEBRAN NETO, João Pedro. *Inquérito Policial: arquivamento e princípio da obrigatoriedade*. Curitiba: Juruá, 2001, p. 41; por STASIAK, Vladimir. *As Condições da Ação Penal: perspectiva crítica*. Porto Alegre: Sérgio Antonio Fabris editor, 2004, p. 181 e s.; por NUNES DA SILVEIRA, Marco Aurélio. *A Tipicidade e o Juízo de Admissibilidade da Acusação*. Rio de Janeiro: Lumen Juris, 2005, p. 55 e s., por LOPES JR., Aury. *Direito Processual Penal e sua Conformidade Constitucional*. V. 1. Rio de Janeiro: Lumen Juris, 2007, p. 351 e s.; e por MORAIS DA ROSA, Alexandre. Guia do *Processo Penal Conforme a Teoria dos Jogos*. 4. ed. Florianópolis: Empório do Direito, 2017, p. 643 e s.

4.3.3 Processo na teoria geral do processo penal

Feitas as análises quanto à jurisdição e à ação, passa-se à discussão em torno do processo. No âmbito do processo, como instrumento de verificação do "caso penal", é preciso considerar que o direito penal material somente se realiza por meio dele. Isso é diferente do que, em regra, costuma ocorrer no direito civil e no processo civil. Quem é proprietário de uma coisa não precisa, necessariamente, do processo para exercer seu direito material de propriedade. O direito civil material não depende do processo para se efetivar. Já a pena prevista no direito penal material somente pode ser aplicada ao final de um processo, pressupondo o exercício da ação e o atuar da jurisdição. É o que se costuma chamar de princípio da necessidade do processo, ou da inafastabilidade ou da indefectibilidade da jurisdição. Mais uma vez cabe observar que a crítica de Afrânio, nesse ponto, ao dizer que o direito penal também é respeitado independentemente do processo, por todos que não matam, não roubam e não estupram, não é uma crítica adequada. O que se quer dizer com necessidade do processo é que a pena prevista na Lei Penal material para quem mata, rouba ou estupra não pode ser imposta fora do processo.

Outro aspecto que destaca a diferença do processo penal para o civil é que, no processo penal, a presunção de inocência impacta em diferentes campos, a exemplo do que já se disse em torno do ônus da prova, que, no processo penal, é integral de uma das partes (de quem acusa). O réu não tem ônus de provar sua inocência, pois isso é presumido constitucionalmente. Assim, ainda que o art. 156 do Código de Processo Penal diga que "a prova da alegação incumbirá a quem a fizer", essa regra não foi recepcionada pela Constituição de 1988, não sendo admissível que se imponha ao réu o ônus de provar sua inocência. Portanto, não opera aqui a possibilidade de distribuição do ônus da prova entre as partes. Assim, a máxima latina *onus probandi alegandi incubit* (o ônus da prova incumbe a quem alega), que também vigora no art. 373 do Código de Processo Civil, aplica-se ao processo civil, mas não ao penal.

Ainda em sede de desdobramento da ideia de presunção de inocência e de seu impacto no processo penal, outras garantias se apresentam ao acusado no processo penal que não necessitam ser observadas no processo civil. Havendo dúvida razoável a respeito da interpretação da prova ou do fato, deve-se favorecer o réu, e ele não pode ser constrangido a produzir provas contra si.

No processo penal, também não se considera provado um fato pela simples ausência de contestação, como se dá com o processo civil. Costuma-se adotar a mesma palavra "revelia" para explicar, tanto no processo civil quanto no penal, o desatendimento a uma citação ou intimação formalizada, mas, no processo penal, a revelia não produz o efeito de se presumirem verdadeiras as alegações formuladas pelo autor, como o faz o art. 344 do Código de Processo Civil.

É interessante anotar que, no processo penal brasileiro, as redações originais dos arts. 366 e 369 do Código de 1941 referiam-se expressamente à revelia, seguindo uma tradição que já vinha dos códigos estaduais[129] e até mesmo do *Code d'instruction criminelle* de Napoleão, de 1808[130]. Dizia o art. 366: "O processo seguirá à revelia do acusado que, citado inicialmente ou intimado para qualquer ato do processo, deixar de comparecer sem motivo justificado". E a ideia se complementava com a redação do art. 369: "Ressalvado o disposto no art. 328, o réu, depois de citado, não poderá, sob pena de prosseguir o processo à sua revelia, mudar de residência ou dela ausentar-se, por mais de oito dias, sem comunicar à autoridade processante o lugar onde passará a ser encontrado".

Com a reforma de 1996, a palavra deixou de ser usada para se referir às situações que até então eram chamadas de "revelia", e foram aglutinadas na redação do novo artigo 367 do Código de Processo Penal, que estabelece que o processo seguirá "sem a presença do acusado que, citado ou intimado pessoalmente para qualquer ato, deixar de comparecer sem motivo justificado, ou, no caso de mudança de residência, não comunicar o novo endereço ao juízo".

O termo "revelia", portanto, não guarda o mesmo significado no processo civil e no penal e, até no plano das reformas legislativas recentes, vem sendo abandonado. Aliás, é bom que se deixe de adotar o termo no processo penal, em primeiro lugar porque a palavra, em si, etimologicamente, comunica uma situação de "resistência", de "rebeldia", dando a entender que "revel" é aquele que não se submete, que não acata ordens. Não faz sentido, num processo penal democrático e orientado pelas garantias da autodefesa (que é renunciável) e da não autoincriminação, considerar a citação e/ou a intimação do acusado como uma "ordem" de comparecer ao processo. Assim, o termo não é o mais adequado para expressar o que se passa no processo penal, dado que o réu não pode ser constrangido a comparecer aos atos processuais. Essa, aliás, foi a posição da Suprema Corte brasileira, em 2018, ao julgar as ADPFs 395 e 444 e considerar não recepcionada a expressão "para o interrogatório", constante do art. 260 do

---

129 O Código do Processo Criminal do Estado do Paraná, por exemplo, de 1920, já usava a referência à revelia em seu artigo 75, conforme GUIMARÃES, Rodrigo Régnier Chemim. *Código do Processo Criminal do Estado do Paraná (Leis n. 1916, de 23 de fevereiro de 1920, com as emendas da Lei n. 2012 de 21 de março de 1921): texto legal e breves apontamentos históricos.* Coleção Códigos Estaduais. RIBEIRO, Darci Guimarães e ANDRADE, Mauro Fonseca (Org.). Londrina: Ed. Thoth, 2021, p. 68.

130 ANDRADE, Mauro Fonseca (Org.). *Código de Instrução Criminal Francês de 1808.* Curitiba: Juruá, 2008, p. 54.

Código de Processo Penal, e "declarar a incompatibilidade com a Constituição Federal da condução coercitiva de investigados ou de réus para interrogatório, sob pena de responsabilidade disciplinar, civil e penal do agente ou da autoridade e de ilicitude das provas obtidas, sem prejuízo da responsabilidade civil do Estado"[131]. E, em segundo lugar, porque o uso da palavra "revelia", no processo penal, pode comunicar uma leitura equivalente àquela empregada no processo civil, formando na cabeça do juiz uma equivocada ideia de presunção de veracidade dos fatos narrados na denúncia ou na queixa[132].

Assim, melhor seria se fosse empregada uma palavra diversa da hoje consagrada "revelia". Seria melhor falar em "ausência", pois o réu, ciente da existência do processo, não se apresenta para acompanhar os atos processuais, estando apenas ausente. Assim, "réu ausente" poderia ser adotado, aqui, em substituição à ideia de "réu revel". E, para não confundir com a figura criada com a reforma do art. 366 do Código de Processo Penal, que trata da suspensão do processo na hipótese de o acusado não ter sido citado pessoalmente porque não foi localizado, essa situação poderia ser chamada de "réu não localizado"[133].

A ampla defesa também difere quando se analisa o processo penal em comparação ao processo civil. No processo penal, a ampla defesa engloba, necessariamente, oportunidades de autodefesa e de defesa técnica, e, no júri, ainda é alargada para se exigir uma defesa técnica completa, que conjugue conhecimento técnico jurídico com a capacidade de oratória e de didática, dado que o diálogo se dará entre um técnico (o advogado) e um grupo de leigos (os jurados). Assegura-se, assim, a garantia da plenitude de defesa no júri. A ampla defesa também exige que o processo seja suspenso caso o acusado não seja localizado para ser citado pessoalmente. Portanto,

---

131 BRASIL. Supremo Tribunal Federal. *ADPFs 395 e 444*. Plenário. Relator ministro Gilmar Mendes. Julgada em 14 de junho de 2018. Disponível em: https://redir.stf.jus.br/paginadorpub/paginador.jsp?docTP=TP&docID=749901068. Acesso em: 17 jun. 2022.

132 É preciso considerar, aqui, a sistemática da carreira na magistratura, que, em seu início, em Comarcas com vara única, exige que o juiz atue, simultaneamente, em processos civis e criminais. Ademais, ao longo da carreira, possibilita-se a promoção ou remoção do mesmo magistrado, de uma vara cível para outra criminal. E, ainda, é de se considerar que possa um juiz que estava, por exemplo, há anos atuando numa vara cível em primeiro grau, ter sido promovido a desembargador e, agora, venha a atuar numa câmara criminal em segundo grau de jurisdição. Nesses casos todos, a possibilidade de a influência das categorias do processo civil operarem no modo de pensar desse julgador quando está julgando casos criminais é algo a ser considerado. Daí por que melhor seria não falar em "revelia" no processo penal, mas, sim, em "ausência".

133 Vale anotar que a doutrina vem empregando o termo "réu ausente" para essa situação do art. 366 do CPP, fazendo uma distinção justamente com o "réu revel". Porém, o termo "ausência" é melhor empregado como substituto do termo "revelia", devendo ser adotada nova terminologia para o réu não localizado para ser citado. São temas diferentes: uma coisa é o réu ter ciência de que existe um processo contra si e não querer acompanhar os atos processuais (réu ausente); outra, é ele não ter sido localizado para ser citado e, assim, ignorar a existência do processo (réu não localizado). Na primeira situação a consequência é que o juiz não mais se preocupará em intimá-los dos demais atos processuais (sem que isso impeça o réu de, querendo, novamente se fazer presente nos demais atos). Na segunda situação a consequência é a suspensão do trâmite processual até que o réu seja localizado e informado da existência do processo contra si.

também aqui não faz sentido importar a ideia de uma citação ficta, decorrente da não localização do acusado e de seu não comparecimento após citação por edital. Aliás, falar em "citação por edital" deveria representar tão somente uma forma de se tentar citar o acusado, e não uma efetivação da citação pela inércia do acusado, dado que é muito improvável que ele fique sabendo da existência do processo por meio de um edital afixado na porta do Fórum.

E, no plano das medidas cautelares pessoais, também é imperioso promover uma distinção com o processo civil. No contexto civilista, costuma-se apontar que as medidas cautelares visam acautelar o processo. Humberto Theodoro Júnior, seguindo a posição de Carnelutti[134], bem esclarece a visão do processo cautelar no processo civil:

> Trata-se de processo contencioso, como o de cognição e o de execução, pois seu pressuposto é também a lide. Mas ao invés de preocupar-se com a tutela do direito (composição da lide) – função principal da jurisdição –, o processo cautelar exerce função auxiliar e subsidiária, servindo à tutela do processo, onde será protegido o direito.
>
> A atividade jurisdicional cautelar dirige-se à segurança e garantia do eficaz desenvolvimento e do profícuo resultado das atividades de cognição e de execução, concorrendo, dessa maneira, para o atingimento do escopo geral da jurisdição[135].

Assim, nessa linha, somente fazem sentido as medidas cautelares que, de alguma forma, se relacionam com a tramitação processual propriamente dita.

Aury Lopes Jr. vê essa construção civilista como capaz de orientar também o processo penal, trabalhando, aqui, à luz da teoria geral do processo (não obstante ele seja defensor de uma teoria geral própria para o processo penal). Para Aury, portanto, a prisão em flagrante não seria uma "medida cautelar", já que ela "não está dirigida a garantir o resultado final do processo"[136]. Seguindo esse raciocínio, para Aury, somente as modalidades de prisão preventiva, previstas no art. 312 do Código de Processo Penal brasileiro, que se prestem a "servir ao processo de conhecimento", tal como se fosse um "instrumento a serviço do instrumento processo", é que seriam legítimas[137]. Assim, ele considera que as prisões para garantia da ordem pública

---

134 CARNELUTTI, Francesco. *Diritto e Processo*. Napoli: Morano Editore, 1958, p. 353 e s,

135 THEODORO JÚNIOR, Humberto. *Processo Cautelar*. 2. ed. São Paulo: Livraria e Editora Universitária de Direito, 1976, p. 41-42.

136 LOPES JR., Aury. *Introdução Crítica ao Processo Penal (fundamentos da instrumentalidade garantista)*. Rio de Janeiro: Lumen Juris, 2004, p. 214.

137 LOPES JR., Aury. *Direito Processual Penal*. 14. ed., *cit.*, p. 645.

e para garantia da ordem econômica seriam indevidas, não apenas pela vagueza conceitual[138], mas também pelo fato de que não se relacionam com o resultado do processo, e sim com a proteção da vítima e com o interesse social de evitar reiteração de comportamentos delitivos.

Como se vê, ele raciocina o processo penal a partir de uma categoria pensada para a realidade do processo civil. Ainda que não diga, acaba sendo adepto de uma teoria geral unitária nesse ponto. Acontece que não é possível pensar o processo penal como exclusivamente um fim em si mesmo. E, até mesmo na doutrina de processo civil, é possível enxergar fins diversos do acautelamento do processo principal, como se vê nos processos cautelares que visam proteger as pessoas, a exemplo do afastamento cautelar do lar conjugal, da guarda provisória de crianças ou adolescentes, da regulamentação de visitas e dos alimentos provisionais. Como destaca Humberto Theodoro Júnior, "quanto às medidas cautelares sobre pessoas, o perigo que se intenta evitar refere-se à própria pessoa, dizendo respeito à sua segurança e tranquilidade"[139]. Os interesses sociais e das vítimas devem igualmente ser considerados no âmbito do processo penal, à luz de um dos princípios balizadores do Estado Democrático de Direito: a proibição de proteção insuficiente.

Em decorrência das inúmeras situações evidenciadas no cotidiano dos processos criminais, é necessário compreender que as vítimas de crimes nem sempre podem ficar aguardando o trânsito em julgado de futura condenação, que normalmente leva anos para se verificar, dada a generosa quantidade de recursos previstas no ordenamento jurídico brasileiro, para só então serem efetivamente protegidas com a prisão-pena de seu agressor. Em determinados casos, é muito provável que as vítimas não estejam mais vivas quando se der o trânsito em julgado. E elas não podem ficar à mercê do acusado que responda a processo em liberdade e se aproveite disso para ainda ameaçá-las, externalizando a vontade de seguir praticando crimes contra elas. O Estado não pode dar as costas às vítimas de crimes, desprotegendo-as a tal ponto que a própria notícia do delito dada pela vítima passe a ser um fator de risco de sua própria vida (como é comum de observar em casos de violência doméstica ou em crimes de natureza sexual).

Em que pese soe como "heresia" aos ouvidos de alguns doutrinados, a segurança pública é um direito fundamental previsto no *caput* do artigo 5º da Constituição

---

138 A esse respeito já escrevemos que a expressão "ordem pública" é muito vaga e mereceria ser substituída pela ideia de reiteração de comportamento delito, que é o conteúdo interpretativo predominantemente aceito na jurisprudência. Enquanto isso não for feito no plano legislativo, vale a exigência de interpretação restritiva para não se admitir argumentos vazios de sentido na decretação de uma prisão cautelar. Para compreensão da necessidade de se ter regra nestes termos, vide GUIMARÃES, Rodrigo Régnier Chemim. *Crônica de estupros e mortes anunciadas e a tese de que a prisão preventiva para garantir a ordem pública é inconstitucional*, cit.

139 THEODORO JR., Humberto. *Processo Cautelar, cit.*, p. 47.

Federal (no sentido individual) e no *caput* do artigo 6º da mesma Constituição (no sentido coletivo). E o direito penal e o processo penal são instrumentos que o Estado detém também para essa finalidade de assegurar o direito à segurança pública. Do contrário, deixa de fazer sentido dizer que matar alguém, estuprar alguém e roubar alguém, por exemplo, sejam crimes e que o Estado possa processar criminalmente alguém e puni-lo. Deixa de fazer sentido pensar em punir como forma de prevenção geral. Processo sem direito penal é um ritual para o nada. Como já destacado em outras passagens deste livro, não é possível pensar as funções da pena e do direito penal dissociadas do processo, e vice-versa. Há, como já exposto por Figueiredo Dias, uma relação mútua de complementaridade entre ambos. Daí por que a categoria civilista de uma medida cautelar que vise apenas garantir o resultado final do processo não serve para o processo penal. Porque aqui, para além de se poder pensar uma medida cautelar com esse propósito, é imprescindível que se pense, também, em medidas que visem acautelar os direitos das vítimas, evitando a revitimização que se dá, por exemplo, quando existem elementos concretos capazes de aferir, com ampla probabilidade, que o acusado em liberdade tende a reiterar o comportamento delitivo[140].

---

140 Nesse ponto, Aury chega a ser irônico ao dizer que o risco de reiteração de delitos seria "um diagnóstico absolutamente impossível de ser feito (salvo para os casos de vidência e bola de cristal)" (LOPES JR., Aury. *Direito Processual Penal*. 14. ed., *cit.*, p. 651). Essa afirmação, para além de uma ironia despicienda, é falaciosa, bastando estar atento ao cotidiano do que se noticia de casos nos quais o acusado – presumidamente inocente e tecnicamente primário – mesmo após sua prisão em flagrante, anuncia, de público ou ao juiz, que ao ser solto seguirá matando, roubando ou estuprando. Ou, ainda, dos milhares de casos nos quais o histórico de reiteração de comportamento delitivo denota que, em liberdade, o acusado encontra os mesmos estímulos que o levaram a delinquir para seguir praticando crimes. Para ilustrar um pouco, é interessante relembrar alguns casos famosos que se deram nos últimos tempos. O caso do atirador de Oslo, na Noruega, em 22 de julho de 2011, é bem elucidativo do problema e, não obstante tenha ocorrido na Noruega, poderia, facilmente, ter ocorrido no Brasil. O ultradireitista Anders Behring Breivik, após elaborar um plano de extermínio de um grupo de pessoas por razões ideológicas, e publicar um "manifesto" de 1.500 páginas detalhando sua ideologia anti-muçulmana, deu início ao seu intento homicida. Deixou uma caminhonete com quase uma tonelada de explosivos em frente à torre de 17 andares que abrigava o escritório do primeiro-ministro da Noruega e explodiu o prédio, matando oito pessoas e deixando dezenas de feridos. Em seguida, disfarçado de policial e munido de um fuzil e uma pistola, dirigiu-se à ilha de Utoeya, na qual estava ocorrendo um encontro de jovens adolescentes da "juventude trabalhista", e, ao longo de 72 minutos de ação e disparando mais de 180 vezes, matou outras 69 pessoas, totalizando 77 mortos. No curso dessa ação, por duas vezes ele ligou para a polícia dizendo que já tinha cessado sua missão e que queria se entregar. Porém, logo em seguida a essas ligações, seguiu matando mais pessoas. Só cessou sua sanha homicida quando foi preso em flagrante. Pois, mesmo preso, seguiu dizendo que precisaria terminar o que começou, explicando que seu objetivo era matar todos os integrantes do governo norueguês e todas as 564 pessoas que estavam na ilha e não "apenas" as 69 lá vitimadas. No Brasil, um dos casos mais marcantes quanto à ampla probabilidade de reiteração de comportamento delitivo, foi o famoso caso do "maníaco do Parque", em 1998. Ele estuprou e matou diversas mulheres e foi condenado pela morte de 11 delas. Algumas conseguiram escapar da morte e o reconheceram. Depois de preso, confessou a morte de nove delas e, quando indagado como matava as pessoas, disse: "Com o cadarço dos sapatos ou com uma cordinha que às vezes eu levava na pochete (...) Eu tenho um lado ruim dentro de mim. É uma coisa feia, perversa, que eu não consigo controlar. Tenho pesadelos, sonho com coisas terríveis. Acordo todo suado". Outro caso cristalino: em dezembro de 2008 foi divulgado um vídeo no qual o acusado estava sendo interrogado durante um júri, pelo juiz no Fórum de Limeira, interior de São Paulo, e disse ser integrante do PCC, tendo ameaçado todos que estavam na audiência: da vítima ao promotor, chegando ao juiz e aos jurados. Em 2014, Francisco das Chagas, no caso conhecido como "Caso dos meninos emasculados", foi condenado pela morte de três crianças. Ele foi acusado de ter matado e mutilado 42 meninos entre os anos de 1989 e 2004, somente cessando seus crimes quando foi preso. Soma-se a esses

714 ■ Processo Penal | Fundamentos dos fundamentos

Se a medida cautelar somente puder ser adotada quando for para acautelar o próprio processo, todas as medidas cautelares protetivas da mulher nos casos de violência doméstica[141] seriam igualmente indevidas. Assim como seriam indevi-

---

o caso de Pedro Rodrigues Filho, conhecido por "Pedrinho Matador", que revelou ter iniciado sua vida de homicida ainda aos 13 anos de idade. Chegou a ser condenado pela morte de 71 pessoas, mas confessava orgulhoso que teriam sido mais de cem as suas vítimas, inclusive o próprio pai, quando já cumpria pena. Outro caso famoso é o do "maníaco da corrente". Nos anos 1990 ele foi preso e condenado por matar cinco prostitutas e travestis estranguladas com correntes. Foragido do sistema, matou seis outras pessoas e tentou matar outras duas. Em 2008 foi preso novamente. Outro caso que ganhou notoriedade, mais recente, é de 2021, envolvendo um sujeito que, no Paraná e em Santa Catarina, por razões homofóbicas, matou três pessoas. A quarta vítima conseguiu fugir, tão logo ouviu de seu algoz: "Eu sou o serial killer da TV. Eu sou como o Coringa, eu gosto de matar". Nesse mesmo ano de 2021, outro caso de repercussão foi o de Lázaro Barbosa. Ele ficou muito conhecido pela mobilização da polícia – acompanhada pela mídia – que promoveu uma verdadeira "caçada" na tentativa de prendê-lo. Ele já tinha histórico de crimes sexuais, e após a chacina de três pessoas de uma mesma família, sequestrou a mulher dessa mesma família, estuprou-a, cortou-lhe a orelha ainda viva e depois a matou. Em seguida empreendeu fuga e, nesse contexto, roubou um veículo, incendiou-o, atirou em quatro pessoas, incendiou uma casa, e obrigou um refém a se drogar. Só cessou sua sequência de delitos quando foi morto em confronto com a polícia. Casos assim abundam Brasil afora. E olha que nem chegamos no contexto dos inúmeros casos de integrantes de notórias organizações criminosas, de estilo aproximado ao mafioso, que fazem do crime, inclusive do crime violento, sua rotina (em Curitiba, por exemplo, com dados oficiais colhidos na DHPP, 78% dos homicídios são relacionados ao tráfico de drogas). Enfim, exemplos de casos concretos não faltam. Em todos esses casos o ponto em comum é que antes de serem presos eram todos tecnicamente primários e inocentes no sentido técnico de não ter contra eles uma sentença condenatória transitada em julgado. Teria sido adequado deixá-los todos responder aos processos em liberdade? Seria "impossível" prever que, uma vez soltos, dariam sequência aos estupros, homicídios e feminicídios anunciados? São perguntas retóricas, claro. Desconsiderar esses abundantes elementos concretos evidenciados em inúmeros casos no dia a dia para lançar a falácia de que seria "absolutamente impossível" fazer um "diagnóstico" que antecipe a ampla probabilidade de reiteração delitiva é atuar como uma espécie de "Pilatos jurídico", parafraseando a expressão adotada por BRUM, Nilo Bairros de. *Requisitos Retóricos da Sentença Penal, cit.*, p. 82. E dizer que evitar a reiteração de comportamentos delitivos seria uma "função de polícia do Estado, completamente alheia ao objeto e fundamento do processo penal" (LOPES JR., Aury, *cit.*, p. 651), é desconsiderar que a polícia não é onipresente, não tem – nunca teve e nunca terá – estrutura suficiente para policiar preventivamente todas as inúmeras vítimas de crimes que se encontrem em potencial risco de serem alcançadas, além de desconsiderar o papel complementar do sistema de justiça criminal, no caso, através do processo penal e operando à luz da prisão preventiva como "garantia" dos "direitos" fundamentais à segurança pública, à vida e à propriedade, nos termos do art. 5º, *caput* e incisos LXI e LXVI. De resto, não se trata de discutir se o sujeito cometeria realmente o delito amanhã ou depois (até porque realmente é impossível ter certeza do que sucederá no futuro), mas de levar em conta as circunstâncias do caso concreto já conhecidas e que permitem antever, com ampla margem de probabilidade, que essa reiteração delitiva possa acontecer. Os milhares de casos de violência doméstica cotidianos também servem para ilustrar e compreender como não é difícil antever que um reiterado agressor chegar no feminicídio caso não seja cautelarmente contido. Ciente disso, o Estado deve agir para proteger a vítima. A inércia estatal, aqui, revela a violação da proibição de proteção insuficiente. Assim, para evitar que aconteçam novos crimes anunciados é que se toma a medida cautelar da prisão preventiva no curso de um processo concreto. Ela, como o nome diz, visa prevenir, isto é, antecipar o que possa acontecer de modo que se evite o delito que se desenha pelo histórico e pelo comportamento externalizado e já documentado nos autos.

141 Lei 11.340/2006: "Art. 22. Constatada a prática de violência doméstica e familiar contra a mulher, nos termos desta Lei, o juiz poderá aplicar, de imediato, ao agressor, em conjunto ou separadamente, as seguintes medidas protetivas de urgência, entre outras: I – suspensão da posse ou restrição do porte de armas, com comunicação ao órgão competente, nos termos da Lei n. 10.826, de 22 de dezembro de 2003; II – afastamento do lar, domicílio ou local de convivência com a ofendida; III – proibição de determinadas condutas, entre as quais: a) aproximação da ofendida, de seus familiares e das testemunhas, fixando o limite mínimo de distância entre estes e o agressor; b) contato com a ofendida, seus familiares e testemunhas por qualquer meio de comunicação; c) frequentação de determinados lugares a fim de preservar a integridade física e psicológica da ofendida; IV – restrição ou suspensão de visitas aos dependentes menores, ouvida a equipe de atendimento multidisciplinar ou serviço similar; V – prestação de alimentos provisionais ou provisórios. VI – comparecimento do agressor a programas de recuperação e reeducação; e VII – acompanhamento psicossocial do agressor, por meio de atendimento individual e/ou em grupo de apoio".

das, também, as medidas cautelares diversas da prisão, previstas no art. 319 do Código de Processo Penal[142].

Por fim, no caso do flagrante, é evidente a sua necessidade para acautelar a vida, a integridade física, a liberdade sexual, o patrimônio, enfim, os bens jurídicos cujo titular é a vítima e que estão sendo violados no "calor" do momento.

Todas essas diferenças de estrutura na compreensão da jurisdição, da ação e do processo revelam que é melhor pensar o processo penal a partir dele mesmo, e não simplesmente importando categorias pensadas para o processo civil. É nesse sentido que falar numa teoria geral para o processo penal é adequado.

No entanto, é preciso considerar que essa necessidade de ter um olhar do processo penal para pensar sua teoria geral não significa dizer que se deva, necessariamente, abandonar toda e qualquer construção teórica vinda do processo civil. E não significa que se deva ficar inventando categorias que não façam sentido no processo penal apenas para seguir a trilha de uma teoria geral autônoma para o processo penal. É preciso, pois, cuidado para não cair em armadilhas de se pensar uma categoria nova apenas para diferenciá-la do processo civil.

---

142 Código de Processo Penal: "Art. 319. São medidas cautelares diversas da prisão: I – comparecimento periódico em juízo, no prazo e nas condições fixadas pelo juiz, para informar e justificar atividades; II – proibição de acesso ou frequência a determinados lugares quando, por circunstâncias relacionadas ao fato, deva o indiciado ou acusado permanecer distante desses locais para evitar o risco de novas infrações; III – proibição de manter contato com pessoa determinada quando, por circunstâncias relacionadas ao fato, deva o indiciado ou acusado dela permanecer distante; IV – proibição de ausentar-se da Comarca quando a permanência seja conveniente ou necessária para a investigação ou instrução; V – recolhimento domiciliar no período noturno e nos dias de folga quando o investigado ou acusado tenha residência e trabalho fixos; VI – suspensão do exercício de função pública ou de atividade de natureza econômica ou financeira quando houver justo receio de sua utilização para a prática de infrações penais; VII – internação provisória do acusado nas hipóteses de crimes praticados com violência ou grave ameaça, quando os peritos concluírem ser inimputável ou semi-imputável (art. 26 do Código Penal) e houver risco de reiteração; VIII – fiança, nas infrações que a admitem, para assegurar o comparecimento a atos do processo, evitar a obstrução do seu andamento ou em caso de resistência injustificada à ordem judicial; IX – monitoração eletrônica".

Livros para mudar o mundo. O seu mundo.

Para conhecer os nossos próximos lançamentos
e títulos disponíveis, acesse:

🌐 www.**citadel**.com.br

f /**citadeleditora**

📷 @**citadeleditora**

🐦 @**citadeleditora**

▶ Citadel – Grupo Editorial

Para mais informações ou dúvidas sobre a obra,
entre em contato conosco por e-mail:

✉ contato@**citadel**.com.br